DE GLAZEN BOEKEN VAN DE DROMENETERS

Gordon Dahlquist

De glazen boeken van de dromeneters

Vertaling Susan Ridder, Nina van Rossem en Mireille Vroege

2007
DE BEZIGE BIJ
AMSTERDAM

Cargo is een imprint van uitgeverij De Bezige Bij, Amsterdam

Copyright © 2006 Gordon Dahlquist
Copyright Nederlandse vertaling © 2007 Susan Ridder, Nina van Rossem en
Mireille Vroege
Oorspronkelijke titel *The Glass Book of the Dream Eaters*
Oorspronkelijke uitgever Bantam Books, New York
Omslagontwerp Studio Jan de Boer
Omslagillustratie S.O.S. Creative/Shasti O'Leary Soudant
Foto auteur Jerry Bauer
Vormgeving binnenwerk Peter Verwey, Heemstede
Druk Bariet, Ruinen
ISBN 90 234 2205 8
NUR 305

www.uitgeverijcargo.nl

*A*ls je je in een denkbeeldige stad begeeft, vergt dat verbazingwekkend veel geduld en ruimhartigheid. Dit boek heeft veel te danken aan de volgende mensen, plaatsen en gebeurtenissen, en naar ieder van hen gaat mijn dank uit.

Liz Duffy Adams, Danny Baror, Karen Bornarth, Venetia Butterfield, CiNE, Shannon Dailey, de familie Dailey, Bart DeLorenzo, Mindy Elliott, Evidence Room, *Exquisite Realms*, Laura Flanagan, Joseph Goodrich, Allen Hahn, Karen Hartman, David Levine, Beth Lincks, Todd London, de Lower East Oval, Honor Malloy, Bill Massey, John McAdams, E.J. McCarthy, Patricia McLaughlin, *Messalina*, David Millman, Emily Morse, New Dramatists, Octocorp@30th & 9th [RIP], Suki O'Kane, Tim Paulson, Molly Powell, Jim en Jill Pratzon, Kate Wittenberg, Mark Worthington en Margaret Young.

Mijn vader, mijn zus en mijn neef Michael.

EEN

Temple

Er waren drie maanden verstreken vanaf haar aankomst in de haven tot het moment waarop haar door haar dienstmeisje aan het ontbijt op een zilveren dienblad een brief van Roger werd aangereikt, die op knisperend wit papier van het ministerie was geschreven en met zijn volledige naam was ondertekend. Die ochtend van dampende gepocheerde eitjes in een zilveren kommetje – puddingachtig, glanzend – had Miss Temple Roger Bascombe al zeven dagen niet gezien. Hij moest naar Brussel, daarna naar het landhuis van een zieke oom, lord Tarr, vervolgens had de minister, en daarna de onderminister, hem elk uur van de dag nodig en uiteindelijk had hij een dringend verzoek gekregen van een nicht die wat discrete adviezen wenste over eigendomszaken en de wet. Miss Temple was diezelfde nicht, de veel te dikke en een veel te volle pruik dragende Pamela, echter in een tearoom tegengekomen, precies op het moment waarop Roger haar zorgen aan het wegnemen zou zijn. Het was duidelijk dat de enige zorg die Pamela had een overvloedige hoeveelheid broodjes was. Miss Temple was geschrokken. Er ging een hele dag voorbij zonder nieuws van hem. Op de achtste dag kreeg ze bij het ontbijt de brief van Roger, waarin hij tot zijn spijt hun verloving verbrak en die hij afsloot met het beleefde verzoek om tot het einde van haar dagen geen poging te doen om hem te zien of met hem in contact te treden. De brief bevatte geen nadere uitleg.

Het was eenvoudigweg nooit bij haar opgekomen dat ze afgewezen zou worden. Ze stoorde zich niet zozeer aan de manier waarop hij het gedaan had, zij zou het zelf ook zo gedaan hebben (wat ze verscheidene malen ook razend gedaan had), maar het feit dat het gebeurd was, was pijnlijk. Ze had een poging gedaan om de brief nogmaals te lezen, maar ze zag wazig. Even later besefte ze dat ze

6

in tranen was. Ze stuurde het dienstmeisje weg en probeerde tevergeefs een geroosterde boterham met boter te besmeren. Ze legde de boterham en haar mes voorzichtig op tafel, stond op en liep snel naar haar bed, waar ze stil snikkend opgekruld op ging liggen.

Ze bleef de hele dag binnen en wilde slechts de allerbitterste Lapsang Souchong drinken, maar dan met water (zonder melk of citroensap), zodat het een slap, roestkleurig, onsmakelijk drankje was. Die nacht huilde ze weer eenzaam en alleen in het donker; losgeslagen en leeg, totdat haar kussen ondraaglijk nat was. Toen ze de volgende middag in haar lakens verstrikt in het bleke winterlicht ontwaakte (dit seizoen was nieuw voor de warmbloedige Miss Temple, die het gewoon verschrikkelijk vond), waren haar heldere grijze ogen rood omrand en hingen haar pijpenkrullen slap om haar gezicht. Ze was echter vastbesloten om de draad weer op te pikken.

Haar wereld was volkomen veranderd, wat – zoals ze best bereid was toe te geven (ze had een klassieke damesopleiding gehad) – weleens voorkwam in het leven. Dat wilde echter niet zeggen dat ze zich verplicht voelde om gedwee te zijn, want Miss Temple was alleen gedwee in uitzonderlijke situaties. Sommigen vonden haar een provinciale wilde, een klein monster zelfs, want ze was niet groot, en meedogenloos van karakter. Ze was opgegroeid op een warm, zonnig eiland, in de schaduw van de slaven, en omdat ze een gevoelig meisje was, had dat haar getekend als een zweep, hoewel ze ongevoelig was voor zweepslagen, wat volgens haar ook zo zou blijven.

Miss Temple was vijfentwintig jaar oud – oud om ongetrouwd te zijn, maar omdat ze voordat ze naar de beschaafde wereld overzee was gestuurd op haar eiland een aantal beschikbare huwelijkskandidaten had afgewezen, werd dit haar vergeven. Ze was zo rijk als plantages je konden maken en intelligent genoeg om te weten dat het niet vreemd was dat mensen zich vaak meer aangetrokken voelden door haar geld dan door haar persoon, wat ze zich niet aantrok. Ze trok zich eigenlijk weinig aan, met uitzondering van Roger, hoewel ze dat moeilijk kon verklaren en het gebrek aan redenen haar behoorlijk dwarszat.

Miss Temple huurde een stijlvolle, maar niet overdadige suite in Hotel Boniface, die bestond uit een ontvangstkamer, een salon, een eetkamer, een kleedkamer, een slaapkamer, een kamer voor haar twee dienstmeisjes en een tweede slaapkamer en kleedkamer voor haar oude tante Agathe, die van een klein plantagepensioen leefde en tussen de maaltijden door meestal sliep, maar die ondanks haar gebrek aan aandacht toch respectabel genoeg werd geacht om een goede chaperonne te zijn. Agathe, die Miss Temple pas had leren kennen toen ze van boord was gekomen, was een kennis van de familie Bascombe. Roger was eenvoudigweg de eerste man van redelijke status en uiterlijk schoon aan wie Miss Temple was voorgesteld, en omdat ze helder en trouw van geest was, had ze geen enkele reden om verder te zoeken. Roger wekte van zijn kant de indruk dat hij haar zowel aantrekkelijk als beminnelijk vond, dus verloofden ze zich.

Het was in alle opzichten een goede verbintenis. Rogers mening daargelaten, moesten zelfs degenen die moeite hadden met Miss Temples directheid toegeven dat ze voldoende schoonheid bezat. Ook gaven ze ruiterlijk toe dat ze rijk was. Roger Bascombe was een rijzende ster bij het ministerie van Buitenlandse Zaken en was niet ver van tastbare macht. Hij was een man die er, als hij goed gekleed was, goed uitzag. Hij had geen flagrante tekortkomingen en bezat meer kin en minder buik dan de vorige twee generaties Bascombe. Ze waren maar korte tijd samen geweest, maar wat Miss Temple betreft was het intens geweest. Ze hadden samen talloze diners bijgewoond, door parken en musea gewandeld, elkaar diep in de ogen gekeken en elkaar tedere kussen gegeven. Het was allemaal nieuw voor haar, van de restaurants en de schilderijen (die wat afmeting en afbeelding zo ongebruikelijk waren dat ze een paar minuten met haar handen voor haar ogen had moeten plaatsnemen) tot de verschillende mensen, geuren, muziek, geluiden, manieren en alle nieuwe woorden, om maar te zwijgen over de kracht van Rogers vingers, zijn arm om haar middel, zijn vriendelijke gegrinnik (waar ze zich zelfs als ze vond dat het ten koste van haar was niet aan stoorde) en zijn geurtjes van zeep, haarolie, tabak en dikke stapels documenten, inkt, was, houtvernis en met vilt beklede tafels van de vergaderzalen waar hij dagen achtereen doorbracht. Daarnaast was er de wat haar betreft duizelingwekkende mengeling van sensaties die zijn exquise lippen, borstelachtige bakkebaarden en warme, zoekende tong veroorzaakten.

Hoewel haar gezicht nog vlekkerig was en haar ogen gezwollen waren, begon Miss Temple bij het volgende ontbijt zoals gewoonlijk vol overgave aan haar geroosterde brood en eieren. Ze beantwoordde het verlegen kijken van het dienstmeisje slechts eenmaal met een scherpe, gebiedende blik die elk woord of elke troost in de kiem smoorde. Agathe sliep nog. Naar aanleiding van de raspende, diepe, naar viooltjes geurende ademhaling van haar tante wist Miss Temple dat Agathe zich gedurende haar Donkere Dag, zoals ze hem nu noemde, aan de andere kant van haar deur had bevonden, maar daar wilde ze het nu niet over hebben.

Gezwind verliet ze Hotel Boniface – ze droeg een eenvoudige, maar zeer flatteuze groen-en-goud gebloemde jurk, groene leren enkellaarsjes en een groene tas – en liep kordaat naar de dure winkels waar de straten aan deze kant van de rivier mee gevuld waren. Ze was niet van plan om iets te kopen, maar dacht dat ze, als ze naar de uit de hele stad, de hele wereld afkomstige waren in deze winkels zou kijken, op nieuwe gedachten over haar nieuwe situatie zou komen. Aldus liep ze gretig, rusteloos zelfs, van de ene winkel naar de andere, waar ze stoffen, doosjes van houtsnijwerk, glas, hoeden, sieraden, handschoenen, zijde, parfum, papier, zeep, toneelkijkers, haarspelden, veren, kralen en allerlei lakwaar zag. Ze hield geen moment stil en voor ze het wist was ze aan de andere kant van het winkelgebied, aan de rand van St. Isobel Square.

De lucht was bewolkt en grijs. Ze draaide zich om en liep terug, en keek nog aandachtiger naar iedere exotische uitstalling, maar niets trok haar aandacht. Toen ze weer in de buurt van Hotel Boniface was, vroeg ze zich af waar ze eigenlijk mee bezig was. Hoe kwam het dat, ondanks dat het haar duidelijk was dat ze iets was verloren en dat ze zich op haar situatie moest bezinnen, niets haar kon interesseren? Zelfs die schitterende eend van lakwerk niet. In plaats daarvan voelde ze zich bij de aanblik van elk voorwerp voortgedreven door een ongekende drang om een onbekende prijs in de wacht te slepen. Het was haar niet duidelijk wat die zou zijn, wat haar irriteerde, maar

9

ze troostte zich met de gedachte dat hij bestond en dat het haar duidelijk zou zijn als ze hem tegenkwam.

Ze draaide zich daarom met een resolute zucht om, om voor de derde keer langs de winkels te lopen, hoewel ze haar aandacht ergens anders bij had. Toen ze het plein overstak richting de witte gebouwen waar zich de ministeries bevonden, was ze ervan overtuigd dat haar interesse in één woord desinteresse was. Ze hield zich niet zozeer bezig met haar eigen fouten – als ze die al had – of met de mogelijke superioriteit van een rivale (wier identiteit ze uit vruchteloze nieuwsgierigheid probeerde te raden), maar haar eigen persoon was nu eenmaal het beste voorbeeld dat ze had. Of was dat het enige voorbeeld? Het was echter niet zo dat het haar dwarszat, of dat ze geen toekomstperspectief had, of dat ze ook maar iets gaf om de toekomstige genegenheid van de nu buiten haar bereik zijnde Roger Bascombe.

Ondanks deze geheel rationele gedachten, hield Miss Temple midden op het plein stil en ging, in plaats van verder te lopen naar de gebouwen waar Roger op dit moment ongetwijfeld hard aan het werk was, op een gietijzeren bankje zitten en keek op naar het reusachtige standbeeld van Sint-Isobel dat midden op het plein stond. Ze wist niets van deze heilig verklaarde martelares en was ook niet gelovig, maar keek met afschuw naar de vulgariteit van het extravagante beeld. Het stelde een vrouw voor die zich in de woeste branding aan een ton vasthoudt. Haar kleren zijn gescheurd en haar haren verward. Ze is omringd door het wrakhout van een gezonken schip en wordt verstikt door een bundel om haar wild slaande armen gedraaide, onder haar kleding gekropen en om haar hals kronkelende slangen, die het water om haar heen tot schuim opzwiepen. De vrouw opent haar mond om om hulp te roepen, wat gehoord wordt door een paar gevleugelde en geklede engelen, die van boven Isobels hoofd onbewogen naar beneden kijken. Miss Temple kon de afmetingen en technische bekwaamheid die het beeld tentoonspreidde best waarderen, maar ze vond het grof en onwaarschijnlijk. De schipbreuk kon ze als eilandmeisje wel accepteren, alsook de marteldood door slangen, maar de aanwezigheid van de engelen vond ze enigszins aanmatigend.

Ze wist natuurlijk toen ze in de blinde stenen ogen van de eeuwig door slangen belaagde Isobel keek dat het haar niets kon schelen. Ten slotte volgde haar blik haar eigenlijke interesse: het nest witte gebouwen aan de overkant, en ze maakte snel een plan waarvan iedere stap gerechtvaardigd was. Ze legde zich erbij neer dat ze voor altijd van Roger gescheiden was en was niet van plan om hem ertoe over te halen zich met haar te herenigen. Wat zij wilde, wat zij nodig had zelfs, was informatie. Was ze gewoon afgewezen omdat Roger liever alleen was dan met haar opgezadeld? Was het een zaak van persoonlijke ambitie, moest ze plaatsmaken voor promoties en verantwoordelijkheid? Was er eenvoudig een andere vrouw in zijn leven gekomen, of was er iets anders, wat zij zich op dit moment niet kon voorstellen? Het was haar allemaal om het even, alles was van neutrale emotionele waarde, maar al deze mogelijkheden waren cruciaal voor de manier waarop Miss Temple haar nieuwe, door verlies getekende bestaan zag.

Het zou niet moeilijk zijn om hem te achtervolgen. Roger was een gewoontedier en zelfs als hij onregelmatige werkdagen had, dan nog lunchte hij, als hij lunchte, in hetzelfde restaurant. Miss Temple vond aan de overkant van de straat een antiquariaat waar ze, om te rechtvaardigen dat ze daar zo lang voor het raam stond, impulsief een complete vierdelige serie met de titel *Geïllustreerde levens van martelaren ter zee* kocht. De boeken bevatten genoeg informatie om te verklaren waarom ze zo lang voor het raam had gestaan, waar ze zogenaamd de gekleurde illustraties bestuderend, naar Roger keek, die eerst naar binnen ging en na een uur weer alleen door de zware deuren aan de overkant naar buiten kwam. Hij liep regelrecht terug naar het plein voor het ministerie. Miss Temple vroeg de verkoper om haar aankoop bij Hotel Boniface te laten bezorgen en liep de straat weer op. Ze voelde zich ongelooflijk dom.

Voor ze het plein echter weer was overgestoken, bedacht ze zich dat ze eigenlijk helemaal niet dom was geweest, maar gewoon een onervaren bespieder was. Het had geen enkel nut om het restaurant van buitenaf te bekijken, want alleen binnen kon ze zien of Roger daar alleen at, met anderen, of met bepaalde anderen met wie hij belangrijke woorden wisselde. Dat alles was cruciaal om te weten.

Bovendien zou ze waarschijnlijk weinig ontdekken door hem tijdens zijn werkdag in de gaten te houden, tenzij hij haar gewoon voor zijn werk aan de kant had gezet, een bespottelijk idee dat ze betwijfelde. Het was duidelijk dat ze pas na zijn werk werkelijk bruikbare informatie kon inwinnen. Ze stapte abrupt een winkel in – want ze was het plein inmiddels overgestoken en bevond zich in een winkelstraat – waarvan de etalage vol stond met tassen, manden, regenjassen, overschoenen, tropenhelmen, lantaarns, telescopen en een enorme hoeveelheid wandelstokken. Een poosje later kwam ze na uitgebreide onderhandelingen naar buiten in een zwarte reiscape voor dames met een diepe capuchon en een aantal handige zakken. In een andere winkel kocht ze een toneelkijker en na een bezoek aan een derde winkel werd een tweede zak gevuld met een in leer gebonden aantekenboekje en een onder alle weersomstandigheden te gebruiken potlood. Daarna ging Miss Temple theedrinken.

Tussen kopjes Darjeeling en twee met room besmeerde *scones* door begon ze in haar aantekenboekje te schrijven. Eerst schreef ze een voorwoord voor haar plan en tekende toen op wat ze die dag gedaan had. Het feit dat ze nu een uniform en gereedschap had, maakte alles veel gemakkelijker en richtte haar aandacht minder op haar gevoelens, omdat werk waar bepaalde kleding en instrumenten voor nodig zijn per definitie objectief is, wetenschappelijk zelfs. Om deze reden besloot ze haar aantekeningen in een soort geheimschrift te maken, waarbij ze namen van mensen en plaatsen verving door synoniemen of woordgrapjes die hopelijk alleen zijzelf zou snappen. (Alle verwijzingen naar het ministerie waren 'Minsk' of zelfs 'Rusland', en Roger werd via een ingewikkelde gedachtegang die begon met hem als een vervelde slang, via een slang die gecharmeerd was van anderen, tot India 'de radja', omdat hij nog steeds een markante persoon was.) Gezien de mogelijkheid dat haar observaties enige tijd in beslag zouden kunnen nemen en onder enigszins ongemakkelijke omstandigheden gemaakt zouden kunnen worden, bestelde ze een worstenbroodje voor later. Het werd in vetvrij papier gewikkeld op haar tafel gelegd, waarna ze het in een andere zak van haar cape stopte.

Hoewel het bijna lente was, was de stad nog vochtig en waren de avonden kouder dan de lengende dagen beloofden. Miss Temple verliet om vier uur de tearoom in de wetenschap dat Roger meestal om vijf uur wegging, en nam een rijtuig. Ze gaf de koetsier op een lage, besliste toon haar instructies en verzekerde hem ervan dat hij goed betaald zou worden. Ze zouden een heer achtervolgen die waarschijnlijk in een ander rijtuig zou stappen, en ze zou tegen het dak tikken als hij verscheen. De koetsier knikte, maar zei niets. Ze nam aan dat dit was omdat zoiets wel vaker voorkwam en voelde zich er zelfverzekerd door. Ze ging achter in het rijtuig zitten, pakte haar toneelkijker en haar aantekenboekje, en wachtte op Roger. Toen hij zo'n veertig minuten later verscheen, miste ze hem bijna, omdat ze om de tijd te verdrijven met haar toneelkijker door openstaande ramen in de buurt zat te kijken. Haar intuïtie zorgde er echter voor dat ze net op tijd naar het hek van het voorplein keek, waar Roger (die er adembenemend zelfverzekerd en doelbewust uitzag) een rijtuig aanhield. Miss Temple tikte hard tegen het dak van haar rijtuig, en daar gingen ze.

De opwinding van de achtervolging en van de aanblik van Roger (die volgens haar het gevolg was van haar missie, niet van enige resterende genegenheid) werd snel gedempt toen na een paar bochten duidelijk werd dat Rogers bestemming niets uitdagenders was dan zijn eigen woning. Opnieuw moest Miss Temple toegeven dat zij wellicht niet vanwege een rivale was afgewezen, maar dat de afwijzing als het ware onbevlekt was. Het was mogelijk. Dat zou zelfs haar voorkeur hebben gehad. Terwijl haar rijtuig de weg naar het huis van de familie Bascombe volgde – die ze zo goed kende dat ze hem ooit bijna als haar eigen weg beschouwde –, dacht ze na over de kans dat een andere vrouw haar plaats in Rogers hart had ingenomen. Ze vond het eerlijk gezegd hoogst onwaarschijnlijk. Gezien Rogers dagindeling (een spartaans schema van werk, een maaltijd, werk, naar huis, waar hij zich na een maaltijd ongetwijfeld in meer werk verdiepte), lag het meer voor de hand dat ze plaats had moeten maken voor zijn groeiende ambitie. Het leek haar een domme keus, want ze vond dat ze hem op een aantal slimme, subtiele manieren had kunnen helpen, maar ze kon zijn (onjuiste, kinderlijke) logica wel volgen. Net toen ze zich voorstelde dat Roger uiteindelijk zou beseffen wat hij (onvoorzichtig, dom, blind genoeg) verloren was en dat ze hem vreemd genoeg in zijn ongetwijfeld naderende misère bij zou staan, arriveerden ze. Het rijtuig van Roger was voor de ingang tot stilstand gekomen en dat van haar op een discrete afstand daarachter.

Roger stapte niet uit, maar na enkele minuten ging de voordeur open en kwam zijn bediende Phillips met een grote, in het zwart gewikkelde bundel naar hem toe lopen. Hij gaf de bundel door de open rijtuigdeur aan Roger en kreeg Rogers zwarte schoudertas en twee dikke mappen met papieren van hem terug. Phillips droeg deze attributen van Roger Bascombes werkdag naar binnen en sloot de deur. Even later schoot Rogers rijtuig vooruit en reed met een vaartje de drukte van de stad in. Miss Temple tikte op het dak van haar rijtuig en werd door de optrekkende paarden tegen de bank gedrukt. De achtervolging werd vervolgd.

Het was inmiddels volkomen donker en Miss Temple moest zich voor de goede route steeds meer op de koetsier verlaten. Zelfs als ze uit het raam keek, waarbij ze om haar identiteit geheim te houden haar capuchon opzette, kon ze alleen de rijtuigen vlak voor hen zien, en ze wist niet meer waar het rijtuig van Roger was. Hoe langer ze reden, hoe onzekerder ze werd, omdat de eerste slierten avondmist hen vanuit de rivier bereikten. Tegen de tijd dat ze weer stilstonden, kon ze bijna haar eigen paarden niet meer zien. De koetsier boog zich naar beneden en wees naar een hoge, door schaduwen omgeven poort, waarachter een grote trap te zien was die naar een diepe, door gaslampen verlichte tunnel leidde. Ze staarde ernaar en realiseerde zich dat de bewegende massa onder aan de tunnel, waarvan ze eerst had gedacht dat het ratten in een riool waren, een menigte in het zwart gehulde mensen was die zich in de diepte voortbewoog. Het zag eruit als een inferno: een zwakverlichte poort omgeven door duisternis die naar een afschuwelijke diepte leidde.

'Stropping, mevrouw,' riep de koetsier naar omlaag, en vervolgens, omdat Miss Temple niet reageerde: 'Het station.' Ze had het gevoel of ze geslagen was – althans, ze stelde zich voor hoe het voelde om zich te schamen als ze geslagen zou zijn. Natúúrlijk, het was een station! Plotseling opgewonden sprong ze het rijtuig uit, de keien op.

Snel drukte ze de koetsier wat geld in handen en liep in de richting van de verlichte boog. Stropping Station. Dit was precies waar ze naar op zoek was geweest: Roger deed iets ánders.

Het duurde een paar wanhopige seconden voor ze hem gevonden had, omdat ze toen ze in het rijtuig had zitten staren, kostbare tijd verloren had. De tunnel ging over in een bredere trap die naar de stationshal en de perrons daar achter leidde, die overdekt werden door een immens, ingewikkeld netwerk van ijzeren bogen en met roet bedekte bakstenen. Het lijkt de kathedraal van Vulcanus wel, lachte Miss Temple bij de aanblik van het schouwspel. Ze was trots dat ze de zaak zo slim aanpakte en niet alleen goed was in vergelijkingen bedenken, maar ook zo handig was om via een lantaarnpaal even op de leuning van de trap te klimmen, vanwaar ze met haar toneelkijker over de menigte kon kijken, wat ze zonder verhoging niet had kunnen doen. Al snel zag ze Roger lopen, maar in plaats van snel naar hem toe te rennen, keek ze eerst waar hij heen ging en naar welke trein. Toen ze er zeker van was dat hij was ingestapt, klom ze van de leuning om uit te zoeken waar de trein naartoe ging en om een kaartje te kopen.

Ze was nog nooit op zo'n groot station geweest (vanuit Stropping vertrokken alle treinen richting het noorden en het westen), al helemaal niet aan het drukke eind van een werkdag, en ze had het gevoel alsof ze in een mierenhoop terecht was gekomen. Omdat ze klein en niet zo sterk was, was ze er echter aan gewend om onopgemerkt te blijven, om als vanzelfsprekend, maar vrijwel nooit als relevant beschouwd te worden, zoals een weerzin tegen paling eten. Ondanks het feit dat ze wist waar ze naartoe moest, werd Miss Temple op Stropping Station wanordelijk voortgeduwd, wat ze niet wilde, en werd haar zicht vanuit haar capuchon belemmerd door een zwerm jassen en ellebogen. Het deed haar het meest denken aan zwemmen tegen een sterke, brute stroming in. Ze keek omhoog en zag daar een aantal ijzeren herkenningspunten, aan de hand waarvan ze kon bepalen hoe ver ze gevorderd was. Op deze manier vond ze een reclamezuil die ze vanaf de trap had gezien. Ze werkte zich eromheen en liep toen in een andere richting, terwijl ze probeerde te bedenken hoe lang het zou duren voor ze de volgende lantaarnpaal zou bereiken, waar ze op zou kunnen klimmen om het bord te kunnen zien.

Eenmaal bij de lantaarnpaal aangekomen, begon Miss Temple zich zorgen te maken over de tijd, want om haar heen (er waren vele perrons) werd driftig gefloten om de aankomst en het vertrek van treinen aan te kondigen en ze had, schuifelend in het ondergrondse, geen flauw idee of de trein van Roger al vertrokken was. Toen ze omhoogkeek naar het bord, was ze opgelucht om te zien dat de treinnummers, bestemmingen, vertrektijden en perrons in duidelijke kolommen waren aangegeven. De trein van Roger, op perron 12, zou vertrekken om 18.23 uur richting Orange Canal. Ze strekte haar hals om de stationsklok te kunnen zien, een afschuwelijk geval met aan weerszijden van het uurwerk een onbewogen kijkende engel, alsof die de klok met zijn vleugels op zijn plaats hield. De ene engel had een weegschaal vast en de andere een getrokken zwaard. De klok tussen deze twee zwartmetalen schrikbeelden des oordeels in wees tot Miss Temples ontzetting 18.17 uur aan. Ze sprong van de lantaarnpaal af en baande zich energiek door een zee van jassen een weg naar het loket. Twee minuten later stond ze achter aan een rij en binnen een minuut had ze het loket zelf bereikt. Ze noemde haar bestemming (het eindstation, retourtje) en legde een handvol zware munten op het marmer. Ze schoof ze ongeduldig naar de kaartverkoper, die haar vanuit zijn metalen kooi scheef zat aan te kijken. Zijn bleke vingers kwamen onder het raamwerk vandaan om haar geld te pakken en schoven een geknipt kaartje terug. Miss Temple griste het snel weg en rende naar de trein.

Op de trap van de laatste wagon stond een conducteur met een lantaarn klaar om zich aan boord te hijsen. Het was 18.22 uur. Al hijgend glimlachte ze zo vriendelijk mogelijk naar hem en wurmde zich langs hem heen de wagon in. Op het moment dat ze boven aan de trap even stilstond om op adem te komen, begon de trein te rijden, waardoor ze bijna omviel. Ze kon zich door haar armen te spreiden nog net staande houden en hoorde achter zich grinniken. De conducteur stond breed lachend onder aan de trap, terwijl het perron met grote snelheid langs hem heen gleed. Miss Temple was er niet aan gewend om uitgelachen te worden, maar gezien haar missie, haar vermomming en haar ademnood, kon ze niet zo snel op een antwoord komen, en in plaats van de man aan te staren, draaide ze zich gewoon om en ging op zoek naar een zitplaats. Aangezien de eerste coupé leeg was, opende ze de glazen deur en ging op de middelste zitplaats zitten met haar gezicht in de rijrichting. Rechts van haar was een groot raam en terwijl ze op adem kwam, verdween Stropping Station – het perron, de wachtende treinen, de bakstenen stationshal – uit het zicht en reed de trein een donkere tunnel in.

De hele coupé bestond uit donker hout. De drie zitplaatsen aan weerszijden waren vrij luxueus met rood fluweel bekleed en er was een kleine, melkwitte bollamp, die een zwak schijnsel verspreidde, dat echter net genoeg was om haar schaduw op het donkere raam te werpen. Haar eerste reactie was om haar cape uit te doen om makkelijker te kunnen ademen, maar hoewel Miss Temple het warm had, verward was en geen idee had waar ze naartoe ging, was ze slim genoeg om stil te blijven zitten totdat ze weer helder kon denken. Orange Canal lag op enige afstand van de stad, vlak bij de kust, en wie wist hoeveel stations ertussenin lagen. Elk van die stations zou Rogers eindbestemming kunnen zijn. Ze had geen idee wie zich nog meer aan boord van de trein bevond, of die mensen haar kenden of dat ze Roger kenden, of dat de trein speciaal voor hen reed. Stel je voor dat er helemaal geen bestemming was, maar slechts een ontmoeting in de trein? Het was in ieder geval duidelijk dat ze moest zien te achterhalen waar Roger was, anders zou ze nooit weten of hij was uitgestapt of iemand ontmoet had. Zodra de conducteur was geweest, zou ze hem gaan zoeken.

Maar hij kwam niet. Ze had al enkele minuten zitten wachten, hoewel hij maar een paar meter verderop stond. En ze had hem niet zien langskomen. (Misschien toen ze instapte?) Ze begon zich te ergeren en kreeg door zijn taakontduiking en gegrinnik zelfs een hekel aan hem. Ze ging de gang op, maar hij was er niet. Ze tuurde voor zich uit en begon voorzichtig te lopen, want het laatste wat ze wilde, zelfs met haar cape aan, was onverwacht Roger tegen het lijf lopen. Ze sloop naar de volgende coupé en strekte haar hals om naar binnen te kunnen kijken. Niemand. Er waren acht coupés in de wagon, maar ze waren allemaal leeg.

De trein ratelde voort, nog altijd in het donker. Miss Temple stond bij de deur naar de volgende wagon en tuurde door het glas. Hij leek precies op de wagon waarin ze zich bevond. Ze opende de deur en ging erdoor. Opnieuw acht coupés zonder inzittenden. Ze ging de volgende wagon in en zag dat het daar net zo was. De achterste drie wagons van de trein waren volkomen leeg. Dit verklaarde misschien waarom de conducteur er niet was, hoewel hij wel geweten moest hebben dat zij in de achterste wagon zat, en als hij beleefd was geweest, had hij haar kaartje gecontroleerd. Misschien verwachtte hij dat ze zou doen wat ze nu deed, namelijk naar voren lopen, waar ze al zou zitten als ze niet zo laat was geweest. Misschien was er iets wat ze niet wist over de achterste drie wagons of de etiquette van deze reis. Was dat de reden waarom hij grinnikte? Misschien was er iets wat ze niet wist, iets over de andere reizigers. Waren ze met een groep? Misschien was het niet zozeer een reis, maar meer een excursie. Nu verafschuwde ze de conducteur met zijn vooroordelen en grofheid helemaal en liep verder naar voren om hem te zoeken. Deze wagon was ook leeg. Vier lege wagons! Miss Temple hield stil bij de deur naar de vijfde en probeerde zich te herinneren hoeveel wagons er waren (ze had geen idee), hoeveel er normaliter zijn (dat wist ze niet), en wat ze tegen de conducteur kon zeggen als ze hem eenmaal gevonden had zonder onwetend te lijken (dat wist ze zo gauw niet). Terwijl ze na stond te denken, stopte de trein.

Ze ging snel in de dichtstbijzijnde coupé zitten en deed het raam open. Het perron was leeg, er stapte niemand in en niemand uit. Het station zelf – er stond *Crampton Place* op het bord – was gesloten en donker. De fluit klonk en de trein kwam weer in beweging, waardoor Miss Temple op de bank terugviel. Naarmate ze meer vaart maakten, kwam er een koude wind naar binnen, dus deed ze het raam dicht. Ze had nog nooit van Crampton Place gehoord en was blij dat ze daar niet heen hoefde. Het zag eruit als een verlaten Siberische steppe. Had ze maar een reisschema van deze trein, een lijst van stations waar hij stopte. Misschien had de conducteur er wel een of kon hij het haar vertellen, zodat ze het kon opschrijven. Toen ze aan haar aantekenboekje dacht, haalde ze het te voorschijn, likte aan haar potlood en schreef in haar gedecideerde, krullende schrift: 'Crampton Place'. Omdat er verder niets aan toe te voegen was, stopte ze het boekje weer weg en ging naar de gang terug, waarna ze met een vastbesloten zucht de vijfde wagon in stapte.

Ze merkte ogenblikkelijk dat er een andere lucht hing. Roken de andere gangen naar een vaag industriële mengeling van rook, vet, loog en vuil sop, de vijfde wagon geurde verrassend genoeg, omdat ze deze lucht van thuis kende, naar rode jasmijn. Opgewonden sloop Miss Temple naar de dichtstbijzijnde coupé en boog zich langzaam voorover om naar binnen te kunnen kijken. De zitplaatsen tegenover haar waren alle bezet. Er zaten twee mannen in zwarte jassen met tussen hen in een vrouw in een gele jurk, die ergens om lachte. De mannen rookten sigaren en hadden beiden een net bijgehouden puntbaardje en een rood gezicht, alsof het twee exemplaren van hetzelfde domme, sterke hondenras waren. De vrouw droeg een halfmasker van pauwenveren, dat haar voorhoofd bedekte en waardoor alleen haar op glanzende stenen lijkende ogen te zien waren. Haar mond was rood gestift en ging wijd open als ze lachte. Alle drie keken ze naar iemand op de zitplaatsen tegenover hen en geen van hen had Miss Temple opgemerkt. Ze onttrok zich aan het zicht en hoewel ze het kinderachtig vond, wist ze niets beters te bedenken dan op handen en voeten langs de coupé te kruipen, waarbij ze ervoor zorgde dat haar lichaam beneden het niveau van het glas in de deur bleef. Eenmaal aan de andere kant stond ze voorzichtig op, keek naar de tegenovergelegen zitplaatsen en verstijfde. Ze keek regelrecht naar Roger Bascombe.

Hij keek niet naar haar. Hij droeg een zwarte cape die rond zijn hals gesloten zat en rookte een dunne sigaar. Zijn eikenkleurige haar zat met pommade acherovergekamd. Zijn rechterhand was in een zwarte handschoen gestoken – de linker, waarin hij de sigaar had, was ontbloot. Toen ze nog eens keek, zag Miss Temple dat de rechterhand de linkerhandschoen vasthad. Ook zag ze dat Roger niet lachte, maar dat hij opzettelijk uitdrukkingsloos keek, wat ze hem had zien doen als hij in de nabijheid van de minister of onderminister, zijn moeder of zijn oom Tarr was – met andere woorden, in het gezelschap van mensen die hij moest respecteren. Bij het raam (de zitplaats tussen hen in was leeg) zat nog een vrouw. Ze droeg een rode jurk die als vuur onder haar donkere cape met bontkraag uit vlamde. Miss Temple zag telkens als de vrouw ging verzitten haar blanke enkels en mooie hals als witte kolen onder de vlammende jurk oplichten. Er speelde een openlijk spottende lach om haar donkerrode mond en ze trok aan een sigaret in een lange, zwartgelakte houder. Ook zij droeg een masker, een van rood leer met glitterende steentjes op de plaats van de wenkbrauwen, die – tot Miss Temples ontzetting – in beide ooghoeken overgingen in een glanzende traan die op het punt stond om naar beneden te druppen. Het was duidelijk dat de anderen moesten lachen om iets wat zij had gezegd. De vrouw blies opzettelijk haar rook naar de zitplaatsen tegenover haar. Alsof dit bij haar grapje hoorde, lachten de anderen opnieuw, ook al moesten ze de rook uit hun gezicht wegzwaaien.

Miss Temple stapte bij het raam vandaan en ging met haar rug tegen de wand staan. Ze had geen idee wat ze moest doen. Rechts van haar was nog een coupé. Ze besloot om er een kijkje in te wagen en zag op de zitplaatsen die het verst van haar vandaan waren drie vrouwen zitten, ieder met een reiscape over wat gezien hun schoenen elegante avondkleding moest zijn. Twee van hen droegen halve maskers die met gele struisveren waren versierd, terwijl de derde haar masker op schoot had en met een lastig bandje zat te stuntelen. Miss Temple trok haar capuchon verder over haar hoofd en zag dat op het bankje tegenover hen twee heren zaten, de een in jacquet en de ander in een zware bontjas, waardoor hij op een beer leek. Beide mannen droegen een masker – eenvoudige zwarte dingen. De man in het jacquet nam een paar slokjes uit een zilveren heupfles, terwijl de man in de bontjas met zijn vingers op de met parelmoer ingelegde knop van een ebbenhouten wandelstok zat te tikken. Miss Temple sprong achteruit, want de man met de bontjas keek naar de gang. Haastig liep ze in het volle zicht langs de coupé waar Roger in zat en ging de deur door naar de wagon ervoor.

Ze deed de deur achter zich dicht en ging op haar hurken zitten. Talloze seconden gingen voorbij, maar er kwam niemand naar de deur. Niemand was haar achternagekomen, al was het maar uit nieuwsgierigheid. Ze ontspande zich, haalde diep adem en sprak zichzelf streng toe. Ze had het gevoel dat ze zich op glad ijs begaf, dat ze iets deed waar ze geen ervaring mee had, maar ze had eerlijk gezegd geen bewijs dat dit ook zo was, want ondanks haar duistere gedachten had ze ontdekt dat Roger zonder daar blijkbaar veel plezier in te hebben en als plichtpleging naar een of ander exclusief feest ging, waar de gasten een masker droegen. Was dit bijzonder? Hoewel dat voor Miss Temple zeker zo was, wist ze dat haar, door haar beschermde opvoeding, zoveel vreemd was dat ze geen objectief oordeel kon vormen. Als ze zich reeds een heel seizoen in de hogere kringen had bevonden, was dit misschien een saaie routine, maar dan was ze er in ieder geval bekend mee geweest. Verder dacht ze na over het feit dat Roger niet naast de dame in het rood zat, maar dat er een lege zitplaats tussen hen in was. Hij zat trouwens helemaal alleen. Ze vroeg zich af of het de eerste keer was dat hij in hun gezelschap was en wie de vrouw was. De andere, met de gele pauwenveren, vond ze veel minder interessant, omdat ze vulgair genoeg hard had gelachen om wat de elegantere vrouw had gezegd. De mannen deden duidelijk geen moeite om hun identiteit te verbergen. Ze kenden elkaar waarschijnlijk en reisden gezamenlijk, wat wellicht niet gold voor de mensen in de andere coupé, omdat die allen gemaskerd waren. Of misschien kenden ze elkaar wel, maar wisten ze dat niet, omdat iedereen een masker op had. Wat de avond zo aantrekkelijk maakte, realiseerde ze zich, was dat je naar elkaars identiteit moest raden en zelf verborgen bleef. Het leek Miss Temple erg leuk, hoewel ze besefte dat, ondanks het feit dat haar jurk een prachtige jurk voor overdag was, hij niet geschikt was om op zo'n avond te dragen, en dat haar cape, die nu weliswaar haar identiteit verhulde, niets voorstelde in vergelijking met de feestmaskers die iedereen op zou hebben.

Haar gedachten werden onderbroken door een klikkend geluid uit de andere gang. Ze waagde het even te kijken en zag de man met de bontjas uit de coupé van Roger komen en de deur achter zich sluiten. Hij was behoorlijk indrukwekkend nu hij niet zat, omdat hij zó breed was dat hij bijna de breedte van de gang vulde. Zonder haar ook maar een blik waardig te keuren, keerde hij naar zijn eigen coupé terug. Ze slaakte een zucht van verlichting en liet hiermee de spanning gaan waarvan ze niet beseft had dat ze haar voelde; hij had haar niet gezien en was gewoon in de andere coupé op bezoek geweest. Ze besloot dat hij de vrouw moest kennen, hoewel hij ook de coupé in gegaan kon zijn om een van de anderen, onder wie Roger, te spreken. Roger ontmoette uiteindelijk heel veel mensen in zijn leven: regeringsfunctionarissen, zakenmensen, buitenlanders. Plotseling realiseerde ze zich hoe klein haar eigen kringetje eigenlijk was. Ze wist maar weinig van de wereld, van het leven, en nu zat ze zielig en alleen in een lege wagon. Terwijl Miss Temple op haar lip beet, stopte de trein weer.

Opnieuw glipte ze snel een coupé in en opende het raam. Weer was het perron verlaten en het station donker en gesloten. Er stond *Packington* op het bord, nog een plaats waar ze nog nooit van gehoord had, maar toch schreef ze de naam in haar aantekenboek. Toen de trein weer ging rijden, sloot ze het raam en draaide zich naar de deur. Ze zag meteen dat hij openstond. Daar stond de conducteur, en hij glimlachte.

'Uw kaartje, mevrouw?'

Ze viste haar kaartje uit haar cape en overhandigde het. Hij nam het aan en hield nog steeds glimlachend zijn hoofd scheef om te lezen wat haar bestemming was. In zijn andere hand hield hij een vreemde metalen tang. Hij keek op en vroeg: 'Helemaal naar Orange Canal?'

'Ja. Hoeveel stations is dat nog?'

'Het zijn er nogal wat.'

Ze lachte schamper terug. 'Hoeveel precies?'

'Zeven. Het duurt nog bijna twee uur.'

'Dank u wel.'

De tang beet als een metalen insect met een hard klikgeluid een gaatje in haar kaartje, waarna ze het terugkreeg. De conducteur bleef in de deuropening staan, waarop Miss Temple hem aankeek, haar cape schikte en hem zo duidelijk maakte dat deze coupé van haar was. De conducteur keek haar aan, wierp een blik de gang in en likte langs zijn lippen. Op dat moment zag ze wat een dikke speknek hij had en dat die in de strakke kraag van zijn blauwe jasje zat gepropt. Hij keek haar aan en bewoog zenuwachtig zijn vingers, die dik en bleek als een pakje ongekookte worstjes waren. Aangezien hij zo onbeholpen was, veranderde haar minachting in desinteresse. Ze wilde hem geen kwaad meer doen, ze wilde alleen maar dat hij wegging. Maar hij ging niet weg. In plaats daarvan boog hij zich ietwat spottend voorover.

'Dus u reist niet met de anderen samen?'

'Nee, zoals u ziet.'

'Het is niet altijd veilig voor een dame alleen...' Hij glimlachte afwezig. De conducteur glimlachte voortdurend. Hij frutselde aan zijn kniptang en liet zijn blik naar haar mooie kuiten afdwalen. Ze zuchtte.

'Hoezo, niet veilig?'

Hij gaf geen antwoord.

Voordat hij kon antwoorden en voordat hij ook maar iets kon doen waardoor ze zou gaan gillen of nog meer razende minachting voor hem zou krijgen, stak ze haar hand op als teken dat hij niet hoefde te antwoorden en stelde hem een nieuwe vraag.

'Weet u wel waar zij – en wij – heen gaan?'

De conducteur deed een stap achteruit alsof hij gebeten was, alsof ze zijn leven had bedreigd. Hij ging de gang in, tikte aan zijn pet, draaide zich abrupt om en liep met rasse schreden naar de volgende wagon. Miss Temple bleef zitten waar ze zat. Wat was er zojuist gebeurd? Wat zij als vraag had bedoeld, had hij als bedreiging opgevat. Hij weet het, dacht ze, en het is vast een plaats waar rijke en invloedrijke mensen komen, invloedrijk genoeg in ieder geval om door de klacht van een gast zijn baan te kunnen verliezen. Ze glimlachte (het was uiteindelijk toch een bevredigend gesprekje geweest) om wat ze ontdekt had. Niet dat het een verrassing was. Het feit dat Rogers positie blijkbaar ondergeschikt was, bevestigde alleen maar dat er mensen uit de hogere regionen van de regering aanwezig zouden kunnen zijn.

Een vaag gevoel van knagende rusteloosheid herinnerde Miss Temple eraan dat ze trek had en dus haalde ze het worstenbroodje te voorschijn.

Tijdens het uur daarop stopte de trein vijfmaal: in Gorsemont, De Conque, Raaxfall, St. Triste en St. Porte. Iedere naam schreef ze in haar aantekenboek en ze tekende een levendige beschrijving van haar medereizigers op. Telkens als ze uit het raam keek, zag ze een leeg perron en een gesloten stationshal. Niemand ging de trein in of uit. Ook voelde ze de lucht steeds koeler worden. In St. Porte was het gewoon koud. Bovendien kon ze iets van de zee ruiken, of misschien van de zoutmoerassen waarvan ze wist dat die in dit deel van het land voorkwamen. De mist was weg, maar er was slechts een klein sikkeltje van de maan te zien en de nacht bleef behoorlijk donker. Telkens als de trein weer was gaan rijden, was Miss Temple de gang op gegaan om voorzichtig te kijken of er iemand de vijfde wagon in of uit ging. Ze had eenmaal iemand een van de voorste coupés in zien gaan, maar verder niet. (Ze had geen idee wie het was; zwarte capes zien er allemaal hetzelfde uit.) Ze begon zich te vervelen, tot ze uiteindelijk zin kreeg om nog eens in de coupé van Roger te gaan kijken. Ze wist dat dit dom zou zijn en dat ze het alleen maar zou doen omdat ze ongeduldig was, en dat je juist op zulke momenten de grootste fouten maakt. Ze hoefde nog maar een paar minuten te wachten tot alles haar duidelijk zou worden en ze alles tot op de bodem zou kunnen uitzoeken. Toch had ze haar hand om de deurknop van de vijfde wagon, toen de trein weer tot stilstand kwam.

Ze liet ogenblikkelijk los en zag tot haar schrik dat alle coupédeuren opengingen. Miss Temple dook haar eigen coupé weer in en opende het raam. Het perron stond vol wachtende rijtuigen en de ramen van de stationshal waren helder verlicht. *Orange Locks* las ze op het bord, en ze zag de passagiers die waren uitgestapt vlak langs haar lopen. Zonder het raam te sluiten schoot ze terug naar de tussendeur; de mensen stapten aan het einde van de wagon uit en de laatste persoon, een man in een blauw uniform, had de uitgang bijna bereikt. Gespannen slikkend stapte Miss Temple stil de deur uit en liep snel maar voorzichtig de gang door, terwijl ze in het voorbijgaan bij iedere coupé naar binnen keek. Ze waren allemaal leeg. De groep van Roger en de man in de bontjas waren al weg.

Ook de man in het blauwe uniform was nu uit het zicht verdwenen. Miss Temple versnelde haar pas en bereikte het uiteinde van de wagon, waar een deur was met een trapje naar het perron. De laatste mensen liepen een paar meter verderop en begaven zich naar de rijtuigen. Ze slikte opnieuw. Als ze aan boord bleef, zou ze gewoon tot het eindpunt meerijden en dan weer terug kunnen reizen. Als ze zou uitstappen, wist ze niet wat er zou gebeuren. Stel je voor dat het station van Orange Locks ook zou sluiten, net als de voorgaande vijf stations? Maar haar avontuur verliep precies zoals ze gehoopt had. Als om haar te helpen schoot de trein naar voren en zonder na te denken sprong Miss Temple eruit. Ze struikelde met een gilletje het perron op en tegen de tijd dat ze was opgestaan en omkeek, reed de trein al op hoge snelheid verder. In de deuropening van de laatste wagon stond de conducteur. Zijn blik was koel en hij stak de lantaarn naar haar uit alsof hij een kruis voor een vampier hield.

De trein was weg en zijn geraas ging over in het geroezemoes, geklop, gerinkel en het slaan van deuren van reizigers die in hun wachtende rijtuigen klommen. Rijtuigen die vol waren reden weg en Miss Temple wist dat ze meteen moest beslissen wat ze zou doen. Roger was nergens te zien en ook de anderen uit zijn coupé zag ze niet. Degenen die nog over waren – zo te zien net zoveel mannen als vrouwen, zo'n twintig in getal – droegen dikke mantels, capes en bontjassen. Van deze mensen stapte eerst een groep mannen in een rijtuig, en daarna volgden twee groepen van mannen en vrouwen. Met schrik constateerde ze dat er nog maar één rijtuig over was. Er liepen drie vrouwen met capes om en maskers op naartoe. Ze rechtte haar rug, trok haar capuchon verder over haar gezicht en stak snel over om zich bij hen te voegen.

Ze bereikte het rijtuig net nadat ze allemaal waren ingestapt en toen de derde vrouw op het punt stond om de deur achter zich te sluiten, zag ze Miss Temple staan – of de donkere, capuchon dragende gedaante die ze nu was. De vrouw verontschuldigde zich en schoof een eindje op. Miss Temple knikte alleen maar, klom aan boord en deed de deur achter zich dicht. Nadat de koetsier deze laatste persoon de tijd had gegeven om te gaan zitten, klapte hij met de zweep en kwam het rijtuig in beweging. Doordat ze haar capuchon over haar ogen had getrokken, kon ze nauwelijks de gezichten van de andere passagiers zien. Ook zag ze niet wat er buiten was, maar ze had toch niet geweten wat ze daarvan moest denken.

De andere vrouwen waren aanvankelijk stil, waarschijnlijk door haar aanwezigheid, dacht ze. De twee tegenover haar droegen maskers met veren en donkere fluwelen capes. De cape van de linkervrouw had een brede kraag van zwarte veren. Terwijl ze het zich gemakkelijk maakten, opende de rechtervrouw haar cape en wuifde zichzelf, alsof ze het warm had van inspanning, koelte toe met haar waaier. De cape onthulde een glanzende, aansluitende zijden jurk die nog het meest op de huid van een reptiel leek. Terwijl de waaier van de vrouw door het donker fladderde als een nachtvogel aan een koord, vulde de lucht in het rijtuig zich met parfum: zoete jasmijn. De vrouw die naast Miss Temple zat, die voor haar was ingestapt, droeg een soort driekantige steek die op haar haar was vastgespeld. Ze droeg een smalle strook stof over haar ogen en leek daardoor op een piraat. Haar cape was eenvoudig, maar waarschijnlijk wel warm, omdat hij van zwarte wol was. Omdat deze kleding niet zo extravagant was, hoopte Miss Temple dat ze, zolang ze zich goed bedekt zou houden, niet zou opvallen. Ze was ervan overtuigd dat haar laarzen, die heel uitgekiend eveneens groen waren, heel passend waren.

Ze reden een poosje in stilte, maar Miss Temple besefte al snel dat de andere vrouwen net zo opgewonden, zo niet gespannen waren als zijzelf. Een voor een begonnen ze met korte opmerkingen; eerst over de trein, toen over het rijtuig of elkaars kleding, en uiteindelijk over hun bestemming. Ze zeiden eerst niets tegen Miss Temple of tegen iemand in het bijzonder, maar maakten algemene opmerkingen en reageerden ook in algemene zin. Alsof ze helemaal niet over hun avond mochten spreken en dat alleen konden doen door heel voorzichtig te beginnen, maakte ieder van hen duidelijk dat ze er geen bezwaar tegen hadden om de regels te overtreden. Natuurlijk leek Miss Temple er geen bezwaar tegen te hebben, want zij had eenvoudig niets te zeggen. Ze hoorde de piraat en de vrouw in zijde elkaar complimenteren met hun kostuums en hun goedkeuring uitspreken voor het masker van de derde vrouw. Toen richtten ze zich tot haar. Tot dan toe had ze niets gezegd en alleen maar af en toe instemmend geknikt. Nu vestigden ze echter alle aandacht op haar, dus zei ze wat.

'Ik hoop dat ik het juiste schoeisel heb gekozen voor deze koude avond.'

Ze kruiste haar benen in de smalle ruimte tussen de zitplaatsen in en trok haar cape wat omhoog, zodat haar groene leren laarzen met ingewikkelde vetersluiting zichtbaar werden. De andere drie bogen zich voorover om ze te bekijken en de piraat naast haar zei: 'Een goed idee, die laarzen, want ik weet zeker dat het daar koud is.'

'En uw jurk is ook groen... met bloemen bedrukt,' zag de vrouw met de verenkraag, wier blik van de schoenen naar de strook jurk die erboven hing was gegaan.

De vrouw in zijde grinnikte: 'U komt als een opgedirkte boerin!' De anderen grinnikten ook, waardoor de vrouw in zijde zich gesterkt voelde en zei: 'Zo'n vrouw die door boeken en gebloemde zakjes in plaats van het leven zelf en de tuinen des levens wordt omringd. De boerin, de piraat, de zijdevrouw en de gevederde; we zijn allemaal goed vermomd!'

Miss Temple vond dit nogal overdreven. Ze stelde het helemaal niet op prijs om 'opgedirkt' of 'boerin' genoemd te worden en was ervan overtuigd dat iemand die iets veroordeelt, in dit geval romans, zijn leven juist verdaan heeft met het lezen ervan. Het enige wat ze echter op het moment van belediging kon doen om te voorkomen dat ze zich voorover zou buigen (want ze hoefde zich niet ver te buigen) en de kenau bij haar oor zou pakken, was glimlachen, in de wetenschap dat ze haar trots opzij moest zetten voor haar avontuur en moest accepteren dat deze misprijzende vrouw haar een kostuum had gegeven en een rol. Ze schraapte haar keel en sprak opnieuw.

'Ik vroeg me af of zo'n kostuum tussen zoveel dames die allen hun best doen om de mooiste te zijn juist niet meer opvalt.'

De piraat naast haar gniffelde. De glimlach van de vrouw in zijde was iets vastberadener en haar stem iets koeler. Ze tuurde naar Miss Temples gezicht, dat verborgen was in de schaduw van haar capuchon.

'En hoe ziet uw masker eruit? Ik zie het niet.'

'Nee?'

'Nee. Is het ook groen? Het is waarschijnlijk niet erg groot, anders zou het niet onder die capuchon passen.'

'Inderdaad, het is vrij eenvoudig.'

'Maar we kunnen het niet zien.'

'Nee?'

'We zouden het graag willen zien.'

'Ik dacht dat het mysterieuzer zou zijn als het, zoals ik al zei, eenvoudig zou zijn.'

De vrouw in zijde leunde hierop voorover, alsof ze haar neus in de capuchon van Miss Temple wilde steken. Miss Temple deinsde instinctief terug zo ver als het rijtuig haar toestond. Het was een ongemakkelijk moment, maar door haar onwetendheid wist Miss Temple niet wie van hen een gebrek aan manieren had: zij omdat ze geweigerd had, of de vrouw in zijde omdat ze zo aangedrongen had. De andere twee zaten stil toe te kijken en door hun maskers was niet te zien hoe hun gezichtsuitdrukking was. De vrouw zou nu elk moment dicht genoeg in de buurt zijn om haar te kunnen zien, of dicht genoeg in de buurt om de capuchon af te trekken. Miss Temple moest haar daar onmiddellijk van weerhouden. Ze werd op dat moment geholpen door het plotselinge besef dat deze vrouwen waarschijnlijk niet opgegroeid waren in een huis waar brute straffen aan de orde van de dag waren. Miss Temple stak twee vingers van haar rechterhand uit en prikte ze door de gevederde gaten in het masker, recht in de ogen van de vrouw.

De vrouw in zijde deinsde achteruit en sputterde als een overvolle ketel die aan de kook raakt. Ze slaakte één of twee kreunende zuchten en deed haar masker af. Ze legde beide handen over haar ogen en masseerde ze in het donker in een poging om de pijn weg te wrijven. Miss Temple had haar slechts licht geraakt en wist dat ze niet veel schade had aangericht. Ze had niet eens haar nagels gebruikt. De vrouw in zijde keek met rood betraande ogen naar haar op, haar mond een woedende rode streep die klaar was om tegen haar uit te vallen. De andere twee vrouwen zaten onbeweeglijk van de schrik toe te kijken. Alles hing af van wat ze nu zou doen, en omdat Miss Temple besefte dat ze de overhand moest houden, begon ze te lachen.

Daarna haalde ze een geparfumeerde zakdoek te voorschijn en

bood hem de vrouw in zijde aan. Zo engelachtig mogelijk zei ze: 'O, lieve help, wat spijt me dat vreselijk...' Het was alsof ze een katje troostte. 'Vergeef me, ik deed niets anders dan de zuiverheid van mijn vermomming intact houden.' Toen de vrouw de zakdoek niet meteen aannam, boog Miss Temple zich voorover en depte zo voorzichtig mogelijk de tranen rond de ogen van de vrouw weg. Ze was geduldig en nam er alle tijd voor. Toen ze klaar was, drukte ze de zakdoek in de hand van de vrouw en ging weer naar achteren zitten. Even later bracht de vrouw de zakdoek naar haar gezicht en bette haar wangen, neus en mond. Vervolgens deed ze met een snelle, verlegen blik naar de anderen haar masker weer op. Allen zwegen.

Het geluid van het hoefgeklep was veranderd en Miss Temple keek uit het raam. Ze reden over een bestrate weg. Het landschap was vlak en leeg. Misschien was het een wei, misschien een moeras. Bomen zag ze niet, hoewel ze betwijfelde of ze ze vanwege het donker gezien had als ze er wel waren geweest, maar het leek of ze er niet waren, of dat ze gekapt waren voor een lang vergeten houtvuur. Ze draaide zich naar haar medereizigsters terug, die ieder in gedachten verzonken leken te zijn. Ze vond het jammer dat ze het gesprek had verstoord, maar zag niet in wat ze anders had kunnen doen. Toch vond ze dat ze moest proberen om het weer goed te maken en trachtte opgewekt te klinken.

'Ik denk dat we er nu wel snel zijn.'

De andere vrouwen knikten. De piraat glimlachte zelfs, maar niemand gaf antwoord. Miss Temple hield vol.

'We hebben de bestrate weg bereikt.'

Evenals voorheen knikten de drie vrouwen en glimlachte de piraat, maar geen van drieën zei iets. De stilte bleef voortduren en kreeg het rijtuig in haar greep. Ieder van hen raakte dieper in gedachten verzonken en de opwinding over de avond die voor hen lag veranderde in sombere onrust, precies het soort knagende, meedogenloze onrust die tot nachtelijke wreedheid leidt. Ook Miss Temple was er niet ongevoelig voor, omdat ze heel wat te piekeren had als ze dat wilde. Ze was ervan doordrongen dat ze geen idee had waar ze mee bezig was, waar ze heen ging, hoe ze weer terug zou gaan en vooral: waar ze naar terug zou gaan. Het anker van haar gedachten was losgeslagen. Zelfs haar momenten van triomf – het bang maken van de conducteur en de overwinning op de vrouw in zijde – leken nu lang geleden en zelfs betekenisloos. Net toen ze zich enigszins gedeprimeerd afvroeg of zo'n gevoel van triomf altijd haaks staat op gevoelens van verlangen, besefte ze dat de vrouw met de verenkraag langzaam en zacht zat te praten, alsof ze een vraag beantwoordde die alleen zij had gehoord.

'Ik ben hier al eens eerder geweest. In de zomer. Het was licht in het rijtuig… Het was 's avonds nog lang licht. Er waren wilde bloemen. Het was nog koud, de wind is hier altijd koud, omdat je hier zo dicht bij de zee bent en het land vlak is. Dat zeiden ze tenminste… omdat ik het koud had… zelfs in de zomer. Ik herinner me dat we de bestrate weg bereikten. Dat weet ik nog, omdat het geschommel en het ritme van het rijtuig veranderden. Ik reisde samen met twee mannen… Ik vond het goed dat ze mijn jurk losknoopten. Er was me verteld wat ik kon verwachten… Dit en meer was me beloofd, maar toch, toen het zover was en ze hun beloften op die afgelegen plek waar begonnen te maken, kreeg ik overal kippenvel.' Ze deed er het zwijgen toe en keek naar de anderen. Ze sloeg haar cape om zich heen en keek verlegen glimlachend uit het raam. 'Maar ik ben weer terug… zo opwindend vond ik het.'

Niemand zei iets. Het geklep van de hoefslagen veranderde opnieuw; het rijtuig werd over ongelijke keien getrokken en er schoot Miss Temple van alles door het hoofd. Ze keek uit het raam en zag dat ze door een hoog ijzeren hek een voorplein op gereden waren. Het rijtuig minderde vaart. Om hen heen stonden al een paar andere rijtuigen, en de inzittenden waren bezig om uit te stappen. Ze trokken hun mantels recht, zetten hun hoeden op en tikten ongeduldig met hun wandelstokken. Toen zag ze het huis: een prachtig, uit zware stenen blokken opgetrokken gebouw met zo'n drie verdiepingen – weinig gedecoreerd op de brede ramen na, waaruit een gastvrij gouden licht naar buiten stroomde. Het effect van het geheel was van een dermate grote eenvoud dat door toepassing op zo'n grote schaal het gebouw zeer doelmatig overkwam, als een gevangenis, een wapenopslagplaats of een heidense tempel. Ze wist ogenblikkelijk dat dit het landhuis van een of andere lord moest zijn.

Hun rijtuig kwam tot stilstand en omdat zij de laatste was die was ingestapt, opende Miss Temple als eerste de deur en nam de grote hand van de koetsier aan om uit te stappen. Toen ze opkeek, zag ze aan de overkant van het voorplein de ingang van het huis. De dubbele deuren waren wijd open, er stonden bedienden aan weerszijden en er liep een stroom gasten naar binnen. Ze was onder de indruk van de grootsheid en rijkdom van het huis en begon opnieuw te twijfelen, want als ze eenmaal binnen was, moest ze vast haar capuchon afdoen en haar cape uittrekken en zichzelf laten zien. Terwijl ze koortsachtig over een oplossing nadacht, zochten haar ogen de menigte af op zoek naar Roger. Hij moest al binnen zijn. Haar drie medereizigsters waren ook uitgestapt en liepen nu naar de deuren. Ze zag de piraat even stilstaan en achteromkijken om te zien of ze er nog was, waarop ze plotseling besloot een kleine kniebuiging te maken, waarmee ze aangaf dat de anderen maar verder moesten lopen. De piraat keek even scheef, maar knikte toen en draaide zich om om de anderen in te halen. Miss Temple stond alleen.

Ze keek om zich heen om te zien of er nog een andere ingang was, maar besefte dat, als ze werkelijk wilde ontdekken wat Roger aan het doen was en waarom hij haar uit hoofde hiervan zo hautain aan de kant had gezet, ze door de hoofdingang naar binnen moest. Ze weerstond de neiging om weg te rennen en zich in een rijtuig te verstoppen, en om de dingen lang genoeg uit te stellen om al haar recente ervaringen in haar aantekenboek op te schrijven. Als ze naar binnen wilde, kon ze dat maar beter op het juiste moment doen, dus dwong ze haar benen om met kwieke stap verder te lopen, waardoor niet te zien was dat haar hart klopte in haar keel. Ze ging tussen de rijtuigen lopen, die door bedienden naar de andere kant van het voorplein werden geloodst, waardoor ze herhaaldelijk opzij moest springen. Toen ze eindelijk ruim baan had, waren de laatste gasten – wellicht haar drie medereizigsters – net naar binnen gegaan en uit het zicht verdwenen. Miss Temple boog haar hoofd, waardoor er meer schaduw over haar gezicht viel, en klom langs de livreiknechten die aan weerszijden stonden de trap op. Het viel haar op dat ze een zwart uniform en zwarte laarzen aanhadden, alsof ze tot een eskader bereden strijdkrachten behoorden. Ze liep voorzichtig en tilde haar cape en jurk hoog genoeg op om zonder vallen de trap op te lopen, maar zonder zo vulgair te zijn om haar enkels te laten zien. Toen ze bovenaan gekomen was, stond ze alleen op een lichte marmeren vloer, van waaruit zich in alle richtingen lange, met spiegels behangen en door gaslampen verlichte gangen uitstrekten.

'Ik denk dat het de bedoeling is dat u met mij meegaat.'

Miss Temple draaide zich om en zag de vrouw in het rood die bij Roger in de coupé had gezeten. Ze had niet langer haar cape met bontkraag aan, maar hield nog wel de gelakte sigarettenhouder in haar hand. Haar heldere ogen, die Miss Temple door het rode leren masker strak aankeken, hadden niets van doen met de glitterende tranen aan weerszijden. Miss Temple draaide zich om, maar kon geen woord uitbrengen. De vrouw was verbazingwekkend mooi; ze was lang, sterk, goed gevormd en toonde een glanzende, gepoederde huid boven het strakke lijfje van haar rode jurk. Haar haar was zwart en viel in lange krullen over haar blanke, ontblote schouders. Miss Temple rook – en viel bijna flauw – de zoete geur van rode jasmijn. Ze sloot haar mond, slikte en zag de vrouw glimlachen, precies op de manier waarop zijzelf waarschijnlijk naar de vrouw in blauwe zijde had gelachen. Zonder nog een woord te zeggen draaide de vrouw zich om en liep een van de met spiegels behangen gangen in. Zonder een woord te zeggen volgde Miss Temple haar op de voet.

Achter hen hoorde ze ver weg de geluiden van bewegende mensen, van geroezemoes, van het feest zelf, maar dit raakte door het scherpe geklik van de hakken van de vrouw op het marmer snel op de achtergrond. Ze moesten zo'n vijfentwintig meter gelopen hebben, ongeveer de helft van de gang, toen haar gids stilstond en zich omdraaide, terwijl ze met haar gestrekte hand een open deur links van Miss Temple aangaf. Ze waren helemaal alleen. Omdat ze niet wist wat ze anders kon doen, ging Miss Temple de kamer in. De vrouw in het rood volgde haar en sloot de zware deur. Nu was het stil.

De vloer van de kamer was met dikke zwarte en rode tapijten bedekt, waardoor hun voetstappen niet meer te horen waren. Tegen de wanden bevonden zich gesloten kasten, waartussenin haken waren bevestigd om waarschijnlijk kleding aan op te hangen. Ook was er een kleedspiegel. Tegen een van de muren stond een lange houten werktafel, maar Miss Temple zag geen andere meubels. Het leek wel een soort kleedkamer voor een theater, of voor een sport – voor paardrijden of gymnastiek. Ze dacht dat een huis als dit best een eigen gymzaal kon hebben, als de eigenaar dat wilde. In de muur aan de andere kant van de kamer was een deur. Het was geen bijzondere deur, die op het eerste gezicht deel leek uit te maken van de kasten, en die misschien toegang tot de gymzaal gaf.

De vrouw achter haar zei niets, dus draaide ze zich om en keek haar aan. Ze hield haar hoofd gebogen, zodat haar gezicht in de schaduw van haar capuchon bleef. Maar de vrouw in het rood keek helemaal niet naar haar. Ze was bezig om een sigaret in haar sigaret tenhouder te steken. De vorige sigaret had ze op de grond gegooid en ze drukte hem uit met haar schoen. Ze keek vaag glimlachend op en liep naar de muur, waar ze de nieuwe sigaret in een van de gaslampen stak en aan de houder pufte tot de sigaret brandde. Ze blies de rook uit, liep naar de tafel en leunde er met haar rug tegenaan. Ze trok aan haar sigaret, blies de rook uit en keek Miss Temple ernstig aan.

'Houd de schoenen maar aan,' zei ze.

'Pardon?'

'Ze zijn apart. Hang de rest maar in een kast.'

Ze gebaarde met haar sigarettenhouder naar een van de hoge kasten. Miss Temple draaide zich ernaartoe en maakte hem open. Binnenin hingen haken met verscheidene kledingstukken. En als in antwoord op haar angst hing daar aan de haak recht voor haar een klein, met witte veertjes beplakt masker als van een duif, gans of zwaan. Terwijl ze met haar rug naar de vrouw in het rood bleef staan, deed ze haar capuchon af en bond ze het masker om. Ze knoopte de banden onder haar krullen stevig vast en trok het masker aan. Daarna deed Miss Temple haar cape af – waarbij ze één blik op de vrouw wierp, die haar vorderingen met spottende goedkeuring stond te bekijken – en hing hem aan een haak. Van een andere haak pakte ze iets wat op een jurk leek, een witte zijden jurk, en hield hem omhoog. Maar het was helemaal geen jurk. Het was een heel kort gewaad zonder knopen of ceintuur, en vrij dun.

'Heeft Waxing Street je gestuurd?' vroeg de vrouw ongeïnteresseerd, alsof ze het vroeg om de tijd te verdrijven.

Miss Temple draaide zich naar haar toe, nam een snelle beslissing en sprak gedecideerd: 'Ik ken Waxing Street niet.'

'Ah.'

De vrouw trok aan haar sigaret. Miss Temple had geen idee of haar antwoord fout was – of er wel een goed of een fout antwoord was –, maar het leek haar beter om de waarheid te zeggen dan maar dom te gissen. De vrouw blies de rook uit, waardoor er een lange, dunne sliert naar het plafond omhoogsteeg.

'Dan was het waarschijnlijk het hotel.'

Miss Temple zei niets, maar knikte langzaam. Ze dacht naarstig na. Welk hotel? Er waren honderden hotels. Haar hotel? Wisten ze wie ze was? Leverde haar eigen hotel jonge vrouwen als gasten voor luxueuze feesten? Deden hotels zulke dingen? Blijkbaar wel, anders was dit haar niet gevraagd. Maar Miss Temple had geen idee wat dit betekende met betrekking tot haar vermomming, wat ze moest zeggen, hoe ze zich diende te gedragen of wat dit over het feest zei, hoewel ze wel zo haar vermoedens begon te krijgen. Ze keek opnieuw naar het volkomen ongeschikte gewaad.

Ze richtte zich tot de vrouw en vroeg: 'Als u hotel zegt…'

Ze werd abrupt onderbroken. De vrouw drukte haar tweede sigaret uit in het tapijt en klonk plotseling geïrriteerd.

'Alles wacht, het is al laat. U was te laat. Ik ben niet van plan om kindermeisje te spelen. Kleed u om, en snel een beetje. En als u klaar bent, komt u naar me toe.' Ze liep regelrecht op Miss Temple af, pakte haar onverwacht hard bij haar schouder en draaide haar met haar gezicht naar de kast. 'Hier kunt u mee beginnen. Zie het gezien de stof maar als een vorm van barmhartigheid.'

Miss Temple slaakte een gil. Ze voelde iets scherps tegen haar onderrug, dat langzaam omhoogbewoog. Toen ze plotseling iets hoorde scheuren en haar kledingstuk van haar af viel, besefte Miss Temple dat de vrouw zonet de koorden van haar jurk had doorgesneden. Ze draaide zich om met haar handen op haar borst, terwijl haar jurk van haar schouders en rug wegviel. De vrouw stopte iets kleins en glimmends in haar tas, liep naar de binnendeur en stak al pratend een derde sigaret in de houder.

'U kunt hierdoor naar binnen gaan.'

Zonder nog naar Miss Temple om te kijken, opende de vrouw in het rood ongeduldig de deur, bleef even staan om bij de dichtstbijzijnde muurlamp haar sigaret aan te steken en trok de deur hard achter zich dicht.

Miss Temple stond daar verslagen. Haar jurk was geruïneerd in zoverre dat ze geen nieuwe koorden bij de hand had en een kamermeisje om ze vast te maken. Ze trok de jurk van haar bovenlijf en deed haar best om het ruggedeelte naar voren te draaien, zodat ze het kon zien. Zelfs nu nog vielen er stukjes groen koord op de grond. Ze keek naar de deur die naar de gang leidde. Zo kon ze niet weg. Maar ze kon ook niet in haar korset gaan, of in het ragfijne zijden gewaad. Ze bedacht opgelucht dat ze haar cape nog had, waarmee ze haar minder betamelijke kleding kon bedekken. Nu voelde ze zich wat beter en na even rustig ademgehaald te hebben, had ze minder haast om te ontsnappen en begon ze zich weer af te vragen hoe het zat met de vrouw, het feest en – natuurlijk – met Roger. Als ze op elk moment kon terugkomen om haar cape over haar korset of kapotte jurk aan te doen, waarom zou ze dan niet verder op onderzoek gaan? Bovendien was ze nu heel geïntrigeerd door de opmerking over het hotel. Ze nam zich heilig voor om uit te zoeken of zulke dingen bij Hotel Boniface gebeurden, en hoe anders kon ze haar dappere plan ten uitvoer brengen dan door verder te gaan? Ze keek in de kast. Misschien hingen er naast het korte gewaad nog andere dingen.

Die bleken er inderdaad te zijn, maar ze wist niet zeker of ze die wel aan wilde trekken. Een aantal kledingstukken kon alleen als ondergoed omschreven worden en was waarschijnlijk uit een warmer klimaat afkomstig – Spanje, misschien? Venetië, Tanger? Er hingen een lichtgekleurd zijden lijfje, een paar doorzichtige zijden onderrokken en een lief zijden broekje dat aan de onderkant open was. Ook hing er nog een gewaad. Hij leek op de eerste, maar was wat langer en had geen mouwen. De hele set was wit op het tweede gewaad na, waarop rond de hals en langs de zoom aan de onderkant een groen borduursel zat. Miss Temple nam aan dat ze hierom haar schoenen mocht aanhouden. Ze keek naar haar eigen ondergoed: een hemdje, onderrok, katoenen broekje en een korset. Op het korset na zag ze niet zoveel verschil tussen wat ze in de kast zag hangen en wat ze aanhad, behalve dan dat de kledingstukken in de kast van zijde waren. Miss Temple droeg meestal geen zijde en liet zich bijna nooit tot iets overhalen dat ze doorgaans niet droeg. Het probleem was om zonder hulp haar korset uit en weer aan te krijgen. Ze voelde echter hoe zacht het zijden broekje was en besloot het te proberen.

Ze plukte aan de geknoopte koorden van het korset, plotseling bang dat ze er te lang over zou doen. Ze wilde niet dat iemand haar zou komen halen terwijl ze nog halfnaakt was en toen ze het los had en dieper ademhaalde dan ze normaal deed, trok ze het korset en haar hemd over haar hoofd. Ze deed het mouwloze zijden lijfje aan, waar smalle bandjes aan zaten om het op zijn plaats te houden, en trok het over haar boezem. Ze moest toegeven dat het heerlijk zat. Ze trok haar onderrokken en broekje naar beneden en schopte ze eerst op één been staand en toen het andere uit. Ze pakte het broekje en voelde een vreemde opwinding om het idee dat ze alleen in een lijfje, dat niet lager reikte dan haar ribbenkast, en haar groene enkellaarsjes in zo'n grote kamer stond. Nog vreemder was het om het broekje aan te trekken. Ze voelde zich op de een of andere manier nog naakter met die open naad over haar kleine krulletjes. Ze streek er voorzichtig met haar vingers langs en vond de opening griezelig en zalig tegelijk. Ze rook uit gewoonte aan haar vingers, pakte de zijden onderrokken en stapte voetje voor voetje in de cirkel. Ze trok ze omhoog, bond ze vast en pakte het korset.

Maar voor ze het aantrok, ging Miss Temple voor de grote spiegel staan. De vrouw die haar aankeek was een onbekende, wat gedeeltelijk kwam door het masker dat ze op had. Het was heel vreemd om zichzelf met een masker te zien en het voelde een beetje als het aanraken van de opening in haar broekje. Ze voelde een tinteling langs haar ruggengraat naar beneden tussen haar benen kruipen – een kloppende, rusteloze honger. Ze likte langs haar lippen en zag de vrouw met het masker van witte veren op hetzelfde doen, hoewel deze vrouw (met blanke, ontblote armen, gespierde benen, onbedekte hals en door het lijfje heen duidelijk zichtbare roze tepels) ze op een heel andere manier likte dan Miss Temple normaal vond. Met het nieuwe beeld voor ogen nam ze het gevoel echter als het ware over en likte ze haar lippen opnieuw, alsof ze een transformatie had ondergaan. Haar ogen schitterden.

Ze legde het korset in de kast en trok de robes aan. Eerst de korte met mouwen en daarna de langere met het groene borduursel langs de randen, die wat op een tuniek leek en een paar haakjes had om hem te sluiten. Ze keek opnieuw in de spiegel en zag dat de twee lagen bij elkaar gelukkig dik genoeg waren om haar lichaam onzichtbaar te maken. Haar armen en onderbenen waren nog steeds te zien door de enkele laag die ze bedekte, maar de rest van haar lichaam was, hoewel de suggestie er wel was, niet in detail zichtbaar. Uit voorzorg, want ze was niet helemaal vergeten waar ze was, haalde Miss Temple haar geld en haar potlood, dat nog behoorlijk scherp was, uit de zak van haar cape en knielde eerst op de ene knie op de grond en toen op de andere. In de ene laars stopte ze het geld en in de andere het potlood. Ze ging staan, nam een paar stappen om te kijken of ze goed kon lopen, sloot de kast en liep toen door de binnendeur.

Ze bevond zich in een smalle, onafgewerkte gang die naarmate ze verderliep steeds lichter werd. Aan het eind ervan bereikte ze een bocht waar de vloer omhoogliep en naar de helle lichtbron voerde. Ze stapte het licht in en hield terwijl ze rondkeek een hand voor haar ogen om niet verblind te worden. Er was een soort verzonken podium met aan drie kanten daaromheen een steil oplopende tribune. Op het podium, waar naar ze aannam toneel werd gespeeld, bevond zich een grote tafel die op dat moment op zijn poten stond, maar waar een zwaar apparaat onder lag met een metalen balk die even lang was als de tafel en groeven had, waardoor de tafel in elke gewenste stand gekanteld kon worden, zodat het publiek het beter kon zien. Achter de tafel, tegen de muur waar geen zitplaatsen waren, hing een gewoon, maar gigantisch groot schoolbord.

Het was een snijzaal. Ze keek naar de tafel en zag aan weerszijden gaten zitten, waar leren riemen aan hingen om ledematen mee vast te binden. Ook zag ze een metalen afvoerput in de vloer. Ze rook loog en azijn, maar ook nog iets wat prikte in haar keel. Ze keek naar het bord. Dit was om les te geven, om te leren, maar wetenschappers konden zich niet zo'n huis veroorloven. Misschien was deze lord hun patiënt, maar welke patiënt wilde nu publiek hebben terwijl hij behandeld werd? Misschien was hij dan de weldoener van een of ander medisch genie, of zelf een amateur, of een geïnteresseerde toeschouwer? De koude rillingen liepen haar over haar rug. Ze slikte en zag wat er op het bord geschreven stond; vanwege het felle licht had ze het niet gezien toen ze bij de ingang stond. De tekst eromheen was uitgewist, en zelfs het woord zelf was half uitgewist, maar je kon duidelijk zien wat het geweest was: ORANGE. Het woord was met krijt en in blokletters geschreven.

Miss Temple schrok van iemand die aan de andere kant van het podium in de schaduw zijn keel schraapte. Ze zou zelfs een gilletje geslaakt kunnen hebben. Aan de overkant was ook een gang die omhoogliep naar het podium, maar die had ze door de tafel niet gezien. De man stapte in het zicht en bleek een zwart jacquet en een zwart masker te dragen. Hij rookte een sigaar. Zijn baard was netjes geknipt en zijn gezicht was bekend rood. Hij was een van de twee bullebakken die tegenover Roger in de trein hadden gezeten. Hij bekeek ongegeneerd haar lichaam en schraapte opnieuw zijn keel.

'Ja?' vroeg ze.

'Ik ben gestuurd om u te halen.'

'O.'

Hij trok aan zijn sigaar, maar bewoog niet.

'Het spijt me dat ik iemand heb laten wachten.'

'Dat vind ik niet erg. Ik kijk graag rond.' Hij bekeek haar opnieuw, bestudeerde haar zelfs, en stapte de snijzaal in, waarbij hij zijn hand met de sigaar ophief tegen het licht. Hij keek naar de tribune, naar de tafel en toen weer naar haar. 'Wat een zaal.'

Miss Temple antwoordde zonder enige moeite op laatdunkende toon: 'Hoezo, bent u hier nooit eerder geweest?'

Voor hij reageerde keek hij haar eerst aan, maar besloot om niets te zeggen en stak de sigaar in zijn mond. Met zijn andere hand haalde hij een zakhorloge uit zijn zwarte vest en keek hoe laat het was. Hij stopte het horloge weer weg, trok aan de sigaar, haalde hem uit zijn mond en blies de rook uit.

Miss Temple sprak zo ongedwongen mogelijk: 'Ik heb dit altijd een prachtig huis gevonden, maar… nogal bijzonder.'

Hij glimlachte. 'Dat is het ook.'

Ze keken elkaar aan. Ze wilde hem graag naar Roger vragen, maar wist dat dit niet het goede moment was. Als Roger, zoals ze dacht, een minder belangrijke gast was, zou dat alleen maar argwaan wekken, vooral omdat zij zo'n vreemde positie had als gast (ook al wist ze niet precies hoe vreemd). Ze moest wachten tot Roger en zij zich – gemaskerd – in dezelfde ruimte bevonden, want dan kon ze proberen om met iemand aan de praat te komen, op hem wijzen en naar hem vragen.

Maar alleen zijn met iemand, zoals ze nu was, was ook een kans en ondanks haar grote gevoel van onrust en onbehagen probeerde ze de bullebak verder uit zijn tent te lokken door naar het halfuitgewiste woord op het bord te staren. Daarna keek ze weer naar hem, alsof ze erop wilde wijzen dat iemand zijn werk niet goed had gedaan. De man zag het woord. Hij grimaste en stapte naar het bord, waarna hij het met zijn zwarte mouw wegveegde. Hij klopte tevergeefs het krijt van zijn mouw. Toen stak hij de sigaar in zijn mond en bood haar zijn arm aan.

'Ze wachten.'

Ze liep langs de tafel en nam hem met een knikje aan. Zijn arm bleek behoorlijk sterk en hij hield haar stevig vast, een beetje ongemakkelijk eigenlijk, omdat hij veel langer was dan zij. Terwijl ze door de schuin aflopende gang het donker in liepen, zei hij met een knik naar de snijzaal: 'Ik weet niet waarom ze u daardoor hebben laten gaan. Het zal de kortste weg wel zijn. Het is behoorlijk indrukwekkend, niet? Niet wat je zou verwachten.'

'Dat hangt ervan af,' antwoordde Miss Temple. 'Wat verwacht u?'

De man grinnikte alleen maar en drukte haar arm nog steviger tegen zich aan. De gang ging evenals de andere met een bocht naar beneden en ze liepen daarna over een horizontale vloer naar een andere deur. De man maakte hem open en duwde haar opzettelijk naar binnen. Toen ze een paar stappen naar voren gestruikeld was, kwam hij achter haar aan naar binnen en sloot de deur. Toen pas liet hij haar arm los. Ze keek om zich heen. Ze waren niet alleen.

Deze kamer was in zekere zin het tegenovergestelde van die waar ze zich verkleed had, want hij bevond zich niet alleen aan de andere kant van de snijzaal, maar werd waarschijnlijk ook voor iets tegenovergestelds gebruikt, en voor een heel ander type deelnemer. Het leek een keuken met een plavuizen vloer en witbetegelde wanden. Er stond een aantal zware houten tafels waar ook banden aan waren bevestigd, en aan de wanden hingen verscheidene kragen en klemmen, die bedoeld waren om degenen die tegenstribbelden of onverstandig waren vast te zetten. Vreemd genoeg lagen op een van de houten tafels een paar witte, met dons gevulde kussens en op die kussens zaten drie vrouwen die ieder een masker van witte veren en witte robes droegen. Ze hadden alle drie blote benen – hun robes reikten tot net onder hun knieën –, die ze onder de tafel lieten bungelen. Ook hadden ze blote voeten. Er was geen enkel teken van de vrouw in het rood.

Niemand zei iets. Misschien waren ze stilgevallen toen zij was binnengekomen. Ook zei niemand iets toen haar begeleider haar liet staan waar ze stond en zelf naar een van de tafels liep, waar zijn maat, de andere bullebak, uit een heupfles stond te drinken. Haar begeleider pakte de heupfles van hem aan, dronk manhaftig, gaf hem terug en veegde zijn mond af. Daarna nam hij een trekje van zijn sigaar en tikte ermee tegen de rand van de tafel, zodat er een dot as op de grond viel. Beide mannen leunden achterover en bestudeerden tevreden de vrouwen onder hun hoede. De situatie werd steeds ongemakkelijker. Miss Temple ging niet naar de tafel met de vrouwen toe, want er was niet echt plaats en geen van de vrouwen schoof een eindje op. In plaats daarvan lachte ze en onderdrukte haar onbehagen door een praatje aan te knopen.

'We hebben net de snijzaal gezien. Ik moet zeggen dat hij heel indrukwekkend is. Ik weet niet hoeveel zitplaatsen er zijn in vergelijking met soortgelijke zalen in de stad, maar ik weet zeker dat het er veel zijn. Misschien wel honderd. Het idee dat er op zo'n relatief afgelegen plek zoveel toeschouwers kunnen zijn wil ik denk ik toch wat zeggen over hoe belangrijk het werk is dat er uitgevoerd wordt. Het doet me een genoegen om daaraan bij te dragen, ook al ben ik maar een zijspoor, een afleiding. Al is het alleen maar voor deze avond, want de grootsheid van de faciliteit geeft ongetwijfeld weer hoe belangrijk het werk is dat hier plaatsvindt. Vindt u niet?'

Er kwam geen antwoord. Ze ging verder, omdat ze een dergelijke gesprekssituatie met vreemden wel vaker had meegemaakt en ze had geen enkele moeite om door te gaan. Ze sprak alsof ze overal van op de hoogte was.

'Ook ben ik natuurlijk blij met elk excuus om zoveel zijde te dragen...'

Ze werd onderbroken toen de man met de heupfles ging staan en naar de deur aan de andere kant van het vertrek liep. Hij nam nog een slok, stopte toen al lopend de fles in zijn jacquet, opende de deur en trok hem achter zich dicht. Miss Temple keek naar de andere man, die in de tussentijd zo mogelijk nog roder was aangelopen. Ze vroeg zich af of hij last had van een of andere aanval, maar hij bleef glimlachen en zijn sigaar roken. De deur ging weer open en de man met de heupfles stak zijn hoofd om de hoek. Hij knikte naar de man met de sigaar en verdween. De man met de sigaar ging rechtop staan, glimlachte weer naar de vrouwen, die hem scherp in de gaten hielden, en liep naar de deuropening. 'Wanneer u er klaar voor bent,' zei hij. Hij liep het vertrek uit en sloot de deur achter zich. Even later hoorde Miss Temple een duidelijk geklik van een sleutel in een slot. Ze konden er alleen via de snijzaal uit.

'U hebt uw schoenen aangehouden,' zei de vrouw die rechts zat.

'Inderdaad,' zei Miss Temple. Daar wilde ze het niet over hebben. 'Is een van u in de snijzaal geweest?' Ze schudden hun hoofd, maar zeiden verder niets. Miss Temple wees op de banden, de schuiven en de halsbanden. 'Hebt u deze kamer dan gezien?' Ze knikten ongeïnteresseerd. Ze begon zich vreselijk te ergeren. 'Hij heeft de deur op slot gedaan!'

'Het komt wel goed,' zei de vrouw die eerder iets gezegd had. Miss Temple spitste plotseling haar oren. Had ze deze stem al eerder gehoord?

'Het is maar een vertrek,' zei de vrouw in het midden, die tegen een van de leren banden in de buurt van haar been schopte. 'Hij wordt niet gebruikt voor waar hij vroeger voor gebruikt werd.'

De anderen knikten botweg, alsof daarmee alles gezegd was.

'En waar werd hij dan voor gebruikt?' vroeg Miss Temple.

De vrouw giechelde. Ook deze stem had ze eerder gehoord. In het rijtuig. Dit was de vrouw die twee mannen haar jurk had laten losknopen. Miss Temple keek naar de andere twee. Ze zagen er zo anders uit, de omgeving was zo anders. Waren dit de piraat en de vrouw in zijde in wier ogen ze had geprikt? Ze had geen idee. Ze zag dat ze ook naar haar lachten, alsof ze een domme vraag had gesteld. Waren ze dronken? Miss Temple stapte naar voren, pakte de vrouw bij haar kin en hief hem omhoog, wat de vrouw vreemd genoeg gedwee toeliet. Daarna boog ze zich voorover en rook aan de mond van de vrouw. Ze wist best hoe alcohol – vooral rum – rook en wat voor slechte invloed die had. De vrouw had parfum op. Was het sandelhout? Maar er was nog een andere geur, die Miss Temple niet herkende. Het was geen alcohol of iets wat ze eerder geroken had. Ook kwam hij niet uit de mond van de vrouw (die weer giechelde), maar van hoger op haar gezicht. De geur was mechanisch, industrieel bijna, maar was geen kolenlucht, geen rubber, geen lampolie, ether of zelfs verbrand haar, maar leek op al deze onplezierige luchtjes bij elkaar. Ze kon hem niet plaatsen, niet in gedachten en niet op het lichaam van de vrouw. Kwam hij van rond haar ogen, onder het masker? Miss Temple liet haar los en deed een stap naar achteren. Alsof dat een teken was, sprongen de drie vrouwen tegelijk van tafel af.

'Waar gaat u heen?' vroeg Miss Temple.

'We gaan naar binnen,' zei de middelste vrouw.

'Maar wat hebben ze u verteld? Wat gaat er gebeuren?'

'Er gebeurt niets,' zei de rechtervrouw, 'behalve dan alles wat we verlangen.'

'Ze verwachten ons,' zei de linkervrouw, die nog niets gezegd had. Miss Temple wist zeker dat dit de vrouw was die de blauwe zijden jurk had gedragen.

Ze duwden langs haar heen naar de deur, maar er was nog zoveel te vragen, ze konden nog zoveel vertellen! Waren ze uitgenodigd? Wisten ze van een hotel af? Miss Temple sputterde, liet haar laatdunkende houding even varen en riep ze toe: 'Wacht! Wacht! Waar is uw kleding? Waar is de dame in het rood?'

Alle drie onderdrukten een lach. De voorste opende de deur en de achterste deed de vragen van Miss Temple af met een spottend handgebaar. Ze gingen de deur door en deden hem achter zich dicht. Toen was het stil.

Miss Temple keek de koude, bedreigende kamer rond. Haar zelfvertrouwen en moed waren weggeëbd. Als ze dapper was, liep het pad van onderzoek natuurlijk naar de donkere, oplopende gang de snijzaal in. Waarom had ze anders de uitdaging van de kleding aangenomen, had ze vragen gesteld en had ze het zover laten komen? Maar ze was niet dom en wist genoeg om te beseffen dat deze kamer, deze snijzaal en dit feest – die haar om gegronde redenen zorgen baarden – een gevaar voor zowel haar maagdelijkheid als haarzelf konden zijn. De deur naar de marmeren gang was op slot en de mannen die hem op slot hadden gedaan waren afschuwelijk. Er waren geen kasten of nissen in de kamer waarin ze zich kon verstoppen. Ze bedacht dat de andere vrouwen, die meer moesten weten dan zij, zich geen zorgen maakten. Maar aan de andere kant zouden het best hoeren kunnen zijn.

Ze haalde diep adem en berispte zichzelf voor zo'n hard oordeel. De vrouwen waren uiteindelijk goed gekleed geweest. Ze waren misschien onkuis, slonzig zelfs, en waren misschien inderdaad door een hotel gestuurd, maar wat wist zij van de complicaties van andermans leven? De vraag was of dit alles tot een situatie moest leiden waar zij niet mee om kon gaan. Haar ervaring zat vol hiaten – wat ze na enig aandringen best wilde bekennen –, die ze in het algemeen vulde met flinke hoeveelheden gevolgtrekkingen en veronderstellingen. Toch had ze meestal enig idee of gaf ze in andere gevallen de voorkeur aan het mysterieuze van de zaak. In het geval van de vreemde snijzaal mochten er echter, zo vond ze, bij wijze van spreken geen gaten gevuld worden.

Ze kon in ieder geval bij de deur gaan luisteren. Heel voorzichtig draaide ze de knop om en opende de deur misschien een centimeter. Ze hoorde niets. Ze deed hem wat verder open, ver genoeg om haar hoofd erdoor te steken. Het licht zag er hetzelfde uit. De andere vrouwen waren net naar buiten gegaan, ze kon niet meer dan een minuut getwijfeld hebben. Zou het publiek geconcentreerd kijkend zo snel stil geworden zijn? Was er al iets afschuwelijks te zien? Ze luisterde, maar hoorde niets. Toen ze haar hoofd door de deur stak, zag ze echter weinig door het felle licht in haar ogen. Ze sloop verder. Nog steeds hoorde ze niets. Ze hurkte en kroop op handen en voeten verder, terwijl ze in deze ongemakkelijke houding naar boven, naar het eind van de gang, bleef kijken. Ze hoorde en zag niets. Toen stopte ze. Als ze verder zou gaan, zou ze vanaf de tribune zichtbaar worden. Ze kon nu al vanaf het podium gezien worden, als daar iemand geweest was. Ze keek naar de tafel. Er zat niemand op. Er was helemaal niemand.

Miss Temple was vreselijk geïrriteerd, hoewel ook wel opgelucht, en heel benieuwd naar wat er met de drie vrouwen was gebeurd. Waren ze er gewoon aan de andere kant weer uit gegaan? Ze besloot om ze te volgen, maar keek terwijl ze het podium overstak toevallig naar het schoolbord. Het felle licht scheen niet langer in haar ogen, waardoor ze in grote blokletters kon zien staan: EN ZO ZULLEN ZIJ VERTEERD WORDEN. Miss Temple schrok zichtbaar, alsof iemand in haar oor had geblazen. Ze wist zeker dat deze tekst er eerst niet had gestaan.

Ze keek weer naar de tribune om te zien of daar iemand op handen en voeten zat, maar er was niemand. Ze liep regelrecht naar het gangetje waar ze het eerst doorheen was gekomen en ging de bocht om naar de deur. Hij was dicht. Ze legde haar oor te luisteren, maar hoorde niets. Dit zei nog niets, want het waren dikke deuren. Omdat ze moe was van alle onnodige geheimzinnigheid, draaide ze uiterst geduldig de knop om en opende hem net ver genoeg om naar binnen te kunnen kijken. Ze deed hem iets verder open, luisterde, hoorde niets en deed hem nog iets verder open. Nog steeds niets. Nu was ze toch echt geërgerd. Ze opende hem helemaal en werd met stomheid geslagen.

Op de grond lagen de gescheurde resten van haar cape, haar jurk, haar korset en haar ondergoed. Alles was onherstelbaar en bijna onherkenbaar kapotgesneden. Zelfs haar nieuwe aantekenboek was vernietigd. De bladzijden waren eruit gescheurd en als boomblaadjes in het rond gestrooid, de band was gebroken en er zaten putten en reten in het leren omslag. Miss Temple trilde van boosheid – en angst. Ze was ontdekt. Ze was in gevaar. Ze moest ontsnappen. Ze zou Roger wel een andere keer achtervolgen of professionele mensen inschakelen, mannen die hun vak verstonden, stevige mannen die zich niet zo makkelijk in de val lieten lokken. Haar pogingen waren bespottelijk en zouden best eens tot haar ondergang kunnen leiden.

Ze liep naar de kastenwand toe. Haar eigen kleding was vernield, maar misschien hing er in een van de andere kasten iets waar ze zich mee kon bedekken. Ze zaten allemaal op slot. Ze trok er met alle macht aan, maar tevergeefs. Ze keek om zich heen of ze iets zag om ze mee open te breken, maar de kamer was leeg. Miss Temple kreunde van frustratie, een onverwacht klaaglijke kreet, die haar, toen ze hem geschrokken hoorde, deed beseffen in wat voor onhoudbare situatie ze zich bevond. Stel je voor dat ze ontmaskerd zou worden en haar naam bekend zou worden gemaakt? Hoe kon ze zich van de drie vergelijkbaar geklede vrouwen onderscheiden? Hoe kon ze Roger onder ogen komen? Daar bedacht ze zowat. Roger! Hij was precies wat haar overtuigde. Het laatste wat ze wilde was om kritisch door hem bekeken te worden. Het idee alleen al maakte haar woedend. Hij maakte haar woedend. Op dat moment verafschuwde ze Roger Bascombe met hart en ziel en nam zich heilig voor om zich uit deze netelige situatie te redden en zich dan op haar gemak aan zijn ondergang te wijden. Maar toen ze aan die ondergang dacht en aan hoe ze hem triomfantelijk zou uitlachen, voelde Miss Temple toch een pietsje medelijden, een zekere bezorgdheid om wat die dwaze man zich op de hals had gehaald, aan welke verdorvenheid, welk gevaar en welk carrièrevernietigend schandaal hij zich had blootgesteld. Kon het zijn dat hij het niet wist? Als ze hem te spreken zou kunnen krijgen, zou ze hem dan van het gevaar op de hoogte kunnen brengen? Zou ze ten minste kunnen ontdekken wat hij dacht?

Miss Temple liep naar de deur naar de marmeren gang en deed hem open. De gang leek leeg, maar ze stak haar hoofd zo ver mogelijk naar buiten en luisterde aandachtig. Via de ene kant kwam ze bij de voorkant van het huis, bij het feest en, naar ze aannam, vlak langs de andere gasten, de bedienden, langs iedereen. Ook kwam ze op die manier bij de rijtuigen, als ze ongemerkt en zonder ontmaskerd, uitgelachen of erger te worden in haar huidige kostuum het huis uit zou kunnen glippen. Via de andere kant zou ze het huis verder in gaan en meer gevaar lopen, maar ook verder bij de intrige betrokken raken. Ze zou daar misschien andere kleren kunnen vinden, een andere weg naar de rijtuigen. Ze zou zelfs meer informatie kunnen vinden – over Roger, de vrouw in het rood en de heer des huizes. Of het zou tot haar ondergang leiden. Hoewel Miss Temple zich afvroeg of ze zich uit de voeten moest maken of dapper door moest gaan, was het ook zo dat ze, als ze verder het huis in zou gaan, wat wel griezelig was, een directe confrontatie uit de weg ging. Als ze terug zou gaan naar de ingang, zou ze in ieder geval bedienden tegenkomen. Als ze verder zou gaan, kon er van alles gebeuren, waaronder de ontdekking van een makkelijke uitweg. Ze keek nog één keer naar de grote ingang, zag niemand en ging snel, dicht langs de muur lopend, de tegenovergestelde richting uit.

Ze kwam langs drie deuren aan haar kant van de met spiegels behangen gang en langs één aan de overkant, die allemaal op slot zaten. Ze liep verder. Het geklik van haar schoenen klonk onmogelijk hard op de betegelde vloer. Ze keek verder de gang in en zag nog twee deuren voordat ze terug zou moeten keren. De volgende lag aan de overkant. Snel keek ze over haar schouder en toen ze niemand zag, stak ze snel over. De klink gaf niet mee. Nog een keer kijken – nog steeds niemand –, en snel terug naar de andere kant. Op naar de laatste deur. De gang eindigde in een enorme spiegel die uit een aantal dwarslatten en kleinere spiegels bestond, waardoor hij leek op een van de grote ramen elders in het huis. Dit uitzicht was echter opzichtig en nadrukkelijk naar binnen gericht, als om (achter gesloten deuren, om eerlijk te zijn) duidelijk te maken dat het zicht op de binnenkant van het huis veel belangrijker was dan dat op de buitenkant. Voor Miss Temple was het louterend, omdat ze zichzelf erin weerspiegeld zag: een witte gestalte die langs grote weelde sloop. Het plezier dat ze gevoeld had toen ze zichzelf voor het eerst met haar masker op zag was niet helemaal verdwenen, maar getemperd door een beter begrip van het risico dat het met zich mee leek te brengen.

Bij de laatste deur had ze geluk. Toen ze dichterbij kwam, hoorde ze een gesmoorde stem en beweging. Ze probeerde de knop. Hij zat op slot. Er zat niets anders op. Miss Temple rechtte haar schouders, haalde diep adem en klopte aan.

De stem viel stil. Ze bereidde zich op het ergste voor, maar hoorde niets: geen voetstappen naar de deur, geen gerammel van het slot. Ze klopte opnieuw, harder dit keer, zodat haar hand er pijn van deed. Ze deed een stap achteruit, schudde haar vingers heen en weer en wachtte. Toen hoorde ze snelle voetstappen en een grendel die verschoven werd. De deur opende een kier. Een vermoeid groen oog keek op haar neer.

'Wat is er?' vroeg een geërgerde mannenstem.

'Dag,' zei Miss Temple glimlachend.

'Wat moet u in vredesnaam?'

'Ik wil graag naar binnen.'

'Wie bent u in vredesnaam?'

'Isobel.'

Miss Temple had instinctief, van de zenuwen, de naam van de heilige genoemd. Maar stel je voor dat ze daarmee zichzelf verried, dat er een andere Isobel was van wie men wist dat ze ergens anders was, of helemaal niet op haar leek: een dikke, gepukkelde meid die altijd transpireerde? Ze keek naar het oog (de deur was nog geen millimeter verder open) en deed haar uiterste best om te ontdekken hoe de man reageerde. Het oog knipperde alleen maar en bestudeerde haar van top tot teen. Het werd samengeknepen. Hij vond haar verdacht.

'Dat zegt niets over wat u wilt.'

'Ik ben hierheen gestuurd.'

'Door wie? Door wíe?'

'Door wie denkt u?'

'Waarom?'

Hoewel Miss Temple hier best mee door wilde gaan, duurde het maar voort en ze was zich er scherp van bewust dat ze al geruime tijd zichtbaar was in de gang. Ze boog zich voorover, keek naar het oog en fluisterde: 'Om me om te kleden.' Het oog bewoog niet. Ze keek om zich heen en toen weer naar de man. Fluisterend voegde ze eraan toe: 'Ik kan dat moeilijk in de openlucht doen.'

De man opende de deur en stapte opzij, waardoor ze naar binnen kon gaan. Ze lette erop dat ze buiten zijn bereik bleef, maar zag dat hij gewoon de deur gesloten had en van haar vandaan was gelopen. Hij was een vreemde figuur, een bediende nam ze aan, hoewel hij geen zwart uniform aanhad. Het viel haar op dat zijn schoenen, die ooit mooi geweest moesten zijn, doffe neuzen hadden en vuil waren. Hij droeg een witte kiel over een schijnbaar eenvoudige, eveneens versleten bruine broek en een bruin overhemd. Zijn haar was vet en was achter zijn oren gestreken. Hij was bleek, had scherpe, zoekende ogen en zwarte handen, alsof er inkt aan zat. Was hij een soort drukker? Ze lachte naar hem en bedankte hem. Hij reageerde door hoorbaar te slikken, terwijl zijn handen nerveus aan de gerafelde rand van zijn schort plukten. Hij bekeek haar met open mond, alsof hij een vis was.

De kamer was bezaaid met houten kisten die niet zo lang en diep als een doodskist waren, maar wel met vilt waren bekleed. De kisten waren open. De deksels waren her en der tegen de muur gezet, maar wat erin zat, was niet zichtbaar. Ze leken zelfs leeg. Miss Temple deed een poging om erin te kijken, maar de man snauwde tegen haar, waarbij krachtig druppels speeksel werden gelanceerd.

'Houd daarmee op!'

Ze draaide zich om en zag hem naar de kisten wijzen en vervolgens – zijn gedachten volgend – naar haar, haar masker en haar kleding.

'Waarom heeft hij u hierheen gestuurd? Iedereen hoort in die andere vertrekken te zijn! Ik heb het druk! Ik wil niet. Ik weiger om door hem voor gek te worden gezet. Heeft hij me al niet genoeg aangedaan, hij en zijn schoothondje Lorenz? Doe dit, Crooner. Doe dat, Crooner. Ik heb elke instructie opgevolgd! Ik ben verantwoordelijk voor… mijn eigen ontwerp – één jammerlijk foutje – en heb aan alle voorwaarden voldaan, me volkomen onderworpen, en dan nog…' Hij maakte een hulpeloos gebaar en sputterde tegen Miss Temple: 'Wat een márteling!'

Ze wachtte tot hij uitgesproken was, en toen hij dat was, tot hij ophield met puffen als een slecht gevoede terriër. Aan de andere kant van de kamer was ook een deur. Met een serieuze knik en een respectvolle kniebuiging wees Miss Temple naar die deur en fluisterde: 'Ik zal u niet langer lastigvallen. Mocht u-weet-wel-wie me uithoren, dan zal ik zeggen dat u geconcentreerd met uw opdracht bezig was.' Ze knikte opnieuw en liep naar de deur in de hoop dat het geen kastdeur was. Ze opende hem en stapte een smalle gang in. Nadat ze de deur achter zich dicht had getrokken, leunde ze met een zucht van verlichting tegen de muur.

Ze besefte dat er geen tijd was om uit te rusten en dwong zichzelf om verder te gaan. De gang was een kale doorgang voor bedienden, waardoor ze snel en ongemerkt van het ene deel van het huis naar een ander belangrijk deel konden lopen. Hoopvol gestemd vroeg Miss Temple zich af of hij naar de waskamer leidde. Ze liep zo zacht als haar laarsjes haar toestonden naar het andere eind, maar voordat ze de knop van de deur omdraaide, zag ze dat er met een piepklein schroefje een metalen plaatje ter grootte van een munt op de deur was bevestigd. Ze schoof het opzij en zag dat er een kijkgat achter schuilging. Dit was er blijkbaar gemaakt om ervoor te zorgen dat een voorzichtige bediende zijn meester niet op een ongelegen moment kon verrassen. Miss Temple bekeek het kleine mechanisme van discretie en tact goedkeurend, ging op haar tenen staan en keek naar binnen.

Het was een privévertrek. Een luxueuze ruimte met een groot koperen bad. Op een tafel lagen allerlei badspullen; sponzen, borstels, flesjes, stukken zeep en stapels witte handdoeken. Ze zag niemand. Ze opende de deur en sloop naar binnen. Ze gleed ogenblikkelijk uit. Haar hak gleed weg op de natte tegelvloer, waardoor ze hard viel en in een ongemakkelijke spagaat terechtkwam. Een scherp geluid zei haar dat het buitenste gewaad gescheurd was. Ze bleef doodstil zitten en spitste haar oren. Had iemand haar gehoord? Had ze een kreet geslaakt? Er kwam geen enkel geluid vanachter de open kamerdeur. Miss Temple ging voorzichtig staan. Er lagen flinke plassen water op de vloer en een paar achteloos neergegooide, verfrommelde natte

49

handdoeken. Ze boog zich voorzichtig voorover en doopte haar vingers in het bad. Het water was lauw. Er had ten minste een halfuur lang niemand in gezeten. Daarna droogde ze haar vingers aan een van de handdoeken. Ook was er geen bediende geweest, anders was alles wel opgeruimd en gedweild, wat betekende dat degene die in bad geweest was er nog was of dat de bedienden opdracht gekregen hadden om uit de buurt te blijven.

Op dat moment rook Miss Temple de vreemde geur die uit het naastgelegen vertrek kwam. Ze had hem waarschijnlijk niet meteen ontdekt door de bloemenzepen en oliën in de badkamer, maar zodra ze een stap richting de deur deed, kwam haar dezelfde vreemde, onnatuurlijke geur tegemoet die ze op het gezicht van de gemaskerde vrouw had geroken, maar nu veel sterker. Ze legde haar hand over haar neus en mond. Het leek op een mengeling van as en verbrande kurk, of rokend rubber. Ze vroeg zich plotseling af hoe brandend glas rook. Maar wat deden die geuren in de privévertrekken van een landhuis? Ze stak haar hoofd om de hoek van de deur en zag een kleine zitkamer. Een snelle blik in het rond registreerde een aantal stoelen, een kleine tafel, een lamp en een schilderij, maar geen bron van nieuwe kleren. Ze liep terug en stak de badkamer over naar de deur naar de gang, maar hoorde toen een geluid: zware voetstappen die snel dichterbij kwamen. Toen ze haar bijna bereikt hadden en ze op het punt stond om de badkamer weer in te schieten, struikelde de persoon in kwestie en hoorde Miss Temple duidelijk het gekletter en geknars van iets zwaars dat tegen iets anders botste, dat daardoor op de grond viel en in stukken brak. Ze schrok van duizenden stukjes Chinees blauw glas die door de deuropening langs haar voeten naar binnen schoten. Stilte. De voetstappen begonnen weer – de persoon liep met grote stappen weg. Miss Temple keek nieuwsgierig om de hoek. Aan haar voeten lagen de resten van een enorme vaas, de lelies die erin stonden, het gebroken marmeren voetstuk waar de vaas op had gestaan en een scheef staand tafeltje. Er bevond zich een groot hemelbed in de kamer, waar al het beddengoed af was gehaald. Op het bed stonden drie houten kisten die identiek waren aan degene die de vreemde bediende in de zijkamer van de hal had geopend.

Deze waren ook geopend en met vilt bekleed, oranje vilt, zoals ze nu goed kon zien, denkend aan het woord op het schoolbord. De kisten waren leeg, maar ze tilde een van de afgehaalde deksels op en zag dat er met een sjabloon letters op het hout waren geverfd, ook in oranje: OR-13. Ze bekeek de andere twee deksels en zag dat daar ook letters op waren gezet: OR-14 en OR-15. Ze keek snel op, naar het poortje. De voetstappen kwamen terug en klonken nog roekelozer. Voor Miss Temple zich kon verstoppen, klonk er een doffe, vlezige dreun, en toen weer stilte.

Ze wachtte, hoorde niets en sloop naar het poortje. De geur was nog sterker. Ze kokhalsde en hield haar mouw over haar neus en mond. Dit was een tweede zitkamer. Hier stonden meer meubelen, maar alles was met een wit laken bedekt, alsof dit deel van het huis was afgesloten. Vanachter een in wit gehuld dressoir staken twee op de grond gelegen benen in een helderrode broek met een gele band langs de zijnaad en zwarte laarzen. Soldatenkleding. De soldaat bewoog niet. Miss Temple durfde de kamer in te stappen en hem goed te bekijken. Zijn jas was ook rood, met goudkleurige epauletten en tressen, en hij had een dikke zwarte snor en zwarte bakkebaarden. De rest van zijn gezicht ging schuil achter een strak zittend roodleren masker. Zijn ogen waren gesloten. Ze zag geen bloed, er was geen directe aanwijzing dat hij zijn hoofd had gestoten. Misschien was hij dronken, of flauwgevallen door de lucht. Ze duwde met haar voet tegen hem aan. Hij bewoog niet, maar aan zijn zacht op- en neergaande borst zag ze dat hij leefde.

In zijn handen zat een zwarte cape gepropt. Misschien was hij erover gestruikeld. Miss Temple lachte tevreden. Ze knielde en haalde hem voorzichtig uit zijn handen. Vervolgens stond ze op en hield hem op. Er zat geen capuchon aan, maar ze zou zich er helemaal mee kunnen bedekken. Ze glimlachte sluw en knielde naast het hoofd van de man neer, maakte voorzichtig het masker los en haalde het van zijn gezicht af. Haar adem stokte. De man had een vreemd soort brandmerk rond zijn ogen, alsof er een grote metalen bril op zijn gezicht was gedrukt. De huid was niet verbrand, maar had een dieppaarse kleur, alsof er een laagje af gewreven was. Miss Temple bekeek met afschuw de achterkant van het masker, maar dat was niet vuil of bebloed. Ze veegde het aan een van de lakens af. Er bleef geen vlek achter. Toch deed ze enigszins wantrouwend haar witte masker af en verving het door het rode. Daarna trok ze haar witte robes uit en sloeg de zwarte cape om. Er was geen spiegel, maar ze voelde zich toch iets gesterkt. Ze stopte de uitgetrokken spullen in het dressoir en liep naar de volgende deuropening.

Die was behoorlijk groot en was duidelijk de hoofdingang van deze suite. Hij gaf toegang tot een grote, helder verlichte gang, waarin een grote groep goed geklede gasten doelbewust langs haar heen liep. Een van de mannen zag Miss Temple in de deuropening staan. Hij knikte, maar bleef niet staan. Niemand bleef staan; ze leken zelfs haast te hebben. Blij dat ze niet opviel, voegde Miss Temple zich bij de voortbewegende menigte en liet zich meevoeren. Ze lette erop dat ze haar cape dichthield, maar had alle tijd om de mensen om zich heen te bekijken. Ze droegen allemaal een masker en mooie avondkleding, maar verschilden in leeftijd en type. Terwijl ze voortschuifelde, knikte of glimlachte een aantal mensen naar haar, maar niemand zei iets. Er sprak eigenlijk niemand, hoewel ze wel af en toe een verheugde glimlach zag. Ze was ervan overtuigd dat ze naar iets toe gingen wat geweldig moest zijn, maar waarvan slechts weinigen – of zelfs niemand – wisten wat het was. Toen ze voor zich uit en achteromkeek, zag ze dat de groep eigenlijk niet zo groot was en uit zo'n veertig of vijftig mensen bestond. Gezien het aantal rijtuigen voor het huis was dit maar een klein deel van de gasten. Ze vroeg zich af waar de anderen waren en wat zij dachten dat deze groep aan het doen was. En waar gingen ze naartoe? Hoe lang was deze gang? Miss Temple vond dat degene die het huis had ontworpen zich veel te veel op lengte had geconcentreerd. Plotseling botste ze tegen degene die voor haar liep; op dat moment een kleine vrouw (dat wil zeggen, even lang als zijzelf), in een lichtgroene jurk (miss Temple zag met smart dat de kleur op die van haar eigen jurk leek) en een bijzonder knap gemaakt masker van loshangende kralensnoertjes.

'O, dat spijt me zeer,' fluisterde Miss Temple.

'Geeft niet,' antwoordde de vrouw, en ze knikte naar een man die voor haar liep. 'Ik ben op zijn hiel gaan staan.' Ze moesten halt houden.

'We staan stil,' zei Miss Temple in een poging om het gesprek gaande te houden.

'Er is me verteld dat de trap vrij smal is en dat ik op mijn schoenen moet letten. Ze bouwen nooit voor dames.'

'Dat is maar al te waar,' beaamde Miss Temple, maar haar blik schoot al over de hoofden vooruit, waar ze inderdaad een rij mensen een glimmende metalen wenteltrap op zag gaan.

Haar hart begon te kloppen in haar keel. Terwijl ze keek, draaide Roger Bascombe – want het kon ondanks het eenvoudige zwarte masker over zijn ogen niemand anders zijn – de bovenste spiraal op en keek haar op dat moment recht in het gezicht. Ook nu leek hij op zijn hoede te zijn. Hij tikte ongeduldig op de trapleuning terwijl hij voetje voor voetje samen met vele anderen naar boven klom. Hij had een hekel aan grote menigten, hij zou zich wel niet op zijn gemak voelen. Waar ging hij heen? Waar dácht hij dat hij heen ging? Plotseling was hij bovenaan, bij een smalle overloop, aangekomen en verdween uit het zicht.

Miss Temple richtte haar aandacht op de mensen om zich heen. Ze was koortsachtig nadenkend een paar stappen naar voren geschuifeld en realiseerde zich dat de vrouw in het groen haar iets toefluisterde. 'Sorry,' fluisterde Miss Temple terug, 'ik was door alle opwinding plotseling even afgeleid.'

'Het is reuze spannend, hè?' zei de vrouw vertrouwelijk.

'Inderdaad.'

'Ik voel me net een klein meisje.'

'Ik denk dat iedereen zich zo voelt,' verzekerde Miss Temple haar, en ze vroeg zich toen hardop af: 'Ik had niet zoveel mensen verwacht.'

'Natuurlijk niet,' antwoordde de vrouw, 'want ze zijn heel voorzichtig te werk gegaan. Het onzichtbaar maken van deze groep door middel van het feest, de subtiele uitnodigingen, het verbergen van onze identiteit.'

'Dat is waar,' knikte Miss Temple. 'En u hebt zo'n mooi masker.'

'Ja, mooi hè?' lachte de vrouw. Ze had een stapje teruggedaan, waardoor ze naast Miss Temple kon lopen en ze zacht met elkaar konden praten zonder de aandacht van anderen op zich te vestigen. 'Maar ik was eigenlijk van plan om u een compliment te maken over uw cape.'

'O, wat aardig dat u dat zegt.'

'Zeer indrukwekkend,' mompelde de vrouw terwijl ze haar hand naar een zwart lint rond de kraag van de cape uitstak dat Miss Temple nog niet gezien had. 'Het lijkt wel een soldatencape.'

'Dat is toch de mode op het moment?' lachte Miss Temple.

'Ja,' – de vrouw ging nog zachter praten – 'en zijn we nu zelf niet een soort soldaten?'

Miss Temple knikte en zei zacht: 'Ik ben het met u eens.'

De vrouw keek haar veelbetekenend aan en bekeek de cape. 'En hij is behoorlijk lang. Hij bedekt u helemaal.'

Miss Temple kwam wat dichterbij en zei: 'Dan kan niemand zien wat ik eronder aanheb.'

De vrouw lachte ondeugend en kwam ook wat dichterbij: 'Of dat u er niets onder aanhebt...'

Voor Miss Temple kon reageren, stonden ze onder aan de trap. Ze liet de andere vrouw voorgaan, want het laatste wat ze wilde was dat die na deze impulsieve woorden een kijkje onder haar cape zou nemen. Terwijl ze klommen, keek ze naar beneden. Er stonden nog maar een stuk of tien mensen in de gang. Maar toen slikte ze, want helemaal achteraan, alsof ze een kudde schapen hoedde, liep de vrouw in het rood. Haar blik viel op Miss Temple, die niet kon verbergen dat ze schrok, en gleed toen langs haar heen naar de overloop. Miss Temple klom verder naar boven en was al snel aan de andere kant van de trap, uit het zicht. Toen ze weer in het zicht kwam, dwong ze zichzelf om naar de rug van de vrouw voor haar te kijken. Haar nek tintelde. Dit was het enige wat ze kon doen om niet achterom te kijken. Ze was er zeker van dat ze ontdekt was en gebruikte al haar wilskracht om niet aan de gevaarlijke neiging om om te kijken toe te geven. Maar toen stond de vrouw in het groen stil. Er was oponthoud boven hen. Miss Temple voelde zich volkomen blootgesteld. Het was alsof ze geen cape en geen masker droeg en de vrouw in het rood en zij alleen waren. Ze voelde opnieuw haar priemende blik op zich gericht en hoorde de voetstappen die ze ook in de spiegelgang had gehoord. De vrouw kwam steeds dichterbij... tot ze vlak onder Miss Temple stond. Miss Temple blikte omlaag en keek een verschrikkelijke seconde lang in de glitterende ogen van de vrouw. Toen wendde de vrouw haar ogen af en probeerde – haar gezichtsveld werd onderbroken door de trede waar Miss Temple op stond – onder haar cape te kijken. Miss Temple hield haar adem in.

De vrouw boven haar liep verder en Miss Temple ging achter haar aan. Ze was zich ervan bewust dat als ze liep, haar schoenen zichtbaar waren, maar ze kon niet nog eens naar beneden kijken om te zien of de vrouw haar herkend had of dat ze haar alleen maar had bekeken als onderdeel van de menigte. Nog drie treden en ze was boven aan de trap, waar ze via de overloop een kleine, donkere deuropening door ging. De vrouw in het groen wachtte haar op, waarmee ze suggereerde om samen verder te gaan, maar Miss Temple was te bang om ontdekt te worden en wilde zich alleen maar verstoppen. Ze knikte naar de vrouw en glimlachte, en liep vervolgens opzettelijk in de tegenovergestelde richting. Pas toen zag ze waar ze was.

Ze stond in een rij boven aan de steil oplopende tribune en keek de snijzaal in. De tribune was al grotendeels bezet en ze dwong zichzelf om op zoek te gaan naar een zitplaats. Op het podium zag ze de man uit de trein, de lange man met de bontmantel. Hij had die niet meer aan, maar had nog wel steeds zijn zilveren wandelstok vast. Hij keek naar de tribune, ongeduldig wachtend tot iedereen zat. Ze wist hoe fel het licht in zijn ogen was en dat hij haar niet kon zien, maar toch voelde ze toen ze naar het buitenste gangpad liep zijn blik rusteloos, hard als een hark over grind, over zich heen glijden. Ze durfde niet lager dan de bovenste rij te gaan zitten, want hoe lager ze zat, hoe beter ze vanaf het podium zichtbaar was. Ze was dan ook opgelucht toen ze ontdekte dat de vierde stoel van de rij nog vrij was. Ze zat naast een man in een zwart jacquet en één met wit haar en een blauw uniform met een sjerp. Omdat ze beiden langer waren dan Miss Temple, probeerde ze zich ervan te overtuigen dat ze minder zichtbaar was tussen hen in, maar intussen voelde ze zich volkomen in de val zitten. Ze wist dat de vrouw in het rood achter haar naar binnen moest zijn gekomen, maar dwong zichzelf om naar het podium te kijken, hoewel wat ze daar zag haar bepaald niet geruststelde.

De sterke man stak zijn hand in de schaduw van de gang die van het podium af leidde en toen hij hem terugtrok, had hij de bleke schouder van een gemaskerde vrouw in witte zijden robes vast. De vrouw liep voorzichtig, omdat ze verblind werd door het licht, en liet zich leiden door de man. Hij zette haar vervolgens zonder enige ceremonie met beide handen op de tafel. Haar benen bungelden naar beneden. Hij pakte ze vast en trok ze naar de voorkant van de tafel, waardoor de vrouw meedraaide. Hij zei blijkbaar iets tegen haar, wat niemand kon verstaan, want ze ging verlegen glimlachend liggen en zorgde ervoor dat ze in het midden van de tafel terechtkwam. Terwijl ze hiermee bezig was, legde de man haar enkels zonder enige poespas elk op een hoek van de tafel en bond ze vast met een leren riem. Hij trok de riemen stevig aan en liet het uiteinde loshangen. Toen liep hij naar haar armen. De vrouw zei niets. Miss Temple wist niet zeker welke van de drie vrouwen dit was – de piraat misschien? Terwijl ze het probeerde te raden, bond de man haar armen vast. Vervolgens haalde hij haar mooie lange krullen van haar fijne, blanke hals en maakte ook die met een leren riem vast. Ook deze werd stevig, maar niet hard, aangetrokken, waardoor de vrouw helemaal vast lag. De man ging achter haar staan en pakte een metalen hendel, die op die van een pomp leek. Hij trok eraan, waardoor de machine met een klik zo luid als een schot in beweging kwam en het hoofdeinde van de tafel omhoogkantelde en naar de tribune draaide. Nog drie klikken en de vrouw stond bijna verticaal. Hij liet de hendel los en liep het podium af, de schaduw in.

De vrouw had geen bepaalde uitdrukking op haar gezicht. Ze lachte vaag, wat echter niet kon verhullen dat haar benen beefden. Miss Temple waagde een blik over de schouder van haar buurman naar de deur, maar keek snel weer naar het podium. De vrouw in het rood stond in de deuropening alsof ze daar op wacht stond. Terwijl ze doelloos over de menigte uitkeek, stak ze een nieuwe sigaret in haar houder. Miss Temple kon alleen ontsnappen door het podium op te springen en een van de zijgangen in te duiken, wat onmogelijk was. Ze keek zelf rusteloos over de hoofden van de menigte en probeerde een uitweg te vinden. In plaats daarvan zag ze Roger zitten. Hij zat in het midden van de tribune naast een vrouw in het geel – zij moest de lachende vrouw uit zijn coupé zijn – en een lege stoel. Nota bene. Het was ongetwijfeld de enige lege zitplaats in de zaal. Ergens achter haar rook Miss Temple brandende tabak. Ze wist zeker dat de lege zitplaats van haar sterke rode tegenstander was. Maar wat was het verband tussen deze vrouw en Roger Bascombe? Was ze een of andere diplomatieke figuur, een mysterieuze courtisane of een decadente erfgename? Door Miss Temple op te wachten bij de voordeur had ze bewezen dat ze betrokken was bij wat de menigte hier kwam bekijken. Ze had bij Roger in de trein gezeten, maar betekende dat ook dat hij wist wat hij hier te zien zou krijgen? Plotseling schrok ze van de gedachte dat de stoel waar zíj op zat misschien van de vrouw was, maar wat kon ze er nu aan doen?

De sterke man liep het licht weer in en had dit keer een van de andere in het wit geklede vrouwen in zijn armen. Ze wist zeker dat dit de vrouw in blauwe zijde was, want haar lange haar was losgemaakt en hing omlaag. Hij liep naar het midden van het podium en ging voor de tafel staan. Toen schraapte hij zijn keel.

'Ik denk dat we klaar zijn,' zei hij.

Miss Temple was verrast dat zijn stem niet scherp of commanderend was, maar zacht. Hij leek op een rasp, bijna, hoewel hij laag van toon was. Hij klonk of hij gebroken was, niet heel meer. Ook verhief hij zijn stem niet, maar hij vertrouwde erop dat iedereen oplette, en door zijn houding gebeurde dat ook. Hij schraapte zijn keel weer en tilde de vrouw op alsof ze een tekst was die hij ging voordragen.

'Zoals u ziet is deze vrouw volkomen gewillig geworden. Daar zijn echter geen opiaten of andere bedwelmende middelen voor gebruikt. En hoewel ze vrij hulpeloos lijkt, is dit gewoon zoals ze nu wil zijn. Het is niet echt nodig. Integendeel, ze kan moeiteloos reageren.'

Hij draaide het lichaam van de vrouw zodanig dat ze op haar voeten kwam te staan. Vervolgens deed hij een stap achteruit en liet haar los. De vrouw wankelde wat met glazige ogen, maar viel niet om. Zonder waarschuwing sloeg hij haar hard in het gezicht. De toeschouwers slaakten een zucht van afschuw. De vrouw wankelde van de klap, maar viel niet neer. Integendeel, een van haar armen schoot omhoog om de man terug te slaan, maar hij ving haar hand makkelijk op – hij had de klap blijkbaar verwacht – en bracht haar arm langzaam naar beneden. Toen liet hij haar los. Ze probeerde hem niet nog eens te slaan. Door haar onwrikbare manier van doen leek het zelfs alsof ze de klap helemaal niet had geïncasseerd. De man keek naar het publiek alsof hij dit wilde bevestigen en richtte zich vervolgens weer tot de vrouw. Dit keer pakte hij haar met zijn sterke hand bij haar hals en kneep. De vrouw reageerde heel heftig door te proberen zijn vingers weg te trekken, tegen zijn arm te slaan en tegen zijn benen te schoppen. De man hield haar op een afstand en gaf geen kik. Ze kon hem niet raken. Haar gezicht was rood, haar ademhaling moeizaam, haar geworstel wanhopiger. Hij wurgde haar. Miss Temple hoorde de geüniformeerde man naast haar geschrokken zitten mompelen, gemompel dat ook elders in de menigte hoorbaar was, en hem heen en weer schuiven alsof hij op het punt stond om op te staan. De man op het podium voorzag dit moment van protest en liet de vrouw precies op dat moment los. Ze wankelde, haalde een paar keer hijgend adem, maar haar geworstel werd al snel minder. Ze deed geen enkele poging om wraak te nemen, en na een minuut of zo weer op adem gekomen te zijn stond ze weer even uitdrukkingsloos op het podium als voorheen, alsof hij er helemaal niet was.

De man keek opnieuw naar het publiek om dat te benadrukken en ging toen achter de vrouw staan. Met een snel gebaar sloeg hij de achterkant van haar robes omhoog en stak zijn hand eronder. Hij maakte opzettelijk een gravend gebaar. De vrouw verstijfde, wiebelde wat heen en weer en beet op haar lip. De man bleef achter haar staan, zijn onzichtbare vingers aan het werk. Zijn gezicht bleef onbewogen – hij had net zo goed bezig geweest kunnen zijn met het repareren van een klok – maar de vrouw voor hem ging dieper ademhalen, veranderde iets van houding en boog wat voorover, waarbij ze haar gewicht naar haar tenen verplaatste. Miss Temple keek ademloos toe. Ze wist precies hoe toegankelijk het zijden broekje was dat de vrouw aanhad en waar hij mee bezig was. Ze zag hoe de langzame toename van genot zich op het gezicht van de vrouw aftekende, het hoorbare gekreun, de blos die zich over haar hals verspreidde, haar verkrampende vingers. Opnieuw haalde de man plotseling zijn hand weg en veegde hem aan de achterkant van de robes af. Zodra hij haar had losgelaten, nam ze ogenblikkelijk haar passieve houding en uitdrukking weer aan. De man knipte met zijn vingers, waarna een andere man uit de schaduw te voorschijn kwam. Miss Temple zag dat het dezelfde bullebak was die haar ook had begeleid. Hij nam de hand van de vrouw en liep met haar het podium af.

'Zoals u ziet,' vervolgde de man op het podium, 'reageerde de vrouw meteen, hoewel ze zichzelf niet te buiten ging. Dit zijn de directe effecten. Daarnaast kan er ook een mate van duizeligheid, misselijkheid en narcolepsie optreden, waardoor het in het beginstadium nodig is om de persoon in kwestie in de gaten te houden en te beschermen.' Hij knipte weer met zijn vingers en vanuit de andere gang naar het podium toe kwam de tweede bullebak, die de laatste van de drie vrouwen in het wit begeleidde. Ze werd naar de sterke man geleid, terwijl ze volkomen normaal liep en een revérence maakte. Hij nam haar hand over van haar begeleider (die het podium verliet) en draaide haar naar het publiek toe. Ze maakte opnieuw een revérence.

'Deze dame,' vervolgde de man, 'is nu drie dagen onder onze invloed. Zoals u ziet, is ze nog volkomen in staat om te reageren, maar daarnaast is ze van de beperkingen van haar gedachten bevrijd. Ze is de afgelopen drie dagen op een nieuwe manier gaan leven.'

Hij zweeg even om zijn indrukwekkende woorden extra kracht bij te zetten en vervolgde toen op enigszins minachtende toon: 'Drie dagen geleden dacht deze vrouw, zoals naar ik aanneem zovelen onder u, dat ze verliefd was. Nu heeft ze echter met hulp van ons de touwtjes in handen.' Hij zweeg weer en knikte naar de vrouw.

Toen ze het woord nam, herkende Miss Temple de lage stem van de vrouw in de gevederde cape. Ze klonk net zoals toen ze het verhaal over de twee mannen in het rijtuig vertelde, maar door haar koele, dromerige, ongeëmotioneerde manier van spreken liepen Miss Temple de koude rillingen over haar rug.

'Ik kan niet zeggen hoe ik was, want dat is net zoiets als zeggen hoe ik als kind was. Er is zoveel veranderd, zoveel duidelijk geworden, dat ik alleen maar kan vertellen hoe ik geworden ben. Het klopt dat ik dacht dat ik verliefd was, verliefd omdat ik niet inzag hoe ik geleefd werd, want ik geloofde in mijn lijdzaamheid dat de liefde me zou bevrijden. Welk beeld dacht ik van de wereld te hebben? Ik was afhankelijk van iets, van redding in plaats van mijn eigen daden. De dingen waar ik in geloofde – geld, respectabiliteit en genot – waren slechts de gevolgen van die afhankelijkheid, maar nu zie ik ze als de gevolgen van mijn eigen onbegrensde vermogens. Ik heb de afgelopen drie dagen drie nieuwe minnaars gekregen, geld voor een nieuw leven in Genève en bevredigend werk dat ik (ze glimlachte verlegen) niet verder mag beschrijven. Tevens heb ik meer geld verdiend en uitgegeven dan ik tot nu toe mijn leven lang bezeten heb.'

Ze was uitgesproken. Ze knikte naar het publiek en deed een stap achteruit. Haar begeleider verscheen weer, nam haar bij de hand en liep met haar het duister in. De sterke man keek haar na, en richtte zich toen tot zijn publiek.

'Ik kan u geen verdere informatie over haar geven, dat zou ik over u ook niet doen. Ik wil u niet overtuigen, maar u slechts de mogelijkheid bieden. U hebt voorbeelden gezien van verschillende stadia van ons procédé. Deze twee vrouwen, de ene drie dagen geleden getransformeerd en de andere pas vanavond, hebben onze uitnodiging aangenomen en zullen daar de vruchten van plukken. De transformatie van de derde… kunt u met eigen ogen aanschouwen en uw eigen oordeel vormen. Vergeet hierbij niet dat de intensiteit van de procedure bepaalt hoe diepgaand de transformatie is. Het enige wat ik van u vraag is uw aandacht en stilte.'

Vervolgens knielde hij neer en pakte een van de houten kisten. Terwijl hij ermee naar de tafel liep, wipte hij met zijn vinger het deksel los en liet het achteloos op de grond kletteren. Hij keek naar de vrouw, die nerveus slikte, en zette de kist naast haar been op de tafel. Hij haalde een dik stuk oranje vilt uit de kist, liet het op de grond vallen en fronste. Met beide handen stelde hij iets bij in de kist of zette iets in elkaar. Eenmaal tevreden haalde hij een, voor zover Miss Temple kon zien, soort duikbril met onmogelijk dikke lenzen uit de kist. Het montuur was met een dikke laag zwart rubber bekleed en er hing aan beide kanten een streng koperen draden aan. De man boog zich zodanig over de vrouw heen dat ze uit het zicht was en gooide haar witte masker op de grond. Voordat het publiek kon zien wie ze was, plaatste hij het vreemde instrument op haar onbedekte gezicht en drukte het met kleine duwtjes stevig aan, waardoor de vrouw krampachtig met haar benen trok. Terwijl de man zich weer naar de kist toe draaide, haalde de vrouw zwaar adem. Haar wangen waren bezweet en ze hield haar mouwen samengebald in haar vuisten. De man haalde een gemeen gekartelde klem uit de kist, maakte het ene uiteinde ervan aan de koperen draad vast en bevestigde het andere uiteinde aan iets in de kist wat Miss Temple niet kon zien. Zodra hij dit gedaan had, begon het ding in de kist een lichtblauw licht af te geven. De adem van de vrouw stokte en ze kreunde van de pijn.

Op datzelfde moment deed Miss Temple hetzelfde. Ze voelde een scherpe pijn tussen haar schouderbladen en toen ze over haar schouder keek om te zien of de vrouw in het rood nog in de deuropening stond, voelde ze aan de andere kant van haar de adem van de vrouw in haar oor.

'Ik ben bang dat u met mij meegaat.'

Terwijl ze de donkere tribune verlieten, het balkon boven aan de trap overstaken en de trap afliepen, bleef de vrouw met het scherpe blad in haar rug prikken, waardoor Miss Temple niet zou proberen om te gaan roepen, zogenaamd flauw te vallen of haar vijand te laten struikelen, waardoor ze over de trapleuning zou vliegen. Toen ze in de lange marmeren gang waren, deed de vrouw een stap opzij en stak haar hand in een zak. Miss Temple zag echter toch de glimmend metalen band om haar vingers. De vrouw keek omhoog naar het balkon om zich ervan te vergewissen dat niemand hen was gevolgd en gebaarde toen dat Miss Temple de gang richting de rest van het huis in moest lopen. Miss Temple deed dit, maar hoopte van harte dat ze een open deur zouden tegenkomen waar ze doorheen zou kunnen glippen, of dat een voorbijganger haar zou helpen. Ze wist dat er andere gasten waren en dat wat er in de snijzaal plaatsvond niet bedoeld was voor onbevoegden die zich elders in het huis bevonden. Ze wist zeker dat als ze die mensen kon bereiken, ze dan hulp zou kunnen vinden. Ze kwamen langs een aantal gesloten deuren, maar toen ze naar de trap liep, was ze zo op de mensen om haar heen gericht dat ze zich weinig andere dingen herinnerde. Ze had geen idee waar deze deuren naartoe leidden, en of ze uit een ervan de gang op was gekomen. De vrouw dreef haar voort door haar bij ieder punt waar ze zou kunnen stilstaan een scherpe duw in de rug te geven. De eerste keer dat dit gebeurde, voelde Miss Temple dat haar gevoel voor wat al dan niet betamelijk was geheel overstemd werd door angst. Ze was heel bang voor wat er met haar zou gaan gebeuren en het feit dat ze zo mishandeld kon worden toonde aan hoe diep ze gezonken was, hoe wanhopig haar situatie was. De tweede keer dat ze geduwd werd, werd haar opkomende irritatie nog onderdrukt door haar eigen fysieke zwakte, het wapen, de overduidelijke kwaadaardigheid van de vrouw en de wetenschap dat ze – omdat ze van huisvredebreuk en diefstal beschuldigd kon worden – wettelijk geen been had om op te staan. Bij de derde duw kreeg Miss Temples woede echter de overhand en zonder erbij na te denken draaide ze zich om en sloeg de vrouw met alle kracht in het gezicht. De vrouw boog zich echter naar achteren, waardoor ze miste en struikelde. De vrouw in het rood grinnikte onuitstaanbaar en toonde opnieuw het wapen in haar hand: een kort, scherp mes aan een metalen band die om haar knokkels zat. Met de andere hand gebaarde ze naar de dichtstbijzijnde deur, die identiek leek te zijn aan alle andere in de gang.

'Hier kunnen we verder praten,' zei ze. Miss Temple liep zichtbaar woedend naar binnen.

Het was een andere suite. Het meubilair was met witte lakens bedekt. De vrouw in het rood deed de deur achter hen dicht en duwde Miss Temple naar een bedekte divan. Toen Miss Temple zich met woedende ogen naar haar toe draaide, klonk de vrouw laatdunkend en koud.

'Ga zitten.' Zelf stapte de vrouw naar een grote leunstoel en nam plaats. Vervolgens pakte ze haar sigarettenhouder en een metalen sigarettendoosje. Ze keek op naar Miss Temple, die geen vin verroerd had, en beet haar toe: 'Ga zitten of ik zorg voor iets anders om op te zitten – om herhááldelijk op te gaan zitten.'

Miss Temple deed wat haar gezegd werd. De vrouw stopte een sigaret in de houder, stond op, liep naar een lamp aan de muur, stak hem aan, trok aan de sigaret en nam weer plaats. Ze staarden elkaar aan.

'U houdt me tegen mijn wil vast,' zei Miss Temple, in de hoop dat de reden waarom ze dit gesprek voerden was dat ze voor zichzelf was opgekomen.

'Doe niet zo bespottelijk.' De vrouw trok aan haar sigaret, blies de rook van hen vandaan en tipte haar as op het tapijt. Ze bestudeerde Miss Temple, die zich niet verroerde. De vrouw zelf verroerde zich ook niet. Ze nam nog een trekje en toen ze haar mond opendeed om iets te zeggen, kwam er samen met haar woorden rook naar buiten.

'Ik stel hier de vragen, u beantwoordt ze. Doe geen domme dingen, want u bent alleen.' Ze keek Miss Temple doordringend aan en begon haar op een iets beschuldigender toon ernstig toe te spreken. 'U bent samen met de anderen in een rijtuig gearriveerd.'

'Ja, ik ben van het hotel, ziet u,' zei Miss Temple behulpzaam.

'Dat bent u niet, en ik help u niet om te liegen.' De vrouw zweeg even, alsof ze zich afvroeg welke vragen ze het best kon stellen. Miss Temple beet van zich af.

'Ik ben niet bang van u.'

'Ik help u ook niet om dom te zijn. U bent met de trein meegekomen. Hoe wist u welke trein u moest nemen? En naar welk station u moest gaan? Iemand heeft u dat verteld.'

'Niemand heeft me iets verteld.'

'Natuurlijk wel. Voor wie werkt u?'

'Ik ben alleen.'

De vrouw lachte – een scherp, spottend gelach. 'Als ik dat geloofde, zou u regelrecht in het moeras belanden en zou ik van u af zijn.' Ze ging naar achteren zitten. 'Ik heb namen nodig.'

Miss Temple had geen idee wat ze moest zeggen. Als ze namen verzon of namen gaf die hier niets mee te maken hadden, zou ze alleen maar laten blijken dat ze van niets wist. Maar als ze dat niet deed, liep ze een nog groter risico. Haar knie trilde. Ze legde er zo kalm mogelijk een hand op.

'Wat koop ik voor zulk verraad?' vroeg ze.

'Uw leven,' antwoordde de vrouw. 'Als ik goed gestemd ben.'

'Ik begrijp het.'

'Dus zegt u het maar. Namen. Begin maar met die van uzelf.'

'Mag ik u eerst wat vragen?'

'Dat mag u niet.'

Miss Temple negeerde haar. 'Als er iets met me zou gebeuren, zouden mijn compagnons dan niet weten met welk soort activiteiten u zich bezighoudt?'

De vrouw moest weer hard lachen, maar bracht haar gezicht toen weer in de plooi. 'Het spijt me, maar dat was bijna amusant. Wat zei u? Of wilt u liever sterven?'

Miss Temple haalde diep adem en begon zo goed als ze kon te liegen.

'Isobel. Isobel Hastings.'

De vrouw grinnikte. 'Uw accent is... vreemd... Misschien zelfs vals.'

Omdat ze dit op een gewone manier zei, vond Miss Temple het hoogst irritant.

'Ik kom van het platteland.'

'Welk land?'

'Dit natuurlijk. Uit het noorden.'

'Aha...' De vrouw lachte geaffecteerd. 'Voor wie werkt u?'

'Ik ken geen namen. Ik ben door middel van een brief geïnstrueerd.'

'Hoezo geïnstrueerd?'

'Stropping Station, perron 12, de trein van 18.23 uur, Orange Locks. Ik moest erachter komen wat de ware toedracht van deze avond is en alles wat ik gezien en gehoord heb rapporteren.'

'Aan wie?'

'Dat weet ik niet. Er zou bij mijn terugkeer in Stropping contact met me worden opgenomen.'

'Door wie?'

'Ze zouden zichzelf kenbaar maken. Ik weet niets, dus kan ik ook niets verklappen.'

De vrouw zuchtte geërgerd, drukte haar sigaret uit op het kleed en zocht naar een nieuwe in haar tas. 'U hebt wel een opleiding gehad. U bent geen gewone hoer.'

'Dat klopt.'

'U bent dus een ongewone.'

'Ik ben helemaal geen hoer.'

'Juist ja,' zei de vrouw spottend. 'Dus het geld dat u uitgeeft verdient u in een winkel.' Miss Temple zweeg. 'Zeg eens, want ik begrijp het niet. Wie bent u dat u dit soort... onderzoek doet?'

'Niemand, daarom kan ik het doen.'

'Aha.'

'Dat is de waarheid.'

'En hoe bent u... gerekruteerd?'

'Ik ben in een hotel een man tegengekomen.'

'Een mán,' zei de vrouw weer spottend. Miss Temple zat naar haar gezicht te kijken. Haar ontegenzeggelijk ijzige schoonheid werd zo vaak door deze flitsen van sarcastische afkeuring verstoord dat het leek of de wereld zo vies was dat zelfs deze indrukwekkende perfectie de aanval niet kon weerstaan. 'Welke man?'

'Ik ken hem niet, als u dat bedoelt.'

'Misschien kunt u hem omschrijven.'

Miss Temple zocht naarstig naar een antwoord en dacht plotseling aan Rogers baas, de onderminister van Buitenlandse Zaken, Harald Crabbé.

'Eh, eens kijken... een vrij kleine man, netjes, nogal precies eigenlijk, grijs haar, snor, gepoetste schoenen, hautaine manier van doen, laatdunkend, gemene oogjes, dikke vrouw. Niet dat ik zijn vrouw gezien heb, maar soms, zult u met me eens zijn, weet je zoiets gewoon.'

De vrouw in het rood onderbrak haar.

'Welk hotel?'

'Het Boniface, geloof ik.'

De vrouw tuitte minachtend haar lippen. 'Wat respectabel van u...'

Miss Temple vervolgde: 'We dronken thee. Hij vroeg me of ik dit wilde doen. Ik stemde ermee in.'

'Voor hoeveel?'

'Dat heb ik u al gezegd. Ik doe dit niet voor geld.'

Voor de eerste keer had Miss Temple de indruk dat de vrouw in het rood verrast was. Dat was heerlijk. De vrouw stond op, liep weer naar de lamp aan de muur en stak een tweede sigaret aan. Op haar gemak liep ze naar haar stoel terug, alsof ze hardop nadacht. 'Hmm, ik begrijp het... u hebt liever... macht?'

'Ik wil iets anders dan geld.'

'Wat dan?'

'Dat is mijn zaak, mevrouw, en het heeft niets met dit gesprek te maken.'

Daar schrok de vrouw van terug, alsof ze een klap in haar gezicht had gekregen. Ze had op het punt gestaan om weer te gaan zitten, maar nu rechtte ze langzaam haar rug, waardoor ze hoog boven Miss Temple uit torende, die nog zat. Toen ze het woord nam, klonk ze verbeten en zelfverzekerd, alsof ze haar beslissing al genomen had en haar vragen nu nog slechts een noodzakelijke procedure waren.

'U hebt geen naam van degene die u gestuurd heeft?'

'Nee.'

'En u hebt geen idee wie er naar u toe komt?'

'Nee.'

'En wat ze willen weten?'

'Nee.'

'Wat hebt u ontdekt?'

'Een soort nieuw medicijn, waarschijnlijk een drankje waar patent op is aangevraagd dat aan argeloze vrouwen wordt toegediend, waardoor ze hun leven lang mensen met ziekelijke verlangens zullen dienen.'

'Aha.'

'Ja. En ik denk dat u de ziekelijkste van allemaal bent.'

'U hebt in alle opzichten gelijk, mijn beste. U mag trots zijn op uzelf. Farquhar!'

Dit laatste riep ze op verbazingwekkend overtuigende toon naar een hoek van de kamer die aan het zicht onttrokken werd door een kamerscherm, waar een lap stof overheen hing. Daarachter hoorde Miss Temple een deur en even later zag ze haar eerdere begeleider verschijnen. Hij was nog roder dan voorheen en veegde met de rug van zijn hand zijn mond af. 'Mm-mm?' vroeg hij. Vervolgens slikte hij en schraapte zijn keel. 'Mevrouw?'

'Neem haar mee naar buiten.'

'Ja, mevrouw.'

'Discreet.'

'Natuurlijk.'

De vrouw keek naar Miss Temple, die nog zat, en lachte. 'Wees voorzichtig, ze heeft geheimen.' Ze liep naar de hoofdingang en verliet zonder nog een woord te zeggen de kamer. De man, Farquhar, richtte zich tot Miss Temple.

'Ik houd niet van deze kamer,' zei hij. 'Laten we ergens anders heen gaan.'

Via de deur achter het scherm kwamen ze in een dienstkamer zonder vloerbedekking, waar verscheidene lange tafels en een tobbe met ijs stonden. Op een van de tafels stond een schaal met een aangesneden stuk ham en op een andere een aantal open flessen van verschillende soorten en maten. De kamer rook naar alcohol. Farquhar wees Miss Temple de enige zichtbare stoel, een eenvoudig houten exemplaar zonder zachte zitting of armleuningen en met een hoge rugleuning. Terwijl ze ging zitten, liep hij naar de ham en sneed er met een mes dat in de buurt lag een stuk roze vlees af. Vervolgens prikte hij het stuk aan het mes en stak het in zijn mond. Hij leunde tegen de tafel en keek haar kauwend aan. Even later liep hij naar de andere tafel, leunde ertegenaan en zette een bruine fles aan zijn mond. Hij ademde uit en veegde zijn mond af. Na deze pauze dronk hij verder, drie grote slokken achter elkaar. Hij zette de fles op tafel en kuchte.

De deur aan de andere kant van de kamer ging open en de andere begeleider, die met de heupfles, kwam binnen. Vanuit de deuropening zei hij: 'Heb je iets gezien?'

'Waarvan?' bromde Farquhar.

'Kerel in het rood – liep rond te neuzen.'

'Waar?'

'In de tuin.'

Farquhar fronste en nam nog een slok uit de bruine fles.

'Ze hebben hem naar de voordeur gebracht,' vervolgde de andere man.

'Wie is het?'

'Wisten ze niet.'

'Had van alles kunnen zijn.'

'Zal wel.'

Farquhar nam nog een slok en zette de fles neer. Hij knikte naar Miss Temple.

'We moeten haar mee naar buiten nemen.'

'Naar buiten?'

'Discreet.'

'Nu?'

'Ik denk het. Zijn ze nog bezig?'

'Ik denk het. Hoe lang duurt het?'

'Geen idee. Ik was aan het eten.'

De man bij de deur trok zijn neus op en keek naar de tafel. 'Wat is dat?'

'Ham.'

'De drank. Wat is dat voor drank?'

'Dat is eh..., eh...' Farquhar haalde het flesje te voorschijn en rook eraan. 'Kruidig. Smaakt naar – wat is het: kruidnagels? Smaakt naar kruidnagels. En peper.'

'Ik moet overgeven van kruidnagels,' mompelde de man in de deuropening. Hij keek over zijn schouder en toen weer de kamer in. 'Oké, de kust is veilig.'

Farquhar knipte met zijn vingers naar Miss Temple, die daaruit opmaakte dat ze op moest staan en naar de openstaande deur moest lopen, wat ze ook deed. Farquhar liep achter haar aan. De andere man nam haar bij de hand en lachte. Zijn tanden waren zo geel als kaas. 'Mijn naam is Spragg,' zei hij. 'We gaan rustig een eindje lopen.' Ze knikte instemmend terwijl haar blik op zijn witte overhemd was gevestigd, waar kleine, helderrode bloedspatjes op zaten. Zou hij zich net geschoren hebben? Ze keek een andere kant op en deinsde terug toen Farquhar haar andere hand nam. De twee mannen keken elkaar over haar hoofd heen aan en begonnen te lopen. Ze hielden haar stevig tussen zich in.

Ze liepen regelrecht naar een paar dubbele glazen deuren, waar een lichtkleurig gordijn voor hing. Spragg opende de deuren, waarna ze op een binnenplaats kwamen. Er klonk grind onder hun voeten. Het was koud geworden en er waren geen sterren en ook geen maanlicht meer, maar de binnenplaats werd omringd door ramen waar licht door naar buiten scheen, waardoor ze makkelijk konden zien waar ze heen gingen. Ze liepen langs struiken, standbeelden en grote stenen vazen. Aan de overkant, in wat een andere vleugel van het huis moest zijn, dacht Miss Temple grote aantallen mensen te zien bewegen – misschien dansten ze – en ze hoorde de vage klanken van orkestmuziek. Dit was vast de rest van de gasten, dit waren de feestgangers. Kon ze maar ontsnappen en naar hen toe rennen, maar ze wist dat, hoewel ze misschien een van haar begeleiders op de voet kon trappen, ze dat niet bij allebei kon doen. Alsof ze haar gedachten lazen, hielden de mannen haar nog steviger bij de hand.

Ze leidden haar naar een donkere doorgang, die tussen twee vleugels van het huis in liep en bestemd was voor tuinlieden of andere mensen die binnen niets te zoeken hadden. Hierdoor konden ze zowel de feestgangers als de hoofdingang ontwijken, want toen ze aan de andere kant kwamen, stonden ze op het grote, met keien geplaveide voorplein waar de rijtuigen wachtten en waar ze zo lang geleden – zo leek het – was gearriveerd.

Ze richtte zich tot Farquhar en zei: 'Dank u vriendelijk, en excuses voor het ongemak.' Maar haar pogingen om haar hand los te krijgen waren tevergeefs. Spragg gaf haar rechterhand ook aan Farquhar en liep naar een groepje koetsiers die zich over een vuur bogen. 'Ik ga,' zei Miss Temple weer. 'Ik neem een rijtuig en ga weg, ik beloof het.' Farquhar zei niets en keek naar Spragg. Na even onderhandeld te hebben, draaide Spragg zich om, wees op een mooi zwart rijtuig en liep ernaartoe. Farquhar trok Miss Temple met zich mee naar de koets.

Daar aangekomen keek hij naar de bok en vroeg: 'Wie ment?'

'Jouw beurt,' antwoordde Spragg.

'Niet waar.'

'Ik ben naar Packington gereden.'

Farquhar zweeg. Daarna knikte hij verongelijkt naar de deur van het rijtuig en zei: 'Stap maar in dan.'

Spragg grinnikte. Hij maakte de deur open, klom naar binnen en strekte beide vlezige handen uit om Miss Temple in ontvangst te nemen. Farquhar mopperde weer en hees haar omhoog alsof ze zo licht was als een veertje. Toen Spraggs vingers haar hard bij haar armen en vervolgens haar schouders grepen, zag Miss Temple haar cape openvallen, waardoor beide mannen een choquerend zicht op haar zijden ondergoed hadden. Spragg duwde haar ruw op de bank tegenover hem, waarbij haar benen ongemakkelijk uit elkaar stonden en haar handen naar evenwicht zochten. Ze staarden haar nog steeds aan toen ze haar cape om zich heen trok. Vervolgens keken de mannen elkaar aan. 'We zijn er zo,' zei Farquhar tegen Spragg. Spragg haalde slechts zijn schouders op en keek quasi-ongeïnteresseerd. Farquhar sloot de deur van het rijtuig en Spragg en Miss Temple zaten elkaar stil aan te kijken. Even later schommelde het rijtuig heen en weer toen Farquhar op de bok klom en vervolgens kwam het in beweging.

'Ik hoorde u over Packington praten,' zei Miss Temple. 'U kunt me daar wel afzetten als dat handig is, dan kan ik daar makkelijk op de trein stappen.'

'Jeetje,' zei Spragg, 'ze luistert.'

'U fluisterde bepaald niet,' antwoordde Miss Temple, die niet van zijn toon hield. De hele man beviel haar trouwens niet. Ze vond het dom van zichzelf dat ze bij het instappen niet beter op haar cape had gelet. Spragg liet zijn ogen ongegeneerd over haar heen dwalen. 'Kijk niet zo naar me,' beet ze hem uiteindelijk toe.

'O, da's toch niet zo erg?' grinnikte hij. 'Ik heb u toch al eerder gezien.'

'Ja, ik heb u ook eerder gezien.'

'Ik bedoel, daarvoor nog.'

'Wanneer dan?'

Spragg peuterde wat vuil onder zijn duimnagel vandaan. 'Wist u,' vroeg hij, 'dat ze in Holland glas hebben uitgevonden dat aan één kant een spiegel is en aan de andere een raam?'

'Echt? Nou, dat is even slim.'

'Slimmer dan u denkt.' Spragg lachte tevreden, zo niet kwaadaardig. Miss Temple verbleekte. De spiegel waar ze zich voor verkleed had, waar ze het gevederde masker voor had opgezet en als een dier haar lippen had afgelikt. Ze hadden samen naar haar zitten kijken, hadden haar bekeken alsof ze een uitheemse vaudeville was.

'Goeie help, wat is het hier heet,' grinnikte Spragg terwijl hij aan zijn kraag trok.

'Ik vind het behoorlijk koud.'

'Wilt u wat drinken om warm te worden?'

'Nee, dank u, maar mag ik u wat vragen?'

Spragg knikte afwezig en zocht naar zijn fles, die in zijn jas zat. Terwijl hij naar achteren ging zitten en de dop losdraaide, voelde Miss Temple het rijtuig een ander ritme aannemen. Ze hadden de keien verlaten en moesten op de verharde weg rijden die naar de rand van het landgoed leidde. Spragg dronk, ademde luidruchtig uit en veegde tussen de slokken door zijn mond af. Miss Temple hield vol: 'Ik vroeg me af... of u weet... of u me kunt vertellen wie de andere drie vrouwen zijn.'

Hij lachte hard. 'Weet u wat ik me afvraag?'

Ze gaf geen antwoord. Hij lachte weer en leunde voorover. 'Ik vraag me af...' begon hij, en hij legde een hand op haar knie. Ze mepte ernaar. Spragg floot en schudde zijn hand heen en weer alsof hij pijn deed. Hij leunde weer achterover en nam nog een slok uit de fles. Daarna stopte hij hem weer in zijn jas. Hij kraakte met zijn vingers. Buiten was het donker. Miss Temple besefte dat ze zich in een gevaarlijke situatie bevond. Ze moest voorzichtig zijn.

'Mr Spragg,' zei ze. 'Ik geloof niet dat we elkaar begrijpen. We delen dan wel een rijtuig, maar wat weten we nu eigenlijk van elkaar? Van wat we voor elkaar kunnen betekenen? Ik kan u dingen geven die voor anderen geheim kunnen blijven. Ik heb het over geld, Mr Spragg, en informatie, en zelfs over een promotie. U denkt misschien dat ik een eigenzinnig meisje ben zonder connecties. Ik kan u verzekeren dat dat niet het geval is en dat u mijn hulp nog harder nodig hebt dan ik die van u.'

Hij zat haar bewegingloos aan te staren als een vis op een bord. Plotseling sprong hij overeind en stortte zich boven op haar. Hij pakte haar handen vast en duwde met zijn heupen haar schoppende benen uit elkaar, waardoor ze niet meer met kracht naar hem uit kon halen. Ze kreunde door de dreun en duwde hem weg. Maar hij was sterk en behoorlijk zwaar. Hij trok snel één hand weg en verstevigde met zijn andere de greep op haar handen. Met zijn losse hand trok hij aan de banden van haar cape en scheurde hem van haar af. Toen wreef de hand grof en hongerig over haar lichaam – over haar borsten, haar hals en buik. Zo was ze nooit eerder aangeraakt. Zijn verslindende klauw was zo snel, zo indringend, dat haar verstand de pijnscheuten niet kon bijhouden. Ze duwde hem uit alle macht van zich af. Zo radeloos waren haar pogingen dat haar ademhaling overging in gesnik. Ze had nooit geweten dat ze zo kon vechten, maar ze kon hem niet van zich af krijgen. Zijn mond kwam steeds dichterbij en terwijl ze haar hoofd afwendde, schuurde zijn baard langs haar wang. De whiskylucht was plotseling ondraaglijk. Spragg veranderde weer van houding en wurmde zich tussen haar benen. Zijn vrije hand greep een enkel en duwde die ruw omhoog, waardoor haar knie naar haar kin boog. Toen liet hij los en deed zijn best om haar been met zijn schouder op zijn plaats te houden. Intussen greep hij tussen haar dijen naar haar onderrokken en scheurde die aan flarden. Miss Temple kreunde van woede en trapte zo hard ze kon. Zijn vingers ritsten door haar broekje en boorden zich blindelings in haar zachte vlees. Dieper en dieper gingen ze. Zijn gebroken nagels reten haar open. Ze gilde van de pijn. Hij grinnikte en likte met zijn natte tong over haar hals.

Ze voelde dat hij zijn hand uit haar terugtrok, maar merkte aan de bewegingen van zijn arm dat hij ergens anders bezig was, met het losmaken van zijn eigen kleren. Ze kromde haar rug om hem van zich af te werpen. Hij lachte, láchte, bracht zijn hand van haar polsen naar haar hals, en drukte haar luchtpijp dicht. Haar eigen handen kwamen vrij. Hij wurgde haar. Met de andere hand zat hij weer tussen haar benen, duwde ze uit elkaar en drukte zichzelf tegen haar aan. In een helder moment bedacht Miss Temple echter plotseling dat het been dat zo ongemakkelijk tegen haar borst geduwd was de laars droeg met het geslepen potlood erin. Ze probeerde het uit alle macht te pakken te krijgen. Spragg leunde intussen met één hand tegen haar hals en duwde met de andere haar benen weg: genietend ging hij iets naar achteren om tussen hen in naar hun lichamen te kijken. Terwijl hij probeerde bij haar binnen te dringen, stak ze het potlood met een krachtige stoot in de zijkant van zijn nek.

Spraggs mond viel verrast open. Zijn gezicht liep rood aan. Zij had haar vingers nog steeds om het potlood geklemd en wist het los te trekken om opnieuw te kunnen toeslaan. Maar in plaats daarvan kwam er een dikke straal bloed naar buiten, die als een fontein over haar lichaam en de wanden van het rijtuig spoot. Spragg snakte naar adem, kreunde, reutelde en trok als een marionet krampachtig met zijn ledematen. Ze schopte zich vrij en realiseerde zich dat ze schreeuwde. Alles was plakkerig en nat, er zat bloed in haar ogen. Spragg viel met een doffe klap tussen de banken. Hij stuiptrekte nog even, maar lag toen stil. Miss Temple zakte hijgend, met haar ogen knipperend, op de bank met het potlood in haar hand. Ze zat onder het bloed.

Ze keek op. Het rijtuig was tot stilstand gekomen. Ze kreunde luid van ontzetting. Toen hoorde ze Farquhar van de bok springen. Plotseling wierp ze zich op Spraggs bewegingloze lichaam en probeerde uit alle macht zijn zakken te vinden, in de hoop dat hij een mes, revolver of ander wapen bij zich had. Achter haar ging de deurkruk omlaag. Miss Temple draaide zich vliegensvlug om, zette zich schrap en wierp zich op het moment dat de deur openging met al haar kracht op Farquhar. Ze vloog gillend en wild met het potlood zwaaiend tegen zijn borst. Hij weerde haar instinctief van zich af, terwijl zij over zijn handen heen met het potlood naar zijn gezicht uithaalde. Het puntje van het potlood zonk diep in Farquhars wang, trok een lelijke snijwond en brak toen. Hij brulde en gooide haar van zich af. Ze kwam neer met een dreun en rolde weg. Ze was buiten adem en haar onderarmen en knieën prikten door het grind. Farquhar lag nog steeds achter haar te brullen en onverstaanbaar te vloeken. Ze ging op haar knieën zitten en keek naar het afgebroken potlood in haar hand. Met veel moeite liet ze het los. Haar vingers voelden vreemd en stijf aan. Ze was te traag, ze moest rennen. Ze keek om naar Farquhar: de ene helft van zijn gezicht leek wel in tweeën gesplitst. De onderste helft was nat en donker, de bovenste bijna obsceen bleek. Hij zweeg. Farquhar had in het rijtuig gekeken.

Hij stak zijn hand in een zak en haalde er een zwarte revolver uit. Met zijn andere hand pakte hij een zakdoek, wapperde ermee om hem open te vouwen en drukte hem kermend van de pijn tegen zijn gezicht. Toen hij sprak, klonk de pijn door in zijn stem.

'Godverdomme... God verdoeme u naar de hel.'

'Hij besprong me,' zei Miss Temple schor. Ze staarden elkaar aan.

Ze verplaatste heel voorzichtig haar gewicht, zodat ze rechtop op haar hakken kon gaan zitten. Haar gezicht was nat en ze moest blijven knipperen om iets te kunnen zien. Ze veegde haar ogen af. Farquhar bewoog niet. Met enige moeite ging ze staan. Alles deed pijn. Ze keek naar zichzelf en zag dat haar ondergoed aan flarden was gescheurd en met brede, roden strepen was doordrenkt, waardoor het tegen haar lichaam plakte. Ze had net zo goed naakt kunnen zijn. Farquhar bleef haar aanstaren.

'Gaat u me neerschieten?' vroeg ze. 'Of zal ik u ook vermoorden?'

Ze keek om zich heen. Vlak bij haar op de grond lag een grote steen, ongeveer tweemaal zo groot als haar vuist, met een scherpe rand. Ze boog zich voorover en raapte hem op.

'Laat liggen!' siste Farquhar, en richtte de revolver op haar.

'Schiet maar,' antwoordde Miss Temple.

Ze gooide de steen naar zijn hoofd. Hij slaakte verrast een kreet en loste een schot. Ze voelde een schroeiplek aan de zijkant van haar gezicht. De steen vloog langs Farquhar heen en sloeg tegen het rijtuig. Door de klap, die vrijwel tegelijk met het schot weerklonk, schoten de paarden weg. De open koetsdeur sloeg tegen Farquhars achterhoofd, waardoor hij zijn evenwicht verloor en richting het naderende achterwiel tuimelde. Voor Miss Temple goed en wel kon bevatten wat ze gadesloeg, raakte het wiel Farquhars been, waardoor hij met een kreet van schrik onder het rijtuig viel. Het wiel reed met een afschuwelijk knappend geluid over hem heen, waardoor hij vreemd stil werd. Het rijtuig verdween in de verte en was al snel niet meer te zien of te horen.

Miss Temple viel achterover. Ze staarde naar de eindeloze diepte van de zwarte hemel en kreeg het koud. Het duizelde haar. Ze wist niet hoeveel tijd er verstreken was. Ze dwong zichzelf om in beweging te komen, om om te rollen. Ze moest overgeven.

Na nog een onbekend aantal minuten ging ze op haar knieën zitten. Ze bibberde van de kou, had overal pijn en was duizelig. Ze raakte de zijkant van haar hoofd aan en ontdekte verbaasd dat ze haar masker niet meer op had. Ze moest het in het rijtuig kwijtgeraakt zijn. Ze voelde een lange wond boven haar oor, veroorzaakt door Farquhars kogel. Ze kokhalsde weer toen ze hem aanraakte. Hij was plakkerig, ze rook bloed. Ze had nog nooit zoveel bloed gezien en wist niet dat het ergens naar rook. Ze kon zich niet voorstellen dat ze het ooit nog zou vergeten. Ze veegde haar mond af en spoog.

Farquhar bleef stil liggen. Ze kroop naar hem toe. Hij lag gedraaid en zijn lippen waren blauw aangelopen. Met veel moeite trok Miss Temple zijn jas uit, die lang genoeg was om haar helemaal te bedekken, en stopte de revolver die ze zag liggen in een van de zakken. Vervolgens begon ze de weg af te lopen.

Na een uur bereikte ze station Orange Locks. Ze was tweemaal van de weg gestrompeld om een rijtuig te ontwijken dat van het landhuis vandaan kwam en was gehurkt in het veld naast de weg gaan zitten tot ze voorbij waren. Ze had geen idee wie erin zaten en had daar ook geen enkele belangstelling voor. Het perron was verlaten, wat haar hoop gaf dat de trein nog reed, omdat de inzittenden van de rijtuigen die ze voorbij had zien komen verdwenen waren. Ze wilde zich aanvankelijk verstoppen terwijl ze wachtte en was in een donkere hoek achter het station gaan zitten, maar ze bleef maar in slaap dommelen. Omdat ze bang was dat ze de trein zou missen of in haar kwetsbare toestand door haar vijanden ontdekt zou worden, dwong ze zichzelf om te gaan staan tot ze wankelde van vermoeidheid.

Er ging nog een uur voorbij en er waren geen rijtuigen meer aangekomen. Ze hoorde de fluit van de trein voor ze het licht zag en liep zo snel ze kon met haar armen zwaaiend naar de rand van het perron. Het was een andere conducteur die de trap uithing en hij staarde openlijk naar haar toen ze langs hem heen de wagon in klom. Ze schoot de gang in en boog zich voorover om het geld in haar andere schoen te pakken. Toen draaide ze zich naar de conducteur en stopte een biljet dat tweemaal zoveel waard was als de prijs die ze moest betalen in zijn hand. (Haar kaartje zat in de cape die ze verloren was.) Hij bleef maar staren. Zonder nog een woord te zeggen liep ze naar het achterste deel van de trein.

De coupés waren allemaal leeg, op één na. Miss Temple bleef staan en keek naar binnen. Ze zag een lange, ongeschoren man zitten met vet zwart haar en een donkere bril met een rond montuur op, alsof hij blind was. Zijn slordige jas was rood en ook zijn broek en handschoenen, die hij in één hand hield, waren rood. In de andere hand hield hij een dun boek. Op de zitplaats naast hem lag op een zakdoek een opengeklapt scheermes. Hij keek op van zijn boek. Ze knikte naar hem en maakte een bijna onzichtbare revérence. Hij knikte terug. Ze wist dat haar gezicht bebloed was en haar kleren gescheurd waren, maar dat hij op de een of andere manier besefte dat ze meer – of anders – was dan deze verschijning. Of liet ze in deze verschijning haar ware karakter zien? Hij glimlachte vaag. Ze vroeg zich af of ze slaapwandelde, knikte opnieuw en liep naar een andere coupé.

Miss Temple dommelde met één hand op de revolver tot de trein 's morgens vroeg in Stropping aankwam. De lucht was nog donker. Ze zag niemand meer die ze herkende, ook de man in het rood niet, en ze moest driemaal de gebruikelijke prijs betalen om een rijtuig naar Hotel Boniface te bemachtigen. Vervolgens moest ze met de revolver op de glazen deur van het hotel slaan om binnengelaten te worden. Toen het personeel er eenmaal van overtuigd was dat zij het was en haar had binnengelaten (bleke gezichten, openstaande monden), weigerde ze om nog íets te zeggen en liep met de jas stijf om zich heen geslagen naar haar suite. Binnen was het warm, stil en donker. Miss Temple liep wankelend langs de gesloten deuren van haar slapende dienstmeisjes en slapende tante naar haar eigen kamer. Met haar laatste krachten liet ze de jas achter zich op de vloer vallen, scheurde de bebloede kleding van zich af en kroop op haar groene laarzen na naakt in bed. Ze sliep als een blok, zestien uur lang.

TWEE

Kardinaal

*H*ij werd kardinaal genoemd, omdat hij altijd een rode leren jas droeg, die hij van een kledingrek van een rondreizend theatergezelschap had gestolen. Het was winter toen en hij stal het kostuum omdat er ook een paar laarzen en handschoenen bij hoorden, die hij geen van alle had. Hij droeg inmiddels andere laarzen en handschoenen, maar de jas had hij nog, ondanks het feit dat hij hem onder alle weersomstandigheden aanhad. Hoewel maar weinig mannen die hetzelfde werk deden als hij herkenbaar wilden zijn, had hij ontdekt dat degenen die hem zochten – voor wraak of werk – hem ook in de allersaaiste grijze wollen outfit wel konden vinden. Wat zijn naam betreft, die gaf, hoe ironisch of spottend hij ook was, de indruk dat de reizende eenmanskerk met het voortdurend brute leven toch een missie had. En hoewel hij in zijn hart wist dat hij (net als ieder ander) met lege handen de dood in zou gaan, had hij door zijn ijdele titel toch het gevoel dat hij geen dier was dat vetgemest werd voor het einde.

De reden dat hij Chang werd genoemd was evidenter, maar even spottend en ironisch. Als jongeman was hij met een rijzweep over zijn neus en ogen geslagen, waardoor hij drie weken lang niet had kunnen zien. Toen zijn zicht hersteld was, voor zover dat kon, zaten er botte littekens op beide oogleden en bij beide ooghoeken, alsof er met een mes een kinderlijke karikatuur van een scheefogige Chinees op zijn gezicht was getekend. Zijn ogen waren van toen af aan gevoelig voor licht en werden snel moe. Als hij meer dan een pagina van een krant las, kreeg hij daar hoofdpijn van, die, zoals hij vaak genoeg ontdekt had, slechts door de diepe slaap van opiaten – of, als die niet bij de hand waren, alcohol – kon worden weggenomen. Hij droeg onder alle omstandigheden een donkere bril met ronde gekleurde brillenglazen.

Het duurde een poosje voor hij aan zijn namen gewend was. Eerst hoorde hij ze alleen van anderen, maar uiteindelijk ging hij ze zelf gebruiken. De eerste keer dat hij met 'Chang' antwoordde toen hem naar zijn naam werd gevraagd, herinnerde hij zich nog goed hoe hij geplaagd werd toen hij in de ziekenkamer op het herstel van zijn zicht lag te wachten. (Deze naam ging altijd met een bittere glimlach gepaard.) Maar deze associaties waren op de een of andere manier werkelijker en belangrijker om in stand te houden dan zijn vroegere identiteit, die door falen en verlies werd gekenmerkt. Tegenwoordig hoorden zijn namen bovendien bij zijn werk. De oorspronkelijke waren verre herkenningspunten op een zeereis; niet langer in gebruik en uit het zicht verdwenen.

De rijzweep had ook de binnenkant van zijn neus beschadigd, waardoor hij weinig kon ruiken. Hij wist dat het huis waarin hij woonde meer nadelen had dan zijn eigen ervaring hem wijsmaakte (hij kon de nabijgelegen riolen zien en wist dat de muren en vloeren de kwalijk riekende lucht van de omgeving in zich hadden opgenomen), maar hij voelde zich er op zijn gemak. Zijn zolderkamer was goedkoop, afgelegen, bood toegang tot het dak en lag vooral vlak bij zijn geliefde bibliotheek. Wat zijn eigen geur betreft, hij bracht eenmaal per week een bezoek aan de Slavische baden bij de Seventh Bridge, waar de stoom zijn rood omrande ogen balsemde.

Kardinaal Chang was vaak in de bibliotheek te zien. Hij vond dat hij door middel van kennis zijn tegenstanders een stap voor kon blijven, want iedereen kon meedogenloos zijn. Zijn ogen maakten het hem echter onmogelijk om veel tijd aan onderzoek te besteden, zodat hij vriendschap sloot met de bibliothecarissen en lange gesprekken met hen hield over hun verantwoordelijkheden – bepaalde collecties, de organisatie en hun plannen voor de aanschaf van nieuwe boeken. Hij benaderde deze onderwerpen zo kalm en vastberaden dat hij door de informatie in zich op te nemen en de kracht van associatie ten minste driekwart van wat hij wilde weten kon leren zonder een woord te lezen. Zodoende liep kardinaal Chang, hoewel hij bijna dagelijks de marmeren zalen van de bibliotheek bezocht, voornamelijk in gedachten verzonken door de donkere gangen tussen de boeken die hij uit zijn herinnering kende, of wisselde hij gretig van gedachten met een bange, doch uit professioneel oogpunt tolerante archivaris over de herkomst van een boek over genealogie dat hij later op de dag zou willen inkijken.

Voor het incident met de rijzweep en de jonge aristocraat die ermee rondzwaaide, was Chang een eeuwige student, wat betekende dat hij geen last had van armoede en – destijds uit noodzaak en nu uit gewoonte – maar weinig nodig had. Hoewel hij dat leven volkomen de rug had toegekeerd, hadden de dagelijkse patronen hun sporen achtergelaten. Zijn werkweek was een betrouwbare, spartaanse routine bestaande uit de bibliotheek, het koffiehuis, cliënten, uitstapjes voor die cliënten, het badhuis, de opiumkit, het bordeel en het innen van geld, wat vaak een bezoek aan oude cliënten betekende, maar dan in een (voor hen) andere hoedanigheid. Zijn leven werd gekenmerkt door veel activiteit afgewisseld door perioden van ogenschijnlijk verloren tijd, die hij doorbracht met denken, slapen, narcotische dromen en opzettelijk nietsdoen.

Als hij niet op deze manier gekalmeerd was, was zijn geest echter rusteloos. Een van de middelen waarin hij regelmatig troost vond was poëzie; hoe moderner, hoe beter, omdat dat meestal minder tekst betekende. Hij had ontdekt dat door het aantal regels dat hij per keer las te beperken, en na ze gelezen te hebben zijn ogen te sluiten om erover na te denken, hij er een dun boek lang een regelmatig, hoewel ietwat langzaam tempo op na kon houden. Zodoende was hij, toen hij in de trein zat en de vrouw zag staan, in de nieuwe vertaling van de *Persephone*-fragmenten van Lynch (gevonden in een tot dan toe ongeplunderde ruïne in Thessaloniki) verdiept. Hij glimlachte toen hij er op zijn stromatras liggend aan terugdacht, want de regels die hij aan het lezen was – 'battered princess/ that infernal bride' – leken een exacte beschrijving van het wezen dat voor hem stond. De vuile jas, het met bloed besmeurde gezicht, haar stijve, gestolde krullen en doordringende grijze ogen; zo'n mooie, maar door bederf gekenmerkte ontmoeting vond hij het, zo bijzonder indrukwekkend – opvallend zelfs. Hij besloot destijds om haar niet te volgen en het incident te laten voor wat het was, maar nu, (met enige lust) denkend aan de door tranen achtergelaten sporen op haar wangen, wilde hij haar vinden. Na enige overweging besloot Chang navraag te doen bij het bordeel, want er was allicht iemand die daar wat over de met bloed besmeurde nieuwe hoer wist.

Het grijze licht dat door zijn raam kwam zei hem dat hij langer geslapen had dan gewoonlijk. Hij stond op en waste zijn gezicht in de waskom. Hij droogde zich stevig af aan een oude handdoek en besloot dat hij nog wel een dag zonder scheren kon. Na een moment van besluiteloosheid besloot hij om zijn mond met een slok zout water te spoelen, spoog in zijn po, piste in de pot en ging met zijn vingers, in plaats van een kam, door zijn haar. Zijn kleren van de dag ervoor waren nog schoon genoeg. Hij trok ze aan, strikte een zwarte halsdoek, en stopte zijn scheermes in zijn ene jaszak en de dunne *Persephone*-bundel in de andere. Hij zette zijn bril op, ontspande toen zelfs dit bleke daglicht werd gedimd, greep een zware wandelstok met metalen knop en draaide de deur achter zich op slot.

Het was even na twaalven, maar de smalle straatjes waren verlaten. Dat verbaasde hem niet. Jaren geleden was dit een chique buurt, er stonden rijen vijf verdiepingen tellende huizen bij de rivier, maar door de toenemende stank van de rivier, de mist en de misdaad die erin schuilging, alsook de breed aangelegde parken waarmee de stad was uitgebreid, waren de huizen verkocht en door middel van ruwe, ongeschilderde muren tussen het ooit indrukwekkende pleisterwerk in talloze kleinere kamers verdeeld. Nu woonde er een heel ander soort mensen: onguur, zoals hijzelf. Chang liep een stuk om, in noordelijke richting, om een ochtendkrant te kopen. Hij stak hem ongelezen onder zijn arm en liep terug naar de rivier. Vroeger was de Raton Marine een taverne en hij functioneerde nog steeds als zodanig, maar overdag werden er nu ook koffie, thee en bittere chocolade geserveerd, waardoor hier nu te allen tijde allerlei ambulante zaken konden worden afgehandeld en er in zowel de publieke als ongeziene vertrekken mannen zaten die zochten of gevonden wilden worden.

De kardinaal ging zitten aan een tafel in het hoofdvertrek, uit het zicht vanaf de straat, en bestelde een kop donkere, bittere Zuid-Amerikaanse chocolademelk. Hij wilde die morgen niemand spreken, nog niet althans. Hij wilde de krant lezen en dat zou even duren. Hij legde de voorpagina voor zich op tafel en kneep zijn ogen dicht, zodat hij alleen de grootste letters kon lezen en hij zijn ogen zoveel mogelijk ongewenste tekst bespaarde. Op die manier las hij alle koppen en doorliep hij snel de buitenlandse rampen, binnenlandse schandalen, het verraad van allerlei ziektes en het weer, en de financiële problemen. Hij wreef in zijn ogen en nam een slok hete chocolade. De bittere smaak deed zijn mond vertrekken, maar zijn zintuigen werden verscherpt. Wederom in zijn krant verdiept, ging hij verder met de binnenpagina's. Hij maakte zich op voor de kleinere lettertypes en vond uiteindelijk wat hij zocht. Chang nam nog een versterkende slok van zijn drank en stortte zich op het in kleine letters gedrukte artikel.

REGIMENTSHELD VERMIST

Kol. Arthur Trapping, commandant van het vierde regiment dragonders en onderscheiden held van Franck's Redoubt en Rockraal Falls, werd vandaag bij zowel het hoofdkwartier van zijn regiment als bij zijn woning aan Hadrian Square vermist. Kol. Trappings afwezigheid werd opgemerkt bij de inhuldiging van het vierde regiment dragonders tot 'regiment van de prins', waarmee het verantwoordelijk werd voor de verdediging van het paleis, het escorteren van ministeriële medewerkers en verscheidene ceremoniele taken. Kol. Trappings plaats bij de ceremonie werd ingenomen door de adjudant-kolonel van het regiment, Noland Aspiche, die hiertoe opdracht had gekregen van de hertog van Stäelmaere. De ceremonie werd bijgewoond door vertegenwoordigers van het paleis. Ondanks de zorgen die dit functionarissen uit hoogste regeringskringen baart, hebben de autoriteiten de vermiste officier nog niet kunnen vinden...

Chang stopte met lezen en wreef in zijn ogen. Hier stond alles wat hij moest weten, of alles waar hij op dat moment achter kon komen. Ofwel de waarheid werd verzwegen, ofwel de feiten waren nog niet bekend. Hij kon niet geloven dat men niet wist waar Trapping zich ophield – hij had de man uiteindelijk makkelijk kunnen volgen –, maar er had zich tussen toen en nu een aantal dingen kunnen voordoen waardoor de schijnbare feiten veranderd waren. Hij zuchtte.

Hoewel zijn taak erop zou moeten zitten, leek het erop dat dit nog maar het begin was. Alles hing van zijn cliënt af.

Op het moment dat hij de bladzijde wilde omslaan, werd zijn aandacht door een andere kop getrokken. Ene lord Tarr, een aristocraat die op het platteland woonde en van wie hij nog nooit had gehoord, was vermoord. Chang tuurde naar de tekst en las dat de zieke Tarr was gevonden in zijn tuin. Hij had zijn nachthemd aan en zijn hals was doorgesneden. Hoewel het mogelijk was dat hij door een dier was aangevallen, vermoedde men dat de wond op grove wijze vergroot was om een diepe, kruiselingse snijwond te verbergen. Er was een onderzoek gestart, maar de resultaten waren nog onbekend. De resultaten waren altijd nog onbekend, dacht Chang terwijl hij naar zijn beker greep, want daarom had hij zoveel werk. Niemand hield van wachten.

Op datzelfde moment hoorde Chang een discrete kuch in zijn buurt. Hij keek op en zag een geüniformeerde soldaat in de deuropening staan, alsof zijn militaire onkreukbaarheid bezoedeld zou worden als hij bij de Raton Marine naar binnen zou gaan. Hij droeg een rood jasje, een rode broek en zwarte laarzen. In zijn ene hand had hij een koperen helm met een kam van paardenhaar, de andere rustte op het handvat van een lange sabel. Toen hij Changs aandacht had, knikte hij en klakte met zijn hakken. 'Zou u mij alstublieft willen volgen?' riep hij eerbiedig naar Chang. Geen van de aanwezigen deed alsof hij iets gehoord had. Chang knikte naar de soldaat en stond op. Dit ging allemaal sneller dan hij verwacht had. Hij pakte zijn wandelstok en liet de krant op tafel liggen.

Ze liepen zonder iets te zeggen naar de rivier. Het felrode uniform van zijn gids stak scherp af tegen de kleurloze keien, het gevlekte pleisterwerk en de zwarte, stinkende plassen van de omgeving. Chang wist dat zijn eigen jas een dergelijk effect had en lachte bij het idee dat zij als een vreemd paar gezien zouden worden, en dat de soldaat dat vreselijk zou vinden. Ze gingen een hoek om en liepen een stenen bordes aan de rivier op. Aan hun voeten stroomde het brede, zwarte water voorbij. De overkant was nog net zichtbaar door de mistflarden die nog niet waren opgetrokken, of juist weer opkwamen. Vroeger, toen het district nog bloeide, was het bordes een aanlegplaats voor huurboten en pleziervaartuigen, maar het was sindsdien in verval geraakt – ondanks het feit dat het na zonsondergang voor allerlei duistere praktijken werd gebruikt.

Zoals hij verwacht had, stond adjudant-kolonel Noland Aspiche hem op te wachten. Hij werd vergezeld door een hulp en drie soldaten, die achter hem stonden. Twee andere soldaten stonden in de smalle boot die aangemeerd lag. Chang bleef staan, zodat zijn begeleider naar zijn commandant kon lopen, met zijn hakken kon klakken en naar Chang gebarend verslag uit kon brengen. Aspiche knikte en stapte vervolgens naar Chang, buiten gehoorsafstand van de anderen.

'Waar is hij?' vroeg hij zacht maar kortaf. Aspiche was een harde, magere man met een terugwijkende haarlijn en kortgeknipt haar. Hij haalde een dunne, zwarte sigaar uit zijn rode jasje, beet het uiteinde eraf, spuugde het uit en pakte een luciferdoosje. Hij draaide zich van de wind af en stak hem puffend tot de vlam aansloeg aan. Hij blies een blauwe rookpluim uit en richtte zijn scherpe blik wederom op Chang, die nog niets gezegd had. 'Wel? Wat hebt u te zeggen?'

Chang had om principiële redenen een grote hekel aan gezag, want zelfs onder het mom van praktische noodzaak of traditie kon hij institutionele macht als niets anders dan een uitdrukking van iemands persoonlijke willekeur zien, en dat verafschuwde hij. Of het nu de Kerk was, het leger, de regering, de aristocratie of de zakenwereld, bij elke interactie gingen zijn nekharen overeind staan. Dus hoewel hij toegaf dat Aspiche waarschijnlijk een competente man was, kreeg hij alleen al door de manier waarop de officier het puntje van zijn sigaar afbeet en dat uitspuugde de neiging om hem ter plekke met zijn scheermes te bewerken, wat daar ook de gevolgen van zouden zijn. Hij bleef echter stilstaan en gaf adjudant-kolonel Aspiche zo rustig mogelijk antwoord.

'Hij is dood.'

'Weet u het zeker? Wat hebt u met het lichaam gedaan?' Aspiche bewoog alleen zijn mond terwijl hij sprak, waardoor het van achteren leek alsof hij alleen naar Chang stond te luisteren.

'Ik heb niets met het lichaam gedaan. Ik heb hem niet vermoord.'

83

'Maar… we… U had de opdracht…'

'Hij was al dood.'

Aspiche zweeg.

'Ik ben hem vanaf Hadrian Square naar Orange Canal gevolgd. Hij trof daar een groepje mannen en gezamenlijk begaven ze zich naar een kleine boot die het kanaal op was komen varen. Ze laadden de boot uit en stapelden de lading op twee karren, waarmee ze naar een nabijgelegen huis reden, een landhuis. Weet u welk huis dat is, bij het Orange Canal?'

Aspiche spuugde weer. 'Dat kan ik wel raden.'

'Het was blijkbaar een belangrijke aangelegenheid. Ik geloof dat het excuus de verloving van de dochter van de lord was.'

Aspiche knikte. 'Met de Duitser.'

'Ik ben erin geslaagd om het huis binnen te dringen en kolonel Trapping te vinden. Met enige moeite kon ik toen iets in zijn wijn doen.'

'Wacht, wacht,' onderbrak Aspiche hem, 'wie waren er nog meer? Wie ontmoette hij bij het kanaal? Wat is er met de karren gebeurd? Als iemand anders hem heeft vermoord…'

'Ik vertel wat ik te vertellen heb,' siste Chang. 'Luistert u nog?'

'Ik overweeg om u te laten lynchen.'

'O, echt?'

Aspiche zuchtte en keek over zijn schouder naar zijn mannen. 'Nee, natuurlijk niet. Dit is een moeilijke zaak… en omdat ik niets van u vernam…'

'Ik ben pas in de vroege ochtend gaan slapen. Ik heb gezegd dat het waarschijnlijk zo zou gaan, maar in plaats van naar me te luisteren, hebt u eerst een geüniformeerde man naar me toe gestuurd om me op te halen en verscheen u toen zelf in een deel van de stad waar u onmogelijk iets te zoeken kunt hebben. U had net zo goed vuurwerk af kunnen steken. Als iemand iets vermoedt…'

'Niemand vermoedt iets.'

'Voor zover u weet. Ik zal naar dat koffiehuis teruggaan om de vijf mannen die mij – om ons beiden te beschermen – zo rustig hebben zien weggaan wat geld in de hand te drukken. Bent u ook zo onvoorzichtig met de levens van uw manschappen? Bent u zo onvoorzichtig met uzelf?'

84

Aspiche was niet gewend aan zo'n toon, maar door zijn stilzwijgen gaf hij toe dat Chang gelijk had. Hij wendde zijn blik af en staarde naar de mist. 'Vooruit, zeg het maar.'

Chang kneep zijn ogen samen. Tot dan toe was het vrij eenvoudig geweest, maar nu tastte hij evenals – althans, zo leek het – Aspiche in het duister. 'Er waren honderden gasten in het huis. Het was inderdaad een verlovingsfeest. Misschien was dat niet het enige, maar dat was het in ieder geval, wat het niet alleen lastig maakte om niet op te vallen, maar ook om mijn werk te doen. Voordat de substantie haar uitwerking kon hebben, was ik kolonel Trapping kwijt. Hij had het feest via een achtertrap verlaten. Ik kon hem niet meteen volgen en moest het huis doorzoeken. Toen ik hem uiteindelijk vond, was hij dood. Ik kon niet zien waardoor. Ik had hem niet genoeg van de stof gegeven om hem te doden, maar er bevonden zich ook geen sporen van fataal geweld op zijn lichaam.'

'Weet u zeker dat hij dood was?'

'Natuurlijk.'

'U hebt hem waarschijnlijk te veel gif gegeven.'

'Nee.'

'Nou, wat denkt u dan dat er gebeurd is? En u hebt me nog steeds niet verteld wat er met het lijk is gebeurd!'

'Ik stel voor dat u rustig naar me luistert.'

'Ik stel voor dat u verdomme opschiet met uw uitleg.'

Chang trok zich hier niets van aan en bleef kalm. 'Trapping had littekens op zijn gezicht, vooral rond zijn ogen. Het leken brandplekken, maar dan heel regelmatig, alsof hij gebrandmerkt was.'

'Gebrandmerkt?'

'Inderdaad.'

'Op zijn gezicht?'

'Zoals ik al zei. Ook hing er een vreemde lucht in het vertrek...'

'Wat voor lucht?'

'Dat weet ik niet. Ik ben niet goed in geuren.'

'Was het gif?'

'Dat zou kunnen, ik weet het niet.'

Aspiche fronste zijn wenkbrauwen en peinsde. 'Dit... Dit kan helemaal niet,' zei hij geïrriteerd. 'Wat waren het voor brandvlekken?'

'Dat wilde ik u vragen.'

'Wat heeft dit te betekenen?' zei Aspiche, van zijn stuk gebracht. 'Ik heb geen idee.'

Even stonden ze stilzwijgend tegenover elkaar. De adjudant-kolonel leek werkelijk verrast.

'Ik werd gestoord in mijn onderzoek,' vervolgde Chang. 'Ik moest me opnieuw een weg door het huis banen, dit keer omdat ik achtervolgd werd. Onderweg naar het kanaal wist ik mijn achtervolgers van me af te schudden.'

'Oké, oké. Wat zat er in de wagens?'

'Kisten. Wat erin zat weet ik niet.'

'En die andere mannen?'

'Geen idee. Het was een gemaskerd bal.'

'En die... die stof... U denkt dat u hem niet vermoord hebt?'

'Dat weet ik zeker.'

Aspiche knikte. 'Goed dat u dat zegt. Toch zal ik u betalen. En als hij ergens levend opduikt...'

'Dat zal niet gebeuren.'

Aspiche liet een zuinig lachje horen. 'Dan bent u me de klus nog schuldig.'

Hij haalde een dunne leren beurs uit zijn jasje en gaf hem aan Chang, die hem in zijn jaszak stak.

'Wat gebeurt er nu?' vroeg Chang.

'Niets. Ik hoop dat het afgelopen is.'

'U weet dat dat niet zo is,' bromde Chang. Aspiche zweeg. Chang bleef aandringen. 'Waarom is er niets bekend geworden? Wie is er nog meer bij betrokken? Vandaariff? De Duitsers? Een van de driehonderd gasten? Of u kent de antwoorden, kolonel, of niet. U kunt zeggen wat u wilt, maar iemand heeft dat lijk verstopt en u wilt weten waarom. U bent al een heel eind gekomen, maar nu moet het afgemaakt worden.'

Aspiche bewoog niet.

Terwijl Chang de stugge en gevaarlijk trotse man aankeek, schoot hem een van de *Persephone*-fragmenten te binnen:

Zijn halsstarrige tenue, hooghartig en koud
Pluimstrijkend doorgeurd met riekende schimmel en het graf.

'U weet me te vinden... Discreet,' mompelde Chang. Hij draaide zich om en liep naar de Raton Marine terug.

Chang had de afgelopen drie dagen tegen betaling de moord op Arthur Trapping beraamd. Het leek vrij eenvoudig. Trapping was de ambitieuze zwager van Henry Xonck, een rijke wapenfabrikant. Om zich een positie aan te meten die beter bij zijn getrouwde status paste, had hij met geld van zijn vrouw de prestigieuze aanstelling van commandant van het vierde regiment dragonders gekocht. Hij was echter geen soldaat en zijn onderscheidingen had hij aan zijn aanwezigheid bij twee evenementen in de provincie te danken. Trappings belangrijkste prestaties waren het consumeren van heldhaftige hoeveelheden port en een aanhoudende aanval van dysenterie. Toen zijn regiment de eer van een aantal nieuwe verantwoordelijkheden toeviel, nam Trappings eerste officier, de hardwerkende adjudant-kolonel, de opmerkelijk stap om kardinaal Chang in te huren. Naar eigen zeggen niet om zelf de leiding over te nemen, maar om de weg vrij te maken voor iemand die het werkelijk waard was.

Chang hield zich meestal niet met directe huurmoorden bezig, maar hij had in het verleden wel vaker een moord gepleegd. In de meeste gevallen, zoals hij dat zelf graag zag, trachtte hij door middel van informatie of geweld – of, indien nodig, beide – het gedrag van mensen te beïnvloeden. Hij had zich echter de laatste maanden in toenemende mate onrustig gevoeld, alsof er een nauwelijks hoorbare klok tikte en hij naar een punt toe leefde waarop hij zou moeten boeten voor zijn daden. Misschien was het een oogaandoening, een soort algehele onrust die veroorzaakt werd doordat hij alles zoveel mogelijk in de schaduw probeerde te zien. Hij liet zich niet door deze angst beïnvloeden, maar toen Aspiche hem een hoge vergoeding bood, zag Chang dat als een kans om zich aan het zicht te onttrekken, om te reizen en zich in de opiumkit terug te trekken, om iets te doen tot zijn bange voorgevoel was verdwenen.

Niet dat hij de informatie die Aspiche hem voor de klus had gegeven vertrouwde. Er was altijd meer. Cliënten logen altijd, hielden altijd iets achter. De eerste paar dagen had Chang onderzoek gedaan en had hij bevolkingsregisters, oude kranten en stambomen bekeken. Zoals altijd had dat hem de nodige verbanden opgeleverd. Trapping was met Charlotte Xonck getrouwd, de middelste van drie kinderen. De oudste was Henry, de jongste Francis. Francis was nog ongetrouwd en was net terug van een lange reis naar het buitenland. Hoewel de arme adjudant-kolonel Aspiche waarschijnlijk aannam dat de status van het regiment verhoogd was vanwege de triomfen in de kolonies, ontdekte Chang dat de opdracht om van de vierde dragonders het regiment van de prins te maken (of dat van de dronken, waardeloze hoerenlopende sodemieter, zoals Chang erover dacht) gegeven was op de dag nadat de wapenfabriek van Xonck zich bereid had verklaard om de prijs van een exclusief contract ter vervanging van alle kanonnen van de marine en de kustverdediging te verlagen. Het mysterie was niet zozeer waarom het regiment was gepromoveerd, maar waarom Henry Xonck het zo'n kostbare overeenkomst waard vond. Deed hij het uit liefde voor zijn zus? Chang geloofde er niets van en vroeg een andere archivaris om nader onderzoek te doen.

De nieuwe taken van het regiment stonden nergens officieel beschreven. In elk document dat hij vond stond slechts een herhaling van wat hij in de krant had gelezen: 'verdediging van het paleis, het escorteren van ministeriële medewerkers en ceremoniële taken'. Frustrerend vaag was het. Pas na een poosje ijsberen bedacht hij dat hij moest uitzoeken waar het oorspronkelijke bericht vandaan kwam. Opnieuw sleepte hij zijn archivaris bij zijn officiële taken weg en gaf hem opdracht om het folioboek met aankondigingen te pakken. Toen hij het in handen kreeg, zag hij het al aan de kaft. Het kwam van een ministerie, maar niet het ministerie van Oorlog. Hij tuurde naar het papier en naar het zegel bovenaan. Het was afkomstig van het ministerie van Buitenlandse Zaken. 'Wat had het ministerie van Buitenlandse Zaken met het aankondigen en dus organiseren van een nieuw takenpakket, namelijk "de verdediging van het paleis, het escorteren van ministeriële medewerkers en ceremoniële taken", te maken?' gromde hij tegen de archivaris, die stamelde: 'Nou, eh, er staat het escorteren van ministeriële medewerkers en, eh... het ministerie van Buitenlandse Zaken is een van de eh... m-m-ministeries.' Chang onderbrak hem met een korzelig verzoek om een lijst van belangrijke namen van het ministerie van Buitenlandse Zaken.

Hij had ruim een uur in de donkere gangen tussen de boekenrekken doorgebracht, waar hij de weinige stukjes informatie die hij bezat in elkaar had proberen te passen. (Het personeel had hem toegang verschaft, want ze waren hem liever kwijt dan dat hij hen lastigviel.) Wat het regiment ook deed, het belangrijkste werk stond onder auspiciën van het ministerie van Buitenlandse Zaken. Dit kon alleen maar op diplomatieke intriges wijzen, of interne intriges binnen de regering. Wellicht had het ministerie van Oorlog in ruil voor een lagere prijs van Xonck het regiment in beheer van het ministerie van Buitenlandse Zaken gegeven. Trapping kon Xoncks spion zijn en Xonck op de hoogte houden van buitenlandse aangelegenheden die van invloed konden zijn op zijn bedrijf of de opkomst en ondergang van de bedrijven van anderen. Misschien was dat belangrijk genoeg (Chang was er niet van overtuigd), maar dat verklaarde nog niet waarom het ene ministerie het andere zo'n bijzondere gunst bewees, of waarom het ministerie van Buitenlandse Zaken zijn eigen troepen nodig had.

Nadat Chang verder uitgezocht had wie Trapping was, wat de locatie van zijn huis en de kazerne van zijn regiment was en welk rijtuig van hem was, had hij voldoende informatie om zichzelf buiten het ministerie van Buitenlandse Zaken op te stellen, omdat hij ervan overtuigd was dat dat de plek was waar hij het meest zou ontdekken. Zo was zijn werkwijze, want hoewel Chang dit soort onderzoek deed om te begrijpen waar hij mee bezig was, deed hij het ook om zijn hersens in beweging te houden. Als hij eenvoudig een brute moordenaar was, had hij Arthur Trapping op talloze plaatsen kunnen neerhalen, gewoon door hem te achtervolgen en te wachten tot hij alleen was op straat. Het feit dat Chang dat wellicht uiteindelijk toch zou doen, veranderde niets aan zijn verlangen om te begrijpen waarom hij deed wat hij deed. Hij had geen enkele moeite met zijn werk, maar hij was zich er wel degelijk van bewust dat hij gevaar liep en dat een cliënt zich mogelijk zodanig wilde indekken, dat Chang in een onplezierige situatie zou belanden. Hoe meer hij wist – over zijn cliënten en hun doeleinden –, hoe veiliger hij zich voelde. In dit geval wist hij dat hij met veel grotere machten te maken had dan Trapping en zijn verbitterde adjudant-kolonel, en dat hij voorzichtig moest zijn om hun aandacht niet op zich te vestigen. Als hij het deed, moest hij dat zo onzichtbaar mogelijk doen.

Op de middag van die eerste en ook de tweede dag was Trapping per rijtuig vanaf zijn kazerne naar het ministerie van Buitenlandse Zaken gereden, waar hij een paar uur had doorgebracht. Iedere avond had zijn rijtuig hem naar zijn huis op Hadrian Square gebracht, waar de kolonel geen bezoekers van belang ontving. Toen Chang de tweede avond vanuit de schaduw van een aantal decoratieve struiken Trappings ramen in de gaten stond te houden, zag hij een rijtuig met het wapen van het ministerie van Buitenlandse Zaken rijden, dat tot zijn verbazing niet bij Trapping voor de deur stopte, maar naar een huis aan de andere kant van het plein reed. Chang ging er snel achteraan en zag aldaar een nette man in een donkere jas met een paar dikke schoudertassen uitstappen en de deur van nummer 14 binnengaan. Het rijtuig reed weg en Chang ging weer op zijn post staan. De volgende morgen, toen hij weer in de bibliotheek was, bekeek hij de lijst van het ministerie van Buitenlandse Zaken weer en zag dat Hadrian Square 14 de woning van onderminister Harald Crabbé was.

Op de derde dag ging hij opnieuw naar het ministerie. Hij positioneerde zich aan de rand van St. Isobel Square, vanwaar hij zowel het rijtuigverkeer voor het gebouw als dat op de kruising kon zien, waar rijtuigen die de achterkant van het gebouw verlieten zouden verschijnen. Hij kende intussen verscheidene medewerkers van het ministerie van gezicht en bestudeerde ze goed terwijl ze naar binnen of buiten gingen. Hij wachtte op Trapping. Ondanks alle suggesties van intrige rond de kolonel leek hij Chang een vrij eenvoudig doelwit. Als hij het patroon van de vorige twee avonden herhaalde, zou Chang gemakkelijk (via een regenpijp die hij de avond tevoren beproefd had) door een raam op de eerste verdieping kunnen klimmen en naar Trappings kamer kunnen sluipen (waarvan hij wist waar hij was door naar het licht te kijken dat aanging als Trapping naar de tweede verdieping klom om te gaan slapen). Hij wist nog niet zeker welke methode hij zou gebruiken, want dat hing af van de situatie in de kamer. Hij zou zijn scheermes bij zich hebben, maar ook wat gif, dat een beroerte zou veroorzaken die een ongeoefend oog heel gewoon zou vinden voor een man van Trappings leeftijd. Als iemand het als moord zou beschouwen, zou dat ook op een intrige wijzen en op het belang van Trappings promotie. Chang maakte zich niet zo druk om de andere bewoners van het huis, want mevrouw Trapping sliep apart en als hij op het juiste tijdstip kwam, zouden de bedienden zich ver van de kamer bevinden.

Hij stak om twee uur het plein over en kocht een vleespastei. Terwijl hij naar zijn positie terugwandelde, brak hij hem in stukjes en at die stuk voor stuk op. Toen hij langs het standbeeld van de heilige Isobel kwam, lachte hij met volle mond. De lugubere compositie – opzichtig sentiment, weeïg makende aandoenlijkheid – stemde hem immer tot choquerende tevredenheid over het beeld – met die kronkelende serpenten die over haar gladde vlees glibberden – dat van de heilige gegeven werd. Het verbaasde hem dat zo'n werk met gemeenschapsgeld op een openbare plaats was gezet, maar dat zoiets ranzigs onbezorgd vereerd werd, was hem tot troost. Op de een of andere manier sterkte het hem in de overtuiging dat hij toch een plaats had in de wereld. Hij stopte het laatste stukje vleespastei in zijn mond en veegde zijn handen af aan zijn broek.

Om drie uur verscheen Trappings lege regimentsrijtuig bij de uitgang van de zijstraat, sloeg linksaf en keerde terug in de richting van de kazerne van het vierde regiment dragonders. De kolonel was de achteringang in gegaan en was van plan om het gebouw op een andere manier te verlaten. Het was kwart over vier toen Chang op dezelfde plaats een rijtuig van het ministerie zag verschijnen. Aan de ene kant van het rijtuig zat Harald Crabbé en tegenover hem, in een rood-en-goudkleurig pak gestoken, zat Arthur Trapping. Chang wendde zijn ogen af toen ze langsreden en keek ze na. Zodra ze de hoek om waren, snelde hij op een huurrijtuig af.

Zoals hij verwachtte, was het ministeriële rijtuig op weg naar Hadrian Square en was het gemakkelijk te volgen. Wat hem echter verraste, was dat het voor nummer 14 stilhield en dat beide mannen daar naar binnen gingen. Wat hem vervolgens verraste was dat ze, toen ze een paar minuten later weer naar buiten waren gekomen, instapten en in noordwestelijke richting de stad uit reden. De mist kwam opzetten en hij ging naast de koetsier zitten om beter te kunnen zien (de avondschemer beperkte zijn zicht nog verder) waar zijn slachtoffer hem mee naartoe nam. De koetsier zat te mopperen, omdat hij normaal nooit zo ver weg ging. Chang was genoodzaakt om hem veel meer te betalen dan hij wilde. Hij overwoog om het rijtuig over te nemen, maar hij had weinig vertrouwen in zijn gezichtsvermogen en zijn menkunst, en wilde bovendien geen onnodig bloed vergieten. Algauw lieten ze de oude stadsmuren achter zich en reden ze langs de nieuwe gebouwen van de zich snel uitbreidende buitenwijken het platteland op. Ze waren op weg naar het Orange Canal, dat uitmondde in de oceaan, en het rijtuig voor hen leek voorlopig niet van plan te stoppen.

Ze reden bijna twee uur lang. Aanvankelijk had Chang de koetsier opdracht gegeven om afstand te houden, zodat het andere rijtuig nog net zichtbaar was, maar toen het donkerder werd, waren ze genoodzaakt om dichterbij te komen, omdat ze anders niet konden zien of het andere rijtuig de weg zou verlaten. Hij was Trapping aanvankelijk alleen gevolgd als vervolg van zijn plan, maar later ook omdat hij dacht dat hij hem op het platteland kon isoleren, en dat het daar makkelijker zou zijn om iemand te vermoorden. Maar hoe langer de achtervolging duurde, hoe minder tevreden hij was over zijn plan. Als hij alleen de man wilde vermoorden, kon hij beter terugkeren en het de volgende avond nog eens proberen. Hij moest zijn plan net zo lang herhalen tot Trapping alleen zou zijn in zijn kamer. De lange rit met onderminister Crabbé was intrigerend met betrekking tot Xonck en het ministerie van Oorlog, maar hoewel Chang zeker nieuwsgierig was, had hij geen idee waar hij zich mee inliet, wat altijd dom was. Naast deze twijfels was er de kou. Door de kille zeewind had hij het door en door koud gekregen, maar net toen hij op het punt stond om de koetsier opdracht te geven om rechtsomkeert te maken, pakte de man hem bij zijn schouder en wees naar een aantal bundels toortslicht in de verte.

Chang gaf hem opdracht om te stoppen en verzocht hem om een kwartier op hem te wachten. Als hij dan nog niet terug was, stond het de man vrij om terug te keren naar de stad. De koetsier bracht hier niets tegenin. Hij had het evenals Chang vreselijk koud en was nog steeds boos over de onverwachte duur van de tocht. Chang klom van het rijtuig af en vroeg zich af of de man wel zo lang zou wachten. Hij gaf zichzelf vijf minuten om een beslissing te nemen, want het laatste wat hij wilde was volkomen blind in het donker ronddolen. Hij moest uiterst voorzichtig te werk gaan. Hij zette zijn bril af, omdat dit een geval was waarin iedere hoeveelheid licht beter was dan niets, en stopte die in zijn binnenzak. Voor zich zag hij het rijtuig van het ministerie, dat bij een aantal andere rijtuigen stond te wachten. Hij ging op het gras in de berm lopen en bewoog zich naar het toortslicht zo'n dertig meter verderop. Er liepen twee gestaltes op een grotere groep af. Chang sloop zo dicht mogelijk naar de groep toe en bukte zich toen, zodat hij nog net over de grassprieten heen kon kijken.

Er volgde een korte woordenwisseling en iets wat op het plichtmatig schudden van handen leek. Het was duidelijk dat Trapping en Crabbé laat waren. Toen Changs ogen aan het licht van de toortsen gewend waren, zag hij dat het weerkaatst werd door water, en dat wat een massa schaduw leek, een motorsloep was die lag aangemeerd. Trapping en Crabbé volgden de anderen langs het kanaal naar wat ogenschijnlijk een aantal karren was. (Chang kon net de wielen ervan boven het gras uit zien steken.) Er werd een zeil van een van de karren opzijgetrokken, waardoor de nieuwelingen een paar houten kisten te zien kregen die blijkbaar uit de boot afkomstig waren. Chang kon de gezichten van de andere mannen niet zien, maar hij telde er zes. Het zeil werd weer teruggeslagen en vastgebonden en de mannen klommen op de karren. Na een luide zweepslag reden ze van de rijtuigen vandaan een weg op die Chang vanuit zijn schuilplaats niet kon zien.

Hij ging ze snel achterna, keek onderweg naar de boot, waar niets aan te zien was, en ging de landweg op, die niet meer bleek te zijn dan een in het gras uitgesleten karrenspoor. Opnieuw overdacht hij waar hij mee bezig was. Als hij de karren achterna zou gaan, zou hij zijn rijtuig verliezen, maar hij koos ervoor om achtergelaten te worden, want er waren hem wel ergere dingen overkomen en dit was wellicht toch een uitgelezen kans om zijn opdracht uit te voeren. De karren reden echter veel sneller dan hij liep en algauw was hij alleen in het donker. De wind was nog steeds guur en pas na een halfuur zag hij de karren bij de keukeningang van een uiterst indrukwekkend gebouw staan, waarvan hij echter niet kon zien of het een somber landhuis was of een schitterend fort. Zowel de mannen als de kisten waren verdwenen...

Zich nog steeds ergerend aan het gesprek met Aspiche, liep Chang terug naar de Raton Marine, waar iedereen die er was toen de soldaat arriveerde tot zijn opluchting nog aanwezig was. Hij bleef een moment in de deuropening staan, waardoor alle aanwezigen hem aan konden kijken en hij hun blikken kon beantwoorden met een betekenisvolle knik. Vervolgens stapte hij op iedere man, onder wie ook Nicholas de barman, af en legde een gouden munt naast hun glas. Het was het enige wat hij kon doen en als een van hen hem zou verraden, zou dat door de anderen in ieder geval gezien worden als het verbreken van hun verbond, wat de Judas hoogst kwalijk genomen zou worden. Chang bestelde nog een beker bittere chocolade en dronk die buiten op. Uit praktische overwegingen wachtte hij tot Aspiche iets zou doen, hoewel Noland Aspiche in het beste geval een stommeling was die erop hoopte zijn voordeel te kunnen doen door een ander zijn kolonel te laten vermoorden, en in het slechtste bij de intrige betrokken was, wat zou betekenen dat hij van het begin af aan gelogen had tegen Chang. In beide gevallen was het onwaarschijnlijk dat Aspiche actie zou ondernemen. Ondanks de beurs in zijn zak had Chang grote spijt van de hele zaak. Hij nam een slok van zijn chocolade en grijnsde.

Zodra hij zag hoe groot het huis was, wist hij ogenblikkelijk waar hij was, want er was maar één zo'n woning aan de kust bij het Orange Canal: die van Robert Vandaariff, recent tot lord Vandaariff benoemd, de financier van wie bekend was dat zijn dochter verloofd was met ene Karl-Horst von Huppeldepup, een prins van een of ander klein staatje in Duitsland. Chang kon het zich niet herinneren, hoewel hij

het in enkele krantenkoppen die hij had doorgenomen was tegengekomen. Wel realiseerde hij zich al snel dat toen hij zijn handschoen
door een ruitje van een glazen deur stak, hij zich ongevraagd toegang
verschafte tot een groot feest – een of ander formeel gemaskerd bal.
Hij keek vanuit de schaduw toe tot hij een dronken gast zag wiens
masker hij gemakkelijk kon afnemen, en ging toen aldus bedekt (hoewel dit wel betekende dat hij zijn bril moest afzetten) op zoek naar
Trapping. Omdat de meeste mannen formele zwarte jassen droegen,
was de in een rood uniform gestoken kolonel relatief makkelijk te
vinden. Chang zelf trok om dezelfde reden de aandacht. Zijn opzettelijk onbeschaamde tenue, waarin hij in zijn gebruikelijke omgeving
ofwel intimideerde, ofwel zich schuilhield, was nauwelijks geschikt
voor een gekostumeerd feest in een groot landhuis. Hij gedroeg zich
echter dermate hautain dat het was alsof hij er thuishoorde. Het verbaasde hem hoeveel mensen door zijn onplezierige arrogantie meteen aannamen dat hij meer rechten had dan zij.

Trapping stond te midden van een vrij grote groep stevig te drinken, hoewel het er niet op leek dat hij aan het gesprek deelnam.
Terwijl hij toekeek, besefte Chang dat Trapping tussen twee groepen
in stond. De ene stond om een zware, kalende man heen voor wie
de anderen duidelijk respect hadden, vooral een jongeman met dik
rood haar en een bijzonder goed geklede vrouw. (Was dit de vrouw
van Trapping, Charlotte Xonck, met haar broers Henry en Francis?)
Achter haar stond een andere vrouw. Haar jurk was wat ingetoge-
ner en evenals Chang stond zij de mensen om haar heen nauwelijks
merkbaar te bekijken. Chang besloot dat hij juist haar moest zien
te mijden. De andere groep bestond uit mannen, die zowel formele
kleding als militaire uniformen droegen. Chang wist niet of Crabbé
aanwezig was of niet. De maskers maakten het hem moeilijk. Hoewel
hij nieuwsgierig was waarom zulke groepen om oninteressante figuren als Trapping geschaard stonden, besefte Chang dat hij niet kon
blijven staan. Hij zette zich schrap en liep in hun richting. Hij ver-
meed oogcontact en vroeg de bediende die bij een nabijgelegen tafel
stond om een glas wijn. Het gesprek om hem heen werd gestaakt
terwijl hem een glas werd overhandigd en hij voelde dat beide groepen ongeduldig wachtten tot hij wegging. De bediende had hem een

vol glas gegeven en Chang nam een slok. Vervolgens richtte hij zich tot de man die naast hem stond – Trapping natuurlijk – en keek hem doordringend aan. Trapping knikte en keek tegen wil en dank terug. Trapping raakte bevangen door de littekens op Changs oogleden, die door het masker heen zichtbaar waren. Hoewel Trapping niet wist wat hij zag, wist hij wel dat er iets niet klopte. De duur van het contact gaf Chang echter de kans om iets te zeggen.

'Fantastisch feest.'

'Zeker,' antwoordde kolonel Trapping. Zijn blik was van kardinaal Changs ogen naar zijn jas gegaan en toen naar de rest van zijn kleding, die, hoewel opvallend, niet bepaald fatsoenlijk was of bij de gelegenheid paste. Chang keek zelf naar zijn kleding, keek Trapping weer aan en haalde grinnikend zijn schouders op.

'Ik ben vanaf de kruising regelrecht hierheen gekomen. Ik heb dagenlang gereden, maar ik kon me dit toch niet laten ontgaan, nietwaar?'

'Natuurlijk niet,' knikte Trapping enigszins gekalmeerd. Toch keek hij wat hulpeloos over Changs schouder naar de anderen, die duidelijk een andere kant op bewogen om hun gesprek te hervatten.

'Wat drinkt u?' vroeg Chang.

'Hetzelfde als wat u drinkt, geloof ik.'

'O ja? Smaakt het u?'

'Het is heerlijk.'

'Vind ik ook. Moet ook wel, nietwaar? Op onze gastheer.'

Chang tikte met zijn glas tegen dat van Trapping en dronk het in één teug leeg, waardoor Trapping min of meer gedwongen was om hetzelfde te doen. Voor hij het glas echter naar zijn mond kon brengen, griste Chang het uit zijn hand en hield de bediende roepend beide glazen omhoog. Terwijl de bediende zich vooroverboog om de wijn in te schenken en Trapping achter hem met allerlei excuses kwam om hem te verlaten, smeerde Chang handig wat wit poeder aan zijn duim en wreef dat – terwijl Trapping zijn glas aannam en Chang met een bruuske vraag over een slechte kurk de bediende afleidde – langs de rand van Trappings glas. Hij gaf het glas aan de kolonel en ze dronken, waarbij de lippen van Trapping het glas raakten op de plaats waar Chang het poeder had gesmeerd. Daarna draaide Chang zich even abrupt als hij gekomen was om, knikte naar Trapping en liep de zaal uit. Hij zou vanaf een afstand toekijken tot het gif ging werken.

Vanaf dat moment was het snel bergafwaarts gegaan. De groep mannen (Crabbés groep?) wist Trapping uiteindelijk bij de groep waarvan Chang dacht dat het leden van de familie Xonck waren weg te halen en liep met hem naar een hoek achter in de zaal waar zich een deur bevond die onopvallend, maar overduidelijk door twee wachters werd bewaakt. Chang zag zijn doelwit verdwijnen en zocht naar een andere uitweg, waarbij zijn blik even die van de metgezel van Charlotte Xonck kruiste, die op hetzelfde moment, maar niet snel genoeg, een andere kant op keek. Voor hij nog meer ongewenste aandacht op zich zou vestigen, liep hij met grote passen de feestzaal uit. Na meer dan een uur lang bedienden, gasten en een schijnbaar steeds groter wordende groep wantrouwende gezichten ontweken te hebben, bevond hij zich eindelijk in een lange marmeren gang, die aan weerszijden door deuren werd geflankeerd. Het was de belichaming van de ridicule situatie waarin hij zich bevond en van het falen van zijn besluit om het risico te nemen om binnen te gaan en zich vervolgens stoutmoedig aan Trapping te tonen. Trapping had inmiddels dood moeten zijn, maar in plaats daarvan lag hij waarschijnlijk ergens zijn 'roes' – wat hijzelf als een teveel aan wijn zou beschouwen – uit te slapen. Chang had hem net genoeg gegeven om ervoor te zorgen dat hij plooibaar was, met de bedoeling om hem mee te nemen naar de tuin, maar ook dat bleek een vergissing te zijn. Hij beende de gang door en probeerde iedere deur. De meeste zaten op slot, waardoor hij genoodzaakt was naar de volgende te lopen. Toen hij ongeveer halverwege was, zag hij aan het eind van de gang een groep mensen vanaf een wenteltrap naar beneden komen. Hij dook naar de dichtstbijzijnde deur, die open bleek te zijn. Snel glipte hij naar binnen en deed hem achter zich dicht.

Trapping lag op de vloer, dood. Zijn gezicht was gebrandmerkt. Was hij geschroeid? Had hij littekens? Het was echter onduidelijk waardoor. Chang kon geen wond, bloed, wapen, of zelfs een wijnglas ontdekken waar misschien gif in had gezeten. Trapping was nog warm. Hij kon niet langer dan een halfuur dood zijn. Chang stond bij het lichaam en zuchtte. Hij had het resultaat dat hij wilde, maar dit was zorgwekkender en gecompliceerder dan de bedoeling was. Op dat moment rook hij een vage lucht van medicijnen of machines die helemaal niet in die kamer paste. Hij had zich net weer voorovergebogen om Trappings zakken te doorzoeken, toen er op de deur werd geklopt. Chang kwam ogenblikkelijk overeind, liep snel naar het volgende vertrek van de suite en glipte van daaruit de badkamer in, op zoek naar een plek om zich te verstoppen. Op het moment dat hij de dienstdeur vond, ging de deur naar de gang open en riep iemand kolonel Trapping bij zijn voornaam. Terwijl Chang langzaam en voorzichtig de klink achter zich liet zakken, begon de stem schril om hulp te roepen.

Het was tijd om ervandoor te gaan. De smalle, donkere gang leidde naar een kamer waar zich een vreemde man bevond, een geïrriteerd, overgedienstig wezen te midden van bekend uitziende kisten. De man draaide zich om toen hij binnenkwam, en opende zijn mond om te gaan schreeuwen. Chang liep in twee stappen naar hem toe en sloeg hem met zijn onderarm tegen het gezicht. De man viel op een tafel, waardoor een hoeveelheid onderdelen van houten kisten in het rond vloog. Voor hij overeind kon komen, gaf Chang hem een klap op zijn achterhoofd. De man sloeg tegen de tafel en zakte in het rond tastend en naar adem snakkend op de vloer. Chang wierp een snelle blik op de kisten, die allemaal leeg leken te zijn, maar hij wist dat hij geen tijd had om het uit te zoeken. Hij vond de volgende deur en belandde in een nog grotere gang met spiegels aan de wanden. Hij keek de gang in en wist dat hij naar de hoofdingang moest leiden, waar hij niets aan had. Aan de andere kant van de gang zag hij een deur. Toen hij ontdekte dat hij op slot zat, schopte hij er net zo lang tegenaan tot het hout rond het slot splinterde en hij zich erdoor kon wringen. Deze kamer had een raam. Hij greep een stoel en smeet die met een luid gerinkel door het glas. Achter hem klonken voetstappen. Chang schopte de scherven uit het raam en sprong door het gat. Kreunend belandde hij op een bed van grind en rende weg.

De achtervolging was weinig overtuigend geweest, want hij was vrijwel blind in het donker en als men had doorgezet, was hij zeker
gepakt. Toen hij zeker wist dat ze hem niet meer volgden, ging
Chang over op een looppas. Omdat hij ongeveer wist waar hij was
in verhouding tot de zee, liep hij in tegenovergestelde richting en
kwam uiteindelijk bij de spoorrails, waarlangs hij verder liep tot hij
bij een station kwam. Het bleek Orange Canal te zijn, het eindstation van het traject. Blij dat er een trein stond stapte hij in, waarna
hij zat te peinzen tot de trein eindelijk in beweging kwam en hem
terugbracht naar de stad. Tijdens de reis had hij dat moment met de
gehavende Persephone.

In de Raton Marine dronk hij zijn beker chocolade leeg en legde
nog een munt op tafel. Hoe meer hij over de gebeurtenissen van de
dag en nacht ervoor piekerde, hoe kwalijker hij het vond dat hij zo
impulsief had gehandeld, vooral nu er geen enkel bericht was over
Trappings dood. Hij wilde zo lang mogelijk gaan slapen, misschien
wel dagenlang in de opiumkit. Hij dwong zich echter om naar de
bibliotheek te gaan. De enige nieuwe informatie die hij had was
de mogelijke betrokkenheid van Robert Vandaariff of zijn hooggeplaatste toekomstige schoonzoon. Als hij ontdekken kon wat zij met
Xonck, Crabbé of zelfs Trapping te maken hadden, zou hij zijn zinnen met een gerust hart kunnen verdoven.

Hij liep de brede trap op, de hoge hal door, knikte naar de portier
en klom de trap op naar de grote leeszaal op de eerste verdieping.
Toen hij binnenkwam, zag hij de archivaris naar wie hij zocht. Shearing, die de financiële archieven beheerde, stond met een vrouw te
praten. Terwijl hij hen naderde, draaide de kleine, kromme man zich
om, glimlachte zwakjes en wees. Chang bleef staan terwijl de vrouw
zich naar hem toe draaide en een revérence maakte. Ze was mooi en
liep recht op hem af. Ze had zwart haar, dat van achteren opgenomen was en in lange krullen over haar schouders viel. Ze droeg een
minuscuul zwart wollen jasje dat nog niet tot haar smalle taille reikte
en een rode zijden jurk, waarop met geel garen Chinese taferelen
waren geborduurd. In de ene hand had zij een klein zwart tasje en in
de andere een waaier. Een aantal passen van hem vandaan stond ze

stil en Chang dwong zich om langs haar blanke hals en felrode mond naar haar ogen te kijken, die hem enigszins ernstig aankeken.

'Er is me verteld dat uw naam Chang is,' zei ze.

'Zo mag u mij noemen,' was zijn gebruikelijke antwoord.

'U mag mij Rosamonde noemen. Men heeft mij naar u verwezen, omdat u mij wellicht kunt helpen.'

'Zo.' Chang wierp een blik op Shearing, die hen als een idioot stond aan te staren. De man negeerde de blik volkomen, daar hij geheel door de schitterende torso van de vrouw gebiologeerd was. 'Volgt u mij alstublieft deze kant op,' glimlachte Chang stijf, 'dan kunnen we ongestoord praten.'

Hij nam haar mee naar de kaartenzaal op de tweede verdieping, waar vrijwel nooit iemand was, zelfs de curator niet, die zich meestal met een glas gin tussen de boekenrekken bevond. Hij trok een stoel onder de tafel vandaan en bood die haar aan. Ze ging glimlachend zitten. Zelf bleef hij met zijn gezicht naar haar toe tegen de tafel staan.

'Draagt u altijd een donkere bril binnen?' vroeg ze.

'Het is een gewoonte,' antwoordde hij.

'Ik moet toegeven dat ik het verontrustend vind. Ik hoop dat u niet beledigd bent.'

'Natuurlijk niet, maar ik blijf hem dragen. Om medische redenen.'

'Aha, ik begrijp het.' Ze glimlachte en keek om zich heen. Er stroomde licht naar binnen door een paar hoge ramen in de muur. Hoewel het een grijze dag was, voelde de zaal luchtig aan, alsof hij veel hoger was dan op de tweede verdieping.

'Wie heeft u naar mij verwezen?' vroeg hij.

'Pardon?'

'Wie heeft u naar mij verwezen? U begrijpt dat een man in mijn positie referenties verlangt.'

'Natuurlijk. Ik vroeg me af of er veel vrouwen onder uw cliënten zijn.' Ze glimlachte opnieuw. Ze sprak met een licht accent, maar hij kon het niet plaatsen. Ook had ze zijn vraag nog niet beantwoord.

'Ik heb allerlei cliënten, maar wie heeft u mijn naam gegeven? Dit is de laatste keer dat ik ernaar vraag.'

De vrouw straalde. Chang voelde een waarschuwingsprikkel in zijn nek. Deze situatie was niet wat zij leek te zijn, en de vrouw was dat ook niet. Hij was zich er terdege van bewust, maar was tegelijkertijd volkomen in de ban van haar lichaam en de exquise gevoelens die het opriep. Haar lach klonk vol, als een donker vloeiende wijn, en ze beet op haar lip als een vrouw die een schoolmeisje speelt. Ze deed haar best om hem met haar intens blauwe ogen op zijn plaats te houden, als een insect dat met een speld wordt vastgepind, en hij kon niet met zekerheid zeggen dat ze daar niet in geslaagd was.

'Mr Chang, of moet ik kardinaal zeggen? Ik vind uw naam amusant, want ik heb meerdere kardinalen gekend. Ik ben opgegroeid in Ravenna. Bent u er ooit geweest?'

'Nee. Ik zou graag gaan natuurlijk, vanwege de mozaïeken.'

'Die zijn prachtig. Een kleur paars die u nog nooit gezien hebt, en de parels... Als u van de parels op de hoogte bent, dan moet u er zeker heen, anders zal het u uw leven lang blijven achtervolgen.' Ze lachte opnieuw. 'En als u ze eenmaal gezien hebt, wordt u er helemáál door achtervolgd! Maar, zoals ik al zei, ik heb meerdere kardinalen gekend. Een neef van me was kardinaal. Ik heb hem nooit gemogen, dus doet het me genoegen om te horen dat iemand als u die naam ook draagt. Zoals u weet, heb ik weinig vertrouwen in mensen met veel macht.'

'Dat wist ik niet.'

Naarmate de tijd verstreek, werd Chang zich pijnlijk bewust van zijn gekreukte hemd, zijn ongepoetste laarzen en zijn ongeschoren gezicht. Zijn hele leven botste met de grote ongedwongenheid, dan wel gratie van deze vrouw. 'Vergeef me mijn vasthoudendheid, maar u hebt me nog steeds niet verteld...'

'Nee, natuurlijk niet, en u bent zo geduldig. Ik heb uw naam en een idee van waar ik u zou kunnen vinden van Mr John Carver.'

Carver was een advocaat die Chang de vorige zomer via een aantal ongure tussenpersonen had ingehuurd om de man te vinden die Carvers dochter zwanger had gemaakt. De dochter had de abortus waar haar vader, een strenge pragmaticus, op had aangedrongen overleefd, maar was sindsdien niet in het openbare leven gezien. Blijkbaar was de ingreep nogal moeilijk geweest en was Carver er zeer door verontrust. Chang had de man in een bordeel bij zee gevonden en had hem naar Carvers landhuis gebracht. Dat gebeurde niet zonder verwondingen, want toen de betrokkene eenmaal in de gaten had in welke situatie hij verkeerde, had hij flink tegengestribbeld. Hij liet Carver alleen met de rondzwervende minnaar, die gekneveld op een vloerkleed lag. Hij had zich verder niet bekommerd om wat er verder met hem gebeurde.

'Aha,' zei hij.

Het was zeer onwaarschijnlijk dat iemand zijn naam met die van Carver in verband bracht, tenzij de informatie afkomstig was van Carver zelf.

'Mr Carver heeft een aantal contracten voor me opgesteld en heeft mijn vertrouwen.'

'Stel dat ik u zou zeggen dat ik John Carver helemaal niet ken en hem ook nooit ontmoet heb?'

Ze glimlachte. 'Dat zou precies zijn wat ik vreesde. Dan zou ik iemand anders om assistentie moeten vragen.'

Ze wachtte op zijn reactie. Het was op dat moment aan hem om haar wel of niet als cliënt te accepteren. Het was duidelijk dat ze begreep dat ze discreet moest zijn. Ook was ze rijk, en hij kon best wat afleiding gebruiken van de nog onopgeloste zaak van Arthur Trapping. Hij verplaatste zijn gewicht op zijn andere been, ging op de tafel zitten en boog zich naar haar toe.

'Het spijt me, maar aangezien ik Mr Carver niet ken, kan ik u niet als mijn cliënt aannemen. Omdat ik echter een sympathieke man ben en u zich al die moeite getroost hebt, zou ik naar uw verhaal kunnen luisteren en u van advies kunnen dienen, voor zover ik dat heb.'

'Dan zou ik bij u in het krijt komen te staan.'

'Geenszins.' Hij stond zichzelf een klein lachje toe. Tot zover begrepen ze elkaar.

'Voor ik begin,' zei ze, 'wilt u aantekeningen maken?'

'Gewoonlijk niet.'

Ze glimlachte. 'Het is een eenvoudige situatie, die, hoewel ik er zelf niets aan kan doen, voor een man met de juiste kwaliteiten waarschijnlijk gemakkelijk op te lossen is. Onderbreek me alstublieft als ik te snel ga of als ik iets vergeet. Bent u er klaar voor?'

Chang knikte.

'Ik was gisteravond op een bijeenkomst in het landhuis van lord Vandaariff om de verloving van zijn enige dochter met prins Karl-Horst von Maasmärck te vieren. U hebt vast wel over deze mensen gehoord en kent het belang van de gelegenheid. Ik was daar als een schoolvriendin, een bekende eigenlijk, van de dochter, Lydia. Het was een gemaskerd bal. Zoals u zult zien, is dit een belangrijk gegeven. Bent u ooit op een gemaskerd bal geweest?'

Chang schudde zijn hoofd. De waarschuwingsprikkel in zijn nek was inmiddels naar zijn stuitje getrokken.

'Ik ga er graag heen, maar ze zijn verontrustend, omdat sommige mensen zich niet langer aan de sociale codes houden, vooral niet op zo'n grote bijeenkomst, in zo'n groot landhuis. Ieder voelt zich anoniem en er kan zodoende van alles gebeuren. U begrijpt ongetwijfeld wat ik bedoel.'

Chang knikte weer.

'Mijn escorte voor die avond was... wel... u zou hem als vriend van de familie kunnen zien. Ietwat ouder dan ik. In wezen een goede man die zich door zijn zwakke wilskracht en drank, gokken en dwaze, zelfs onnatuurlijke uitspattingen herhaaldelijk verlaagd heeft. Ondanks dit alles en vanwege onze familieband en zijn goedbedoelde vriendelijkheid had ik me vast voorgenomen om hem naar de betere kringen terug te halen. Wel, ik kan het niet netter zeggen dan zo, maar het was een groot huis en er waren veel mensen, zelfs mensen die er niet hoorden, die zonder uitnodiging en zonder enig respect waren gekomen en slechts in hun eigen voordeel waren geïnteresseerd.'

Chang knikte instemmend. Hij vroeg zich af op welk punt hij moest vluchten en hoeveel van haar handlangers er wellicht op de trap naar beneden stonden.

'Want...' Haar stem stokte. Er verschenen tranen in haar ooghoeken. Ze zocht in haar handtas naar een zakdoek. Chang besefte dat hij haar er een moest aanbieden, maar hij wist ook hoe de zijne eruitzag. Ze vond die van haar en bette haar ogen en neus. 'Het spijt me. Het is allemaal zo plotseling. U ziet vast vaker mensen die ontredderd zijn.'

Hij knikte. Ontreddering die hijzelf had veroorzaakt, maar dat hoefde hij er niet bij te zeggen.

'Dat moet vreselijk zijn,' fluisterde ze.

'Alles went.'

'Misschien is dat nog het ergst.' Ze vouwde haar zakdoek op en stopte hem in haar tas. 'Het spijt me, ik zal verdergaan. Zoals ik al zei, was het een groot feest en moest ik behalve Lydia en prins Karl-Horst veel anderen spreken. Zodoende had ik het behoorlijk druk. Toen de avond reeds vrij ver gevorderd was, besefte ik dat ik mijn escorte al enige tijd niet had gezien. Ik ging naar hem op zoek, maar kon hem nergens vinden. Met behulp van een aantal vrienden zijn we toen zo discreet mogelijk in de aangrenzende vertrekken gaan zoeken, in de hoop dat hij gewoon te veel gedronken had en in slaap was gevallen. We ontdekten echter, Mr Chang, kardinaal, dat hij was vermoord. Na enkele gesprekken met andere gasten ben ik ervan overtuigd dat ik weet wie de moordenaar is. Wat ik graag wil – wat ik zou willen als u deze opdracht zou aannemen –, is dat deze persoon gevonden wordt.'

'En aan de autoriteiten wordt overhandigd?'

'Aan mij.' Ze keek hem onbewogen aan.

'Aha. En wie is deze persoon?' Hij verschoof iets, klaar om haar te bespringen. Met het scheermes tegen haar keel kon hij elke schare wachtende mannen trotseren.

'Een jonge vrouw. Ongeveer één meter vijfenvijftig lang, met lange, kastanjebruine pijpekrullen en een lichte huid. Vrij gewoon, maar redelijk mooi. Ze droeg groene laarzen en een zwarte reiscape. Gezien de manier waarop mijn vriend gedood is, kan ik rustig stellen dat ze met een aanzienlijke hoeveelheid bloed was bedekt. Ze zei dat ze Isobel Hastings heette, maar dat is ongetwijfeld een leugen.'

Hij had haar daarna andere vragen gesteld, maar zijn gedachten waren elders in een poging om het toeval te begrijpen. Rosamonde kon hem verder niets over de vrouw vertellen. Ze was waarschijnlijk een hooggeplaatste hoer, anders had ze het huis niet zo makkelijk binnen kunnen komen, maar Rosamonde had geen idee hoe ze gekomen was en hoe ze ontsnapt was. Als referentiepunt vroeg ze hem wat zijn gebruikelijke honorarium was. Hij vertelde het haar en voegde eraan toe dat als hij haar als cliënt had kunnen accepteren, ze een plaats hadden afgesproken waar ze elkaar konden ontmoeten of een bericht konden achterlaten. Ze keek om zich heen en verklaarde dat ze de bibliotheek een geschikte plaats vond en dat hij berichten kon achterlaten bij Hotel St. Royale. Vervolgens stond ze op en bood hem haar hand. Hij voelde zich bespottelijk, maar kon er niets aan doen dat hij vooroverboog om hem te kussen. Hij bleef zitten waar hij zat en keek haar na. De opwindende aanblik van haar vertrek completeerde de kolkende onrust in zijn hoofd.

Voor hij iets ondernam, stuurde hij via de Raton Marine een bericht naar John Carver met het verzoek om te bevestigen dat zijn naam aan een jongedame in nood was gegeven. Vervolgens wilde hij iets eten. Hij had niets meer gegeten sinds de vleespastei op St. Isobel Square de dag tevoren, dus Chang had honger. Terwijl hij de marmeren buitentrap van de bibliotheek afliep, maakte hij zich echter grote zorgen dat hij ontmaskerd was. Hij liep in westelijke richting naar Circus Garden, waar veel winkels waren, maar stopte bij een kiosk, waar hij zogenaamd een krantje over paardenracen inkeek. Niemand leek hem te achtervolgen, maar dat betekende nog niets. Als ze slim waren, hadden ze op elke plek waar hij regelmatig kwam, ook het pension waar hij een kamer huurde, iemand neergezet om hem op te wachten. Hij legde het krantje terug en wreef in zijn ogen.

Bij de winkeltjes met etenswaren kreeg hij weer een vleespastei – de kardinaal was wat zijn eetgewoonten betreft niet veeleisend – en een kleine kroes bier. Hij nuttigde ze snel en liep verder. Het was bijna vier uur, het werd al een beetje donker en de wind werd guur. Wat Chang betreft had hij op dat moment drie mogelijkheden: ten eerste terugkeren naar de Raton Marine om een bericht van Carver of Aspiche af te wachten; ten tweede op wacht gaan staan bij Hotel St. Royale om iets over zijn nieuwe cliënt te ontdekken, te beginnen met haar echte naam; en ten derde bordelen bezoeken. Hij glimlachte. Eigenlijk toch een eenvoudige keus.

Het lag eigenlijk wel voor de hand om nu naar de bordelen te gaan, want daar was de werkdag net begonnen, dus had hij een grotere kans om iets te ontdekken. Hij kon beginnen met de naam Isobel Hastings, want Chang wist dat zelfs als hij vals was, mensen gehecht raakten aan hun valse naam en dat als een valse naam eenmaal gebruikt was, hij waarschijnlijk weer gebruikt zou worden. Als het haar echte naam zou zijn, dan was dat wel zo gemakkelijk. Hij liep terug naar de rivier en volgde de oever naar het in verval geraakte centrum van de oude stad. Hij wilde eerst naar het goedkoopste bordeel, voordat het daar te druk zou zijn. Het heette South Quay – niet alleen omdat het aan de rivier lag, maar ook als grap (er waren geen zuidkades in de stad) over de verschillende 'aanlegplaatsen' op het lichaam van een hoer. Er kwamen voornamelijk zeelieden en het aanbod wisselde er geregeld en meedogenloos. Toch was het de beste plek om naar iemand die nieuw was te zoeken, want South Quay was een riool waarin al het zwerfvuil van de stad terechtkwam.

Hij had er spijt van dat hij zijn krant had laten liggen, want nu moest hij een andere zien te vinden om naar deze nieuwe moord te zoeken. Al werd Rosamondes metgezel maar als vermist opgegeven, dan had hij tenminste een naam. Een tweede moord in Robert Vandaariffs huis en bij zo'n gelegenheid gaf de financier des te meer redenen om de zaak in de doofpot te stoppen, hoewel Chang zich afvroeg hoe lang Trappings dood geheim kon blijven. Chang wist dat ook als Rosamonde niet tegen hem gelogen had, er meer was. Dat wist hij door de aanblik van Persephone (hij vond die naam mooier dan Isobel) in de trein. Als hij echter het onderzoek voor Rosamonde (of wie ze ook was) zou doen, zou hij ook meer te weten kunnen komen over de intrige rond Trapping en zichzelf beter kunnen beschermen, omdat hij meer te weten zou komen over het huis, de gasten, het feest en de omstandigheden. Maar daar had ze niets over gezegd, alleen over de vrouw die ze wilde opsporen. Hij klakte al lopend geërgerd met zijn tong, in de wetenschap dat de beste manier om zich te beschermen tevens de manier was die zijn betrokkenheid zou verraden.

Toen hij er aankwam, was Dagging Lane nog verlaten. Dit was de achterkant van het bordeel, waarvan de voorkant over de rivier hing, waardoor klanten die niet wilden of konden betalen gemakkelijk afgevoerd konden worden. Bij een smalle, felgeel geschilderde houten deur, die scherp afstak tegen het vuile steen en het verweerde hout in de rest van de straat, stond een grote man. Chang liep op hem af en knikte. De man herkende hem en knikte terug. Hij klopte driemaal met zijn vlezige vuist op de deur, waarna de deur openging en Chang in een smal gangetje stapte. Er lag goedkoop tapijt op de grond en hij werd verlicht door een gele lantaarn in plaats van gaslicht. Een andere grote man vroeg om zijn wandelstok, die Chang overhandigde. Vervolgens gaf de man met een veel geoefende grijns aan dat Chang via een kralengordijn een zijkamer in kon gaan. Chang schudde zijn hoofd.

'Ik ben gekomen om met Mrs Wells te spreken,' zei hij. 'Ik zal haar ervoor betalen.'

De man dacht hierover na en ging toen het gordijn door. Chang keek intussen naar een goedkope afbeelding aan de muur (een afbeelding van het persoonlijke leven van een Chinees slangenmens). Enige tijd later keerde de man terug en nam hem via de zijkamer – waar drie banken stonden vol halfnaakte, veel te dik opgemaakte vrouwen die in het gedimde, ziekelijke licht allemaal even jong en geschonden leken en die zaten te gapen, zichzelf te krabben of – in enkele gevallen – stevig in een zakdoek te hoesten – mee naar het kamertje van Mrs Wells, die zelf naast een knappend houtvuur zat met een grootboek op schoot. Ze was klein, grijs en mager, maar even zorgzaam of ongevoelig wreed in haar werk als een boer. Ze keek naar hem op.

'Hoe lang gaat dit duren?'

'Niet lang, denk ik.'

'Hoeveel dacht u te betalen?'

'Zoveel.'

Hij haalde een verfrommeld bankbiljet uit zijn zak. Het was meer dan hij had moeten bieden, maar hij liep een persoonlijk risico, dus vond hij het niet bezwaarlijk. Hij liet het bankbiljet op het grootboek vallen en ging op de stoel tegenover haar zitten. Mrs Wells pakte het biljet en knikte naar de grote man, die nog in de deuropening stond. Chang hoorde de man weggaan en de deur achter zich sluiten, maar hield zijn blik op de vrouw gericht.

'Ik geef meestal geen informatie over mijn klanten,' begon ze.

Haar tanden klapperden terwijl ze sprak. Een groot deel ervan was van wit porselein, dat gruwelijk afstak tegen de echte tanden die ze nog in haar mond had. Chang was vergeten hoezeer hij zich daaraan ergerde. Hij hief zijn hand op om haar te onderbreken.

'Ik ben niet in uw klanten geïnteresseerd. Ik ben op zoek naar een vrouw, waarschijnlijk een hoer, die u wellicht kent, ook al hebt u haar niet in dienst.'

Mrs Wells knikte langzaam. Chang wist niet precies wat dat betekende, maar aangezien ze niets zei, ging hij verder.

'Haar naam is misschien, althans zo noemt ze zich, Isobel Hastings. Ze is ongeveer één meter vijfenvijftig en heeft krullend kastanjebruin haar. Het opvallendst aan haar is dat ze vanmorgen vroeg gezien moet zijn met een zwarte cape en een grote hoeveelheid geronnen bloed op haar gezicht, haar en lichaam. Ik neem aan dat een meisje dat op die manier naar uw huis of welk huis dan ook terugkeert, hoewel dat niet onmogelijk is, het nodige stof doet opwaaien.'

Mrs Wells gaf geen antwoord.

'Mrs Wells?'

Mrs Wells gaf nog steeds geen antwoord. Voor ze het boek kon dichtslaan, schoot Chang naar voren en griste het bankbiljet weg. Ze keek hem verbaasd aan.

'Ik betaal graag voor wat u weet, maar niet voor laaghartige stilte.'

Ze lachte opzettelijk langzaam, als een mes dat uit zijn schede wordt gehaald. 'Het spijt me, kardinaal, ik zat na te denken. Ik ken het meisje waar u het over hebt niet. Ik ken de naam niet en geen van mijn meisjes is zo besmeurd thuisgekomen. Ik zou er zeker over gehoord hebben en een schadevergoeding hebben geëist.'

Ze zweeg, en glimlachte. Er was meer, hij zag het aan haar ogen. Hij gaf haar het bankbiljet terug en zij nam het aan, legde het als een boekenlegger in het zware grootboek en deed het dicht. Chang wachtte. Mrs Wells grinnikte – een bijzonder onplezierig geluid.

'Mrs Wells?'

'Nee, niets,' antwoordde ze. 'Behalve dat u al de derde bent die naar dit wezen komt vragen.'

'Aha.'

'Inderdaad.'

'Mag ik vragen wie de anderen waren?'

'Dat mag.' Ze glimlachte, maar bewoog niet – een stil verzoek om meer geld. Chang twijfelde. Aan de ene kant had hij haar al meer betaald dan hij zou moeten doen, maar aan de andere kant zou hij in geval hij haar met zijn scheermes zou aanvallen met de twee mannen bij de deur te maken krijgen.

'Ik vind dat ik heel redelijk ben geweest, Mrs Wells, vindt u niet?'

Ze grinnikte opnieuw, waardoor zijn tenen kromden. 'Dat is zeker waar, kardinaal, en dat zult u ook in de toekomst zijn. Die anderen waren minder... eerbiedig. Ik zal u daarom zeggen dat de eerste vanmorgen een dame was die beweerde de zus te zijn van deze persoon, en de tweede, die ongeveer een uur geleden hier was, een man in uniform, een soldaat.'

'Een rood uniform?'

'Nee, nee. Het was zwart. Helemaal zwart.'

'En de vrouw?' Hij probeerde aan Rosamonde te denken. 'Was ze lang? Zwart haar? Blauwe ogen? Mooi?' Mrs Wells schudde haar hoofd.

'Geen zwart haar, lichtbruin. En ze was best mooi – althans, dat zou ze geweest zijn als ze die brandwonden niet op haar gezicht had gehad.' Mrs Wells glimlachte. 'Rond de ogen, ziet u. Verschrikkelijk gewoon. Spiegels van de ziel, weet u wel.'

Chang liep woedend terug naar de Raton Marine. Het zou één ding geweest zijn als hij alleen ontdekt had dat hij niet de enige was die naar die vrouw op zoek was, maar dat hij zo'n grote kans liep om zelf ontdekt te worden – of hij Trapping vermoord had of niet, hij kon er makkelijk voor hangen – was dubbel zo ergerlijk. Hij wantrouwde alles en iedereen. Toen hij bij de Raton Marine aankwam, was het bijna donker. Er was geen bericht van John Carver. Omdat hij zijn cliënt zelf nog niet wilde ondervragen, zette hij koers naar het volgende bordeel, dat in de buurt van het gerechtsgebouw lag. Dit stond bekend als The Second Bench. Het was niet ver en lag op een iets veiligere locatie. Onderweg kon hij nadenken.

Terwijl hij zichzelf dwong om alle onderdelen in kleine stukjes te breken, moest hij toegeven dat het niet vreemd was dat Mrs Wells zijn *Persephone* niet kende. Toen hij haar in de trein had gezien, had hij sterk het gevoel dat ze er spectaculair uitzag en dat, hoe onthullend ook en welke achtergrond er ook aan ten grondslag lag, ze er gewoonlijk anders uitzag. Haar krullen, hoewel besmeurd en in de war, zagen eruit alsof er een zekere aandacht aan was besteed, wellicht door een bediende. Dit zou The Second Bench, of zelfs het derde bordeel dat hij in gedachten had, The Old Palace, betekenen. Die boden een betere klasse hoeren en bedienden een betere cliëntèle. Elk bordeel bood een blik op een bepaald niveau in de handel in vlees. Chang zelf kon alleen naar The Old Palace als hij flink wat geld op zak had, en dan alleen vanwege een aantal diensten voor de manager. Het feit dat South Quay zo onguur was, maakte het vreemd dat de andere twee zoekers het gevonden hadden of eraan gedacht hadden om erheen te gaan. Dat de soldaat er was geweest kon hij nog begrijpen, maar de vrouw… haar zus? Er waren eerlijk gezegd maar weinig redenen waarom een vrouw van zo'n huis af kon weten, want South Quay was bij de rest van de bevolking bijna onbekend. Als Rosamonde er bijvoorbeeld van zou weten, zou dat hem meer verbazen dan een brief van de paus. Maar de andere onderzoekers wisten er vanaf. Wie waren ze en bij wie waren ze in dienst? En wie was de vrouw die ze allemaal zochten?

Dit alles bevestigde in geen enkel opzicht het verhaal van zijn client over haar arme, vermoorde vriend, die vast geen onschuldige man was die nergens mee te maken had, maar iemand wiens dood een reden had (een erfenis? titel? crimineel handelen?) die ze niet genoemd had. Chang dacht weer aan de trein en aan die onpeilbare grijze ogen. Keek hij naar een moordenaar of een getuige? En als ze iemand had vermoord, was dat dan als huurmoordenaar of uit zelfverdediging? Iedere mogelijkheid gaf een andere draai aan de motieven van degenen die haar zochten. Dat geen van hen naar de politie was gegaan, zelfs al was dat op het uitdrukkelijke verzoek van de machtige Robert Vandaariff, zei weinig goeds over hun bedoelingen.

Niet dat goede bedoelingen in het algemeen een onderdeel van Changs leven waren. Hij koos wat bordeel betreft meestal voor The Second Bench, hoewel dat meer te maken had met het evenwicht tussen zijn financiën en de kans op een ziekte, dan met bepaalde voordelen van het huis. Hij kende echter het personeel en hun huidige baas, een dikke, vettige man met een kaalgeschoren hoofd die Jurgins heette en grote ringen aan zijn vingers droeg. Hij was de belichaming van de moderne eunuch, vond Chang. Jurgins deed zich vrolijk voor, wat snel veranderde als het gesprek op geld overging, en weer terugkeerde zodra zijn enorme hebzucht was bevredigd. Omdat veel klanten van het etablissement zakenmensen of juristen waren, viel zijn huurlingachtige manier van doen nauwelijks op en gaf die zeker geen aanstoot.

Na een korte, gedempte woordenwisseling met de mannen bij de deur werd Chang naar Jurgins privévertrek geleid, dat vol hing met wandkleden en verlicht werd door kristallen lampen met fijne franje aan de lampenkap. Er hing zoveel wierook in de lucht dat zelfs Chang het benauwd vond. Jurgins zat aan zijn bureau en kende Chang goed genoeg om hem alleen te durven spreken, maar met de deur open en een lijfwacht in de buurt. Chang ging in de stoel tegenover hem zitten en haalde een bankbiljet uit zijn jas. Hij hield het omhoog, zodat Jurgins het kon zien. Jurgins tikte vol spanning met zijn vingers op zijn bureau.

'Wat kunnen wij vandaag voor u betekenen, kardinaal?' Hij knikte naar het bankbiljet. 'Een formeel verzoek om iets uitgebreids? Iets... exotisch?'

Chang glimlachte geforceerd. 'De zaak is eenvoudig. Ik ben op zoek naar een vrouw die mogelijk Isobel Hastings heet en hier – of bij een soortgelijk etablissement – vanmorgen vroeg in een zwarte cape en met bloed besmeurd is teruggekeerd.'

Jurgins fronste nadenkend en knikte.

'Naar haar ben ik dus op zoek.'

Jurgins knikte opnieuw. Chang keek hem aan en glimlachte. Als vleierige reactie hierop lachte Jurgins ook.

'Ook' – Chang zweeg even om zijn woorden extra gewicht te geven – 'ben ik geïnteresseerd in de twee mensen die al eerder uw tijd hebben verdaan door naar haar te vragen.'

Jurgins lachte breeduit. 'Zeker, zeker. U bent een slimme man, ik heb het altijd al gezegd.'

Chang glimlachte nauwelijks om het compliment. 'Ik denk dat het een man in een zwart uniform is en een goedgeklede vrouw met bruin haar en een vreemde soort brandvlek rond de ogen. Klopt dat?'

'Klopt!' grinnikte Jurgins. 'Hij kwam vanmorgen vroeg, hij wekte me, en zij kwam na de lunch.'

'En wat hebt u hun verteld?'

'Wat ik u helaas ook moet vertellen, namelijk dat die naam me niets zegt. En ik heb niets over zo'n bloederig meisje gehoord, van hier niet en ook niet van een ander huis. Het spijt me.'

Chang boog voorover en liet het bankbiljet op het bureau vallen. 'Geeft niet. Dat verwachtte ik ook niet. Vertel me over die andere twee.'

Het was precies zoals u zei. De man was een of andere officier – ik ben niet zo in militaire rangen thuis, weet u. Misschien zo oud als u, een drammerige bruut die niet begreep waarom hij mij niet kon commanderen, als u begrijpt wat ik bedoel. De vrouw zei dat het meisje haar zus was. Best mooi, zoals u al zei, op die brandvlek na. Toch komen hier mensen die zoiets aantrekkelijk vinden.'

'En wat waren hun namen, of de namen die ze u gegeven hebben?'

'De officier noemde zichzelf majoor Black.' Jurgins grijnsde om de overduidelijke valsheid ervan. 'De vrouw gaf zich uit voor Mrs Marchmoor.' Hij grinnikte verlekkerd. 'Zoals ik al zei: als de situatie anders was geweest, met haar vermiste familielid en zo, had ik haar best werk willen bieden.'

The Second Bench en The Old Palace lagen tegenover elkaar aan de noordelijke rivieroever, en de weg naar The Old Palace liep zo dicht langs de Raton Marine dat hij besloot om langs te gaan om te kijken of er al een bericht van Carver was. Dat was niet het geval. Zo was Carver niet. Die vond zichzelf zo belangrijk dat hij op alle uren van de dag bodes en koeriers in dienst had, zeker tot in de late avonduren. Misschien bevond Carver zich op het platteland, wat het minder waarschijnlijk maakte dat Rosamonde zijn aanbeveling tussen gisteravond en vandaag had gekregen. Maar het wás mogelijk, dus liet hij de zaak voor wat hij was totdat hij iets zou vernemen. Hij had Jurgins om meer informatie over het uniform van de officier gevraagd – een zilverkleurige kraag en omslagen en een vreemde regimentsbadge van een wolf die een zon inslikt – en had nog net tijd om naar de bibliotheek te gaan voor die zou sluiten. Hij besloot echter dat het meer zin had om naar The Palace te gaan. In het onwaarschijnlijke geval dat hij informatie zou vinden, wilde hij dat zo snel mogelijk doen. De majoor en de zus waren daar ofwel nu, ofwel ze waren er al geweest. Hij kon de volgende morgen het regiment wel vinden en de officier opsporen, als het dan nog nodig was.

Bij de Raton Marine aangekomen bleef hij buiten staan en keek kritisch naar zijn kleding. Die was volkomen ongeschikt en hij moest snel naar zijn kamer om zich te verkleden. The Palace hield er een streng toelatingsbeleid op na en als hij de baas wilde ondervragen, moest hij er zo goed mogelijk uitzien. Hij vloekte om deze vertraging en liep snel de donkere straat door. Er waren meer mensen dan voorheen. Sommigen knikten naar hem, anderen deden of hij niet bestond, wat in dit district heel gebruikelijk was. Chang bereikte zijn voordeur en viste zijn sleutel uit zijn zak, maar toen hij hem in het slot wilde steken, ontdekte hij dat dat scheef zat. Hij knielde en bestudeerde het. Met een stevige trap was het hout rond de grendel versplinterd. Hij gaf de deur een duwtje, die vervolgens met het gebruikelijke geknars openzwaaide.

Chang keek langs de schaars verlichte trap naar boven. Het was stil in het gebouw. Hij klopte met zijn wandelstok op de deur van zijn hospita. Mrs Schneider dronk gin, maar het was wat vroeg voor haar om al buiten westen te zijn. Hij probeerde de knop, maar haar deur zat op slot. Hij klopte opnieuw. Hij vervloekte de vrouw, wat niet voor het eerst was, en keerde terug naar de trap. Snel en stil liep hij naar boven, met zijn stok voor zich uit. Zijn kamer was op de bovenste verdieping, maar hij was gewend aan de klim en keek op iedere verdieping naar de deuren van zijn buren, die allemaal gesloten waren. De bewoners zwegen. Misschien was het slot gewoon ingetrapt door een huurder die zijn sleutel was vergeten. Het was mogelijk, maar Chang bleef achterdochtig tot hij de vijfde verdieping bereikte... waar zijn deur wijd openstond.

Snel trok hij het handvat uit zijn stok, waarop een aan twee kanten snijdende dolk verscheen. De rest van de stok draaide hij om en hield die in zijn andere hand, omdat hij met het gepolijste eiken een aanval kon opvangen, of slaan. Aldus gewapend kroop hij verder in de schaduw en spitste zijn oren. Hij hoorde de geluiden van de stad – ver weg, maar toch duidelijk. Zijn ramen waren open, wat betekende dat er iemand het dak op geklommen was. Misschien om te ontsnappen, misschien om iets te onderzoeken. Hij bleef wachten, zijn ogen op de deur gericht. Als er iemand binnen was, zou die hem de trap op hebben horen komen en wachten tot hij binnenkwam... Diegene was inmiddels waarschijnlijk even ongeduldig als hij. Zijn knieën werden stijf. Hij haalde diep adem, zuchtte stil om ze te ontspannen, en hoorde vervolgens geritsel uit de donkere kamer. En toen weer. Toen vleugelgeklap. Het was een duif die ongetwijfeld door het open raam naar binnen was gekomen. Hij stond geërgerd op en liep naar de deur.

Toen hij naar binnen ging, was hij door de combinatie van de donkere kamer en zijn bril niet geheel blind, maar toch in diepe duisternis gehuld, waardoor zijn andere zintuigen wellicht extra scherp waren, want zodra hij de drempel over stapte, merkte hij dat links van hem iets bewoog, en instinctief, en door zijn kennis van het vertrek, sprong hij met zijn stok voor zich uit naar rechts in een nis tussen een hoge kledingkast en de muur. Het beetje maanlicht dat door het raam naar binnen scheen, viel op een blikkerende sabel waarmee vanachter de deur op hem ingehakt werd. Hij ontweek de grootste zwaai van de slag en ving de rest ervan op met zijn wandelstok. Op datzelfde moment wierp Chang zich op zijn aanvaller en weerde met zijn stok de sabel af – die de man vanwege de kleine ruimte naarstig terug probeerde te trekken – waardoor Chang een tweede slag kon vermijden. Changs rechterhand met de dolk erin schoot als een speer naar voren.

De man kreunde van pijn en Chang voelde het mes in vlees verdwijnen, hoewel hij door het donker niet wist waar hij in terecht was gekomen. De man worstelde met zijn lange blad in een poging om het snijvlak of de punt ervan in Changs lichaam te drijven, maar Chang liet zijn stok vallen, zodat hij de arm met het zwaard kon pakken, en worstelde om die bij hem vandaan te houden. Met zijn rechterhand trok hij de dolk terug en stak hem als een injectienaald snel nog driemaal naar binnen, hem een draai gevend wanneer hij terugtrok. Bij de laatste stoot voelde hij de kracht uit de pols van de man verdwijnen en liet hij hem los. Zijn tegenstander viel zuchtend en rochelend op de grond. Het zou beter geweest zijn om hem te ondervragen, maar daar kwam het niet van.

Chang was wat geweld betreft realistisch. Hoewel zijn ervaring en kundigheid zijn kans op overleven vergrootten, wist hij dat hij weinig fouten kon maken en dat hij niet zozeer geluk moest hebben als wel een zekere overtuiging en wilskracht. Het was in die luttele seconden cruciaal dat hij heel resoluut was, omdat iedere vorm van twijfel een dodelijke fout kon zijn. Iedereen kon door een ander gedood worden, wat de omstandigheden ook waren. En er was altijd een kans dat een man die nooit een zwaard had vastgehouden er iets mee deed wat een geoefende duelspeler nooit zou verwachten. Chang had zijn leven lang al heel wat slagen geïncasseerd en uitgedeeld, en had geen enkele illusie dat zijn kundigheid hem voor altijd tegen iedereen zou beschermen. In dit geval had hij geluk dat zijn tegenstander voor een stil wapen – een wapen dat volkomen ongeschikt was om iemand van dichtbij te doden – in plaats van een revolver had gekozen. Toen hij met de eerste slag gemist had, had Chang de mogelijkheid om binnen zijn reikwijdte te stappen en hem neer te steken. Chang had echter maar weinig kansen om te handelen, want als hij iets langer gewacht had, verder de kamer in was gedoken of naar de gang had proberen te vluchten, zou een tweede slag van de sabel hem neergemaaid hebben als tarwe.

Chang stak de lamp aan, keek waar de duif zat en joeg hem, omzichtig om het dode lichaam stappend, wat hij een bespottelijke situatie vond, het open raam uit het dak op. Het was niet bijzonder rommelig in de kamer. Hij was van onder tot boven doorzocht, maar er was niets kapotgemaakt, en omdat hij maar weinig bezittingen had, was het een kleine moeite om alles weer op zijn plaats te leggen. Hij liep naar de nog openstaande deur en luisterde. Het trappenhuis was stil, wat óf betekende dat niemand iets gehoord had, óf dat hij inderdaad alleen was in het gebouw. Hij sloot de deur en omdat het slot net als bij de voordeur geforceerd was, zette hij er een stoel tegenaan. Pas toen knielde hij neer, veegde de dolk af aan het uniform van de man en schoof hem in zijn wandelstok terug. Hij bestudeerde de stok, waarmee hij de sabel gelukkig tegen de platte kant had geraakt, waardoor het hout niet versplinterd was. Hij zette hem tegen de muur en bekeek zijn aanvaller.

Het was een jonge man met kortgeknipt blond haar. Hij droeg een zwart uniform, met zilver beslagen zwarte laarzen en een zilveren badge met een wolf die de zon verslindt. Op zijn rechterschouder zat één zilveren epaulet: een luitenant. Chang doorzocht snel zijn zakken, die op een kleine hoeveelheid geld (die hij eruit haalde) en een zakdoek na leeg waren. Hij keek nog eens goed naar het lijk. De eerste dolkstoot was net naast de ribben terechtgekomen, en aan het bloedige schuim rond de mond van de man te zien waren de volgende drie onder de ribbenkast in de longen terechtgekomen.

Chang zuchtte en ging weer op zijn hurken zitten. Hij kende dit uniform niet. De laarzen zeiden hem dat hij een ruiter was, maar een luitenant kon van alles dragen, en welke jongeman die dom genoeg was om een militair te willen zijn zou géén hoge zwarte laarzen willen hebben? Hij pakte de sabel en voelde hoe zwaar het wapen was. Het was een duur ding, goed in balans en gemeen scherp. De lengte, de brede kromming en platte breedte van het blad maakten het een wapen voor een ruiter, om mee te houwen. Hij zat bij de lichte cavalerie. Aan zijn uniform te zien was hij geen huzaar, maar misschien een dragonder of een lansruiter – troepen die snel konden zijn, voor verkenningen of het verzamelen van informatie. Chang boog zich over het lichaam en maakte de schede los. Hij stak de sabel erin en gooide hem op zijn stromatras. Van het lichaam moest hij af zien te komen, maar het zwaard zou hij houden, want als hij geld nodig had, zou dat zeker wat opbrengen.

Hij stond op en ademde uit. Zijn zenuwen ontspanden zich eindelijk tot een normalere toestand. Het laatste waar hij op dit moment tijd voor had was wel een lijk opruimen. Hij wist niet precies hoe laat het was en besefte dat hoe later hij bij The Palace zou zijn, hoe moeilijker het zou worden om de baas te spreken te krijgen, en hoe groter de voorsprong van zijn rivalen zou zijn. Hij glimlachte bij de gedachte dat een van die rivalen nu dacht dat hij dood was, maar wist ook dat dit betekende dat de majoor ongetwijfeld op korte termijn een verslag van zijn jonge luitenant verwachtte. Chang kon binnenkort zeker een nieuw bezoek verwachten, dit keer van meerderen. Zijn kamer was onveilig totdat de zaak was afgehandeld, wat betekende dat hij nu van het lijk af moest zien te komen, want hij wilde het niet dagenlang laten liggen. Zo slecht was zijn reukvermogen nou ook weer niet.

Snel maakte hij zich presentabel voor The Old Palace: hij schoor zich, waste zich bij de waskom en trok schone kleren aan: een schoon wit overhemd, een zwarte broek, een cravate en een vest. Ook boende en poetste hij even zijn laarzen. Hij stak het geld dat hij in zijn kamer had liggen in zijn zak, pakte drie boekjes poëzie (waaronder *Persephone*) en kamde in de spiegel zijn nog natte haar. Hij verfrommelde zijn oude zakdoek, gooide hem in een hoek en stopte een schone in zijn jaszak, samen met zijn scheermes. Hij maakte het raam open en stapte het dak op om te zien of er mensen waren of licht scheen achter de omliggende ramen. Dat was niet het geval. Hij ging naar de kamer terug, pakte het lijk onder de armen en sleepte het naar de rand van het dak. Hij keek naar beneden naar de steeg achter het gebouw en zocht met zijn ogen de berg afval die zich meestal rond de verstopte afvoerput opstapelde. Hij keek nogmaals om zich heen, hees het lijk op de rand, mikte en duwde het eroverheen. De dode soldaat landde op de zachte berg. Als Chang geluk had, zou het niet meteen duidelijk zijn of hij gevallen was of op straat was vermoord.

Hij keerde naar zijn kamer terug, pakte zijn stok en de sabel, blies de lamp uit, kroop het raam weer door en deed het achter zich dicht. Het kon niet op slot, maar aangezien zijn vijanden wisten waar hij zat, maakte dat weinig verschil. Chang ging de daken op. De gebouwen van zijn huizenblok zaten allemaal aan elkaar vast, en zijn pad was vrij eenvoudig. Hij hoefde slechts hier en daar een glad stuk of wat ornamenten te trotseren. Bij het vijfde gebouw, dat leegstond, wist hij een luik open te krijgen, waardoor hij zich naar binnen het donker in liet zakken. Hij belandde op een houten vloer, tastte even om zich heen en vond toen een plek waar de planken loszaten. Hij trok er een los, legde de sabel eronder en legde de plank weer op zijn plaats. Hij zou er wellicht nooit voor terugkomen, maar hij mocht aannemen dat zijn kamer door meer soldaten doorzocht zou worden, en hoe minder ze van hun gevallen kameraad vonden, hoe beter. Hij tastte opnieuw om zich heen en vond zodoende de ladder naar de verdieping eronder. Even later stond hij op straat, nog steeds presentabel. Snel begaf hij zich met nog een ziel op zijn verbannen geweten op weg naar The Palace.

Het bordeel was vernoemd naar een nabijgelegen gebouw dat ooit een koninklijke residentie was geweest, maar zo'n tweehonderd jaar geleden – ook de dikke muren waren uit de mode – in andere handen was overgegaan. Aanvankelijk werd het door leden van het Koninklijk Huis gebruikt; later werd het ministerie van Oorlog er ondergebracht, was het een wapenopslagplaats, een militaire academie en nu zat er het Koninklijk Instituut der Wetenschappen. Hoewel je zou denken dat zo'n organisatie geen bloeiend, exclusief bordeel in de buurt wilde hebben, werden verscheidene projecten van het instituut door rijke inwoners van de stad gefinancierd, waarbij ze elkaar om het hardst beconcurreerden om een uitvinding, ontdekking, vondst van een nieuw continent of ster te financieren, waardoor hun naam eeuwig met iets nuttigs en permanents geassocieerd zou worden. De medewerkers van het instituut deden op hun beurt hun best om weldoeners aan te trekken. Zodoende waren er twee groepen mensen, de geleerden en de rijken, die een heel district om zich heen verzameld hadden waarvan de economie geheel dreef op vleierij, wederdiensten en de excessieve consumptie die daaruit voortvloeide. De grap was dat het bordeel The Old Palace naar het oudste paleis in de stad was genoemd.

De ingang van het bordeel was respectabel, zonder franje. Het gebouw was onderdeel van een blok identieke, stijve grijze panden met koepels op de daken. De deur, die groen was en helder verlicht, was bereikbaar via een ijzeren hek en een immer bezet bewakershuisje. Chang ging goed in het zicht bij het hek staan en wachtte tot het werd opengemaakt. Vervolgens liep hij naar de voordeur, waar een tweede wacht hem het huis zelf liet ingaan. Binnen was het warm en licht. Er klonk muziek en in de verte beschaafd gelach. Een aantrekkelijke jonge vrouw kwam zijn jas aannemen, maar hij gaf haar zijn wandelstok en een munt voor de moeite. Hij liep naar het eind van de foyer, waar op een hoog podium een magere man in een wit jasje rusteloos in een notitieboek zat te schrijven. Hij keek Chang weinig geamuseerd aan.

'Ah,' zei hij, alsof hij daarmee het commentaar op Chang dat hij uit medeleven of vriendelijkheid inslikte samenvatte.

'Madame Kraft.'

'Ik weet niet of u haar kunt spreken... Ik ben er zelfs zeker van dat...'

'Het is belangrijk,' zei Chang, de man strak aankijkend. 'Ik zal haar betalen voor haar tijd, wat zij redelijk acht. De naam is Chang.'

De man kneep zijn ogen toe, bekeek Chang nog eens goed en knikte snuivend. Hij pakte een groen stukje papier, schreef er iets op en stopte het in een leren koker, die hij in een koperen pijp aan de muur schoof. De koker werd met veel kabaal abrupt naar boven gezogen, waarna de man naar zijn podium terugkeerde en verderging met zijn notities. Enkele minuten verstreken, maar de man negeerde hem volkomen. Met een plotselinge plof verscheen de leren koker in het koperen uiteinde van een andere buis. De man pakte hem en haalde er een blauw stukje papier uit. Hij keek Chang onbewogen, maar desalniettemin misprijzend, aan en zei: 'Deze kant op.'

Chang werd via een smaakvol ingerichte zitkamer meegenomen een lange gang in, die zwak verlicht werd en door het kleine patroon van het behang smaller leek dan hij was. Aan het eind ervan bevond zich een met een metalen plaat beklede deur, waar de man in het wit viermaal duidelijk op klopte. Er werd daarop een kijkgat opengeschoven, dat nadat de bezoekers gezien waren weer gesloten werd. Ze wachtten en de deur werd geopend. Zijn gids gebaarde naar Chang dat hij de met donkere lambrisering betimmerde kamer in kon gaan, waar bureaus stonden met vloeiblokken en grootboeken. Op een zijtafel was een groot, in het oog vallend telraam vastgeschroefd. De deur was geopend door een lange man zonder jasje aan met een zware revolver onder zijn arm. Hij had zwart haar en zijn huid had de kleur van glanzend kersenhout. De man knikte naar een deur aan de andere kant van het kantoor. Chang liep ernaartoe, vond het beleefd om aan te kloppen en deed dat. Even later hoorde hij een gedempt verzoek om binnen te komen.

De volgende ruimte was ook een kantoor, maar er stond maar één breed bureau, waar een groot schoolbord op lag met een aantal kolommen erop getekend. Ook bevatte het houten panelen met gaatjes erin, waar gekleurde pennetjes in konden worden gestoken. Het geheel was een enorm raamwerk. Er stonden al wat namen en getallen op geschreven en er zaten op veel plaatsen pennetjes in de gaten. Chang had dit al eerder gezien en wist dat ze verwezen naar de kamers in huis, de dames (of jongens) die er aan het werk waren en de tijdsvakken van de avond. Ook wist hij dat het bord elke avond gewist en opnieuw ingevuld werd. Achter het bureau stond Madelaine Kraft, de manager en volgens sommigen de eigenaresse van The Old Palace. In de ene hand hield ze een krijtje en in de andere een vochtige spons. Ze was een goed gebouwde vrouw met een moeilijk te schatten leeftijd gekleed in een eenvoudige jurk van blauwe Chinese zijde die haar goudkleurige huid goed deed uitkomen. Ze was niet zozeer een mooie als wel een boeiende vrouw. Chang had gehoord dat ze uit Egypte kwam, of misschien uit India, en dat ze door haar discretie, intelligentie en gewetenloos gekonkel zichzelf van de voorkant van het huis tot haar huidige positie had opgewerkt. Ze was zonder enige twijfel veel machtiger dan hij, omdat ze invloedrijke mannen uit het hele land een dienst bewees door er het zwijgen toe te doen, waardoor die bij haar in het krijt stonden en zij hen dus in haar macht had. Ze keek op van haar bezigheden en knikte naar een stoel. Hij ging zitten. Ze legde het krijt en de spons neer, veegde haar vingers aan haar jurk af en nam een slok thee uit een witporseleinen kopje dat naast het bord stond. Zij bleef staan.

'U komt voor Isobel Hastings.'

'Dat klopt.'

Madelaine Kraft gaf geen antwoord, wat hij beschouwde als toestemming om verder te gaan.

'Ik heb opdracht om haar te zoeken... Het is een dame die na een avond werk met bloed besmeurd is teruggekeerd.'

'Waar kwam ze vandaan?'

'Dat is me niet verteld. Ik heb begrepen dat er zoveel bloed was dat ze zeker zou zijn opgevallen.'

'Van wie kwam ze vandaan?'

'Dat is me niet verteld. Aangenomen mag worden dat het bloed van hem afkomstig was.'

Ze was een moment in gedachten verzonken. Chang besefte dat ze niet stond te bedenken wat ze moest zeggen, maar dat ze overwoog of ze zou zeggen wat ze dacht.

'De vermiste man die in de krant stond,' zei ze peinzend

Chang knikte afwezig. 'De kolonel van de dragonders.'

'Zou hij het kunnen zijn?'

Hij antwoordde zo nonchalant mogelijk: 'Het is mogelijk.'

Ze nam nog een slokje thee.

'U begrijpt,' vervolgde Chang, 'dat ik eerlijk ben.'

Hier moest ze om lachen. 'Waarom zou ik dat begrijpen?'

'Omdat ik u betaal en u daar altijd iets tegenover stelt.'

Chang haalde de beurs uit zijn jaszak en pakte er drie knisperende bankbiljetten uit. Hij boog zich voorover en legde ze op het schoolbord. Madelaine Kraft raapte de biljetten op, keek naar het bedrag en stopte ze in een open houten kistje naast haar theekop. Ze keek naar de klok.

'Ik ben bang dat ik niet zoveel tijd heb.'

Hij knikte. 'Ik heb begrepen dat mijn cliënt op wraak uit is.'

'En u?' vroeg ze.

'Ten eerste wil ik weten wie er nog meer naar haar op zoek is. Ik ken de tussenpersonen – de officier en de "zus" –, maar weet niet voor wie ze werken.'

'En verder?'

'Dat hangt ervan af. Ze zijn hier al geweest om vragen te stellen, tenzij u zelf bij deze zaak betrokken bent.'

Ze draaide haar hoofd iets en na even nagedacht te hebben ging ze achter haar bureau zitten. Ze pakte haar theekop, nam nog een slok en hield het kopje terwijl ze hem onbewogen aankeek vervolgens met beide handen tegen haar boezem.

'Goed,' begon ze. 'Om te beginnen ken ik noch de naam, noch de vrouw. Niemand van dit huis en ook geen bekende van de mensen hier is hier vanmorgen met bloed bedekt verschenen. Ik heb er navraag naar gedaan, maar heb er niets over gehoord. Ten tweede: majoor Blach was hier vanmiddag. Ik heb hem hetzelfde verteld als wat ik u net verteld heb.'

Ze sprak de naam anders uit dan Jurgins of Wells, alsof het een vreemde naam was... Sprak hij met een accent? Dat hadden de anderen niet gezegd.

'En de zus?'

Ze glimlachte geheimzinnig. 'Ik heb geen zus gezien.'

'Een vrouw met littekens op haar gezicht, een brandmerk. Ze beweert dat ze de zus van Isobel Hastings is, ze zegt dat ze Mrs Marchmoor heet.'

'Ik heb haar niet gezien. Misschien komt ze nog. Of misschien kent ze dit huis niet.'

'Dat is onmogelijk. Ze heeft vóór mij al twee andere huizen bezocht en zou dit als eerste kennen.'

'Daar hebt u ongetwijfeld gelijk in.'

Chang dacht koortsachtig na. Mrs Marchmoor kende de andere twee huizen, maar was hier niet geweest. Zijn snelle conclusie: ze was niet geweest omdat ze hier herkend zou worden.

'Mag ik u vragen of een van de dames van uw huishouden onlangs... en wellicht zonder uw toestemming ander emplooi heeft gevonden? Iemand met lichtbruin haar?'

'Dat is inderdaad het geval.'

'Van het type dat naar een met bloed besmeurd familielid op zoek gaat?'

'Ik denk het niet,' zei ze smalend. 'Maar u had het over een brandmerk in haar gezicht?'

'Het zou recent kunnen zijn.'

'Dat moet wel. Margaret Hooke is vier dagen geleden vertrokken.

Ze is de dochter van een failliete fabrikant. Bij goedkopere bordelen zal ze niet bekend zijn.'

'Heeft ze een zus?'

'Ze heeft niemand, hoewel ze schijnbaar wel iets gevonden heeft. Als u me kunt zeggen wat, of wie, zou ik u zeer dankbaar zijn.'

'U hebt een vermoeden, daarom wilt u mij spreken.'

'Ik wil u spreken omdat een van Margaret Hookes vaste klanten op dit moment hier aanwezig is.'

'Aha.'

'Ze heeft veel klanten gehad, maar iemand die wil weten wat er te weten valt... Zoals ik al zei, heb ik maar weinig tijd.'

Chang knikte en stond op. Toen hij naar de deur liep, riep ze zacht maar dringend: 'Kardinaal?' Hij draaide zich om. 'Welke rol speelt u zelf?'

'Ik handel slechts in opdracht, mevrouw.'

Ze keek hem nauwlettend aan. 'Majoor Blach vroeg naar Miss Hastings, maar ook naar een man met een rode jas, een huurmoordenaar, wellicht de handlanger van de besmeurde dame.'

Er liep een waarschuwende rilling over zijn rug. Dat had de man Mrs Wells en Jurgins natuurlijk ook gevraagd, maar zij hadden er niets over gezegd en hadden hem achter zijn rug uitgelachen. 'Wat vreemd. Ik zou niet weten waarom hij geïnteresseerd zou zijn in de zaak, tenzij hij misschien mijn cliënt achtervolgt en ons heeft zien praten.'

'Ah.'

Hij knikte naar haar. 'Als ik iets ontdek, zal ik het u laten weten.' Hij ging op de deur af, opende hem, maar keerde vervolgens weer terug. 'Welke dame bedient de klant van Margaret Hooke?'

Madelaine Kraft glimlachte medelevend.

'Angelique.'

Hij keerde terug naar de hal van het huis en haalde zijn wandelstok op. Aldus gewapend en ongehinderd door het personeel, dat leek te denken dat het zo was afgesproken, benaderde hij de man in het wit. Chang zag dat hij weer een blauw papiertje in handen had en voordat hij iets kon zeggen, boog de man zich naar hem toe en fluisterde: 'Ga de achtertrap af en wacht tot u wordt opgehaald.' Hij glimlachte. Doordat madame Kraft zijn verhaal had geaccepteerd, werd ook hijzelf geaccepteerd. 'Zo kunt u ongezien vertrekken.'

De man wendde zich weer tot zijn notitieboek. Chang liep snel langs hem heen het huis in, langs uitnodigende doorgangen die tot luxe en comfort leidden, tot voedsel en vlees, muziek en gelach naar een achterdeur, waar ook een stevige man op wacht stond. Chang keek naar hem op. Hij was zelf lang en vond de aanwezigheid van zoveel langere, bredere figuren wat vermoeiend. Hij wachtte tot de man de deur opendeed en zag toen een smalle houten trap naar beneden, die op een nauwe, hoge doorgang van zo'n twintig meter lang uitkwam. De doorgang, die tussen twee bakstenen muren door liep, was beduidend koeler en vochtiger. Onder de trap was een hok met een deur. Chang trok hem open en kroop in het hok. Hij moest zijn knieën optrekken om erin te passen en ging op een rond melkkrukje zitten. Hij trok de deur dicht en wachtte in het donker. Hij voelde zich hoogst bespottelijk.

Het gesprek had meer vragen opgeworpen dan het beantwoord had. Hij wist dat niemand hem met Rosamonde in de kaartenzaal had gezien, dus moest Black hem van iets of iemand anders kennen. Misschien had hij hem in het huis van Vandaariff gezien of kende hij hem van een andere informant, of – zo moest hij toegeven – van Rosamonde. Als Mrs Marchmoor Margaret Hooke was, liep ook Angelique gevaar om te verdwijnen, hoewel Madelaine Krafts vermoeden haar er niet toe had gezet om de vaste klant die er wellicht de oorzaak van was te weigeren. Misschien betekende dit dat de cliënt niet zo belangrijk was als de partij of macht die nog verborgen was en waarvan ze hoopte dat Chang hem kon ontdekken. Chang wreef in zijn ogen. Hij had zich in de loop van de dag voorgenomen om een moord op te lossen, hij had er een gepleegd en had drie mysterieuze vijanden gekregen (vier, als hij Rosamonde meetelde) zonder dat hij wist wat er op het spel stond. Bovendien had niets van dit alles hem een stap dichter bij Isobel Hastings gebracht, die met het uur mysterieuzer werd.

Hoewel de gedachten door zijn hoofd schoten, duurde het maar even voor hij boven zich de deur hoorde opengaan en voetstappen de trap af hoorde komen. Iemand, een man, zei iets, maar hij kon door het lawaai van de voetstappen niet horen wat. Hij schatte dat er ten minste drie mensen waren, misschien meer. Toen ze de trap af waren en de doorgang in waren gegaan, maakte hij voorzichtig de deur van het hok open en gluurde naar buiten. De groep kon slechts achter elkaar door de doorgang lopen en het enige wat hij kon zien was de rug van de laatste man, een onopvallend ogende figuur met een formele zwarte jas aan. Hij wachtte tot ze het eind van de doorgang hadden bereikt, duwde toen langzaam de deur open en kroop naar buiten. Tegen de tijd dat hij min of meer overeind stond, waren ze de hoek omgegaan en uit het zicht verdwenen. Zoveel mogelijk op zijn tenen lopend om het geluid van zijn voetstappen te verminderen, rende hij achter hen aan.

Hij hield stil bij de hoek en spitste zijn oren. Opnieuw hoorde hij de stem, diep en vreemd mompelend, maar door het rammelen van sleutels en pogingen om een slot open te krijgen kon hij niet verstaan wat er gezegd werd. Hij ging stil op zijn hurken zitten en keek voorzichtig met één oog om de hoek in de wetenschap dat als er iemand zou kijken, die waarschijnlijk minder snel een oog zou zien dat niet op ooghoogte was. De groep stond ongeveer tien meter van hem vandaan bij een gesloten, met een metalen plaat beslagen deur. De achterste man stond nog steeds met zijn rug naar Chang toe, maar Chang kon nu zien dat hij jong was, en dat hij dun eikenkleurig haar had, dat plat tegen zijn hoofd zat geplakt. Voor hem kon Chang delen van drie andere mensen zien: een kleine man in een asgrijze jas die in een poging om de juiste sleutel te vinden naar de deur gebogen stond; een lange, brede man in een dikke bontmantel die ongeduldig met zijn wandelstok op de grond tikte (hij was degene die stond te mompelen), en degene tegen wie hij stond te mompelen, die hij als een bloem in de berenvacht van een grenadier onder zijn arm had geklemd: Angelique. Ze had een diepblauwe jurk aan en reageerde op geen enkele manier op wat de man tegen haar zei. In plaats daarvan keek ze uitdrukkingsloos naar de handen van de nette man in het grijs, die met de sleutels stond te worstelen. Het slot ging open. Eindelijk had hij de goede sleutel gevonden. Terwijl de deur openging draaide hij zich beleefd glimlachend om naar de anderen. Het was Harald Crabbé.

De man in de bontjas haalde daarop een zakhorloge te voorschijn en fronste zijn wenkbrauwen. 'Waar blijft die kerel?' zei hij schor. Hij wendde zich tot de derde man en siste onheilspellend: 'Ga hem halen.'

Chang sprong achteruit en zocht wanhopig naar een schuilplaats. Hij bofte dat hij, omdat hij gehurkt zat, omhoogkeek, waardoor hij een aantal ijzeren pijpen zo breed als zijn arm zag, die door de hele doorgang tegen het plafond zaten. Achter hem hoorde hij een andere stem, die van Crabbé, de derde man roepen, die bijna bij de hoek was en op het punt stond om Chang te ontdekken.

'Bascombe!'

'Ja, mijnheer.'

'Wacht even.' Crabbé veranderde van toon en had het nu blijkbaar tegen de man in de bontjas. 'Wacht, ik wil liever niet dat hij weet dat we ons ergeren, waar hij ongetwijfeld van geniet. Bovendien' – en nu klonk hij vreemd stroperig – 'wij hebben zijn trofee.'

'Ik ben geen trofee,' antwoordde Angelique stil maar resoluut.

'Natuurlijk niet,' verzekerde Crabbé haar, 'maar dat hoeft hij pas te weten als we klaar zijn.'

Chang keek vol afschuw omhoog. De deur boven aan de trap aan het eind van de doorgang werd geopend. Er kwam iemand aan. Hij zat in de val. Met veel kracht nam hij drie stappen, sprong omhoog en zette zich met één voet af tegen de muur. De andere voet zette hij op de andere muur, zette zich ook daarmee af en zo kwam hij steeds hoger, totdat hij met zijn armen bij de pijpen kon. Hij zag een paar benen de trap af komen en de groep om de hoek zou ze elk moment horen. Hij trok zich op, klemde zijn benen rond de pijpen en draaide zich er toen door pure kracht bovenop, zodat hij met zijn gezicht naar beneden lag. Snel stopte hij de panden van zijn jas in, zodat ze niet loshingen. Hij keek wanhopig naar beneden. Zijn wandelstok stond nog op de grond, vlak bij de muur, waar hij hem had neergezet toen hij om de hoek gluurde. Hij kon nu niets doen. Ze kwamen naderbij. Hoe lang had hij erover gedaan? Had iemand hem gezien? Of gehoord? Even later zag Chang, die ondanks zijn gehijg zijn adem probeerde in te houden, de derde man (Bascombe) de hoek om komen. Hij stond slechts enkele centimeters van zijn stok vandaan. Van de andere kant naderden voetstappen, luider dan hij gedacht had. Het was meer dan één persoon.

'Mr Bascombe!' hoorde hij een van hen roepen. Het was een uitgelaten roep die heel hartelijk (of dwaas) klonk, omdat ze elkaar waarschijnlijk vijf minuten eerder nog gezien hadden. Uit de toon maakte Chang op dat ze het gevoel hadden dat ze samen op avontuur waren, dat ze een avondje uit waren. Ook was nu duidelijk wie de leider was die avond. Chang rilde van afschuw. Stil blies hij zijn adem uit door zijn neus. Hij kon nauwelijks geloven dat ze hem niet hadden gezien en maakte zich op om zich boven op Bascombe te laten vallen, de nieuwkomers aan te vallen en naar de trap te rennen. Het stel liep vlak onder hem door. Hij verstijfde en hield opnieuw zijn adem in. Een van de mannen ondersteunde een langere, wankel lopende, slanke man in een staalblauw uniform, een platte sjako met een blauwe pluim op, medailles op zijn borst en hoge laarzen die meedogenloos zijn dronkemansgewaggel bemoeilijkten. De man die hem ondersteunde (en de man die geroepen had) had een scherp gezicht, rode bakkebaarden en lang, dik, rood krullend haar. Hij droeg een net zwart jacquet. Toen ze dicht genoeg genaderd waren, deed Bascombe een stap naar voren en nam de geüniformeerde man bij zijn andere arm. Gedrieën verdwenen ze om de hoek.

Chang bleef op de pijpen liggen tot hij de ijzeren deur achter hen hoorde dichtgaan, liet zich toen aan zijn armen naar beneden zakken en sprong op de grond. Hij klopte zich af, want de pijpen waren smerig, en pakte zijn stok. Hij ademde uit en verweet zichzelf dat hij zich dom genoeg in de val had laten drijven. Hij besefte dat hij gered was door de geüniformeerde man, omdat zijn dronken gestommel de aandacht had afgeleid. Hij dacht terug aan het gesprek tussen de man in de bontjas en Crabbé. Op wie hadden ze gewacht, de dronken soldaat of de hartelijke dandy? Terwijl hij de hoek omging en naar de ijzeren deur staarde, probeerde hij zich te verzetten tegen de gedachte wie van hen Angelique had opgeëist, want dat leidde tot niets anders dan tot de langzame afbraak van zijn gemoedsrust.

Ze was als kind uit Macao gekomen en was op de tweede dag dat ze van boord kwam wees geworden, omdat haar vader, een Portugese zeeman, om het leven kwam in een messengevecht. Haar moeder was een Chinese geweest en vanaf het moment dat Chang haar in de zitkamer van South Quay zag, waar ze na de wreedheden van het openbare weeshuis een soort thuis had gevonden, was hij van haar onder de indruk. Door haar exotische schoonheid en een vreemde, aantrekkelijke bescheidenheid was ze van dat armoedige hol naar The Second Bench verheven en was uiteindelijk het jaar ervoor, toen ze zeventien was en madame Kraft haar voor een onbekend bedrag had aangekocht, naar de geparfumeerde hoogte van The Old Palace gestegen. Hierdoor was ze min of meer buiten zijn bereik gekomen. Hij had haar vijf maanden lang niet gesproken. Natuurlijk had hij daarvoor ook nauwelijks met haar gepraat, want hij was toch al geen prater, maar al helemaal niet met iemand voor wie hij iets voelde. Hoewel ze heel goed wist dat zij een speciaal plekje had in zijn – hij wilde bijna 'hart' zeggen, maar wat stelde dat voor in een leven als het zijne? ('Panoramisch schilderij' was misschien een betere beschrijving van Changs wortelloze bestaan.) Hoewel dat dus het geval was, had zij er nooit iets over gezegd, want haar eigen gevoelens ten spijt, gaf ze er evenals hij de voorkeur aan om te zwijgen. In het begin was het wellicht een taalkwestie, maar inmiddels was het een professionele houding geworden die uit een brede lach bestond, een gewillig lichaam en onpeilbaar afwezige ogen. Gedurende de fantastische momenten die ze samen waren geweest en die voor intimiteit moesten doorgaan, was Angelique niet meer dan vaardig en beleefd geweest, maar had ze altijd net genoeg van een grenzeloos innerlijk landschap laten zien om Changs ziel als een vis aan de haak te houden.

Hij probeerde de metalen deur, maar die zat op slot en hij zuchtte ongeduldig. Het was een oud slot dat meer bedoeld was om mensen te ontmoedigen dan om ze werkelijk buiten te houden. Hij zocht naar een sleutelring met oude sleutels in zijn jaszak en bekeek ze een voor een. De tweede sleutel werkte en langzaam opende hij de deur. De scharnieren waren goed geolied en hij kraakte niet. Chang stapte het donker in, trok zonder hem op slot te draaien de deur achter zich dicht en luisterde. Het groepje liep langzaam, wat niet verwonderlijk was gezien de combinatie van de dronken man en Angelique. Ze droeg ongetwijfeld schoenen en een jurk die niet voor een met keien geplaveide tunnel geschikt waren. Chang volgde zo zacht hij kon met zijn stok voor zich uit en zijn linkerhand tegen de muur. Gezien de afstand tot de panden aan het eind van de steeg kon de tunnel niet lang zijn. Chang probeerde zich snel voor te stellen in welke richting hij liep – de trap naar beneden, de doorgang, de hoek, daarna de donkere tunnel die enigszins naar links leek te buigen. Het pand achter het bordeel hoorde bij het instituut. De tunnel was oorspronkelijk ongetwijfeld gebouwd als geheime vluchtgang vanuit het paleis naar wat destijds wellicht het huis van een maîtresse was, of als ontsnappingsroute om een woedende menigte te ontlopen. Chang glimlachte bij de gedachte dat hij nu andersom werd gebruikt, maar bleef alert. Hij was nog nooit binnen de muren van het instituut geweest en wist niet zeker wat hij moest verwachten.

De mensen voor hem stonden stil. Iemand bonsde op een andere ijzeren deur. Er klonk een metaalachtig getik (de stok van de lange man?), dat luid door de wanden van de tunnel werd weerkaatst. Chang hoorde een sleutel in een slot, het schrille geratel van een ketting die door een ring werd getrokken en het gekraak van zware scharnieren. Er verscheen een oranje schijnsel in de duisternis. De groep stond onder aan een korte stenen trap, die naar een openstaand luik voerde, dat op een kelderluik leek. Er stond een aantal mannen met lantaarns, die de leden van de groep een voor een omhoog hielpen. Het luik lieten ze open – wellicht omdat ze Angelique weer terug zouden brengen? Chang kroop daarom de stenen trap op om naar boven te kijken. Boven zich zag hij de spookachtige verschijning van een bladloze boom in het maanlicht.

Hij gluurde over de rand en zag dat de tunnel op een grote, met gras begroeide binnenplaats tussen de bijgebouwen van het paleis uitkwam. Het lantaarnlicht bewoog zich van hem vandaan over de binnenplaats, waardoor hij in de schaduw achterbleef. Voorzichtig kroop Chang uit de tunnel, wat op het verlaten van een crypte leek, liep hen omzichtig achterna en verstopte zich achter de dichtstbijzijnde boom, waarachter hij beter beschermd was. De ramen van de gebouwen om hem heen waren donker en aangezien hij geen idee had hoeveel kamers de medewerkers van het instituut in gebruik hadden en op welke manier, kon hij slechts hopen dat niemand hem zag. Hij rende naar een andere boom die dichter bij de muur stond. De dikke grasmat dempte het geluid van zijn laarzen. Het was overduidelijk waar de groep naartoe ging, namelijk naar een man met een lantaarn die bij de ingang van een vreemd gebouw dat apart in het midden van de binnenplaats stond.

Het was een laag bakstenen bouwwerk zonder verdiepingen, zonder ramen en voor zover Chang kon zien helemaal rond. Terwijl hij toekeek, bereikten de groep van zes en hun begeleiders de deur en gingen naar binnen. De man die bij de deur stond bleef daar staan. Chang liep naar een volgende boom, waarbij hij goed oppaste dat hij geen geluid maakte. Hij stond misschien twintig meter van de man vandaan. Hij wachtte een paar minuten stil af. De wacht ging niet bij de deur vandaan. Chang bestudeerde de binnenplaats en vroeg zich af of hij naar de andere kant van het gebouw kon sluipen, om te zien of er wellicht nog een deur, raam of opening in het dak was. In plaats daarvan ging hij echter op zijn hurken zitten en besloot te wachten om te zien of de wacht naar binnen zou gaan, of er misschien iemand naar buiten zou komen. De groep was hem nog steeds een raadsel. Hij herkende alleen Crabbé en Angelique. Bascombe was ofwel een lakei van de onderminister, ofwel van de man in de bontjas. Bovendien was het niet duidelijk wie van die mannen het voor het zeggen had. Van de achterste twee kon hij ook geen hoogte krijgen. Vanuit zijn gezichtspunt tegen het plafond had hij noch de gezichten van de mannen, noch het uniform van de dronken officier goed kunnen zien. Er moest een verband zijn met de bijeenkomst in het huis van Robert Vandaariff; Crabbé was daar ook geweest. Had een van hen Margaret Hooke het hof gemaakt, zoals ze nu Angelique het hof maakten – Margaret Hooke, die op zoek was naar Isobel Hastings (die ook in het huis van Vandaariff was) en die hetzelfde brandmerk had als Arthur Trapping? Haar littekens waren evenals die van Trapping recent. Trapping had die van hem opgelopen in de paar minuten tussen het moment dat hij de feestzaal had verlaten en het moment dat Chang hem op de vloer zag liggen, wat betekende dat Trapping niet aan de littekens was overleden, want de vrouw had ze duidelijk overleefd. Belangrijk was dat het om een groep van heel verschillende mensen ging die voor een gezamenlijk doel bijeengekomen waren, een doel waarvoor Arthur Trapping – wellicht indirect – was gedood en dat de reden was van de zoektocht naar Isobel Hastings. Chang betwijfelde of men wraak wilde nemen op haar. Zijn Persephone zou best de vriend van Rosamonde vermoord kunnen hebben, want het bloed kwam toch ergens vandaan, maar ze werd vervolgd om wat ze gezien had.

De wacht draaide zich plotseling van Chang af en even later hoorde Chang voetstappen op de binnenplaats. Er kwam een magere man in een lange, donkere overjas met een dubbele rij zilveren knopen en ongedecoreerde epauletten op zijn schouders het lantaarnlicht in lopen. Zijn blonde haar was onbedekt en hij had zijn handen op zijn rug. Op verzoek van de wacht bleef hij een paar meter van de wacht vandaan staan. Hij knikte en klakte saluerend met zijn hakken. De man was gladgeschoren en droeg een monocle die het licht weerkaatste toen hij knikte. Het was duidelijk dat hij de wacht om toegang verzocht, die hem geweigerd werd. De man zuchtte verslagen. Hij keek achterom en gebaarde vaag met zijn linkerhand, misschien naar een plaats waar hij zou kunnen wachten. De wacht draaide zijn hoofd om de hand te volgen, waarop de man vliegensvlug zijn rechterarm naar voren stak met in zijn hand een glanzende zwarte revolver die hij, terwijl hij de haan overhaalde, op het gezicht van de wacht richtte. De wacht bewoog niet, maar liet op het gefluisterde commando van de man snel zijn wapen in het gras vallen, zette de lantaarn neer en draaide zijn gezicht naar de deur. De man greep de lantaarn en duwde de revolver tegen de rug van de wacht. De wacht haalde de deur van het slot en de twee verdwenen naar binnen.

Ze deden de deur niet eens dicht. Chang beende er over het grasveld snel naartoe en stak voorzichtig zijn hoofd om de hoek. De ingang kwam uit op een trap die enkele verdiepingen steil naar beneden liep. Het gebouw was diep in de grond verzonken en Chang kon de twee mannen nog net de trap zien verlaten. Het enige wat hij toen nog zag was het flikkerende oranje schijnsel van de verdwijnende lantaarn. Chang keek snel om zich heen, nam zijn stok in de aanslag en kroop langzaam, omzichtig de trap af naar beneden om op ieder moment weer naar boven te kunnen rennen. Hij bevond zich opnieuw in een smalle gang waarin zowel van de ene als van de andere kant iemand aan kon komen, maar als hij iets te weten wilde komen, was er voor zover hij kon zien geen andere weg. Toen hij bijna onderaan was, bleef hij even staan om te luisteren. Hij hoorde stemmen in de verte, maar door de vreemde akoestiek waren de woorden onduidelijk. Chang keek omhoog. Er was niemand en hij liep verder naar beneden.

De trap kwam uit op een gang die in beide richtingen in een cirkel liep, als een ring rond een grote centrale ruimte. De stemmen kwamen van links, dus ging hij die kant op. Om niet gezien te worden, bleef hij dicht bij de binnenste muur. Na zo'n twintig meter werd het licht helderder en hield hij stil, want het was alsof hij een deur door was gegaan: plotseling kon hij de stemmen heel goed verstaan.

'Het kan mij niet schelen dat het slecht uitkomt.' De stem klonk boos, maar beheerst. 'Hij is dronken.'

Het accent klonk Duits, maar kon ook iets anders zijn. Deens misschien, of Noors? Aanvankelijk was het stil, maar toen was de zalvende stem van de geoefende diplomaat Harald Crabbé te horen.

'Natuurlijk, dokter... U dient uw plicht te doen. Heel begrijpelijk, prijzenswaardig, zelfs. Maar ziet u, het ligt gevoelig... Het tijdselement... Er zijn bepaalde eisen, plichten die eveneens vervuld dienen te worden. Ik denk dat wij allen vrienden zijn...'

'Uitstekend, dan wens ik u een goede avond,' antwoordde de dokter. Als reactie hierop klonk het geluid van een zwaard dat werd getrokken, en van het klikken van een aantal revolvers waarvan de hanen werden gespannen. Chang kon zich de impasse goed voorstellen. Wat hij zich echter niet kon voorstellen, was wat er op het spel stond.

'Dokter...' vervolgde Crabbé op klemmende toon. 'Deze confrontatie dient geen enkel belang, en de wensen van uw jonge meester, als hij die kenbaar kon maken...'

'Niet mijn meester, mijn patiënt,' viel de dokter hem in de rede. 'Zijn wensen in dezen tellen niet of nauwelijks. Zoals ik al zei: wij gaan nu weg, tenzij u mij vermoordt. Mocht u dat van plan zijn, dan zal ik eerst deze ezel van een prins neerschieten, waardoor denk ik uw plannen geheel in het honderd zullen lopen. Bovendien krijgt u met zijn machtige, woedende, vader te maken. Goedenavond.'

Chang hoorde wat geschuifel en zag even later de dokter verschijnen. Met zijn ene hand hield hij de wankelende, dronken man in uniform vast en in de andere hield hij een revolver. Chang liep in het tempo van de man stap voor stap achteruit, waardoor hij buiten het gezichtsveld van de groep bleef die hij zojuist had gezien: Crabbé, Bascombe, de dandy met het rode haar (die het zwaard vast had) en drie wachters (die de revolvers vasthielden). Van de man met de bontjas en Angelique ontbrak elk spoor. Iedereen zweeg terwijl ze zich terugtrokken, alsof de situatie geen woorden meer behoefde, en al snel kwam Chang voorbij de trap. Hij overwoog naar boven te rennen, maar dan zou hij zichzelf verraden. Ze zouden zijn voetstappen horen en hij zou niet ongezien de top kunnen bereiken. Ook zou het een afleiding kunnen zijn waarin ze de dokter zouden kunnen doden en op dat moment wist Chang nog niet of dat goed zou zijn of niet. Hij hoopte nog steeds meer te kunnen ontdekken. De geüniformeerde dronkeman was waarschijnlijk Karl-Horst von Maasmärck. Het verband tussen Robert Vandaariff, Henry Xonck en het ministerie van Buitenlandse Zaken ontging hem echter nog steeds. Na zo een moment in gedachten verzonken te zijn geweest, keek hij op en zag dat de dokter hem had gezien.

Hij stond samen met de wankelende Von Maasmärck onder aan de trap en had automatisch het andere deel van de gang in gekeken. Hij schrok dat daar iemand stond, helemaal omdat die iemand er vreemd uitzag en een lange rode jas aanhad. Chang wist dat de anderen hem door de bocht in de muur niet konden zien en bracht langzaam zijn vinger naar zijn lippen. De dokter staarde hem aan. Hij zag lijkbleek. Zijn haar was hoogblond en was in bijna middeleeuwse stijl van achteren en opzij hoog opgeschoren. Bovenop zat een lange pluk die met pommade naar achteren was gekamd, maar door het geworstel in slierten in zijn ogen hing. Ondanks zijn zelfvertrouwen maakte hij niet de indruk een man van actie te zijn, of iemand die gewend is een revolver vast te houden. Chang liep opzettelijk van hem vandaan, hield oogcontact met hem en gebaarde dat de dokter nú moest vertrekken. De dokter keek naar de anderen en begon de loodzware prins de trap op te sjorren. Chang liep intussen verder achteruit en vroeg zich af wat de duidelijk zichtbare rode cirkels rond de ogen van Von Maasmärck te betekenen hadden.

De groep schaarde zich rond de benedendeur. 'Ik weet zeker dat wij u weder zullen zien,' riep Crabbé vriendschappelijk. 'En welterusten, beste prins.' Vervolgens zei de onderminister zacht tegen de wachters die bij hem stonden: 'Pak hem als hij valt en als hij dat niet doet, blijft een van jullie bij de deur staan en gaat de ander hem achterna. U' – hij wendde zich tot de wacht die de dokter onder bedreiging van zijn revolver naar beneden had gebracht – 'blijft hier.' Twee wachters klommen snel uit het zicht en een bleef met een revolver in de hand staan. Crabbé draaide zich om en ging met Bascombe en de roodharige dandy terug naar waar ze vandaan waren gekomen.

'Het geeft niet,' zei hij vrolijk tegen hen. 'Morgen vinden we op een of andere manier de prins wel en later rekenen we met de dokter af. Er is geen haast bij. Bovendien' – en hij grinnikte slinks – 'hebben we nóg een afspraak met de adel, nietwaar Roger?'

Chang kon ze nu niet langer verstaan en trok zich langzaam nog zo'n tien meter terug. Hij zat opnieuw vast. Of hij moest de wacht aanvallen, of wachten tot ze weggingen, aangenomen dat ze dan de wachten met zich meenamen. Hij draaide zich om en liep het andere deel van de gang in, in de hoop dat de cirkel ononderbroken was.

Chang liep zijn stok met beide handen voor zich uit gestoken verder, de ene hand op het handvat, de andere op het lange deel, waardoor hij hem elk moment uit elkaar kon trekken. Hij wist niet of hij de jager was of de prooi, maar wist wel dat als het fout ging, hij met meer dan één man te maken zou krijgen, wat bijna altijd fataal was. Als de groep mannen het hoofd koel zou houden, zou een van hen altijd een opening hebben en zou de eenzame tegenstander, hoe sterk of kundig ook, het onderspit delven. Het enige wat zo'n man kon doen was van zoveel mogelijk kanten aanvallen en door pure agressie de groep in kwetsbare individuen opbreken, die zouden kunnen gaan twijfelen. En momenten van twijfel gaven kansen om de groep verder uiteen te drijven, wat weer meer twijfel zaaide. Het was een kwestie van vurigheid tegenover oplettendheid, angst boven logica. Met andere woorden, het betekende aanvallen als een bezetene. Er zaten echter meer gaten in zo'n buitensporige strategie dan in het natuurlijke gebit van Mrs Wells en als zijn tegenstanders nog enige tegenwoordigheid van geest bezaten – dat wil zeggen, als ze geen onervaren, domme, makkelijk van streek te brengen sukkels waren – zou hij zo vastzitten als een huis. Het was beter om die hele situatie te vermijden, dus deed hij zijn best om geen enkel geluid te maken.

Naarmate hij verder liep in de gang, ontdekte hij dat er een zacht gezoem uit het vertrek in het midden, of wat het ook was, kwam. Voor hem op de grond lagen talloze lange kisten. Ze waren geopend, geleegd en op een stapel gegooid. Het waren dezelfde kisten die hij op de kar bij het kanaal had gezien en in het huis van Robert Vandaariff, hoewel deze met blauw vilt bekleed waren in plaats van oranje. Het gezoem werd geleidelijk aan luider, totdat de lucht leek te trillen. Chang sloeg zijn handen over zijn oren, maar het ongemak werd pijnlijk. Hij strompelde voort tot hij aan het eind van de gang bij een met een metalen plaat beklede deur kwam. Hij baande zich een weg door de kisten, waarbij het kloppende gezoem het ongelegen geluid van zijn voetstappen overstemde, maar hij kon zich niet concentreren. Hij struikelde en stootte een paar kisten omver. Hij wankelde, sloot zijn ogen en zakte op zijn knieën.

Plotseling merkte hij echter dat de harde, secondenlange echo verdwenen was en dat het geluid gestopt was. Hij rook en bracht zijn hand naar zijn gezicht. Het was nat. Hij haalde zijn zakdoek uit zijn zak, want zijn neus bloedde. Hij kwam met moeite tussen de her en der verspreid liggende kisten overeind, vechtend tegen de duizeligheid die zich van hem meester maakte. Hij staarde naar de helderrode vlekken op zijn zakdoek, vouwde hem dubbel en veegde zijn gezicht verder af. Hij vermande zich, rook weer, stopte zijn zakdoek in zijn zak en stapte voorzichtig naar de deur. Hij legde zijn oor ertegenaan en luisterde, maar de deur was te dik, waardoor hij zich des te meer afvroeg waarom het vreemde geluid zo doordringend was. Het was uiteindelijk zo luid dat het hem door de muur en de dikke deur heen pijn aan de oren deed. Wat was er met de mensen binnen gebeurd? Wat was de bron van het geluid? Even stond hij stil en bezon zich op welk punt hij zich bevond in relatie tot zijn doel, namelijk de moordenaar van Arthur Trapping en de onvindbare Isobel Hastings vinden. Chang wist dat hij een gevaarlijk zijspoor had gevolgd en wellicht in de val zat, maar toen dacht hij aan Angelique, die zich mogelijk achter de deur bevond – wat zij met de zaak te maken had, wist hij niet – en daar in ieder geval zonder enige betrouwbare bescherming was. Hij duwde de klink naar beneden.

De zware deur zwaaide moeiteloos open. Chang liep geruisloos als een spook naar binnen en werd prompt lijkbleek van wat hij daar aanschouwde. Hij bevond zich in een soort voorvertrek dat door middel van een groot raam met dik glas van een grotere, gewelfde ruimte werd gescheiden, waarin als bij een groot orgel in een kathedraal allerlei glanzende pijpen tegen de hoge muren waren geplaatst. De pijpen liepen van de muur in een bundel over de vloer naar een soort podium, waarop een grote tafel stond. Op die tafel lag Angelique. Ze was naakt, had een ingewikkeld masker van metaal en zwart rubber op haar gezicht en was met zwarte slangen en kabels bedekt. Het was een helse, passieve versie van het martelaarschap van Sint-Isobel. Naast haar op het podium stond een aantal mannen met grote helmen van koper en leer op met dikke lenzen voor hun ogen en vreemde, aan de helm bevestigde kapjes over de ogen en mond. Chang herkende ieder van hen aan hun kleding: een kleine man in het grijs, een goed geklede man in het zwart, een slanke man die Bascombe moest zijn en een grote man die zijn bontjas niet meer aanhad, maar zijn mouwen had opgerold en lange leren handschoenen droeg die tot zijn ellebogen reikten. Ze keken allemaal in zijn richting, maar niet naar hem. Ze keken door het raam naar het delicate procédé dat zich voor zijn ogen afspeelde.

Er stond een brede stenen trog met een bubbelende, stomende vloeistof in het voorvertrek, waar minstens vijftig van de gladde zwarte slangen in staken, die bijna iedere centimeter van de vloer in beslag namen. Boven deze sissende poel hing een aan kettingen opgehangen druipende metalen plaat, die blijkbaar net uit de trog was getakeld. Tegenover Chang, aan de andere kant van de trog, stond een man met leren handschoenen aan, een zwaar leren schort

voor en zo'n vreemde helm op. Hij stond ongemakkelijk voorovergebogen en had een kloppend rechthoekig voorwerp in zijn armen.
Het was transparant en had de vorm van een groot boek, maar was
van druipend, stomend, glanzend, fel indigoblauw glas gemaakt. Het
glazen boek balanceerde vervaarlijk op zijn uitgestrekte handen en
onderarmen, alsof het te kwetsbaar was om vast te pakken. Hij had
het klaarblijkelijk net met grote concentratie uit de kolkende vloeistof getakeld en het toen van de metalen plaat af gehaald. De man
keek op en zag Chang.

Zijn concentratie was verstoord. Hij bewoog en Chang zag tot zijn
afgrijzen het glazen boek uit de gladde leren handschoenen glijden.
De man dook, probeerde zijn evenwicht te herstellen, maar daardoor
gleed het boek alleen maar de andere kant op. Hij dook weer voorover, maar verloor zijn greep op het boek, waardoor het op de rand
van de stenen trog uiteenviel en er een wolk van duizenden scherpe
splinters opsteeg. Chang zag de mannen op het podium naar het
raam rennen en de man bij de trog achteruitdeinzen, zijn handen vol
splinters gloeiend glas. Chang werd echter voornamelijk bedwelmd
door de geur. Het was dezelfde geur die hij bij het lijk van Arthur
Trapping had geroken, maar nu was hij vele malen sterker. Zijn ogen
prikten, zijn keel deed zeer en zijn knieën knikten. De man voor hem
slaakte een kreet, die gedempt door zijn helm echode. De anderen
liepen snel op het voorvertrek af. Chang kon nauwelijks staan. Hij
keek door het raam naar Angelique, die lag te kronkelen alsof de
pijpen het leven uit haar wegzogen. Daarna strompelde hij draaierig
van de lucht terug met zijn hand over zijn mond en zwarte vlekken
voor zijn ogen. Hij rende voor zijn leven.

Hij baande zich zo snel mogelijk een weg door de berg kisten
en zoog de schonere lucht in zijn longen. Achter zich hoorde hij
geschreeuw. Hij trok zijn dolk uit zijn stok, hield beide delen in de
aanslag, en rende de gang door. Zijn benen klopten, zijn hart deed
pijn door wat hij net gezien had, omdat hij Angelique had achtergelaten. Had hij haar kunnen bevrijden? Was ze daar uit eigen vrije wil?
Wat had hij gedaan? Hij rende regelrecht op de wacht af die hem had
horen aankomen en koortsachtig naar zijn revolver greep. Op het

moment dat Chang hem bereikte trok hij zijn wapen, dat Chang met zijn stok opzijsloeg. Het schot miste en Chang haalde met zijn rechterhand naar de man uit. De man draaide zich wanhopig van de dolk weg, waardoor die in zijn rechterschouder terechtkwam in plaats van zijn keel. De wacht brulde van pijn. Chang trok het lemmet terug en sloeg de man met zijn stok in het gezicht, waardoor die op zijn knieën viel. Hij keek achterom, hoorde mensen door de kisten ploegen en rende de trap op. Toen hij halverwege was, werd er van beneden een schot gelost. De wacht probeerde het met zijn linkerhand. Het schot miste, maar zou zeker de man boven alarmeren, die alleen de deur maar hoefde te sluiten om de uitgang volledig te blokkeren. Hij klom door, zijn benen zwaar. Nog duizelig van de lucht waren zijn gedachten bij de tafel in de gewelfde ruimte, bij Angeliques zwetende, naar adem snakkende, gemaskerde gezicht. Er klonk nog een schot van beneden. Ook dat miste. Chang bereikte het eind van de trap, rende de binnenplaats op en zwaaide met zijn armen ten afweer, maar hij zag niemand. Hijgend en strompelend kwam hij tot stilstand. Het donker maakte hem blind. Toen hij achteromkeek zag hij de wacht... die bewegingloos op de grond lag.

Voor hij zich kon afvragen of het de dokter geweest was, kwamen er twee mannen uit het duister naar hem toe. Een van hen sloeg de deur dicht. Chang rende naar het gras, maar veranderde van richting toen hij stappen achter zich hoorde. Nog twee mannen. Opnieuw veranderde hij van richting en rende van de twee paar mannen vandaan, tot hij nog meer voetstappen hoorde. Opnieuw werd zijn weg geblokkeerd. Hij werd door zes man in het donker omsingeld, die allemaal zwarte uniformen met zilveren beslag droegen. Hij hoorde ieder van hen zijn sabel trekken. Hij kon niets doen. Was Angelique dood? Hij wist het niet, hij wist helemaal niets. Chang stak abrupt zijn dolk in zijn stok en keek naar de soldaten.

'Of u doodt me ter plekke, of u neemt me mee naar uw majoor.' Hij wees naar de deur en voegde eraan toe: 'Maar zij kunnen ons ieder moment onderbreken.'

Een van de soldaten deed een stap opzij, waardoor er een gat in de cirkel ontstond, en gebaarde dat hij die kant op moest lopen. Chang liep naar een grote poort: de ingang van het binnenplein. De soldaten om hem heen richtten hun sabels op hem en degene die opzij was gestapt eiste zijn wapen. Chang gooide hem zijn stok toe en liep door, half in de verwachting dat hij een sabel in zijn rug zou krijgen. In plaats daarvan werd hij echter snel naar het duister van de poort gedirigeerd, waar een zwart rijtuig stond te wachten. De soldaat met zijn stok stak zijn sabel in zijn schede en trok een kleine revolver, dat hij tegen Changs nek hield. Daarna staken de anderen ook hun sabel in hun schede en deden hun plicht. Twee van hen klommen op de bok om het rijtuig te besturen, één opende de deur van het rijtuig en klom naar binnen, waarna hij Chang naar binnen hielp, en twee van hen renden naar het hek om dat te openen. De soldaat met de revolver kwam achter hem aan en sloot de deur. Ze zaten alle drie aan dezelfde kant met Chang in het midden, de revolver stevig tegen zijn ribben gedrukt. Tegenover hen zat een norse man van middelbare leeftijd met kortgeknipt grijs haar en een uitdrukkingsloos gezicht. Hij klopte met de knokkels van zijn vuist tegen het dak en het rijtuig kwam in beweging.

'Majoor Black, wat een genoegen,' zei Chang. De majoor negeerde hem en knikte naar de man met de revolver, die hem Changs stok gaf. De majoor bestudeerde deze, schoof hem een paar centimeter uit elkaar, snoof afkeurend en stak de delen weer in elkaar. Hij nam Chang misprijzend op, maar zei niets. Ze reden een paar minuten in stilte voort terwijl de harde loop van de revolver tegen zijn zij bleef gedrukt. Chang vroeg zich af hoe laat het was. Acht uur? Negen uur? Later? Meestal vertelde zijn maag hem hoe laat het was, maar hij had de laatste tijd zo weinig en onregelmatig gegeten dat zijn normale ritme verstoord was. Hij nam aan dat ze hem naar een eenzame dood brachten. Hij gaapte langdurig.

'Interessante badge,' zei hij naar de majoor knikkend. 'De wolf Skoll die de zon verslindt, niet bepaald een vrolijke afbeelding, een symbool van Ragnarok, de laatste slag waarin de macht van de orde, zelfs de goden zelf, gedoemd zijn het onderspit te delven. Tenzij u natuurlijk aan de kant van chaos en het kwaad staat. Maar toch vreemd voor een regiment. Zonderling bijna.'

De majoor knikte naar de soldaat die links van Chang zat, die daarop hard met zijn elleboog in zijn nieren pookte. Changs adem stokte in zijn keel, zijn hele lichaam verkrampte van pijn. Hij dwong zichzelf om te glimlachen, zijn stem klonk hees.

'En Miss Hastings? Hebt u haar gevonden? Heeft u heel wat moeite gekost, nietwaar? En toen ontdekte u dat al uw informatie over haar niet klopte. U hoeft me niets wijs te maken, ik weet precies hoe u zich voelt: bespottelijk.'

Nog een gemene por. Chang kon de gal in zijn keel proeven. Hij moest iets directer zijn als hij niet in zijn eigen schoot wilde overgeven. Hij glimlachte opnieuw.

'Bent u helemaal niet benieuwd naar wat ik zojuist gezien heb? Uw mannen hebben de schoten gehoord – wilt u niet weten wie er is gedood? Ik denk dat er daardoor van alles verandert. Macht in andere handen en zo. Neem me niet kwalijk. Mag ik even? Zakdoek?'

De majoor knikte en Chang stak langzaam zijn hand in zijn zak. Net toen zijn hand die bereikte, sloeg de man aan zijn linkerzijde hem weg, stak zelf zijn hand in Changs zak, haalde er de bloederige zakdoek uit en gaf hem aan Chang. Chang glimlachte dankbaar en veegde zijn mond af. Ze waren nu een paar minuten onderweg, maar hij had geen idee in welke richting ze reden. Ze zouden hem waarschijnlijk naar de rand van de stad brengen of naar de rivier, maar dat betekende alleen maar dat ze zich ergens daartussenin bevonden. Hij keek op. De majoor hield hem scherp in de gaten.

'Een worsteling dus,' vervolgde Chang. 'Schoten. Maar wat vooral interessant was, was de lucht. Misschien kent u die wel: een vreemde, bedwelmende lucht – en een geluid, een ondraaglijk gezoem als van een mechanische bijenkorf met de kracht van een stoommachine. Ik weet zeker dat u die kent. Maar wat ze deden, wat ze met die vrouw hadden gedaan…' Changs stem stokte bij de gedachte aan Angelique, die onder die massa zwarte pijpen lag met mannen met leren maskers op om haar heen.

'Ik geef niet om die hoer,' zei majoor Blach koud en hard als een ijzeren punt – met een zwaar Pruisisch accent. Chang keek naar hem op en hoestte in zijn zakdoek. Het werd nu al makkelijker. Hij veegde zijn mond af, mompelde zijn excuses en stak al pratend zijn zakdoek achteloos in de binnenzak van zijn jas.

'Mijn excuses. Nee, natuurlijk niet, majoor, het gaat u om de prins en de minister, de industriëlen en het grootkapitaal – allemaal stukjes van de puzzel, nietwaar? Terwijl ik, neem me niet kwalijk...'

'U bent helemaal geen stukje,' zei de majoor honend.

'Dank u vriendelijk,' antwoordde Chang terwijl hij zijn hand uit zijn zak haalde, zijn scheermes openklapte en het tegen de keel van de man met de revolver legde. Op het moment van verwarring waarop de soldaat het koude staal tegen zijn hals voelde, klemde Chang zijn andere hand om de revolver en richtte die op de majoor. De mannen in het rijtuig verstijfden. 'Als u zich beweegt,' siste Chang, 'zal deze man het leven laten en moet u een boze man doden die een heel bruikbaar wapen voor zo'n kleine ruimte heeft. Laat die revolver los!'

De man keek wanhopig naar majoor Blach, die hem woedend toeknikte. Chang pakte de revolver, richtte die op de majoor en ging naast hem zitten. Vervolgens zette hij zijn mes tegen de keel van de majoor en richtte de revolver op de twee soldaten. Niemand verroerde zich. Chang knikte naar de soldaat die het dichtst bij de deur zat en zei: 'Open de deur.' De soldaat boog voorover en opende de deur. Het lawaai van het rijtuig was plotseling veel luider, dreigender. De donkere straten vlogen voorbij. Ze reden op een bestrate weg, dus waren ze nog steeds in de stad. Ze waren vast op weg naar de rivier. Chang gooide de revolver naar buiten en pakte zijn stok. Hij tikte ermee tegen het dak en het rijtuig minderde vaart. Hij keek eerst de twee soldaten aan en richtte zich vervolgens tot de majoor. 'Luister goed. Ik heb reeds een van u vermoord en zal indien nodig weer iemand ombrengen. Uw manier van doen staat me helemaal niet aan. Blijf uit mijn buurt.'

Hij sprong door de deur naar buiten en rolde ongemakkelijk over de harde keien. Hij kwam overeind, strompelde voort en stopte het scheermes in zijn jas. Zoals hij al vreesde, kwamen de twee soldaten uit het rijtuig en een van de twee op de bok achter hem aan. Ze hadden allemaal hun sabels getrokken. Hij draaide zich om en rende weg. De bravoure van zonet was verdwenen als elk ander hoopvol stuk toneel.

Op de een of andere manier was zijn bril op gebleven toen hij viel en wegrolde. De poten zaten om die reden stevig om zijn oren geklemd, maar hij was toch verbaasd dat hij was blijven zitten. Hij rende langs een blok dat door gaslicht werd verlicht, waardoor hij wel iets kon zien, maar hij had geen idee waar hij was en rende – in die zin blindelings – op topsnelheid voort. Hij twijfelde er niet aan dat ze hem zouden villen als ze hem zouden pakken. Ze waren er niet alleen toe in staat, maar het plan dat ze in het rijtuig hadden was nu ook zeker overboord gezet. Hij ging een hoek om en struikelde over een gebroken tegel. Hij kon nog net voorkomen dat hij languit op zijn gezicht viel, maar botste in plaats daarvan in volle vaart tegen een metalen omheining. Hij kreunde van pijn, maar rende door. Dit was een straat met woonhuizen zonder rijtuigverkeer. Hij keek om en zag de soldaten achter hem terrein winnen. Hij keek voor zich en vloekte. Het rijtuig met majoor Blach erin was omgekeerd en kwam nu zijn kant op. Hij keek koortsachtig om zich heen en zag aan zijn linkerkant een steegje opdoemen. Hij deed zijn uiterste best om daar eerder te komen dan het rijtuig, dat recht op hem af kwam. De koetsier klapte met de zweep om zijn paarden nog harder te laten gaan. Op het moment dat hij de donkere doorgang in sprong, was hij dicht genoeg bij de paarden om hun rollende witte ogen te kunnen zien. Zijn voet gleed weg op de vuile stenen, maar hij was dankbaar dat het te smal was voor het rijtuig, dat voorbijraasde. Even overwoog hij om te stoppen en de confrontatie met de soldaten aan te gaan, misschien één tegelijk, maar daar was het niet smal genoeg voor en hij was nog niet wanhopig genoeg om zoiets doms te doen. Hij rende verder.

De steeg liep tussen twee grote huizen door en er zaten voor zover hij kon zien geen deuren in of ramen lager dan de eerste verdieping. Enigszins verslagen bedacht hij dat hij als hij aan de andere kant zou worden afgesneden, weer in de val zou zitten. Zijn enige troost was dat de laarzen van de soldaten nog minder op dit slijmerige, gebroken wegdek berekend waren dan die van hemzelf en sneller zouden wegglijden. Hij rende in volle vaart door de steeg, zag geen rijtuig en hield even stil om te zien waar hij was. Door zijn vaart kwam hij hijgend midden op straat terecht. Hij was in een deel van de stad waar nette mensen woonden, de laatste plaats waar hij de weg wist. Toen zag hij echter dat de volgende straat naar beneden liep. Wat een zegen. De enige naar beneden aflopende helling in de stad liep naar de rivier, waardoor hij nu tenminste enig idee had van waar hij was. Hij rende ernaartoe omdat het daar vrijwel zeker mistig was, terwijl hij over zijn schouder de eerste soldaat de steeg uit zag komen.

Hij holde de straat in en slingerde enigszins, doordat hij vanwege de helling zijn balans moest aanpassen. Hij kon de soldaten achter zich aan horen kletteren. Hun volharding was beslist Germaans. Hij vroeg zich af of Black en de dokter onder één hoedje speelden en of de soldaten tot het gevolg van Karl-Horst von Maasmärck behoorden. Ragnarok was een Noorse legende over verwoesting die slechts het allerruigste regiment voor zijn badge zou kiezen, wat hij nu niet meteen met die onmatige dronken prins in verband kon brengen. De dokter kon hij wel begrijpen, het was helemaal niet vreemd dat de prins iemand had die persoonlijk voor hem zorgde, maar de majoor? Welk belang had de prins (of zijn vader) bij de dood van Chang? Of bij het vinden van Isobel Hastings? Maar voor wie anders zou hij kunnen werken? Hoe kon hij anders met zoveel troepen in het buitenland zijn? De eerste mistflarden zweefden over zijn rennende voeten. Met grote teugen ademde hij de vochtige lucht in.

De weg kromde zich en Chang volgde de bocht. Voor hem zag hij een plein met een fontein. Als een sleutel die een slot opendraait wist hij plotseling waar hij was: Worthington Circle. Rechts van hem was de rivier, links Circus Garden. Voor hem lag de handelswijk met daarachter de ministeries. Er waren mensen hier, want er werden na zonsondergang duistere zaken gedaan in Worthington Circle, dus liep hij naar rechts naar de rivier en de dikkere mist. Dat werd bijna zijn dood. Het rijtuig stond hem op te wachten. De zweep knalde en de paarden sprongen vooruit, recht op hem af. Chang wierp zichzelf opzij en greep om zich heen. De weg naar de rivier en de handelswijk was afgesneden. Terwijl de koetsier met de paarden worstelde om ze te laten omkeren, probeerde Chang overeind te komen. Toen hij weer op de been was, scheerde er een kogel langs zijn hoofd. Blach hing met een rokende revolver uit het raam van het rijtuig. Chang stak net voor de drie soldaten die hem weer op de hielen zaten het plein over en rende richting Circus Garden en het centrum van de stad.

Zijn benen konden niet meer. Hij had geen idee hoe ver hij gerend had, maar hij moest iets doen, anders zou hij sterven. Hij zag nog een steeg en spurtte erop af. Eenmaal daar stond hij stil, wierp zich tegen de muur en trok zijn stok uit elkaar. Als hij de eerste kon verrassen... Maar voor hij zijn gedachte kon afmaken kwam de eerste soldaat al de hoek om, zag Chang en hief ter verdediging zijn sabel omhoog. Chang sloeg met zijn stok naar zijn hoofd, een slag die de man ontweek, en viel toen aan met zijn dolk. Maar hij was te langzaam en haalde scheef uit. Het lemmet scheerde langs de borst van de man, waardoor zijn uniform kapot werd gesneden, maar miste zijn doel. De soldaat pakte de pols van de hand waarin Chang de dolk had. De andere soldaten kwamen vlak achter hen aan en het zou maar een paar seconden duren voor een van hen hem had neergestoken. Met een wanhopige schreeuw schopte Chang de man tegen zijn knie en voelde een verschrikkelijk geknap toen hij brak. De man slaakte een kreet en viel tegen de benen van de man achter hem. Chang rukte zijn arm vrij en strompelde achteruit, terwijl hij tot zijn ontzetting de derde man met getrokken sabel langs zijn worstelende kameraden zag springen. Chang bleef achteruitlopen tot de soldaat een aanval deed. Chang sloeg het wapen met zijn stok opzij en stak met zijn dolk, maar hij kwam niet eens bij de soldaat in de buurt. De soldaat deed opnieuw een aanval, die Chang opnieuw afsloeg, maar volgde die slag op met een naar zijn hoofd. Chang hief zijn stok op, omdat dat het enige was wat hij nog kon doen, en zag hem voor zijn ogen versplinterd worden. Hij liet de brokstukken vallen en ging ervandoor.

Terwijl hij door de steeg zwalkte, bedacht hij dat hij zich met het verlies van zijn stok van een van de soldaten had ontdaan, maar een dolk tegen een sabel was geen partij. Voor hem zag hij het eind van de steeg en de silhouetten van een groep mensen. Hij riep naar hen, een onduidelijk, dreigend gebrul, waardoor ze gelukkig uiteenstoven, maar niet snel genoeg. Chang kleunde tegen de achterste persoon aan, een man die zo te zien met een van de vluchtende vrouwen had staan onderhandelen. Hij greep de man bij zijn kraag, draaide hem ruw om en duwde hem regelrecht naar de dichtstbijzijnde soldaat. De soldaat deed instinctief zijn best om de man niet neer te steken door zijn sabel omhoog te heffen en hem met zijn andere arm weg te slaan, maar Chang had zich ook omgedraaid en kwam achter zijn provisorische schild aan. Op het moment dat de man opzij werd geduwd, was voor Chang de weg vrij en hij stak de soldaat in de borst. Zonder te kijken wat er gebeurd was trok hij zijn wapen terug en rende weg. Achter zich hoorde hij de vrouwen schreeuwen.

Kwam de derde soldaat achter hem aan? Chang keek achterom. Hij kwam. Vloekend op de militaire discipline van de man rende Chang de weg over en dook een andere smalle steeg in. Het laatste wat hij weer wilde zien was het rijtuig.

Hij wist niet meer precies waar hij was – in ieder geval dichter bij het Circus. De steeg stond vol met kisten en tonnen en hij passeerde verscheidene deuren. De derde soldaat raakte achterop, maar was nog steeds vast van plan hem te pakken. Chang rende ineengedoken langs het volgende blok, even uit het zicht van de soldaat. Plotseling vond hij wat hij zocht: een winkel in een souterrain waarvan de ingang lager lag dan de straat. Chang sprong over de trapleuning en hurkte onder aan het trapje neer. Hij boog zijn hoofd en deed zijn best om zijn gehijg onder controle te krijgen. Hij wachtte. De straat was donker, mistig en verlaten. Als hij gezien was, was het nog altijd mogelijk dat niemand hem zou verraden. Hij baadde in het zweet. Hij kon zich niet heugen dat hij zo ver gerend had of in zo'n idiote situatie had verkeerd. Waarom had hij de revolver weggegooid? Als ze elkaar toch probeerden te vermoorden, waarom had hij ze dan niet allemaal in het rijtuig neergeschoten? Hij wachtte. Toen zijn geduld opraakte, kroop hij voorzichtig de trap op en gluurde de straat in. Daar stond de soldaat. Hij hield zijn sabel in de aanslag en keek de straat af. Ook hij stond wankel op zijn benen. Chang kon de raspende ademhaling van de man horen en die een wolk zien vormen in de koele avondlucht. Het was duidelijk dat hij niet wist welke kant Chang op was gegaan. Hij liep een paar stappen, keek zo ver hij kon en liep toen de andere kant op. Chang kneep zijn ogen samen. Langzaam veranderde zijn wanhoop in woede. Stil pakte hij zijn dolk in zijn linkerhand, haalde met de rechter zijn scheermes uit zijn zak en klapte het open. De soldaat stond nog steeds met zijn rug naar hem toe en was zo'n vijftien meter van hem vandaan. Als hij zonder geluid te maken de straat op kon komen, wist hij zeker dat hij ten minste de helft van de afstand tot de man kon afleggen zonder gehoord te worden, nog een paar meter terwijl de man zich omdraaide... en het laatste stuk terwijl de man zijn sabel hief. Dan zou hij toesteken en als Chang de slag kon ontwijken, zou het daarmee afgelopen zijn.

En als hij hem niet kon ontwijken... dan zou het ook afgelopen zijn. 'In elk moment tederheid, en as' zo staat er in *Jocasta* van Blaine. Hij wachtte – aan de ene kant woedend omdat hij door een stel buitenlandse schurken in zijn eigen straten opgejaagd werd als een dier, aan de andere kant geduldig en helder van geest. Hij verschoof zijn voeten op de trap en maakte zich op voor de aanval (hij had uiteindelijk beloofd om ze te vermoorden). Plotseling dook hij echter weer naar beneden. Er kwam een rijtuig aan ratelen... dat stilhield bij de soldaat. Chang wachtte en spitste zijn oren. Hij hoorde de majoor in het Duits een aantal vragen blaffen, stilte en even later het heerlijke schuifgeluid van een sabel die in zijn schede wordt gestoken. Chang zag de soldaat nog net op de bok klimmen en het rijtuig de mist in rijden. Hij keek naar zijn handen en ontspande de greep op zijn wapens. Zijn vingers deden pijn, zijn benen deden zeer en hij had een bonkende hoofdpijn. Hij stopte het scheermes in zijn zak en stak de dolk in zijn riem. Met zijn met bloed besmeurde zakdoek veegde hij zijn gezicht af. Het zweet in zijn nek en op zijn rug koelde al af. Hij herinnerde zich gelaten dat hij geen slaapplaats had.

Chang stak de weg over en liep doelbewust om zich heen kijkend waar de ingang was de volgende steeg in. Hij bevond zich tussen twee grote gebouwen die hij in het donker niet herkende, maar wist dat dit een wijk van hotels, kantoren en winkels was. Hij zag een raam op de eerste verdieping, waar een stapel tonnen bij stond. Hij beklom de tonnen en slaagde er zo in om het raam te bereiken. Met zijn dolk wist hij het raam open te wrikken, waarna hij het omhoog kon schuiven. Hij stak zijn dolk weer in zijn riem en trok zich met verbazingwekkend veel moeite door het raam naar binnen. (Zijn armen begaven het bijna, waardoor zijn hele lichaam zwabberde.) Hij kwam ruw op de vloer van een donker vertrek terecht, trok het raam dicht en tastte om zich heen. Het was een voorraadkamer. De planken lagen vol kaarsen, handdoeken, zeep en beddengoed. Hij slaagde erin om de deur te vinden en maakte hem open.

Terwijl Chang door de met tapijt beklede en met glanzende lambriseringen betimmerde gang vol uitnodigend, warm gaslicht liep, probeerde hij de gebeurtenissen van die dag op een rijtje te zetten. Aan de ene kant had je Crabbé en de man in de bontjas, die verantwoordelijk waren voor de vreemde brandvlekken. Aan hun kant plaatste hij dus Trapping, Mrs Marchmoor en prins Karl-Horst. Aan de andere kant had je majoor Black... en misschien de dokter van Karl-Horst. Tussen hen in had je heel veel anderen, zoals Vandaariff, Xonck, Aspiche, Rosamonde en natuurlijk Isobel Hastings. De lijst eindigde telkens met haar. Ze was de enige over wie hij nooit iets te weten leek te komen.

De gang kwam uit op een prachtige, in stilte gehulde, gewelfde hal die met palmbomen in potten en spiegelwanden was gedecoreerd. Er was een brede houten balie, waar een man in een jas met tressen achter stond. Hij had bij een hotel ingebroken. Chang knikte de man kwiek toe en haalde de beurs uit zijn jas. Hij had bijna alles wat Aspiche hem gegeven had in de loop van de dag uitgegeven en hiermee zou het op zijn, maar dat kon hem niet schelen. Hij kon slapen, een bad nemen, zich scheren en een maaltijd nuttigen, en zou de volgende dag weer fris zijn. Hij kon morgen altijd de sabel van zolder halen en hem verkopen. Glimlachend bij de gedachte legde hij zijn beurs op het marmeren oppervlak van de balie.

De baliemedewerker glimlachte. 'Goedenavond, mijnheer.'

'Ik hoop dat het niet te laat is.'

De ogen van de medewerker gleden over de beurs. 'Natuurlijk niet, mijnheer. Welkom in Hotel Boniface.'

'Dank u wel,' antwoordde Chang. 'Ik wil graag een kamer.'

DRIE

Chirurg

okter Abelard Svenson stond bij een open raam dat uitzicht bood op het kleine voorplein van het gebouw van de diplomatieke dienst van Mecklenburg en keek naar de opkomende mist en de paar gaslampen in de stad die fel genoeg waren om door de deken van mist heen te schijnen. Hij zoog op een hard gembersnoepje en klikte ermee tegen zijn tanden. Hij wist heel goed dat hij het zich niet kon veroorloven om lang over zijn huidige situatie na te denken. Hij duwde het snoepje met zijn tong tegen zijn linkerkiezen en kauwde het aan scherpe stukjes, maalde die fijn en slikte ze door. Hij draaide zich om, pakte een porseleinen kopje met lauwe, zwarte koffie, dronk met grote teugen en genoot van de mengeling van de zoete gember-siroop in zijn mond en de bittere drank. Dronken ze in India of Siam koffie met gember? Hij dronk het kopje leeg, zette het neer en viste naar een sigaret. Over zijn schouder keek hij naar het bed en de stille gestalte die erop lag. Hij zuchtte, opende zijn sigarettendoosje, stak een donkere, smerige Russische sigaret in zijn mond, pakte een lucifer van het bureau bij de lamp en streek hem aan zijn duimnagel af. Vervolgens stak hij de sigaret aan, trok eraan, voelde het bekende samentrekken van zijn longen, doofde schuddend de lucifer en blies genietend de rook uit. Hij kon het niet langer uitstellen, hij moest Flaüss spreken.

Hij liep langs het bed de kamer door naar de deur, die op slot zat. Bij de deur gekomen stak hij de sigaret in zijn mond om beide handen vrij te hebben om de ijzeren schuif open te trekken. Nog even keek hij achterom naar de bleke jongeman die zwaar ademend onder de wollen dekens lag. Karl-Horst von Maasmärck was drieëntwintig jaar oud, maar door zijn onmatige levensstijl en zwakke gestel leek hij tien jaar ouder. De lijn van zijn honingkleurige krullen trok zich terug van zijn voorhoofd (nu zijn haar zat vastgeplakt van het zweet was helemaal goed zichtbaar hoe dun het was), hij had bleke wallen onder zijn ogen, de huid rond de weke mond en teruglopende kin die in zijn familie veel voorkwamen was slap, en zijn tanden begonnen al weg te rotten. Svenson stapte naar de bewusteloze man – een grote jongen, eigenlijk – toe en voelde zijn halsader, die ondanks de opiumtinctuur nog klopte. Opnieuw vervloekte hij zijn eigen falen. Het vreemde, lusvormige patroon dat rond de ogen en op de slapen van de prins was geschroeid – niet echt een brandwond, er ook niet branderig uitziend, maar meer een diepe verkleuring en met enig geluk slechts tijdelijk – dreef de spot met de moeite die dokter Svenson zich getroost had om zijn weerspannige patiënt onder controle te houden.

Terwijl hij op de prins neerkeek, moest hij zijn best doen om de sigaret niet op hem uit te drukken en hij verweet zichzelf zijn verkeerde tactiek, zijn domme vertrouwen en zijn onveroorloofbare eerbied. Hij had zich op de prins gericht en te weinig aandacht besteed aan de nieuwe mensen om hem heen: de familie van de vrouw, de diplomaten, de soldaten en de hooggeplaatste klaplopers. Nooit had hij gedacht dat hij hem onder schot van hen vandaan zou slepen. Hij wist nauwelijks wie ze waren en nog minder wat ze met de gemakkelijk geïmponeerde Karl-Horst van plan waren. Dat was allemaal de zaak van Flaüss, de gezant, en het was of fout gegaan, of... niet. Svenson moest Flaüss op de hoogte houden van de gezondheid van de prins, maar hij wist dat hij het gesprek met de gezant ook moest gebruiken om na te gaan of hij inderdaad geen bondgenoten had in de diplomatieke dienst. Hij zag zijn jas over het bed hangen en hing die over zijn arm. Hij was zwaarder dan gewoonlijk door de revolver die in zijn zak zat. Hij keek de kamer rond – er was niets gevaarlijks, mocht de prins tijdens zijn afwezigheid wakker worden. Hij trok de schuif dicht en stapte de gang op. Naast de deur stond een soldaat in het zwart met een karabijn naast zich op wacht. Dokter Svenson sloot met een grote ijzeren sleutel de deur af en stopte de sleutel in zijn jaszak. De soldaat liet zijn aandacht geen moment verslappen terwijl de dokter langs hem heen liep, en de dokter dacht geen seconde na over de wacht. Hij was aan deze soldaten en hun ijzeren discipline gewend. Vragen die hij had zou hij aan hun officier stellen, die om onverklaarbare redenen nog steeds niet bij de dienst was teruggekeerd.

Svenson kwam bij het eind van de gang en liep de overloop op. Zijn blik dwaalde over de trapleuning naar de lobby, die een verdieping lager lag. Hij zag het zwart-witte schaakbordpatroon van de marmeren vloer met de kristallen kroonluchter erboven. De trappen leken in een optische illusie tegelijkertijd naar boven en naar beneden naar elkaar toe te lopen. Svenson hield niet van grote hoogten en alleen al de aanblik van de zware ketting waar de kroonluchter aan hing bezorgde hem hoogtevrees. Als hij langs de trap naar boven keek – wat hij tegen wil en dank deed – waar de ketting op de derde verdieping aan het plafond hing –, werd hij duizelig. Hij deed een stap naar achteren, van de trapleuning vandaan, en klom vlak langs de muur met zijn ogen op de trap gericht naar de tweede verdieping. Nog steeds naar zijn voeten kijkend passeerde hij de wachters op de overloop en bij de deur van de gezant. Grimassend rechtte hij zijn schouders en klopte aan. Nog voor er een antwoord kwam ging hij naar binnen.

Toen Svenson met de prins van het instituut was teruggekeerd, was Flaüss niet aanwezig en kon niemand hem vertellen waar hij was. Zo'n drie kwartier later, toen de dokter zonder veel succes bezig was om zijn patiënt van gif of verdovende middelen te zuiveren, was de gezant de kamer van de prins binnengevallen en vroeg de dokter hooghartig waar hij dacht mee bezig te zijn. Nog voor hij kon antwoorden, had Flaüss de revolver op de bijzettafel zien liggen en de afdrukken op het gezicht van Karl-Horst gezien en was gaan schreeuwen. Toen Svenson zich naar de gezant toe draaide, zag hij dat hij verbleekt was – van angst of boosheid, dat wist de dokter niet –, maar daardoor verloor hij zijn laatste beetje geduld en werkte Flaüss hardhandig de kamer uit. Nu hij zijn kantoor binnenging, realiseerde Svenson zich dat hij eigenlijk weinig van Conrad Flaüss af wist. Hij was een provinciale aristocraat die graag aanzien wilde in de grote stad; hij had rechten gestudeerd en kende een oom van de prins die naar dezelfde universiteit was gegaan. Hij was daarmee volledig gekwalificeerd om in de diplomatieke behoeften van het verlovingsbezoek van de prins te voorzien en als het huwelijk tot een permanente ambassade zou leiden, waar iedereen op hoopte, zou hij de eerste ambassadeur van het hertogdom worden. Wat Flaüss (en alle anderen) betreft was Svenson een gewone vazal, een oppas die gemakkelijk de deur gewezen kon worden. In het algemeen beviel het de dokter best dat er zo over hem gedacht werd, omdat hij daardoor weinig werd lastiggevallen, maar nu was hij gedwongen om van zich te laten horen.

Flaüss zat achter zijn bureau te schrijven met naast hem een geduldig wachtende medewerker, en keek op toen Svenson binnenkwam. De dokter negeerde hem, pakte in het voorbijgaan een groene glazen asbak van een bijzettafel en ging met de asbak op schoot al rokend in een van de leunstoelen tegenover het bureau zitten. Flaüss staarde hem aan. Svenson staarde terug en wierp een snelle blik op de medewerker. Flaüss snoof, zette zijn handtekening onder aan de pagina, depte het teveel aan inkt weg en gaf het aan zijn medewerker. 'Dat is alles,' blafte hij. De medewerker klakte beleefd met zijn hakken en verliet met een discrete blik op de dokter de kamer. Zacht trok hij de deur achter zich dicht. De twee mannen keken elkaar woedend aan. Svenson zag dat de gezant op het punt stond om iets te zeggen en zuchtte vermoeid.

'Dokter Svenson, u moet weten dat ik niet gewend ben om zo grof behandeld te worden door een medewerker van de diplomatieke dienst. Als gezant...'

'Ik ben geen medewerker van de diplomatieke dienst,' onderbrak Svenson hem onbewogen.

Flaüss sputterde: 'Pardon?'

'Ik ben geen medewerker van de diplomatieke dienst. Ik behoor tot de entourage van de prins. Ik werk voor de familie.'

'Voor de prins?' zei Flaüss spottend. 'Tussen u en mij gezegd en gezwegen, dokter, is de arme jongeman...'

'Voor de hertog.'

'Neemt u me niet kwalijk, maar ik ben de gezant van de hertog. Ik werk voor de hertog.'

'Dan hebben we toch iets gemeen,' mompelde Svenson droog.

'Neemt u me in de maling?' siste Flaüss.

Svenson zweeg een ogenblik om zo intimiderend mogelijk over te komen. De waarheid was echter dat hij niet meer kracht had dan die van zijn eigen lichaam om zijn woorden kracht bij te zetten. De macht lag in handen van Flaüss en Blach. Als een van de twee tegen hem was en besefte wat zijn zwakte was, was hij bijzonder kwetsbaar. Hij hoopte eigenlijk dat ze geen echte boeven waren, maar gewoon incompetent. Hij keek de gezant aan en tikte zijn as af in de glazen asbak.

'Weet u, herr Flaüss, waarom een jongeman in de kracht van zijn leven een dokter nodig heeft om hem naar zijn verlovingsfeest te begeleiden?'

Flaüss snoof: 'Natuurlijk weet ik dat. De prins is onbetrouwbaar en onmatig. Bovendien – en ik spreek als iemand die werkelijk om hem geeft – kan hij vaak de diplomatieke gevolgen van zijn daden niet overzien. Een veelvoorkomende situatie bij...'

'Waar was u vanavond?'

De gezant klapte zijn mond dicht en zat een moment stil na te denken. Hij kon niet geloven wat hij zojuist had gehoord. Hij toverde een gemaakte, laatdunkende glimlach op zijn gezicht. 'Wát zegt u daar?'

'De prins was in groot gevaar en u was er niet. U was er niet. U was geenszins in staat om hem te beschermen.'

'Ja, en u dient mij rapport uit te brengen over Karl-Horsts medische toestand, over zijn... zijn gezicht, de vreemde brandmerken...'

'U hebt nog steeds mijn vraag niet beantwoord... maar dat komt nog wel.'

Flaüss gaapte hem aan.

'Ik ben hier in opdracht van zijn vader,' vervolgde Svenson. 'Indien wij onze plicht verzaken, en dat geldt ook voor u, herr Flaüss, houdt hij ons daar ten volste verantwoordelijk voor. Ik werk al een aantal jaren voor de hertog en weet wat dat betekent. En u?'

Dokter Svenson loog min of meer. De vader van de prins, de hertog, was een zwaarlijvig leeghoofd die slechts in militaire uniformen en jagen was geïnteresseerd. Dokter Svenson had hem tweemaal aan het hof ontmoet, maar was verbijsterd door wat hij daar aanschouwde. Eigenlijk kreeg hij zijn orders van de eerste minister van de hertog, baron Von Hoern, die de dokter vijf jaar eerder had leren kennen toen hijzelf een chirurg was bij de marine van Mecklenburg en voornamelijk bekendstond – als hij al bekend was – om zijn behandeling van wintervingers en -tenen bij mariniers van de Baltische vloot. Er was een schandaal geweest rond een serie moorden in het havengebied, waar een neef van Karl-Horst verantwoordelijk voor was. Svenson wist zowel de dader op te sporen als deze informatie op tactvolle wijze aan de minister over te brengen. Kort daarna werd hij door Von Hoern ingehuurd om een aantal gevallen van ziekte, zwangerschap, moord en abortus aan het hof te bestuderen of te onderzoeken en dat zonder enige verwijzing naar het belang van zijn meester. Wat Svenson betreft, voor wie de zee bijna niets anders dan ballingschap en verdriet betekende, was de kans om dergelijk werk te doen – en het vaderland te dienen – een welkome vorm van zelfvernietiging. Het was tot dan toe vrij gemakkelijk geweest om zijn aanwezigheid in de entourage van de prins te verklaren aan de hand van de hertog. Svenson had zich tot dan toe op de achtergrond gehouden en zijn informatie overgebracht door middel van cryptische brieven die hij met de diplomatieke post verzond en door licht insinuerende kaarten die hij per stadspost verstuurde, voor het geval er met zijn officiële brieven werd geknoeid. Hij had dat al eerder gedaan tijdens korte verblijven in Finland, Denemarken en aan de Rijn, maar hij was geen spion, slechts een geletterd man die door zijn positie op plaatsen kon komen waar hij normaal niet kwam en die door degenen op wie hij moest letten werd onderschat. Dit was ook hier het geval en het flauwe spelletje tussen Flaüss en Blach had het aanvankelijk saaie oppasbaantje aanzienlijk verlevendigd. Wat hem echter zorgen baarde, was dat Svenson sinds het moment dat ze drie weken geleden waren aangekomen, ondanks de regelmatige berichten van het hof aan Flaüss, niets van baron Von Hoern had vernomen. Het was alsof de baron verdwenen was.

Het idee van het huwelijk was ontstaan tijdens een reis van lord Vandaariff door Europa, welke hem naar het Baltische staatje Mecklenburg had gevoerd. Zijn dochter behoorde tot zijn entourage; het was voor haar de eerste keer dat ze in het buitenland was, en zoals zo vaak gebeurt als ouders zakendoen, werden de kinderen aan elkaar beloofd. Svenson had geen enkele illusie dat een vrouw die verliefd werd op Karl-Horst haar onschuld zou behouden (tenzij ze ongelofelijk dom of ongelofelijk lelijk was), maar toch kon hij de verbintenis niet begrijpen. Lydia Vandaariff was mooi, ze was ontzettend rijk en haar vader had pas een titel gekregen, hoewel zijn financiële imperium vele landen besloeg. Karl-Horst was een van de vele prinsen die op zoek waren naar een groter fortuin, hij werd met de dag minder aantrekkelijk en was nooit erg snugger geweest. Hij moest toegeven dat de onwaarschijnlijkheid van de hele zaak het waarschijnlijker maakte dat er liefde in het spel was, maar hij had daar eenvoudig zijn schouders over opgehaald – een domme fout, want hij had zijn best gedaan om Karl-Horst ervan te weerhouden om zich te misdragen, maar zag nu in dat hij zijn aandacht ergens anders op had moeten vestigen en dat zijn vijanden elders waren.

Tijdens de eerste week had hij zich voornamelijk beziggehouden met het excessieve eten, drinken, gokken en hoerenlopen van de prins. Een enkele keer had hij geprobeerd het te voorkomen, maar in het algemeen had hij voor hem gezorgd als hij na een avond van plezier weer terug was. Toen de prins zich geleidelijk aan minder met het bordeel en de goktafel bezighield en meer tijd besteedde aan diners met Lydia, diplomatieke bijeenkomsten met Flaüss en mensen van het ministerie van Buitenlandse Zaken, paardrijden met buitenlandse soldaten en jagen met zijn toekomstige schoonvader, stond Svenson het zichzelf toe om meer tijd door te brengen met lezen, muziek en zijn eigen toeristische uitstapjes. Hij achtte het voldoende om 's avonds, als de prins weer thuis was, even bij hem langs te gaan. Hij had zich op het verlovingsfeest (was dat nog maar gisteravond?) echter plotseling gerealiseerd hoe dom dit was, toen hij de prins alleen in de grote tuin van Vandaariff aantrof, waar hij naast het verminkte lichaam van kolonel Trapping zat geknield. Aanvankelijk had hij geen idee wat de prins daar deed. Als Karl-Horst op zijn knieën zat, betekende dat meestal dat Svenson een vochtige doek voor den dag moest halen om het braaksel weg te vegen, maar die avond zat de prins volkomen gefixeerd, met een vreemd kalme, serene blik zelfs naar Trapping te staren. Svenson had hem weggetrokken en hem ondanks de protesten van de idioot naar het huis gebracht. Hij wist Flaüss te vinden (nu vroeg hij zich af of het toeval was dat de gezant zo dichtbij was), droeg de prins aan hem over en liep snel terug naar het lijk. Er stond inmiddels een heel groepje mensen omheen: Harald Crabbé, de comte d'Orkancz, Francis Xonck, anderen die hij niet kende, en Robert Vandaariff zelf, die met een groepje bedienden was gekomen. Toen hij Svenson zag, nam hij hem terzijde en stelde hem snel en op zachte toon een paar vragen over de veiligheid en toestand van de prins. Toen Svenson hem meedeelde dat het goed was met de prins, slaakte Vandaariff zichtbaar een zucht van verlichting en vroeg Svenson of hij zo vriendelijk wilde zijn om zijn dochter te laten weten dat de prins ongedeerd was (ze vermoedde dat er iets vreemds was gebeurd, maar niet wat) en haar – indien mogelijk – naar hem toe te brengen. Svenson deed natuurlijk wat de grote man van hem verlangde, maar vond Lydia Vandaariff in het gezelschap van de vrouw van Arthur Trapping, Charlotte Xonck en de oudste broer van die vrouw, Henry Xonck, een man wiens rijkdom alleen overtroffen werd door die van Vandaariff en – Svenson twijfelde – de oude koningin. Terwijl Svenson een soort verhulde uitleg probeerde te geven – er was iets in de tuin gebeurd, de prins had er niets mee te maken, er was geen duidelijke verklaring –, begonnen broer en zus Xonck hem uit te horen, waarbij ze elkaar openlijk de loef af probeerden te steken om de waarheid die hij duidelijk achterhield te achterhalen. Svenson verviel uit gewoonte in de rol van buitenlander die de taal slecht spreekt en vaak om herhaling vraagt, terwijl hij tevergeefs zijn best deed om met een verhaal te komen dat hen tevreden zou stellen. In plaats daarvan raakten ze echter alleen maar meer geïrriteerd. Net op het moment dat de merkwaardig achterdochtige Henry Xonck hem echter hooghartig met een vinger tegen de borst prikte, fluisterde een bescheiden geklede vrouw die achter hen stond en van wie hij had aangenomen dat ze een metgezel van de zwijgzaam glimlachende Lydia was iets in het oor van Charlotte Xonck. De erfgename keek daarop ogenblikkelijk met – door haar gevederde masker heen – zichtbaar groter wordende ogen vol afschuw langs Svensons schouder naar iemand achter hem. Svenson draaide zich om en zag de prins, die vergezeld werd door de glimlachende Francis Xonck, die zijn broer en zus negeerde en Lydia vrolijk vroeg zich bij haar aanstaande te voegen.

De dokter greep dit moment aan om snel naar zijn meerderen te buigen en te ontsnappen. Hij wierp alleen nog een snelle blik op de prins om te zien in hoeverre die beneveld was en op de vrouw die Charlotte Xonck iets had toegefluisterd. Deze laatste stond op dat moment Francis Xonck te bestuderen. Zodra hij hun zitkamer verliet, besefte Svenson dat hij er op slimme wijze van was weerhouden om het lijk te onderzoeken. Tegen de tijd dat hij in de tuin terugkeerde, waren de mannen en het lichaam verdwenen. Het enige wat hij vanaf een afstand kon zien waren drie soldaten van majoor Blach, die op een paar meter afstand van elkaar met getrokken sabels het terrein bewaakten.

Hij had de prins niet verder kunnen ondervragen en noch Flaüss, noch Blach wilde zijn vragen beantwoorden. Ze hadden niets over Trapping gehoord en trokken het in twijfel dat zo'n belangrijke figuur – of wie dan ook – dood in de tuin had gelegen. Toen hij vroeg waarom de soldaten van Blach de tuin hadden doorzocht, snibde de majoor dat hij voorzichtig was met Svensons overdreven beweringen van gevaar, moord en mysterie, en dat hij geen tijd meer aan de angsten van de dokter wilde verspillen. Flaüss ging helemaal niet meer op de zaak in en zei dat als er iets ongepasts was gebeurd, dat zijn zaak niet was. Uit respect voor de nieuwe schoonvader van de prins moesten ze neutraal en afzijdig blijven. Svenson had hier geen antwoord op – noch op de reactie van Blach, noch op die van Flaüss (behalve dan dat hij voor beiden steeds meer minachting had) –, maar hij wilde heel graag weten wat de prins alleen bij het lijk had gedaan.

Hij had Karl-Horst echter niet alleen kunnen spreken. Door het drukke, door Flaüss georganiseerde programma van de prins en de wens van de prins om niet gestoord te worden, was hij de volgende ochtend buiten het bereik van Svenson gebleven. Daarna had hij samen met Blach en de gezant het gebouw van de diplomatieke dienst verlaten, terwijl Svenson zich aan de etterende kies van een van de soldaten van Blach wijdde. Toen ze tegen zonsondergang nog niet terug waren, was Svenson genoodzaakt om de stad in te gaan om ze te gaan zoeken...

Hij blies de rook uit en keek naar Flaüss, die met gebalde vuisten achter zijn bureau zat. 'We hebben het al eerder over de verdwenen kolonel Trapping gehad,' begon hij. Flaüss snoof, maar Svenson negeerde hem en vervolgde: 'En u kunt geloven over hem wat u wilt, maar u kunt er niet aan ontkomen dat uw prins vanavond is aangevallen. Ik wil u zeggen dat ik die afdrukken op zijn gezicht eerder heb gezien, namelijk op het gezicht van de vermiste man.'

'Werkelijk? U hebt zelf gezegd dat u hem niet onderzocht hebt...'

'Ik heb zijn gezicht gezien.'

Flaüss zweeg. Hij pakte zijn pen en gooide hem knorrig weer neer.

'Ook al is het waar wat u zegt... In de tuin, in het donker, vanaf een afstand...'

'Waar was u, herr Flaüss?'

'Dat gaat u niets aan.'

'U was bij Robert Vandaariff.'

Flaüss glimlachte stijfjes. 'Als dat zo was, zou ik u er niet over kunnen vertellen. Zoals u zelf al zei, is het een delicate aangelegenheid: behoud van de reputatie van de prins, de verloving, de betrokken kopstukken... Lord Vandaariff is zo vriendelijk geweest om tijd vrij te maken om mogelijke strategieën te bespreken...'

'Wordt u door hem betaald?'

'Ik beantwoord geen onbeleefde vragen.'

'Ik weiger nog langer om onzinnige antwoorden aan te horen.'

Flaüss opende zijn mond om te antwoorden, maar zei niets. Hij was beledigd en zweeg. Svenson maakte zich zorgen dat hij te ver was gegaan. Flaüss haalde een zakdoek uit zijn zak en veegde zijn voorhoofd af.

'Dokter Svenson, u bent een militair, dat vergeet ik, en u hebt een directe manier van doen. Ik zal uw toon ditmaal door de vingers zien, want we moeten inderdaad samenwerken om onze prins te beschermen. Al uw vragen ten spijt moet ik echter toegeven dat ik heel nieuwsgierig ben naar hoe u vanavond de prins hebt gevonden, hoe u hem hebt "gered", en van wie.'

Svenson haalde de monocle van zijn linkeroog en hield hem tegen het licht. Hij fronste, bracht hem naar zijn mond en blies erop tot hij besloeg. Hij wreef hem over zijn mouw, zette hem weer op en keek Flaüss openlijk afkeurend aan.

'Ik ben bang dat ik weer naar mijn patiënt terug moet.'

Flaüss sprong op vanachter zijn bureau, hoewel Svenson zich nog niet had bewogen.

'Ik heb besloten,' zei de gezant, 'dat de prins voortaan te allen tijde door een gewapende bewaker vergezeld zal worden.'

'Een uitstekend voorstel. Heeft Blach ermee ingestemd?'

'Hij vond het ook een uitstekend voorstel.'

Svenson schudde zijn hoofd. 'Dat accepteert de prins nooit.'

'De prins heeft geen keus. En u ook niet, dokter. Welke zorg u tot nu toe ook voor de prins gehad hebt, uw falen om het incident van vanavond te voorkomen heeft zowel mijzelf als majoor Blach ervan overtuigd dat híj voortaan in de behoeften van de prins voorziet. Medische zaken worden bekeken in het bijzijn van majoor Blach of zijn mannen.'

Flaüss slikte en stak zijn hand uit. 'Ik verzoek u vriendelijk om mij de sleutel van de kamer van de prins te geven. Ik weet dat u hem op slot heeft gedaan. U dient hem mij als gezant te geven.'

Svenson stond langzaam op, zette de asbak op de tafel, hield zijn blik op Flaüss gericht en liep naar de deur. Flaüss bleef met uitgestoken hand staan. Svenson opende de deur en stapte de gang op. Hij hoorde snelle voetstappen achter zich en even later stond Flaüss naast hem. Zijn gezicht was rood, zijn kaken gingen op en neer.

'Dit is onacceptabel. Ik heb u een order gegeven.'

'Waar is majoor Blach?' vroeg Svenson.

'Majoor Blach is onder mijn commando,' antwoordde Flaüss.

'U weigert maar steeds om mijn vragen te beantwoorden.'

'Dat is mijn privilege.'

'Dat ziet u verkeerd,' zei Svenson ernstig, en hij keek naar de gezant. Hij zag dat Flaüss in plaats van dat hij bang was of boos, triomfantelijk grijnsde.

'U hebt iets gemist, dokter Svenson. Er is iets veranderd. Er zijn heel veel zaken veranderd.'

Svenson draaide zich naar Flaüss en slingerde zijn jas van zijn rechterarm over zijn linker, waardoor de zak met de revolver erin zichtbaar werd en de gezant de kolf eruit kon zien steken. Flaüss verbleekte en deed een stap achteruit. Hij stamelde: 'A-als m-majoor Blach terugkomt...'

'Zal ik hem graag ontvangen,' zei Svenson.

Hij wist zeker dat baron Von Hoern dood was.

Hij liep naar de overloop, richting de trap. Tot zijn verbazing stond majoor Blach daar tegen de muur geleund, net uit het zicht van de gang. Svenson bleef staan.

'Hebt u dat gehoord? De gezant wil u zien.'

Majoor Blach haalde zijn schouders op. 'Dat is niet belangrijk.'

'U weet van de situatie van de prins?'

'Die is natuurlijk ernstig, maar ik heb uw diensten op dit moment dringend elders nodig.' Zonder op een antwoord te wachten, liep hij de trap af. Svenson liep achter hem aan, zoals altijd geïntimideerd door de arrogante manier van doen van de majoor, maar ook nieuwsgierig naar wat belangrijker kon zijn dan de crisis rond de prins.

Blach nam hem via het voorplein mee naar de mess in de kazerne. Daar waren drie grote witte tafels vrijgemaakt, waar drie in zwarte uniformen gestoken soldaten op lagen. Aan het hoofdeinde van iedere tafel stonden twee soldaten op wacht. De eerste twee soldaten waren in leven; het bovenlichaam van de derde werd door een wit laken bedekt. Blach gebaarde naar de tafels en ging terzijde staan. Svenson legde zijn jas over een stoel en zag dat zijn instrumentenkoffer al gehaald was en dat de inhoud ervan op een metalen blad was gelegd. Hij keek naar de eerste man, wiens gezicht vertrokken was van de pijn. Waarschijnlijk was zijn linkerbeen gebroken. Svenson maakte afwezig een injectie met morfine klaar. De andere man was er erger aan toe. Hij bloedde uit zijn borst en zijn ademhaling was oppervlakkig. Zijn gezicht was lijkbleek. Svenson maakte zijn uniformjasje open en trok voorzichtig het bebloede shirt eronder opzij.

Een klein gat in de ribben – misschien ook in de longen, misschien niet. Hij draaide zich naar Blach.

'Hoe lang geleden is dit gebeurd?'

'Misschien een uur geleden, misschien langer...'

'Als we nog langer wachten zou hij kunnen sterven,' zei Svenson. Hij richtte zich tot de soldaten en beval: 'Bind hem aan de tafel vast.' Terwijl ze dat deden, ging hij naar de man met het gewonde been, rolde zijn mouw op en gaf hem de injectie. Terwijl hij de spuit leegduwde, zei hij zacht: 'Het komt best in orde. We doen ons best om uw been te zetten, maar u moet wachten tot we klaar zijn met uw kameraad. Hierdoor gaat u slapen.' De soldaat – een jongen nog eigenlijk – knikte, zijn gezicht nat van het zweet. Svenson lachte hem toe, keerde zich toen naar Blach en zei terwijl hij zijn jasje uittrok en zijn mouwen oprolde: 'Het is heel eenvoudig. Als het blad zijn longen heeft geraakt, zitten ze inmiddels vol bloed en is hij over enkele minuten dood. Als dat niet het geval is, kan hij ook nog sterven – door bloedverlies of ontbinding. Ik zal mijn best doen. Waar kan ik u vinden?'

'Ik blijf hier,' antwoordde majoor Blach.

'Goed.'

Svenson keek naar de derde tafel.

'Mijn luitenant,' zei majoor Blach. 'Hij is al een paar uur dood.'

Svenson stond in de deuropening, rookte een sigaret en keek uit over het voorplein. Met een doekje veegde hij zijn handen af. Het had twee uur geduurd. De man was nog in leven. Zijn longen waren blijkbaar gespaard gebleven, maar hij had wel koorts. Als hij de nacht zou overleven, zou hij herstellen. De andere man had een gebroken knie. Hoewel Svenson had gedaan wat hij kon, was het onwaarschijnlijk dat de man ooit nog zou kunnen lopen zonder met zijn been te trekken. Majoor Blach had al die tijd dat hij bezig was geweest geen woord gesproken. Svenson nam een laatste trek van zijn sigaret en gooide de peuk op het grind. De twee mannen waren naar de slaapzaal gebracht, waar ze tenminste in hun eigen bed konden slapen. De majoor leunde tegen een tafel, vlak bij het lijk dat er nog lag. Svenson blies zijn rook uit en kwam de kamer weer in.

Hoewel de luitenant gemene wonden had, was het duidelijk dat hij een snelle dood was gestorven. Svenson keek naar de majoor. 'Ik denk dat u zelf wel kunt zien wat er aan de hand is. Vier gaatjes. Het eerste, denk ik, zit hier. Het slachtoffer is vanaf zijn linkerkant in zijn ribben gestoken... pijnlijk, maar geen fatale steek. De volgende drie, die zo'n centimeter van elkaar vandaan liggen, zitten onder de ribben. Het wapen heeft de longen en misschien zelfs het hart geraakt, ik kan het niet met zekerheid zeggen zonder de borstkas open te maken. Zware steken, dat ziet u aan het gebied om de wond heen, met een mes of dolk waarmee herhaaldelijk tot aan het heft toe is gestoken met de bedoeling om de man te doden.'

Blach knikte. Svenson wachtte tot hij iets zou zeggen, maar de majoor bleef zwijgen. Svenson zuchtte, begon zijn mouwen af te rollen en zijn manchetten dicht te knopen. 'Wilt u mij zeggen hoe deze verwondingen zijn aangebracht?'

'Nee,' mompelde de majoor.

'Goed. Wilt u me dan ten minste vertellen of het iets te maken had met de aanval op de prins?'

'Welke aanval?'

'Prins Karl-Horst heeft brandwonden in zijn gezicht. Het is mogelijk dat hij een willig slachtoffer was, maar desondanks beschouw ik dit als een aanval.'

'Vond die plaats toen u hem mee naar huis nam?'

'Precies.'

'Ik nam aan dat hij dronken was.'

'Hij was inderdaad dronken, maar ik geloof niet dat dat door alcohol kwam. Maar wat bedoelt u met "ik nam aan"?'

'We hebben u in de gaten gehouden, dokter.'

'Ah.'

'Wij houden veel mensen in de gaten.'

'Blijkbaar niet de prins.'

'Was hij niet in het gezelschap van een aantal vooraanstaande mensen die tot zijn nieuwe vriendenkring behoren?'

'Dat klopt, majoor. En ik zeg het nogmaals als u het niet begrepen hebt, maar in dat gezelschap, in opdracht van dat gezelschap, heeft hij de littekens rond zijn ogen opgelopen.'

'Dat hebt u inderdaad gezegd, dokter.'

'U kunt het zelf zien.'

'Daar verheug ik me op.'

Svenson pakte zijn koffer in en keek op. Majoor Blach stond nog steeds naar hem te kijken. Svenson stopte met een geërgerde zucht zijn amputatiemes in zijn koffer. 'Hoeveel man hebt u op dit moment onder uw commando, majoor?'

'Twintig man en twee officieren.'

'Nu hebt u nog achttien man en één officier. En ik kan u ervan verzekeren dat degene die dit op zijn geweten heeft – welke man of groep mannen dan ook – mij niet bespioneerde, want ik deed niets anders dan ervoor zorgen dat de gek zich niet te schande maakte.'

Majoor Blach gaf geen antwoord.

Dokter Svenson klapte zijn koffer dicht en pakte zijn jas van de stoel. 'Ik kan alleen maar hopen dat u ook de gezant in de gaten hebt gehouden, majoor. Hij was al die tijd afwezig en weigert om daar een verklaring voor te geven.' Hij draaide zich om, liep naar de deur en riep toen: 'Vertelt u hem over de lijken of zal ik het doen?'

'U bent nog niet klaar, dokter,' siste Blach. Hij sloeg het laken over het gezicht van zijn luitenant en liep naar Svenson toe. 'Ik vind dat wij naar de prins moeten gaan.'

Ze beklommen samen de trap naar de tweede verdieping, waar Flaüss met twee bewakers op hen stond te wachten. De majoor en de gezant wisselden betekenisvolle blikken, maar Svenson had geen idee wat ze beduidden. Het was duidelijk dat de twee elkaar niet konden luchten of zien, maar desondanks konden ze om verscheidene redenen met elkaar samenwerken. Flaüss wees op de deur en zei smalend tegen Svenson: 'Dokter? Ik geloof dat u de sleutel hebt.'

'Hebt u al aangeklopt?' Het was Blach die dit vroeg en Svenson onderdrukte een glimlach.

'Natuurlijk heb ik dat geprobeerd,' antwoordde Flaüss weinig overtuigend, 'maar ik wil het graag nog eens proberen.' Hij draaide zich om en bonkte hard met zijn vuist op de deur. Even later riep hij op aanminnige toon: 'Hoogheid? Prins Karl-Horst? Ik ben het, herr Flaüss. Ik ben hier met de majoor en dokter Svenson.'

Ze wachtten. Flaüss draaide zich naar Svenson en blafte: 'Maak open! Ik sta erop dat u hem dadelijk opent!'

Svenson glimlachte vriendelijk en haalde de sleutel uit zijn zak. Hij gaf hem aan Flaüss en zei: 'U mag het zelf doen, mijnheer de gezant.'

Flaüss griste de sleutel uit zijn hand en stak hem in het slot. Hij draaide hem om en duwde de klink naar beneden, maar de deur ging niet open. Hij drukte de klink nogmaals naar beneden en duwde met zijn schouder tegen de deur. Toen draaide hij zich om en zei: 'Hij gaat niet open, er staat iets tegenaan.'

Majoor Blach stapte naar voren, duwde Flaüss opzij, legde zijn hand op de klink en gooide zich met zijn volle gewicht tegen de deur. Hij ging misschien een centimeter open. Blach gebaarde naar de twee bewakers en gedrieën beukten ze tegen de deur, waarop hij nog een centimeter of wat meegaf en ver genoeg openging om te kunnen zien dat het grote bureau ertegenaan was gezet. De drie drukten opnieuw, waardoor de opening groter werd en er iemand doorheen kon. Blach nam ogenblikkelijk zijn kans waar, gevolgd door Flaüss, die langs de soldaten naar binnen drong. Met een gelaten glimlach liep Svenson achter hen aan, zijn koffer achter zich aan slepend.

De prins was verdwenen. Het bureau was van de ene kant van de kamer naar de andere gesleept om de ingang te blokkeren en het raam stond open.

'Hij is ontsnapt! Voor de tweede keer!' fluisterde Flaüss. Hij wendde zich tot Svenson en zei: 'U hebt hem geholpen! U had de sleutel!'

'Doe niet zo dom,' mompelde majoor Blach. 'Kijk de kamer rond, het bureau is van solide mahoniehout. We moesten het met z'n drieen verschuiven, dus het is onmogelijk dat de prins het in zijn eentje heeft verplaatst en onmogelijk dat de dokter hem daarbij geholpen heeft. Dan had de dokter voor het bureau voor de deur werd gezet de kamer moeten verlaten.'

Flaüss zweeg. Svenson keek naar Blach, die hem boos aanstaarde. Tegen de mannen in de gang blafte hij: 'Een van jullie naar het hek. Zoek uit of de prins het terrein verlaten heeft en of hij alleen was!'

Svenson stapte naar het bureau, maakte het open en bekeek de inhoud. 'De prins draagt zijn infanterie-uniform. Het ligt er niet bij – donkergroen, een kolonel van de grenadiers. Hij vindt het mooi omdat er een vlammende bom op de badge staat. Volgens mij heeft die een seksuele betekenis voor hem.' De anderen keken hem aan alsof hij Frans sprak. Svenson liep naar het raam en keek naar buiten. Onder het raam, twee verdiepingen lager, lag een aangeharkt grindperk. 'Majoor Blach, als u een vertrouweling op het grind onder dit raam af stuurt, weten we of er een ladder is gebruikt, omdat er in dat geval grote putten in het grind staan. Een twee verdiepingen hoge ladder zou natuurlijk de aandacht getrokken hebben. Zeg eens, herr Flaüss: is er zo'n ladder aanwezig hier?'

'Hoe moet ik dat weten?'

'Door het aan het personeel te vragen, denk ik.'

'En als die ladder er niet is?' vroeg majoor Blach.

'Dan is er óf een meegebracht, wat bij de poort gezien moet zijn, óf er is een andere methode gebruikt, zoals een enterhaak.' Svenson deed een stap naar achteren en onderzocht het pleisterwerk rond het raamkozijn. 'Ik zie geen butsen of touw waarmee ze naar beneden geklommen kunnen zijn.'

'Hoe zijn ze dan wel naar beneden gekomen?' vroeg Flaüss. Svenson stapte weer naar het raam en boog zich naar buiten. Er was geen balkon, geen klimop tegen de buitenmuur en geen boom in de buurt. Daarom was juist deze kamer gekozen. Hij draaide zijn hoofd en keek naar boven. De kamer lag maar twee verdiepingen onder het dak.

Terwijl ze de trap op gingen, werd aan Blach gemeld dat de prins niet bij de poort was gezien en dat er de laatste drie uur, sinds de komst van de majoor, niemand doorheen was geweest. Svenson hoorde nauwelijks wat de soldaat te melden had, omdat hij de onvermijdelijke tocht naar het dak vreesde. Hij liep vlak langs de muur en hield zo nonchalant mogelijk de leuning vast. Zijn maag keerde zich bijna om. Een andere soldaat haalde voor hen van het plafond van de gang op de vijfde verdieping een vouwtrap naar beneden. Daarboven was een smalle zolder, waarin een luik was naar het dak. Majoor Blach stapte naar voren en klom met een revolver in zijn hand snel naar boven, waar hij in het duister verdween. Hij werd gevolgd door Flaüss, die handiger was dan zijn corpulente lijf deed vermoeden. Svenson slikte en klom geconcentreerd achter hen aan, met beide handen de ladder aan weerszijden vastgrijpend. Door het geslinger van de trap, veroorzaakt door de voetstappen, moest hij een golf van misselijkheid wegslikken. Hij voelde zich als een kind toen hij op handen en voeten de ruwe houten vloer van de zolder op kroop en om zich heen keek. Flaüss hees zich net door het smalle luik naar het dak. Zijn lichaam stak af tegen het zwakke schijnsel van de lichten van de stad in de mist. Met een nauwelijks onderdrukt gekreun wurmde Svenson zich achter hem aan.

Toen hij het dak bereikte, eerst op zijn knieën en toen – wankelend – op zijn voeten, zag hij majoor Blach bij de dakrand kruipen op de plek waaronder zich de kamer van de prins bevond. De majoor draaide zich om en riep: 'Het mos op de stenen is op verscheidene plaatsen verdwenen – er heeft een touw of touwladder tegenaan gewreven!' Hij ging staan en liep op Svenson en Flaüss af, die ook om zich heen keken. Hij wees op de omliggende daken en zei: 'Wat ik niet begrijp, is dat geen van die daken dicht genoeg in de buurt ligt. Ik wil niet ontkennen dat de prins naar het dak is getrokken, maar dit gebouw is ten minste één verdieping hoger dan de gebouwen hiernaast. Daarna ligt er ten minste een straatlengte tussen dit blok en de omliggende. Ik zie niet in hoe iemand van dit dak af heeft kunnen ontsnappen tenzij hij een circus heeft ingehuurd.'

'Misschien is dat ook niet gebeurd,' stelde de gezant voor. 'Misschien zijn ze gewoon op een ander punt het gebouw weer in gegaan.'

'Onmogelijk. De trap naar de zolder is van binnenuit gesloten.'

'Tenzij iemand hen van binnenuit geholpen heeft,' zei de gezant ietwat knorrig.

'Inderdaad,' gaf Blach toe. 'In welk geval ze nog steeds niet door de poort zijn gegaan. Ik laat mijn mannen ogenblikkelijk het hele pand doorzoeken. Dokter?'

'Mm-mm?'

'Enig idee?'

Svenson slikte en ademde in een poging te ontspannen door zijn neus de koele nachtlucht in. Hij dwong zichzelf om zijn blik van de lucht en de open ruimten om hem heen af te wenden en op het zwart geteerde dak te richten. 'Alleen... Maar wat is dát?' vroeg hij. Flaüss keek naar waar Svenson op wees en stapte naar een klein wit voorwerp. Hij raapte het op en liet zijn vondst aan de anderen zien. 'Dat is een sigarettenpeuk,' zei majoor Blach.

Er was een halfuur verstreken. Ze waren naar de kamer van de prins teruggekeerd, waar de majoor systematisch elk kastje en elke lade doorzocht. Flaüss zat te piekeren in de leunstoel, terwijl Svenson bij het open raam stond te roken. Het doorzoeken van het pand had niets opgeleverd en ook waren er geen putten of voetafdrukken in het grind onder het raam. Blach was met lantaarns naar het dak teruggegaan, maar vond geen andere voetsporen dan die van henzelf. Wel stonden er wat afdrukken op de zijmuur, waar touwen door het gladde vuil langs de dakgoot waren gegaan.

'Misschien is hij er gewoon voor een avondje plezier vandoor,' opperde de gezant, en wierp een duistere blik op Svenson. 'Doordat u hem zo op de hielen hebt gezeten, vertrouwt hij ons niet...'

'Doe niet zo dom,' snibde majoor Blach. 'Dit was opzet, met of zonder hulp van de prins. Waarschijnlijk zonder, als hij inderdaad zo laveloos was als de dokter omschreef. Er zijn van bovenaf minstens twee man de kamer in gegaan, mogelijk nog meer. De bewaker heeft niet gehoord dat het bureau tegen de deur is gezet, wat de indruk wekt dat er waarschijnlijk vier waren die de prins met hen mee hebben genomen. We moeten aannemen dat de prins ontvoerd is en moeten besluiten hoe we hem terug gaan halen.'

Majoor Blach klapte de laatste lade dicht en vestigde zijn blik op Svenson.

'Ja?' vroeg de dokter.

'U hebt hem al eerder gevonden.'

'Dat klopt.'

'Zeg me waar en hoe.'

'Ik juich het toe dat u eindelijk enige interesse toont,' antwoordde Svenson minachtend. 'Denkt u dat het dezelfde mensen zijn? Want als dat zo is, weet u wie het zijn – u beiden weet dat. Wilt u de confrontatie met hen aangaan? Wilt u met een grote macht naar Robert Vandaariff gaan? Of naar onderminister Crabbé? Naar de comte d'Orkancz? Naar de staalfabriek van Xonck? Of weet een van u al waar hij is? Dan kunnen we nu meteen een eind maken aan deze bespottelijke poppenkast.'

Het was zeer bevredigend voor Svenson dat zowel de majoor als hijzelf op dat moment naar Flaüss keek.

'Ik weet van niets!' riep de gezant. 'Als we deze verheven mensen om hulp moeten vragen, als die ons al kunnen helpen...' Dokter Svenson keek hem spottend aan. Flaüss wendde zich tot majoor Blach in de hoop dat die hem zou helpen. 'De dokter heeft ons nog steeds niet verteld hoe hij de prins heeft gevonden. Misschien kan hij hem nu ook weer vinden.'

'Er is niets geheimzinnigs aan,' loog Svenson. 'Ik ben naar het bordeel gegaan, daar kon iemand me helpen. De prins zat om de hoek. De gulle schenkingen van Henry Xonck zorgen er blijkbaar voor dat de vrienden van zijn jongere broer gemakkelijk het instituut binnenkomen.'

'Hoe wist u van het bordeel?' vroeg Flaüss.

'Zo goed ken ik de prins ook wel weer, dat is het punt niet. Ik heb u verteld met wie hij was. Als er iemand is die weet wat er gebeurd is, dan zijn zij het wel. Ik kan niet naar deze mensen toe gaan, dat moet u doen, herr Flaüss – met steun van de mannen van de majoor. Dat is de enige manier.'

Svenson drukte zijn sigaret uit in het kopje waar lang geleden zijn koffie in had gezeten. 'Zo komen we nergens,' zei hij tegen hen. Hij pakte zijn jas en beende de kamer uit.

Met geen andere gedachte dan dat hij al in geen uren iets gegeten had, liep Svenson de trap af naar de grote keuken, waar niemand was. Hij doorzocht de kastjes en vond een stuk harde kaas, droge worst en een brood van die ochtend. Hij schonk zichzelf een glas lichtgele wijn in en ging alleen aan de grote werktafel zitten om na te denken. In de tussentijd sneed hij methodisch een stuk kaas en een even dik stuk worst af, en legde die op een stuk brood. Na de eerste hap realiseerde hij zich echter dat het brood te droog was, dus stond hij op en vond een pot mosterd. Hij maakte hem open, lepelde meer dan hij normaal zou lusten op het brood en legde er de kaas en worst weer op. Hij slikte en nam een slok wijn. Nu de routine vastlag, kon hij te midden van alle activiteit die in het pand broeide eten en beslissen wat hij verder zou doen. De prins was ontvoerd, gered en opnieuw ontvoerd. Daaruit concludeerde hij dat het om dezelfde mensen ging, en om dezelfde redenen. Maar wat hem vooral bezighield, was de sigarettenpeuk.

Flaüss had hem aan hem gegeven, en hij had hem na er een snelle blik op te hebben geworpen weer vlug teruggegeven. Hij had zich omgedraaid en was met alle waardigheid die hij kon opbrengen van het dak af naar beneden geklommen. Die ene blik had zijn vermoeden echter bevestigd. Het uiteinde van de peuk was op een bepaalde manier gedeukt, op dezelfde manier die hij de avond tevoren in het Hotel St. Royale had gezien: door de gelakte sigarettenhouder van een dame. De vrouw – hij nam nog een slok wijn, haalde de monocle van zijn oog, stopte die in zijn borstzak en wreef over zijn gezicht – was waanzinnig, schokkend mooi. Ook was ze gevaarlijk, dat was duidelijk, maar op zo'n complete manier dat het bijna niet opviel, als bij een cobra waarvan men lengte, kleur of bepaalde vlekken beschrijft, maar nooit het dodelijke gif, wat zo'n belangrijke eigenschap is dat men daar zijns inziens geen uitzondering op kon maken. Integendeel. Hij zuchtte van vermoeidheid en probeerde zich te concentreren, om de vrouw in het hotel met het dak van het gebouw van de diplomatieke dienst in verband te brengen. Hij kon er geen touw aan vastknopen, maar wist dat hij, als hij dat wel kon, bij de prins zou uitkomen. Dus begon hij in zijn herinnering te graven.

Eerder op de dag, toen hij besefte dat de prins niet was teruggekeerd en dat Flaüss en Blach ook weg waren, was Svenson naar de kamer van de prins gegaan, had zichzelf binnengelaten en had naar aanwijzingen van de plannen van de prins voor die avond gezocht. Karl-Horst was in het algemeen zo geslepen als een kat, of een kind. Als hij iets verstopt had, zat het meestal onder de matras of in een schoen, maar nog waarschijnlijker was dat hij het gewoon in een jaszak had gestopt van een jas die hij eerder had aangehad en het toen vergeten was.

Svenson had versierde pakjes lucifers met reliëfopdruk, theaterprogramma's en visitekaartjes gevonden, maar verder niets bijzonders. Hij was op het bed gaan zitten, had een sigaret opgestoken en had de kamer rondgekeken. Hij had even geen ideeën meer. Op het tafeltje naast het bed stond een blauwglazen vaas met misschien tien witte lelies erin, die in verscheidene stadia van gezondheid over de rand hingen. Svenson staarde ernaar. Hij had nog nooit bloemen zien staan in de kamer van de prins en ook in de rest van het gebouw van de diplomatieke dienst kwamen zulke vrouwelijke vormen van decoratie niet voor. Hij kon, toen hij erover nadacht, geen enkele vrouw bedenken die in het gebouw van de diplomatieke dienst werkte. Ook had Karl-Horst nog nooit enige interesse in bloemen of schoonheid getoond. Misschien was het een cadeau van Lydia Vandaariff. Misschien was er een vleugje genegenheid tot Karl-Horsts smaakpalet doorgedrongen.

Svenson kreunde en schoof naar de vaas starend dichter naar het bijzettafeltje toe. Hij veegde zijn monocle af en keek van dichtbij. Het glas was enigszins artistiek, het had een ietwat onregelmatig oppervlak en er zaten opzettelijke foutjes, kronkels en luchtbellen in. Hij fronste opnieuw. Zat er iets in? Hij griste een handdoek van de scheertafel van de prins en legde die op het bed. Vervolgens pakte hij met beide handen de lelies uit de vaas en legde die druipend en wel op de handdoek. Hij pakte de vaas en hield hem tegen het licht. Er zat inderdaad iets in, een stukje glas misschien dat het licht dat erop viel weerkaatste, hoewel het stukje zelf onzichtbaar leek. Svenson zette de vaas neer en rolde zijn mouw op. Hij stak zijn hand erin, voelde even, want het ding was aardig glad, en haalde er een klein rechthoekig stukje glas uit ter grootte van een visitekaartje. Hij veegde het glas en zijn hand aan de handdoek af en bestudeerde het. Binnen enkele seconden zat Svenson op zijn knieën. Het leek wel of hij een klap met een hamer had gehad! Hij had van verbazing bijna de glazen kaart laten vallen en schudde duizelig zijn hoofd.

Hij keek opnieuw.

Het was alsof hij in de droom van een ander terecht was gekomen. Het blauwe omhulsel van het glas was na een moment verdwenen alsof hij een sluier had opgelicht... Hij staarde een kamer in, een donkere, comfortabele kamer met een grote rode sofa, kroonluchters en dikke tapijten. Vervolgens – en daarom had hij de kaart de eerste keer bijna laten vallen – bewoog het beeld, alsof hij rondliep, of stilstond en in de salon rondkeek. Hij zag mensen, mensen die hem recht aankeken. Hij kon alleen het geluid van zijn eigen adem horen, maar zijn hersens waren de ruimte van deze beelden binnengegaan: bewegende beelden als foto's, maar ook weer niet. Levendiger, maar toch ook minder scherp; meerdimensionaal, en op onbegrijpelijke wijze doordrongen van zintuiglijke waarnemingen: van de aanraking van een zijden jurk, van opgetrokken onderrokken rond een paar vrouwenbenen, van haar zijdezachte huid onder de onderrokken en van een man die zich tussen haar benen manoeuvreert. Hij voelde aan dat ze lachte terwijl zijn lichaam zich onhandig in positie manoeuvreerde. Haar hoofd lag achterover op de rug van de sofa, want hij zag het plafond en voelde haar haar rond haar gezicht en hals hangen – een gemaskerd gezicht, zo realiseerde hij zich. Daarna het gevoel tussen haar benen: zinnelijk, exquis. Afgaand op de vloeibare sensaties die door Svensons eigen lichaam golfden, ging de man bij haar naar binnen. Toen bewoog het beeld iets, omdat het hoofd van de vrouw iets bewoog, en net achter haar aan de muur zag hij een deel van een grote wandspiegel. Eén scherpe seconde lang was het gezicht van de man en de rest van de kamer achter hem te zien. De man was Karl-Horst von Maasmärck.

De vrouw was niet Lydia Vandaariff, maar iemand met bruin haar. Tijdens de glimp van de kamer achter de prins had Svenson tot zijn ontzetting andere mensen gezien. Toeschouwers? Ook was er een open deur of een raam, maar hij liet dat voor wat het was en wendde zijn blik met meer moeite dan hij verwacht had van de kaart af. Waar zat hij naar te kijken? Hij keek met enige gêne naar beneden; hij was behoorlijk opgewonden geraakt. Bovendien – hij dwong zichzelf om helder na te denken – waren er tijdens de interactie momenten geweest die hij niet gezien had, maar wel aangevoeld... zoals toen de vrouw zichzelf betastte – zowel voor haar genot als om te voelen of ze glad genoeg was –, Karl-Horst die met zijn broek klunsde, en het moment van penetratie. En alles, zo besefte hij, voltrok zich vanuit de beleving van de vrouw, hoewel de momenten zelf niet zichtbaar waren geweest. Met een zucht van concentratie richtte hij zijn ogen opnieuw op de glazen kaart en zonk erin weg als in een diep meer: eerst de lege sofa, toen de vrouw die haar jurk optrok, toen de prins die zich tussen haar benen wrong, de coïtus zelf, het draaien van haar hoofd, de spiegel, het spiegelbeeld en toen, even later, weer de lege sofa. Daarna werd de hele scène herhaald... en nog eens...

Svenson legde de kaart neer. Zijn ademhaling ging sneller. Wat had hij in zijn hand? Het was alsof de gevoelens van de vrouw geconcentreerd waren en op de een of andere manier in dit kleine schermpje waren gestopt. En wie was deze vrouw? Wie waren de toeschouwers? Wanneer was dit gebeurd? En wie had de prins verteld waar en hoe hij de kaart moest verbergen? Hij keek er opnieuw naar en ontdekte dat hij, door zich goed te concentreren, de bewegingen kon vertragen, dat hij bij een bepaald moment kon stilstaan – met bijna ondraaglijk genot tot gevolg. Vastberaden keek hij naar het moment met de spiegel en bestudeerde het spiegelbeeld. Hij kon zien dat de toeschouwers – zo'n tien mannen en vrouwen – ook gemaskerd waren, maar hij herkende niemand. Toen hij verder keek, zag hij tegen het eind een deuropening (iemand moest de kamer verlaten hebben) en daardoorheen wellicht in de verte een raam waar in spiegelschrift de letters E-L-A op stonden. Aanvankelijk deed dit hem aan een taverne denken, omdat het woord *ale* een bieradvertentie kon zijn, maar hoe meer hij aan de luxe van de kamer dacht, de kleding van de gasten en de afstand tussen de deur en het raam, hoe minder waarschijnlijk het leek dat het om een taverne, of zelfs een restaurant ging.

Even kwam hij niet verder, maar toen wist hij het plotseling. Het was een hotel: het St. Royale.

Binnen vijf minuten zat Svenson in een rijtuig op weg naar wellicht het meest vooraanstaande hotel in de stad, midden in Circus Garden. In zijn ene jaszak had hij de kaart, in een andere zijn revolver. Hij kende geen luxe of privileges, maar kon wel de arrogantie van de leden van het hof van Mecklenburg imiteren en hoopte dat hij mensen zou vinden die hem konden helpen – ofwel omdat ze vriendelijk waren, ofwel onder druk van intimidatie. Zijn oorspronkelijke bedoeling was om na te gaan waar de prins was en of de gek veilig was. Verder zou hij graag willen weten waar de glazen kaart vandaan kwam en hoe hij gemaakt was, want hij bewees dat Karl-Horst zich weer eens met mensen ophield van wie hij niet wist wat hun ambities waren. Hoewel Svenson ogenblikkelijk de zinnelijke voordelen van zo'n uitvinding zag, wist hij dat de ware implicaties ervan veel verstrekkender waren en zijn fantasie ver te boven gingen.

Hij stapte de helder verlichte lobby van het St. Royale in en keek zijdelings naar de ramen aan de voorkant van het gebouw, waarop hij de letters van het spiegelbeeld zag staan. Ze bevonden zich links van hem en terwijl hij naar ze toe liep, probeerde hij te achterhalen waar de deuropening was waardoor hij het raam gezien had. Hij kon hem niet vinden. De muur waar hij in had moeten zitten was glad en ogenschijnlijk naadloos. Hij liep ernaartoe, leunde tegen de muur en nam de tijd om een sigaret te pakken en die op te steken. Hij keek goed rond, maar tevergeefs. Vlak bij hem hing aan de muur een grote spiegel met een zware gouden lijst. Hij ging ervoor staan en zag de frustratie op zijn gezicht. De spiegel was groot, maar hing ongeveer een meter boven de vloer. Hier kon niet echt een ingang achter zitten. Svenson zuchtte en keek de lobby rond. Er liepen gasten in en uit en er zaten er verscheidene op leren muurbankjes. Omdat hij niet wist wat hij anders moest doen, liep hij naar de balie. Daarbij kwam hij langs de trap naar de hoger gelegen verdiepingen, waar juist twee dames af kwamen. Hij ging voor hen opzij en knikte hen beleefd toe. Terwijl hij dat deed, ving hij echter plotseling de geur van sandelhout op. Hij keek geschokt op en zag het lichtbruine haar en de mooie hals van de vrouw die voorbijliep. Het was de vrouw van de glazen kaart, hij wist het zeker. Hij had haar parfum nog nooit eerder geroken, ook niet in de kaart, maar het maakte een grote indruk op hem. Desondanks had hij echter een even intieme kennis van de interactie tussen het lichaam van deze vrouw en het parfum als de vrouw zelf moest hebben. Hoe dat kwam, wist hij niet.

De twee vrouwen liepen naar het restaurant van het hotel. Dokter Svenson kwam haastig achter hen aan en haalde hen net voor ze de ingang bereikten in. Hij schraapte zijn keel en ze keken om. Hij was verrast dat het gezicht van de vrouw met het bruine haar geschonden was door een smalle lijn, die rond haar ogen en op haar slapen gebrand leek te zijn. Ze droeg een elegante lichtblauwe jurk. Ze had een vrij lichte, voor de rest gladde huid en rood gestifte lippen. Haar metgezel was iets kleiner, had iets donkerder bruin haar en een wat ronder gezicht, maar was op haar manier ook heel aantrekkelijk. Ze droeg een geel-en-lichtgroen gestreepte jurk met een hoge kanten kraag. Nu hij hun volle aandacht had, begon Svenson plotseling te stamelen. Hij was nooit getrouwd geweest en had nooit met vrouwen in één huis gewoond. Het trieste feit was dat dokter Svenson zich meer op zijn gemak voelde bij een lijk dan bij een levende vrouw.

'Neemt u mij niet kwalijk, dames. Zou ik een moment van uw tijd mogen hebben?'

Ze staarden hem zwijgend aan. Hij vervolgde: 'Mijn naam is Abelard Svenson en ik hoop dat u mij kunt helpen. Ik ben dokter en ben op zoek naar een van mijn patiënten. Een heel belangrijk persoon, ziet u, waardoor ik zeer discreet dien te zijn.'

Ze bleven maar staren. De vrouw met de littekens lachte een beetje. Even speelde er een zweem van belangstelling om haar mond. Haar blik gleed over zijn overjas, zijn epauletten en hooggesloten kraag.

'Bent u een soldaat?' vroeg ze.

'Zoals ik al zei, ben ik arts, hoewel ik een officier ben in de marine van Mecklenburg: kapitein-chirurg Svenson, zo u wilt, belast met een speciale' – en hij dempte zijn stem – 'diplomatieke taak'.

'Mecklenburg?' vroeg de andere vrouw.

'Dat klopt. Het is een Duits hertogdom aan de Baltische kust.'

'U hebt inderdaad een accent,' zei ze, en ze giechelde. 'Bestaat er niet zoiets als Mecklenburger taart?'

'O ja?' vroeg de dokter.

'Maar natuurlijk,' zei de eerste vrouw. 'Er zitten rozijnen in en room, en bepaalde kruiden, zoals kruidnagels en anijs.'

'En gemalen hazelnoten,' zei de ander. 'Eroverheen gestrooid.'

De dokter knikte hen enigszins verloren toe. 'Ik ben bang dat ik die niet ken.'

'Maakt u zich geen zorgen,' zei de eerste vrouw, en ze klopte hem vriendelijk op zijn arm. 'Wordt uw oog daar niet moe van?'

Ze keken naar zijn monocle. Hij glimlachte en zette hem recht. 'Jawel,' zei hij, 'maar ik ben er zo aan gewend, ik merk het niet meer.' Ze glimlachten nog steeds, hoewel hij geenszins grappig of gevat was geweest. Op de een of andere manier hadden ze besloten hem te accepteren en hij deed zijn best om zijn kans te grijpen. Hij knikte naar het restaurant en zei: 'Ik neem aan dat u op het punt staat om te gaan dineren. Als ik een glas wijn met u zou mogen delen, zou dat meer dan genoeg tijd zijn om mij met mijn zoektocht te helpen.'

'Een zoektocht?' zei de vrouw met het gezicht met de littekens. 'Wat interessant. Ik ben Mrs Marchmoor en mijn metgezel heet Miss Poole.'

Svenson bood beide dames een arm aan en genoot tegen wil en dank van het fysieke contact. Ook paste hij zijn pas iets aan, zodat Miss Poole de revolver in zijn zak niet zou voelen. 'Ik ben u zeer erkentelijk,' zei hij, en hij escorteerde hen de eetzaal in.

Toen ze daar eenmaal waren, loodsten de vrouwen hem echter langs enkele lege tafels naar de andere kant van het restaurant, waar een aantal onopvallende deuren toegang tot privé-eetkamers gaf. Een ober opende een deur voor hen, waarop de vrouwen Svensons armen loslieten en een voor een naar binnen gingen. Svenson knikte naar de ober en liep achter hen aan. Toen de deur achter hem dichtviel, besefte hij dat er al een aantal mensen aanwezig was. Aan het hoofd van een schitterend – met tafellinnen, servies, zilver, kristal en bloemen – gedekte tafel zat – of presideerde eigenlijk – een lange vrouw met zwart haar en doordringende donkerblauwe ogen. Ze droeg een rode jurk met gele Chinese borduursels op de rok en een zwart jasje. Ze keek op en glimlachte. Svenson herkende de lach als beleefd en neutraal, maar die deed hem toch naar adem snakken. Hij keek haar aan en knikte eerbiedig. Ze nam een slokje wijn en bleef naar hem kijken. De twee anderen waren om de tafel heen gelopen en schoven aan weerszijden van de vrouw in het rood aan. Svenson stond ongemakkelijk bij het andere eind van de tafel – de tafel was lang genoeg voor tenminste drie personen aan beide kanten – tot Mrs Marchmoor plotseling vooroverboog en de vrouw in rood iets in het oor fluisterde. De vrouw knikte en had nu een bredere lach op haar gezicht. Svenson voelde dat hij bloosde.

'Dokter Svenson, neemt u plaats en schenkt u uzelf een glas wijn in. Het is heerlijke wijn, vind ik. Ik ben madame Lacquer-Sforza. Mrs Marchmoor zegt mij dat u op zoektocht bent.'

Miss Poole gaf een zilveren dienblad met een fles wijn erop aan Svenson door. Hij nam de fles aan en schonk zichzelf en de andere dames een glas in.

'Het spijt me dat ik u zomaar lastigval, maar zoals ik deze dames net wilde vertellen...'

'Het is hoogst merkwaardig,' vroeg madame Lacquer-Sforza zich hardop af, 'dat u juist hun om hulp vraagt. Was daar een reden voor? Kent u hen?'

De dames giechelden bij het idee. Svenson reageerde meteen: 'Natuurlijk niet, u moet begrijpen dat het feit dat ik hun om hulp vroeg aangeeft hoe wanhopig ik ben. Zoals ik al zei, ben ik in diplomatieke dienst van het hertogdom Mecklenburg, in het bijzonder van de zoon en erfgenaam van mijn hertog, prins Karl-Horst von Maasmärck. Het is bekend dat hij dit hotel heeft bezocht, en ik ben naar hem op zoek. Het klinkt misschien wat vreemd, maar indien een van u dames hem gezien heeft – want ik weet dat de prins van schoonheid houdt –, over hem gehoord heeft, of me naar hem toe kunt brengen, zou ik u zeer erkentelijk zijn.'

Ze lachten naar hem en nipten van hun wijn. Hij was rood aangelopen, hij had het warm en nam zelf ook een slok – een te grote, waardoor hij proestte. Hij veegde zijn mond af met een servet en schraapte zijn keel. Hij voelde zich als een jongen van twaalf.

'Dokter, gaat u zitten.' Hij had niet in de gaten dat hij nog stond. Madame Lacquer-Sforza lachte hem toe toen hij dat deed. Even stond hij nog op om zijn jas uit te trekken en die over de stoel rechts van hem te leggen, maar ging toen weer zitten. Hij hief zijn glas opnieuw en zei: 'Dank u nogmaals voor uw vriendelijkheid. Ik wil u niet langer dan nodig storen.'

'Zeg mij eens, dokter,' vroeg Mrs Marchmoor, 'verliest u de prins wel vaker? Of is hij het type man waarop gepast moet worden? Is zo'n taak passend voor een officier-chirurg?'

De vrouwen grinnikten. Svenson wimpelde het af en dronk nog wat wijn om zijn evenwicht te hervinden. Zijn handpalmen waren vochtig, zijn kraag voelde warm om zijn nek. 'Nee, nee, dit zijn uitzonderlijke omstandigheden. Wij hebben bericht gehad van de hertog zelf, maar noch de gezant, noch onze militair attaché, noch de prins zelf natuurlijk, is op het moment aanwezig. En omdat ik zijn agenda niet ken, ben ikzelf naar hem gaan zoeken, omdat de hertog snel een antwoord nodig heeft.' Hij wilde graag zijn gezicht betten, maar deed het niet. 'Mag ik u vragen of u iets over de prins weet? Hij heeft het vaak over diners in het St. Royale gehad, dus u hebt hem wellicht gezien of kent hem persoonlijk. Hij is een man – neemt u mij niet kwalijk, als ik zo vrijpostig mag zijn – die zeer op mooie vrouwen gesteld is.'

Hij nam nog een slok. Ze gaven geen antwoord. Miss Poole boog zich voorover en fluisterde madame Lacquer-Sforza iets in het oor. Ze knikte. Miss Poole ging weer rechtop zitten en nam nog een slok wijn. Mrs Marchmoor keek hem aan. Hij kon het niet helpen, maar toen hij in haar ogen keek, voelde hij een vonk van genot en herinnerde zich – uit eigen herinnering! – de binnenkant van haar dijen. Hij slikte en schraapte zijn keel. 'Kent u de prins, Mrs Marchmoor?'

* * *

Voor ze hem kon antwoorden, ging de deur achter hen open en kwamen er twee mannen binnen. Svenson stond snel op en draaide zich naar hen toe, maar geen van tweeën keurden ze hem een blik waardig. De ene was een lange, slanke man met een hoog voorhoofd en kortgeknipt haar in een rood uniform met geel beslag en zwarte laarzen. Aan de epauletten op zijn kraag te zien was hij een kolonel. Hij gaf de ober zijn jas en koperen helm, liep regelrecht naar madame Lacquer-Sforza, nam haar hand en boog zich voorover om hem te kussen. Hij knikte naar de twee andere dames en ging naast Mrs Marchmoor zitten, die al bezig was hem een glas wijn in te schenken. De andere man liep langs Svenson heen naar de overkant van de tafel om naast Miss Poole te gaan zitten. Ook hij kuste de hand van madame Lacquer-Sforza, maar minder zelfingenomen dan de kolonel, en nam plaats. Hij schonk zelf zijn glas vol en nam zonder omhaal een flinke teug. Hij had blond haar met grijze vegen erin. Het was lang en vettig, en was achter zijn oren gekamd. Zijn jas was van goede kwaliteit, maar slordig. De hele man deed denken aan een voorwerp dat ooit mooi was geweest, een zitbank bijvoorbeeld, maar in de regen heeft gestaan en deels geruïneerd is. Svenson had aan zijn universiteit wel meer mannen zoals hij gezien en vroeg zich af of deze man een geleerde was. En áls dat zo was, wat hij dan in dit gezelschap deed.

Madame Lacquer-Sforza zei: 'Kolonel Aspiche en doctor Lorenz, het doet mij een genoegen u voor te stellen aan dokter Svenson uit het hertogdom Mecklenburg, die tot de diplomatieke entourage van prins Karl-Horst von Maasmärck behoort. Dokter Svenson, kolonel Aspiche is de nieuwe commandant van het vierde regiment dragonders, dat onlangs het regiment van de prins is geworden, een hele promotie. Doctor Lorenz is een vooraanstaand lid van het Koninklijk Instituut der Wetenschappen.'

Svenson knikte hen beiden toe en hief zijn glas. Lorenz nam van de gelegenheid gebruik om zijn glas leeg te drinken en zichzelf een nieuw in te schenken. Aspiche keek Svenson onderzoekend aan. Svenson wist dat hij met de vervanger van Trapping te maken had. Hij had het uniform meteen herkend en wist dat de man zich ongemakkelijk moest voelen vanwege de omstandigheden van zijn promotie. Als dat niet zo was, zou hij daar gezien het vermiste lijk wel andere redenen toe hebben. Svenson besloot om wat zout in de wond te strooien.

'Ik heb de eer gehad om kolonel Aspiche' onfortuinlijke voorganger, kolonel Trapping, te ontmoeten. Hij was op dat moment in het gezelschap van mijn prins en het was op dezelfde avond waarop de kolonel is verdwenen. Ik hoop voor zijn familie, zo niet voor een dankbare natie, dat het mysterie rond zijn verdwijning snel wordt opgelost.'

'Zijn verlies gaat ons allen aan het hart,' mompelde Aspiche.

'Het kan niet gemakkelijk zijn om in dergelijke omstandigheden het commando over te nemen.'

Aspiche keek hem dreigend aan. 'Een soldaat doet wat er van hem verwacht wordt.'

'Doctor Lorenz,' viel madame Lacquer-Sforza hem in de rede, 'ik geloof dat u eens in Mecklenburg bent geweest.'

'Dat klopt,' antwoordde hij. Zijn stem klonk somber en trots, als van een hond die ooit geslagen is en twijfelt tussen opstandigheid en de angst om weer geslagen te worden. 'Het was winter. Koud en donker was het, dat is het enige wat ik ervan kan zeggen.'

'Wat bracht u daar?' vroeg Svenson beleefd.

'Ik weet het waarachtig niet meer,' zei Lorenz in zijn glas.

'Ze hebben er heerlijke taart,' giechelde Miss Poole, waarop ook Mrs Marchmoor tegenover haar in lachen uitbarstte. Svenson nam de gelegenheid te baat om het gezicht van de vrouw te bestuderen. Wat hij aanvankelijk als brandwonden had beschouwd, leek toch iets anders te zijn. De huid stond niet strak, zoals bij brandwonden het geval is, maar was verkleurd, alsof hij wellicht met een zacht zuur was behandeld, of door de zon was verbrand. Ook leek het wel een tijdelijke tatoeage, met iets van verdunde henna. Maar het was vast niet opzettelijk geweest, want het was niet sierend. Hij richtte zijn ogen snel weer op iets anders, want hij wilde niet staren, waarbij zijn blik die van madame Lacquer-Sforza kruiste, die hem had zitten bestuderen.

'Dokter Svenson,' riep ze. 'Bent u een man die van spelletjes houdt?'

'Dat hangt af van het spel, mevrouw. Ik houd niet van gokken, als u dat bedoelt.'

'Misschien. En de andere heren – kolonel Aspiche?'

Aspiche keek op, hij had niet geluisterd. Geschokt realiseerde Svenson zich dat de rechterhand van Mrs Marchmoor niet zichtbaar was, maar gezien de kromming van haar arm in de schoot van kolonel Aspiche moest liggen. Aspiche schraapte zijn keel en fronste zijn wenkbrauwen. Mrs Marchmoor, en ook madame Lacquer-Sforza, zat hem volkomen onschuldig aan te kijken.

'Gokken hoort bij het karakter van een man,' verklaarde hij. 'Of tenminste bij dat van een soldaat. Je wint niets als je niet bereid bent om alles of iets te verliezen. Zelfs de grootste overwinning geschiedt niet zonder het verlies van levens. Als je een zekere mate van oefening hebt gehad, staat weigeren om te gokken gelijk aan lafheid.' Hij nam een slok wijn, ging verzitten, waarbij hij expres niet naar Mrs Marchmoor keek, die haar hand nog onder tafel had, en wendde zich tot Svenson. 'Het is geenszins mijn bedoeling om u te belasteren, dokter, want u richt zich waarschijnlijk op het redden van levens, op het behoud van leven.'

Madame Lacquer-Sforza knikte ernstig en wendde zich tot de andere man. 'Doctor Lorenz?'

Lorenz deed een poging om door het tafelblad heen te kijken en staarde naar het punt boven de schoot van Aspiche, alsof hij door zich te concentreren de barrière kon verwijderen. Zonder zijn blik af te wenden nam de geleerde nog een teug (Svenson was ervan onder de indruk hoezeer hij in zichzelf gekeerd was) en mompelde: 'Spelletjes zijn een illusie. Er zijn slechts kanspercentages die, als je er het geduld en de wiskundige kennis voor hebt, zeer voorspelbaar zijn. Er kan een risico zijn, want verschillende mogelijkheden leiden tot verschillende resultaten, maar de kansen zijn gemakkelijk voorspelbaar en na verloop van tijd zal de intelligente speler vaker winnen naarmate hij, of zij' – en hij wierp een blik op madame Lacquer-Sforza – 'zijn of haar rationele kennis gebruikt.'

Hij nam nog een slok en terwijl hij dat deed, blies Miss Poole in zijn oor. Doctor Lorenz verslikte zich verrast en spoog zijn wijn over de tafel. De anderen barstten in lachen uit. Miss Poole pakte een servet en veegde Lorenz' blozende gezicht af. Madame Lacquer-Sforza schonk zijn glas bij. Svenson zag dat de linkerhand van kolonel Aspiche verdwenen was en stelde toen vast dat Mrs Marchmoor iets was gaan verzitten. Svenson slikte. Wat deed hij hier? Zijn blik kruiste opnieuw die van madame Lacquer-Sforza, die glimlachend zat toe te kijken hoe hij de tafel rondkeek.

'En u, madame?' zei hij. 'We hebben uw mening nog niet gehoord. Ik neem aan dat u het onderwerp doelbewust ter sprake hebt gebracht.'

'U bent een echte Duitser, dokter, zo direct en *to ze point*.' Ze nam een slokje wijn en glimlachte. 'Wat mij betreft is het zeer eenvoudig. Ik gok nooit met iets waar ik om geef, maar ga tot het uiterste met alles waar ik niet om geef. Ik bof natuurlijk dat ik om bijzonder weinig geef, waardoor het grootste deel van de wereld onderdeel kan zijn van mijn... eh... spel. Ik kan op dit moment geen beter woord bedenken. Maar dan op een serieuze manier, daar kan ik u van verzekeren.'

Ze had haar blik op Svenson gericht. Haar uitdrukking was kalm, geamuseerd. Hij begreep niet wat er om hem heen gebeurde. Links van hem zaten kolonel Aspiche en Mrs Marchmoor elkaar openlijk te betasten onder tafel en rechts van hem zat Miss Poole het oor van doctor Lorenz te likken. De doctor beet zwaar ademhalend op zijn onderlip en hield zijn wijnglas zo stevig vast dat het leek alsof het zou breken. Svenson keek naar madame Lacquer-Sforza, maar zij negeerde de rest. Hij realiseerde zich dat ze hen al gesproken had, al voor ze arriveerden. Al haar aandacht was voor hem. Hij was binnengelaten met een reden.

'U kent mij, mevrouw... zoals u mijn prins kent.'

'Misschien.'

'Weet u waar hij is?'

'Ik weet waar hij zou kunnen zijn.'

'Wilt u me dat vertellen?'

'Misschien. Geeft u om hem?'

'Dat is mijn plicht.'

Ze glimlachte. 'Ik ben bang dat u eerlijk moet zijn tegenover mij, dokter.'

Svenson slikte. Aspiche had zijn ogen gesloten en zat zwaar te ademen. Miss Poole had twee vingers in de mond van Lorenz.

'Hij is een lastpost,' zei hij snel. 'Ik zou er heel wat voor overhebben om hem een flink pak slaag te kunnen geven.'

Madame Lacquer-Sforza straalde. 'Dat is beter.'

'Ik weet niet waar u heen wilt, mevrouw...'

'Ik wil een uitwisseling afspreken. Ik ben naar iemand op zoek... en u ook.'

'Ik moet zo snel mogelijk mijn prins vinden.'

'Ja, en als u nadien in de gelegenheid bent om mij te helpen, stel ik dat zeer op prijs.'

Svenson vond de hele situatie weerzinwekkend – de anderen leken bijna onaanspreekbaar –, maar hij zag niet meteen een reden om te weigeren. Hij keek haar in haar open blauwe ogen, maar zag dat ze ondoorgrondelijk waren en slikte.

'Naar wie bent u op zoek?'

De lucht in het laboratorium van het instituut was doordrongen geweest met ozon, brandend rubber en een geur die Svenson niet herkende, een kruising tussen zwavel, natrium en de ijzergeur van geschroeid bloed. De prins zat in een grote stoel met aan zijn ene kant Crabbé en aan de andere Francis Xonck. Aan de overkant van de ruimte stond de comte d'Orkancz, die een leren schort en lange leren handschoenen tot zijn ellebogen aanhad. Achter hem was een halfopen metalen deur. Hadden ze Karl-Horst daar zojuist door naar binnen gedragen? Svenson had met de revolver gezwaaid en de prins uit de stoel gehaald. Karl-Horst was voldoende bij zinnen om te kunnen staan en strompelen, maar blijkbaar niet in staat om te spreken of – en daar bofte Svenson bij – te protesteren. Onder aan de trap had hij de vreemde figuur in het rood zien staan, die naar hem gebaarde om weg te gaan. Deze man leek evenals Svenson een indringer te zijn – ook hij was gewapend –, maar hij had geen tijd te verliezen. De bewakers hadden hem tot op de binnenplaats en zelfs tot de straat toe achtervolgd, waar hij gelukkig een rijtuig had kunnen vinden. Pas in het heldere lamplicht in de kamer van de prins in het gebouw van de diplomatieke dienst, weg van de duistere gangen en het donkere rijtuig, had hij de lusvormige brandwonden gezien. Hij was destijds veel te zeer in beslag genomen met nagaan hoe de prins eraan toe was en het bezoek aan Flaüss om een verband te kunnen leggen tussen het privévertrek in het St. Royale en het laboratorium – laat staan de verdwijning van Trapping in het huis van Vandaariff. Nu hij echter aan de keukentafel zat en om zich heen de voorbereidingen voor een uitstapje in de stad hoorde, besefte hij dat het niet langer kon wachten.

Hij had niets meer tegen Flaüss of Blach gezegd. Hij vertrouwde ze voor geen cent en was maar al te blij dat ze samen vertrokken waren, omdat ze elkaar ook niet vertrouwden. Madame Lacquer-Sforza had duidelijk iets met Mrs Marchmoor te maken, die hetzelfde brandwondprocédé had ondergaan als de prins. Waarom had Svenson dan de kans gekregen om dat te onderbreken? En als madame Lacquer-Sforza en de mannen op het instituut niet onder één hoedje speelden, hoe zat het dan met de blauwe kaart, waarop duidelijk een gebeurtenis in het St. Royale was afgebeeld, wat haar in verband bracht met de samenzwering? Svenson wreef in zijn ogen en dwong zichzelf om bij de les te blijven. Wie van deze twee, de groep van Crabbé of madame Lacquer-Sforza, had een reden of de middelen om de prins zonder sporen achter te laten van het dak van het gebouw van de diplomatieke dienst te halen?

Hij dronk in één teug zijn glas leeg en duwde zijn stoel van de tafel weg. Het gebouw om hem heen leek rustig. Zonder na te denken legde hij de etenswaren terug in het kastje en zette het glas en het mes op het aanrecht, zodat ze schoongemaakt konden worden. Hij pakte nog een sigaret, stak hem aan met een lucifer en gooide die in de oven. Svenson trok aan zijn sigaret en plukte fronsend een stukje tabak van zijn tong. Hij kende de naam Isobel Hastings, die ze hem gegeven had, niet. Hij wist niets over de gewoonten van de hoeren in deze stad, behalve dan over degenen die hij tegenkwam toen hij op zoek was naar de uitgeschakelde prins, maar hij dacht niet dat dat van belang was. Als ze iemand als hij inhuurde, had ze vast ook mensen in dienst die de stad en zijn bewoners wel goed kenden. Ook betekende het dat die anderen gefaald hadden en dat haar informatie niet klopte. Hij zette de zaak uit zijn hoofd. Welke afspraak ze ook gemaakt hadden, ze kon niet echt van hem verwachten dat hij zich daar nu mee bezig ging houden.

Svenson liep het voorplein op, terwijl hij – zijn instrumentenkoffer van de ene hand in de andere overpakkend – zijn armen in zijn jas stak. Hij stond in de openlucht en terwijl hij omhoogkeek, knoopte hij met één hand zijn jas dicht. Het was stil op het terrein. Ze waren zonder enig bericht voor hem achter te laten vertrokken. Hij wist dat hij alleen moest zoeken, maar niet waar hij moest beginnen. De prins was vast niet in het St. Royale, alleen al niet omdat Svenson daar de avond tevoren openlijk naar hem had gezocht. En om dezelfde reden zou hij ook niet op het instituut zijn. Hij schudde zijn hoofd, want hij wist ook dat het St. Royale en het instituut juist ideale plaatsen waren om hem te verbergen – beide waren enorm groot – omdat beide eerder waren doorzocht. Bovendien, als de groep samenzweerders hem meegenomen had, kon de prins overal zijn. Xonck en Crabbé beschikten samen over honderden plaatsen waar iemand ongezien kon worden ondergebracht. Svenson kon niet zelf naar de prins op zoek. Hij moest een van deze mensen zien te vinden en hen dwingen om hem te zeggen waar de prins was.

Hij liep naar de poort, knikte naar de bewaker en liep zijn mogelijkheden overwegend de straat op, waar hij een leeg rijtuig kon aanhouden. Blach en Flaüss waren al naar Vandaariff toe, dus die viel evenals madame Lacquer-Sforza af. Hij zag het eerlijk gezegd niet zitten om haar met ongetwijfeld noodzakelijk geweld te confronteren. Bleven over: Crabbé, Xonck en de comte d'Orkancz. Anderen die zich in de periferie bevonden, zoals de andere vrouwen, Aspiche, Lorenz en de rechterhand van Crabbé, wees hij ook af. Iedere poging met hen zou meer tijd kosten en hij had geen idee waar hij hen kon vinden. De prins had echter bij Crabbé, de comte en Xonck thuis gedineerd en Svenson had elk detail, dus ook hun adressen, uit zijn agenda onthouden. De dokter zuchtte en maakte de bovenste knoop van zijn jas dicht. Het was al geruime tijd na middernacht, het was koud en de weg was verlaten. Als hij moest lopen, zou hij naar het dichtstbijzijnde huis van de drie gaan: dat van Harald Crabbé aan Hadrian Square.

Hij liep stevig door om warm te blijven en deed er een halfuur over. De mist was dicht, waardoor de stad koud en vochtig was, maar Svenson vond het geruststellend, omdat dit het weer van zijn vaderland was. Toen hij Hadrian Square bereikte, was het huis donker. Svenson klom de trap naar de voordeur van nummer 14 op en tikte met de klopper op de deur. Hij stak zijn rechterhand in zijn jaszak en pakte zijn revolver vast. Niemand deed open. Hij klopte opnieuw. Niets. Hij liep terug naar de straat en ging de dichtstbijzijnde hoek om. Er was een steeg die toegang tot de achterdeuren verschafte, waardoor de huizen aan Hadrian Square bevoorraad konden worden. De steeg was afgesloten met een hek, waar een slot op zat. Het slot was open. Svenson ging het hek door en sloop de smalle steeg in.

Het huis van Crabbé stond tussen twee andere panden in. Door de dichte mist was Svenson genoodzaakt om er langzaam en onmogelijk dicht langs te lopen, zodat hij kon zien waar het ene ophield en het volgende begon, en waar de achterdeur was. Er was geen licht. Terwijl hij naar de ramen omhoogkeek, struikelde hij bijna over een achtergelaten kruiwagen. Hij wilde een kreet slaken van schrik, maar wist zich te beheersen. Hij wreef zijn knie. Achter de kruiwagen was een stenen trap naar een kelder of misschien een keuken. Hij keek op. Dit moest het huis van Crabbé zijn. Hij sloot zijn hand om zijn revolver in zijn zak en sloop naar de deur, die een eindje openstond. Hij haalde zacht de revolver te voorschijn en liep gebukt verder. Hij slikte en duwde de deur open. Niemand schoot hem neer, wat hem een goed begin van zijn nieuwe carrière als inbreker leek.

De ruimte was donker en stil. Svenson sloop naar binnen en liet de deur openstaan. Hij stopte de revolver terug in zijn zak en voelde in een andere naar lucifers. Hij streek er een aan zijn duim af en keek snel om zich heen. De oplichtende luciferkop maakte enorm veel lawaai in de stille nacht. Hij bevond zich in een opslagruimte. Aan de muren hingen planken met potten, dozen, blikken en balen, en op de grond om hem heen stonden kratten, tonnen en vaten. Aan de andere kant van de ruimte was een trap naar boven. Svenson blies de lucifer uit, liet hem vallen en liep op de trap af. Hij haalde opnieuw de revolver uit zijn zak en klom stap voor pijnlijke stap de trap op. De treden kraakten niet. Bovenaan was nog een deur, die wijd openstond. Terwijl hij hoger kwam, keek hij erdoor, maar hij zag niets. Door de lucifer kon hij niets meer zien in het donker. Hij luisterde en hield even stil om na te denken over wat hij deed. Het leek een gevaarlijke en domme onderneming. Als hij iets anders had kunnen bedenken, had hij dat gedaan. Hij hoopte van ganser harte dat hij niet gedwongen zou worden om een heldhaftige bediende neer te schieten, of Mrs Crabbé, als die er was, aan het schrikken te maken. Hij stapte van de trap de gang in en liep langzaam verder. Zou hij nog een lucifer aansteken? Hij zuchtte en stopte de revolver weer weg. Omdat hij zeker niet tegen een of andere porseleinen lamp of een beeld aan wilde lopen, haalde hij nog een lucifer te voorschijn.

Onder hem in de voorraadkamer hoorde hij stemmen.

Hij streek de lucifer af, schermde hem zo goed mogelijk met de hand waarin hij zijn koffer vasthad af en ging snel de dichtstbijzijnde deur door. Hij was in de keuken en op de tafel voor hem lag een dode man die hij niet herkende. Op zijn asgrauwe gezicht na lag zijn lichaam onder een laken. Svenson draaide zich om, want hij hoorde voetstappen de trap op komen. Aan de andere kant van de keuken zag hij nog een deur. Hij brandde zijn vingers aan de lucifer. Haastig liep hij om de tafel heen een klapdeur door, en voordat hij de lucifer uitzwaaide, zag hij nog net een eettafel staan. Hij liet de lucifer vallen en stak de verbrande vinger in zijn mond. Vervolgens zette hij de klapdeur stil, sloop naar het andere eind van de tafel, ging op zijn hurken zitten en haalde de revolver te voorschijn. De voetstappen kwamen naar de keuken toe. Hij hoorde de stemmen van twee mannen en toen het ploppen van een kurk die uit een fles werd gehaald.

'Zie je wel?' zei de eerste stem, die zeer zelfingenomen klonk. 'Ik zei je toch dat hij iets interessants zou hebben? Waar staan de glazen?' Er klonk gerinkel en toen het klok-klok-klok van wijn, een flinke hoeveelheid. De eerste man zei: 'Denk je dat we licht kunnen maken?'

'De onderminister…' begon de tweede stem.

'Ja, ik weet het. Goed, dat is maar goed ook. Ik hoef die kerel echt niet meer te zien. Zonde van de tijd. Hoe laat zou hij hier zijn?'

'De boodschapper zei dat hij eerst een andere klus had voor hij naar ons toe kon komen.'

De eerste man zuchtte. Svenson hoorde het geluid van een lucifer, zag een oranje schijnsel onder de deur en hoorde toen het puffen van een man die een sigaar opsteekt.

'Wil jij er een, Bascombe?' vroeg de eerste man. Svenson dacht diep na. Hij had de afgelopen weken zoveel mensen ontmoet of voorgesteld horen worden – was er een Bascombe bij? Misschien, maar hij kon hem niet plaatsen. Kon hij de man maar zien…

'Nee, dank u,' antwoordde Bascombe.

'Ik ben niet "u",' lachte de eerste man. 'Bewaar dat maar voor Crabbé, of de comte, hoewel je over niet al te lange tijd een van hen zult zijn. Hoe voelt dat?'

'Ik weet het niet. Het gaat allemaal erg snel.'

'Zo is het altijd met grote verleidingen, hè?'

Bascombe reageerde niet en zwijgzaam dronken ze een poosje hun wijn. Svenson kon de sigaar ruiken. Het was een uitstekend exemplaar. Svenson likte zijn lippen af. Hij snakte naar een sigaret. Hij herkende geen van beide stemmen.

'Heb je al meer ervaring met lijken?' vroeg de eerste stem enigszins geamuseerd.

'Dit is eigenlijk het eerste binnen mijn kennissenkring,' antwoordde de tweede, op een toon die aangaf dat hij wist dat hij geplaagd werd, maar er het beste van probeerde te maken. 'Toen ik jong was, is mijn vader overleden...'

'En je oom natuurlijk. Heb je zijn lijk gezien?'

'Nee. Nog niet. Dat komt natuurlijk nog, op de begrafenis.'

'Je raakt eraan gewend, zoals met alles. Vraag maar aan een dokter, of een soldaat.'

Svenson hoorde de wijnfles weer. 'Goed, wat komt er na lijken... Hoe zit het met de vrouwen?'

'Pardon?'

De man grinnikte. 'O, wees maar niet zo'n kouwe kikker. Geen wonder dat Crabbé iets in je ziet. Ben je niet getrouwd?'

'Nee.'

'Verloofd?'

'Nee.' De stem weifelde. 'Ik was... Maar nee, geen belangwekkende relatie. Zoals ik al zei: al deze veranderingen hebben nogal snel plaatsgevonden...'

'Bordelen dan, neem ik aan? Of schoolmeisjes?'

'Nee, nee,' zei Bascombe op een professioneel kalme toon die Svenson herkende als de karakteristieke eigenschap van een ervaren hoveling. 'Zoals ik al zei: mijn gevoelens zijn altijd ondergeschikt geweest aan mijn plicht...'

'Lieve help, het zijn dus jongens?'

186

'Mr Xonck!' snibde de stem wellicht niet zozeer vol afschuw als wel vol wanhoop.

'Het is maar een vraag. Bovendien, als je zoveel gereisd hebt als ik, verbaas je je nergens meer over. In Wenen staat bijvoorbeeld een gevangenis die je voor een klein bedrag kunt bezoeken zoals je bijvoorbeeld naar een dierentuin zou gaan, en voor maar een paar zilveren pfennigs meer...'

'Maar Mr Xonck... Neemt u me niet kwalijk, onze plicht vandaag...'

'Heb je dan niets van het procédé geleerd?'

De jongere man bleef even zwijgen en besefte dat dit een serieuzere vraag zou kunnen zijn dan de luchthartige toon waarop hij gesteld werd deed vermoeden.

'Natuurlijk,' zei hij, 'verander je erdoor...'

'Neem nog wat wijn.'

Was dat het juiste antwoord? Svenson hoorde de fles klokken, terwijl Francis Xonck oreerde: 'Moreel perspectief is wat we met ons meedragen. Ik kan je beloven dat het nergens anders bestaat. Begrijp je? Je hebt verantwoordelijkheid en bevrijding. Wat voor de hand ligt, ligt aan waar je je bevindt, Bascombe. Bovendien, slechte gewoonten zijn als genitaliën: de meeste zijn lelijk om te zien, maar we houden van die van onszelf.' Hij grinnikte om zijn gevatheid, dronk grote teugen van zijn wijn en blies zijn rook uit. 'Maar jij hebt geen slechte gewoonten, nietwaar? Wel, als je eenmaal de hoed van lord Tarr op hebt, en op de enige afzetting indigoklei binnen een omtrek van achthonderd kilometer zit, zullen ze gauw genoeg verschijnen. Ik spreek uit ervaring. Zoek een dekbare theemuts om mee te trouwen, houd je huis op orde en doe dan ergens anders waar je zin in hebt. Mijn broer, bijvoorbeeld...'

Bascombe liet een wat bittere lach horen.

'Wat is er?' vroeg Xonck.

'Niets.'

'Ik sta erop.'

Bascombe zuchtte. 'Het is niets, alleen dat ik vorige week, zoals ik al zei, niet belangwekkend... Je kunt er alleen maar om lachen hoe gemakkelijk het is om te geloven... om werkelijk te geloven...'

'Wacht, wacht. Als je een verhaal gaat vertellen, hebben we nog een fles nodig. Kom op.'

* * *

Hun voetstappen gingen de keuken uit en de gang op, en algauw hoorde Svenson hen de keldertrap af gaan. Hij vond niet dat hij het risico kon nemen om weg te glippen. Hij had geen idee waar de wijnkelder was en hoe lang ze erover zouden doen. Hij zou de voordeur kunnen proberen, maar was zich er ook van bewust dat dit de ideale gelegenheid was om meer te ontdekken, zolang hij maar niet ontdekt werd. Plotseling wist Svenson het: Bascombe! Hij was Crabbés rechterhand, een magere, vrij jonge kerel; zei nooit iets, lette altijd op. Stond hij op het punt om lord te worden? Plotseling besefte Svenson dat hij de informatie díe hij op dat moment kon krijgen aan zich voorbij liet gaan. Hij haalde een lucifer te voorschijn en duwde zacht de klapdeur open. Hij luisterde – ze waren buiten gehoorsafstand. Hij stak de lucifer aan en keek naar de dode man op de tafel.

Hij was een jaar of veertig, was gladgeschoren en had dun haar en een scherpe, puntige neus. Hij had rode vlekken in zijn gezicht die ondanks zijn doodskleur nog duidelijk zichtbaar waren. Zijn lippen vormden een grimas en toonden een mond halfvol met door tabak verkleurde tanden. Svenson handelde snel terwijl de lucifer brandde. Hij sloeg het laken terug en slaakte een zucht van verbazing. De armen van de man waren vanaf de ellebogen naar beneden doorlopen met gezwollen, felblauwe aderen. Op het eerste gezicht leken ze nat, maar tot zijn schrik zag Svenson dat ze van glas waren, dat ze zich verdikten in de onderarmen en het vlees eromheen verstijfd hadden. Hij trok het laken verder naar beneden en liet toen van schrik de lucifer vallen. De man had geen handen. Zijn polsen waren volkomen blauw, gebarsten en gebroken. Alsof de handen eronder uiteengespat waren.

De voetstappen kwamen terug. Snel trok hij het laken recht en verstopte zich in de eetkamer, erop lettend dat hij de klapdeur stil hing. Zijn hoofd tolde van wat hij zojuist gezien had. Enkele momenten later hoorde hij de mannen in de gang en toen de keuken binnen-komen.

'Nog een glas graag, Bascombe,' riep Xonck. En toen tegen een derde man: 'Ik neem aan dat u met ons meedoet, met mij althans. Bascombe heeft niet zoveel dorst als ik. Jij beziet altijd alles van een afstand, nietwaar Roger?'

'Omdat u zo aandringt,' mompelde de nieuwe stem. Svenson hield zijn adem in. Het was majoor Blach. Svenson legde langzaam zijn rechterhand om de kolf van zijn revolver.

'Uitstekend.' Xonck haalde met een plopgeluid de kurk uit de nieu-we fles en schonk in. Hij dronk en Svenson kon hem kleine geluidjes van plezier horen maken terwijl hij dat deed. 'Heerlijk, nietwaar? Verdorie, mijn sigaar is uitgegaan.' Svenson zag het licht van een lucifer. Terwijl hij brandde, stelde Xonck voor om de dode eens te bekijken. 'Pak het laken, Bascombe. Kijk maar eens, in zijn volle glo-rie. En, wat zegt u ervan, majoor?'

Er kwam geen antwoord. Even later ging de lucifer uit. Xonck grinnikte. 'Zoiets zeiden wij ook al. Ik geloof dat de oude Crabbé "lieve hemel!" zei.' Xonck lachte. '"Ontspan waar het kan," da's mijn devies.'

'Wat is er met hem gebeurd?' vroeg Blach.

'Wat denkt u? Hij is dood. Hij was nogal waardevol, weet u. Wist veel van techniek. Gelukkig hebben we Lorenz nog, als Lorenz er nog is, want ik weet niet zeker of u begrijpt wie er verantwoordelijk is voor deze verschrikkelijke catastrofe, majoor. Dat bent u, omdat u die sjofele schurk niet kon vinden, die daardoor in staat was op het meest cruciale moment ons werk te verstoren. Ook kunt u uw eigen mensen niet onder controle houden. Ik neem tenminste aan dat u de man kent die ons met een revolver bedreigde en de prins meenam, wat een lachertje geweest zou zijn als dat niet allerlei problemen voor anderen had veroorzaakt!'

'Mr Xonck...,' begon majoor Blach.

'Ik hoef uw buitenlandse geklets niet te horen,' snauwde Xonck kil. 'Ik wil geen excuses, ik wil ideeën. Overdenk uw problemen en laat ons dan pas weten wat u eraan gaat doen.'

Op het gerinkel van het glas van Xonck na was het stil. Svenson was uiterst verbaasd. Hij had Blach nog nooit zo toegesproken horen worden en hij kon zich nauwelijks voorstellen dat Blach niet – zoals altijd – woedend had gereageerd.

Blach schraapte zijn keel. 'Ten eerste...'

'Ten eerste, majoor...' – het was Bascombe die sprak, niet Xonck – 'is er de man van uw dienst, de dokter van de prins, meen ik?'

'Juist,' siste Blach. 'Hij is van geen enkel belang. Ik zal hem vannacht laten stikken in zijn bed. We kunnen het overal aan wijten. Het zal niemand wat kunnen schelen.'

'Ten tweede,' viel Bascombe hem in de rede, 'de lastpak in het rood.'

'Chang, kardinaal Chang heet hij,' zei Blach.

'Is hij Chinees?' vroeg Bascombe.

'Nee,' gromde Blach. Svenson kon Xonck horen grinniken. 'Hij is... Hij wordt zo genoemd vanwege de littekens die hij blijkbaar heeft... Ik heb ze zelf niet gezien. Hij wist ons te ontkomen. Hij heeft een van mijn mannen gedood en twee zwaar verwond. Hij is niets anders dan een gewelddadige crimineel zonder enige fantasie of enig begrip. Ik heb een aantal mannen gestuurd naar de plekken waar hij naar verluidt vaak komt... Hij zal binnenkort worden opgepakt en...'

'Naar mij gebracht worden,' zei Xonck.

'Zoals u wilt.'

'Ten derde,' vervolgde Bascombe, 'de spionne Isobel Hastings.'

'We hebben haar niet gevonden. Niemand heeft haar gevonden.'

'Ze moet ergens zijn, majoor,' zei Bascombe.

'Bij de bordelen waarnaar ik werd verwezen is ze niet bekend...'

'Probeer dan een hotel!' riep Xonck. 'Probeer de pensions!'

'Ik ken de stad niet zo goed als u...'

'Volgende punt!' blafte Xonck.

'En ten vierde,' ging Bascombe onverstoord verder, 'dienen we voor de terugkeer van uw prins te zorgen.' Svenson bewonderde hem om zijn koele manier van doen.

Svenson luisterde; dit was waar hij op wachtte, maar er werd gezwegen... Totdat Blach in woede uitbarstte.

'Waar hebt u het over?' zei hij woedend.

190

'Heel eenvoudig... Er is nog veel te doen. Voor het huwelijk, voor iemand naar Mecklenburg kan terugkeren...'

'Nee, nee... Waarom zegt u dit? U hebt hem al meegenomen... zonder mij daarvan op de hoogte te stellen! U hebt hem uren geleden al meegenomen!'

Niemand zei iets. Blach vertelde snel wat er in het gebouw van de diplomatieke dienst had plaatsgevonden: de ontsnapping via het dak, het bureau tegen de deur, en dat Flaüss en hij een klacht hierover hadden ingediend bij lord Vandaariff en hem om hulp hadden gevraagd, waarop Vandaariff hun beloofd had te doen wat hij kon. 'Ik nam al die tijd natuurlijk aan dat u hem had meegenomen,' zei Blach, 'hoewel ik er geen idee van heb hoe het is gedaan.'

Weer was het stil.

'Wij hebben uw prins niet,' zei Xonck op een kalme, rustige toon. 'Goed, ten vijfde: Blach, u blijft pogingen doen om die Chang en dat mens van Hastings te vinden. Wij vinden de prins wel. Bascombe houdt u op de hoogte. Ten zesde... ja, en ten zesde...' – hij onderbrak zichzelf om zijn laatste beetje wijn weg te slikken – '... kunt u ons helpen om die arme Crooner uit Crabbés keuken te verwijderen. Ze moeten inmiddels wat klaar hebben bij de rivier. We nemen uw rijtuig.'

Twintig minuten later stond Svenson alleen in de keuken. Hij keek naar de lege tafel en rookte een sigaret. Toen pakte hij zijn instrumentenkoffer, maakte hem open en zocht naar een leeg glazen potje, waar hij de kurk uit trok. Hij stak een lucifer aan, boog zich over de tafel en bestudeerde het lijk. Na een aantal lucifers had hij eindelijk gevonden wat hij zocht: een minuscuul flintertje blauw glas. Althans, daar leek het op. Met een piepklein wattenstokje veegde hij de stukjes glas in het potje, deed de stop erop en stak het in zijn koffer. Hij had geen idee wat het was, maar was er zeker van dat het goed zou zijn om het met de glazen kaart van de prins te vergelijken. Hij klapte zijn koffer dicht. Hij kon niet terug naar het gebouw van de diplomatieke dienst en wist niet hoe lang hij nog kon blijven waar hij was. Hij had waarschijnlijk al weg moeten zijn. Wel wist hij nu wie zijn vijanden waren, of in ieder geval een aantal van hen, want noch

Bascombe, noch Xonck had de naam van madame Lacquer-Sforza genoemd. Svenson vroeg zich af of zij verantwoordelijk kon zijn voor de verdwijning van de prins. Zij was echter ook op zoek naar Miss Hastings. Het was moeilijk om de verschillende personen van elkaar te onderscheiden, want deze mannen hadden het over doctor Lorenz alsof hij een van hen was, terwijl Svenson hem met eigen ogen bij madame Lacquer-Sforza aan tafel had zien zitten. Misschien waren ze er allen op uit om elkaar te verraden, maar hadden ze tot nu toe met elkaar samengewerkt. Ergens in huis sloeg een klok drie uur. Svenson pakte zijn koffer en liep naar buiten.

Het hek aan het eind van de steeg zat nu op slot en hij klom er stijf, als een man die op dit uur niet aan zulk soort beweging gewend is, overheen. De mist was nog steeds dicht, de straat nog donker, en Svenson wist niet precies waar hij heen moest. Hij liep in de tegenovergestelde richting van het gebouw van de diplomatieke dienst richting Circus Garden en het centrum, bleef in het donker lopen en dwong zijn steeds vermoeidere geest tot functioneren. Hoewel de prins zeker in gevaar was, betwijfelde Svenson of dat meteen dodelijk was. Toch had hij een koude rilling gevoeld toen Xonck het over 'het procédé' had gehad. Zou dit iets met de brandwonden in het gezicht te maken hebben? Het klonk bijna als een heidens ritueel, als een stammenceremonie waarbij men gemerkt wordt of – zo dacht hij somber – als het brandmerken van vee. De dode man, Crooner, was er klaarblijkelijk bij betrokken geweest. Er was wetenschap aan te pas gekomen, daarom had het op het instituut plaatsgevonden en was Lorenz er ook bij betrokken. Wie was er behalve Svenson zelf nog meer niet bij betrokken? Het antwoord kwam snel: Isobel Hastings en de bedreigende man in het rood, die 'Chang'. Hij moest hen voordat majoor Blach dat zou doen zien te vinden. Misschien wisten ze zelfs wel waar hij de prins zou kunnen vinden.

Svenson bleef lopen. Zijn laarzen schaafden over de natte keien. Zijn gedachten begonnen af te dwalen. Het vocht en de kou herinnerden hem aan de tijd dat hij in Warnemünde woonde, aan de koude reling van de steiger, de sneeuw die stil in zee viel. Hij herinnerde zich dat hij als jongen in de winter in het bos liep omdat hij alleen wilde zijn, weer wanhopig was. Hij ging in zijn dikke jas onder een pijnboom zitten, vormde een holletje van sneeuw om zich heen, ging liggen en keek naar de takken van de bomen. Hij wist niet hoe lang hij daar gelegen had, hoe lang hij had liggen dromen, misschien zelfs bijna gevaarlijk in slaap was gevallen, maar plotseling merkte hij dat hij het koud had, dat zijn lichaamswarmte langzaam door de sneeuw en bevroren lucht was opgenomen. Zijn gezicht was gevoelloos. Het was geleidelijk gebeurd. Hij was afwezig geweest. Hij kon zich de naam van het meisje niet meer herinneren, maar toen hij zijn bevroren ledematen dwong om in beweging te komen door eerst op zijn knieën te rollen en toen strompelend op weg te gaan, had hij een moment van inzicht gehad waarop hij niet alleen zijn eigen leven, maar dat van alle mensen in miniatuurvorm had gezien, een proces waarbij warmte langzaam, meedogenloos verdween en plaatsmaakte voor schitterend, gevoelloos ijs.

Hij bleef staan en keek om zich heen. Rechts van hem was de grote parkingang van Circus Garden en links de marmeren vijvers. Hij moest een beslissing nemen. Als hij op zoek zou gaan naar de man in het rood, Chang, en de plekken zou vinden waar hij regelmatig kwam, zou hij waarschijnlijk alleen maar een van Blachs soldaten treffen. Om Isobel Hastings te vinden had hij kennis van de hotels en pensions in de stad nodig, die hij niet had. De groep van Crabbé, Xonck en d'Orkancz had de prins naar eigen zeggen niet. Hoezeer hij er ook zijn hart voor vasthield, hoezeer het hem ook zorgen baarde, hoe weinig vertrouwen hij ook had in zichzelf, de beste keus die hij kon bedenken was het Hotel St. Royale en madame Lacquer-Sforza. Hij bevond zich er maar enkele minuten vandaan en misschien kon hij het hotel door er met zijn instrumententas te zwaaien van overtuigen om op dat tijdstip de deuren te openen.

Er scheen nog steeds licht door de ramen van het hotel, maar de straat ervoor was stil en verlaten. Svenson liep naar de deur. Die zat op slot. Voor hij op het glas kon kloppen, zag hij een man in uniform met een bos sleutels op hem af komen, die hem aan de klink had horen trekken. De man opende de deur en duwde hem een paar centimeter open.

'Kan ik u van dienst zijn?'

'Ja, neemt u mij niet kwalijk, ik weet dat het laat is, of vroeg, maar ik ben op zoek naar... Ik ben arts, het is van groot belang dat ik een van uw gasten, madame Lacquer-Sforza, spreek.'

'Ah, de contessa.'

'Contessa?'

'Dat is helaas niet mogelijk. U bent arts?'

'Ja, mijn naam is Svenson, ik weet zeker dat ze mij zal ontvangen...'

'Dokter Svenson, ja. Nee, ik ben bang dat dat niet mogelijk is.'

De receptionist keek langs Svenson heen naar de straat en klakte luid met zijn tong – het geluid dat je tegen een paard maakt. Svenson draaide zich om om te zien tot wie hij zich richtte. Vanuit het duister aan de overkant van de straat stapten vier mannen naar voren. Svenson herkende hen aan hun jassen. Het waren de bewakers van het instituut. Hij draaide zich om naar de deur, maar de receptionist had hem gesloten en deed hem op slot. Svenson bonsde met zijn vuist op het glas, maar werd door de man genegeerd. Svenson draaide zich vliegensvlug om, om de mannen van de straat te confronteren. Ze stonden in een losse halve cirkel midden op de weg, waardoor hij niet kon ontsnappen. Hij stak zijn hand in zijn jaszak op zoek naar zijn revolver.

'Dat is niet nodig, dokter,' siste een diepe, schorre stem rechts van hem. Hij keek op en zag de brede, angstaanjagende gestalte van de comte d'Orkancz in het duister naast het raam. Hij had een hoge hoed op en een dikke bontjas aan en hield een wandelstok met een zilveren kop in zijn rechterhand. Hij nam Svenson met een koele blik in zich op.

'U hebt er wellicht later iets aan... Ik kan u verzekeren dat er op dit moment dringender zaken te bespreken zijn. Ik had gehoopt dat u zou komen en u hebt me niet teleurgesteld. Zulke overeenstemming is een goede manier om ons gesprek te beginnen. Loopt u met me mee?'

Zonder op antwoord te wachten draaide de comte zich om en liep de mist in. Svenson wierp een blik op de mannen, slikte ongemakkelijk, en volgde snel.

'Waarom stond u mij op te wachten? vroeg hij toen hij hem ingehaald had.

'Waarom komt u op zo'n ongepast tijdstip de contessa opzoeken?'
Svenson zocht naarstig naar een antwoord. Toen hij achteromkeek, zag hij de vier mannen een paar meter achter hen lopen.
'U hoeft me niet te antwoorden,' fluisterde d'Orkancz. 'We hebben ieder onze eigen geheimen. Ik twijfel er niet aan dat u uw redenen hebt. Nee, toen ik vernam dat u tot het gevolg van de prins
behoort, herinnerde ik me uw naam. U bent toch de schrijver van
een waardevol artikel over het effect van bevriezing?'
'Ik heb inderdaad zo'n artikel geschreven. Of het van waarde is...'
'Een belangwekkend punt, zo herinner ik mij, was de merkwaar-
dige overeenkomst tussen schade die ontstaat door bepaalde typen
extreme kou en bepaalde typen brandwonden.'
'Inderdaad.'
De comte knikte ernstig. 'Daarom stond ik op u te wachten.'

Hij nam Svenson mee een mooie zijstraat in, waaraan een ommuurde
tuin lag. Ze hielden stil bij een houten deur in een stenen poort, als
van een kerk, die d'Orkancz ontsloot en waar hij Svenson mee door
de tuin in nam. Ze liepen over een dik, veerkrachtig gazon. Svenson
hoorde de bewakers achter hen aan komen en de deur sluiten. Om
hem heen zag hij grote lege urnen en bloembedden, en bladloze,
overhangende bomen. Boven hen was de bewolkte hemel. Hij deed
zijn best om de comte bij te houden, die met grote stappen naar een
grote kas liep waar licht brandde dat door de besmeurde ramen dif-
fuus naar buiten scheen. De comte ontsloot een glazen deur, ging
naar binnen en hield hem open voor Svenson. Svenson stapte naar
binnen, waar hem een golf van vochtige, warme lucht tegemoet
kwam. D'Orkancz sloot de deur en liet de wachters in de tuin staan.
Hij knikte in de richting van een kapstok.
'Doet u uw jas uit.'
De comte trok zijn bontjas uit en liep door de kas – waarin, zo zag
Svenson, tapijt lag – naar een groot hemelbed waarvan de gordijnen
gesloten waren. Hij legde zijn jas, hoed en stok op een kleine houten
werktafel en keek voorzichtig door een opening tussen de gordijnen.
Hij keek misschien twee minuten lang uitdrukkingsloos naar binnen.
Svenson voelde al dat hij transpireerde. Hij zette zijn instrumen-

tenkoffer neer en trok zijn winterjas uit, voelde het gewicht van de revolver in zijn jaszak en hing zijn jas aan de kapstok. Hij was niet graag van zijn wapen gescheiden, maar hij verwachtte niet dat hij zich langs d'Orkancz en de wachters heen een weg naar buiten zou kunnen schieten. D'Orkancz wenkte hem met een blik naar het bed. Hij hield het gordijn opzij en Svenson kwam dichterbij.

Er lag een rillende, in dikke dekens gewikkelde vrouw in het bed. Haar ogen waren gesloten, haar huid was bleek, haar ademhaling oppervlakkig. Svenson keek naar de comte.

'Slaapt ze?' fluisterde hij.

'Ik denk het niet. Als ze het niet zo koud had, zou ik zeggen dat ze koorts had, maar omdat ze het koud heeft, weet ik het niet. Misschien weet u het. Neemt u plaats...' Hij stapte van het bed vandaan en trok de gordijnen opzij.

Svenson boog zich voorover om het gezicht van de vrouw te bestuderen. Ze had enigszins oosterse gelaatstrekken. Hij opende een ooglid, voelde haar hartslag in haar hals, keek bezorgd naar haar kobaltkleurige lippen en tong, en nog bezorgder naar de afdrukken op haar hals en gezicht. Ze leken op de afdruk die een korset (of een octopus) op de huid van een vrouw kon achterlaten. Hij pakte haar hand onder de dekens, die ook ijskoud was, en voelde haar pols. Het viel hem op dat de huid van haar vingertoppen verdwenen was. Hij boog zich over het bed om de vingers van de andere hand te bekijken, die er hetzelfde uitzagen. Svenson sloeg de dekens terug tot haar middel. De vrouw was naakt en de blauwachtige afdrukken op haar huid liepen over de hele lengte van haar bovenlijf. Hij voelde iets naast zich bewegen. De comte had zijn instrumentenkoffer gebracht. Svenson pakte zijn stethoscoop en luisterde naar de longen van de vrouw. Hij wendde zich tot de comte en vroeg: 'Is ze in het water geweest?'

'Nee,' antwoordde de comte schor.

Svenson hoorde hoe moeilijk ze ademde en fronste zijn wenkbrauwen. Het klonk precies als iemand die half verdronken is. Hij boog zich naar zijn koffer en pakte een lancet en een thermometer. Hij moest weten wat haar temperatuur was en zou daarna wat bloed prikken.

Zo'n drie kwartier later had Svenson zijn handen gewassen en wreef hij in zijn ogen. Hij keek naar buiten om te zien of de zon opkwam, maar het was nog donker. Hij geeuwde en probeerde zich te herinneren wanneer hij voor het laatst een hele nacht was opgebleven – toen hij jonger was, in ieder geval. De comte kwam naast hem staan met een wit kopje in de hand.

'Koffie met brandy,' zei hij terwijl hij het kopje aan Svenson gaf. Daarna liep hij naar de tafel terug, waar zijn eigen kopje stond. De koffie was heet en zwart, bijna verbrand, maar uitstekend van smaak. Evenals de brandy. Het was een nogal grote hoeveelheid brandy voor zo'n klein kopje, maar precies wat hij nodig had. Hij nam nog een grote slok, dronk het kopje leeg en zette het weer neer.

'Dank u wel,' zei hij.

De comte d'Orkancz knikte en richtte zijn blik toen op het bed. 'Wat denkt u, dokter? Kan ze herstellen?'

'Het zou nuttig zijn als ik wat meer informatie had.'

'Misschien. Haar toestand is het gevolg van een ongeluk. Ze lag niet in het water, maar werd wel door water doordrongen. Ik kan u dit verzekeren, maar het niet aan u uitleggen. Ook was het geen gewoon water, dokter, maar een vloeistof met speciale eigenschappen, een energetisch geladen vloeistof. Ze had zich aan deze procedure onderworpen, maar tot mijn grote spijt is die onderbroken. De richting van de vloeistof werd omgedraaid, waardoor ze... – hoe moet ik dat zeggen – tegelijkertijd uitdroogde en verdronk.'

'Is dit... Ik heb gehoord... ik heb bij de prins iets van littekens gezien... Het procédé...'

'Procédé?' snibde d'Orkancz gealarmeerd. Maar plotseling werd zijn stem kalm. 'Natuurlijk, de prins... U hebt hem natuurlijk gesproken en hij verkeerde ongetwijfeld in een toestand waarin hij niets kon verbergen. Het is spijtig.'

'U moet begrijpen dat het mijn taak is om hem te beschermen, als zijn arts... een man van goeder trouw... En als dit' – Svenson gebaarde naar de vrouw, wier lichaam bijna lichtgevend leek in het lamplicht – 'het gevaar is waar u Karl-Horst aan hebt blootgesteld...'

'Dat heb ik niet.'

'Maar...'

'Dat weet u niet. De vrouw, dokter Svenson.'

De scherpte van zijn toon smoorde ieder protest in Svensons keel. Hij veegde het zweet van zijn gezicht.

'Als u mijn artikel zo goed gelezen hebt dat u zich mijn naam herinnert, weet u het zelf al. Alles wijst erop dat ze lange tijd in ijskoud water heeft gelegen, zoals dat van de Baltische Zee in de winter. Onder een bepaalde temperatuur worden de lichaamsfuncties plotseling trager. Dit kan zowel dodelijk zijn als je behoud. Ze is nog in leven, ze ademt. Ik kan niet zeggen of dit haar hersenen onherstelbaar heeft aangetast en ook weet ik niet of ze ooit uit deze… winterslaap zal ontwaken. Toch zou ik… zou ik u willen vragen waar de afdrukken op haar lichaam… wat er ook met haar gedaan is…'

D'Orkancz hield zijn hand omhoog. Svenson zweeg.

'Kan er nu iets gedaan worden, dokter, dat is de vraag.'

'Houd haar warm. Dwing haar om warme dranken te drinken. Ik adviseer massage, om de doorbloeding te stimuleren… Alles is echter bijkomstig… óf het kwaad is geschied, óf niet.'

De comte d'Orkancz zweeg. Zijn kop koffie stond onaangeroerd naast hem. 'Nog één vraag, dokter Svenson… wellicht de belangrijkste van allemaal.'

'Ja?'

'Denkt u dat ze droomt?'

Svenson was van zijn stuk gebracht, want de comte klonk niet echt of het hem iets kon schelen, maar ietwat ijzig. Hij antwoordde behoedzaam en keek over zijn schouder naar de nu gesloten gordijnen van het bed.

'De ogen bewegen onregelmatig, wat veroorzaakt zou kunnen worden door een soort tijdelijke schemertoestand… Het is geen katatonie… Ze is niet bij bewustzijn, maar misschien… in haar hoofd… Dromen… ijldromen misschien… vrede.'

De comte antwoordde niet. Even was hij in gedachten verzonken. Toen hij zijn aandacht er weer bij had, keek hij op. 'En nu… wat zal ik met u doen, dokter Svenson?'

Svenson wierp een snelle blik op zijn jas aan de kapstok, waar de revolver in zat. 'Ik ga weg…'

'U blijft waar u bent, dokter,' fluisterde hij scherp, 'tot ik zeg dat u kunt gaan. U hebt me geholpen en ik wil uw medewerking graag belonen, maar uw belangen zijn duidelijk tegenstrijdig met een aantal van de mijne...'

'Ik moet mijn prins terugvinden.'

De comte d'Orkancz slaakte een diepe zucht.

Svenson wilde iets zeggen, maar wist niet wat. Hij kon over Aspiche beginnen, of Lorenz, of madame Lacquer-Sforza, of majoor Blach. Hij kon de blauwe glazen kaart ter sprake brengen, maar zou dat hem wat de comte betreft waardevoller maken of juist gevaarlijker? Zou hij gespaard worden als hij onwetend en slechts trouw aan de prins zou lijken? Door het felle lamplicht dat door de glazen wanden van de kas weerkaatst werd, kon hij niet goed naar buiten kijken – hij herkende geen van de bewakers. Zelfs al zou hij zijn revolver kunnen bereiken en aan d'Orkancz kunnen ontsnappen, die naar zijn omvang te oordelen enorm sterk was, hoe zou hij dan aan de anderen kunnen ontkomen? Hij wist niet waar hij was, hij was dodelijk vermoeid, had geen zachte plek om zich te ruste te leggen en wist nog steeds niet waar de prins was.

Hij keek naar de comte. 'Hebt u er bezwaar tegen als ik een sigaret rook?'

'Ja.'

'Ah.'

'Uw sigaretten zitten in uw jas, nietwaar?'

'Dat klopt.'

'Waarschijnlijk in de buurt van de dienstrevolver waar u eerder vannacht mee zwaaide. Vindt u niet dat er sindsdien heel wat gebeurd is? Ik heb met dood en vernietiging geworsteld, met intriges en wraak, en u ook. Bovendien bent u uw prins weer kwijtgeraakt. We zouden bijna komisch zijn als de consequenties niet zo bloedig waren. Hebt u weleens iemand gedood, dokter?'

'Ik ben bang dat er vele mannen onder mijn handen bezweken zijn...'

'Op de operatietafel, ja, maar dat is anders. U mag zich dan schuldig voelen, maar dat is, zoals u weet, iets heel anders. U weet precies wat ik bedoel.'

'Dat doe ik. Dat heb ik gedaan.'

'Wanneer?'

'In Bremen. Een man die klaarblijkelijk een jonge nicht van de hertog had bezoedeld. Hij was onhandelbaar... Mijn instructies... Ik... Ik heb hem terwijl ik hem onder schot hield gedwongen om gif te drinken. Ik ben er niet trots op, alleen een dwaas zou dat zijn.'

'Wist hij wat hij dronk?'

'Nee.'

'Hij vermoedde vast iets.'

'Misschien.'

Svenson herinnerde zich het rood aangelopen gezicht van de man, het gerochel in zijn keel, zijn rollende ogen, de brieven waaruit bleek dat hij schuldig was die Svenson toen de man op de grond lag uit zijn zakken haalde, de scherpe lucht van 's mans gal. De herinnering bleef hem achtervolgen. Svenson wreef in zijn ogen. Hij had het warm, warmer dan eerst, het was echt benauwd. Zijn mond was droog. Plotseling voelde hij een stoot adrenaline. Hij keek naar de comte, toen naar zijn lege kop op tafel en toen – hoe lang deed hij erover om zijn hoofd te draaien? – naar het onaangeroerde kopje van de comte. Plotseling bevond hij zich onder de tafel. Hij was op zijn knieën gevallen, zich vaag realiserend dat hij de klap niet eens gevoeld had. Zijn hoofd tolde. De vezels van het kleed drukten tegen zijn wang, en hij verdween in een donkere, warme diepte.

Toen hij, aangespoord door een vormloze drang door een warme wollen deken van slaap zijn ogen opende, was het donker om hem heen. Hij knipperde met zijn oogleden. Wat waren ze zwaar, zo zwaar... Hij sloot ze weer. Even later werd hij opnieuw wakker geschud, zijn hele lichaam deed pijn, maar dit keer nam hij wat meer van zijn omgeving in zich op: het ruwe gevoel van hout tegen zijn huid, de geur van stof en olie, het geluid van wielen en hoefgetrappel. Hij lag achter in een kar en keek in de schemer omhoog naar een dak van zeil. De wagen ratelde voort. Ze reden over onregelmatige keien, waardoor hij wakker werd geschud voordat hij zelf zou zijn ontwaakt. Hij stak zijn rechterhand uit en raakte het doek aan, dat zich zo'n zestig centimeter boven hem bevond. Zijn mond en keel waren kurkdroog. Het bloed klopte in zijn slapen. Hij besefte enigszins geamuseerd dat hij niet dood was, dat hij om de een of andere reden, tot nu toe althans, door de comte gespaard was. Hij tastte voorzichtig om zich heen. Zijn ledematen waren pijnlijk, maar reageerden. Bij zijn hoofd lag zijn in elkaar gepropte jas. De revolver zat er niet meer in, maar de glazen kaart nog wel. Hij voelde verder, zo ver als zijn arm reikte, en schrok terug toen zijn hand een laars vond. Svenson slikte en rolde met zijn ogen. Hoeveel lijken – of bijna-lijken, als hij de vrouw en de soldaten meetelde – had hij vandaag gezien? Het zou bespottelijk zijn als het niet zo afschuwelijk was. Met grimmige vastbeslotenheid zocht de dokter verder. Het lijk lag in omgekeerde richting in de kar met de voeten bij zijn hoofd. Van de laarzen bewoog hij naar de broek, op de zijnaad waarvan een dikke hand zat gestikt, een gevlochten band of tressen   een uniform. Hij volgde het been tot hij ernaast een hand vond. De ijskoude hand van een man.

De kar maakte weer een onverwachte beweging en Svenson deed zijn best om te bepalen welke kant ze op reden. Lag zijn hoofd aan de voor- of de achterkant van de kar? Hij wist het niet. Het voertuig reed zo langzaam, en over zo'n hobbelige weg, dat hij alleen kon voelen dat hij heen en weer werd geschud. Hij bracht zijn arm boven zijn hoofd en voelde een houten balk. Hij bewoog naar de hoek, waar de balk op de zijkant van de kar lag, en ontdekte dat er geen haken waren, geen grendels. Zou het de achterkant zijn? Als dat zo was, zou de kar aan de buitenkant zijn vergrendeld. Om weg te komen zou hij er overheen moeten klimmen, misschien door het zeil moeten snijden, als hij tenminste iets om te snijden had. Hij zocht zijn instrumentenkoffer, maar die was nergens te vinden. Met een grimas boog hij zich weer over het lijk heen en doorzocht de jas- en broekzakken van de geüniformeerde man. Ze waren allemaal leeggehaald. Vol afschuw vonden zijn vingers het boord van de man en zijn badge, waarop zijn rang stond. Een kolonel. Svenson dwong zichzelf om het gezicht van de man aan te raken: een brede nek, een snor en toen, heel vaag, de rondingen van een afdruk rond de ogen. Hij lag naast Arthur Trapping.

Dokter Svenson ging op zijn rug liggen. Hij had zijn ogen stijf dichtgeknepen en had zijn hand over zijn mond. Hij ademde in door zijn neus en blies de adem langzaam tegen zijn hand weer uit. Hij moest nadenken. Hij was bedwelmd en was samen met een opzettelijk verborgen lijk op weg om ongetwijfeld ergens gedumpt te worden. Hij was ongewapend en had geen bondgenoten, hij was in een vreemd land en wist niet waar hij was, maar naar de keien te oordelen was hij tenminste nog in de stad. Hij probeerde om na te denken, wat moeilijk was omdat zijn hoofd nog zwaar was en hij heel moe was. Hij dwong zijn handen om zijn zakken te doorzoeken: een zakdoek, bankbiljetten, munten, een potloodje, een gevouwen stukje papier en zijn monocle. Hij rolde op zijn zij naar Trapping toe en doorzocht zijn kleding – ditmaal wat grondiger. In het jasje voelde hij op de linkerborst, waar normaal medailles zaten vastgespeld, tussen lagen stof iets hards. Hij kroop dichter bij het lijk, duwde zichzelf onhandig op zijn ellebogen en greep met beide handen de zijnaad van Trappings jasje vast. Hij trok aan de stof en voelde die scheuren. Nog een schok en hij verloor zijn evenwicht. Hij pakte de stof steviger vast en trok met alle macht. De naad sprong open. Svenson stak een vinger in de opening en voelde iets hards en glads. Hij wurmde ook zijn duim in het gat en haalde het voorwerp te voorschijn. Hij had geen licht nodig om te weten dat het een glazen kaart was. Hij stopte hem in dezelfde jaszak als die waarin de eerder gevonden kaart zat. Plotseling lag hij stil. De kar reed niet meer.

Hij voelde hem heen en weer zwaaien toen de koetsiers eraf sprongen en hoorde toen voetstappen aan weerszijden. Hij rolde zijn jas op en sloot zijn ogen. Hij kon in ieder geval doen of hij sliep. Als hij de kans kreeg om weg te rennen of iemand op het hoofd te slaan, was het beter dat ze dachten dat hij sliep of buiten westen was. Hoewel, hij was niet op zijn best en ook als hij wel op zijn best was, was hij geen groot vechter. Bij zijn voeten hoorde hij het harde gekletter van metalen grendels die werden verschoven. Daarna werd de achterklep neergeklapt. Het zeil werd weggeslagen en Svenson voelde koele, vochtige ochtendlucht (het schijnsel dat hij door zijn gesloten oogleden zag zei hem dat het licht was). Voor hij kon beslissen of hij zijn ogen zou openen, voelde hij een schokkende klap in zijn maag.

Een harde por van een houten stok, waardoor hij kromtrok van de pijn. Zijn ogen sprongen open, hij deed zijn best om adem te halen en zijn handen grepen zwak naar zijn buik. De pijn schoot door hem heen. Boven hem hoorde hij een paar mannen meedogenloos hard lachen.

Om een tweede por te voorkomen, trok dokter Svenson zich met veel moeite op, rolde op zijn zij en vouwde een voor een zijn benen onder zich, zodat hij kon knielen. Zijn steile blonde haar hing in zijn ogen en hij streek het stijf opzij. Hij haalde zijn monocle uit zijn zak en zette hem voor zijn oog, waardoor hij beter om zich heen kon kijken. De kar stond op een afgesloten, geplaveide binnenplaats. Boven de daken van de omliggende huizen hing nog mist. De binnenplaats stond vol tonnen en kratten vol puntige stukken roestig ijzer. Aan zijn andere kant bevond zich een openstaande dubbele deur, waarachter een smidse was. Hij was bij een smid. Twee van de schurken van de comte d'Orkancz stonden bij de achterkant van de kar. De een had een lange houten stok met een scherpe enterhaak eraan, de ander had de revolver van Svenson in de hand, wat praktischer was. Svenson keek naar Trapping, die nu in het licht lag. Zijn gezicht was grijs, maar hij had inmiddels paars geworden littekens rond zijn ogen. Het was niet duidelijk waaraan hij gestorven was. Er was geen wond, geen teken van geweld en geen bijzondere verkleuring. Svenson zag dat Trappings andere hand in een handschoen was gehuld en dat het topje van de wijsvinger gescheurd was. Hij boog zich voorover en trok met moeite de handschoen uit. Het uiteinde van de vinger was opvallend indigoblauw. Er was met een soort naald of dun mes in de huid geprikt en op het vlees rond de incisie zat een korstje van blauwwit poeder. Toen hij een geluid uit de smidse hoorde, keek hij op en zag Francis Xonck en majoor Blach de binnenplaats op lopen. Snel trok hij de handschoen weer over de hand.

'We zijn eindelijk klaar bij het draagpad,' riep Francis Xonck. Hij lachte naar Svenson. 'Maar we waren maar op twee voorbereid. We moeten inventief zijn. Deze kant op... Neem de kruiwagen maar.' Hij knikte naar een kruiwagen en liep naar een houten wand, die toen hij ertegen duwde opzijschoof. Erachter lag een hellend, geplaveid pad. Xonck beende het pad op. Blach wierp Svenson een blik vol haat toe en knipte met zijn vingers. Vanuit de smidse achter hem kwamen twee van zijn in zwarte jassen gehulde soldaten te voorschijn. Svenson herkende hen niet, maar hij kon slecht gezichten onthouden. Majoor Blach blafte: 'Loop met de dokter mee!' en liep achter Xonck aan. Svenson hobbelde van de kar af, klemde zijn jas tegen zich aan liep tussen de twee soldaten in de binnenplaats af. Toen hij over zijn schouder keek, zag hij twee van de mannen van de comte Trapping op de kruiwagen sjorren.

Terwijl ze liepen, wurmde Svenson zich in zijn jas, want het was ijzig koud. Beide kanten van het pad werden door een ruwhouten schutting geflankeerd en het slingerde tussen bouwvallige gebouwen en bergen afval door. Hij wist dat ze naar de rivier liepen. De pijn in zijn maag was iets weggetrokken en zijn angst maakte plaats voor kille, roekeloze gewetenloosheid. Zo spottend mogelijk riep hij naar majoor Blach, die voor hem liep: 'Hebt u de prins gevonden, majoor? Of hebt u de nacht doorgebracht met wijn drinken en andermans hielen likken?'

Blach draaide zich abrupt om. Svenson deed zijn best om met zijn droge mond een klodder speeksel in de richting van de majoor te spugen. Die kwam niet ver, maar maakte duidelijk wat hij bedoelde. Majoor Blach liep rood aan en stapte op Svenson toe, maar Francis Xonck riep scherp: 'Majoor!' Blach bleef staan, keek Svenson nogmaals vuil aan en liep toen door. Xonck keek even over de schouder van de majoor, zag Svenson naar hem kijken en grinnikte. Hij wachtte tot Blach weer naast hem liep, pakte zijn arm en schoof hem naar voren, zodat hij nu tussen Svenson en Blach – die vooraan liep – in liep. Svenson keek achterom. De mannen van de comte brachten het lijk, dat door een stuk zeil was bedekt. De een duwde de kruiwagen, de ander liep er met de revolver achteraan. Als hij zo dwaas zou zijn om weg te rennen, zou hij geen kant op kunnen. In plaats daarvan liep hij daarom luidkeels naar Blach: 'Is het makkelijk om uw land te verraden, majoor? Ik ben benieuwd. Wat krijgt u ervoor? Goud? Een nieuw uniform? Vrouwen? Atletische jongemannen? Een schaapsboerderij?'

Majoor Blach draaide zich om en greep naar zijn revolver in zijn zak. Xonck pakte echter met beide handen zijn uniform vast en wist hem met moeite te bedwingen. Xonck was sterker dan je zou denken. Toen de majoor zijn aanval gestaakt had, draaide Xonck hem weer om, fluisterde iets in zijn oor en duwde hem vooruit. Nadat de majoor een paar stappen gedaan had, wendde Xonck zich tot Svenson en knikte naar de soldaten. Svenson voelde een duw en begon weer te lopen, nu met Xonck vlak voor hem. Xonck keek lachend achterom.

'U had "biggen" moeten zeggen in plaats van "schapen", maar ik geloof dat hij weet wat u bedoelt. Ik ben Francis Xonck.'

'Kapitein-chirurg Abelard Svenson.'

'Meer dan dat, denk ik.' Xonck glimlachte. 'De comte d'Orkancz is zeer onder de indruk van u, wat zo uitzonderlijk is dat er eigenlijk een parade zou moeten worden gehouden.' Hij glimlachte opnieuw en keek naar de soldaten en de mannen met de kruiwagen, die achter hem liepen. 'Misschien is dit toch een parade.'

'Ik had wel wat meer vlaggetjes willen hebben,' zei Svenson, 'en een paar trompetten.'

'Een andere keer.' Xonck grinnikte.

Ze liepen door. Svenson kon de rivier voor hen zien liggen. Ze waren in feite vlakbij, maar de mist en gebouwen om hen heen hadden het zicht erop ontnomen.

'Hebt u de prins gevonden?' vroeg Svenson zo luchtig mogelijk.

'Hoezo? Hebt u hem gevonden?' antwoordde Xonck.

'Ik ben bang van niet,' gaf Svenson toe, 'hoewel ik wel weet wie hem meegenomen heeft.'

'O ja?' Xonck keek hem een moment onderzoekend aan. Zijn ogen twinkelden. 'Wat fijn voor u.'

'Ik weet niet of u degenen kent die verantwoordelijk zijn, hoewel u of uw medewerkers hen geloof ik wel gevangen hebben proberen te nemen.'

Xonck gaf geen antwoord, maar Svenson dacht te zien dat zijn glimlach kunstmatiger werd en los kwam te staan van zijn zoekende ogen. Xonck keek vooruit en zag dat ze het eind van het pad bereikt hadden. 'Ah… de rivier. Schitterend, we zijn er.'

Het pad ging over in een glibberig draagpad, dat onder het oppervlak van de grijze rivier verdween. Aan beide kanten was een stenen pier, vanwaar je gemakkelijker goederen of passagiers kon laten zakken. Aan de linkerpier lag een platte, onopvallende schuit met achterin een hoge roeispaan, zoals bij een gondel. De boeg had een met een veerslot gesloten gedeelte dat neergelaten kon worden en als loopplank kon worden gebruikt, zoals nu gedaan werd. Midden op de smalle schuit stond een afgesloten metalen doodskist. Er was een open doodskist op de pier. Svenson realiseerde zich dat als de boot eenmaal op de rivier was, de plank opnieuw neergelaten kon worden en de doodskisten in de rivier konden worden geschoven. Als ze zouden proberen om de doodskisten over de zijkant van de boot te duwen, zou het schip gevaarlijk gaan schommelen. Er stonden twee mannen van de comte op de boot, die aan wal kwamen om de anderen te helpen om Arthur Trapping naar de gereedstaande doodskist over te hevelen. Terwijl Svenson tussen de soldaten van opzij toekeek, werd het lijk in de kist gelegd en werd het deksel met klemmen en schroeven stevig vastgemaakt. Toen het lijk van Trapping verwijderd was, zag hij met een sprankje hoop dat een van de mannen zijn instrumentenkoffer in de kruiwagen had gegooid. Hij keek op en zag dat majoor Blach hem stond aan te staren. De majoor snauwde tegen Xonck, die naar hem toe was komen lopen: 'Wat doen we met hem?' en hij knikte naar Svenson. 'Er zijn maar twee doodskisten.'

'Wat vindt u?' vroeg Xonck.

'Stuur iemand naar de smidse en verzwaar hem met een ketting en schroot.'

Xonck knikte en wendde zich tot de mannen van de comte die het lijk hadden meegebracht. 'Jullie hebben het gehoord. Schroot en een ketting – snel.' Tot Svensons opluchting gooiden ze voor ze de kruiwagen omkeerden en ermee het pad af renden de koffer op de grond. Majoor Blach haalde zijn revolver uit zijn holster, staarde naar Svenson en blafte zijn mannen toe: 'Help met inladen. Ik let op hem.'

Xonck wees glimlachend naar Blachs revolver en gebaarde toen met een weids gebaar naar de rivier. 'Het zal u opgevallen zijn hoe stil de ochtend is, dokter Svenson. En omdat u een intelligente man bent, zult u begrijpen dat de revolver van majoor Blach de stilte kan verbrijzelen en onwelkome aandacht op onze onderneming kan vestigen. En gezien een weldenkend mens mag aannemen dat een luide roep om hulp hetzelfde zal bewerkstelligen, moet ik u erop wijzen dat, mocht zo'n roep zich voordoen, het niet langer uitmaakt of deze zalige stilte bewaard wordt of niet. Met andere woorden, als u lawaai maakt, wordt u zonder pardon neergeschoten.'

'Het is heel vriendelijk van u dat u me dat zo aardig uitlegt,' mompelde Svenson.

'Vriendelijkheid kost weinig, vind ik.' Xonck glimlachte.

De soldaten liepen naar de doodskist, maar een van hen keek nieuwsgierig, zo niet achterdochtig om naar de dokter. Svenson keek toe terwijl ze de doodskist op de boot laadden. Toen ze precies in balans waren – twee van hen aan weerszijden tot hun knieën in het water, één op de boot en één van achteren aan het duwen – riep hij naar majoor Blach: 'Zeg eens, majoor, is herr Flaüss ook een verrader, of is hij gewoon incompetent?'

Blach richtte zijn revolver op hem. Xonck zuchtte luid en legde zijn hand op de arm van de majoor.

'Werkelijk, dokter, houd u in.'

'Als ik toch op het punt sta om vermoord te worden, ben ik benieuwd of ik mijn prins in de handen van één of twee verraders achterlaat.'

'Op dit moment is hij in de handen van niemand.'

'Niet in die van hén.'

'Ja, ja,' snibde Xonck. 'Dat hebt u me al verteld. Pas op!'

De mannen hadden de doodskist te veel naar de zijkant van de boot geduwd, waardoor de boot gevaarlijk scheef lag. Een van de mannen wierp zich op de schuit om hem in balans te brengen, terwijl de andere drie de kist weer op zijn plaats trokken. De mannen van de comte namen zorgvuldig hun plaats op de boot in. De een ging bij de roeiriem achterin staan en de ander pakte kortere roeiriemen voor beide kanten.

'Waarom hebt u de moeite genomen om de kolonel helemaal hierheen te brengen?' vroeg Svenson. 'Waarom hebt u hem niet gewoon in een kanaal bij Harschmort laten zakken?'

Xonck wierp een zijdelingse blik op de majoor. 'Noem het maar Duitse grondigheid,' zei hij.

'De comte heeft zijn lichaam onderzocht,' antwoordde Svenson, zich plotseling realiserend dat dat waar was. 'In zijn broeikas.' Ze wisten iets niet... of hadden iets te verbergen... Maar iets te verbergen voor iemand op Harschmort? Voor Vandaariff? Waren ze dan geen bondgenoten?

'We moeten hem doden,' snauwde Blach.

'Maar niet dáármee,' antwoordde Xonck met een knik naar Blachs revolver.

Svenson besefte dat hij moest handelen voor de anderen terug waren met de kruiwagen, omdat ze op dat moment met veel minder waren. Hij wees naar zijn instrumentenkoffer.

'Mr Xonck, ik zie daar mijn instrumentenkoffer liggen. Ik weet dat ik moet sterven en ik weet ook dat u me niet neer wilt schieten, omdat dat te veel lawaai maakt. Resten nog enkele gruwelijker mogelijkheden, zoals wurgen, neersteken en verdrinken – allemaal langzaam en pijnlijk. Indien u het mij toestaat, kan ik gemakkelijk een injectie bereiden voor mijzelf, die snel, stil en pijnloos is. Ik bewijs ons allen er een dienst mee.'

'Bent u bang?' treiterde majoor Blach.

'Inderdaad, ik geef het grif toe,' antwoordde Svenson. 'Ik ben een lafaard. Als ik sterven moet, waar klaarblijkelijk niet aan te ontkomen is, omdat u de goedgelovige prins hebt ontvoerd en mishandeld, dan geef ik in plaats van aan pijn de voorkeur aan bewusteloosheid.'

Xonck keek hem onderzoekend aan en riep naar een van de soldaten: 'Geef me die koffer.'

De dichtstbijzijnde soldaat pakte de tas en gaf hem aan Xonck, die hem openklapte. Xonck rommelde erin en keek hem sceptisch en onderzoekend aan. Hij klapte de tas weer dicht en gooide hem naar de soldaat terug. 'Geen naalden,' zei hij tegen Svenson, 'en doe ook maar geen poging om met zuur of wat u daar bij de hand hebt te gooien. U drinkt het medicijn op en doet dat geruisloos. Als u moeilijkheden maakt, zal ik u de mond snoeren en de majoor zijn gang laten gaan. Ik verzeker u dat niemand het verschil zal horen.'

Hij knikte naar de soldaat, die automatisch met zijn hakken klakte en de instrumentenkoffer aan Svenson gaf.

'Ik ben u zeer dankbaar,' zei hij terwijl hij de koffer openklapte.

'Schiet op,' antwoordde Xonck.

Svenson dacht koortsachtig na. Hij had alles gezegd wat hij kon bedenken om de trouw van de twee soldaten te breken, om Blach als een verrader af te schilderen, maar het had niet gewerkt. Even twijfelde hij aan zijn eigen loyaliteit; aan wat hij ervoor gedaan had, welke moeilijke situaties hij ervoor had getrotseerd. Hij had dingen gedaan die niet bij zijn karakter pasten, en waarvoor? Hij wist dat het niet voor de prins was, die een voortdurende bron van teleurstelling en frustratie was, en ook niet voor zijn vader, die onnadenkend en trots was. Was het voor Von Thoern? Voor Corinna? Was het omdat hij zijn leven toch ergens aan moest wijden? Om vanwege haar verlies trouw te blijven aan iets, wat dat iets dan ook was? Svenson staarde naar zijn instrumenten. Het beven van zijn handen was ongeveinsd. Het was waar dat gif een stuk beter was dan een overmoedige ontsnapping die mislukte, waar grote kans op was. Hij had geen enkele illusie dat de wrede Blach alles in het werk zou stellen om een brabbelende, smekende man van Svenson te maken, alleen al om de twijfel bij zijn mannen weg te nemen. Het was aantrekkelijk, zo'n dood, en even werden zijn zoekende gedachten overmeesterd door een impulsieve dagdroom over het verleden: over het bloeiende, hoge gras in de weiden, koffie in een cafeetje in de herfst, de opera in Parijs, Corinna als meisje, de boerderij van haar oom. Het was onmogelijk, overweldigend – hij kon het niet zomaar opgeven. Hij stak zijn hand in zijn koffer, haalde er een flesje uit en liet dat expres op de grond vallen, waardoor het op de pier aan gruzelementen viel. Hij keek smekend op naar Xonck.

'Geeft niet, geeft niet… Er zijn andere dingen die ik kan gebruiken. Eens even kijken, een moment alstublieft…' Hij zette de koffer op de pier en knielde erbij neer. Terwijl hij zocht, wierp hij een zijdelingse blik op de soldaat rechts van hem. De man bezat een in zijn schede gestoken sabel, maar geen ander wapen. Svenson was slim genoeg om te weten dat hij geen enkele kans had om onverwacht het wapen te trekken. Hij zat er niet goed voor. Hij zou het hoogstens gedeeltelijk kunnen trekken, maar zou dan terwijl hij met de soldaat worstelde door majoor Blach in de rug worden geschoten. Xonck stond naar hem te kijken. Hij koos een flesje, hield het tegen het licht, schudde zijn hoofd, legde het terug en zocht verder.

'Wat was daar niet goed aan?' vroeg Blach ongeduldig.

'Het was niet snel genoeg,' antwoordde Svenson. 'Hier, dit moet het 'm doen.'

Hij stond op met het tweede glazen flesje in zijn hand. De soldaten stonden naast hem, aan beide kanten een, en gezamenlijk bevonden ze zich op de hoek van een pier en het draagpad. Zo'n vijf meter van hen vandaan lag de andere pier, waar Xonck en Blach op stonden. Tussen hen in lagen het draagpad en de boot met de twee doodskisten en de twee mannen van de comte.

'Wat hebt u uitgezocht?' riep Xonck.

'Arsenicum,' antwoordde Svenson. 'In kleine hoeveelheden bruikbaar voor psoriasis, tuberculose en – veel voorkomend bij prinsen – syfilis. In grotere doses is het meteen fataal.' Hij haalde de stop eruit, keek om zich heen en schatte zo goed mogelijk de afstand in. De mannen waren nog niet terug van de smidse. De mannen op de boot keken hem nieuwsgierig aan. Hij wist dat hij geen keus had. Hij knikte naar Xonck en zei: 'Dank u dat u zo goed hebt willen zijn.' Toen wendde hij zich tot majoor Blach en glimlachte. 'Loop naar de hel.'

Dokter Svenson dronk het flesje in één teug leeg. Hij slikte, maar verslikte zich afschuwelijk. Zijn keel werd samengeknepen en zijn gezicht liep rood aan. Hij liet het flesje vallen en greep naar zijn keel. Terwijl hij zich in evenwicht probeerde te houden, wankelde hij achteruit tegen de soldaat rechts van hem aan. Er steeg een luid gerochel uit zijn borst op, zijn mond bewoog, zijn tong stak afschuwelijk uit zijn mond, zijn ogen rolden, zijn knieën knikten. Alle ogen waren op hem gericht. Zijn hele lichaam verstijfde, alsof hij boven een afgrond hing en op het punt stond naar beneden te storten. Op dat moment werd de dokter zich vreemd genoeg bewust van de stilte van de stad. Ze werden mogelijk door heel veel mensen omringd, maar het enige wat hij hoorde was het kalme gekabbel van de rivier tegen de boot en het krijsen van meeuwen in de verte.

Svenson gooide zich met alle macht tegen de soldaat aan, draaide zich om, greep met beide handen het jasje van de soldaat en smeet hem de pier af richting de boot. De soldaat vloog over het water tussen wal en schip heen en kwam met een harde dreun op de zijkant van de boot neer, die daardoor flink schuin kwam te liggen. Even later lag de hulpeloze man spartelend en met zijn armen zwaaiend in het water, terwijl de lijkkisten langzaam naar hem toe schoven. Hij hief zijn armen omhoog, maar de eerste botste al tegen hem aan, waardoor hij ruw van de boot het water in werd gestoten. Vervolgens kwam de tweede erachteraan, waardoor de boot plotseling zo scheef kwam te liggen dat de twee mannen van de comte hun evenwicht verloren en tegen de kisten aan vielen. Door het extra gewicht kwam de platte boot nog schuiner te liggen en sloeg hij uiteindelijk helemaal om. Alle drie de mannen en de lijkkisten verdwenen onder het omgeslagen vaartuig.

Svenson rende naar het pad, maar de soldaat die nog over was greep met beide handen zijn jas vast. Svenson draaide zich om en worstelde met de soldaat in een wanhopige poging om zich los te rukken. Hij kon het geplons in het water horen, het geroep van Blach. De soldaat was jonger, sterker. Ze vochten en draaiden elkaar rond. Even hield de soldaat Svenson staande en greep hem bij zijn keel. Svenson zag vanuit zijn ooghoeken dat Blach zijn revolver op hem richtte, draaide wanhopig weg en trok de soldaat om, zodat hij Blach het zicht op hem belemmerde. Er klonk een luide knal in zijn oren en zijn gezicht werd warm en nat. De soldaat viel aan zijn voeten, de zijkant van zijn hoofd was een bloedige massa. Svenson veegde het bloed uit zijn ogen, waarop hij Xonck Blach hard in het gezicht zag slaan. De revolver van Blach rookte nog na.

'Stommeling! Dat lawaai! Ongelofelijke domkop!'

Svenson keek naar beneden en zag dat zijn voeten tussen de benen van de soldaat verstrikt waren. Hij greep de sabel van de gevallene en trok hem uit de schede, waardoor Xonck haastig achteruit stapte. Toen Svenson zich omdraaide, hoorde hij Blach de haan van zijn revolver spannen.

'Als het kwaad eenmaal geschied is,' bromde hij, 'maakt het ook niets meer uit.'

'Majoor, majoor… dat is niet nodig,' siste Xonck woedend.

Svenson zag dat Blach ging vuren. Met een schreeuw gooide hij de sabel als een roterend mes naar hen toe en rende weg. Hij hoorde beide mannen schreeuwen en het blad van de sabel hard op de keien kletteren. Hij had geen idee of ze zichzelf opzijgeworpen hadden. Het enige waar hij aan dacht was het pad op rennen. Hij rende en rende – de ongelijke stenen waren glad van de ochtenddauw, zijn voetstappen maakten het onmogelijk om te horen of hij werd achtervolgd –, tot hij ongeveer halverwege was en van bovenaf de twee mannen met de kruiwagen naar hem toe zag komen. De kruiwagen zat vol schroot en ieder van de mannen hield een handvat vast. Samen hielden ze hem in evenwicht. Svenson durfde geen vaart te minderen, maar de moed zonk hem in de schoenen toen hij zag dat de mannen hem gezien hadden, ogenblikkelijk sneller gingen lopen en met een brede glimlach op hun gezicht op hem af kwamen. Doordat de mannen sneller liepen, vielen er stukken schroot van de kruiwagen, die op de grond en tegen de schutting kletterden. Toen ze een paar meter van hem vandaan waren, lieten ze hem los. Svenson gooide zich met alle macht tegen de schutting links van hem en trok zijn benen op. De kruiwagen knalde er onder hem met een dreun tegenop, werd teruggekaatst en reed stuurloos de helling af. Met een beestachtige krachtsinspanning wist Svenson zich aan de schutting op te trekken, waarna hij aan de andere kant tussen kisten en afval terechtkwam.

Hij had zich niet bezeerd, maar lag op zijn rug en deed zijn best om op te staan. Aan de andere kant van de schutting hoorde hij de kruiwagen omvallen en mannen schreeuwen. Zou hij tegen Xonck of Blach aan gebotst zijn? Svenson rolde op zijn knieën, terwijl de schutting heen en weer zwaaide; een van de twee kruiwagenmannen probeerde eroverheen te klimmen. Toen zijn achtervolger neerkwam en door de dreun even vooroverboog, haalde Svenson met beide handen een dik, breed stuk hout uit de modder en sloeg met alle macht op hem in. Het hout raakte de dichtstbijzijnde hand van de man, waarin hij een revolver had, en Svenson kon de botjes horen kraken. De kruiwagenman schreeuwde en de revolver viel op de grond. Svenson haalde weer uit, stond op en sloeg hem met het hout in het gezicht. Zijn belager viel en dook kreunend van de pijn onderaan de schutting ineen. Opnieuw wiebelde de schutting. Er kwam een tweede man overheen. Svenson sprong naar de revolver, zijn eigen revolver, en wendde zich nog steeds op zijn knieën zittend naar de schutting. De tweede kruiwagenman balanceerde er met één arm en één been overheen bovenop en keek gealarmeerd naar beneden. Svenson vuurde. Hij miste zijn doel, maar versplinterde het hout. De man viel uit het zicht. Even later schoot ter hoogte van Svensons hoofd het glanzende lemmet van een sabel door een kier in de schutting. Het miste hem op een haar na. Hij kroop als een krab op zijn rug van de schutting vandaan, terwijl het blad op en neer door de kier schoof, op zoek naar hem. Hij kon net de schaduwen van mensen door de kieren tussen de planken van de schutting zien en vuurde opnieuw. Als antwoord hierop werd er driemaal achter elkaar teruggeschoten, wat de modder om hem heen deed opspatten. Svenson schoot tweemaal in het wilde weg terug, kroop overeind en deed zijn best om te rennen.

Voor het eerst zag hij dat de binnenplaats de achterkant van een vervallen huis was met gebroken ramen. Het dak was eraf en de achterdeur was uit het kozijn gekomen, en lag gebroken in de modder. In de deuropening en achter de ramen stonden allerlei mensen. Svenson rende op hen af terwijl hij probeerde te zien wie ze waren: kinderen, een oudere man, vrouwen... Hun huid had de kleur van thee met melk, hun haar was zwart en hun kleding was kleurig, maar versleten. Hij richtte zijn revolver, niet op hen, maar omhoog. 'Neem me niet kwalijk, pas op, pas op!' Hij rende zo snel hij kon de deur door terwijl de mensen om hem heen haastig opzijweken, en zag nog net over zijn schouder dat er meer mannen over de schutting kwamen. Hij liep de donkere vertrekken in, sprong over kookpotten, stromatrassen en stapels kleren, en deed zijn best om op niets of niemand te stappen. De geur van zoveel personen in zo'n beperkte ruimte, van het open vuur, en van sterke specerijen deden een aanslag op zijn zintuigen. Hij wist niet eens hoe ze heetten. Achter hem klonk een schot en er sprong een splinter hout in zijn gezicht. Hij kreunde, wist dat het bloedde en liep bijna een klein kind omver. Waar was in vredesnaam de voordeur? Hij rende de ene deur na de andere door en probeerde daarbij iedereen op zijn weg – en een vertrek vol geiten? – te ontwijken. Hij sprong over een kookvuur en hoorde net toen hij de hal van het huis bereikte geschreeuw achter zich. De andere mannen waren ook in huis. Hij rende op de dubbele voordeur af, maar die was hermetisch dichtgespijkerd. Natuurlijk, het huis was onbewoonbaar verklaard. Hij rende terug, op zoek naar een raam aan de straatkant. Er klonk nog een schot – waarvandaan wist hij niet, maar hij hoorde de kogel langs zijn oor suizen. Hij trapte een gordijn opzij en belandde in iemands bed. De vrouw slaakte een kreet, de man was woedend. Svensons voeten zaten in hun lakens verward, maar hij had zijn blik op een aan de muur gespijkerd kleed gericht. Svenson wierp zich ertegenaan en zwaaide het opzij. Het erachter gelegen raam was gelukkig glasvrij. Hij sprong door het raamkozijn, waarbij hij zijn handen op zijn hoofd legde, waardoor hij ongelukkig neerkwam met zijn gezicht op straat. Zijn revolver stuiterde over de keien.

Svenson kwam snel overeind, maar zijn handen waren geschaafd, zijn knie deed pijn en hij voelde zijn enkel. Toen hij zich vooroverboog om de revolver te pakken, klonk er nog een schot vanuit het raam. Svenson draaide zich om en zag Blach met in de ene hand een bebloede zakdoek die hij tegen zijn gezicht hield en in de andere een rokende revolver. Zijn blik was op Svenson gericht. Svenson kon niet snel genoeg wegkomen. Blach haalde de trekker over, zijn ogen vol haat. De revolver bleek echter leeg. Blach vloekte en tierde, brak het geweer open, gooide de lege patroonhulzen het raam uit en zocht naar nieuwe. Svenson pakte zijn wapen en rende weg.

Hij wist niet waar hij was, maar in een poging om zijn achtervolgers van zich af te schudden bleef hij rennen tot hij buiten adem was. Hij ging de ene straat na de andere in en doorkruiste alle open plekken en parken die hij tegenkwam. Uiteindelijk zakte hij op een klein kerkhof ineen. Hij ging met zijn hoofd in zijn handen op een oude, gebroken grafsteen zitten. Hij hijgde, zijn lijf deed pijn. Het was lichter nu, de ochtend was aangebroken en de ruimte tussen de voorwerpen in was schokkend helder. Maar in plaats van dat ze de gebeurtenissen van de nacht onwerkelijk maakten, had Svenson het gevoel dat hij juist de dag niet kon vertrouwen. Het verweerde witte steen, de versleten letters die de naam *Thackaray* vormden, de bladloze takken boven hem – niets van dit alles maakte de vreemde wereld die hij was binnengegaan minder vreemd. Even vroeg hij zich af of hij opium gekauwd had, op dat moment bedwelmd in de opiumkit van een Chinees lag en dit alleen maar droomde. Hij wreef in zijn ogen en spuugde.

Svenson wist dat hij geen spion was, en ook geen soldaat. Hij was verdwaald. Zijn enkel klopte, zijn handen waren geschaafd, hij had niet gegeten, zijn keel was droog en zijn hoofd voelde door het verdovende middel van de comte aan als een blok bedorven kaas. Hij dwong zichzelf om zijn laars uit te trekken en zijn zere enkel te betasten. Hij was niet gebroken en waarschijnlijk niet eens ernstig verzwikt. Hij moest er gewoon voorzichtig mee zijn. Hij keek smalend naar zijn voet. Alsof hij dat ook zou doen... Hij haalde zijn revolver uit zijn zak en maakte hem open. Er zaten nog twee kogels in en hij had er niet meer bij zich. Hij stopte de revolver weer in zijn zak en realiseerde zich dat het grootste deel van zijn geld nog samen met zijn doos patronen in het gebouw van de diplomatieke dienst lag. Hij was zijn instrumentenkoffer verloren en moest het voorlopig met zijn uniform en winterjas doen, die, hoewel hij een bescheiden Pruisischblauwe kleur had, op straat toch opvallend was.

Zijn gezicht prikte. Hij bracht zijn hand ernaartoe en voelde gestold bloed en een houtsplinter onder zijn rechterjukbeen. Hij haalde hem er voorzichtig uit en drukte een zakdoek tegen zijn wang. Dokter Svenson realiseerde zich dat hij naar een sigaret smachtte. Hij haalde het doosje uit zijn jaszak, nam er een uit en streek aan zijn duim een lucifer af. De rook sloeg met een heerlijk gevoel tegen zijn longen en hij blies hem langzaam uit. Hij rookte – zich alleen op zijn ademhaling en de rookpluimpjes die hij over de graven uitblies concentrerend – op zijn gemak zijn sigaret op. Hij gooide de peuk in een waterplas en stak een volgende op. Niet dat hij licht in zijn hoofd wilde zijn, maar de tabak herstelde zijn vastberadenheid. Toen hij het sigarettendoosje weer in zijn zak liet glijden, raakte zijn hand de glazen kaarten aan. Hij was de tweede, die van Trapping, helemaal vergeten. Hij keek om zich heen; het kerkhof lag er nog verlaten bij en er was geen enkele activiteit in de gebouwen eromheen te zien. Svenson haalde de kaart te voorschijn. Hij zag er precies zo uit als de kaart die hij uit de kamer van de prins had gehaald. Zou hij de gedachten van Arthur Trapping te zien krijgen en een aanwijzing krijgen over hoe hij was gestorven? Hij legde zijn brandende sigaret op het graf naast hem en keek naar de kaart.

Het duurde even voor de blauwe sluier opzijging, maar toen hij eenmaal weg was, bevond Svenson zich tussen een verwarrende wirwar van beelden, die voor zover hij kon zien zonder enige logica van het ene op het andere overgingen. Hij leek niet zozeer de ervaringen van iemand mee te maken, zoals bij de ontmoeting tussen Mrs Marchmoor en de prins, als wel iemands gedachten of zelfs dromen te volgen. Hij maakte zijn blik los van de kaart en ademde uit. Hij zat te trillen. Het was net zo intensief en hij was net zozeer buiten zichzelf geweest als de vorige keer. Hij tikte de steeds groter wordende hoeveelheid as van zijn sigaret en nam een lange trek. Opnieuw legde hij de sigaret neer en maakte zich op voor een tweede, meer geconcentreerd bezoek.

De eerste beelden waren die van een druk, maar rijk interieur: een kamer met tapijt op de grond, glazen lampen en donker hout, kleine Chinese beeldjes en met dikke stof beklede zitmeubelen. Er zat een vrouw op een bank, een jonge vrouw van wie Svenson maar een gedeelte kon zien. Hij zag haar blote onderarmen, haar kleine handen op de zitting van de bank, haar mooie kuiten die net onder haar jurk uitkwamen en haar elegante groene enkellaarsjes… Elke blik op haar was doordrongen van een bepaalde bezitterige honger.

Vandaar versprong het beeld abrupt naar een rotsachtige omgeving, een blik in een put van grijs steen – een steengroeve? Daarboven bevond zich een iets minder grijze hemel. Plotseling bevond Svenson zich in het gat, hij voelde steen tegen zijn knie. Hij knielde en boog zich over een ader gekleurde steen in de rots, die donker, indigoblauw was. Een arm – zijn arm, die jong, sterk en in een zwarte jas was gestoken – en een hand in een zwartleren handschoen raakten de blauwe ader aan en peuterden een stukje los. Het leek een kalkachtige soort klei te zijn.

De volgende beweging begon als opstaan in de steengroeve, maar terwijl hij opkeek, veranderde het beeld om hem heen, zodat hij, toen hij overeind stond, in een winterse boomgaard was. Het leken appelbomen te zijn. De grond om de stammen heen lag vol stro. Hij keek naar links, waar hij een hoge muur en een verwaarloosde heg zag. Daarachter bevond zich het puntdak van een landhuis.

Hij draaide zich nog verder naar links en keek naar het gezicht van Harald Crabbé, die glimlachend uit het raam van een rijtuig keek. Buiten het rijtuig schoot een bos voorbij. Crabbé wendde zich tot hem, wie hij ook was, en vormde duidelijk de woorden 'uw beslissing'. Vervolgens keek hij weer uit het raam.

Het beeld toonde nu een andere kamer, een stenen hal met ronde muren die op een metalen deur uitkwam. De deur zwaaide open en gaf toegang tot een enorme, gewelfde ruimte vol machines. Er stond een grote man over een tafel gebogen. Zijn brede rug blokkeerde het zicht op de vrouw die erop vastgebonden lag. Een vrouw... Plotseling herkende Svenson de ruimte. Het was op het instituut, waar hij de prins had gered.

Hij keek op van de kaart. Er was meer in de kieren... wat hij niet duidelijk kon zien, als bij een raam waar regen overheen stroomt. Zijn sigaret was uitgegaan. Hij overwoog om er nog een op te steken, maar wist dat hij moest beslissen wat hij verder ging doen. Hij had geen idee of ze nog naar hem op zoek waren. Als dat zo was, zouden ze uiteindelijk ook het kerkhof ontdekken. Hij moest een veilige plek zien te vinden. Aan de andere kant kon hij misschien beter de koe bij de hoorns vatten. Wanneer moest hij besluiten dat hij de prins niet meer kon helpen? Zijn geweten zei hem dat hij hem niet in de steek mocht laten. Naar het gebouw van de diplomatieke dienst kon hij niet terug, want hij vertrouwde Flaüss niet, en hij wist niet waar hij de man in het rood of Isobel Hastings kon vinden. Als hij dan geen schuilplaats ging zoeken, had hij eigenlijk maar één mogelijkheid, hoe dwaas die ook leek: de confrontatie met madame Lacquer-Sforza aangaan. Het was waarschijnlijk veilig genoeg om in de ochtenddrukte naar het St. Royale te gaan. Er zaten nog twee kogels in zijn revolver, meer dan genoeg om – als hij zichzelf toegang kon verschaffen – haar mee te overtuigen.

Hij keek naar beneden en zag dat hij zijn laars nog niet aangedaan had. Voorzichtig trok hij hem rond zijn nog kloppende enkel omhoog. Hij ging staan en nam een paar stappen. Nu zijn door adrenaline aangestuurde angst verdwenen was, voelde hij de pijn des te meer, maar hij besefte dat hij erop moest lopen, dat hij geen keus had zelfs. Het enige wat hij nodig had was rust. Hij besloot om deze laatste kans op informatie aan te grijpen en dan een slaapplaats te gaan zoeken. Of hij weer veilig naar Mecklenburg terug zou kunnen keren, wist hij niet. Svenson slaakte een diepe zucht, strompelde het kerkhof af en liep terug naar een smal steegje naast de kerk. De zon hield zich achter de wolken verscholen en hij had geen idee in welke richting hij liep. Aan het eind van het steegje keek hij om zich heen en toen over zijn schouder naar de kerk, waarvan de deuren openstonden. Hij ging de donkere kerk in en liep door het schip naar voren. Hij knikte naar de mensen die daar aanwezig waren en liep naar de klokkentoren, waar een trap moest zijn. Hij liep zo gezaghebbend mogelijk langs de verbaasde priester en bromde: 'Goedemorgen, vader. Uw klokkentoren?' De man wees op een kleine deur en Svenson knikte ernstig. Hij ging de deur door en kreunde bij de gedachte aan zoveel traptreden met een bezeerde enkel. Hij deed zijn best om tot hij uit het zicht van de priester was kwiek te lopen en hinkte daarna met één hand op de trapleuning op één been verder. Hij had misschien zeventig moeilijke treden gehad toen hij een smal raam tegenkwam, waar een houten luik voor zat. Hij duwde het open, waardoor een hoeveelheid duivendrek en veren loskwam, en glimlachte. Vanaf deze hoogte kon hij de zilveren rivier zien kronkelen, de groene Circus Garden, de witte steenmassa van de ministeries en het open St. Isobel Square. Daartussenin zag hij de rode torens en zwart-en-goudkleurige vaandels van het Hotel St. Royale.

Hij liep zo snel als hij kon naar beneden en stopte een munt in de collectebus. Eenmaal weer op straat doorkruiste hij dicht langs de muren lopend allerlei smalle stegen en brede woonstraten. Hij passeerde ook een serie pakhuizen, waar talloze mannen goederen op karren liepen te laden. Tussen twee pakhuizen in, het ene voor graan en het andere voor textiel, dat in kleurige balen voorbijkwam, stond een klein eetkraampje. Svenson kocht een beker hete koffie en drie verse broodjes. Al lopend scheurde hij ze open. De zachte binnenkant dampte nog. Om zijn mond niet te branden, dronk hij zijn koffie zo langzaam mogelijk op. Tegen de tijd dat hij in de buurt van het koopmansdistrict bij St. Isobel Square kwam, begon hij zich wat meer mens te voelen. Zoveel meer zelfs dat hij zich bewust werd van zijn gehavende gezicht en vuile jas. Hij streek zijn haren naar achteren en klopte het stof van zijn jas. Zo moest het maar even. Zo zelfverzekerd mogelijk liep hij verder. Hij deed net of hij majoor Blach was, wat hij wel amusant vond.

Svenson ging via een omweg van steegjes achter een serie populaire restaurants naar het hotel toe, waar op dat moment allerlei etenswaren en geslacht pluimvee werden afgeleverd. Hij was voorzichtig genoeg geweest of had misschien voldoende geluk gehad om tot dan toe onopgemerkt te blijven. Elke poging om hem te grijpen zou snel en meedogenloos zijn. Aan de andere kant waren zijn vijanden echter zo machtig dat ze elk rechtsorgaan naar hun hand konden zetten. De minste overtreding, laat staan het neerschieten van een van de mannen van de comte, zou hem al in de gevangenis of rechtstreeks onder de galg doen belanden. Hij stond aan het eind van de steeg en keek uit op Grossmaere, de brede avenue die twee blokken verderop langs het St. Royale liep. Eerst keek hij in tegenovergestelde richting, voor het geval hun bewakers verderop stonden, maar hij zag niemand, in ieder geval geen soldaten van Blach of mannen van de comte. Door de betrokkenheid van Crabbé of – God verhoede – Vandaariff, konden er overal volgelingen lopen die de opdracht hadden om hem te doden.

Hij keek in de richting van het hotel. Zouden ze van bovenaf zitten te kijken? Er was veel verkeer. Het was inmiddels na negenen en de ochtenddrukte was in volle gang. Svenson haalde diep adem, en liep dicht langs de muren van de panden aan de overkant van het hotel achter andere voetgangers richting het St. Royale. Zijn rechterhand hield hij op de revolver in zijn zak. Hij bleef op het hotel letten en wierp slechts een snelle blik op de etalages en lobby's die hij passeerde. Op de hoek van het huizenblok stak hij over en leunde nonchalant tegen de muur. Intussen keek hij rond. Het St. Royale lag aan de overkant van de avenue. Nog steeds zag hij niemand die een wacht zou kunnen zijn. Hij begreep het niet. Hij was al eens gesnapt toen hij haar wilde opzoeken, waarom dachten ze dan niet dat hij het wellicht nog eens zou proberen? Hij vroeg zich af of de werkelijke val misschien binnen was, misschien in een ander privévertrek, waar ze buiten het oog van de wereld met hem konden afrekenen. Deze mogelijkheid maakte zijn missie gevaarlijker, want hij zou pas op het laatste moment weten of hij veilig was of niet. Toch had hij zijn keuze gemaakt. Met grote vastberadenheid liep Svenson verder.

Hij was bijna tegenover het hotel toen zijn zicht geblokkeerd werd door twee goederenkarren, waarvan de paarden in botsing waren gekomen. De koetsiers sprongen luid vloekend van hun karren om de harnassen van de paarden te ontwarren en de dieren voorzichtig achteruit te laten stappen. Andere rijtuigen moesten hierdoor ook stoppen, wat een nieuwe golf vloeken veroorzaakte. Svenson werd tegen wil en dank afgeleid. Hij had zijn aandacht bij de karren die zich uiteindelijk los konden maken van elkaar en wegreden, waarbij de koetsiers elkaar nog een laatste vloek toewierpen, waardoor hij zich tegen de tijd dat de avenue weer vrij was, recht tegenover de ingang van het hotel bevond. Voor hem stond madame Lacquer-Sforza. Ze zag er schitterend uit en droeg een met zilverdraad bewerkte violetkleurige jurk, zwarte handschoenen en een fijn zwart hoedje. Naast haar stond Miss Poole, die ook nu weer een gestreepte jurk aanhad, maar dit keer in blauw en wit. Svenson deinsde meteen achteruit en drukte zich tegen het raam van een restaurant. Ze zagen hem niet. Hij wachtte en speurde in beide richtingen de straat af, opgetogen dat hij haar mogelijk zou kunnen spreken zonder het hotel in te gaan, zonder in de val te worden gelokt. Hij slikte, wachtte tot hij kon oversteken en stapte de weg op.

Toen hij echter net een voet op de keien had gezet, verstijfde hij en trok zich haastig terug. Achter de twee vrouwen was Francis Xonck verschenen, nu in een mooie gele jas voor de ochtend en een hoge hoed. Hij trok een paar gele handschoenen van zacht geitenleer aan. Met een innemende glimlach boog hij zich voorover en fluisterde de dames iets toe, waardoor Miss Poole begon te giechelen en blozen en madame Lacquer-Sforza een spottend lachje liet horen. Xonck bood beide vrouwen een arm en stapte terwijl ze inhaakten tussen hen in. Hij knikte in de richting van de weg en even dacht Svenson dat hij gezien was, omdat hij min of meer volledig in het zicht was, maar toen zag hij dat Xonck op een open rijtuig doelde dat op hen af kwam en Svenson het zicht benam. In het rijtuig zat de comte d'Orkancz. Hij had zijn bontjas aan en keek somber. De comte deed geen enkele poging om iets te zeggen of de anderen te verwelkomen terwijl ze in het rijtuig klommen. Xonck hielp eerst de beide vrouwen en klom er toen zelf in. Madame Lacquer-Sforza ging naast de comte zitten en boog zich voorover om iets in zijn oor te fluisteren. Hij glimlachte met tegenzin, alsof ook hij haar niet kon weerstaan. Xonck lachte hierop zijn witte tanden bloot en Miss Poole begon weer te giechelen. Het rijtuig reed weg. Svenson draaide zich om en waggelde de straat uit.

Ze was weg en ze was met hen mee. Welke andere webben ze ook spon, madame Lacquer-Sforza was hun bondgenoot. Als hij haar alleen zou kunnen spreken... hoewel hij niet meer wist hoe, waar of wanneer dat dan zou moeten. Svenson keek naar het hotel en zag dat er twee mannen van de comte bij de ingang rondhingen. Hij liep gestaag door, zijn gezicht naar beneden, zich plotseling realiserend dat hij bijna zelfmoord had gepleegd. Bij de eerste zijstraat ging hij de hoek om en bleef met zijn rug tegen de muur staan. Wat kon hij doen? Waar kon hij naartoe? Wat kon hij tegen zo'n machtige groep samenzweerders beginnen? Hij keek op, naar de overkant van Grossmaere Avenue. Was hem dat...? Dat was hem. Dat was de straat waar hij zo lang geleden met de comte was geweest, toen ze naar de geheime tuin en de broeikas waren gelopen. De vrouw. Hij zou haar kunnen vinden, hij zou haar mee kunnen nemen. Hij zou de broeikas kunnen plunderen op zoek naar informatie. Hij zou de comte zelfs kunnen opwachten. Wat had hij te verliezen? Hij keek naar de ingang van het hotel. De mannen lachten met elkaar. Svenson wachtte tot hij kon oversteken, dook achter een rijtuig en toen een ander, en stak de avenue over. Hij keek achterom. Niemand kwam hem achterna. Hij werd niet door ze gevolgd en liep met een nieuw doel voor ogen.

Hij probeerde zich de weg naar de tuin te herinneren. Het was donker geweest toen en er had een dichte mist gehangen. Zijn aandacht was bij iets anders geweest, namelijk bij de mannen die achter hen liepen en bij wat de comte tegen hem zei. De straten zagen er overdag en zo vol mensen heel anders uit. Toch kon hij het vinden. Hij ging de hoek om, rechtuit, stak die laan over en sloeg toen weer een hoek om. Hij bevond zich op een brede kruising en had het gevoel dat hij iets fout had gedaan... totdat hij verderop, aan de overkant van de straat, de ingang van een smal laantje zag. Zou dat het zijn? Hij liep snel langs zijn kant van de straat tot hij het laantje in kon kijken. Het was anders, maar hij dacht dat hij de kerkachtige boog zag waar de comte de deur van het slot had gedraaid. Zou dat de hoge muur om de tuin zijn? Zouden er bewakers bij staan? Zou hij het slot kunnen breken? Hoewel het laantje zelf stil was, wist hij dat hij deze vragen op een steenworp afstand van de drukke avenue moest beantwoorden. Voordat hij de straat overstak om ernaartoe te gaan, keek hij nog eenmaal om zich heen om zich ervan te vergewissen dat hij niet achtervolgd werd.

Svenson verstijfde. Achter zich zag hij door de glazen deuren van wat een hotel moest zijn een jonge vrouw op een pluchen canapé zitten. Ze zat over een aantekenboek gebogen, waar ze druk in zat te schrijven, waardoor haar kastanjebruine pijpenkrullen over haar gezicht vielen. Er lagen kranten en boeken om haar heen. Ze had één been onder zich getrokken, maar aan het andere – haar jurk toonde net een mooi onderbeen – had ze een schattig groen enkellaarsje. Zonder er verder bij na te denken opende dokter Svenson de deur en stapte naar binnen.

VIER

Boniface

Miss Temples eerste reactie was natuurlijk ergernis. Ze had haar suite verlaten om aan de stille, onderzoekende blik van haar dienstmeisjes – die haar als een paar katten achtervolgden – en aan haar nog nadrukkelijker aanwezige tante Agathe te ontkomen. Ze had bijna de hele vorige dag geslapen en toen ze eindelijk haar ogen opendeed, was de hemel alweer donker. Ze had in stilte gebaad en gegeten en was toen weer in slaap gevallen. Toen ze de tweede keer in de vroege ochtend wakker werd, had haar tante zich in een leunstoel die de dienstmeisjes uit een andere kamer hadden gesleept aan haar voeteneinde geïnstalleerd. Ze had Miss Temple duidelijk gemaakt wat voor ellende ze veroorzaakt had, te beginnen met haar onverwachte afwezigheid bij de middagthee, haar afwezigheid bij het diner en vervolgens haar (karakteristiek koppige, achteloze) weigering om 's avonds te verschijnen. Het hotelpersoneel was zelfs ingelicht. Dat kon gewoon niet. En toen werd haar beruchtheid binnen het hotel nog eens vergroot doordat ze onverklaard met bloed besmeurd terugkeerde. (Slechts enkele minuten, zo verklaarde Agathe, nadat zijzelf van uitputting in slaap was gevallen.)

Agathe was een oudere zus van de vader van Miss Temple, die haar hele leven in de stad had gewoond. Ze was ooit getrouwd geweest met een man die jong en zonder geld gestorven was, waardoor Agathe haar lange weduwschap van een mager stukje van het fortuin van een afstandelijke, onwillige broer had geleefd. Haar haar was grijs en werd te allen tijde onder een hoedje, doek of zakdoek gehouden, alsof ze ziek zou worden als ze het aan de lucht zou blootstellen. Haar tanden waren nog gaaf, maar waren op de plekken waar het tandvlees zich had teruggetrokken verkleurd, waardoor ze erg lang leken en haar zeldzame glimlach tegen haar zin op die van een roofdier deden lijken.

Miss Temple accepteerde dat ze reden had gegeven tot bezorgdheid en ze had er alles aan gedaan om de angst van de oude vrouw weg te nemen. Ze was zelfs zover gegaan om de dringende vraag rond de delicate kwestie van haar maagdelijkheid – die achter iedere in verhulde bewoordingen gestelde vraag van haar tante schuilging – te beantwoorden. Ze had haar tante ervan verzekerd dat ze inderdaad nog ongeschonden was en vastbeslotener dan voorheen was om dat zo te houden. Ze trad echter verder niet in details over waar ze geweest was of wat ze meegemaakt had.

Terwijl ze sliep waren het met bloed besmeurde zijden ondergoed en de vuile jas in de kolenkachel die in de kamer stond verbrand. De dienstmeisjes hadden ze op de vloer gevonden en hadden ze beschroomd onder de aandacht van haar tante gebracht. Miss Temple had geweigerd om naar een dokter te gaan, wat tante Agathe zonder enig protest had geaccepteerd. Aanvankelijk verbaasde Miss Temple zich hierover, maar toen besefte ze dat haar tante ervan overtuigd was dat hoe minder mensen iets wisten, hoe kleiner de kans op een schandaal. Ze waren erin geslaagd om een goede zalf te vinden voor de nog verse wond boven haar linkeroor. Ze zou er een litteken aan overhouden, maar toen haar haar eenmaal gewassen en in de krullers gezet was, hing dat er netjes overheen. Ze had alleen een kerskleurig vlekje ter grootte van de duimnagel van een baby op haar verder ongeschonden jukbeen, waar wat zalf op zat. Terwijl Miss Temple in bed haar ontbijt nuttigde, raakte ze echter steeds meer geërgerd door haar tante in haar leunstoel, die haar als een bedelend dier zat aan te staren in de hoop dat ze nog enige uitleg zou geven, wat kruimels van zekerheid dat haar positie en pensioen niet weggevaagd zouden worden door de domme, lichtzinnige daden van een naïef meisje dat door haar ambitieuze smeerlap van een geliefde in de steek was gelaten. Het probleem was dat Agathe helemaal niets zei. Ze vroeg niets over wat Miss Temple gedaan had, ze berispte haar niet eenmaal voor haar roekeloze onverantwoordelijkheid en gaf haar ook geen uitbrander voor haar onwaarschijnlijke ontsnapping, wat vast het resultaat was van een onverdiende goddelijke tussenkomst. Alles had Miss Temple kunnen verdragen, maar de stilte, die op een of andere manier vragende stilte, zat haar vreselijk dwars. Toen het dienblad was weggehaald, kondigde ze in niet mis te verstane bewoordingen aan dat, hoewel ze spijt had van het ongemak dat ze had veroorzaakt, ze ongedeerd was, dat de zaak verre van afgerond was en dat ze zeker van plan was om de kwestie uit te zoeken. Haar tante gaf geen antwoord, maar wendde haar afkeurende blik af en vestigde die op het opgeruimde bureau, waarop als een afschuwelijk opgezet reptiel de grote geoliede revolver lag, die een of andere vreemde oom als cadeau uit Venezuela had meegenomen. Vervolgens keek tante Agathe weer naar Miss Temple, die aankondigde dat ze ook een doos bijpassende patronen nodig had.

Haar tante zweeg, wat Miss Temple aangreep om de discussie – of non-discussie – te beeindigen. Ze stapte haar bed uit en liep naar haar kleedkamer, die ze achter zich op slot deed. Met een zucht van frustratie trok ze haar nachthemd over haar heupen en ging op de po zitten. Het was nog vroeg, maar het was licht genoeg om haar groene laarzen op de grond te zien staan, die de dienstmeisjes daar hadden neergezet. Ze kreunde van de pijn toen ze zich afveegde. Ze ging staan en plaatste het deksel op de pot. Toen ze haar bad nam, was het nog donker en had ze alleen kaarslicht, maar nu zag ze in de spiegel waarom de anderen haar zo aangestaard hadden. Boven de kraag van haar nachthemd zaten blauwe plekken op haar hals. Het waren de paars geworden afdrukken van vingers en een duim. Ze bracht haar gezicht dichter bij het glas en raakte ze voorzichtig aan. Het was een afdruk van de hand van Spragg. Ze deed een stap achteruit en trok het nachthemd over haar hoofd. Haar adem stokte in haar keel en ze voelde een koude rilling over haar rug lopen. Het leek of ze naar een ander lichaam keek dan het hare. Zoveel blauwe plekken had ze, en zoveel schrammen. Plotseling was het duidelijk dat ze het er ternauwernood levend vanaf had gebracht. Ze streek met haar vingers over iedere pijnlijke, verkleurde plek en legde ze uiteindelijk beschermend over de plaats waar zijn vingers hun wreedste afdruk hadden achtergelaten.

Ze sloot haar ogen en slaakte een diepe zucht, maar kon haar gevoel van onbehagen niet helemaal kwijtraken. Het was geen gevoel dat Miss Temple gemakkelijk kon accepteren. Ze herinnerde zichzelf eraan dat ze ontsnapt was en dat de mannen dood waren.

Een paar minuten later kwam Miss Temple in haar ochtendjas weer te voorschijn, riep haar dienstmeisjes en ging aan haar bureau zitten. Ze rolde haar mouwen op en keek expres niet naar haar tante, die haar zat aan te staren. Ze pakte zo overtuigd mogelijk de revolver op. Ze deed er langer over dan ze wilde, waardoor beide dienstmeisjes nu ook keken, maar ze slaagde er uiteindelijk toch in om de cilinder te openen en de lege hulzen op het vloeiblok te leggen. Vervolgens maakte ze snel een lijstje. Het opstellen ervan kostte meer tijd dan ze gewild had, omdat iedere aankoop uitleg behoefde, maar eindelijk was het klaar en blies ze tegen het papier om de inkt te doen drogen. Toen wendde ze zich tot de twee dienstmeisjes. Het waren plattelandsmeisjes die bijna even oud waren als zijzelf, waardoor hun gebrek aan ervaring en opleiding des te opvallender was. Ze gaf het dichtgevouwen stuk papier aan de oudste, die kon lezen.

'Marie, dit is een lijst met benodigdheden die je bij de hotelleiding en de winkels in de stad kunt krijgen. Laat de hotelleiding voor benodigdheden één, twee en drie zorgen en vraag hun advies over winkels waar je het best benodigdheden vier en vijf kunt aanschaffen. Ik zal je geld geven...' Miss Temple opende haar bureaulade en haalde er een in leer gebonden notitieboek uit, waar een stapeltje knisperende bankbiljetten in zat. Ze nam er doelbewust twee, toen drie biljetten uit en gaf die aan Marie, die knikte toen ze ze aannam. 'Je doet ook de aankopen. Vergeet de bonnen niet, zodat ik precies weet hoeveel geld je hebt uitgegeven.'

Marie knikte ernstig, waar ze alle reden toe had, want Miss Temple lette altijd goed op haar geld en stond niet toe, zoals anderen soms deden, dat er kleine bedragen verdwenen zonder dat zij er tenminste voor bedankt werd.

'De eerste benodigdheid is een verzameling kranten: de *World*, de *Courier* en de *Herald* van vandaag, gisteren en eergisteren. De tweede benodigdheid is een kaart van de plaatselijke spoorwegen. De derde benodigdheid is een landkaart van het moerassige kustgebied. De vierde benodigdheid, die je echt moet vinden, is een doos van deze.' Ze gaf Marie een van de kogels van de revolver. 'De vijfde benodigdheid, die je waarschijnlijk de meeste tijd zal kosten, zijn drie setjes zijden ondergoed. Je kent mijn maten. In wit, groen en... zwart.'

Met het andere dienstmeisje, Marthe, liep ze naar haar kleedkamer om haar haar te doen, haar korset aan te trekken en enkele lagen poeder en crème op de plekken in haar hals aan te brengen. Net toen ze in een andere groene jurk, dit keer met een subtiel Italiaans stiksel op het lijfje, en haar groene laarzen, die Marthe netjes gepoetst had, weer verscheen, werd er op de deur geklopt en werden de eerste kranten en kaarten gebracht. De kamerdienaar legde uit dat er iemand op uit was gestuurd om de kranten van gisteren en eergisteren te halen, maar dat die spoedig zouden arriveren. Miss Temple gaf hem een munt en zodra hij weg was, legde ze de stapel op de eettafel en begon de kranten te doorzoeken. Ze wist niet precies waar ze naar zocht, alleen dat ze genoeg had van het gevoel dat ze niet wist waar ze in terecht was gekomen. Ze vergeleek de spoorkaart met de atlas en begon de route van Stropping Station naar Orange Canal uit te zetten. Toen ze met haar vinger bij De Conque was, werd ze zich van Marthe en Agathe bewust, die keken waar ze mee bezig was. Ze vroeg Marthe snel om thee te maken, en keek haar tante strak aan. In plaats van dat ze de hint begreep, installeerde tante Agathe zich echter in een andere stoel en mompelde dat ze best zin in thee had.

Miss Temple ging verzitten en blokkeerde met haar schouder het zicht van haar tante. Vervolgens ging ze verder met de route naar Orange Locks en van daaruit naar Orange Canal. Ze had er plezier in om van station naar station te gaan, omdat ze bij elk een beeld had. Omdat er op de spoorkaart geen verdere details over wegen, dorpen, laat staan grote landhuizen stonden, pakte ze de atlas erbij en zocht de pagina met de meest gedetailleerde landkaart van het gebied. Ze vroeg zich af welke afstand ze had afgelegd en rilde opnieuw bij de gedachte hoe eenzaam en hoe gevaarlijk het was geweest. Het gebied tussen de laatste twee stations leek onbewoond te zijn: voor zover ze kon zien stonden daar geen dorpen op de kaart. Ze wist dat het landhuis in de buurt van de zee was, want ze herinnerde zich de zilte geur in de lucht, hoewel ze wist dat zeelucht over een vlak moerasgebied een heel eind landinwaarts waait, dus had het verder van zee kunnen zijn dan ze dacht. Aan de hand van de tijd die het rijtuig erover deed om vanaf het station het huis te bereiken, probeerde ze een redelijke radius vast te stellen en verder zocht ze naar mogelijke herkenningspunten. Bij de kanalen zag ze een vreemd symbool, dat volgens de legenda voor 'ruïne' stond. Hoe oud was de kaart? Kon zo'n groot landhuis zo nieuw zijn? Miss Temple keek naar haar tante.

'Wat is "Harschmort"?'

Tante Agathes adem stokte, maar ze zei niets. Miss Temple kneep haar ogen samen. Geen van tweeën zei iets (de oudste van de twee was ook koppig) en na een volle minuut stilte sloeg Miss Temple de atlas dicht, stond bruusk op en liep haar slaapkamer in. Tot haar tantes ontzetting kwam ze met de revolver in haar handen weer terug en laadde hem al lopend, waarbij ze veel moeite deed om de cilinder op zijn plaats te klappen. Miss Temple keek op, zag de twee vrouwen haar aanstaren en grijnsde smalend. Dachten ze dat ze hen ging neerschieten? Ze pakte een handtas en liet de revolver erin vallen. Ze wond de band om haar pols en nam toen met beide armen de stapel kranten op. Ze snauwde tegen Marthe zonder enige poging om haar irritatie te verhullen: 'De deur, Marthe.' Het dienstmeisje sprong naar de voordeur en hield hem open, zodat Miss Temple er met haar armen vol langs kon. 'Ik ga ergens werken waar ik rust, zo niet medewerking kan krijgen.'

Toen ze over het dikke tapijt van de gang en vervolgens door de lobby liep, had ze het gevoel dat ze de wereld weer inging en dat ze de gebeurtenissen die haar overkomen waren onder ogen zag. Van de dienstmeisjes en kruiers die ze tegenkwam, wist ze dat het dezelfde waren als die haar met bloed besmeurd hadden gezien, want dit was de ochtendploeg. Natuurlijk hadden ze het er allemaal over gehad en natuurlijk keken ze haar allemaal nieuwsgierig aan toen ze voorbijkwam. Miss Temple was echter vastbesloten en wist dat als er iets veranderd was, het wel was dat ze nóg zelfstandiger moest zijn. Ze besefte dat ze bofte met haar onafhankelijkheid en met een karakter dat weinig om de mening van anderen gaf. Laat ze maar kletsen, dacht ze, zolang ze haar haar hoofd maar hoog zagen houden en zolang ze maar de macht van de rijkdom had. Bij de receptie knikte ze naar de receptionist, Mr Spanning, die de deur had geopend toen ze bebloed en wel was gearriveerd. De manieren van de hogere kringen waren niet zoveel anders dan die van het vee van haar vader, of zijn meute honden, dus keek Miss Temple Spanning langer aan dan normaal, tot hij onderdanig terugknikte.

Ze was op een van de brede pluchen canapés in de verlaten lobby gaan zitten, liet het personeel door middel van een snelle, koele blik weten dat ze geen assistentie nodig had, en legde de kranten in stapeltjes om zich heen. Ze begon met terug te gaan naar de naam 'Harschmort' en schreef op wat ze erover wist, de status van de ruïne en de locatie ervan. Daarna opende ze de *Courier*, waarin ze waarschijnlijk wel iets over sociale gebeurtenissen kon lezen. Ze had zich voorgenomen om zoveel mogelijk over het gala te weten te komen, eerst over hoe het door de mensen in het algemeen was ervaren en daarna – door middel van opmerkingen over vermoorde mannen of vermiste vrouwen – over wat zich daar werkelijk voor duisters had afgespeeld. Ze las de zwarte koppen zonder idee wat nu werkelijk belangrijk was – over gevechten in de koloniën, slimme uitvindingen, internationale ballonvaarten, bals, liefdadigheidswerk, wetenschappelijke expedities, hervormingen in de marine en onenigheid tussen de ministeries. Het was duidelijk dat ze moest gaan spitten. Ze zat er nog maar zo'n tien minuten toen ze een schaduw over haar werk zag vallen en ze iemand met enige nadruk zijn keel hoorde schrapen. Was er iemand door de deur naar binnen gekomen? Ze keek op, klaar om tante Agathe of Marthe af te snauwen als die haar waren gevolgd. Maar ze zag heel iemand anders.

Het was een vreemde man: lang en enigszins verfomfaaid zoals alleen nette mensen dat kunnen zijn. Hij droeg een blauwe winterjas met lichtgekleurde epauletten, zilveren knopen en afgetrapte zwarte laarzen. Zijn haar was bijna wit. Het was in het midden van zijn hoofd gescheiden en naar achteren geplakt, maar door zijn inspanningen hingen er een paar lokken in zijn ogen, waarvan het ene door een monocle aan een ketting keek. Hij was ongeschoren en ze had de indruk dat hij zich niet helemaal goed voelde. Ze kon niet schatten hoe oud hij was – gedeeltelijk door zijn klaarblijkelijke vermoeidheid, maar ook door de manier waarop zijn haar was geschoren. Bovenop was het wat langer, maar van achteren en opzij was het kortgeschoren, zo ongeveer als bij een middeleeuwse lord. Hij kon echter ook een Duitser zijn. Hij staarde haar aan. Zijn blik gleed van haar gezicht naar haar laarzen. Ze keek naar beneden, naar haar eigen laarzen, en toen naar hem. Het kostte hem moeite om uit zijn woorden te komen. Hij was er niet erg vaardig mee, wat ze bijna aandoenlijk vond.

'Neem me niet kwalijk,' begon hij. Hij had een accent, waardoor hij formeler klonk dan hij in werkelijkheid was. 'Het... Het spijt me... Ik heb u eerder gezien... Ik wist niet... maar nu... door het raam...' Hij zweeg, haalde diep adem, slikte, opende zijn mond om verder te gaan, maar sloot hem abrupt. Ze realiseerde zich dat hij naar haar hoofd staarde, naar de wond boven haar jukbeen, en toen, tot haar schrik, naar haar hals. Hij keek haar in de ogen en zei verrast: 'U bent gewond!'

Miss Temple gaf geen antwoord. Hoewel ze niet verwacht had dat haar cosmetica de blauwe plekken lang zou verdoezelen, was ze er niet op voorbereid dat ze zo snel ontdekt zouden worden, laat staan dat ze met haar toetakeling geconfronteerd zou worden, zoals de bezorgde blik van de man deed. Wie was deze man? Hadden de handlangers van de vrouw in het rood haar zo snel gevonden? Zo langzaam als ze kon stak ze haar hand uit naar haar handtas. Hij zag het gebaar en stak zijn hand op.

'Alstublieft, niet doen. Natuurlijk, u kent mij niet. Ik ben kapitein-chirurg Abelard Svenson van de marine van Mecklenburg, in diplomatieke dienst bij zijne majesteit prins Karl-Horst von Maasmärck, die op dit moment vermist wordt. Ik ben uw bondgenoot. Het is uiterst belangrijk dat wij elkaar spreken.'

Na die woorden pakte Miss Temple haar tas en legde hem op haar schoot. Hij keek zwijgend toe hoe ze haar hand erin stak en overduidelijk een wapen pakte.

'U zei dat u... mij gezien hebt?'

'Inderdaad,' zei hij, en hij grinnikte vreemd. 'Ik kan het u niet uitleggen, want voor zover ik weet hebben wij elkaar nog nooit ontmoet.'

Hij keek langs haar heen en deed een stap achteruit. Het personeel van de receptie had hem gezien. Dit was te veel voor Miss Temple. Het ging te snel. Ze vertrouwde het niet. Ze herinnerde zich de verschrikkelijke nacht, Spragg en Farquhar. Wie wist hoeveel andere handlangers de vrouw in het rood nog in dienst had?

'Ik weet niet wat u bedoelt,' zei ze, 'of wat u denkt dat u bedoelt, aangezien u getuige uw accent een buitenlander bent. Ik kan u ervan verzekeren dat wij elkaar nog nooit ontmoet hebben.'

Hij opende zijn mond om iets te zeggen, deed hem dicht en opende hem opnieuw. 'Dat zou zo kunnen zijn, maar ik heb u gezien en ik weet zeker dat u mij kunt helpen.'

'Waarom denkt u dat?'

Hij boog zich voorover en fluisterde: 'Uw schoenen.'

Hier had Miss Temple niets op te zeggen. Hij glimlachte en slikte. Hij wierp een blik op de straat en vroeg: 'Kunnen we ons gesprek wellicht ergens anders voortzetten?'

'Dat kan niet,' zei ze.

'Ik ben niet gek...'

'Daar ziet u wel naar uit, dat kan ik u verzekeren.'

'Ik heb niet geslapen. Ik ben achtervolgd op straat... Ik ben niet gevaarlijk...'

'Bewijs het,' zei Miss Temple.

Ze besefte dat ze door zo'n scherpe toon aan te slaan de indruk gaf dat ze van hem af wilde. Aan de andere kant realiseerde ze zich echter ook dat ze hier degene voor zich had die haar met haar onderzoek kon helpen, waardoor ze al die kaarten en kranten niet hoefde te bestuderen. De reden dat ze voor hem terugschrok was dat de situatie zo echt was, zo direct, en dat de man zo overduidelijk vermoeid en van slag was, kwaliteiten waar Miss Temple instinctief een hekel aan had. Wat zou ze in de toekomst te verduren krijgen als ze hem vragen zou blijven stellen, of wat zou ze opnieuw te verduren krijgen? Hoezeer ze zich echter ook in abstracte zin wapende, het lichamelijke bewijs dat hij leverde bracht haar vastbeslotenheid aan het wankelen.

Ze keek hem aan en zei zacht: 'Ik zou het op prijs stellen als u op de een of andere manier zou kunnen... alstublieft...'

Hij knikte ernstig. 'Staat u mij dan toe...' Hij ging op het uiteinde van de canapé zitten en stak zijn hand in zijn zak. Hij haalde twee glanzende blauwe kaarten te voorschijn, bekeek ze even en stak er één weer in zijn zak. De andere gaf hij aan haar.

'Ik begrijp niet wat dit is, ik weet alleen dat het me iets laat zien. Zoals ik al zei, is er veel te bespreken en als mijn angsten gegrond zijn, is er weinig tijd. Ik ben de hele nacht op geweest. Mijn excuses voor mijn hopeloze verschijning. Kijk naar deze kaart alsof u in een plas water kijkt. Houd hem met beide handen vast, anders laat u hem vallen. Ik zal op een afstand gaan staan. Misschien zegt het u meer dan mij.'

Hij gaf haar de kaart en ging een eindje van de bank vandaan staan. Met trillende handen nam hij een smerig ogende sigaret uit zijn zilveren doosje en stak hem op. Miss Temple bestudeerde de kaart. Hij was zwaar en was van een soort glas gemaakt dat ze nooit eerder had gezien. Hij was helderblauw en veranderde afhankelijk van het licht dat erop viel van kleurschakering, van indigo naar kobalt en zelfs fel aqua. Ze wierp nogmaals een blik op de vreemde dokter (naar zijn accent te oordelen was hij inderdaad een Duitser) en keek toen naar de kaart.

* * *

Zonder waarschuwing zou ze hem inderdaad hebben laten vallen en ze was blij dat ze zat. Zoiets had ze nog nooit meegemaakt; het was alsof ze zwom, zo werd ze erin ondergedompeld, zo tastbaar waren de beelden. Ze zag zichzelf – zichzelf! – in de zitkamer van de familie Bascombe en wist dat haar handen de bank vastklemden omdat Roger zich zojuist buiten het zicht van zijn moeder voorover had gebogen en zacht in haar nek had geblazen. De ervaring deed haar denken aan die ze gehad had toen ze zichzelf met het witte masker op in de spiegel had gezien, want ze verscheen hier op de een of andere manier door de ogen van een ander, ogen vol lust die hongerig naar haar kuiten en blote armen keken, alsof ze bezittingen waren. De omgeving ging naadloos over in een andere, als in een droom... De put of de steengroeve herkende ze niet, maar haar mond viel open van verbazing toen ze het landhuis van lord Tarr, de oom van Roger, herkende. Toen kwam het rijtuig en de onderminister... 'Uw beslissing?' … en als laatste de griezelige ronde hal, de metalen deur en de angstaanjagende ruimte. Ze keek op en bevond zich weer in de lobby van het Boniface. Ze snakte naar adem. Het was Roger. Ze wist dat dit de ervaringen, de gedachten van Roger Bascombe waren. Haar hart klopte in haar keel. Haar groeiende bezorgdheid werd echter snel gevolgd door woede. Beslissing? Betekende dat wat zij dacht? En als dat zo was – en natuurlijk was dat zo –, was Harald Crabbé op dat moment haar grootste, onvergeeflijke vijand. Ze wendde haar woedende ogen tot Svenson, die naar de canapé terugkwam.

'Hoe… Hoe werkt dit?' wilde ze weten.

'Ik weet het niet.'

'Want… wel… Want het is heel vreemd.'

'Natuurlijk, het is hoogst verontrustend, deze… eh… onnatuurlijke directheid.'

'Zeker! Het is… Het is…' Ze kon niet uit haar woorden komen. Ze gaf het op en flapte er alleen uit: 'Onnatuurlijk.'

'Hebt u iets herkend?' vroeg hij.

Ze negeerde hem. 'Waar hebt u dit vandaan?'

'Als ik u dat vertel, helpt u mij dan?'

'Misschien.'

Hij bekeek haar gezicht met een bezorgdheid in zijn ogen die ze eerder had gezien. Ze was best knap. Ze had mooi haar en haar figuur, als ze daar een mening over mocht hebben, was vrij aantrekkelijk, maar Miss Temple wist inmiddels – en raakte er niet meer door van slag – dat ze alleen bijzonder was op de manier waarop een dier bijzonder is, omdat een dier zonder zich ergens iets van aan te trekken zichzelf is. Dokter Svenson slikte in de nabijheid van zo'n vreemde, elementaire persoonlijkheid en zuchtte.

'Ik heb dit ding in het jasje van een dode man gevonden, waar het in vastgenaaid zat,' zei hij.

'Toch niet…' Ze hield de kaart omhoog. Haar stem trilde plotseling. Ze was volkomen van haar stuk gebracht. 'Toch niet van déze man?'

Ze was er helemaal niet op bedacht dat er zoiets ernstigs met Roger gebeurd kon zijn. Voor ze verder kon gaan, schudde Svenson zijn hoofd.

'Ik weet niet wie deze man... vanuit wiens oogpunt u als het ware...'

'Dit is Roger Bascombe,' zei ze. 'Hij werkt bij het ministerie van Buitenlandse Zaken.'

De dokter klakte met zijn tong, zich ergerend aan zichzelf. 'Natuurlijk...!'

'Kent u hem?' informeerde ze voorzichtig.

'Niet als zodanig, maar ik heb hem vanmorgen gezien... of gehoord. Kent u Francis Xonck?'

'O, hij is een verschrikkelijke ondeugd!' zei Miss Temple. Ze voelde zich bespottelijk preuts toen ze het zei. Ze had gedachteloos het geklets van vrouwen die ze verafschuwde overgenomen.

'Daar twijfel ik niet aan,' zei dokter Svenson instemmend. 'Maar Francis Xonck en deze man, Bascombe, waren gezamenlijk bezig zich van een lijk te ontdoen...'

Ze wees op de kaart en vroeg: 'De man die dit bij zich had?'

'Nee, nee, iemand anders, maar ze hebben wel met elkaar te maken, want de armen van deze man... het blauwe glas... Neemt u mij niet kwalijk, ik loop op mezelf vooruit.'

'Om hoeveel lijken gaat het? Voor zover u weet?' vroeg ze. En toen, voor hij kon antwoorden: 'En zou u ze, indien mogelijk, kunnen beschrijven?'

'Beschrijven?'

'Ik verzeker u dat ik niet morbide ben.'

'Nee... Nee, natuurlijk. Misschien hebt u ook iets meegemaakt... hoewel ik mag hopen dat dat niet zo is... Ikzelf heb in ieder geval twee lijken gezien, maar misschien zijn er nog meer... Anderen die in gevaar zijn, en anderen die ikzelf gedood heb – ik weet het niet. De een was, zoals ik al zei, een man die ik niet ken, een oudere man die aan het Koninklijk Instituut der Wetenschappen verbonden was, een zeer erudiete man, zo is mij verteld. De ander was een militair. Zijn verdwijning heeft in de krant gestaan... kolonel Arthur Trapping. Ik denk dat hij vergiftigd is. Hoe de eerste man... Wel, de officier was eigenlijk het eerst dood... Maar hoe die andere man, die van het instituut gedood is, weet ik niet, maar dat hoort bij het mysterie van dit blauwe glas...'

'Alleen die twee?' vroeg Miss Temple. 'Ik begrijp het.'

'Zijn er nog anderen?' vroeg dokter Svenson.

Ze besloot om hem in vertrouwen te nemen.

'Twee mannen,' zei Miss Temple. 'Twee afschuwelijke mannen.'

Ze kon op dat moment niet meer zeggen. Ze haalde in een opwelling een zakdoek uit haar handtas, maakte een puntje nat en boog voorover om een smalle streep bloed op het gezicht van de dokter af te vegen. Hij bood mompelend zijn excuses aan, nam de zakdoek van haar over, liep een paar stappen van haar vandaan en bette verwoed zijn gezicht. Even later vouwde hij de zakdoek op en gaf hem terug Ze gebaarde vastberaden glimlachend dat hij hem kon houden en wreef achteloos in haar oog.

'Mag ik de andere kaart zien?' vroeg Miss Temple. 'U hebt er nog een in uw zak.'

Svenson verbleekte. 'Ik... Ik denk niet dat dit het juiste moment...'

'Ik sta erop.' Ze was vast van plan om meer over het innerlijk van Roger te weten te komen. Wie hij ontmoet had, de afspraken met Crabbé, zijn ware gevoelens voor haar. Svenson stond allerlei excuses te brabbelen. Wilde hij een soort uitwisseling?

'Ik kan een dame... niet toestaan... alstublieft...'

Miss Temple gaf hem de eerste kaart terug. 'Het landhuis is van Rogers oom, lord Tarr.'

'Is lord Tarr zijn oom?'

'Natuurlijk is lord Tarr zijn oom.'

Svenson zweeg. Miss Temple trok wachtend haar wenkbrauwen op.

'Lord Tarr is vermoord,' zei Svenson.

Miss Temples mond viel open van verbazing.

'Francis Xonck had het over Bascombes erfenis,' zei Svenson, 'dat hij machtig zou zijn en belangrijk. Ik denk dat toen Crabbé het over "beslissing" had...'

'Dat is onmogelijk!' snibde Miss Temple.

Maar terwijl ze sprak, dacht ze koortsachtig na. Roger was geen erfgenaam van zijn oom. Lord Tarr (een jichtige, moeilijke man) had geen zoons, maar wel dochters die zoons hadden. Rogers moeder had dat haar duidelijk en verbitterd uitgelegd. Bovendien, om de onbelangrijkheid van zijn status nog eens te benadrukken, wilde de immer ziekelijke lord Roger en zijn provinciale verloofde tijdens hun enige bezoek aan Tarr Manor niet eens ontvangen. En nu was lord Tarr vermoord en was Roger tot de erfgenaam uitgeroepen die zijn land en titel zou erven? Ze vertrouwde het voor geen cent... Wat kon Roger anders geërfd hebben? Ze geloofde niet dat Roger Bascombe een moordenaar was – helemaal niet nu ze een paar exemplaren van die soort had ontmoet – maar ze wist dat hij zwak was en ondanks zijn brede schouders en kalme houding makkelijk ergens toe over te halen. Plotseling had ze het koud... De mensen met wie hij optrok, de demonstratie in de snijzaal die hij vrijwillig had bijgewoond... Ondanks haar belofte om hem te ruïneren en grote minachting voor alles wat met Bascombe te maken had, was Miss Temple er met een steek van verdriet van overtuigd dat hij de weg kwijt was. Zoals ze zich in de snijzaal op Harschmort afgevraagd had of Roger wel begreep met wie of wat hij zich had ingelaten – en met weemoed beseft had dat ze hem niet tegen zijn blindheid ten opzichte van rijke mensen met macht kon beschermen –, zo was ze er nu plotseling van overtuigd dat deze gebeurtenissen op de een of andere manier, en zonder dat dat zijn bedoeling was, tot zijn ondergang zouden leiden.

Ze keek naar Svenson. 'Geef me die andere kaart. Of ik ben uw bondgenoot, of ik ben het niet.'

'U hebt me nog niet eens verteld hoe u heet.'

'Nee?'

'Nee,' zei de dokter.

Miss Temple tuitte haar lippen, glimlachte toen vriendelijk en bood hem haar hand en standaarduitleg aan.

'Ik ben Miss Temple, Celestial Temple. Mijn vader hield van astronomie. Gelukkig heeft hij me niet naar een van de manen van Jupiter vernoemd.' Ze weifelde even en ademde toen uit. 'Maar als we echte bondgenoten van elkaar zijn, dan... dan moet u me Celeste noemen, natuurlijk, hoewel ik u onmogelijk – wat was het, Abelard? – kan noemen. U bent ouder, een buitenlander en het zou gewoon bespottelijk zijn.' Ze glimlachte. 'Ik ben blij u te leren kennen. Ik heb nog nooit een officier van de marine van Mecklenburg ontmoet, laat staan een kapitein-chirurg.'

Dokter Svenson nam onhandig haar hand en boog zich voorover om hem te kussen. Ze trok hem niet onvriendelijk terug.

'Dat is niet nodig, we zijn hier niet in Duitsland.'

'Natuurlijk... zoals u zegt.' Miss Temple zag met enige voldoening dat dokter Svenson bloosde.

Ze glimlachte naar hem en richtte haar blik op de broekzak met de kaart erin. Hij zag dat en twijfelde, zich duidelijk ongemakkelijk voelend. Zij zag het punt niet... ze had de andere al gezien... Ze zou de tweede keer niet gedesoriënteerd zijn.

'Misschien wilt u er liever ergens naar kijken waar u meer privacy hebt.'

'Dat hoeft niet.'

Svenson zuchtte, haalde de kaart uit zijn zak en gaf hem weifelend aan haar. 'De man... is niet Bascombe... Het is mijn prins... ook een "ondeugd". Het is in het Hotel St. Royale. Misschien kent u de vrouw... Ik ken haar als Mrs Marchmoor... of de... eh... toeschouwers. Deze kaart is... eh... vanuit het oogpunt van de dame.' Hij stond op en draaide haar de rug toe. Met veel omhaal haalde hij nog een sigaret te voorschijn, stak hem op en weigerde haar aan te kijken. Ze wierp een blik op het personeel bij de receptie – dat hoewel ze het gesprek niet konden horen, nog steeds geïnteresseerd stond te kijken – en op Svenson, die discreet een eindje van haar vandaan was gaan staan en de bladeren van een potplant bestudeerde. Ze was heel nieuwsgierig en keek naar de kaart.

Toen ze die even later liet zakken, zat er een blos op haar wangen en was haar ademhaling versneld. Ze keek gespannen om zich heen, zag de nieuwsgierige receptionist naar haar kijken en wendde snel haar blik af. Ze was opgelucht en enigszins ontroerd dat dokter Svenson nog steeds met zijn rug naar haar toe stond, want hij wist wat ze zojuist had meegemaakt, al was het via het lichaam van een andere vrouw. Ze kon het niet geloven... Wat er zojuist gebeurd was... Wat er niet gebeurd was, ondanks de intimiteit, de overtuigende intimiteit van de zorgwekkende, maar heerlijke gevoelens die het in haar losmaakte. Ze had zojuist... Ze kon het niet geloven... En plein public... voor de eerste keer, zonder waarschuwing! Ze schaamde zich dat ze zo had aangedrongen, dat ze niet op het voorstel van de dokter om zich terug te trekken was ingegaan, waardoor ze... door een man die ze niet kende en voor wie ze niets voelde... hoewel ze de gevoelens van de vrouw voor hem had gevoeld, of voor de ervaring in ieder geval... Konden die twee gescheiden worden? Ze ging verzitten en streek haar jurk glad. Tot haar ontzetting voelde ze een onmiskenbare, aanhoudende kriebel tussen haar benen. Als haar tante haar op dat moment naar haar maagdelijkheid had gevraagd, hoe had ze dan moeten antwoorden? Miss Temple keek naar de glazen rechthoek in haar handen en dacht aan de enorme en uiterst verontrustende mogelijkheden die zo'n creatie had.

Ze schraapte haar keel en dokter Svenson draaide zich ogenblikkelijk om. Zijn blik gleed snel over haar heen, maar hij wilde haar nog steeds niet aankijken. Hij ging bij de canapé staan, en verlegen glimlachend gaf ze hem de kaart.

'Lieve hemel...'

Hij stopte hem beschaamd weer in zijn zak. 'Het spijt me ten zeerste... Ik heb niet voldoende duidelijk gemaakt...'

'Doet u alstublieft geen moeite... Ik ben degene die zich dient te verontschuldigen... hoewel ik het er eigenlijk niet verder over wil hebben.'

'Natuurlijk... Neemt u mij niet kwalijk... het is vulgair van me dat ik er zo over doorga.'

Ze gaf geen antwoord, want ze kon niet antwoorden zonder het over hetzelfde onderwerp te hebben, terwijl ze zojuist had aangegeven dat ze dat niet wilde. Er volgde een stilte. De dokter keek haar ongelukkig aan. Hij had geen idee wat hij moest zeggen. Miss Temple zuchtte.

'De dame... zoals u zei, wier oogpunt is weergegeven... kent u haar?'

'Nee. Nee... Maar hebt u... misschien iemand anders herkend?'

'Ik weet het niet zeker... Ze waren allemaal gemaskerd, maar de dame...'

'Mrs Marchmoor.'

'Ja. Ik geloof dat ik haar eerder heb gezien. Ik ken haar naam niet en ook haar gezicht niet, want ik heb haar alleen gemaskerd gezien.'

Ze zag de ogen van de dokter groter worden van verbazing. 'Op het verlovingsfeest?' Hij was even stil. 'Bij... bij lord Vandaariff?'

Miss Temple gaf niet meteen antwoord, want ze zat na te denken. 'Dat klopt, op... eh... hoe heet zijn huis ook weer?'

'Harschmort.'

'Inderdaad. Ooit was het een ruïne, nietwaar?'

'Dat is me weleens verteld,' zei Svenson. 'Een fort aan de kust... misschien uit de tijd van de Noormannen... Daarna werd het uitgebreid en werd het een...'

Miss Temple herinnerde zich de dikke, strakke muren en giste: 'een gevangenis?'

'Precies. En vervolgens werd het het huis van lord Vandaariff. Hij kocht het van de Kroon en heeft het voor veel geld geheel laten verbouwen.'

'En eergisteravond...'

'Het verlovingsfeest voor de prins en Miss Vandaariff! Maar... u... Bent u er geweest?'

'Ik moet toegeven dat ik er was.'

Hij keek haar nieuwsgierig aan en ze wist dat ze zelf ook graag meer informatie wilde hebben, vooral na de ontboezemingen over Roger en zijn oom. Ook waren de ervaringen van een ander van het gemaskerd bal zeer aantrekkelijk, maar Miss Temple zag ook hoe vreselijk moe haar nieuwe bondgenoot was, en gezien het feit dat hij ook steeds achterdochtig naar de straat bleef kijken, vond ze het veel wijzer om ervoor te zorgen dat hij ergens kon rusten en op krachten kon komen, zodat hij, als ze eenmaal besloten hadden wat ze zouden gaan doen, het plan ook ten uitvoer kon brengen. Ook moest ze toegeven dat ze, nu ze een beter beeld had van waar ze op moest letten, meer tijd wilde hebben om de kranten te doorzoeken, zodat ze, wanneer ze elkaar hun verhalen zouden vertellen, geen domme dingen zou zeggen. Ze vond dat haar ervaringen niet ondermijnd mochten worden door de afwezigheid van een handjevol plaatsnamen en voor de hand liggende (als ze ze eenmaal bedacht had) hypotheses. Ze stond op en onmiddellijk – Svensons automatische beleefdheid leek wat slaafs – kwam ook Svenson overeind.

'Kom mee,' zei ze, snel haar kranten en papieren verzamelend. 'Ik heb u schaamteloos verwaarloosd.' Ze beende met haar armen vol – achteromkijkend naar Svenson, die vaag protesterend een stap achter haar liep – naar de receptie. 'Of wilt u eerst iets eten?' vroeg ze.

'Nee, nee,' sputterde hij. 'Ik... zo-even... koffie... op straat...'

'Uitstekend. Mr Spanning?' Ze zei dit tegen de gesoigneerde man achter de balie, die Miss Temple ogenblikkelijk alle aandacht gaf. 'Dit is dokter Svenson. Hij heeft een kamer nodig. Hij heeft geen bedienden... Een slaapkamer en woonkamer zijn voldoende. Hij heeft ook iets te eten nodig... een of andere heldere soep, denk ik, want hij moet wat aansterken. En iemand die zijn jas en laarzen schoonmaakt. Dank u vriendelijk. Zet u het maar op mijn rekening.' Ze draaide zich naar Svenson en onderbrak zijn onsamenhangende protest. 'Wees redelijk, dokter, u hebt hulp nodig, punt uit. Ik weet zeker dat u mij ook zou helpen. Ah, Mr Spanning. Dank u wel. Dokter Svenson heeft geen bagage, hij neemt zelf de sleutel in ontvangst.'

Mr Spanning reikte Svenson de sleutel aan, die hem zonder een woord te zeggen aannam. Miss Temple hees haar stapel op de balie, ondertekende snel het bonnetje dat de receptionist haar had voorgelegd en nam toen haar lading weer in de armen. Met een laatste kwieke glimlach naar Spanning – waarmee ze hem openlijk uitdaagde om de transactie onfatsoenlijk te vinden of op iets te wijzen wat haar reputatie zou bezoedelen – ging ze Svenson voor de trap op naar boven: een nijver figuurtje met de lange dokter onzeker achter zich aan. Toen ze bij de eerste verdieping waren aangekomen, liep Miss Temple naar rechts een brede, met dik tapijt beklede gang in.

'Miss Temple!' fluisterde Svenson. 'Alstublieft, dit is te veel... Ik kan deze vrijgevigheid niet accepteren... We hebben zoveel te bespreken... Ik kan best een minder dure kamer in een onopvallend pension zoeken.'

'Dat zou mij geenszins schikken,' antwoordde Miss Temple. 'Ik ben niet van plan om u daarin op te zoeken. Bovendien, als ik op uw achterdochtige blikken mag afgaan, kunt u beter niet de straat op voor we weten welk gevaar wij lopen en voor u voldoende slaap hebt gehad. Echt, dokter, dit is verstandiger zo.'

Miss Temple was trots op zichzelf. Na zoveel ervaringen die bijna tot doel leken te hebben om te laten zien hoe onwetend en onkundig Miss Temple was, was zo'n beslist optreden hoogst bevredigend. Ook was ze – hoewel ze hem nog maar net ontmoet had – tevreden over het feit dat ze dokter Svenson had geaccepteerd en hem hulp had geboden. Hoe meer ze voor hem kon doen, hoe verder ze van haar pijnlijke eenzaamheid op Harschmort verwijderd leek.

'Ah,' zei ze. 'Nummer 27.' Ze ging opzij van de deur staan, zodat Svenson hem open kon maken. Toen hij dat gedaan had, keek hij naar binnen en gebaarde dat zij hem voor kon gaan. Ze schudde haar hoofd. 'Nee, dokter. U moet rusten. Ik ga naar mijn kamers terug en als u hersteld bent, laat het dan Mr Spanning weten, dan zal hij mij inlichten en kunnen wij overleg plegen. Ik kan u verzekeren dat ik halsreikend naar dat tijdstip uitkijk, maar tot die tijd...'

Ze werd onderbroken door het geluid van een deur die verderop in de gang werd geopend. Ze keek automatisch om en wendde zich toen weer tot Svenson, maar... haar ogen werden groot van verbazing... De woorden bestierven haar op de lippen... Ze draaide zich opnieuw om en keek naar de gast die zojuist zijn kamer uit was gekomen en de gang in was gestapt. De man stond haar aan te kijken en zijn blik ging van haar naar Svenson en weer terug. Miss Temple zag dat de dokter schrok en zijn hand in zijn jaszak stak. De man in de gang liep langzaam op hen af. Het geluid van zijn voetstappen werd geabsorbeerd door het dikke tapijt. Hij was lang, had zwart haar en zijn dieprode jas reikte bijna tot de grond. Hij droeg dezelfde ronde, donkere brillenglazen als ze in de trein had gezien. Hij bewoog zich soepel, gracieus als een kat, en straalde daarmee zowel spierkracht als dreiging uit. Ze wist dat ze haar revolver uit haar tas kon halen, maar legde haar hand in plaats daarvan op die van de dokter, waardoor zijn beweging gestopt werd. De man in het rood bleef een meter of twee van hen vandaan staan. Hij keek eerst naar haar, hoewel ze zijn ogen niet kon zien, toen naar de dokter en daarna naar de deuropening tussen hen in.

Hij fluisterde samenzweerderig: 'Geen bloed, geen prins. Zullen we thee bestellen?'

De man in het rood deed de deur achter zich dicht en hield ondertussen zijn bebrilde, fletse ogen op Miss Temple en de dokter gericht, die in de kleine zitkamer stonden. Ieder van hen had zijn hand op zijn wapen. Een lang moment stonden ze elkaar zwijgend aan te kijken. Uiteindelijk zei Miss Temple tegen dokter Svenson: 'Ik neem aan dat u deze man kent?'

'We hebben elkaar niet gesproken… Misschien is het beter om te zeggen dat we op hetzelfde tijdstip op dezelfde plaats waren. Zijn naam, en zeg het als het niet zo is, is Chang.'

De man in het rood knikte bevestigend. 'Ik ken uw naam niet, maar de dame… Het doet me plezier om eindelijk kennis te maken met de beroemde Isobel Hastings.'

Miss Temple gaf geen antwoord. Ze kon Svenson naast haar horen sputteren. Haar met grote ogen aanstarend stapte hij bij haar vandaan.

'Isobel Hastings? Maar u… u was met Bascombe!'

'Dat was ik ook,' zei Miss Temple.

'Maar… hoe kan het dan dat ze u niet herkend hebben? Ik weet zeker dat hij ook naar u op zoek is!'

'Ze ziet er… bij daglicht heel anders uit,' grinnikte Chang.

Svenson staarde haar aan en zag de blauwe plekken en de rode streep van de kogel.

'Ik ben een dwaas…,' fluisterde hij. 'Maar hoe… hoe… Neem me niet kwalijk…'

'Hij zat in de trein,' zei ze tegen Svenson terwijl ze haar blik op Chang gericht hield. 'Toen ik terugkwam van Harschmort. We hebben elkaar niet gesproken.'

'Nee?' vroeg Chang. Hij keek naar Svenson. 'Hebben wij elkaar ook niet gesproken? Ik dacht van wel. Een man zoals ik, een vrouw die met bloed was besmeurd – heeft ze u dat verteld? – en een man die zich met een revolver dreigend eerst bij een groep vijanden binnendrong en zich vervolgens uit de voeten maakte. Ik denk dat er in beide gevallen sprake was van… herkenning.'

Niemand zei iets. Miss Temple ging op de kleine bank zitten. Ze keek op naar de dokter en wees op de leunstoel. Hij weifelde even, maar ging zitten. Beiden keken naar Chang, die uiteindelijk op de overgebleven stoel tegenover hen plaatsnam. Pas toen zag Miss Temple dat hij iets glimmends in zijn hand had... Zijn scheermes. Gezien de manier waarop hij zich bewoog, twijfelde ze er niet aan dat hij daarmee veel gevaarlijker was dan de dokter en zij samen. En als dat het geval was, hadden ze iets heel anders nodig. Ze schraapte haar keel en trok behoedzaam haar hand uit haar groene handtas. Vervolgens nam ze de tas van haar schoot en zette hem naast het bankje. Even later schoof Chang abrupt het mes in zijn zak en een paar minuten later haalde Svenson zijn hand uit zijn zak.

'Meende u het van die thee?' vroeg Miss Temple. 'Ik zou graag een kopje lusten. Het is altijd beter om serieuze zaken rond een theepot te bespreken. Dokter, u zit het dichtstbij. Zou u zo vriendelijk willen zijn om aan de bel te trekken?'

Tijdens het bestellen van de thee, de komst ervan en het inschenken werd er op een paar korte vragen over citroen, melk of suiker na niets gezegd. Miss Temple nam met één hand onder haar schoteltje een slok. Het was heerlijk. Aldus gesterkt besloot ze dat er iemand het initiatief moest nemen, want de dokter leek bijna in slaap te vallen en de andere man, Chang, leek wel een wolf.

'Mr Chang, u bent zeer terughoudend... Ik ben ervan overtuigd dat wij allen goede redenen hebben om achterdochtig te zijn, maar toch bent u hier. Ik kan u zeggen dat dokter Svenson en ik een uur geleden nog niet kennisgemaakt hadden en dat we elkaar toevallig in de lobby van dit hotel tegen het lijf zijn gelopen, precies zoals we u net in de gang hebben ontmoet. Ik zie dat u een gevaarlijk man bent. U dient dit noch als compliment, noch als kritiek op te vatten, het is gewoon duidelijk. Ik denk daarom dat als het tussen ons drieën tot onenigheid zou komen, dat ernstige gevolgen heeft, waarbij één partij waarschijnlijk het leven laat. Bent u het daarmee eens?'

Chang knikte, een glimlach rond zijn lippen.

'Uitstekend. Ik zie daarom geen enkele reden waarom we niet eerlijk zouden zijn tegen elkaar. Het zal de doden niet verstoren en als we onze krachten bundelen, staan we, als we onze kennis delen, veel sterker. Ja?'

Chang knikte weer en nam kleine slokjes van zijn thee.

'U bent zeer inschikkelijk. Ik stel, aangezien ik al met dokter Svenson gesproken heb, daarom kapitein-chirurg Abelard Svenson van de marine van Mecklenburg aan u voor.' Op dit punt knikten de twee mannen elkaar formeel toe. 'Ik zal in het kort mijn aandeel in deze zaak toelichten. Omdat de dokter en ik dit niveau van openheid nog niet bereikt hadden, hoop ik dat hij dit ook interessant zal vinden. De dokter is de hele nacht op geweest, is het doelwit van een gewelddadige achtervolging geweest en is zijn prins verloren, zoals u in de gang al gevat opmerkte.' Ze glimlachte. 'Als dokter Svenson in staat is om verder te gaan...'

'Zeker, zeker,' mompelde Svenson. 'De thee doet wonderen.'

'Mr Chang?'

'Ik wil niet onbeleefd zijn,' zei Svenson, 'maar toen ik over u hoorde spreken, noemden de mannen u "kardinaal".'

'Zo noemen sommigen me,' zei Chang. 'Dat komt door de jas.'

'En wist u,' zei Miss Temple, 'dat dokter Svenson me aan mijn laarzen herkende?' We hebben al heel wat interesses gemeen.'

Chang lachte naar haar en vroeg zich, zijn hoofd scheef houdend, af of ze serieus was. Miss Temple grinnikte bij de gedachte dat hij niet langer in de eerste plaats aan zijn scheermes dacht. Ze nam nog een slok thee en begon.

'Mijn naam is niet Isobel Hastings, maar Celestial Temple. Niemand noemt me echter zo. Iedereen noemt me Miss Temple, of in bijzondere omstandigheden, Celeste. Op dit moment is het aantal mensen dat me in deze stad zo noemt gestegen tot twee, daar ik ook de dokter dat privilege heb toegekend. De ander is mijn tante. Enige tijd na mijn komst uit een land ver overzee verloofde ik me met Roger Bascombe, ondersecretaris bij het ministerie van Buitenlandse Zaken en hoofdzakelijk werkzaam voor Harald Crabbé.' Ze voelde dat Svenson hierop reageerde, maar keek hem niet aan, want het was gemakkelijker om gevoelige of pijnlijke dingen te vertellen aan iemand die ze niet kende, vooral aan iemand als Chang, wiens ogen ze niet kon zien. 'Een paar dagen geleden, nadat ik hem om verscheidene, maar aannemelijke redenen ongeveer een week niet gezien had, ontving ik een brief van Roger waarin hij onze verloving verbrak. Ik wil u beiden duidelijk maken dat ik behalve minachting niets meer voor Roger Bascombe voel. Door zijn bruuske en wrede manier van doen ben ik echter gaan onderzoeken wat de ware toedracht was van zijn daad, omdat hij me geen enkele uitleg heeft gegeven. Twee dagen geleden ben ik hem naar Harschmort gevolgd. Ik ben verkleed gegaan en heb veel mensen en dingen gezien die ik niet had mogen zien. Ik ben gevangengenomen en ondervraagd en... ik zal eerlijk zijn... ben aan twee mannen overhandigd die van plan waren om mijn eer te bezoedelen en me te vermoorden. In plaats daarvan heb ik hen echter vermoord. Vandaar mijn vraag over lijken, dokter. Tijdens de terugreis ben ik door kardinaal Chang toegeknikt. Ik heb bij mijn ondervraging de naam Isobel Hastings gegeven, die me sindsdien achtervolgt.'

De twee mannen zwegen. Miss Temple schonk eerst zichzelf nog wat thee in en toen de anderen. Beide mannen leunden voorover met hun kopje.

'Ik ben ervan overtuigd dat u veel vragen hebt over wat en wie ik gezien heb, maar het is wellicht beter om voorlopig in algemene zin verder te gaan. Dokter?'

Svenson knikte, dronk zijn kopje leeg en boog zich voorover om nog eens in te schenken. Hij nam een slokje – de hete thee stoomde rond zijn mond – en ging achteroverzitten.

'Heeft een van u er bezwaar tegen als ik rook?'

'In het geheel niet,' zei Miss Temple. 'U kunt er vast helderder door denken.'

'Dank u vriendelijk,' zei Svenson, en hij nam een moment de tijd om een donkere sigaret op te steken. Hij blies de rook uit. Miss Temple bestudeerde intussen de zichtbare contouren van zijn schedel en kaak en vroeg zich af of hij ooit weleens at.

'Ik zal het kort houden. Ik behoor tot de diplomatieke delegatie van de kroonprins van mijn land, prins Karl-Horst von Maasmärck, die met Lydia Vandaariff is verloofd. Hun verbintenis is van internationaal belang en ik ben alleen voor de schijn als medicus lid van het team. Mijn belangrijkste taak is om de prins te beschermen.

245

Niet alleen tegen zijn eigen dwaasheid, maar ook tegen mensen die hem uit willen buiten, waar er heel veel van zijn. De diplomatieke gezant en de militair attaché hebben, naar ik meen, hun plicht verzaakt en de prins overgegeven aan een groep samenzweerders met eigen belangen. Ik heb de prins eenmaal uit hun handen gered nadat hij, wellicht vrijwillig, "het procédé" had ondergaan, waar men een mogelijk tijdelijk litteken, een soort brandwond in het gezicht, aan overhoudt.'

Miss Temple ging overeind zitten om iets te zeggen en zag Chang hetzelfde doen. Svenson hield zijn hand op. 'Ik weet zeker dat we er allemaal iets van gezien hebben. De eerste keer dat ik het zelf zag was op het bal op Harschmort, waar ik even het lijk van Arthur Trapping heb gezien. Sindsdien zijn er echter vele anderen geweest: de prins, ene Mrs Marchmoor...'

'Margaret Hooke,' zei Chang.

'Pardon?'

'Haar echte naam is Margaret Hooke. Ze is een duur type hoer.'

'Ah,' zei dokter Svenson, die zich geneerde omdat dat woord in het bijzijn van Miss Temple werd uitgesproken. Maar hoewel ze ontroerd was door zijn zorgzaamheid, vond ze de impuls wat vermoeiend. Als je in een avontuur verwikkeld was, met een onderzoek bezig was, dan was zulke zachtzinnigheid ridicuul. Ze glimlachte naar Chang.

'Er is later nog meer over haar te zeggen, want zij komt elders in onze bewijzen voor,' vertelde Miss Temple hem. 'Gaat het niet goed zo? Gaat u verder, dokter.'

'Ik meen dat de littekens tijdelijk zijn,' vervolgde Svenson. 'Vannacht hoorde ik Francis Xonck Roger Bascombe naar zijn ervaringen met "het procédé" vragen, maar toen ik op het instituut Bascombes gezicht zag – maar nu loop ik op mezelf vooruit – had hij geen littekens.'

Miss Temple voelde een vage steek. 'Dat was voor hij zijn brief stuurde,' zei ze. 'In de periode waarin hij beweerde aan het werk te zijn met de onderminister... toen gebeurde het al.'

'Natuurlijk,' zei Chang niet onvriendelijk.

'Natuurlijk,' fluisterde Miss Temple.

'Harald Crabbé.' Svenson knikte. 'Hij is een van de hoofdpersonen, maar hij is niet de enige. Het is een samenzwering waarbij onder anderen hoogwaardigheidsbekleders van het ministerie, het leger en het instituut betrokken zijn. Zoals ik al zei: de familie Xonck, de comte d'Orkancz, de contessa Lacquer-Sforza en misschien zelfs Robert Vandaariff. En op de een of andere manier is mijn land, Mecklenburg, onderdeel van hun plan. Ondanks de desinteresse van mijn collega's heb ik de prins van hun kromme wetenschap op het instituut weten te redden. Het was op het instituut dat ik kardinaal Chang heb gezien. Ik heb bij onze dienst een aantal van onze soldaten moeten behandelen, die naar ik meen door kardinaal Chang waren verwond.' Hij hield opnieuw zijn hand op. 'Ik vel geen oordeel, want zij hebben sindsdien geprobeerd mij te vermoorden. In de tussentijd is de prins via het dak heimelijk uit zijn kamer gehaald. Hoe, dat weet ik niet. Ik ben hem gaan zoeken. In het huis van Harald Crabbé hoorde ik Francis Xonck en Roger Bascombe een discussie over filosofie voeren bij het vreemd verminkte lijk van een aan het instituut verbonden geleerde. Een deel van zijn bloed was in blauw glas veranderd. Ook was daar mijn eigen militair attaché, majoor Blach, die bij hun plannen betrokken is. Wat nieuw was, was dat Blach aannam dat de samenzweerders de prins hadden ontvoerd, maar dat Xonck dat ontkende. Ik kon in ieder geval ontsnappen en ging op zoek naar madame Lacquer-Sforza, maar werd gevangengenomen door de comte d'Orkancz. Ik werd gedwongen om me met een andere medische zaak bezig te houden, omdat een van hun experimenten mislukt was. Om een lang verhaal kort te maken, ben ik toen aan mannen overhandigd die de opdracht hadden om me te vermoorden en me samen met de lijken van die dode wetenschapper en Arthur Trapping naar de bodem van de rivier te laten zinken. Ik ben ontsnapt. Toen heb ik opnieuw een poging gedaan om madame Lacquer-Sforza te vinden, maar zag haar met Xonck en d'Orkancz. Ze is een van hen. Op mijn vlucht uit haar hotel zag ik door het raam Miss Temple zitten. Ik herkende haar van de kaart... Ik heb nog niet over de kaarten verteld...' Hij haalde de kaarten uit zijn zak en legde ze op het kleine tafeltje waar het theeblad op stond. 'Een van de prins, een van Trapping. Zoals Miss Temple al aangaf, zijn het waardevolle, maar mysterieuze bewijsstukken.'

'U hebt ook nog niet verteld waar u de naam Isobel Hastings hebt gehoord,' zei Chang.

'O nee? Neemt u mij niet kwalijk. Van madame Lacquer-Sforza. Ze heeft me gevraagd om haar te helpen om ene Isobel Hastings te vinden, in ruil waarvoor zij me verteld heeft waar de prins was: op het instituut. Dat was het vreemde, want zij vertelde me waar hij was, waardoor ik hem geheel tegen de wensen van Crabbé en d'Orkancz in weg kon halen. Daarom wilde ik haar weer gaan opzoeken, want hoewel iemand de prins vannacht van ons dak heeft gehaald, leek ten minste een aantal van deze samenzweerders – Xonck en Crabbé – niet te weten waar hij was. Ik had gehoopt dat zij het zou weten.'

Miss Temple voelde dat haar nekharen overeind gingen staan. 'Het zou misschien helpen, dokter, als u de vrouw zou beschrijven.'

'Natuurlijk,' begon hij. 'Een lange vrouw, zwart haar dat in haar gezicht krult en van achteren is vastgezet. Een lichte huid, prachtige kleding, uiterst – bijna kwaadaardig – elegant, gracieus, intelligent, spottend, gevaarlijk en bijzonder indrukwekkend. Ze noemde zichzelf madame Lacquer-Sforza, maar het personeel van het hotel noemde haar contessa.'

'Het Hotel St. Royale?' vroeg Chang.

'Dat klopt.'

'Kent u haar?' vroeg Miss Temple.

'Alleen als "Rosamonde". Ze heeft me ingehuurd… Dat doen mensen: me inhuren om iets te doen. Zij heeft me ingehuurd om Isobel Hastings te zoeken.'

Miss Temple zweeg.

'Ik neem aan dat u de vrouw kent,' zei Chang.

Miss Temple knikte. Ze was, hoezeer ze het ook ontkende, toch enigszins van haar stuk gebracht. De beschrijving van de dokter had een helder beeld van haar opgeroepen en Miss Temple aan de angst die ze veroorzaakte herinnerd.

'Ik ken haar namen niet,' zei Miss Temple. Ik heb haar op Harschmort ontmoet. Ze was gemaskerd. Aanvankelijk nam ze aan dat ik bij een groep met Mrs Marchmoor en anderen behoorde – zoals u al zei: een groep hoeren –, maar ze heeft me vervolgens uitgehoord en me aan de moordenaars overhandigd.' Haar stem klonk pijnlijk zacht toen ze de laatste woorden uitsprak. De mannen zwegen.

'Wat amusant is, werkelijk amusant,' zei Chang, 'is dat waar ze ons ook om vervolgen, we niet zijn wie zij denken. Mijn aandeel in dit verhaal is simpel. Ik ben te huur. Ik ben ook iemand naar Harschmort gevolgd, de man die u dood aantrof, dokter, kolonel Arthur Trapping. Ik ben ingehuurd om hem te vermoorden.'

Hij nam een slok thee en keek over de rand van zijn kopje naar hun reacties. Miss Temple deed haar uiterste best om even beleefd te knikken, als bij iemand die vertelt zeer in het kweken van begonia's geïnteresseerd te zijn. Ze wierp een blik op Svenson, die onbewogen bleef – alsof het slechts bevestigde wat hij al vermoed had. Chang glimlachte – enigszins bitter, vond ze.

'Ik heb hem niet vermoord. Hij is door iemand anders gedood, hoewel ik wel de littekens waar u het over had, dokter, heb gezien. Trapping was een instrument van de familie Xonck. Ik begrijp niet wie hem vermoord heeft.'

'Heeft hij ze verraden?' vroeg Svenson. 'Francis Xonck heeft zijn lijk in de rivier laten zakken.'

'Betekent dat dat Xonck hem heeft vermoord, of dat hij niet wilde dat het lijk werd gevonden – dat hij niet toe kon staan dat hij met de littekens werd gevonden? Of is het iets anders? U had het over de vrouw. Zou zij de anderen verraden en u toestaan om uw prins te redden? Ik heb geen idee.'

'Ik heb het lijk van de kolonel kort kunnen onderzoeken, en geloof dat hij vergiftigd is. Een injectie in zijn vinger.'

'Kan het een ongeluk geweest zijn?' vroeg Chang.

'Het kan van alles geweest zijn,' antwoordde de dokter. 'Ik liep op dat moment gevaar om vermoord te worden en kon niet logisch nadenken.'

'Mag ik vragen wie u ingehuurd heeft om hem te vermoorden?' vroeg Miss Temple.

Chang dacht even na voor hij antwoord gaf.

'Het is blijkbaar een beroepsgeheim,' zei Miss Temple. 'Maar als u die persoon niet helemaal vertrouwt, misschien...'

'Trappings adjudant, kolonel Aspiche.'

Svenson lachte. 'Ik heb hem gisteren in gezelschap van madame Lacquer-Sforza ontmoet. In Hotel St. Royale. Tegen het eind van mijn bezoek was Mrs Marchmoor...' Hij keek ongemakkelijk naar Miss Temple. 'Laten we zeggen dat hij door hen is ingepakt.'

Chang knikte en zuchtte. 'Er was iets vreemds aan de situatie. Er was de volgende dag geen lijk, geen nieuws en Aspiche bracht geen zinnig woord uit. Hij was teruggetrokken want, zoals u al bevestigde, hij werd verleid. Kort daarop werd ikzelf verleid, en wel door deze vrouw, die me ingehuurd heeft om Isobel Hastings te vinden, een hoer die haar goede vriend heeft vermoord.'

Miss Temple snoof. Ze keken haar aan, maar ze gebaarde naar Chang dat hij verder moest gaan.

'Met deze beschrijving ben ik verscheidene bordelen af geweest. Om redenen die nu duidelijk zijn heb ik haar nooit gevonden, maar ik ontdekte algauw dat twee anderen, Mrs Marchmoor en majoor Black...'

'Blach,' zei Svenson zoals de naam uitgesproken moet worden.

'Blach dan,' mompelde Chang. 'Beiden waren naar haar op zoek, en in het geval van de majoor, was hij ook op zoek naar mij. Ik ben gezien op Harschmort, en sommige mensen kennen mij. Toen ik naar huis terugkeerde, heeft een van de mannen van de majoor geprobeerd me te vermoorden. Bij een bezoek aan een derde bordeel stuitte ik op een groepje bestaand uit uw prins, Bascombe, Francis Xonck en een grote kerel met een bontjas aan, en ben hen gevolgd.'

'De comte d'Orkancz,' zei Svenson.

'O!' zei Miss Temple. 'Die heb ik ook gezien!'

'Hij had Margaret Hooke ook uit dat bordeel gehaald en kwam terug voor een andere vrouw. Ik ben ze naar het instituut gevolgd, zag u daar binnengaan, dokter, en ben achter u aan naar beneden gegaan. Ze doen vreemde experimenten met grote hoeveelheden hitte en blauw glas...' Chang pakte een van de blauwe kaarten van het theeblad. 'Het is hetzelfde glas, maar in plaats van deze kleine kaarten, hadden ze met veel moeite en een enorme machine een boek van glas gemaakt... Helaas schrok de man die het aan het maken was – van mij – en liet het vallen. Ik weet zeker dat hij de man is die u op de tafel van de onderminister hebt zien liggen. Ik ben in alle verwarring ontsnapt, maar werd opgewacht door uw majoor en zijn mannen. Ik ben ook aan hen ontsnapt en ben bij toeval hier terechtgekomen.'

Hij leunde voorover, pakte de theepot en schonk nog een rondje thee in. Miss Temple hield haar kopje met beide handen vast en liet ze erdoor verwarmen.

'Wat bedoelde u toen u zei dat wij niet zijn wie onze vijanden denken dat we zijn?' vroeg ze Chang.

'Ik bedoel,' zei Chang, 'dat ze geloven dat we agenten van een grotere macht zijn, samenzweerders die hen tegenwerken, van wier bestaan ze tot nu toe niet af wisten. Ze zijn zo arrogant om te denken dat zo'n groep – een machtige vereniging van geslepen talent zoals zijzelf – het enige is wat hen zou kunnen bedreigen. Het idee dat ze aangevallen zijn door drie ongerelateerde individuen die ze minachten, is het laatste waar ze aan denken.'

'Alleen maar omdat het hen niet vleit,' snoof Miss Temple.

Dokter Svenson lag in de andere kamer te slapen. Zijn jas en laarzen werden schoongemaakt. Miss Temple en Chang spraken nog een poosje over zijn ervaringen met het hotel en het toeval dat hen daar alle drie had samengebracht, maar daarna viel het gesprek stil. Miss Temple bestudeerde de man tegenover haar en probeerde te bevatten dat hij een misdadiger was, een moordenaar. Wat ze zag was een zekere dierlijke souplesse – of als het geen souplesse was, dan efficiëntie – en een brutale en tegelijkertijd terughoudende manier van doen. Ze wist dat dit de belichaming van ervaring was en hoewel ze de man intimiderend en verontrustend vond, vond ze dit aantrekkelijke eigenschappen die ze zelf ook wel wilde hebben. Zijn gelaatstrekken waren scherp en zijn stem was vlak en ruw. Hij was zo direct dat hij bijna onbeleefd was. Ze was uiterst nieuwsgierig naar hoe hij over haar dacht, naar wat hij had gedacht toen hij haar in de trein zag en naar wat hij nu dacht, nu hij haar normale zelf zag, maar ze kon het hem niet vragen. Ze dacht dat hij haar op de een of ander manier verafschuwde, dat hij de hotelkamer, de thee en haar hele leven verafschuwde, want als zijzelf niet bevoorrecht was, zou ze de bevoorrechten iedere dag van haar leven haten.

Kardinaal Chang zat haar vanuit zijn stoel aan te kijken. Ze glimlachte en stak haar hand in haar groene tas.

'Wellicht wilt u me helpen, want ik ben bezig...' Ze haalde de revolver te voorschijn en legde hem op het tafeltje tussen hen in. 'Ik heb meer ammunitie laten halen, maar weet weinig van het wapen af. Als u er iets van weet, zou ik elk advies dat u me erover kunt geven op prijs stellen.'

Chang boog zich voorover en nam de revolver in zijn hand. Hij spande de haan en liet die toen langzaam zakken. 'Ik houd niet van vuurwapens,' zei hij, 'maar ik weet genoeg om een wapen te kunnen laden, af te vuren en schoon te houden.' Ze knikte afwachtend. Hij haalde zijn schouders op. 'We hebben een lap nodig...'

Het volgende halfuur liet hij haar zien hoe je de revolver moest laden, richten, open moest maken, schoonmaken, en weer in elkaar moest zetten. Toen ze dit tot haar tevredenheid zelf ook een keer gedaan had, legde ze de revolver weer op tafel, keek hem aan en stelde eindelijk de vraag die al zo lang op haar lippen brandde.

'En hoe zit het met schieten?' vroeg ze.

Chang gaf niet meteen antwoord.

'Ik zou graag uw advies hierover hebben,' begon ze.

'Ik dacht dat u al een moordenaar was,' zei hij zonder te glimlachen, wat ze op prijs stelde.

'Niet met dit,' zei ze, naar de revolver wijzend.

Ze besefte dat hij er nog steeds achter probeerde te komen of ze serieus was. Ze wachtte, een vastberaden blik in haar ogen. Toen Chang weer sprak, keek hij haar nauwlettend aan.

'Ga zo dicht mogelijk in de buurt staan en duw de loop tegen het lichaam. Er is geen reden om te schieten als u niet van plan bent om de persoon te doden.'

Miss Temple knikte.

'En blijf kalm. Haal rustig adem. Het moorden gaat dan beter en je sterft ook beter, als dat aan de orde zou zijn.' Ze zag dat hij glimlachte en keek in zijn donkere lenzen.

'Daar leeft u mee, met die mogelijkheid, is het niet?'

'Dat doen we toch allemaal?'

Ze haalde diep adem. Het ging haar allemaal iets te snel. Ze stopte de revolver weer in haar tas terwijl Chang zat toe te kijken.

'Als u ze daar niet mee hebt vermoord, hoe hebt u het dan wel gedaan? Die twee mannen.'

Ze kon hem niet gemakkelijk antwoorden.

'Ik... wel, de ene... Ik... Het was erg donker, ik...'

'U hoeft het me niet te vertellen,' zei hij zacht.

Ze haalde nogmaals diep adem en ademde langzaam uit.

Pas een minuut later was Miss Temple in staat om hem te vragen wat hij van plan was geweest te doen die dag, voordat hij hen in de gang had gezien. Ze wees op de kranten en kaarten, en vertelde wat ze zelf van plan was geweest. Verder zei ze dat ze maar eens naar haar kamers terug moest keren, omdat haar tante zich vast zorgen zou maken. Ook dacht ze aan de twee glazen kaarten die dokter Svenson op tafel had gelegd.

'U moet ze echt eens bekijken, vooral omdat u zelf ook hun vreemde glaswerk hebt gezien. Ik heb nog nooit zoiets meegemaakt, het is zowel krachtig als duivels. U denkt wellicht dat ik dwaas ben, maar ik kan u ervan verzekeren dat deze kaarten een ander soort opium bevatten, en het boek dat u beschrijft... een compleet boek... Ik kan me niet anders voorstellen dan dat het een fantastische, of gruwelijke gevangenis is.'

Chang boog zich voorover om een van de kaarten te pakken en draaide hem om in zijn hand.

'Een van de twee laat de ervaring – ik kan niet uitleggen hoe – van Roger Bascombe zien. Ik kom er ook in voor. Geloof me, het is hoogst verontrustend. De andere laat de ervaring van Mrs Marchmoor zien, uw Margaret Hooke, en die is nog verontrustender. Meer zal ik er niet over zeggen, behalve dan dat het beter is om ze alleen te bekijken. Bovendien zult u echt uw bril af moeten zetten.'

Chang keek naar haar op. Hij zette zijn bril af en stak hem in zijn zak. Ze reageerde niet. Ze had op de plantage ook wel zulke gezichten gezien, maar nooit tegenover haar aan de theetafel. Ze lachte hem beleefd toe en knikte toen naar de kaart in zijn hand.

'Ze zijn echt heel mooi blauw.'

Miss Temple liet kardinaal Chang achter met de instructie dat als de dokter wakker werd, hij elke maaltijd kon bestellen die de dokter maar wenste. Zij zou er bij haar terugkomst voor tekenen. Ze had haar armen vol kranten en boeken toen ze bij haar kamers aankwam, en stootte daarom driemaal met haar voet tegen de deur, om zo niet met haar last in de armen naar haar sleutel te hoeven zoeken. Even later hoorde ze voetstappen, waarna de deur werd geopend door Marthe. Miss Temple stapte naar binnen en legde de stapel kranten op tafel. Haar tante zat nog op dezelfde plaats waar ze haar had achtergelaten en dronk een kopje thee. Voor ze haar kon berispen, sprak Miss Temple haar aan.

'Ik moet u een aantal vragen stellen, tante Agathe, en ik heb eerlijke antwoorden nodig. U kunt me wellicht helpen en ik ben u zeer erkentelijk voor uw hulp.' Ze keek haar tante streng aan bij het woord 'erkentelijk' en wendde zich toen weer tot Marthe, die Marie moest gaan halen. Marthe wees op Miss Temples kleedkamer. Toen Miss Temple er binnenging, zag ze Marie handig een paar setjes zijden ondergoed vouwen en op de strijktafel klaarleggen. Ze deed een stap naar achteren toen Miss Temple binnenstoof en was stil toen haar meesteres haar aankopen bekeek.

Miss Temple was uitermate in haar nopjes. Ze ging zelfs zover dat ze Marie blij toelachte. Marie wees vervolgens op de doos patronen bij de spiegel en gaf Miss Temple de bonnetjes en het wisselgeld terug. Miss Temple inspecteerde snel de bedragen en gaf Marie tevredengesteld twee munten extra voor haar moeite. Marie maakte verbaasd een revérence en deed het nogmaals toen Miss Temple gebaarde dat ze de kamer moest verlaten. Toen de deur achter haar dichtviel, glimlachte Miss Temple opnieuw en wendde zich tot de aankopen. De zijde voelde heerlijk aan. Ze was blij dat Marie zo slim was geweest om dezelfde kleur groen te kiezen als de jurk die ze droeg en haar laarzen. Toen Miss Temple haar eigen stralende gezicht in de spiegel zag, wendde ze zich af en bloosde. Eenmaal weer zichzelf schraapte ze haar keel en riep haar dienstmeisjes.

Nadat de twee jonge vrouwen haar jurk en korset hadden losgemaakt, hielpen ze haar in haar groene zijden ondergoed en trokken haar toen de buitenste lagen weer aan. Haar lichaam tintelde van genot toen Miss Temple de doos patronen naar de tafel droeg. Terwijl ze met Changs instructies in gedachten zo achteloos en efficiënt mogelijk met de revolver aan de gang ging, begon ze een gesprek met haar tante. Intussen draaide ze de cilinder, klapte hem open en stopte handig een patroon in ieder gat.

'Ik heb de kranten gelezen, tante,' begon ze.

'Daar heb je er klaarblijkelijk heel wat van.'

'En weet u wat ik daarin las? Ik zag een verbazingwekkende advertentie over Roger Bascombes oom, lord Tarr.'

Tante Agathe kneep haar lippen samen. 'Je moet je niet bezighouden met...'

'Hebt u de advertentie gezien?'

'Misschien.'

'Misschien?'

'Ik kan me niet alles meer herinneren, lieve.'

'Hij is vermoord, tante.'

Haar tante gaf niet meteen antwoord. Toen ze dat wel deed, zei ze slechts: 'Ah.'

'Ah,' zei ook Miss Temple.

'Hij was nogal jichtig,' zei haar tante. 'Het kon niet anders of er zou iets afschuwelijks gebeuren. Ik heb begrepen dat het om wolven gaat.'

'Blijkbaar niet. Er is blijkbaar met de wond geknoeid, zodat het léék of het wolven waren.'

'Mensen zijn tot van alles in staat,' mompelde Agathe.

Ze pakte de theepot om nog een kopje thee in te schenken. Miss Temple klapte de cilinder weer op zijn plaats en draaide hem. Haar tante verstijfde van schrik, haar ogen groot van angst. Miss Temple boog zich voorover en sprak zo geduldig en bedaard mogelijk.

'Beste tante, u moet bedenken dat het geld dat u nodig hebt in mijn bezit is en dat ik daarom ondanks het leeftijdsverschil uw meesteres ben. Dit is een feit. U helpt uw positie niet door mij tegen te werken. Integendeel, hoe meer we in harmonie met elkaar samenwerken, hoe meer uw situatie erop vooruit zal gaan. Ik heb er geen behoefte aan om uw vijand te zijn, maar u dient wel te beseffen dat wat u voorheen goed voor mij vond – een huwelijk met Roger Bascombe – niet langer passend is.'

'Als je niet zo moeilijk was…' barstte haar tante uit, zichzelf snel de mond snoerend.

Miss Temple keek haar ziedend van woede aan. Tante Agathe deinsde ervan terug alsof ze een slang was.

'Het spijt me, lieve,' fluisterde de angstige vrouw. 'Ik bedoelde alleen…'

'Het kan me niet schelen. Het kan me niet schelen! Ik vraag niet naar lord Tarr omdat het me iets kan schelen! Ik vraag het omdat er ook anderen vermoord zijn, wat u niet weet, en Roger Bascombe is erbij betrokken en wordt de volgende lord Tarr! Ik weet niet hoe Roger Bascombe de erfgenaam van zijn oom is geworden, maar ik weet zeker dat u dat wel weet, en u gaat me dat nu vertellen.'

Miss Temple liep met grote stappen de gang door naar de trap. Om haar pols had ze het bandje van haar handtas, die zwaar was van de revolver en een extra handje kogels. Ze snoof verontwaardigd en stak haar kin in de lucht. Moeilijk! Ze schold haar tante uit voor kleinzielige oude dwaas. Het enige waar die vrouw aan dacht was haar pensioen, of iets gepast was of niet, en het aantal feesten waar ze als familielid van een opklimmende regeringsfunctionaris als Roger voor uitgenodigd zou worden. Miss Temple vroeg zich af waarom ze daar verbaasd over was. Haar tante kende haar uiteindelijk pas drie maanden, maar kende de familie Bascombe al jaren. Hoe lang zou ze niet bezig geweest zijn met plannen, en wat moest ze teleurgesteld zijn, dacht ze schamper. Maar dat haar tante er haar de schuld van gaf, dat deed pijn.

Ze had onder druk wel haar vragen beantwoord, maar haar antwoorden maakten het raadsel alleen nog maar groter. Rogers nichten, de dikke Pamela en de jongere, maar eveneens gezette Berenice, hadden beiden zoontjes, die allebei meer recht hadden op de titel en landerijen van lord Tarr dan Roger. De twee nichten hadden echter een formulier getekend waarmee ze de rechten van hun kinderen weggaven, waarin ze er afstand van namen, waardoor Roger kon erven en tot de adel verheven kon worden. Miss Temple wist niet hoe Roger dit voor elkaar had gekregen, want hij was niet bijzonder rijk en ze kende de vrouwen goed genoeg om te weten dat ze geen genoegen hadden genomen met een kleine som geld. Het was duidelijk dat anderen voor het geld hadden gezorgd, Crabbé en zijn kornuiten, maar wat was er dan zo belangrijk aan Roger? Wat had zijn promotie met de andere complotten en moorden waarover ze gehoord had te maken? Bovendien – maar ze beschouwde deze vraag slechts als theoretisch –, als Roger eigenaar werd van de eigendommen die aan zijn neven toebehoorden, wat gaf hij daar dan voor op, en voor welk groots doel?

Omdat haar tante de roddels van de stad op de voet volgde, was ze in een mum van tijd van alles te weten gekomen over de eigenaar van Harschmort, de aanleiding van het gemaskerd bal, de reputatie van prins Karl-Horst (slecht), zijn aanstaande (onbevlekt) en namen als Xonck, Lacquer-Sforza, d'Orkancz, Crabbé, Trapping en Aspiche. Deze laatste twee kende haar tante niet, hoewel ze wel op de hoogte was van de tragische verdwijning van Trapping. Crabbé kende ze via de familie Bascombe, maar de familie richtte zich voornamelijk op de minister, niet op zijn gerespecteerde gedeputeerde. Hij was dan een regeringsfunctionaris, maar nauwelijks een die in het openbaar trad. Omdat de roem van de familie Xonck op zaken was gebaseerd, was haar tante daar niet zo in geïnteresseerd. Ze had wel van hen gehoord, maar voelde zich in het algemeen meer aangetrokken tot titels. (Robert Vandaariff was wat haar betreft pas een belangrijk man geworden toen hij een lord was geworden, hoewel Miss Temple begrepen had dat zo'n man op een gegeven moment gewoon tot lord benoemd móet worden, omdat de regering anders minder machtig lijkt dan hij.) Francis Xonck was natuurlijk iemand die regelmatig bij schandalen betrokken was, hoewel niemand precies wist waarom. Men fluisterde over vreemde buitenlandse gewoonten die hij zich eigen had gemaakt. Zijn broer en zus waren echter slechts omvangrijk. De comte d'Orkancz kende haar tante alleen als begunstiger van de opera. Hij was blijkbaar in een of andere vreselijke enclave van de Balkan geboren, was opgegroeid in Parijs en had zijn rijkdom en titels geërfd na een serie verwoestende huisbranden. Behalve dit kon Agathe slechts melden dat hij een verfijnd man was, streng en geleerd, iemand die naar de universiteit had kunnen gaan als die mensen van de universiteit niet zo afschuwelijk waren. Op de laatste naam die Miss Temple haar tante enigszins terughoudend had voorgelegd, had Agathe slechts ongelukkig haar schouders opgehaald. Ze wist natuurlijk wel wie de contessa Lacquer-Sforza was, maar kon niets over haar vertellen, behalve dan dat ze in het najaar van het jaar ervoor in de stad was neergestreken. Agathe glimlachte en wees erop dat Miss Temple in dezelfde periode was gearriveerd. Agathe had de dame nog nooit gezien, maar had gehoord dat ze even mooi was als prinses Clarissa of Lydia Vandaariff. Ze glimlachte en vroeg liefjes of haar nichtje de contessa misschien gezien had en of dat waar was. Miss Temple snibde dat ze haar natuurlijk niet ontmoet had. Ze had geen van deze mensen ooit gezien. Ze ontmoette nooit iemand van de hogere kringen, tenzij ze in het gezelschap van Roger was, en zeker geen mensen die tot de crème de la crème van het vasteland behoorden. Ze snoof dat de Roger Bascombe die zij gekend had geen type was dat zich met zulk soort mensen ophield. Haar tante gaf met een meelijdende knik van haar hoofd toe dat dit waar was.

Miss Temple stond stil op de overloop tussen de eerste en tweede verdieping en ging na om zich heen te hebben gekeken of niemand haar zag op de trap zitten. Ze wilde voordat ze zich bij haar nieuwe kameraden voegde en het avontuur voortzette eerst haar gedachten ordenen, onder andere over haar nieuwe metgezellen. Degene op wie alles vastliep, zo stelde ze wanhopig vast, bleef Roger, die tot zijn nek in wat het dan ook was zat. De man was een dwaas, ze twijfelde er niet meer aan, maar in haar poging om hem te vergeten, werd ze telkens met haar vroegere gevoelens voor hem geconfronteerd. Waarom kon ze ze niet gewoon uit haar gedachten, haar hart, wegsnijden? Het ene moment was ze er zeker van dat dat gelukt was, dat de pijn die ze voelde, de druk op haar borst en de brok in haar keel geen liefde voor Roger waren, maar de afwezigheid ervan. Iets groots dat weggehaald was en een leegte achterliet, een gat in haar hart, bij wijze van spreken, waar haar gedachten zich – tijdelijk, ten minste – omheen moesten bewegen. Maar dan, plotseling, zonder waarschuwing, maakte ze zich zorgen over hoezeer Roger zijn leven in de waagschaal had gesteld en wilde ze dat ze hem eens streng kon toespreken om hem uit zijn dwaze droom te doen ontwaken. Miss

Temple slaakte een diepe zucht en had om de een of andere reden een heldere herinnering aan de suikerfabriek van de plantage, de grote koperen pannen en de spiralen die het rauwe suikerriet in rum veranderden. Ze wist dat Roger zich bij mensen aangesloten had die opdracht tot moord gaven – onder andere op haar – en ze vreesde dat – zoals suikerriet door een wetenschappelijk proces en vuur tot rum wordt gereduceerd – dit onherroepelijk tot een dodelijke confrontatie tussen Roger en haarzelf moest leiden. Ze voelde het gewicht van de revolver in haar handtas. Ze dacht aan Chang en Svenson. Werden zij eveneens gekweld? Ze leken beiden zo zeker van zichzelf, vooral Chang, een type dat ze nooit eerder had ontmoet. Toen realiseerde ze zich echter dat dit niet waar was, dat ze best mannen gekend had die zo openlijk wreed konden zijn. Haar vader was zo iemand, maar bij degenen die zij gekend had, werden de wreedheden altijd onder het mom van zaken of eigendom gepleegd. Bij Chang lag de waarheid over zijn werk open en bloot. Ze deed haar best om dit verfrissend te vinden en zei tegen zichzelf dat dat zo was, maar ze moest er onwillekeurig toch van huiveren. Dokter Svenson vond ze minder angstaanjagend en hij leek meer last te hebben van gewone angsten en twijfels. Zo was ze zelf ook, hoewel Miss Temple wist dat niemand ter wereld haar de kracht had kunnen geven om te overleven wat ze al overleefd had. Zoals ze vertrouwen had in haar eigen herstellingsvermogen, zo had ze dat ook in dat van de dokter. Bovendien, bedacht ze glimlachend, waren anderszins capabele mannen vaak niet op hun best als er een mooie vrouw in de buurt was?

Ze wist zeker dat ze gewapend met de roddels van haar tante in ieder geval het gesprek kon volgen. Haar kameraden hadden het vaak over plaatsen in de stad die ze niet kende: bordelen, instituten en diplomatieke diensten, een mengeling van grote hoogten en diepten, waar zij geen ervaring mee had. Ze wilde het gevoel hebben dat ze een gelijkwaardige bijdrage aan het partnerschap leverde, en wilde dat het iets anders was dan geld voor een kamer of een maaltijd. Als ze gezamenlijk tegen die – wat was het woord van de dokter? – 'samenzwering' zouden optreden, dan moest ze er dingen bij leren. Wat ze tot dan toe gedaan had, leek een mengeling van onderzoek en meeloperij. Zelfs de moorden op Farquhar en Spragg leken een onwaarschijnlijk toeval te zijn. Ze kon zich niet voorstellen wie ze tegen zich had, maar wist ook weinig over haar bondgenoten. Wat had ze naast haar beurs eigenlijk in haar mars? Ze had op dat moment gemakkelijk aan twijfel en angst ten prooi kunnen vallen, al haar zelfverzekerdheid kunnen verliezen. Ze stelde zich voor dat ze alleen met een man als de comte d'Orkancz in een treincoupé zat. Wat zou ze dan doen? Miss Temple keek naar het behang bij de trap, dat met een ingewikkeld patroon van bloemen en bladeren was beschilderd, en beet hard op haar lip. Zo hard dat er bloed verscheen. Ze wreef in haar ogen en snifte. Wat ze zou doen was de loop van de revolver tegen zijn lichaam drukken en net zo vaak de trekker overhalen tot zijn afschuwelijke karkas op de grond zou zakken. Vervolgens zou ze de contessa Lacquer-Sforza opzoeken en haar afranselen tot haar arm te moe was om een zweep vast te houden. En dan… Roger… Ze zuchtte. Bij Roger Bascombe zou ze gewoon weglopen.

Ze ging staan en liep de trap af naar de eerste verdieping, maar bleef op de laatste tree staan, omdat ze stemmen hoorde in de gang. Ze gluurde om de hoek en zag bij de deur van kamer 27 drie mannen in zwarte uniformen en een andere man in een donkerbruine cape staan. De mannen stonden zacht te praten – waar Miss Temple een hekel aan had, omdat ze graag wilde weten waar andere mensen het over hadden, ook al ging het haar niets aan – en liepen toen gezamenlijk richting de hoofdtrap aan het eind van de gang. Ze sloop zo snel als ze kon de gang door naar de deur en hield haar adem in toen ze zag dat hij op een kier stond. De mannen moesten binnen geweest zijn. Met angst en beven duwde ze hem open. De zitkamer was verlaten. De kranten die ze had laten liggen, lagen door de kamer verspreid, maar ze zag geen enkel teken van Svenson of Chang, of van een schermutseling. Ze ging snel in de slaapkamer kijken, maar die was ook leeg. De deken lag opengeslagen en het raam stond open, maar de mannen zag ze niet. Miss Temple keek uit het raam en zag dat het zich boven het steegje achter het hotel bevond, zo'n tien meter boven de grond. Ze klemde haar handtas stevig onder haar arm en keerde terug naar de gang. Zowel Svenson als Chang was eerder door soldaten achtervolgd, maar wie van de twee hadden ze op het oog? Ze fronste nadenkend. Chang kon het voor zover ze wist niet geweest zijn, want hij was niet in kamer 27. Ze racete naar de deur waar ze hem uit had zien komen, nummer 34, maar vond die ook open. De kamer was verlaten, het raam dicht. Ze liep geagiteerd terug naar de gang. Op de een of andere manier hadden de soldaten de kamers van Svenson en Chang weten te vinden. Met plotselinge schrik dacht ze aan de kamer van haar en haar tante.

Miss Temple rende de trap op, koortsachtig de revolver uit haar tas nemend. Ze ging de hoek om en de gang in, hield de revolver in de aanslag en haalde diep adem. Ze zag niemand. Waren ze al binnen? Of stonden ze op het punt om te arriveren? De deur was dicht. Miss Temple bonsde erop met haar vuist. Het bleef stil achter de deur. Ze klopte nog eens. Er werd nog steeds niet opengedaan en Miss Temple kreeg angstige visioenen van een vermoorde tante en dienstmeisjes, en een kamer vol bloed. Ze haalde haar sleutel uit haar tas en opende met haar linkerhand, wat het lastiger maakte, de deur. Ze duwde hem open en sprong opzij. Stilte. Ze gluurde om de hoek naar binnen. Er was niemand. Met de revolver in beide handen liep ze langzaam verder. Ook de ontvangstkamer was leeg en er was geen teken dat er iets van zijn plaats gehaald was. Toen wendde ze zich tot de deur van de zitkamer, die dicht was. Hij was nooit dicht. Ze sloop ernaartoe, keek om zich heen en stak haar linkerhand uit naar de knop. Ze draaide hem langzaam om en duwde toen ze de klik van het slot hoorde de deur open. Ze gilde. Een klein gilletje, hoopte ze later, want daar stond dokter Svenson. Hij liep op sokken en had zijn revolver op haar gericht. Naast hem zat haar van angst wit weggetrokken tante en achter hem verscholen zich de twee dienstmeisjes, verstijfd van schrik. Door een plotselinge prikkeling in haar nek draaide Miss Temple zich om en zag kardinaal Chang achter zich staan. Hij had een lang, tweesnijdend mes in zijn hand. Hij was zojuist uit de kamer van de dienstmeisjes gestapt en had een lugubere grimas op zijn gezicht.

'Heel goed, Miss Temple. Zou u me neergeschoten hebben voor ik u neergestoken had? Ik weet het niet, wat een groot compliment is.'

Ze slikte, nog niet in staat om de revolver te laten zakken.

'De voordeur, zou ik zeggen,' riep dokter Svenson achter haar. Chang knikte. 'Inderdaad.' Hij draaide zich om en liep naar de deur, keek snel de gang in en deed hem op slot. 'En misschien een stoel...' zei hij tegen niemand in het bijzonder, en hij koos een van de stoelen uit de zitkamer om onder de deurknop te klemmen. Toen hij dit gedaan had, richtte hij zich tot het gezelschap en glimlachte kalm. 'We hebben uw tante leren kennen.'

'We maakten ons grote zorgen toen u hier niet was,' zei Svenson. Hij had zijn revolver in zijn zak gestoken en leek zich ongemakkelijk te voelen tussen al die bange vrouwen.

'Ik ben via de andere trap gekomen,' zei Miss Temple. Ze zag dat beide mannen haar nauwgezet in de gaten hielden en volgde hun blik naar haar handen. Ze dwong zichzelf om langzaam de haan van de revolver los te laten en uit te ademen. 'Er zijn soldaten...'

'Ja,' zei Chang, 'we konden ontsnappen.'

'Maar hoe? Ze liepen op de trap en u bent me op die andere niet voorbijgekomen. En hoe wist u welke kamer van mij was?'

'Het bonnetje voor de thee,' zei Svenson. 'Ik zag uw kamernummer erop staan. Maakt u zich geen zorgen, we hebben het niet voor ze laten liggen. En wat de ontsnapping betreft...'

'Dokter Svenson is een zeeman,' grijnsde Chang. 'Hij kan klimmen.'

'Ik kan klimmen als het moet,' zei Svenson knikkend.

'Maar... ik heb uit het raam gekeken en er was niets dan baksteen!'

'Er was een metalen pijp,' zei Svenson.

'Maar die was ontzettend smal!'

Ze zag dat het gezicht van de dokter intussen verbleekt was. Hij slikte ongemakkelijk en veegde zijn voorhoofd af.

'Precies,' lachte Chang. 'Hij is een klimwonder.'

Miss Temple ving de blik van haar tante op, die nog steeds zat te beven op haar stoel, en voelde zich plotseling schuldig dat ze de vrouw zo in gevaar had gebracht. Ze keek naar de anderen en zei scherp: 'Het maakt niet uit. Ze hebben het van de receptie, van die vuile Mr Spanning, wiens gepommadeerde haar ik in brand zal steken. Ik betaal de kamer van de dokter. Ze kunnen elk moment hier zijn.'

'Hoeveel mannen hebt u gezien?' vroeg Chang.

'Vier. Drie soldaten en een man in een bruine cape.'

'Een man van de comte,' zei Svenson.

'Wij zijn ook met z'n drieën,' zei Chang. 'Ze willen ons ongetwijfeld in alle stilte meenemen en een gevecht voorkomen.'

'Er zijn er wellicht nog meer in de lobby,' waarschuwde Svenson.

'Zelfs als dat zo is, kunnen we ze verslaan.'

'Tegen welke prijs?' vroeg de dokter.

Chang haalde zijn schouders op.

Miss Temple keek om zich heen, naar de luxe en veiligheid van haar leven in het Hotel Boniface, en wist dat het voorbij was. Ze wendde zich tot haar dienstmeisjes en zei: 'Marthe, jij maakt een reistas klaar, licht genoeg om te dragen met alleen de hoognodige spullen. Neem het gebloemde valies maar.' Het meisje verroerde geen vin, waarop Miss Temple blafte: 'Nu meteen! Denk je dat dit het moment is om je aan je plicht te onttrekken? Marie, jij maakt de tassen voor mijn tante en voor jullie twee in orde. Jullie gaan een poosje naar zee.'

De meisjes sprongen overeind en gingen aan het werk. Haar tante keek naar haar op.

'Waarde Celeste, naar zee?'

'U moet een veiliger plaats zoeken en ik bied mijn excuses aan. Het spijt me vreselijk dat ik u zo in gevaar heb gebracht.' Miss Temple snoof en wees naar haar kamer. 'Ik zal kijken hoeveel geld ik heb. U krijgt natuurlijk genoeg mee voor de reis en een biljet om van te leven. U moet beide dienstmeisjes meenemen.'

Met grote ogen keek Agathe van Miss Temple naar Chang en Svenson, die geen van tweeën respectabel genoeg leek om alleen te worden gelaten met haar nicht. 'Maar... u kunt toch niet... U bent een welopgevoede jongedame... Het schandaal... U moet met mij meegaan!'

'Dat is onmogelijk...'

'U hebt geen dienstmeisje... Dat is onmogelijk!' De oude dame keek verongelijkt naar de mannen. 'En het is zo koud aan zee...'

'Dat is nu precies de bedoeling, tante. U moet naar een plek waar niemand u verwacht. En u mag het aan niemand vertellen, aan niemand.'

Haar tante zweeg, terwijl de dienstmeisjes druk bezig waren, en keek haar niet zorgelijk aan. Of dat vanwege de netelige situatie was waarin ze zich bevond, of vanwege de verandering in haar niet, dat wist ze niet. Ze was zich er in ieder geval van bewust dat Svenson en Chang het gesprek op de voet volgden.

'En jij?' fluisterde haar tante.

'Dat kan ik u niet zeggen,' antwoordde ze. 'Ik weet het niet.'

Er waren ten minste twintig minuten verstreken en Miss Temple zag, doelloos met haar vingers over een van de blauwe kaarten van de dokter strijkend, dat Chang bij de deur naar de gang stond en de gang in keek. Hij deed een stap terug, ving haar blik en haalde zijn schouders op. Marthe gaf haar het valies, zodat ze het kon inspecteren. Miss Temple sommeerde haar om Marie te gaan helpen, stopte de blauwe kaart zonder naar de dokter te kijken in haar handtas – hij had haar geen toestemming gegeven om hem te houden – en droeg het valies naar een leunstoel, waar ze ging zitten. Terwijl ze met haar gedachten ergens anders was, bekeek ze wat het dienstmeisje had uitgezocht en bond zonder dat af te maken de tas dicht. Miss Temple zuchtte. Haar tante zat aan tafel naar haar te kijken. Chang stond bij de deur. Svenson leunde bij haar tante tegen de tafel, aangezien de dienstmeisjes zijn pogingen om mee te helpen met inpakken hadden afgewezen.

'Daar die mannen niet gekomen zijn,' zei haar tante, 'komen ze misschien helemaal niet. Misschien is het helemaal niet nodig om weg te gaan. Als ze Celeste niet kennen...'

'De kwestie is niet of ze uw niet kennen of niet,' zei Svenson vriendelijk. 'Ze weten wie ik ben en Chang kennen ze ook. Als ze weten dat wij hier geweest zijn, zullen ze het hotel in de gaten houden. Het is slechts een kwestie van tijd voor ze ons met uw nicht in verband brengen.'

'Dat hebben ze al gedaan,' zei Chang vanuit de deuropening.

'Voor ze tot actie overgaan dan,' vervolgde Svenson. 'Zoals uw nicht al zei: u bent zelf in gevaar.'

'Maar,' hield haar tante vol, 'als ze hier nog niet zijn...'

'Daar boffen we bij,' zei Miss Temple. 'Dat betekent dat we misschien allemaal ongezien kunnen ontsnappen.'

'Dat zal moeilijk gaan,' zei Chang.

Miss Temple zuchtte. Het zou moeilijk zijn. Elke ingang zou vanaf de straat in de gaten worden gehouden. De enige vraag en hun enige hoop was waar die mannen op letten. Vast niet op twee dienstmeisjes en een oude vrouw.

'Dat moet u dan maar regelen, mijnheer, en netjes!' snoof tante Agathe, alsof Chang een werkman was wiens twijfel tot een verhoging van zijn vergoeding leidde.

Miss Temple ademde uit en ging staan.

'We mogen aannemen dat de receptionist die de weg naar de kamer van de dokter heeft gewezen ook betaald is om informatie over ons te verstrekken. We moeten hem afleiden terwijl mijn tante en dienstmeisjes vertrekken. De mannen op straat zullen niet op hen letten, niet zonder teken. Als u het hotel verlaten hebt, neem dan meteen een rijtuig naar het station en rijd daarvandaan naar de kust. De zuidkust, Cape Rouge; er zijn daar ongetwijfeld veel herbergen. Als we eenmaal in veiligheid zijn, zal ik een brief voor u naar het postkantoor sturen.'

'En jijzelf?' vroeg Agathe.

'O, wij komen gemakkelijk hier weg,' zei ze met een geforceerde glimlach. 'En dit alles zal snel voorbij zijn.' Ze keek naar Svenson en Chang voor een bevestiging, maar geen van tweeën had een goedgelovig kind kunnen overtuigen. Ze sommeerde de dienstmeisjes op scherpe toon om hun werk af te maken en hun jassen te pakken.

Miss Temple wist dat ze zelf naar Mr Spanning moest gaan, want de anderen konden beter met de bagage helpen en uit het zicht blijven. Ze keek achterom en zag hen naar de trap aan de achterkant lopen, Chang en Svenson met de kledingkist van haar tante en de dienstmeisjes aan weerszijden van Agathe, met in de ene hand hun eigen kleine tas en de andere onder de arm van de oude vrouw. Miss Temple zelf liep met een grote schoudertas over haar schouder en haar groene tasje in haar hand naar de hoofdtrap, waar ze zo onbezorgd en vriendelijk knikkend mogelijk vanaf liep. Op de eerste verdieping verbreedde de gang zich tot een grote galerij boven de prachtige lobby, die op de in een bocht lopende trap uitkwam. Ze keek over de leuning en zag geen soldaten in het zwart, maar buiten bij de deur stonden twee mannen in bruine capes. Ze liep de brede trap af en zag Mr Spanning achter de balie staan. Toen ze in het zicht kwam, ontmoette zijn blik de hare. Ze schonk hem een stralende glimlach. Spanning keek terwijl ze naderde vluchtig de lobby rond, dus voor hij een teken kon geven riep ze vrolijk: 'Mr Spanning!'

'Miss Temple?' antwoordde hij behoedzaam. Zijn anders zo gelikte manier van doen hield nu het midden tussen wantrouwen en trots op zijn eigen geslepenheid.

Ze liep naar de balie en terwijl ze vanuit haar ooghoeken zag dat er niemand onder de trap zat, keek ze in de spiegel achter Spanning naar de voordeur. De mannen met de capes hadden haar wel gezien, maar kwamen niet binnen. Miss Temple ging op haar tenen staan en leunde met beide ellebogen speels op de balie, iets wat ze anders nooit deed.

'Ik denk dat u wel weet waar ik voor gekomen ben,' zei ze glimlachend.

'O ja?' antwoordde Spanning, die geforceerd kruiperig grijnsde, wat niet bij hem paste.

'Ja hoor.' Ze knipperde met haar oogleden.

'Ik weet echt niet...'

'Misschien hebt u het zo druk gehad dat het u ontschoten is...' Ze keek de lege lobby rond. 'Maar dat lijkt er niet op. Zeg eens, Mr Spanning, hebt u zoveel belangrijke zaken te doen gehad?' Ze glimlachte nog steeds, maar er was een harde ondertoon in haar zoete stem te horen.

'Zoals u weet, Miss Temple, zijn mijn reguliere taken zeer...'

'Ja, ja, maar bent u niet met iemand anders bezig geweest?'

Spanning schraapte achterdochtig zijn keel. 'Mag ik vragen...'

'Weet u,' vervolgde Miss Temple, 'ik heb u altijd al willen vragen welk merk pommade u gebruikt, want ik vind uw haar altijd zo verzorgd... en glad. Verzorgd en glad. Ik heb uw stijl aan verscheidene andere mannen in deze stad willen aanbevelen, maar weet niet welk merk ik kan noemen, en ik vergeet het altijd te vragen!'

'Bronson, miss.'

'Bronson. Uitstekend.' Met een plotseling serieuze blik leunde ze naar voren en vroeg: 'Maakt u zich nooit zorgen over vuur?'

'Vuur?'

'Te dicht in de buurt van een kaars komen? Ik zou zo denken... U weet wel... woesj!' Ze grinnikte. 'Ah, wat heerlijk is het om te lachen, maar ik meen het, Mr Spanning. En ik wil graag een antwoord, hoe u ook uw best doet om me te charmeren!'

'Ik kan u verzekeren, Miss Temple...'

'Waarvan, Mr Spanning? Waar kunt u me vandaag van verzekeren?'

Ze lachte niet meer, maar keek de man strak aan. Hij gaf geen antwoord. Met een plof zette ze haar groene handtas op de balie. De inhoud ervan was erg ongebruikelijk voor een damestas. Spanning zag haar de tas handig op hem richten en het wapen erin vastpakken. Haar houding was nog steeds nonchalant, maar op onverklaarbare wijze bijzonder dreigend.

'Wat kan ik voor u doen?' vroeg hij bedeesd.

'Ik ga op reis,' zei ze. 'En mijn tante ook, maar naar een andere bestemming. Ik wens mijn suite te behouden en neem aan dat mijn creditnota uw zorgen wel wegneemt.'

'Natuurlijk. Wanneer komt u...'

'Dat is nog onbekend.'

'Ik begrijp het.'

'Goed. Weet u dat het hier eerder op de dag wemelde van de buitenlandse soldaten?'

'O ja?'

'Ze waren naar de eerste verdieping gestuurd.' Ze keek om zich heen en begon te fluisteren. Spanning boog zich tegen wil en dank naar haar toe. 'Weet u, Mr Spanning... Weet u welk geluid iemand maakt... als hij wordt afgeranseld... zodanig dat hij het zelfs niet meer kan uitschreeuwen van de pijn...?'

Mr Spanning deinsde terug en knipperde met zijn ogen. Miss Temple kwam nog dichterbij en fluisterde: 'Ik wel.'

Spanning slikte. Miss Temple ging overeind staan en glimlachte.

'Ik geloof dat u de jas en laarzen van de dokter heeft?'

Ze liep de trap weer op naar boven, ging naar de eerste verdieping en liep toen snel door de gang naar de trap aan de achterkant. In de ene hand had ze haar groene handtas, in de andere de laarzen en over haar linkerarm de jas van de dokter. De schoudertas, die vol onnodige kleding zat, had ze bij Spanning achtergelaten met het verzoek om hem voor haar te bewaren tot ze zou vertrekken, wat waarschijnlijk na de lunch zou zijn. Op die manier liet ze Spanning (en de soldaten) weten dat zij (en, in het verlengde van de laarzen Svenson en Chang) de komende uren in haar suite zou zijn. Toen ze eenmaal uit het zicht van de lobby was, tilde Miss Temple zo goed als ze kon haar rokken op en klom snel omhoog. Met een beetje geluk hadden de anderen de afleiding kunnen gebruiken om haar tante en de dienstmeisjes de dienstuitgang uit te krijgen. De kruiers zouden de bagage aannemen en een rijtuig aanhouden, waardoor Svenson en Chang binnen kon-den blijven. Maar liepen de soldaten op dat moment de lobby in? Mannen die zoveel sneller waren dan zij? Toen ze de derde verdieping had bereikt, stond ze stil om te luisteren. Ze hoorde geen laarzen en zette haar klim voort. Op de zevende verdieping stopte ze opnieuw. Ze had rode wangen en hijgde van inspanning. Ze was nog nooit op de bovenste verdieping geweest en had geen idee waar ze datgene moest vinden waarvan Chang haar had verteld dat het er was. Ze liep de gang door, langs deuren naar ogenschijnlijk gewone kamers, tot ze een hoek omging en het eind van de gang zag. Ze keek de andere kant op, maar zag daar een identieke doodlopende gang. Puffend van inspanning en buiten adem door de klim vroeg Miss Temple zich bezorgd af wie er achter haar aan de trap op zou kunnen komen. Gefrustreerd fluisterde ze, of siste eigenlijk, tegen de lucht om haar heen: 'Pssssst!'

Ze hoorde hout kraken en draaide zich abrupt om. Een deel van het roodfluwelen behang was op scharnieren die ze niet had gezien naar voren gekomen en daar stond dokter Svenson. Achter hem, op een smalle trap die steil genoeg was om een ladder te kunnen zijn, stond Chang in een deuropening naar het dak. Haar angst van even tevoren ten spijt, stond ze vol bewondering naar de slim verborgen deuropening te kijken.

'Lieve help,' riep ze uit. 'Wie dat gemaakt heeft, is zo slim als vijf apen bij elkaar!'

'Uw tante heeft het hotel veilig en wel verlaten,' zei Svenson, die de gang in stapte om zijn bezittingen aan te nemen.

'Ik ben blij dat te horen,' antwoordde Miss Temple. De dokter worstelde zich in zijn jas, die nadat hij gestoomd en geborsteld was, weer iets van zijn militaire netheid had. 'Ik had deze deur helemaal niet gezien,' zei ze vol bewondering voor de weggewerkte scharnieren. 'Ik snap niet hoe iemand hem kan vinden.'

'Komen ze eraan?' siste Chang vanuit de doorgang naar het dak.

'Niet dat ik gezien heb,' fluisterde Miss Temple terug. 'Ik heb ze niet gezien in de lobby. O! Ze draaide haar gezicht abrupt naar dokter Svensons hand op haar schouder.

'Neem me niet kwalijk!' zei hij terwijl hij zich schrap zette om zijn rechterlaars aan te trekken. Met één hand lukte het niet en hij kon niet anders dan het met twee te proberen, waardoor hij onhandig rondhopte.

'We moeten haast maken,' riep Chang.

'Een ogenblikje,' fluisterde Svenson. Hij had één laars bijna aan. Miss Temple wachtte. Het bleef moeilijk voor hem en zij probeerde hem aan te moedigen.

'Ik ben nog nooit op een dak geweest, niet zo hoog tenminste. Ik weet zeker dat we daar boven bij de vogels een mooi uitzicht hebben!'

Op de een of andere manier viel dit niet in goede aarde. Svenson keek nog bleker naar haar op en begon met zijn andere laars.

'Is alles wel goed met u, dokter? Ik weet dat u niet langer dan een paar uur hebt kunnen rusten...'

'Ga maar vast,' zei hij luchtig in een weinig succesvolle poging om zijn angst te verbergen. De tweede laars was half aan. Hij struikelde en stapte erop. Het onderste stuk flapte als een vreemde vis aan zijn been. 'Ik kom eraan, dat kan ik u verzekeren.'

'Dokter!' siste Chang. 'Het gaat best. Het dak is breed en de klim is niets vergeleken met de pijp!'

'De pijp?' vroeg Miss Temple.

'O ja, die,' zei dokter Svenson.

'Ik vind dat u dat schitterend gedaan hebt.'

Chang keek vanuit de doorgang spottend toe.

'Ik heb last van hoogten. Enorme last...'

'Ik heb hetzelfde met wortels,' lachte Miss Temple. 'We zullen elkaar helpen. Kom!' Ze keek bezorgd langs zijn schouder de gang in, zag tot haar opluchting dat hij nog leeg was en nam zijn arm. Hij duwde zijn voet in de laars, tot hij er tot op een laatste lastige centimeter na in zat. Samen gingen ze de doorgang door.

'Trek hem stevig dicht,' fluisterde Chang, die verder geklommen was. 'Het is beter dat ze niet zien dat we het slot hebben geforceerd.'

De winterlucht was grijs en hing zo laag dat hij tastbaar leek. De zon had zich achter een dik wolkendek verscholen. De lucht was koel en vochtig, en als er meer wind was geweest, had Miss Temple kunnen geloven dat ze aan zee waren. Ze haalde diep adem en genoot. Toen ze naar beneden keek, zag ze met enige verbazing een laag met teer bedekt papier en koperen platen. Zo was het dus om op het dak te lopen! Dokter Svenson, die achter haar stond, was neergeknield en concentreerde zich met zijn ogen op de grond gericht op zijn linkerlaars. Chang was bezig om met stukjes afgebroken hout de deur vast te klemmen door ze tussen de deurpost en de deur te duwen, waardoor hij niet makkelijk open kon. Hij deed een stap naar achteren en veegde zijn handen aan zijn jas. Ze zag dat hij in zijn andere hand haar valies had. Ze was het helemaal vergeten en stak haar hand uit om het in ontvangst te nemen. Hij schudde zijn hoofd en knikte naar een nabijgelegen gebouw.

'Ik denk dat we die kant op kunnen, in noordelijke richting,' zei hij.

'Als het niet anders kan,' mompelde Svenson. Hij stond op, maar bleef omlaagkijken. Miss Temple zag dat het tijd was om actie te ondernemen.

'Neem me niet kwalijk,' zei ze. 'Voor we samen verdergaan, denk ik – ik ben ervan overtuigd – dat we moeten praten.'

Chang keek haar fronsend aan. 'Ze kunnen eraan komen...'

'Ja, hoewel ik niet denk dat dat zo is. Ik denk dat ze ons op straat opwachten, of wachten tot Mr Spanning ervoor gezorgd heeft dat de gasten in de kamers naast de mijne niets van geschreeuw kunnen horen. Ik weet zeker dat we een paar minuten hebben.'

De twee mannen keken elkaar aan. Ze zag de twijfel in hun blikken en schraapte nadrukkelijk haar keel, waardoor ze weer naar haar keken.

'Tot grote ongerustheid van het enige familielid dat ik hier heb, ben ik in het gezelschap beland van twee mannen die nog maar net door de beugel kunnen. Vanmorgen waren we nog vreemden. Op dit moment hebben we geen van drieën een onderkomen. Wat ik wil, wat ik eis zelfs, is dat ieder van ons duidelijk maakt wat hij in deze zaak hoopt te bereiken en welke meesters hij dient. Met andere woorden, wat spreken we af?'

Ze wachtte op hun reactie, maar de mannen zwegen.

'Ik vind dit geen overdreven verzoek,' zei Miss Temple.

Svenson knikte naar haar, keek naar Chang en mompelde, in zijn zak voelend: 'Neem me niet kwalijk... een sigaret... Dat leidt me af van de hoogte, die zee van ruimte.' Hij keek naar Miss Temple en zei: 'U hebt gelijk, dat is een goed idee. We kennen elkaar niet, het toeval heeft ons samengebracht.'

'Kunnen we dit niet later doen?' vroeg Chang, nog net beleefd.

'Maar wanneer dan?' antwoordde Miss Temple. 'Weten we wel waar we heen gaan? Hebben we besloten hoe we te werk gaan? Wie moeten we achtervolgen? Natuurlijk hebben we dat niet gedaan, omdat ieder van ons daar door zijn uiteenlopende ervaringen zijn eigen ideeën over heeft.'

Chang blies geërgerd zijn adem uit. Even later knikte hij scherp, als teken dat ze kon beginnen. Miss Temple begon.

'Ik ben aangevallen en zojuist van een slaapplaats beroofd. Ik ben misleid, bedreigd en voorgelogen. Ik wil gerechtigheid... wat betekent dat ik met ieder persoon die hierbij betrokken is wil afrekenen.' Ze haalde diep adem. 'Dokter?'

Svenson stak zijn sigaret op, stopte het doosje in zijn zak en blies de rook uit. Hij knikte naar haar.

'Ik moet mijn prins zien te vinden. Wat dit complot ook is, ik moet hem eruit halen. Ik twijfel er niet aan dat dit tot een soort oorlog zal leiden, maar ik heb weinig keus. Kardinaal?'

Chang bleef even zwijgen, alsof hij dit nutteloos en formeel vond, maar zei toen snel en zacht: 'Als deze affaire niet wordt uitgezocht, heb ik geen werk, geen onderdak en geen goede reputatie. Omdat alle drie die zaken in gevaar zijn gebracht, wil ik wraak nemen. Zoals ik al zei: ik moet wel, om mijn naam in ere te houden. Stemt u dat tot tevredenheid?'

'Ja.'

'Deze mensen houden allemaal verband met elkaar en zijn dodelijk,' zei Chang. 'Volgen we ze allemaal tot het uiterste?'

'Ik sta erop, eigenlijk,' zei Miss Temple.

Dokter Svenson sprak: 'Ik ook. Wat er ook met Karl-Horst gebeurt, we moeten dit afmaken. Die samenzweerders, ik weet niet wat hen drijft, maar ik weet wel dat ze gezamenlijk een rotte plek zijn, een kankergezwel. Als het niet helemaal verwijderd wordt, zal wat overblijft weer terugkomen, sterker en verwoestender dan voorheen. Geen van ons of de onzen zal veilig zijn.'

'Dan zijn we het eens,' zei Chang.

Hij lachte een zuur lachje en bood zijn hand aan. Dokter Svenson stak zijn sigaret in zijn mond en legde zijn hand op die van Chang. Miss Temple legde ten slotte haar hand op die van hen. Ze had geen idee waar dit toe zou leiden, want het was een intrige, maar ze was nog nooit zo gelukkig geweest. Omdat ze met iets heel ernstigs had ingestemd, deed ze haar best om niet te giechelen, maar ze kon het niet helpen dat ze straalde.

'Uitstekend!' kondigde Miss Temple aan. 'Ik ben blij dat dat duidelijk is. En nu, de tweede vraag is, zoals ik al zei: hoe gaan we verder? Zoeken we een ander onderkomen? Gaan we tot de aanval over? En zo ja, waar dan? Het St. Royale? Het ministerie? Harschmort?'

'Laten we beginnen met van het dak af te gaan,' zei Chang.

'Ja, ja, maar we kunnen het erover hebben terwijl we dat doen, niemand kan ons horen.'

'Deze kant op dan, richting het noorden. Blijf bij ons, dokter. Het hotel zit aan het volgende gebouw vast. Ik geloof dat er geen tussenruimte is.'

'Tussenruimte?' vroeg Svenson.

'Waar we overheen moeten springen,' zei Chang.

Svenson gaf geen antwoord.

'Het lijkt me goed om eens naar de straat kijken om te zien hoeveel man er rond het Boniface staan opgesteld.'

Chang stemde er zuchtend mee in en keek naar Svenson, die hem naar de rand van het dak wuifde. 'Ik ga vast naar het volgende dak, ik wil u niet ophouden...' Hij liep langzaam weg met zijn blik op zijn laarzen. Miss Temple stapte naar de rand en keek voorzichtig naar beneden. Het uitzicht was schitterend. De avenue leek op een miniatuurversie vol kleine poppetjes. Toen ze opzijkeek, zag ze dat Chang bij haar was komen zitten en op de bedekking van de koperen daklijst was neergeknield. 'Ziet u iemand?' fluisterde ze. Hij wees naar het eind van de straat, waar achter een groentekar twee mannen in het zwart zaten. Ze waren onzichtbaar vanuit het Boniface, maar konden vanuit hun positie de ingang goed in de gaten houden. Miss Temple keek opgewonden de andere kant op en trok Chang aan zijn jas. 'Het ijzeren hek op de hoek!' Daar zaten nog twee man achter. Van bovenaf waren ze net te zien, maar vanaf de straat waren ze onzichtbaar, doordat het hek met een scherm van klimop was begroeid.

'Ze zitten op alle hoeken,' zei Chang. 'Vier man in uniform, al meer dan u in het hotel hebt gezien. Nu ze denken dat we in de val zitten, laten ze wellicht iedereen onder hun commando opdraven. Ze zullen op dit moment wel in uw suite zijn. We moeten gaan.'

Ze zagen dat Svenson al de daken van twee statige herenhuizen op was geklommen, die met het Boniface en elkaar waren verbonden. Hij gebaarde vaag naar de rand van de daken en zei: 'We zitten hier flink hoog en de afstand tot het volgende blok is groter dan we kunnen overbruggen. Aan de voorkant van het gebouw is de avenue, die nog breder is, en aan de achterkant is een steeg. Die is smaller, maar nog altijd te breed om overheen te springen.'

'Ik wil hem toch wel even zien,' zei Miss Temple, en ze liep lachend naar de achterkant van het pand. Het dak van het herenhuis was ten minste twee verdiepingen hoger dan het gebouw aan de overkant van de straat, wat dat ook was. Ze kon het niet zien, want de weinige ramen die erin zaten waren klein en zwart van de rook. Ze keek naar beneden en vond het griezelig en spannend tegelijk. De dokter had gelijk: ze kon zich niet voorstellen dat iemand daaroverheen kon springen. Ze zag Chang bij de dakrand aan de andere kant zitten – soldaten tellen, nam ze aan.

Miss Temple wendde zich tot de dokter, die het klaarblijkelijk moeilijk had. Dit vond ze eigenlijk wel geruststellend, omdat ze zich daardoor gezien de bedreigende handigheid van Chang minder zwak en onwetend voelde.

'We hebben twee paar soldaten gezien die de voorkant van het hotel in de gaten houden,' zei ze tegen hem. 'Meer dan er binnen waren. Chang zegt dat ze zich verzamelen.'

Svenson knikte. Hij viste naar een andere sigaret.

'U rookt daar nogal wat van, nietwaar?' zei ze vriendelijk. 'We zullen ze voor u aan moeten vullen.'

'Dat zal moeilijk gaan,' zei hij glimlachend. 'Ze komen uit Riga en ik heb ze van een man die ik van een winkel in Mecklenburg ken. Ik kan ze daar verder niet krijgen en betwijfel of iemand ze hier kan vinden. Ik heb een cederhouten doos vol in mijn kamer in het gebouw van de diplomatieke dienst – niet dat ik daar nu wat aan heb.'

Miss Temple kneep haar ogen samen. 'Wordt u humeurig en ziek als u ze niet hebt?'

'Nee,' zei Svenson. 'Ze doen me zelfs goed. Tabak is een versterkend middel dat zowel verzachtend als verhelderend is.'

'Ik houd niet van tabak pruimen en uitspugen,' zei Miss Temple. 'Waar ik vandaan kom, wordt dat veel gedaan, en het is afschuwelijk. Bovendien verkleuren de tanden er zo van.' Ze zag dat de tanden van de dokter de kleur van pas gekapt eiken hadden.

'Waar komt u vandaan?' vroeg Svenson, zijn lippen zelfbewust op elkaar knijpend.

'Een eiland,' antwoordde Miss Temple. 'Het is daar warmer en je kunt er regelmatig vers fruit eten. Ah, daar is Chang.'

'Ik zie soldaten in de grotere straten,' zei hij, op hen af lopend, 'maar niet in de steeg. Het is mogelijk dat we door dit dak naar beneden kunnen.' Hij wees op een deur die ongetwijfeld op slot zat en toegang tot het herenhuis verschafte. 'En het huis via de steeg kunnen verlaten. Ik weet alleen niet hoe we de steeg uit moeten komen, want hij grenst aan weerszijden aan straten die worden bewaakt.'

'Dan zitten we in de val,' zei Svenson.

'We kunnen ons beneden verstoppen,' zei Chang.

Ze keken naar Miss Temple om te zien hoe zij erover dacht, wat op zich zeer bevredigend was, maar voor ze kon antwoorden, klonk er trompetgeschal dat door de straten echode.

Ze draaide zich naar het heldere geluid toe, dat gevolgd leek te worden door een dof geroffel. 'Paarden,' zei ze, 'heel veel!' Alle drie – Miss Temple hield Svensons arm vast – kropen ze naar de rand boven de avenue. Onder hen trok een parade door de straat van soldaten te paard met helderrode jasjes en koperen helmen waarop een zwarte pluim zat.

'Komen ze voor ons?' riep ze.

'Ik weet het niet,' zei Chang. Ze zag hem blikken met Svenson wisselen en wenste dat ze dat niet zo vaak deden, in ieder geval niet zo openlijk.

'Het vierde regiment dragonders,' zei de dokter, en hij wees naar de belangrijk uitziende gestalte met de goudkleurige franje aan zijn epauletten. 'Kolonel Aspiche.'

Miss Temple zag de man voorbijrijden met aan weerszijden officieren en voor en achter hem rijen soldaten. Een streng uitziend man, de blik op oneindig, met volledige beheersing over zijn prachtig verzorgde paard. Ze probeerde zijn mannen te tellen, maar ze gingen te snel. Het waren er minstens honderd, misschien wel meer dan twee keer zoveel. Daarna was er een gat tussen de rijen ruiters en Miss Temple kneep dokter Svenson in zijn arm. 'Karren!'

Het was een rij van zo'n tien karren, die elk door een geüniformeerde soldaat werden bestuurd.

'De karren zijn leeg,' zei Svenson.

Chang knikte naar het Hotel Boniface. 'Ze gaan het hotel voorbij. Dit heeft niets met ons te maken.'

Dat was zo. Miss Temple zag de rode massa uniformen langs het hotel rijden en zich richting Grossmaere bewegen.

'Wat ligt er in die richting?' vroeg ze. 'Het St. Royale is de andere kant op.'

Dokter Svenson boog zich voorover. 'Het instituut. Ze gaan met lege karren naar het instituut. De glasmachines... de... de... Wat hebt u beiden gezegd? De kisten.'

'Er werden karren vol kisten naar Harschmort gebracht,' zei Chang. 'Ook stond het laboratorium van het instituut vol kisten.'

'De kisten voor Harschmort waren met oranje vilt bekleed en er waren nummers op geschilderd,' zei Miss Temple.

'Op het instituut... was de binnenkant niet oranje,' zei Chang, 'maar blauw.'

'Ik wil wedden dat ze er meer gaan halen,' zei Svenson. 'Of hun werkplek verhuizen, nu er op het instituut een dode is gevallen.'

Onder hen klonk weer trompetgeschal. Kolonel Aspiche hield niet van bescheidenheid. Svenson probeerde erbovenuit te komen, maar Miss Temple kon hem niet verstaan. Hij kwam wat dichterbij, wees naar beneden en probeerde het nog eens. 'De mannen van majoor Blach zijn het hotel binnengegaan.' Miss Temple zag dat hij gelijk had: een stroom zwarte gestalten liep als ratten door een open riool langs de rode ruiters richting het Boniface. 'Ik meen dat dit een goed moment is om te pogen via de steeg hier weg te komen.'

Terwijl ze een met dik tapijt beklede trap afliepen, vroeg Miss Temple zich af hoe iemand kon denken dat hij immuun was voor inbrekers. Chang had maar een moment nodig gehad om hen toegang te verschaffen tot een woning waarvan de inwoners vast en zeker trots waren op hun perfecte beveiliging. Gelukkig waren ze op de bovenste verdiepingen niemand tegengekomen (omdat de bedienden die daar sliepen aan het werk waren) en konden ze stil langs de verdiepingen sluipen waar ze voetstappen, het gerinkel van servies, of in één geval zelfs een afschuwelijk gesnuif hoorden. Omdat Miss Temple wist dat er een grote kans was dat ze op de begane grond of bij de achteringang wel iemand tegen zouden komen omdat daar in ieder geval bedienden aanwezig waren, liep ze zodra ze de trap af waren langs de verbaasde Chang en Svenson heen en ging vooroplopen. Mochten ze dan iemand tegenkomen, dan zou zij als arrogant, maar niet bedreigend ervaren worden, wat bij de twee mannelijke indringers zeker niet aan de orde zou zijn. Vanuit haar ooghoek zag ze een jong dienstmeisje kannen opstapelen; het kind maakte automatisch een revérence toen ze voorbijkwam. Miss Temple knikte haar toe en liep de keuken in, waar ten minste drie bedienden hard aan het werk waren. Ze glimlachte opgewekt en zei: 'Goedemiddag, ik ben Miss Hastings. Kunt u mij zeggen waar zich de achterdeur bevindt?' Ze wachtte niet op antwoord. 'Is het deze kant op? Ik dank u vriendelijk. Wat een prachtige keuken, vooral de theepotten glanzen mooi.' Enkele momenten later was ze ze al gepasseerd en liep een klein trapje af naar de deur. Ze deed een stap opzij, zodat Chang hem kon openen, want achter hem, over de schouder van Svenson, zag ze een groepje nieuwsgierige gezichten verschijnen. 'Hebt u de cavalerieparade gezien?' riep ze. 'Dat was het vierde regiment dragonders van de prins. Lieve help, ze waren schitterend! Die trompetten en zulke prachtige paarden, ongelofelijk. Goedendag!' Ze volgde de dokter de deur door naar buiten en slaakte een zucht van verlichting toen Chang hem achter hen dichtdeed.

Het geluid van hoefgetrappel was nu verder weg, de parade was verderop. Terwijl ze naar het eind van de steeg renden, zag ze gealarmeerd dat Chang zijn lange mes getrokken had en Svenson zijn revolver in de hand had. Miss Temple probeerde die van haar uit haar tas te halen, maar had één hand nodig om haar rokken omhoog te houden, waardoor ze met de andere hand niet haar tas kon openen. Als ze een meisje geweest was dat vloekte, had ze op dat moment gevloekt, omdat ze verrast was door de serieuze manier waarop haar kameraden met de situatie omgingen. Ze bereikten de straat. Svenson nam haar bij de arm en snel liepen ze van het Hotel Boniface vandaan. Chang volgde op een afstand en keek lange passen nemend om zich heen of er vijanden in de buurt waren. Er klonk geen geschreeuw en er vielen geen schoten. Toen ze de volgende straat bereikten, nam Svenson haar mee de hoek om, waarna ze zich tegen de muur drukten tot Chang er even later ook was. Hij haalde zijn schouders op en gedrieën maakten ze zich zo snel ze konden uit de voeten. Het was ongelofelijk dat ze zo gemakkelijk ontsnapt waren en Miss Temple glimlachte trots om hun succes.

Voor een van de twee mannen echter hun richting kon bepalen, liep ze snel voor hen uit, zodat ze haar moesten volgen. Ze gingen de hoek om en kwamen op een brede avenue terecht, Regent's Gate, waar Miss Temple vóór hen een bekend zonnescherm zag. Ze liep er regelrecht op af, want ze had een idee.

'Waar gaat u naartoe?' vroeg Chang bruusk.

'We moeten onze strategie bepalen,' antwoordde Miss Temple, 'en dat kan niet op straat. We kunnen ook niet naar een café, want men zal ongetwijfeld over ons kletsen...'

'Misschien een privévertrek,' stelde Svenson voor.

'Maar dan wordt er nóg meer over ons geroddeld,' viel Miss Temple hem in de rede. 'Ik weet een plek waar niemand commentaar op ons vreemde groepje zal hebben.'

'Waar dan?' vroeg Chang achterdochtig.

Ze lachte om haar eigen slimheid. 'Een galerie.'

De kunstenaar die er momenteel een tentoonstelling had was ene meneer Veilandt – een schilder uit de buurt van Wenen. Roger had haar meegenomen om zijn werk te bekijken, als een soort eerbetoon aan het adres van een groep Oostenrijkse bankiers die hier op bezoek was. Miss Temple was met het gezelschap meegegaan om enige aandacht aan de kunst zelf te besteden – in haar geval negatieve aandacht, want ze vond de schilderijen verontrustend en belachelijk. Verder had niemand er oog voor gehad; ze hadden alleen maar schnapps gedronken en over markten en tarieven gesproken, zoals Roger haar al had voorspeld. Ze dacht dat de galerie nog zo'n bezoek met matige aandacht helemaal niet erg zou vinden en dus trok ze Svenson en Chang mee naar de ontvangstruimte voorin om met de dienstdoende galeriemedewerker te praten. Ze legde op zachte toon uit dat ze deel had uitgemaakt van het Oostenrijkse gezelschap en dat ze hier nu was met een vertegenwoordiger van het hof van Mecklenburg, op zoek naar huwelijkscadeaus voor hun prins – een man met smaak. Meneer had toch wel van het ophanden zijnde huwelijk gehoord? Hij knikte gewichtig dat dat het geval was. De man liet zijn blik afdwalen naar Chang, en Miss Temple merkte fijntjes op dat haar tweede metgezel ook *kunstenaar* was, en zeer onder de indruk van meneer Veilandts reputatie als *provocateur*. De medewerker knikte instemmend en ging hun voor naar de grote tentoonstellingsruimte, waarbij hij dokter Svenson subtiel een brochure met prijzen en titels toestopte.

De schilderijen waren precies zoals ze ze zich herinnerde: grote schelle olieverfschilderijen die op een bijna obsceen opzettelijke manier voorvallen met betrekking tot twijfel en verleiding uit het leven van heiligen voorstelden, allemaal gekozen om hun intens verderfelijke schouwspel. Elke compositie toonde één enkele figuur met een aureool, maar zonder die context vormde de verzameling doeken een optocht van zuivere decadentie. Miss Temple zag wel hoe de kunstenaar de sluier van heiligheid gebruikte om aan zijn voorliefde voor verdorvenheid toe te geven, maar toch wist ze niet zeker of de schilderijen op een dieper niveau dan cynische gewiekstheid toch niet waarachtiger waren dan ooit de bedoeling was geweest. Toen ze de schilderijen voor het eerst had gezien, te midden van de groep zelfingenomen bankiers, was ze niet zozeer ontsteld geweest over de losbandige en godslasterlijke vleselijkheid, maar juist over het onbestendige isolement, de nauwelijks overtuigende aanwezigheid van de deugd. Miss Temple leidde haar metgezellen naar de andere kant van de galerie, weg van de medewerker.

'Lieve hemel,' fluisterde dokter Svenson. Hij keek op het kaartje naast een grotendeels oranje doek, waarvan de figuren van het oppervlak leken te glijden, zo in levenden lijve om hen heen de lucht in. '*De Heilige Rowena en de inval der Vikingen*,' las hij, en hij keek omhoog naar het gezicht waarvan je met een beetje goede wil kon zeggen dat het gloeide van religieus vuur. 'Lieve hemel!'

Chang zei niets, maar was net zo gebiologeerd, en achter de donkere brillenglazen was niet te zien hoe zijn ogen stonden. Miss Temple sprak zacht, om vooral niet de aandacht van de medewerker te trekken.

'Goed... Nu we vrijuit kunnen spreken...'

'*De goddelijke kracht van de Heilige Jasper*,' las de dokter voor, en hij keek omhoog naar het doek aan de andere wand. 'Zijn dat *varkenskoppen*?'

Ze schraapte haar keel. Ze draaiden zich enigszins in verlegenheid gebracht naar haar om.

'Lieve hemel, Miss Temple,' zei Svenson, 'u raakt toch niet in verlegenheid van deze schilderijen?'

'Nou, eigenlijk wel, hoewel ik ze al gezien heb. Maar ik dacht, aangezien we allemaal de blauwe kaarten al gezien hebben, dat we de uitdaging wel aankonden.'

'Ja... ja, ik begrijp het,' zei Svenson, die zich duidelijk meteen nog ongemakkelijker voelde. 'Er is in elk geval niemand in de galerie. Dat komt goed uit.'

Chang gaf geen mening over de locatie of over de schilderijen van meneer Veilandt, maar glimlachte alleen maar – wederom nogal wolfachtig, leek het wel.

'Ik had zelf het idee...' begon Miss Temple. 'U hebt de glazen kaartjes toch bekeken, kardinaal?'

'Ja.' Hij keek gewoonweg verlekkerd, die man.

'Nou, in het kaartje met Roger Bascombe... en mijzelf...' Ze zweeg en fronste haar wenkbrauwen, terwijl ze haar gedachten op een rij probeerde te krijgen – er waren er te veel op drift in haar brein. 'Ik probeer te bepalen waar we ons hierna op moeten richten en vooral of we er verstandig aan doen om bij elkaar te blijven of dat we het werk beter afzonderlijk van elkaar kunnen doen.'

'U zei toch iets over de *kaart*?' hielp Chang haar herinneren.

'Omdat daar het landhuis van Rogers oom, lord Tarr, op te zien was, en een soort steengroeve...'

'Wacht, wacht,' onderbrak Svenson haar. 'Francis Xonck, nu we het toch over de erfenis van Bascombe hebben... Hij had het over een stof die "indigoklei" heette. Hebt u daar al eens van gehoord?'

Ze schudde haar hoofd. Chang haalde zijn schouders op.

'Ik ook niet,' ging Svenson verder. 'Maar hij opperde dat Bascombe binnenkort de eigenaar zou zijn van een grote lading van dat spul. Vandaar die groeve, die op het landgoed van zijn oom moet liggen.'

'Op zíjn landgoed,' corrigeerde Chang hem.

Svenson knikte. 'En nou denk ik zomaar dat die van cruciaal belang is voor de productie van hun glas!'

'En dus de reden waarom Tarr vermoord is,' zei Chang. 'En waarom ze Bascombe hebben gekozen. Ze halen hem over voor hun zaak, en vervolgens hebben ze die indigoklei in handen.'

Miss Temple zag wel in hoe gemakkelijk dat allemaal was: een paar woorden van Crabbé over hoe handig een titel voor een ambitieus man wel was, het vleiende gezelschap van een vrouw als de contessa of zelfs – ze slaakte een zucht van teleurstelling – van Mrs Marchmoor, en sigaren en cognac met een vleiende losbol als Francis Xonck. Ze vroeg zich af of Roger wel enig idee had van de echte waarde van zijn indigoklei of dat zijn loyaliteit net zo goedkoop gekocht werd als die van een indiaanse wilde, met hun equivalent van kralen en veren. Beschikte hij nog wel over zijn eigen ongebonden geest of was hij door dit *procédé* in hun slaaf veranderd?

'Dus hij is toch een stroman…' fluisterde ze.

'Ik durf erom te wedden dat elk opgedoft lid van deze samenzwering elkaar als stroman beschouwt.' Chang grinnikte. 'Die arme Bascombe niet uitgezonderd.'

'Nee,' zei Miss Temple. 'U hebt ongetwijfeld gelijk. Hij is vast net als alle anderen.'

Ze wierp het glimpje medeleven met een schokschouderende beweging van zich af. 'Maar de vraag blijft: moeten we ons op Tarr Manor richten?'

'Er is nog een andere mogelijkheid,' zei dokter Svenson. 'Ik was er even niet met mijn gedachten bij. Op nog geen drie minuten hiervandaan bevindt zich de ommuurde tuin waar de comte d'Orkancz mij mee naartoe heeft genomen om naar de gewonde vrouw te kijken; daar was ik naartoe onderweg toen ik u door het raam zag.'

'Welke vrouw?' vroeg Chang.

Svenson blies langdurig zijn adem uit en schudde zijn hoofd. 'Weer een ongelukkige ziel die in de experimenten van de comte verzeild is geraakt, en weer een mysterie. Ze had alle kenmerken van iemand die in ijskoud water was verdronken, hoewel de schade blijkbaar door een of ander apparaat was toegebracht. Ik neem aan dat het iets met het glas of de kisten te maken heeft. Ik weet niet of ze de nacht heeft overleefd. Maar de locatie – een oranjerie, om haar warm te houden – moet een bolwerk van de comte zijn, en hij is hier vlakbij. Hij heeft mij laten komen om haar te behandelen…'

'Heeft hij u laten komen?' vroeg Miss Temple.

'Hij beweerde dat hij een artikel had gezien dat ik jaren geleden geschreven heb, over de aandoeningen van Baltische zeelieden…'

'Hij is beslist zeer belezen.'

'Ik geef toe, het is belachelijk...'

'Ik neem het van u aan, maar waarom?' Miss Temple fronste haar wenkbrauwen en haar gedachten raakten in een stroomversnelling. 'Maar wacht eens... Als het artikel zo oud is, dan betekent dat toch dat de comte reden moet hebben gehad, zelfs toen al, om met zulke verwondingen rekening te houden?'

Svenson knikte. 'Ja! Zou dat kunnen betekenen dat de comte de hoofdarchitect van deze experimenten is?'

'Op Harschmort was hij degene die over de kisten en de vreemde mechanische maskers ging, zoveel was wel duidelijk. Daaruit mag je concluderen dat hij de leiding over de wetenschap zelf heeft...' Ze huiverde bij de herinnering aan de manier waarop de grote man de slaapdronken vrouwen gevoelloos bepotelde.

'Hoe zag die vrouw eruit?' onderbrak Chang haar. 'In die oranjerie?'

'Hoe ze eruitzag?' zei Svenson – zijn gedachtegang was verstoord. 'Eh... tja... Ze had over haar hele lichaam lelijke littekens. Ze was jong, mooi... Ja, en het zou best kunnen dat ze Oosters was. Weet u wie ze is?'

'Natuurlijk niet,' zei Chang.

'We kunnen kijken of ze er nog ligt...'

'Dus dat is ook een mogelijkheid,' zei Miss Temple, die probeerde het gesprek in goede banen te leiden. 'Ik kan ook wel een paar locaties bedenken waar we bepaalde mensen kunnen zoeken: terug naar Harschmort, naar het St. Royale voor de contessa...'

'Het huis van Crabbé aan Hadrian Square,' zei Svenson.

Ze draaiden zich om naar Chang. Hij zweeg, in gedachten verzonken. Hij keek abrupt op en schudde zijn hoofd. 'Als we een individu volgen levert ons dat alleen maar een gevangene op – althans, in het beste geval. Dat houdt in: ondervraging, bedreigingen – heel onhandig. Het kan inderdaad zijn dat we de prins vinden – we kunnen wel ik weet niet wat vinden –, maar hoogstwaarschijnlijk vinden we Harald Crabbé, terwijl hij met zijn vrouw aan tafel zit, en het eind van het liedje is dan dat we hen allebei de keel moeten doorsnijden.'

'Ik heb nog geen kennisgemaakt met Mrs Crabbé,' zei Miss Temple. 'Ik geef er de voorkeur aan dat alle eventuele heisa rechtstreeks betrekking heeft op degenen van wie wij weten dat ze ons iets hebben aangedaan.' Ze wist dat Chang het idee om de vrouw te vermoorden alleen maar had geopperd om hen bang te maken, en bang was ze dan ook. Het was een test, net zoals de schilderijen voor haar een manier waren om de twee mannen te testen, realiseerde ze zich. Terwijl ze zo stonden te praten, zag ze wel in dat ze, door zichzelf zo met twee mannen midden in een zaal vol deinend vlees te posteren, in feite een bepaalde kwaliteit en kennis suggereerde die ze in werkelijkheid helemaal niet bezat. Dat was aanvankelijk niet haar bedoeling geweest, maar ze voelde zich hierdoor wel meer hun gelijke.

'Dus u gaat er niet mee akkoord om zomaar iedereen te vermoorden?' Chang glimlachte.

'Zeker niet,' antwoordde Miss Temple 'Ik heb in deze hele kwestie steeds willen weten *waarom* – vanaf het allereerste moment waarop ik besloot Roger te volgen.'

'Vindt u dat onze wegen moeten scheiden?' vroeg Svenson. 'Dat twee van ons naar de oranjerie gaan – waar wellicht kelen bij doorgesneden worden, zoals u dat beschrijft, mocht het daar wemelen van de handlangers van de comte – en iemand naar Tarr Manor?'

'En uw prins dan?' vroeg Miss Temple.

Svenson wreef in zijn ogen. 'Ik weet het niet. Zelfs zíj wisten het niet.'

'Wie niet?' vroeg Chang. 'Naam en toenaam graag.'

'Xonck, Bascombe, majoor Blach, de comte...'

'Hebben ze de contessa uitgeschakeld?'

'Nee. Lord Vandaariff ook niet. Dus... misschien is de prins in een kamer in het St. Royale, of op Harschmort. Als we in staat zouden zijn hem te vinden, zou dat misschien de scheidslijnen tussen hen duidelijker maken, en wie weet... misschien op die manier een of andere overhaaste actie uitlokken, of in elk geval meer van hun ware bedoelingen aan het licht brengen.'

Chang knikte. Hij draaide zich om naar Miss Temple en sloeg een heel serieuze toon aan. 'Wat is uw mening over een verdeling van onze inspanningen? Bent u bereid een van deze opties in uw eentje op u te nemen?'

Voor ze antwoord kon geven – want ze wist dat ze antwoord móest geven – voelde Miss Temple dat haar hele geest teruggeplaatst werd naar het hotsende rijtuig met Spragg, de warme geur van zijn zwetende, borstelige nek, het verstikkende gewicht van zijn lichaam, de dwingende kracht van zijn handen, de verpletterende angst die haar lichaam zo meedogenloos in zijn greep had genomen. Ze knipperde met haar ogen om de gedachte te verdrijven en merkte dat ze wederom oog in oog stond met de vrouw in het rood, wier doordringende paarsblauwe ogen scherper waren dan welk mes ook, met haar laatdunkende, voornaam brutale uitdrukking en haar duistere grinnikende lach die de zenuwen uit het ruggenmerg van Miss Temple leek bloot te leggen. Ze knipperde weer met haar ogen. Ze keek om zich heen naar de schilderijen en naar de twee mannen die haar bondgenoten waren geworden – omdat zij hen had gekozen, net zoals ze ervoor gekozen had haar leven in de waagschaal te stellen. Ze wist dat ze precies zouden doen wat ze zei.

'Dat vind ik prima.' Miss Temple glimlachte. 'Als ik de kans krijg om een van deze heren persoonlijk dood te schieten – des te beter, zou ik zeggen.'

'Wacht even…' zei dokter Svenson. Hij keek langs haar heen naar de achterste wand en liep ernaartoe, terwijl hij zijn monocle aan de revers van zijn soldatenjas afveegde. Voor een klein doek bleef hij staan – misschien wel het kleinste van de hele tentoonstelling – en keek op het naambordje, en toen weer naar het schilderij, heel aandachtig. 'Komen jullie allebei eens kijken.'

Miss Temple liep naar het schilderij en hapte meteen verbaasd naar adem. Hoe kon het dat ze zich dit niet van de vorige keer herinnerde? Op het doek – dat duidelijk uit een groter werk was gesneden – was een etherische vrouw te zien die achteroverlag op wat er op het eerste oog uitzag als een bank of een divan, maar wat bij nadere inspectie duidelijk een schuin aflopende tafel was – zo te zien waren haar armen zelfs met riemen vastgebonden (of stelde de kunstenaar zich nu eenmaal zo een bijbels gewaad voor?). Boven het hoofd van de vrouw zweefde een gouden aureool, maar op haar gezicht, om haar ogen, zaten dezelfde paars aangelopen lusvormige littekens die ze allemaal ook al in het echt hadden gezien.

Svenson raadpleegde zijn brochure. '*Annunciatie, fragment...* Het is... Wacht even...' Hij sloeg de bladzijde om. 'Het schilderij is vijf jaar oud. En het is het nieuwste stuk in de collectie. Een ogenblikje.'

Hij liep bij hen weg en ging naar de medewerker toe, die achter zijn bureau in een grootboek aantekeningen zat te maken. Miss Temple liep terug naar het schilderij. Ze moest toegeven dat het verontrustend mooi was, en ze zag tot haar schrik dat het lichte gewaad van de vrouw aan de hals was afgezet met een rij groene cirkels. 'De gewaden van Harschmort,' fluisterde ze tegen Chang. 'De vrouwen die de comte in zijn macht heeft... Die hadden dat ook aan!'

De dokter kwam hoofdschuddend teruggelopen. 'Het is uiterst vreemd,' zei hij zacht. 'De kunstenaar – meneer Oskar Veilandt – schijnt een mysticus geweest te zijn, gestoord, iemand die in alchemie en zwarte kunst liefhebberde.'

'Uitstekend,' zei Chang. 'Misschien kan hij deze draden wel met elkaar verbinden...'

'Hij kan ons naar de anderen brengen!' fluisterde Miss Temple opgewonden.

'Helemaal mijn idee.' De dokter knikte. 'Maar ik heb net gehoord dat meneer Veilandt al vijf jaar dood is.'

Ze zwegen alle drie. Vijf jaar? Hoe kon dat? Wat had dat te betekenen?

'De lijnen op haar gezicht,' zei Chang. 'Die zijn precies hetzelfde als...'

'Ja,' beaamde Svenson. 'En daar kunnen we alleen maar uit afleiden dat de plot zelf – het procédé – in elk geval ook zo oud is. We moeten meer te weten zien te komen: waar de kunstenaar woonde, waar hij is gestorven, wie zijn werk in bewaring heeft, en natuurlijk wie deze tentoonstelling gesponsord heeft...'

Miss Temple wees met haar vinger naar het kaartje met de titel van het doek erop, want daarnaast stond een stipje in rode inkt. 'En dat niet alleen, dokter, maar we moeten ook weten wie dit schilderij heeft gekocht!'

De medewerker van de galerie, ene Mr Shanck, wilde hun maar al te graag informatie verstrekken (nadat de dokter grondig had geïnformeerd naar de prijzen en wijze van afleveren van een aantal van de grote schilderijen, tussen allerlei gemompel door over de ruimte op de muren van het paleis van Mecklenburg), maar spijtig genoeg wist Mr Shanck niet zoveel: de persoon Veilandt was een mysterie, opgeleid in Wenen, verblijf in Italië en Constantinopel, atelier in Montmartre. De schilderijen waren afkomstig van een handelaar in Parijs, waar Veilandt, naar hij begrepen had, was overleden. Hij wierp een snelle blik op de weelderige composities en opperde dat het ongetwijfeld aan tuberculose, absint of een ander soort destructieve gekte te wijten was. De huidige eigenaar wenste anoniem te blijven – volgens meneer Shanck was dat vanwege het scandaleuze karakter van het oeuvre – en Shanck had zelf alleen te maken met zijn collega van een galerie aan de Boulevard St. Germain. Mr Shanck schepte duidelijk genoegen in de sfeer van intrige die om de collectie hing, net zoals hij er genoegen in schepte zijn bevoorrechte informatie te delen met mensen die in zijn ogen over onderscheidingsvermogen beschikten. Toen Miss Temple op een zorgvuldig terloopse manier vroeg wie het 'rare schilderijtje' had gekocht en of hij misschien nog zoiets in de aanbieding had, viel er met enige weifeling argwaan van zijn gezicht te lezen. Ze vond het schilderijtje prachtig en wilde er graag zo een voor bij haar thuis hebben. Mr Shanck trok zelfs regelrecht wit weg.

'Ik... ik dacht... U had het over de bruiloft... De prins...'

Miss Temple knikte instemmend, waarmee ze niets van 's mans plotselinge angst wegnam.

'Precies. Vandaar dat ik er een voor mezelf wil kopen.'

'Maar die zijn helemaal niet te koop! Nooit geweest ook!'

'Vreemde manier om een galerie te runnen,' zei ze, 'en bovendien is er één wel verkocht...'

'Waarom... Waarom zou u hier anders komen?' zei hij, meer tegen zichzelf dan tegen haar, en terwijl hij dat zei stierf zijn stem weg.

'Om de schilderijen te bekijken, Mr Shanck... zoals ik u al gezegd heb...'

'Het is niet eens gekocht,' sputterde hij tegen, en hij maakte een zwaaiend gebaar naar het kleine doek. 'Het is weggegeven, vóór de bruiloft. Het is een geschenk voor Lydia Vandaariff. De hele tentoonstelling is enkel en alleen georganiseerd om alle doeken in één verzameling weer bij elkaar te brengen! Iedereen die de galerie kent... iedereen die geschikt is om op de hoogte te zijn... De eenheid van de onderwerpen van de kunstenaar: religie, moraliteit, begeerte, mystiek... U moet zich er toch rekenschap van geven dat... de krachten die hier in het spel zijn... de gevaarlijke...'

Mr Shanck keek hen aan en slikte zenuwachtig. 'Als u dát niet wist... Hoe bent u dan... Wie heeft u dan...'

Miss Temple zag dat de man het steeds moeilijker kreeg en merkte dat ze intuïtief naar hem glimlachte en haar hoofd schudde – het was één groot misverstand –, maar voor ze daadwerkelijk iets kon zeggen deed Chang een stap naar voren, ogenblikkelijk dreigend en bits, pakte Mr Shanck met zijn volle vuist bij zijn stropdas beet en trok hem onhandig over zijn bureau heen. Shanck liet jammerend een vergeefs protest horen.

'Ik weet niets,' huilde hij. 'Mensen gebruiken de galerie om elkaar te ontmoeten... Daar krijg ik voor betaald... Ik zeg niets... Ik zal niets over jullie zeggen, ik zweer het...'

'Mr Shanck...' begon Miss Temple, maar Chang onderbrak haar en pakte de man met een grauw nog steviger beet.

'Door wie zei u dat de schilderijen hier bijeen zijn gebracht?'

Shanck stamelde wat, intens verontwaardigd en bang – zij het niet voor hen, meende Miss Temple. 'Door... Ah! Door haar vader!'

Toen Chang hem eenmaal losgelaten had, rende de man weg en vloog naar de andere kant van de galerie, een kamertje in – volgens Miss Temple de bezemkast. Ze slaakte een zucht van frustratie. Maar hierdoor hadden ze nog wel even de tijd om iets tegen elkaar te zeggen.

'We moeten hier onmiddellijk weg,' zei ze. Voor de ingang, een eind bij hen vandaan, klonken geluiden. Ze stak haar arm uit om Chang ervan te weerhouden op onderzoek te gaan. 'We hebben nog niet besloten...'

Chang onderbrak haar. 'Die oranjerie. Misschien is het daar wel zo gevaarlijk dat we er beter met z'n allen naar binnen kunnen gaan. Het is ook vlak in de buurt.'

Miss Temples haar ging recht overeind staan van irritatie over Changs gebiedende manier van doen, maar toen zag ze toch heel even iets van emotie over zijn gezicht schieten. Ze kon er geen peil op trekken wat voor emoties er speelden, met zijn ogen zo verscholen, maar het feit dát ze er waren prikkelde haar belangstelling. Chang maakte op haar de indruk van een soort volbloedpaard wiens krachten ten prooi waren aan tal van oneindig kleine stormen die in het bloed woedden – een karakter dat een heel speciaal soort omgang vergde.

'Daar ben ik het mee eens,' antwoordde Svenson.

'Uitstekend,' zei Miss Temple. Ze merkte tot haar schrik dat het kabaal tussen de bezems steeds luider werd. 'Maar ik stel voor dat we gaan.'

'Wacht...' riep dokter Svenson, en hij vloog bij hen weg en rende naar de *Annunciatie* van Veilandt toe. Met een snelle blik op de bezemkast van Mr Shanck rukte de dokter het van de muur.

'Hij gaat het toch niet stelen, hè?' fluisterde Miss Temple.

Maar nee. In plaats daarvan draaide de dokter het schilderij om om het doek aan de achterkant te kunnen bekijken, en zijn nadrukkelijke geknik bevestigde dat hij daar inderdaad iets gevonden had. Even later hing het schilderij weer aan de muur en rende hij naar hen toe.

'Wat was er?' vroeg Chang.

'Er stond iets op geschreven,' riep Svenson uit, en hij ging hun voor naar de straat. 'Ik vroeg me af of er iets te zien was wat op het grotere doek duidde, of – aangezien de man alchemist was – een of andere mystieke formule.'

'En was die er?' vroeg Miss Temple.

Hij knikte en voelde in zijn jaszak naar een stukje papier en een potloodje. 'Nou en of, en ik ga hem opschrijven, hoewel de symbolen me niks zeggen. Maar er stonden ook woorden op, in grote blokletters, al heb ik geen idee wat ze te betekenen hebben.'

'Wat voor woorden?' vroeg Chang.

'*En zij zullen verteerd worden*,' antwoordde Svenson.

Miss Temple zei niets: ze herinnerde zich heel goed het schoolbord in Harschmort, maar er was geen tijd. Ze stonden op straat en de dokter pakte haar bij de arm en ging hun voor naar zijn oranjerie.

'In bloed?' vroeg Chang.

'Nee,' antwoordde dokter Svenson. 'In blauw.'

'De ingang naar het laantje dat ik ken ligt recht tegenover het Boniface,' zei Svenson, die onder het lopen heel zacht sprak. 'Om veilig bij het tuinhek te komen moeten we een stuk om het hotel heen lopen en het vanaf de andere kant naderen.'

'Maar dan nog,' merkte Chang op. 'U zei dat het misschien bewaakt wordt.'

'Dat was wel zo. Maar toen was de comte er natuurlijk... Nu hij er niet is, zijn de bewakers misschien ook wel weg. Het probleem is dat ik door de tuin binnen ben gekomen, dat wil zeggen: achterom. Het was donker en mistig, en ik heb geen idee of er een huis aan vastzit, en al helemaal niet of dat momenteel bewoond wordt.'

Chang zuchtte. 'Als we er eerst omheen moeten is het veel langer lopen, maar...'

'Onzin,' zei Miss Temple. De mannen keken haar aan. Ze moest echter strenger optreden. 'We nemen een rijtuig,' legde ze uit, en ze realiseerde zich dat een rijtuig huren voor geen van haar begeleiders de normaalste zaak van de wereld was. Het was duidelijk dat er tussen hen drieën verschillende soorten kracht speelden, en verschillende soorten kwetsbaarheid. Als vrouw merkte Miss Temple dat haar metgezellen allebei zeker wisten waar zíj zou kunnen falen, maar dat er van een vergelijkbaar gevoel over hun eigen kwetsbaarheden geen sprake was. Ze legde zich erbij neer dat dit háár verantwoordelijkheid was, en dus richtte ze hun aandacht naar een eindje verderop in de straat.

'Daar heb je er een... Zou een van jullie zijn hand willen opsteken?'

Aldus geschiedde, en ze wurmden zich alle drie op hun zitplaats, uit de buurt van het raam, en waren binnen een paar minuten aan de andere kant van het laantje. Chang knikte even naar Miss Temple om haar duidelijk te maken dat hij geen soldaten zag. Ze stapten uit en zij stuurde het rijtuig weg. Het drietal liep het lege, smalle laantje met kasseien in. Het heette Plum Court, zag Miss Temple. De poort bevond zich in het midden van het laantje; toen ze er bijna waren, stierven de geluiden van de naburige straten voor de donker wordende schaduw weg, want de gebouwen om hen heen hielden al het licht tegen dat niet rechtstreeks van boven kwam, en uit deze bewolkte lucht was dat maar heel zwak. Miss Temple vroeg zich af hoe een tuin het op zo'n donkere plek zonder lucht goed kon doen. De ingang was een vreemde kerkachtige boog in de muur om een dikke houten deur heen. De boog zelf was versierd met subtiele in het hout uitgesneden figuurtjes, een vreemd patroon van zeemonsters, zeemeerminnen en schipbreuk lijdende matrozen die zelfs terwijl ze verdronken nog glimlachten.

Miss Temple richtte haar blik op het eind van het laantje en zag in het hellere licht van de straat de gevel van het Boniface, alsof het een ingelijste kleurenprent was. Voor de deur stond Mr Spanning, met aan weerskanten een soldaat. Miss Temple tikte Chang op zijn schouder en wees. Hij deed snel een stap naar de deur toe, zette de bebloemde tas van Miss Temple neer en haalde een zware ring met een heleboel sleutels uit zijn zak. Hij zocht ze snel door en mompelde iets uit zijn mondhoek. 'Jullie moeten het zeggen als ze ons zien... En misschien moeten jullie wat dichter tegen de muur gaan staan.'

Miss Temple en de dokter drukten zich tegen de muur aan, en allebei brachten ze hun revolver in gereedheid. Miss Temple was behoorlijk bang – ze had nog nooit in haar leven een wapen afgevuurd, en hier stond ze plotseling de struikrover te spelen. Chang stak een sleutel in het slot en draaide. Hij deed het niet. Hij probeerde er nog een, en nog een, en nog een, en elke keer zocht hij geduldig de ring af naar een andere.

'Als er aan de andere kant van de deur iemand staat,' fluisterde Svenson, 'dan horen ze ons!'

'Dan hebben ze ons al gehoord,' fluisterde Chang terug, en Miss Temple merkte dat hij zichzelf – en haar achter hem – ongemerkt naar opzij van de deur had gemanoeuvreerd, uit de baan van eventuele schoten die erdoorheen afgevuurd konden worden. Hij probeerde een andere sleutel, en nog een, en nog een. Hij deed een stapje achteruit, zuchtte en keek toen omhoog naar de muur. Hij was misschien drie meter hoog, maar het vlak werd rondom de deur doorbroken door de sierboog. Chang stak zijn sleutels in zijn zak en draaide zich om naar Svenson.

Miss Temple keek enigszins geschrokken en met een soort dierlijke waardering toe hoe Chang zijn schoen in de verstrengelde handen van dokter Svenson zette en zich toen naar de uitstekende overwelving slingerde. Met maar nauwelijks enige grip glibberde hij omhoog naar waar hij zijn knie tegen de dakspanen schrap kon zetten, zijn gewicht kon verplaatsen en toen tot helemaal bij de rand van de muur zelf kon komen. Binnen een paar tellen, en met een in de ogen van Miss Temple opmerkelijk vertoon van lichamelijk kunnen, had Chang één been over de muur gezwaaid. Hij keek met een soort professioneel neutraal gezicht omlaag en verdween uit haar blikveld. Stilte. Svenson hield zijn revolver in de aanslag. Toen werd de sleutel in het slot omgedraaid, ging de deur open en gebaarde Chang hen binnen te komen.

'We worden verwacht,' zei hij, en hij nam de tas van haar over.

Onder de mantel der duisternis was de tuin een sombere plek, met verwelkte bloembedden en bruine stukken gazon, en hingen de takken van de verfijnde sierbomen er slap en kaal bij. Miss Temple liep tussen stenen urnen die boven haar hoofd uit kwamen, met over de randen gevallen dode stelen van de bloemen van afgelopen zomer gedrapeerd. De tuin grensde aan de achterkant van een groot huis dat ooit witgeschilderd was geweest, zag ze, hoewel het nu bijna zwart was van een dikke laag roet. De ramen en achterdeur waren met planken dichtgespijkerd, waardoor die succesvol afgesloten waren van de tuin. Voor zich zag Miss Temple de oranjerie – ooit een prachtige koepel van grijsgroen glas, met vegen mos en vuil erop. De deur hing open, donker als het gat van een ontbrekende kies. Toen ze naar binnen liepen, merkte ze dat dokter Svenson de bloembedden bekeek en zachtjes mompelde.

'Wat ziet u, dokter?' vroeg ze.

'Neemt u mij niet kwalijk... Ik keek alleen even naar de plantenkeuze van de comte. Het is de tuin van een onheilspellende herborist.' Hij wees op allerlei verwelkte stelen die er wat Miss Temple betrof allemaal hetzelfde uitzagen. 'Dit is zwarte nieswortel, hier staat belladonna... vingerhoedskruid... alruin... wonderboom... bloedwortel...'

'Lieve hemel,' zei Miss Temple, die de planten die Svenson opnoemde niet kende, maar zijn opsomming best wilde goedkeuren. 'Je zou bijna denken dat de comte apotheker was!'

'Voor alle duidelijkheid, Miss Temple: dit zijn op hun manier allemaal giftige planten.' Svenson keek op en vestigde haar aandacht op de deur, waar Chang zonder hen door naar binnen was gegaan. 'Maar misschien hebben we later nog tijd om de bloembedden te bestuderen...'

Het licht in de oranjerie had een groenige gloed, alsof je een aquarium binnenkwam. Miss Temple liep over dikke Turkse tapijten naar Chang toe, die naast een groot hemelbed stond. De gordijnen waren van de stijlen getrokken en het beddengoed was afgehaald. Ze keek met stijgende weerzin naar de matras. De dikke vulling zat onder de vlekken met de donkere roodbruine kleur van opgedroogd bloed, maar bij het hoofdeinde zaten ook vreemde kleurige spetters, zowel donker indigoblauw als zurig oranje. Ze schrok er nogal van, maar dokter Svenson klom op het bed, bukte zich naar de verschillende vlekken en rook eraan. Een dergelijke intimiteit ten aanzien van de lichaamssecreties van iemand anders – iemand die ze niet eens kende – ging wat Miss Temple betrof haar huidige plichtsbesef ver te buiten. Ze wendde zich af en liet haar blik door de rest van het vertrek dwalen.

Hoewel het ernaar uitzag dat de comte de oranjerie had leeggehaald en alles had meegenomen wat enig licht kon werpen op zijn gebruik van de ruimte, kon Miss Temple nog steeds zien dat het ronde vertrek verschillende werkplekken had gekend. Bij de deur stond een kleine werktafel. Daar vlakbij stonden bakken en buizen waar water in was gepompt, en naast de bakken stond een gedrongen kolenkachel met bovenop een brede, platte ijzeren plaat om eten op te koken of, wat meer voor de hand lag, om alchemistische verbindingen en elixers op te bereiden. Verderop stond een lange houten tafel, aan de vloer vastgemaakt en voorzien van leren riemen, zo zag ze met een huivering van angst. Ze keek achterom naar het bed. Dokter Svenson stond nog steeds over de matras gebogen en Chang keek eronder. Ze liep naar de tafel. Het oppervlak vertoonde brandplekken en vlekken, net als het tapijt; dat merkte ze toen haar voet in een scheur bleef haken. Het tapijt was zelfs helemaal bedorven door brandplekken en vlekken, met name over de lengte van een smal pad dat van de kachel naar de tafel liep, en vandaar van de kachel naar de bakken, en toen weer, om de driehoek af te maken, van de bakken rechtstreeks naar de tafel. Ze liep naar de kachel, die koud was. Uit nieuwsgierigheid knielde ze ervoor neer en maakte het deurtje open. Hij zat vol as. Ze keek om zich heen of ze een tang zag, vond die ook en stak hem erin. Met haar tong uit haar mond woelde ze in opperste concentratie door de as. Even later stond ze op, veegde haar handen af, draaide zich tevreden naar haar metgezellen om en stak hun een stukje nachtblauwe stof toe.

'Ik heb hier iets, heren. Shantungzijde, of ik moet me sterk vergissen. Zou dit van de jurk van de vrouw afkomstig kunnen zijn?'

Chang liep naar haar toe en pakte het stukje verbrande stof beet. Hij bekeek het even zonder iets te zeggen en gaf het haar toen terug. Hij riep Svenson, waarbij zijn stem ietwat bruusk klonk.

'Wat kunt ú ons daarover vertellen, dokter?'

Volgens Miss Temple merkte de dokter niets van Changs toon, en ook niet van het geïrriteerde getrommel van zijn vingertoppen tegen zijn dij, want Svenson antwoordde heel rustig, alsof hij in gedachten nog steeds bezig was dit nieuwste raadsel op te lossen. 'Het is me niet duidelijk... want, kijk, de bloedvlekken hier... die volgens mij, op grond van mijn ervaring met de verschillende kleuren van opdrogend bloed, vrij recent zijn...'

Hij wees op het midden van de matras, en Miss Temple gaf Chang onwillekeurig een duwtje om samen met haar dichter naar het bed toe te gaan.

'Dat is wel erg veel bloed, dokter,' zei ze. 'Vindt u ook niet?'

'Het zou kunnen, maar niet als – vergeef mij de ongepastheid – als het bloed het gevolg is van een natuurlijk... eh... maandelijks... gebeuren. U ziet dat de vlek zich precies in het midden van het bed bevindt, daar waar men het bekken mag verwachten...'

'Kan het een bevalling geweest zijn?' vroeg ze. 'Was de vrouw zwanger?'

'Nee. Er zijn natuurlijk andere verklaringen mogelijk... Het zou een andere verwonding kunnen zijn, misschien is er geweld gebruikt, of zelfs een soort vergif...'

'Kan het zijn dat ze verkracht is?' vroeg Chang.

Svenson gaf niet meteen antwoord, en hij keek snel even naar Miss Temple. Haar gezicht stond uitdrukkingsloos; ze trok alleen haar wenkbrauwen op bij wijze van aanmoediging om toch vooral antwoord te geven. Hij draaide zich weer om naar Chang.

'Ja, dat is goed mogelijk, maar de hoeveelheid bloed is wel buitensporig. Een dergelijke aanranding moet dan wel heel erg catastrofaal verlopen zijn, en mogelijk met dodelijke afloop. Meer kan ik er niet over zeggen. Toen ik de vrouw onderzocht, was ze niet dermate gewond. Dat is natuurlijk geen garantie dat...'

'En die andere vlekken? Die blauwe en die oranje?' vroeg Miss Temple, die zich er nog steeds bewust van was dat Chang rusteloos met zijn vingers trommelde.

'Ik weet het niet. De blauwe... Nou, om te beginnen komt de geur overeen met een vreemde geur die ik zowel in het instituut als bij het lichaam in Crabbés keuken heb geroken: mechanisch, chemisch. Ik kan alleen maar het vermoeden uitspreken dat het iets met dat glasmaken van hen van doen heeft. Misschien is het een narcosemiddel, of misschien... Ik weet het niet, een conserveermiddel, een fixeermiddel – aangezien het herinneringen in glas fixeert, heeft d'Orkancz misschien de hoop gekoesterd dat het de vrouw op de een of andere manier in leven zou fixeren. Ik ben ervan overtuigd dat hij geprobeerd heeft haar te behouden,' voegde hij eraan toe, terwijl hij naar Changs strenge gezicht opkeek. 'En wat dat oranje betreft, tja, dat is heel vreemd. Sinaasappel – of een essence van sinaasappelschil – wordt soms als insecticide gebruikt. Er zit een zuur in dat het schild vernietigt. Daar ruikt deze vlek naar – naar een bitter concentraat dat door stoom verkregen is.'

'Maar, dokter,' vroeg Miss Temple, 'kun je uit de vlekken zelf niet afleiden dat de vloeistof afkomstig is van de vrouw, of dat zij die uitgedreven heeft? Het zijn sproeivlekken, spetters...'

'Ja, dat klopt... Heel sluw!'

'Wilt u beweren dat ze *gepijnigd* is?'

'Nee, ik wil niets beweren, maar ik vraag me wel af wat voor effecten een dergelijk oplosmiddel heeft met betrekking tot de mogelijke eigenschappen van de blauwe vloeistof, het glas, in het lichaam. Misschien dacht de comte dat dat een remedie was.'

'Als het schild van een insect ervan smelt, zou het glas in haar longen er dan ook van kunnen smelten?'

'Inderdaad... Hoewel we natuurlijk niet weten wat precies de ingrediënten van het glas zijn, dus ik kan niet met zekerheid zeggen of het effectief geweest is.'

Ze zwegen een tijdje en keken naar het bed en naar de sporen van het lichaam dat daar had gelegen.

'Als het gewerkt heeft,' zei Miss Temple, 'begrijp ik niet waarom hij haar jurk heeft verbrand.'

'Nee.' Svenson knikte somber.

'Nee,' zei Chang vinnig. Hij draaide zich om en liep de tuin in.

Miss Temple keek naar dokter Svenson, die nog steeds op het bed zat, terwijl zijn gezicht zowel bezorgd als verward stond, alsof ze allebei wisten dat er iets niet in de haak was. Hij klom van het bed – onhandig, zijn jas en laarzen zaten hem in de weg en zijn sluike haar viel over zijn gezicht. Miss Temple was sneller bij de deur dan hij en pakte vlug haar gebloemde tas op, daar waar Chang hem had neergezet – hij was schrikbarend zwaar; Marthe was niet goed bij haar hoofd als ze überhaupt dacht dat ze dit ding kon dragen – en stormde de tuin in. Chang stond midden op het levenloze gazon en keek omhoog naar de dichtgespijkerde ramen van het huis – ramen die Miss Temple in hun halsstarrige ondoordringbaarheid net een spiegel van Changs bril vond. Ze gooide de tas neer en liep op hem af. Hij draaide zich niet om. Ze bleef op ongeveer een meter naast hem staan. Ze keek achterom en zag dat dokter Svenson in de deuropening van de oranjerie stond te kijken.

'Kardinaal Chang?' vroeg ze. Hij reageerde niet. Miss Temple vond niets zo vermoeiend als iemand die een volstrekt beleefde, zelfs welwillende vraag negeerde. Ze haalde adem, blies langzaam uit en zei toen, weer op vriendelijke toon: 'Kent u die vrouw?'

Chang draaide zich naar haar om; zijn stem klonk heel kil. 'Ze heet Angelique. Ik denk niet dat u haar kent. Ze is... Ze was... een lichtekooi.'

'Ik begrijp het,' zei Miss Temple.

'O ja?' zei Chang bits.

Miss Temple ging hier niet op in en hield het stukje verbrande zijde weer omhoog. 'Was dit van haar?'

'Gisteravond had ze zo'n jurk aan, in gezelschap van de comte. Hij heeft haar meegenomen naar het instituut.' Chang draaide zich om om over haar schouder iets naar Svenson te roepen. 'Ze was daar bij hem, bij zijn machines – zij is blijkbaar de vrouw die u gezien hebt. En blijkbaar is ze dood.'

'Is dat zo?' vroeg Miss Temple.

Chang maakte een snuivend geluid. 'U hebt het zelf gezegd... Hij heeft de jurk verbrand...'

'Dat heb ik gezegd, ja,' beaamde ze. 'Maar er klopt iets niet. Ik zie nergens in deze tuin vers omgewoelde aarde, u wel?'

Chang keek haar achterdochtig aan en keek toen om zich heen. Voor hij antwoord kon geven riep Svenson vanuit de deuropening: 'Ik niet.'

'En ik heb ook geen – vergeef me de ongepastheid – beenderen in de kachel gevonden. En als iemand zoiets als een lichaam verbrandt blijven er volgens mij op z'n minst wat beenderen over – want ik heb weleens de lichamen van dieren in zo'n vuur gezien. Dokter?'

'Dat lijkt me wel, ja... Het dijbeen alleen al...'

'Dan is mijn vraag, kardinaal Chang,' ging Miss Temple verder, 'waarom hij, als ze dood is en hij zijn tuin verlaat, haar hier niet begraaft of haar overblijfselen verbrandt. Dat zou toch het meest voor de hand liggen, maar ik begrijp dat hij dat niet gedaan heeft.'

'Waarom verbrandt hij de jurk dan wel?' vroeg Chang.

'Geen idee. Misschien omdat hij verpest was... Vanwege de bloedvlekken waar de dokter het over had. Misschien was hij besmet.' Ze draaide zich om naar Svenson. 'Had ze die jurk aan toen u haar hebt gezien, dokter?'

Svenson schraapte zijn keel. 'Ik heb die jurk niet gezien,' zei hij.

'Dus we weten het niet,' concludeerde Miss Temple, en ze draaide zich weer om naar Chang. 'U hebt misschien een hekel aan de comte d'Orkancz, maar u kunt ook nog hopen dat u deze vrouw levend en wel terugvindt, en misschien zelfs – wie zal het zeggen – gezond en wel.'

Chang gaf geen antwoord, maar ze voelde dat er iets in zijn lichaam veranderde – een voelbare verschuiving in zijn botten om een klein beetje hoop toe te laten. Miss Temple gunde zichzelf een moment van tevredenheid, maar in plaats van dat genoegen te ervaren merkte ze dat ze geheel onverwacht werd overspoeld door een pijnlijke opwelling van verdriet en isolement, alsof ze een bepaalde solidariteit met Chang als vanzelfsprekend had aangenomen, namelijk dat zij in hun alleen-zijn op elkaar leken, om er vervolgens achter te komen dat dit niet zo was. Zijn ware gevoelens – het feit dat hij gevoelens hád, en al helemaal dat ze zo vurig waren, en dan ook nog voor zo'n soort vrouw – maakten dat ze plotseling heel verdrietig was. Ze verlangde er niet naar het doelwit van de emoties van zo'n man te zijn – natuurlijk niet –, maar ze was er niettemin niet op voorbereid om de diepte van haar eenzaamheid zo abrupt onder ogen te moeten zien – ook niet om iemand anders te troosten, wat haar heel onrechtvaardig leek en wat sowieso al niet Miss Temples sterkste kant was. Ze kon er niets aan doen. Ze was doordrongen van haar eenzaamheid en merkte dat ze plotseling stond te sniffen. Ze geneerde zich dood, dwong zichzelf grote heldere ogen op te zetten, probeerde te glimlachen en liet haar stem zo energiek en beminnelijk mogelijk klinken.

'Het ziet ernaar uit dat we allemaal iemand kwijt zijn. U die vrouw, Angelique, de dokter zijn prins en ik mijn eigen... mijn wrede en domme Roger. Met dit verschil dat u beiden nog enige hoop hebt – en natuurlijk het verlangen – om degene die u kwijt bent geraakt terug te vinden, terwijl ik er genoegen mee neem om waar ik kan te helpen en om mijn portie inzicht... en wraak te krijgen.'

Haar stem haperde en ze snifte wat, boos over haar zwakheid, maar niet in staat zich ertegen te verzetten. Was dit dan haar leven? Weer voelde ze de misselijkmakende leegte in haar hart – hoe had ze zo stom kunnen zijn om die door Roger Bascombe te laten vullen? Hoe had ze überhaupt zulke gevoelens een kans kunnen geven – als ze haar alleen deze onbeantwoordbare pijn hadden opgeleverd? Hoe kon het dat ze er nog steeds door werd overvallen, dat ze nog steeds wilde dat hij haar op de een of andere manier verkeerd begrepen had en dat hij haar bij de hand zou nemen – haar eigen zwakte was ondraaglijk. Voor het eerst in de vijfentwintig jaar van haar leven wist Miss Temple niet waar ze zou slapen. Ze zag dat dokter Svenson naar haar toe liep en geforceerd glimlachte, maar ze gebaarde hem weg te gaan.

'Uw tante,' begon hij. 'Zij zal beslist bezorgd om u zijn, Miss Temple...'

'Pffft!' zei Miss Temple spottend, niet in staat zijn medeleven te verdragen. Ze liep naar haar tas en tilde hem met één hand op, waarbij ze haar best deed te verhullen hoe zwaar hij was, maar op weg naar het tuinhek struikelde ze toch. 'Ik wacht op straat wel,' riep ze achterom, omdat ze niet wilde dat ze de emotie op haar gezicht zouden zien. 'Als jullie klaar zijn hebben we vast nog een boel te doen...'

Ze liet de tas vallen en leunde tegen de muur, met haar handen voor haar ogen, terwijl haar schouders nu schokten van het snikken. Zonet was ze nog heel trots geweest toen ze het stukje zijde in de kachel had gevonden en nu... En waarom? Omdat Chang iets voor een hoertje voelde? Het volle gewicht van alles wat ze had meegemaakt, had opgeofferd en opzij had geschoven, had zich nu weer aangediend en drukte op haar kleine gestalte en gevoelige hart. Hoe kon iemand dit isolement, deze trooteloze hoop verdragen? Te midden van deze storm vergat Miss Temple, die immers een rusteloze en snelle geest had, niet de scherpe angst die haar vijanden haar hadden ingeboezemd, en ze liet ook niet na zichzelf te berispen vanwege het feit dat ze sowieso meisjesachtig aan haar tranen had toegegeven. Ze zocht in haar groene tas naar een zakdoek en haar hand tastte om de revolver heen – weer een teken van wat er van haar geworden was, van waar ze zich met, als ze eerlijk was, bespottelijke gevolgen in had gestort. Ze snoot haar neus. Ze wás ook moeilijk, dat wist ze best. Ze had geen vrienden. Ze was kortaf en veeleisend, meedogenloos en onverbiddelijk. Ze snoof en had vreselijk spijt van dit soort zelfbeschouwing; ze had bijna net zo'n minachting voor de behoefte aan zelfbeschouwing als aan de zelfbeschouwing zelf. Op dat moment wist ze niet wat ze liever wilde: zich in de serre van haar huis op het eiland opkrullen of een van die blauwglasschurken een kogel door het hart jagen... Maar waren deze opties wel het antwoord op haar huidige gemoedstoestand?

Ze snoof luidruchtig. Noch Chang, al zijn verborgen stemmingen ten spijt, noch Svenson, al zijn zenuwachtige aarzeling ten spijt, stond in tranen midden op straat. Ze kon hun toch niet als hun gelijke onder ogen komen? Ze vroeg zichzelf wederom en zonder medelijden af waar ze mee bezig was. Ze had Chang verteld dat ze bereid was in haar eentje haar onderzoek voort te zetten, maar diep in haar hart had ze daar niks van geloofd. Nu wist ze dat ze dit moest doen en niets anders – want op dit moment leek het doen zelf van cruciaal belang, als ze tenminste ooit dat verschrikkelijke gevoel wilde kwijtraken dat ze onderworpen was aan haar lichaam. Ze keek achter zich naar de tuindeur – geen van beide mannen had zich nog laten zien. Ze pakte de tas met beide handen op en liep precies terug zoals ze gekomen waren, weg van het Boniface. Met elke stap die ze zette had ze het gevoel alsof ze op een schip zat dat zijn haven uit voer om een onbekende zee over te steken – en hoe verder ze Plum Court door liep, hoe vastbeslotener ze werd.

Toen ze bij de straat uitkwam, hield ze een rijtuig aan. Ze keek om. Haar hart klopte in haar keel. Chang en Svenson stonden in de deuropening van de tuin. Svenson riep haar. Chang zette het op een lopen. Ze stapte in het rijtuig en gooide haar tas op de vloer.

'Rijden,' riep ze. Het rijtuig zette zich in beweging en met een bijna ruwe snelheid was ze het laantje voorbij en uit het gezichtsveld van haar twee begeleiders verdwenen. De koetsier keek achterom naar haar, met op zijn gezicht de onuitgesproken vraag waar de reis naartoe ging.

'Hotel St. Royale,' zei Miss Temple.

VIJF

Het ministerie

*T*oen Chang eenmaal aan het eind van het laantje was, was het rijtuig uit het zicht verdwenen en wist hij niet in welke richting het gegaan was. Hij spoog van frustratie op de grond, en zijn borst ging op en neer van de vergeefse inspanning. Hij keek achterom en zag dat Svenson eraan kwam, waarbij het gezicht van de dokter een masker van bezorgdheid vertoonde.

'Is ze weg?' vroeg hij.

Chang knikte en spoog weer. Hij had geen idee wat er in het hoofd van het meisje was omgegaan, en ook niet waar de onverantwoordelijke impulsen haar heen hadden gevoerd.

'We moeten achter haar aan...' begon Svenson.

'Hoe?' beet Chang hem toe. 'Waar is ze naartoe? Ziet ze af van haar deelname? Valt ze onze vijanden nu in haar eentje aan? En wie van hen dan? En wanneer vertelt ze hun alles, tussen het moment waarop ze haar te pakken krijgen en het moment waarop ze haar vermoorden?'

Chang was woedend, maar eigenlijk was hij net zo boos op zichzelf. Het feit dat hij blijk had gegeven van zijn slechte humeur naar aanleiding van Angelique had de aanzet gegeven tot deze stommiteit – en waarom in 's hemelsnaam? Angelique hield niet van hem. Als ze in leven was en als hij haar kon vinden, zou hij daarmee in een beter blaadje komen te staan bij Madelaine Kraft. Daar was alles mee gezegd. Hij draaide zich om naar Svenson en sprak snel.

'Hoeveel geld hebt u?'

'Ik... Dat weet ik niet... Genoeg voor een dag of twee... Om te eten, een kamer te zoeken...'

'Genoeg om een treinkaartje te kopen?'

'Dat hangt ervan af waar de reis...'

'Hier, pak aan.' Chang stak zijn hand in zijn jaszak en haalde de leren beurs te voorschijn. Daar zaten alleen maar twee kleine bankbiljetten en wat wisselgeld van zijn avond in het Boniface in, maar in zijn broekzak had hij nog een handvol gouden munten waar hij op terug kon vallen. Met een verbitterd glimlachje gaf hij een van de biljetten aan dokter Svenson. 'Ik weet niet wat er met ons zal gebeuren – en het portemonneetje van ons verbond is er net vandoor gegaan. Hoe zit u wat betreft munitie?'

Svenson haalde de revolver uit zijn zak, alsof hij zijn antwoord kracht wilde bijzetten. 'Ik heb uit de voorraad van Miss Temple opnieuw kunnen laden. De wapens hebben allebei kaliber...'

'Dat is een dienstwapen. Een .44.'

'Klopt.'

'En dat van haar ook?'

'Ja, hoewel haar wapen teleurstellend klein was...'

'Heeft ze er ooit mee geschoten, voor zover u weet?'

'Volgens mij niet.'

De twee mannen stonden even in gedachten verzonken. Chang probeerde zijn gevoelens van wroeging en tegenbeschuldigingen van zich af te schudden. Dat hij zich nou niet had gerealiseerd hoe machtig het wapen was – hij had haar nota bene geholpen het schoon te maken. Hij vroeg zich af waar hij met zijn gedachten was geweest – maar in werkelijkheid wist hij precies wat hem had afgeleid: hij was verrast geweest haar weer te zien, en nog wel in zulke andere kledij dan in de trein, terwijl op de ronding van haar hals blauwe plekken te zien waren in plaats van bloedvlekken, en haar kleine behendige vingers bezig waren de zwarte geoliede metalen onderdelen van de revolver uit elkaar te halen. Hij schudde zijn hoofd. Zo'n wapen gaf een terugslag waarvan haar arm tot achter haar hoofd zou schieten – ze zou nooit iets raken, tenzij ze de loop in het lichaam van haar doelwit drukte. Ze had in deze hele situatie geen flauw idee waar ze mee bezig was.

'Gedane zaken nemen geen keer,' zei de dokter. 'Gaan we achter haar aan?'

'Als ze gepakt is, is ze dood.'

'Dan moeten onze wegen scheiden, zodat we een groter gebied kunnen bestrijken. Dat is heel jammer – zonet renden we ieder voor

301

zich nog voor ons leven. Ik zal het missen als er niemand bij me is om me te helpen in regenpijpen te klimmen.' Hij glimlachte en stak zijn hand uit. Chang schudde hem.

'U klimt er zelf wel in – daar ben ik van overtuigd.'

Svenson glimlachte met een zuinig gezicht, alsof hij Changs bemoedigende woorden wel waardeerde, maar toch niet helemaal overtuigd was. 'Waar gaat ieder van ons heen?' vroeg hij. 'En waar zien we elkaar weer?'

'Waar zou zíj naartoe zijn?' vroeg Chang. 'Denkt u dat ze naar haar tante gevlucht is? Dat zou het voor ons allemaal een stuk eenvoudiger maken...'

'Ik denk van niet,' zei Svenson. 'Integendeel, ik denk juist dat ze de angst die ze gevoeld heeft, wat voor angst het ook geweest moge zijn, haar ertoe heeft aangezet meteen tot actie over te gaan.'

Chang fronste zijn voorhoofd en dacht na. Over wat ze in de tuin tegen hem gezegd had, haar gezicht, de glimlach die door haar grijze ogen werd tegengesproken.

'Dan is vast die idioot van een Bascombe de aanleiding.'

Svenson zuchtte. 'Het arme kind.'

Chang spoog weer op de grond. 'Schiet ze hem door het hoofd of gaat ze aan zijn voeten liggen janken – dat is de vraag.'

'Daar ben ik het niet mee eens,' zei Svenson rustig. 'Ze is moedig en vindingrijk. Wat weten we nou over andere mensen? Heel weinig. Maar we weten wel dat Miss Temple heel wat machtige mensen heeft doen geloven dat ze een dodelijke moordenares annex courtisane was. Zonder haar zouden wij nu allebei in het hotel gepakt zijn. Als we haar kunnen vinden, wil ik wedden dat ze ons allebei, voordat deze kwestie achter de rug is, nog een keer het leven redt.'

Chang gaf geen antwoord, en glimlachte toen.

'Wat voor munteenheid hebben jullie in Mecklenburg? Gouden shilling?'

Svenson knikte.

'Dan zet ik er graag tien gouden shilling op in dat Miss Temple ons niet het leven zal redden. Dat is natuurlijk een onzinnige weddenschap, want als we niet gered worden is geen van ons beiden in staat het geld op te strijken.'

'Maar toch,' zei Svenson. 'Ik ga de weddenschap aan.' Ze schudden elkaar weer de hand. Svenson schraapte zijn keel. 'Goed, dan nu die Bascombe...'

'Het landhuis... Tarr Manor. Daar zou hij best kunnen zijn. Of hij zou op het ministerie kunnen zijn, of bij Crabbé.' Chang keek snel links en rechts de straat in – ze deden er echt niet verstandig aan zo lang op straat te staan, zo vlak bij het Boniface. 'De reis naar Tarr Manor...'

'Waar is dat?'

'In het noorden, met de trein ongeveer een halve dag reizen. Dat komen we zo te weten op Stropping... Misschien halen we haar nog wel in op het station. Maar de reis duurt wel even. De andere mogelijkheden – zijn huis, het ministerie, Crabbé – bevinden zich in de stad, en een van ons kan indien nodig heel gemakkelijk van het ene naar het andere adres gaan.'

Svenson knikte. 'Dus de een gaat de stad uit, de ander blijft hier. Hebt u een voorkeur? Ik ben in beide gevallen een buitenstaander.'

Chang glimlachte weer. 'Ik ook, dokter.' Hij wees op zijn rode jas en zijn bril. 'Ik ben niet iemand voor de landadel, maar ook niet voor de salons van eerbiedwaardige stedelingen...'

'Maar het is en blijft uw stad. U bent een stadsdier, als u me toestaat. Laat mij maar de stad uit gaan, naar het platteland, waar de mensen zich eerder laten overhalen door een uniform en door verhalen over het paleis van Mecklenburg.'

Chang draaide zich om om weer een rijtuig aan te houden. 'U mag wel opschieten. Zoals ik al zei: misschien treft u haar op Stropping. De weg naar het ministerie voert mij de andere kant op. Hier scheiden onze wegen.'

Ze schudden elkaar voor de derde keer de hand en moesten erom glimlachen. Svenson stapte in het rijtuig. Zonder nog een woord te zeggen liep Chang snel weg in tegenovergestelde richting. Achter zich hoorde hij de stem van Svenson, en hij draaide zich om.

'Waar spreken we af?' riep de dokter.

Chang zette zijn handen aan zijn mond en riep terug: 'Morgenmiddag om twaalf uur! Onder de klok op Stropping Station!'

Svenson knikte, zwaaide en ging weer in het rijtuig zitten. Chang durfde te betwijfelen of een van hen er zou zijn.

Chang verliet de straat zo snel hij kon en nam een kronkelend spoor van steegjes en smalle laantjes. Hij had nog niet besloten waar hij als eerste heen moest. Hij wilde niets liever dan zich eerst op zijn normale manier op deze klus oriënteren en zich niet halsoverkop in omstandigheden storten die hij niet begreep, ook al was dat precies wat Celeste wel deed. Celeste? Hij vroeg zich af hoe het kwam dat hij die naam in gedachten wel gebruikte, maar tegenover haar niet, en ook niet als hij met dokter Svenson sprak, want dan was het altijd 'miss Temple'. Het deed er niet echt toe – het kwam ongetwijfeld doordat ze zich als een kind gedroeg. Toen hij dit bedacht, besloot Chang dat hij, als hij ging proberen om de burelen van het ministerie van Buitenlandse Zaken of het huis van Harald Crabbé binnen te dringen, beter voorbereid moest zijn. Hij verhoogde zijn tempo naar een soepel drafje. De Raton Marine kon hij niet trotseren, want die werd ongetwijfeld in de gaten gehouden – hij moest ervan uitgaan dat Aspiche zich nu bij deze samenzwering had aangesloten. Hij zou heel graag de bibliotheek bereiken. Er waren zoveel vragen te beantwoorden – over indigoklei, over de comte en de contessa, over Bascombe en Crabbé, en zelfs, zo moest hij toegeven, over Miss Celestial Temple. Maar in de bibliotheek had Rosamonde hem gevonden, en daar zouden ze hem vast en zeker staan op te wachten. En dus ging hij maar op weg naar de winkel van Fabrizi, uit meer praktische en duistere overwegingen.

De man was een Italiaanse ex-huurling en wapenmeester die een cliëntèle bediende die overal uit de stad naar hem toe kwam en die maar één eigenschap met elkaar gemeen had, namelijk een elegant bloederig doel. Chang ging de winkel binnen en keek met de bekende opwelling van hebberig genoegen links en rechts naar de glazen vitrines. Tot zijn opluchting stond Fabrizi zelf achter de toonbank, met een groenflanellen schort over zijn scherp gesneden pak.

'*Dottore*,' zei Chang, en hij knikte ter begroeting.

'*Cardinale*,' antwoordde Fabrizi op ernstige en eerbiedige toon.

Chang haalde zijn dolk te voorschijn en legde die voor de man neer. 'Met de rest van uw schitterende stok heb ik een ongelukje gehad,' zei hij. 'Ik zou graag willen dat u hem repareert, als dat kan. Voor de tussentijd zou ik u willen verzoeken of ik een geschikte vervanging kan gebruiken. Uiteraard betaal ik alles vooruit.' Hij haalde het resterende bankbiljet uit de beurs en legde het op de toonbank. Fabrizi sloeg er geen acht op, maar pakte in plaats daarvan de dolk op en bekeek hoe het lemmet eraan toe was. Hij legde hem weer op de toonbank, keek met lichte verbazing naar het bankbiljet, alsof dat er geheel uit eigen beweging was komen te liggen, vouwde het rustig op en stak het in de zak van zijn schort. Hij knikte naar een van de glazen vitrines. 'U mag een vervanging kiezen. Deze is over drie dagen klaar.'

'Ik ben u zeer erkentelijk,' zei Chang. Hij liep naar de vitrine, en Fabrizi liep vanachter de toonbank achter hem aan. 'Welke zou u mij aanraden?'

'Ze zijn allemaal uitstekend,' zei de Italiaan. 'Maar voor een man als u zou ik het zwaardere hout aanraden. De stok moet ook als zodanig gebruikt worden? Deze is van teakhout... Deze van Maleisisch ijzerhout.'

Hij gaf het ijzerhout aan Chang, die acuut een gevoel van tevredenheid kreeg door de manier waarop het handvat als de greep van een buskruitrevolver in zijn hand kromde. Hij trok het lemmet te voorschijn – iets langer dan hij gewend was – en hield de stok omhoog. Hij was prachtig, en Chang glimlachte als een man die een pasgeboren baby vasthoudt.

'Voortreffelijke makelij,' fluisterde hij. 'Zoals altijd.'

Het was na drieën. Nu hij niet naar de bibliotheek kon om te kijken waar Bascombe woonde, kon hij de man maar het best vanuit het ministerie naar huis volgen. Bovendien, als Celeste echt van plan was hem snel te vinden, zou ze zelf ook vast en zeker naar het ministerie gaan en haar best doen om hem in zijn kantoor te spreken te krijgen... en te doden? Als hij daar niet was... Nou ja, dan zag Chang wel weer verder. Hij voelde aan de muntjes in zijn zak, besloot toch maar geen rijtuig te nemen en rende in de richting van de wirwar van witte gebouwen. Hij was binnen een kwartier op St. Isobel's Square, en vijf minuten later – hij deed het rustig aan om op adem te komen en weer kalm te worden – bij de hoofdingang. Hij liep onder de grote witte overwelfde doorgang, door een zee van rijtuigen en de menigte ernstig kijkende mensen, bezig met overheidsaangelegenheden, een binnenplaats met grind op, met verschillende paadjes – geplaveid met leisteen en met sierstruiken erlangs – die naar de verschillende ministeries leidden. Het was net alsof hij in het midden van een wiel stond en elke spaak naar zijn eigen discrete wereld van bureaucratie leidde. Het ministerie van Buitenlandse Zaken lag recht voor hem en dus liep hij rechtdoor, waarbij zijn laarzen het grind deden knerpen en vervolgens van het leisteen echoden, naar een kleinere overwelfde ingang van een marmeren lobby met een houten bureau, waar een man in een zwart pak zat, geflankeerd door soldaten in rode jas. Enigszins tot zijn schrik zag Chang dat het cavaleristen van het vierde regiment dragonders waren, maar toen dat eenmaal tot hem was doorgedrongen, hadden ze hem al gezien. Hij bleef staan, klaar om te vluchten of te vechten, maar geen van de soldaten verroerde zich; ze bleven allemaal stram in de houding staan. De man in pak tussen hen in keek naar Chang op en snoof vragend.

'Ja?'

'Ik kom voor Mr Roger Bascombe,' zei Chang.

De man bekeek Changs uitdossing en voorkomen eens. 'En... wie mag ik zeggen dat er is?'

'Miss Celeste Temple,' zei Chang.

'Neemt u mij niet kwalijk... Miss Temple, zei u?' De man was zo aan buitenlandse gebruiken gewend dat hij niet eens spottend lachte.

'Ik heb een boodschap van haar,' zei Chang. 'Ik weet zeker dat hij die wil horen. Als Mr Bascombe bezet is, neem ik genoegen met onderminister Crabbé.'

'Aha, u neemt... genoegen... met de onderminister. Een ogenblik graag.' De man schreef een paar regels op een vel papier en stopte dat in een leren koker, die hij in een koperen opening in het bureau duwde, waar hij met een hoorbaar gesis uit het zicht werd weggezogen. Chang moest aan The Old Palace denken, en vond het op de een of andere manier geruststellend dat men er op het hoogste overheidsniveau dezelfde communicatiemiddelen op na hield als in een bordeel. Hij wachtte. Er verschenen enkele andere bezoekers, die door mochten lopen of die het onderwerp van ook zo'n boodschap in de leren koker werden. Chang keek even naar de anderen die stonden te wachten: een man met een donkere huid in een wit uniform en met een hoofddeksel met pauwenveren op, een bleke Rus met een lange baard en een blauw uniform aan van vervilte wol met een rij medailles en een sjerp, en twee bejaarde heren in een aftands zwart rokkostuum, alsof ze de afgelopen twintig jaar onafgebroken naar hetzelfde bal waren geweest. Het verbaasde hem niet dat alle drie hem op hun beurt ook aanstaarden. Hij keek terloops om zich heen om te zien of de uitgang achter hem nog steeds vrij was, en zag daarbij dat zich aan de andere kant van het bureau gangen en trappen bevonden, zodat hij beter voorbereid was op eventueel gevaar. De cavaleristen verroerden zich niet.

Het duurde nog eens vijf minuten voor er met een bons een koker met het antwoord in de houder vlak bij het bureau belandde. De receptionist vouwde het papier open, maakte een aantekening in het grootboek dat naast hem lag en overhandigde het papier aan een van de cavaleristen. Toen riep hij Chang.

'U kunt naar boven. Deze soldaat wijst u waar u moet zijn. Hier even uw naam en handtekening.' Hij wees naar een ander grootboek op het bureaublad en stak hem een pen toe. Chang pakte de pen, schreef en gaf hem weer terug.

'Mijn naam is Chang,' zei hij.

'Chang, meer niet?' vroeg de man.

'Voorlopig niet, nee.' Hij boog zich naar voren en fluisterde: 'Maar ik hoop dat ik iets win bij de paardenrennen... en dan koop ik er nog een.'

De soldaat ging Chang voor door een brede gang en een strenge trap van geboend zwart graniet op met een leuning van smeedijzer. Ze liepen tussen andere mannen in donker pak die door de gang op en neer liepen en allemaal een dik pak papier in hun handen hadden, en van wie niemand ook maar enige aandacht aan Chang besteedde.

307

Op de eerste overloop ging de soldaat hem voor naar de andere kant van een marmeren gang, naar een andere trap die afgeschermd was met een ijzeren ketting. Hij haakte de ketting los, deed een stap achteruit zodat Chang erlangs kon en deed hem achter hen weer dicht. Op deze trap liepen geen andere mensen, en hoe hoger ze kwamen, hoe meer Chang het gevoel had dat hij een labyrint betrad waar hij misschien nooit meer uit zou komen. Hij keek naar de cavalerist met rode jas die voor hem liep en vroeg zich af of hij soms beter hier ter plekke, nu ze alleen waren, een mes tussen zijn ribben kon steken, en vervolgens zijn kans moest grijpen. Vooralsnog kon hij alleen maar hopen dat hij hem inderdaad naar Bascombe – of naar Crabbé – bracht en niet naar een of andere afgelegen plek waar ze hem gevangen zouden houden. Hij had de naam van Miss Temple in een opwelling genoemd, om een reactie uit te lokken – maar ook om te kijken of zij hier al vóór hem was geweest. Hoe het kon dat hij zonder noemenswaardige reactie binnen was gekomen was hem een raadsel. Het kon betekenen dat zij hier was, of dat ze er niet was – of dat ze haar alleen maar wilden vinden, wat hij al wist. Hij moest ervan uitgaan dat de mensen die hem binnen hadden gelaten niet van plan waren hem uiteindelijk ook weer te laten gaan. Toch duidde de opwelling om de soldaat te doden alleen maar op zenuwen. Op de rest zou hij niet lang hoeven wachten.

Ze liepen de trap op en passeerden drie overlopen, maar geen enkele deur of raam. Op de overloop van de volgende verdieping haalde de soldaat echter een lange koperen sleutel uit zijn jas, wierp één blik op Chang en liep naar een zware houten deur. Hij stak de sleutel in het slot en draaide hem een paar keer om, waarbij het mechanisme een scherpe echo in het trappenhuis deed klinken, en daarna trok hij de deur open. Hij deed een stap opzij en gebaarde dat Chang naar binnen moest gaan. Dat deed Chang, en hij verdeelde zijn aandacht daarbij keurig tussen de intuïtieve argwaan ten aanzien van de man achter hem en de ruimte die hij binnenging – een korte marmeren gang met aan de andere kant op een meter of vijf nog een deur. Chang keek om naar de soldaat, die knikte dat hij door moest lopen naar de andere deur. Toen Chang bleef staan, sloeg de soldaat de deur plotseling dicht. Voor Chang naar de deurknop kon grijpen hoorde hij al dat de sleutel werd omgedraaid. Er was geen beweging in te krijgen. Hij zat opgesloten. Hij was kwaad op zichzelf omdat hij zo'n goedgelovige gek was geweest en beende naar de deur aan de andere kant, in de volle overtuiging dat die ook op slot zou zitten, maar hij kon de koperen knop met een goed geoliede *klik* omdraaien.

Hij keek in een breed kantoor met een donkergroen tapijt en een laag plafond dat minder drukkend overkwam doordat er boven het midden van de kamer een dakkoepel uitstak. Tegen de wanden zaten boekenplanken, volgepropt met honderden dikke genummerde delen – ongetwijfeld officiële documenten, in de loop der jaren en van over de hele wereld verzameld. Het vertrek was in de breedte door twee grote meubelstukken onderverdeeld: een lange vergadertafel links van Chang en een enorm bureau rechts van hem. Deze stukken leken wel eikenhouten planeten die hun net van zwaartekracht over een scala aan kleinere satellieten gooiden: bijzettafeltjes, asbakken en landkaartenhouders. Achter het bureau zat niemand, maar aan de tafel zat Roger Bascombe, die van een wirwar van papieren om hem heen naar hem opkeek.

'Aha,' zei hij, en hij stond onhandig op.

Chang keek het vertrek eens nauwkeuriger rond en zag een tussendeur – dicht – in de wand achter Bascombe, en iets wat best eens nog een verscholen ingang zou kunnen zijn, in de boekenkasten achter het bureau. Hij duwde de deur achter zich dicht, draaide zich om naar Bascombe en tikte met de punt van zijn stok zacht op het tapijt.

'Goedemiddag,' zei Chang.

'Zegt u dat wel,' antwoordde Bascombe. 'Het wordt wat warmer.'

Chang fronste zijn wenkbrauwen. Hij had zich een heel andere confrontatie voorgesteld. 'Ik geloof dat ik aangekondigd ben,' zei hij.

'Ja. Althans, Miss Celeste Temple is aangekondigd. En daarna uw naam natuurlijk.' Bascombe gebaarde naar de wand waarin Chang het apparaat voor het versturen en ontvangen van de berichtenkokers zag. Bascombe gebaarde naar het uiteinde van de tafel. 'Alstublieft... Gaat u zitten.'

'Ik blijf liever staan,' zei Chang.

'Zoals u wilt. Ik zit liever, als het u niet uitmaakt...'

Bascombe ging weer aan tafel zitten en nam even de tijd om de papieren die voor hem lagen opnieuw te schikken. 'Goed...' begon hij. 'Dus u kent Miss Temple?'

'Blijkbaar,' zei Chang.

'Ja, blijkbaar.' Bascombe knikte. 'Ze is... Tja... ze is zoals ze is. Ik heb geen reden om me in andere bewoordingen over haar uit te laten.'

Chang had de indruk dat Bascombe zijn woorden heel zorgvuldig koos, bijna alsof hij bang was dat hij op de een of andere manier betrapt zou worden... of dat iemand hem zou horen.

'In wat voor bewoordingen precies?' vroeg Chang.

'De bewoordingen die zij zelf heeft gekozen,' antwoordde Bascombe. 'Zoals u zelf ook hebt gedaan.'

'En u?'

'Natuurlijk – niemand is bestand tegen de gevolgen van zijn eigen daden. Wilt u echt niet even gaan zitten?'

Chang deed of hij de vraag niet gehoord had. Hij keek de slanke, goedgeklede man aan de tafel aandachtig aan en probeerde te bepalen in welke categorie van al zijn concurrerende vijanden hij thuishoorde. Onwillekeurig zag hij Bascombe zoals hij meende dat een vrouw hem zou zien – zijn achtenswaardigheid, zijn verfijning, zijn vreemde houding ten aanzien van zowel rang als respect – en dan niet zomaar een vrouw, maar Miss Temple in het bijzonder. Deze man was het onderwerp van haar liefde geweest – en was dat vermoedelijk nog steeds, vrouwen kennende. Als Chang zo naar hem keek, moest hij toegeven dat Bascombe tal van aantrekkelijke eigenschappen had; vandaar dat hij zeker wist dat hij een gloeiende hekel aan de jonge man had, en dus glimlachte hij maar.

'Ambitie... Dat doet vreemde dingen met een man, vindt u ook niet?'

Bascombe nam hem met de droge, serieuze bedoelingen van een doodgraver op. 'Hoe dat zo?'

'Ik bedoel... Je krijgt vaak de indruk dat een man, tot het moment waarop hij krijgt wat hij meent te willen hebben, geen idee heeft van wat dat kost.'

'En wat brengt u ertoe dat te zeggen?'

'Tja, wat brengt mij daartoe?' Chang glimlachte. 'Een dergelijke mening zou aan een daadwerkelijke prestatie ontleend kunnen zijn. Dus hoe zou ik dat in 's hemelsnaam kunnen weten?' Toen Bascombe niet meteen antwoord gaf, wees Chang met zijn stok naar het grote bureau. 'Waar zijn uw medesamenzweerders? Waar is Mr Crabbé? Waarom ontvangt u mij hier alleen? Weet u dan niet wie ik ben? Hebt u niet met de arme majoor Blach gesproken? Maakt u zich dan helemaal geen zorgen?'

'Nee,' antwoordde Bascombe met een soepele zelfverzekerdheid waardoor Chang de lust bekroop om hem een bloedneus te slaan. 'U bent enkel en alleen in dit kantoor toegelaten omdat ik u een voorstel wil doen. Aangezien ik ervan uitga dat u geen idioot bent, net zoals ík geen idioot ben, kan ik u verzekeren, verkeer ik zolang dat voorstel niet is gedaan niet in gevaar.'

'En dat voorstel luidt?'

Maar in plaats van antwoord te geven keek Bascombe hem alleen maar aan en liet hij zijn blik over Changs gestalte en kledij gaan, alsof hij een vreemdsoortig ongedierte of iemand uit het circus was. Chang had de tegenwoordigheid van geest om zich te realiseren dat hij dit gebaar met opzet maakte, met de bedoeling hem kwaad te krijgen – hoewel hij niet begreep waarom Bascombe, die duidelijk kwetsbaar was, dat risico wilde nemen. De hele situatie was vreemd. Bascombe kon nog zo mooi over plannen en voorstellen praten, maar Chang wist dat het een verrassing moest zijn dat hij op het ministerie was verschenen. Met gevaar voor eigen leven rekte Bascombe tijd, zodat er iets anders kon gebeuren – zodat er versterking kon komen? Maar dát sloeg nergens op, want de soldaten hadden hem onderweg naar boven elk moment kunnen tegenhouden. In plaats daarvan waren ze erin geslaagd Chang van de ingang weg te krijgen. Was dit één groot toneelstuk, toonde Bascombe op de een of andere manier zijn loyaliteit, of speelde Bascombe soms dubbelspel? Of was dat tijdrekken niet bedoeld om iemand ín de kamer te krijgen, maar juist om iemand erúit te laten verdwijnen?

Met een snelle beweging hief Chang zijn stok en beende naar

Bascombe toe. Voor de man ook maar half uit zijn stoel kon komen belandde het uiteinde gemeen tegen zijn oor. Bascombe zakte met een kreet in elkaar en greep naar de zijkant van zijn hoofd. Chang maakte van de gelegenheid gebruik om de stok ruw tegen zijn hals te drukken. Bascombe hapte naar adem en zijn gezicht liep meteen rood aan. Chang boog zich naar voren en begon langzaam te praten.

'Waar is ze?'

Bascombe gaf niet meteen antwoord. Chang drukte de stok hard tegen zijn luchtpijp.

'Waar is ze?'

'Wie?' Bascombes stem klonk raspend.

'Waar is ze?'

'Ik denk niet dat hij weet wie u bedoelt.'

Chang draaide zich om en trok met een soepele beweging zijn stok uit elkaar. Achter het bureau stond Francis Xonck sloom tegen de boekenkast geleund, met een mosterdgeel jacquet aan, zijn rode haar nauwgezet in de krul gelegd en met een niet-aangestoken sigaar in zijn hand. Chang deed voorzichtig een stap naar hem toe en waagde het daarbij ook nog even snel achterom naar Bascombe te kijken, die nog steeds naar adem hapte.

'Goedemiddag,' zei Chang.

'Goedemiddag. Ik hoop dat u hem geen pijn gedaan hebt.'

'Hoezo? Is hij soms van u?'

Xonck glimlachte. 'Heel slim. Maar weet u, ik ben ook slim en ik moet u mijn complimenten maken – het mysterie over de "zij" naar wie u zo wanhopig op zoek bent is zonder meer vermakelijk. Bedoelt u Rosamonde? Of soms Miss Temple? Hastings dan? Of beter nog: de onfortuinlijke, spleetogige sloerie van de comte? Hoe dan ook, het idee dat u daadwerkelijk naar een van hen op zoek bent is uiterst amusant. U bent namelijk zo mannelijk, vindt u niet, en tegelijkertijd zo'n potsenmaker. Neem me niet kwalijk.'

Hij haalde een doosje lucifers uit zijn vest en stak de sigaar aan, terwijl hij al puffend over de gloeiende punt heen naar Chang keek. Zijn blik ging naar Bascombe. 'Overleef je het, Roger?' Hij glimlachte om Bascombes antwoord – een droge hoest – en gooide de gedoofde lucifer op het bureaublad.

Chang deed nog een stap naar Xonck toe, die zich net zo min iets van zijn gedrag leek aan te trekken als Bascombe even daarvoor, maar die curieus opgewekt was, waar Bascombe waakzaam was geweest. 'Zal ik u die vraag stellen?' siste hij.

'U doet er verstandiger aan te luisteren,' antwoordde Xonck droogjes. 'Of, in plaats daarvan, na te denken. De deur achter u zit op slot, net als de deur achter mij. Als het u zou lukken door de deur achter Bascombe weg te komen – wat niet het geval zal zijn –, garandeer ik u dat u snel verdwaalt in een dichte wirwar van gangen met geen enkele kans om aan het zeer grote aantal soldaten te ontkomen dat zich op dit moment opstelt om u te doden. U zult sterven, meneer Chang, en wel op een manier waar niemand bij gebaat is: als een hond die in het donker door een rijtuig wordt overreden.' Hij fronste zijn wenkbrauwen, plukte een restje tabak van zijn onderlip en knipte het weg. Daarna richtte hij zijn blik weer op Chang.

'Dus u wilt zeggen dat ú bij mij gebaat moet zijn?' vroeg Chang.

'Baat uzelf,' zei Bascombe hees, vanaf de tafel.

'Hij zegt maar wat!' lachte Xonck. 'Maar eigenlijk heeft hij wel gelijk. Denk aan uzelf. Wees redelijk.'

'We verdoen onze tijd...' mompelde Chang, en hij liep op Xonck af. Xonck verroerde zich niet, maar sprak heel snel en bits.

'Dat is niet verstandig. U gaat eraan. Blijf staan en denk na.'

Tegen beter weten in deed Chang dat ook. Als hij met het lange deel van zijn stok uithaalde, kon hij de man bijna raken. Maar hij haalde niet uit, deels omdat hij zag dat Xonck niet bang was. Niet in het minst.

'Wat de reden ook is waarom u hiernaartoe bent gekomen,' zei Xonck, 'u moet uw zoektocht uitstellen. We hebben u enkel en alleen hier boven laten komen, zoals Mr Bascombe al gezegd heeft, om u een voorstel te doen. Er is alle tijd om te vechten of om te sterven – daar is altijd tijd voor –, maar er is geen tijd om de vrouw te zoeken die u hier hoopte te vinden – wie zij ook mag zijn.'

Chang wilde niets liever dan over het bureau heen springen en hem neersteken, maar zijn intuïtie – waarop hij móest vertrouwen, wist hij – zei hem dat Xonck niet zoals Bascombe was, en dat een aanval op hem net zo zorgvuldig gepland moest worden als een aanval op een cobra. Xonck was zo te zien niet gewapend, maar hij kon best een kleine revolver bij zich hebben – of misschien wel een flesje zuur. Tegelijkertijd wist Chang niet wat hij van zijn waarschuwing moest vinden om vooral niet het ministerie in te vluchten. Het kon natuurlijk best waar zijn, maar Xonck had er alle belang bij om te liegen. Maar waarom hadden ze hem dan naar boven laten gaan zonder soldaten om hem in te rekenen? Hij had te veel vragen, maar Chang wist dat niets zoveel over iemand zei als de prijs waarop hij jou inschatte. Hij deed een stap bij Xonck vandaan en lachte spottend.

'Wat voor voorstel?'

Xonck glimlachte, maar Bascombe nam het woord, duidelijk en koeltjes, ondanks zijn heesheid, alsof hij de stappen beschreef die nodig waren om een machine te bedienen.

'Ik kan u geen details verstrekken. Ik wil u niet overtuigen, maar ik wil u een kans bieden. De mensen die op onze uitnodiging zijn ingegaan hebben daar navenant de voordelen van geplukt en zullen dat ook blijven doen. De mensen die er niet op ingegaan zijn interesseren ons niet meer. U kent Miss Temple. Wellicht heeft zij u verteld dat wij verloofd zijn geweest. Ik kan daar niets over zeggen; ik kan namelijk niet zeggen hoe ik toen was, want dat zou hetzelfde zijn als wanneer ik moest zeggen hoe ik als kind was. Er is heel veel veranderd – zoveel is wel duidelijk geworden –, en dat betekent dat ik alleen iets kan zeggen over wat ik geworden ben. Het klopt dat ik dacht dat ik verliefd was. Ik dacht verliefd te zijn omdat ik niet verder kon kijken dan mijn onderwerping, want in mijn dienstbaarheid dacht ik dat deze liefde mij zou bevrijden. Wat voor wereldbeeld had ik mezelf aangepraat, dat ik zo goed zou begrijpen? Het was de zinloze gehechtheid aan een andere persoon, om te *redden*, en dat in plaats van handelend op te treden. De dingen waarvan ik dacht dat ze enkel en alleen de consequenties van die gehechtheid waren – geld, aanzien, fatsoen, genoegen – beschouw ik nu uitsluitend als elementen van mijn eigen onbeperkte vermogens. Begrijpt u?'

Chang haalde zijn schouders op. Hij had zich welsprekend uitgelaten, maar op de een of andere manier was het abstract, als een toespraak die iemand uit het hoofd heeft geleerd om te laten zien hoe welsprekend hij wel is. Maar toch, hadden Bascombes ogen door dat alles heen wel zo rustig gestaan? Hadden die niet een andere spanning verraden? Alsof Bascombe Changs gedachten had gelezen, boog hij zich nu aandachtiger naar voren.

'Het is heel normaal dat verschillende individuen verschillende doelen najagen, maar het is net zo goed duidelijk dat deze doelen met elkaar verstrengeld zijn, dat een voordeel voor de een ook een voordeel voor anderen zal zijn. Help uzelf. U hebt capaciteiten, en mogelijk zelfs enige intelligentie. Wat u ten aanzien van onze bond-genoten hebt gepresteerd getuigt alleen maar van uw kwaliteiten. Er is geen sprake van gevoelens van wrok, alleen maar van belangen met betrekking tot de concurrentie. Weigert u die concurrentie, sluit u dan bij ons aan en laat u verrijken door helderheid. Wat u ook wilt – waar u uw acties ook op richt –, u zult beloond worden.'

'Ik heb geen oom met een titel,' merkte Chang op. Hij wou dat Xonck er niet bij was – in aanwezigheid van zijn baas kon hij absoluut niet doorgronden wat Bascombes ware bedoelingen waren.

'Roger ook niet – niet meer,' grinnikte Xonck.

'Precies,' zei Bascombe, met alle zichtbare emotie van de houten stoel waarop hij zat.

'Ik geloof niet dat ik precies begrijp wat uw voorstel inhoudt,' zei Chang.

Xonck lachte spottend. 'Doe niet zo bescheiden.'

'U kent verlangens,' zei Bascombe. 'Ambitie. Frustratie. Verbit-tering. Wat gaat u doen? Ertegen vechten tot een van uw avonturen verkeerd afloopt en u op straat doodbloedt? Vertrouwt u uw leven toe aan de grillen van een' – zijn stem haperde een fractie – 'meisje uit de provincie? Aan de geheime belangen van een Duitse spion? U hebt de contessa ontmoet. Zij heeft een goed woordje voor u gedaan. Het is op haar aandringen dat u hier bent. Wij reiken u de hand. Neem die aan. Het procédé zal u veranderen, zoals het ons allemaal veranderd heeft.'

Het aanbod was ontzaglijk neerbuigend. Chang keek naar Xonck, op wiens gezicht een milde, vastgebakken glimlach stond die niets speciaals te betekenen had.

'En als ik dit voorstel weiger?'

'Dat doet u niet,' zei Bascombe. 'U zou wel gek zijn.'

Chang zag dat er een veeg bloed op Bascombes oor zat, maar de pijn die hij mogelijk had veroorzaakt had geen invloed op 's mans zelfverzekerdheid, noch op de scherpte van zijn blik, waarvan Chang de betekenis niet kon doorgronden. Chang keek weer naar Xonck, die de sigaar tussen zijn vingers heen en weer liet rollen en een rookwolk naar het plafond blies. De vraag was hoe hij het best meer te weten kon komen, hoe hij Angelique kon vinden, of Celeste – en zelfs – hij moest het toegeven – hoe hij Rosamonde het best onder ogen kon komen. Maar was hij hier dan alleen maar naartoe gekomen om zich zo zonder slag of stoot aan hen over te leveren?

Over het ministerie had Xonck in elk geval de waarheid gesproken. Ze liepen in het donker door een kronkelende smalle gang – Bascombe voorop met een lantaarn, Xonck achter hem. De kamers waar ze langs kwamen – door het flakkerende licht ving Chang even snel een glimp op, waarna ze weer in de schaduw terugvielen – waren voor zover hij zag zonder enige logica gebouwd. Sommige stonden vol dozen, landkaarten, tafels en stoelen, dagbedden en bureaus, en andere – zowel grote als kleine – waren leeg, of met maar één stoel erin. Het enige wat ze gemeen hadden was dat er geen enkel raam was – er was zelfs helemaal geen licht. Bascombe leidde hem nu eens de ene en dan weer de andere kant op, een trapje op en daarna weer vreemd rondlopende leuningen langs, en met zijn slechte ogen was Chang al snel alle gevoel van richting kwijt. Hij had zijn stok mogen houden, maar met elke stap die hij zette, hadden ze hem dieper in hun macht.

'Dat procédé van u,' zei hij, duidelijk gericht tot Bascombe, hoewel hij hoopte van Xonck antwoord te krijgen. 'Denkt u echt dat dat iets zal veranderen aan mijn verlangen om u allebei om zeep te helpen?'

Bascombe bleef staan en draaide zich om, zodat hij hem kon aankijken. Voor hij iets zei, keek hij snel even naar Xonck.

'Zodra u het zelf hebt meegemaakt, zult u zich schamen voor uw twijfels en spotternij, en ook voor het doelloze leven dat u tot nog toe hebt geleid.'

'Doelloos?'

'Heel erg zelfs. Bent u klaar?'

'Ik denk het.'

Chang hoorde in het donker achter zich iets zacht ruisen. Hij wist zeker dat Xonck een wapen in zijn hand had.

'Doorlopen,' mompelde Xonck.

'U hebt kolonel Aspiche ook voor uw zaak gewonnen, hè? De dragonders zijn een uitstekend regiment – heel nuttig voor het ministerie van Buitenlandse Zaken. Goed dat hij in de bres gesprongen is.' Hij klakte met zijn tong en riep achterom naar Xonck: 'U draagt geen zwart. Trapping was wel uw zwager.'

'En ik ben zeer bedroefd, dat kan ik u verzekeren.'

'Waarom moest hij dan dood?'

Hij kreeg geen antwoord. Chang moest met iets beters komen om hen uit hun tent te lokken. Ze liepen in sloffend stilzwijgen door, waarbij het licht van de lantaarn voor zover hij kon zien kroonluchters boven hun hoofd viel. Hun gang was in een veel groter vertrek uitgekomen. Xonck riep naar voren, naar Bascombe.

'Roger, zet de lantaarn op de grond.'

Bascombe draaide zich om, keek naar Xonck alsof hij het niet helemaal begreep en zette toen de lantaarn op de houten vloer, zo ver weg dat Chang er niet bij kon.

'Bedankt. Ga nu maar – u weet de weg. Zeg maar dat ze de machines moeten klaarmaken.'

'Weet u het zeker?'

'Ja.'

Bascombe keek één keer naar Chang, nogal onderzoekend, die van de gelegenheid gebruikmaakte om spottend te lachen, en toen verdween hij in het donker. Toen de man uit het licht was verdwenen, hoorde Chang zijn voetstappen nog steeds, maar al snel was het wederom stil in het vertrek. Xonck liep een paar passen de schaduw in en kwam terug met twee houten stoelen. Hij zette ze op de grond en schopte er een naar Chang toe, die hem met zijn voet tegenhield. Xonck ging zitten en even later deed Chang dat ook maar.

'Het leek me de moeite waard om een poging te wagen openhartig met u te spreken. Over een halfuur bent u immers óf mijn bondgenoot, óf u bent dood – dus het heeft niet veel zin om om de hete brij heen te draaien.'

'Ligt het zo eenvoudig?' vroeg Chang.

'Ja.'

'Ik geloof u niet. Ik bedoel niet mijn besluit om me te onderwerpen of te sterven – dat is wel eenvoudig –, maar uw eigen beweegredenen... uw verlangen om zonder Bascombe erbij met mij te praten... Die zijn in de verste verte niet eenvoudig.'

Xonck bekeek hem eens goed, maar zei niets. Chang besloot het erop te wagen en precies te doen wat Xonck had gevraagd: openhartig spreken.

'Uw *onderneming* kent twee niveaus. De mensen die dat procédé hebben ondergaan, zoals Margaret Hooke... En de mensen die – zoals uzelf, of de contessa – vrij blijven. En met elkaar concurreren, al uw retoriek ten spijt.'

'Concurreren om wat?'

'Dat weet ik niet,' gaf Chang toe. 'Voor ieder van u staat er iets anders op het spel. Dat zal het probleem wel zijn. Dat is namelijk altijd het probleem.'

Xonck grinnikte. 'Maar mijn collega's en ik zijn het volstrekt met elkaar eens.'

Chang lachte spottend. Hij was zich ervan bewust dat hij Xoncks rechterhand niet kon zien, dat de man die nonchalant opzij van zijn stoel hield, achter zijn over elkaar geslagen benen.

'Waarom verbaast u dat?' vroeg Xonck. Chang lachte weer.

'Waarom is de dood van Tarr dan zo beroerd uitgevoerd? Waarom is Trapping gedood? En dan die dode schilder, Oskar Veilandt? Waarom heeft de contessa toegestaan dat de prins werd gered? Waar is de prins nu?'

'Dat zijn nogal wat vragen,' merkte Xonck droogjes op.

'Het spijt me als ik u ermee verveel. Maar als ik u was, en ík beschikte niet over die antwoorden...'

'Zoals ik al heb uitgelegd, straks bent u dood of...'

'Vindt u het niet grappig? U probeert te bepalen of u mij moet vermoorden voor ik me bij u aansluit – zodat ik uw collega's niet over uw onafhankelijke plannen kan vertellen. En ik probeer te bepalen of ik u moet vermoorden, óf dat ik moet proberen om meer over jullie procédé te weten te komen.'

'Behalve dan dat ik geen onafhankelijke plannen héb.'

'Maar de contessa wel,' zei Chang. 'En dat weet u. De anderen níet.'

'Bascombe zal teleurgesteld zijn als u niet komt opdagen. Hij is erg gesteld op orde.' Xonck stond op, met zijn rechterhand nog steeds achter zijn lichaam. 'Laat de lantaarn maar staan.'

Chang stond ook op en hield zijn stok losjes in zijn linkerhand. 'Hebt u de jongedame ontmoet? Miss Temple? Ze was met Bascombe verloofd.'

'Dat heb ik begrepen. Roger zal wel geschrokken zijn. Het is maar goed dat hij zo stabiel is. Al dat gedoe voor niks.'

'Gedoe?'

'De zoektocht naar Isobel Hastings,' zei Xonck spottend. 'De mysterieuze moordenares annex hoer.'

Uit Xoncks ogen spraken intelligentie en vernuft, en zijn lichaam beschikte over de moeiteloze, soepele atletische eigenschappen van een wolf op jacht. Door dat alles heen liep echter, als een ader vol verrotting door een boom, de arrogantie van iemand met geld. Chang wist genoeg om in te zien dat deze man gevaarlijk was, misschien zelfs zijn meerdere als het op een gevecht aankwam – je wist maar nooit –, maar dit alles lag nog eens boven op een fundament van onschendbaarheid, een onverdiende superioriteit, afgedwongen door kracht, angst, minachting, door verworven ervaring en nergens op gebaseerde arrogantie. Chang vond het vreemd dat zijn inschatting van Xonck werd uitgekristalliseerd door de manier waarop de man Celeste wegwuifde – niet omdat zij niet in bepaald opzicht een dom rijk wicht was, maar omdat ze dat was en er toch in slaagde stand te houden en – wat belangrijker was dan wat ook – accepteerde dat ze door deze benarde situatie veranderd was. Chang geloofde niet dat Francis Xonck ooit zou veranderen; verandering was precies die eigenschap waar hij zichzelf boven verheven achtte.

'Ik begrijp dat u geen kennis met haar hebt gemaakt?' vroeg Chang.

Xonck haalde zijn schouders op en knikte in de richting van de in schaduwen gehulde deur achter Chang. 'Ik kom er wel overheen. Als u dan nu…'

'Nee.'

'Nee?'

'Nee. Ik heb gevonden wat ik zocht. Ik ga.'

Xonck zwaaide zijn hand naar voren en richtte een glanzende verzilverde revolver op Changs borst. 'Naar de maan?'

'Ooit wel, ja. Waarom nodigt u mij uit me bij uw… uw procédé aan te sluiten? Wiens idee was dat?'

'Dat heeft Bascombe u verteld. Haar idee.'

'Ik ben gevleid.'

'Dat is niet nodig.' Xonck keek hem aan, en de lijnen van zijn gezicht tekenden zich in het flakkerende licht van de lantaarn diep af. Zijn scherpe neus en puntige kin zagen er zonder meer duivels uit. Chang wist dat het een kwestie van een paar tellen was – of Xonck schoot hem neer, of hij dwong hem door te lopen naar Bascombe. Hij wist zeker dat zijn vermoedens over de tweedeling binnen de samenzwering juist waren en dat Xonck wel zo slim was dat hij dat ook doorhad. Was Xonck zo arrogant dat hij dacht dat die tweedeling er niet toe deed, dat hij onschendbaar was? Natuurlijk was hij dat. Waarom had hij dan willen praten? Om te kijken of Chang nog steeds voor Rosamonde werkte? En als hij dacht dat Chang nog voor haar werkte… betekende dat dan dat hij hem zou vermoorden of dat hij zou proberen de contessa tevreden te stellen en hem zou laten ontsnappen? Vandaar dat hij Bascombe van het toneel had moeten laten verdwijnen…

Chang schudde bedroefd zijn hoofd, alsof hij betrapt was. 'Ze heeft anders wel gezegd dat u de slimste van allemaal was, zelfs slimmer dan d'Orkancz.'

Heel even reageerde Xonck niet. Toen zei hij: 'Ik geloof u niet.'

'Ze heeft me ingehuurd om Isobel Hastings te zoeken. Dat heb ik gedaan en ik heb haar gevonden. Voor ik contact met haar kon opnemen werd ik door die idiote Duitse majoor opgewacht…'

'Ik geloof u niet.'

'Vraag het haar zelf maar.' Plotseling liet hij zijn stem dalen en fluisterde hij geërgerd: 'Komt die Bascombe nog terug?'

Chang keek achterom, alsof hij voetstappen had gehoord, en deed dat zo natuurlijk dat Xonck menselijkerwijs wel móest kijken, ook al was het maar heel even. Op dat moment tilde Chang, wiens hand op de rug van de houten stoel lag, hem op en gooide hem met alle kracht die hij in zich had naar Xonck toe. De revolver ging één keer af, waardoor het hout versplinterde, en toen nog een keer, maar toen stond Xonck al door de klap van de stoel op zijn benen te wankelen en ging het schot hoog over. De stoel kwam met een enorm gekraak tegen zijn schouder, met als gevolg dat hij vloekend achteruitwankelde om te voorkomen dat Chang met zijn stok naar voren zou stormen. De stoel stuiterde weg en Xonck nam de revolver weer in de aanslag. Zijn gezicht was een masker van razernij. Zijn derde schot viel precies samen met een kreet van verbazing. Chang had de olielantaarn opgepakt en naar hem gegooid, en de inhoud kwam op Xoncks uitgestoken arm terecht. Toen hij schoot, zette de vonk uit het wapen zijn arm in lichterlaaie. Het schot ging ruim een meter naast Chang. Het laatste beeld van Xonck, die krijste van woede, bestond uit de verwoede poging van de man om zijn jacquet uit te trekken, waarbij zijn vingers – de revolver had hij laten vallen – vlam vatten en in doodsnood naar het sissend oprukkende vuur grepen dat zijn hele arm opslokte. Xonck stond als een wildeman te stampen. Chang dook naar voren, de duisternis in.

Binnen een paar tellen was hij blind. Hij vertraagde zijn tempo tot een weloverwogen tred, met uitgestoken handen om te voorkomen dat hij tegen muren of meubels aan liep. Hij moest bij Xonck vandaan zien te komen, maar dat moest hij wel stilletjes doen. Zijn hand vond een muur links van hem en hij liep erlangs, zo te merken in een andere richting – was hij in een gang uitgekomen? Hij bleef staan om te luisteren. Xonck hoorde hij niet meer. Zou de man het vuur dan zo snel gedoofd kunnen hebben? Was hij dood? Chang dacht van niet. Zijn enige troost was dat Xonck nu genoodzaakt was met zijn linkerhand te schieten. Hij sloop voort en betastte een gordijn dat voor hem hing tot hij er een opening in vond. Erachter – hij verstuikte bijna zijn enkel, doordat hij de eerste tree miste – lag een uiterst smalle trap; hij kon de wanden aan weerskanten met gemak aanraken. Hij liep heel stil naar beneden. Toen hij op de overloop stond, iets van twintig treden lager, hoorde hij geluiden boven zich. Dat moest Bascombe zijn. Er zou licht komen, een zoektocht starten. Hij tastte voor zich uit naar de muur tegenover hem, vond een deur en toen de deurknop. Op slot. Chang zocht heel voorzichtig in zijn zakken naar zijn sleutelring en terwijl hij de sleutels heel stevig beetgreep om te voorkomen dat ze tegen elkaar aan rinkelden, probeerde hij het slot. Bij de tweede sleutel ging het open; hij ging naar binnen en deed de deur voorzichtig achter zich dicht.

Het nieuwe vertrek, wat het ook mocht zijn, was nog pikkedonker. Chang vroeg zich af hoe lang het zou duren voordat deze gangen vergeven zouden zijn van de soldaten. Hij tastte voor zich uit, waarbij zijn handen een stapel houten kratten vonden en daarna een stoffige boekenkast. Hij baande zich er een weg langs en tot zijn grote opluchting voelde hij een glazen ruit – een raam dat ongetwijfeld zwart geschilderd was. Chang haalde de dolk uit zijn stok, tikte het handvat zo door het glas heen en sloeg alles eruit. Er stroomde meteen licht de kamer binnen, waardoor hij van een vormeloos duister in een niet-bedreigende vestibule vol stoffig ongebruikt meubilair veranderde. Hij tuurde door de kapotte ruit. Het raam keek uit op een van de paden die de spaken van het wiel vormden en bevond zich – hij keek reikhalzend naar buiten – minstens twee verdiepingen onder het dak. Tot zijn ontsteltenis zag hij dat de buitenmuur helemaal steil was, zonder richels of lijstwerk of regenpijpen waar hij zich aan vast zou kunnen klampen, omhoog of omlaag. Hier kon hij er niet uit.

Chang voelde plotseling een koele luchtvlaag achter zich – alsof er een deur open was gegaan – en draaide zich om. De wind kwam door een metalen schacht in de grond en de koele lucht – waar hij best misselijk van had kunnen worden als hij ergens naar geroken had – ging door het open raam naar buiten. Chang knielde neer bij de schacht. Hij hoorde stemmen. Hij zuchtte van frustratie – door het echoënde effect van de schacht kon hij niet verstaan wat er gezegd werd. De opening was zo breed dat er iemand door kon kruipen. Hij voelde aan de binnenkant en merkte tot zijn tevredenheid dat hij niet vochtig was. Hij hield zich zo stil mogelijk en trok de ombouw zo ver uit elkaar dat hij bij het gat kon. Het was pikkedonker. Hij stak zijn stok erin en wurmde zichzelf erachteraan. Er was net genoeg ruimte om zich op handen en knieën voort te bewegen. Hij kroop zo stil mogelijk verder.

Hij was misschien vijf meter gevorderd toen de schacht zich in drie richtingen vertakte – naar weerskanten en schuin omhoog. Hij luisterde aandachtig. De stemmen kwamen van boven – vanaf de verdieping vanwaar hij net ontsnapt was. Hij tuurde omhoog en zag gedimd licht. Hij klom naar boven, waarbij hij zijn benen naar weerskanten duwde om te voorkomen dat hij teruggleed. Toen hij wat hoger was, liep de schacht weer recht, daar waar het licht naar binnen stroomde. Hij klom door, wat steeds moeilijker werd doordat het oppervlak van de schacht bedekt was met een fijn poeder, waardoor hij niet goed grip kreeg. Was het roet? Hij zag het niet in het donker – hij vervloekte het feit dat hij waarschijnlijk smerig was – en bleef worstelen om bij het licht te komen. Hij stak zijn arm uit naar boven, zijn vingers vonden een richel en vlak daarachter een metalen rooster op de opening. Hij stak zijn vingers door het rooster en trok zijn lichaam omhoog totdat hij uit het gat kon kijken, maar het enige wat hij zag was een leistenen vloer en een gehavend donker gordijn. Hij luisterde... en hoorde een stem die hij niet herkende.

'Hij is een protégé van mijn oom. Natuurlijk heb ik geen hoge dunk van mijn oom, dus dit is geen erg goede aanbeveling. Zit hij goed vast? Mooi. U begrijpt natuurlijk wel dat ik – gezien de recente ontwikkelingen – niets voor de risico's van *politesse* voel.'

Hierop grinnikte een vrouw beleefd. Chang fronste zijn wenkbrauwen. De stem had een accent dat erg op dat van de dokter leek, maar met een lijzigheid die de woorden stuk voor stuk aankondigde, zonder rekening te houden met gesprekstoon of vaart, waardoor ze van alle eventuele gevatheid werden ontdaan.

'Neemt u mij niet kwalijk dat ik stoor, maar misschien moet ik helpen...'

'Nee.'

'Hoogheid.' Het woord werd gevolgd door tegen elkaar klikkende hakken. De tweede stem was ook Duits.

De eerste stem sprak verder, en duidelijk niet tegen de tweede stem, maar tegen de vrouw. 'Wat men niet begrijpt – zij die het niet hebben meegemaakt – is de enorme last van verplichting.'

'Verantwoordelijkheid,' beaamde ze. 'Slechts enkelen van ons kunnen die goed dragen. Thee?'

'*Danke*. Kan hij ademhalen?'

Het was een vraag uit nieuwsgierigheid, niet uit bezorgdheid, en hij werd beantwoord – voor zover Chang kon horen – met een snelle vlezige dreun, gevolgd door een gemene hoestbui.

'Hij mag niet overlijden voor het procédé een nieuwe versie van hem maakt,' ging de stem nogal pedant verder. 'Hij weet toch wat het betekent om trouw te zijn? Is er citroen?'

De stemmen waren nog een flink stuk bij hem vandaan, wellicht aan de andere kant van het vertrek – hij wist het niet. Hij stak zijn hand uit en oefende aarzelend druk uit op het rooster. Het gaf mee, maar niet zoveel dat het ook losliet. Hij duwde weer, aanhoudend en met wat meer kracht.

'Wie is die man die ze bij zich hebben?' vroeg de eerste stem.

'De misdadiger,' antwoordde de tweede man.

'Misdadiger? Waarom zou zo'n vent zich bij ons moeten aansluiten?'

'Ik ben het er ook niet mee eens...'

'Een andere levensloop brengt andere zorgen met zich mee, hoogheid,' zei de vrouw gladjes, waarbij ze de tweede man onderbrak. 'Als we niets meer te leren hebben, zijn we opgehouden met leven.'

'Uiteraard,' beaamde de stem gretig. 'En volgens deze logica leeft u zeer intens, majoor, want het is wel duidelijk dat u nog heel veel moet leren op het gebied van gezond verstand!'

Tot Changs brein drong door dat de tweede stem van majoor Blach moest zijn en de eerste – hoewel zijn manier van doen niet strookte met de gedrogeerde zintuiglijke losbandigheid waar Svenson over had verteld – van Karl-Horst von Maasmärck, maar daar ging zijn aandacht bepaald niet in de eerste plaats naar uit. De vrouw was Rosamonde, contessa Lacquer-Sforza. Hij begreep niet wat zij daar deed. Het greep hem veel te erg aan dat hij wist dat ze het over hém had.

'De majoor is boos, hoogheid, want deze man heeft hem veel ongemak bezorgd. Maar voor zover ik begrijp is dat precies de reden waarom Mr Bascombe er bij hem op heeft aangedrongen dat hij zich bij ons aansluit.'

'Maar doet hij dat ook? Ziet hij er de zin van in?' De prins slurpte van zijn thee.

'We kunnen alleen maar hopen dat hij net zo'n wijs man is als u.'

De prins grinnikte toegeeflijk om deze bespottelijke opmerking. Chang drukte weer tegen het rooster. Hij wist dat het stom was, maar hij wilde haar heel graag zien, en hij wilde ook zien wie er op de grond lag en geschopt werd – want hij herkende de geluiden. Hij voelde dat het rooster meegaf, maar hij had geen idee wat voor geluid het zou maken als het losliet. Toen werd de deur van het vertrek met een knal opengeschopt en volgde de commotie van een man die verschrikkelijk vloekte en iemand anders die om hulp riep. Hij hoorde Bascombe om hulp roepen en de kamer was in rep en roer – het venijnige gevloek van Xonck, Rosamonde die vinnig commandeerde dat ze water, handdoeken en een schaar moest hebben, de prins en Blach die tegenstrijdige bevelen riepen tegen wie er verder maar aanwezig was. Chang liet zich van het rooster wegglijden, want door de commotie waren zijn vijanden in het zicht gekomen.

Terwijl men Xonck verzorgde was het geschreeuw afgezwakt tot heftig mompelen. Bascombe probeerde uit te leggen wat er in het kantoor was gebeurd, en dat hij daarna vooruit was gegaan.

'Waarom in godsnaam?' beet Rosamonde hem toe.

'Ik... Meneer Xonck zei dat ik...'

'Ik heb het u nog zo gezegd. Ik heb het u gezegd en u hebt niet geluisterd.'

Maar haar woorden waren niet tot Bascombe gericht.

'Ik heb wél geluisterd,' fluisterde Xonck. 'U had het bij het verkeerde eind. Hij zou niet gezwicht zijn.'

'Voor míj zou hij wel gezwicht zijn.'

'Dan moet u het de volgende keer maar zelf doen... Met alle consequenties van dien,' antwoordde Xonck boosaardig.

Ze keken elkaar aan en Chang zag dat de anderen met verschillende gradaties van ongemak toekeken. Bascombe zag er zonder meer aangeslagen uit, de prins – op wiens gezicht de littekens nog zichtbaar waren – keek nieuwsgierig, alsof hij niet goed wist of hij zich zorgen moest maken, en Blach bekeek het hele gezelschap met nauwelijks verhulde afkeuring. Achter hen op de grond lag een kleine, gezette man in pak, gekneveld en met een prop in zijn mond. Chang wist niet wie hij was. Aan de andere kant van Xonck zat een andere man op zijn knieën, kalend en met een dikke bril op, die de verbrande arm in verband wikkelde.

Xonck zat op een houten tafel, met zijn benen tussen de bungelende leren riemen. Op de grond om hen heen stonden een paar langwerpige kisten. Eén wand was helemaal behangen met grote kaarten met kleurige punaises. Boven de tafel hing een kroonluchter aan een lange ketting. Chang keek op. Het plafond was heel hoog en de kamer zelf was rond – ze bevonden zich in een van de hoekkoepels van het gebouw. Vlak onder de plafondbalken zat een rij ronde raampjes. Hij wist hoe het er vanaf de straat uitzag, en daardoor ook dat deze vlak boven het dak zaten, maar hij wist niet hoe hij erbij moest komen. Hij keek weer naar de kaarten. Tot zijn schrik realiseerde hij zich dat het kaarten van Noord-Duitsland waren. Het hertogdom Mecklenburg.

Xonck rolde met een grauw van de tafel en beende naar de deur. Zijn gezicht was vertrokken en hij beet op zijn lip tegen de ongetwijfeld helse pijn.

'Wat gaat u doen?' vroeg Bascombe.

'Mijn hand redden, godnogaantoe!' riep hij. 'Een chirurg zoeken! Om te voorkomen dat ik een van jullie vermoord!'

'U begrijpt wat ik bedoel, hoogheid,' zei Rosamonde luchtig tegen de prins. 'Verantwoordelijkheid is net zoiets als moed. Pas als je op de proef wordt gesteld weet je of je erover beschikt. En dan is het natuurlijk te laat – je slaagt of je faalt.'

Xonck bleef in de deuropening staan en terwijl hij sprak deed hij zijn best om niet te kreunen. Chang had net het helse geschroeide vlees op zijn arm gezien, voor ze het hadden verbonden. 'Zegt u dat wel… hoogheid,' grauwde hij gevaarlijk, alsof er zelfs van zijn woorden vitriool afsloeg. 'Afstand doen van verantwoordelijkheid kan dodelijk zijn. Er bestaat geen groter gevaar dan op mensen vertrouwen die hemel en aarde beloven. Satan was de mooiste van alle engelen, of niet soms?' Xonck liep wankelend weg.

Bascombe richtte zich tot de contessa. 'Madame...'

Ze knikte toegeeflijk. 'Zorg dat hij niemand iets aandoet.' Bascombe liep snel de deur uit.

'Nu zijn we alleen,' zei de prins op tevreden toon, die beminnelijk bedoeld was. De contessa glimlachte en keek het vertrek rond naar de andere mannen.

'Alleen een prins vindt dat hij "alleen" is met een vrouw wanneer er alleen maar geen andere vrouwen in het vertrek zijn.'

'Betekent dat dat Francis Xonck een vrouw is – aangezien hij net vertrokken is?' lachte majoor Blach. Hij lachte als een kraai.

De prins lachte met hem mee. Chang voelde een steek van sympathie voor Xonck, en had de neiging om te voorschijn te komen en hen aan te vallen. Als hij Blach maar als eerste doodde, dan waren de anderen geen probleem. Toen nam Rosamonde weer het woord, en hij merkte dat haar stem hem nog steeds aan de grond nagelde.

'Ik stel voor dat we herr Flaüss op tafel leggen.'

'Uitstekend idee,' beaamde de prins. 'Blach... en u daar...'

'Dat is Mr Gray, van het instituut,' zei Rosamonde geduldig, alsof ze dit al eerder had gezegd.

'Uitstekend. Til hem maar op...'

'Hij is heel zwaar, hoogheid...' mompelde Blach, en zijn gezicht liep rood aan van inspanning. Chang moest glimlachen toen hij Blach en de oudere heer Gray zo vergeefs zag worstelen met het onhandige, schoppende lichaam van herr Flaüss, die zijn uiterste best deed om vooral niet op de tafel te belanden.

'Hoogheid?' vroeg contessa Lacquer-Sforza.

'Dan moet het maar, hè? Het is bespottelijk... Hou op met tegenstribbelen, Flaüss, anders loopt het nog slecht met u af. Het is allemaal voor uw bestwil. U zult me er later dankbaar voor zijn!'

De prins duwde Gray opzij en pakte de benen van de kronkelende man beet. Zijn poging haalde niet veel meer uit, maar met heel wat gekreun kregen ze hem er toch op. Chang zag tot zijn genoegen dat

Rosamonde tegen hen glimlachte, zij het discreet.

'Zo,' zei Karl-Horst, naar adem happend. Hij gebaarde vaag naar Gray en ging terug naar zijn stoel en zijn thee. 'Bind hem vast. Maak het... eh... apparaat klaar.'

'Moeten we hem ondervragen?' vroeg Blach.

'Waarover?' antwoordde de prins.

'Over zijn bondgenoten in Mecklenburg. Over zijn bondgenoten hier. Over de verblijfplaats van dokter Svenson...'

'Waarom zouden we? Zodra hij het procédé heeft ondergaan vertelt hij ons dat wel uit eigen beweging. Dan is hij een van ons.'

'Hebt u het procédé zelf niet ondergaan, majoor?' vroeg de contessa uit beleefde belangstelling op een neutrale toon.

'Vooralsnog niet, madame.'

'Maar dat gaat hij wel doen,' verklaarde de prins. 'Ik sta erop. Al mijn adviseurs moeten verplicht aan deze... helderheid deelnemen. U hebt geen idee, Blach... U hebt geen idee.' Hij nam slurpend een slok van zijn thee. 'Dat is natuurlijk de reden waarom u er niet in bent geslaagd Svenson te vinden en waarom het met deze... deze misdadiger ook niet gelukt is. Het is uitsluitend aan de genadige wijsheid van de contessa te danken dat we het niet aan u hebben overgelaten om veranderingen in Mecklenburg tot stand te brengen!'

Blach reageerde niet, maar probeerde niet al te handig op een ander onderwerp over te stappen door naar de deur te knikken. 'Hebben we Bascombe nodig om verder te gaan?'

'Mr Gray kan het vast wel alleen af,' zei de contessa. 'Maar misschien kunt u hem met de kisten helpen?'

Chang keek gefascineerd toe toen de lange kisten opengemaakt werden en het groenvilten opvulsel eruit werd getrokken. Terwijl Blach Flaüss op de tafel vastbond – zonder ook maar de geringste scrupules bij het straktrekken van de riemen – pakte de oudere heer Gray er iets uit wat op een veel te grote bril leek, waarvan de glazen onzinnig dik waren en een rand van zwart rubber hadden, en door het hele apparaat – want het was inderdaad onderdeel van een machine – zaten losse stukken glimmend koperdraad. Gray bond de bril op het gezicht van de zich verzettende man – wederom gemeen strak – en deed toen een stap achteruit naar de kist. Hij haalde er

een stuk kabel met een rubberen omhulsel uit en met aan weerskanten een grote metalen klem, en bevestigde het ene uiteinde aan
het koperdraad en knielde toen met het andere uiteinde voor de kist
neer. Daar maakte hij het vast – Chang kon niet zien waaraan precies
– en daarna zette hij met enige moeite een soort schakelaar of mondstuk om. Chang hoorde een hogedrukgesis. Gray stond op en keek
naar Rosamonde.

'Ik stel voor dat we allemaal een stuk bij de tafel vandaan gaan
staan,' zei ze.

Vanuit het binnenste van de kist begon blauw licht te stralen, dat
steeds helderder werd. Flaüss kromde zijn rug uit verzet tegen zijn
boeien en blies zijn adem snuivend door zijn neus uit. De draden
begonnen te sissen. Chang realiseerde zich dat het nu ging gebeuren. Hij duwde het rooster naar voren en naar opzij, en liet zich
snel de kamer in glijden. Hij voelde een steek voor Flaüss – vooral
als hij inderdaad een bondgenoot van Svenson was, hoewel Svenson
met geen woord over een bondgenoot had gerept –, maar dit was
vermoedelijk de beste afleiding die hij zou krijgen, aangezien ze alle
vier naar de inspanningen van de man keken alsof het een openbare
ophanging betrof. Chang schoof zijn stok in elkaar, stond op, deed
snel drie stappen naar voren en haalde zo hard hij kon uit tegen de
onderkant van Blachs hoofd. Blach wankelde naar voren door de
kracht van de klap, en toen begaven zijn knieën het en zakte hij ineen
op de grond. Chang draaide zich om naar de prins, wiens gezicht
een bazelend masker van verbazing was, en gaf hem met de rug van
zijn hand een gemene slag tegen zijn kaak, zo hard dat de man met
gespreide armen en benen over zijn stoel vloog en tegen de theetafel
aan kwam. Chang draaide zich vliegensvlug om naar Gray, die aan
de andere kant van Blach had gestaan, en stak het stompe uiteinde
van zijn stok in de zachte buik van de man. Gray – een oude man,
maar Chang was er niet de man naar om risico's te nemen –, sloeg
kreunend dubbel en zeeg neer op de grond, terwijl zijn gezicht paars
aanliep. Chang draaide zich om naar Rosamonde en haalde zijn stok
uit elkaar, klaar om op het wapen dat zij had getrokken – wat dat ook
mocht zijn – te reageren. Ze glimlachte naar hem.

De rinkelende draden om hem heen gingen over tot gebrul. Flaüss lag afgrijselijk op de tafel te schokken, en om de prop in zijn mond droop schuim. Chang wees naar de kist. 'Zet dat ding af!'

Rosamonde riep terug: 'Als u hem nu uitzet, gaat hij dood.' Haar woorden klonken langzaam en weloverwogen.

Chang keek vol afgrijzen naar Flaüss en draaide zich toen snel om naar de andere mannen. Blach lag heel stil, en hij vroeg zich af of door de klap zijn nek soms gebroken was. De prins zat op handen en knieën en voelde aan zijn kaak. Gray zat nog steeds. Chang keek weer naar Rosamonde. Het geluid was oorverdovend, het licht dat om hen heen opflakkerde was helblauw, alsof ze in een strakblauwe zomerlucht hingen. Praten had geen zin. Ze haalde haar schouders op. Ze glimlachte nog steeds.

Hij had geen idee hoe lang ze daar stonden en elkaar recht aankeken – in elk geval minutenlang. Hij dwong zichzelf wel om te kijken hoe het met de mannen op de grond was, en één keer sloeg hij de stok in de hand van Karl-Horst, omdat de prins een mes van het kapotgeslagen theeblad probeerde te pakken. Door het bulderende procédé was het net alsof alles zich in stilte voltrok, want de normale geluiden van de werkelijkheid hoorde hij niet: het mes dat rinkelend op de stenen vloer viel, het gevloek van de prins, het gekreun van Mr Gray. Hij draaide zich weer om naar Rosamonde, want hij wist dat zij het enige gevaar in deze kamer was, en hij wist dat hij, als hij haar in de ogen keek zoals hij nu deed, zijn hele leven ter beoordeling aanbood, om vervolgens troosteloos, inadequaat en armzalig bevonden te worden. Van het gezicht van Flaüss steeg stoom op. Chang probeerde aan Svenson en Celeste te denken. Vermoedelijk waren ze allebei dood, of gingen ze hun ondergang tegemoet. Hij kon niets voor hen doen. Hij wist dat hij alleen was.

Met een scherp krakend geluid was het procédé voltooid en trok het licht plotseling weg en was er van het geluid niet meer over dan een echo. Changs oren tuitten. Hij knipperde met zijn ogen. Flaüss lag stil, zijn borst ging op en neer – hij leefde in elk geval nog.

'Kardinaal Chang.' Rosamondes stem klonk verontrustend zwak in de schaduw van zoveel kabaal, alsof hij niet goed hoorde.

'Madame.'

'Het lijkt alsof ik u niet wilde zien. Ik hoop dat ik niet vrijpostig ben als ik zeg dat dat een teleurstelling was.'

'Ik was niet in staat Mr Xonck te begeleiden.'

'Nee. Maar u bent wel hier – ongetwijfeld op een of andere heel vernuftige manier.'

Chang keek snel naar de prins en Gray, die zich niet verroerden.

'Maakt u zich geen zorgen,' zei ze. 'Het is mijn bedoeling een gesprek met u te voeren.'

'Ik wil even weten of majoor Blach dood is. Een ogenblikje...' Chang knielde neer bij het lichaam en drukte twee vingers tegen de hals van de man. Hij voelde een hartslag. Hij kwam weer overeind en stak de dolk in de stok. 'Volgende keer misschien.'

Ze knikte beleefd, alsof ze begreep dat dat gunstig kon zijn, en gebaarde toen naar de oude man. 'Als u mij toestaat – zolang we niet gestoord worden – mag Mr Gray misschien voor herr Flaüss zorgen? Alleen om te kijken of hij zich niet verwond heeft – dat gebeurt soms, met die inspanningen –, het is een gewelddadige transformatie.'

Chang knikte naar Gray, die wankel overeind kwam en naar de tafel liep.

'Kunnen we gaan zitten?' vroeg Rosamonde.

'Ik moet u wel vragen zich... te gedragen,' antwoordde Chang.

Ze lachte – ongetwijfeld een uitbarsting van oprecht vermaak, meende hij. 'O, kardinaal, ik zou niet anders durven... Hier...' Ze liep naar de twee stoelen waar ze met de prins gezeten had, die nog steeds op handen en knieën zat. Ze ging zitten waar ze al eerder gezeten had, en Chang pakte de omgevallen stoel van de prins op en stak zijn stok naar Karl-Horst. De prins begreep de hint en maakte zich als een nukkige krab uit de voeten.

'Zou u zo goed willen zijn om kardinaal Chang en mij even de gelegenheid te geven om onze situatie te bespreken, hoogheid?'

'Natuurlijk, contessa, zoals u wilt,' mompelde hij met alle waardigheid die mogelijk is als je er in elkaar gedoken als een hond bij zit.

Chang nam plaats, schoof zijn jas opzij en keek naar de tafel. Gray had de riemen verwijderd en maakte nu het masker van glas en koperdraad los, dat hij van iets wat eruitzag als een roze gelatineachtig overblijfsel pelde, dat zich op de plaats waar het masker de huid raakte opgehoopt had. Plotseling wilde Chang de verse lit-tekens graag met eigen ogen zien, maar voor het masker er helemaal af was, nam Rosamonde al het woord en leidde zijn aandacht van het schouwspel af.

'Dat is een hele tijd geleden, hè, sinds de bibliotheek?' begon ze.

'En toch was het... nou? Niet langer dan een dag geleden?'

'Een heel drukbezette dag.'

'Zegt u dat wel. En hebt u gedaan wat ik u gevraagd heb?' Ze schudde zogenaamd ernstig haar hoofd.

'En dat was?'

'Nou, Isobel Hastings zoeken, natuurlijk.'

'Dat heb ik gedaan.'

'En haar naar mij toe brengen?'

'Dat heb ik niet gedaan.'

'Wat een teleurstelling. Is ze dan zo mooi?' Ze lachte, alsof ze niet de schijn kon ophouden dat dit een serieuze vraag was. 'Nee, ik meen het, kardinaal: wat weerhoudt u ervan?'

'Nu? Ik weet niet waar ze is.'

'Aha... Maar u wist het wel?'

Hij had zich de kleur van haar ogen niet goed herinnerd, als bloem-blaadjes van een heel lichtpaarse iris. Ze had een zijden jasje aan in precies dezelfde kleur. Aan haar oren hingen kralen van Venetiaans amber, in zilver gezet. Haar verrukkelijke hals was bloot.

'Dan zou ik het nog steeds niet kunnen.'

'Is ze dan zo bijzonder? Bascombe vond van niet... Maar ja, ik zou een man als Bascombe ook niet naar de waarheid over een vrouw vragen. Hij is te... Nou ja, vriendelijk uitgedrukt: "praktisch".'

'Daar ben ik het mee eens.'

'Dus u wilt haar niet voor me beschrijven?'

'Volgens mij hebt u haar zelf ontmoet, Rosamonde. Volgens mij hebt u haar overgeleverd aan aanranding en moord.'

'O ja?' Ze zette enigszins ingetogen grote ogen op.

'Dat zegt ze althans.'

'Nou, dan zal dat wel zo zijn.'

'Misschien moet ú haar dan maar beschrijven.'

'Kijk, kardinaal, dat is nu precies het probleem. Ik heb deze dame namelijk zelf meegemaakt en ik vond haar – en misschien spreekt dit wel voor zich – een onbeduidend brutaal wicht, zonder wat voor betekenis ook. Is er nog thee?'

'De pot staat op de grond,' zei Chang. Hij keek even naar de tafel. Gray stond nog steeds over Flaüss heen gebogen.

'*Dommage*,' glimlachte Rosamonde. 'U hebt me geen antwoord gegeven.'

'Misschien begrijp ik de vraag wel niet goed.'

'Die lijkt me anders heel duidelijk. Waarom wilde u per se de voorkeur aan haar geven, en niet aan mij?'

Haar glimlach werd zo mogelijk nog innemender, met een vleugje sensualiteit om haar lippen, als een plagerige eerste voorbode van de expliciete verlokkingen die hem nog te wachten stonden.

'Ik wist niet dat het mijn keuze was.'

'Toe, kardinaal... U stelt me teleur.'

Het was een vreemd gesprek, zo midden tussen de omgevallen lichamen, in elkaar gedoken prinsjes en de attributen van wetenschappelijke wreedheid – en dat allemaal in een geheim vertrek in de wirwar van het ministerie van Buitenlandse Zaken. Hij vroeg zich af hoe laat het was. Hij vroeg zich af of Celeste zich in een naburig vertrek bevond. Deze vrouw was de allergevaarlijkste van de hele samenzwering. Waarom gedroeg hij zich alsof hij haar vrijer was?

'Misschien had het er iets mee te maken dat uw handlangers mij probeerden te vermoorden,' antwoordde hij.

Dit wuifde ze met een handgebaar weg. 'Maar hébben ze u ook vermoord?'

'Hebt u Miss Temple vermoord?'

'*Touché*.' Ze bekeek hem eens goed. 'Gaat het daar om? Dat ze het heeft overleefd?'

'Misschien wel. Ik ben toch ook alleen maar iemand die het heeft overleefd?'

'Dat is een provocerende vraag. Ik schrijf hem in mijn dagboek, daar kunt u van op aan.'

'Trouwens, Xonck weet het,' zei hij, want hij wilde niets liever dan het gesprek een andere wending geven.

'Wat weet hij?'

'Dat er strijdige belangen zijn.'

'Alleraardigst dat u zo op de zaken vooruit wilt lopen, maar – en vat dit alstublieft niet als kritiek op – u zou er verstandig aan doen u op herrie en daken te concentreren. Wat Mr Xonck wel of niet weet, zijn mijn zaken. Ach, herr Flaüss, ik zie dat u weer bij ons bent.'

Chang draaide zich om en zag de man naast de tafel staan, met Gray naast hem, zijn gezicht lijkbleek van de lusvormige brandwonden, de huid eromheen strakgetrokken en glad, zijn boord vochtig van zweet en speeksel. Zijn ogen stonden volkomen leeg – griezelig.

'Ik heb echt bewondering voor u, kardinaal,' zei Rosamonde.

Hij draaide zich naar haar om. 'Ik voel me gevleid.'

'O ja?' Ze glimlachte. 'Er zijn maar heel weinig mensen voor wie ik bewondering heb… en nog minder tegen wie ik het ook zeg.'

'Waarom zegt u het dan tegen mij?'

'Dat weet ik niet.' Ze liet haar stem dalen tot een uitdagend intieme fluistertoon. 'Misschien komt het door wat er met uw ogen is gebeurd. Ik zie iets van de littekens, en ik kan me er alleen maar een voorstelling van maken hoe verschrikkelijk die er zonder bril uit moeten zien. Ik denk dat ik ze afstotelijk zou vinden, en toch heb ik me ook al voorgesteld hoe ik er met alle genoegen met mijn tong overheen zou gaan.' Ze bekeek hem aandachtig, maar leek zich toen te herpakken. 'Maar nu doe ik het zelf, ziet u wel? Nu loop ík op mezelf vooruit. Neemt u me niet kwalijk. Meneer Gray?'

Ze draaide zich om naar Gray, die met Flaüss naar hen toe gelopen was. Chang werd misselijk van de dode ogen van de man, alsof hij een geval van ambulante taxidermie was. Hij draaide zich ongemakkelijk om en wilde dat hij in staat was geweest om sneller in te grijpen. Wat er met Flaüss was gebeurd was op de een of andere manier erger dan wanneer ze hem dood hadden gemaakt. Chang hoorde een raspend verstikt geluid en keek als gebeten om. Grays handen lagen van achteren om Flaüss' hals, en wurgden hem. Chang kwam half omhoog uit zijn stoel en draaide zich om naar Rosamonde. Hadden ze nog niet genoeg gedaan?

'Wat doet…'

De woorden bestierven op zijn lippen. De handen van Flaüss waren allebei naar voren geschoten en hadden zich om Changs luchtpijp geslagen, waarbij hij verschrikkelijk hard kneep. Hij trok aan Flaüss' armen en probeerde zijn greep los te wrikken. Hij leek wel van staal, en met een nog steeds uitdrukkingsloos gezicht groef de man zijn vingers in zijn hals. Chang kreeg geen adem. Hij stootte zijn knie in Flaüss' maag, maar ook dat leverde geen reactie op. De bankschroef van zijn handen werd strakker. Chang kreeg zwarte vlekken voor zijn ogen. Hij trok zijn stok uit elkaar. Gray staarde hem over Flaüss' schouder aan, zijn handen knepen nog steeds in Flaüss' hals... Flaüss reageerde op Gray! Chang stak de dolk in Grays onderarm. De oude man schreeuwde het uit en trok zich los, terwijl het bloed uit zijn wond stroomde. Nu Flaüss los was, ontspande hij zich ogenblikkelijk, en zijn handen bleven om Changs hals liggen, maar wel losser. Chang worstelde zich los uit zijn greep en zoog lucht naar binnen. Hij begreep niet wat er was gebeurd. Hij draaide zich om naar Rosamonde. Ze hield iets in haar in een handschoen gestoken hand. Ze blies erop. Er waaide een blauw rookwolkje in Changs gezicht.

De gewaarwording trad meteen op. Zijn keel werd dichtgeknepen en voelde toen bitterkoud aan, alsof hij ijs doorslikte. Het bittere gevoel stroomde zijn longen in en omhoog naar zijn hoofd, overal waar hij het poeder had ingeademd. Zijn stok en dolk vielen op de grond. Hij kon geen woord uitbrengen. Hij kon zich niet bewegen.

'Wees maar niet bang,' zei Rosamonde. 'U bent niet dood.' Ze keek langs Chang heen naar de prins, die nog steeds op de grond lag. 'Hoogheid, zou u Mr Gray even met zijn bloedende wond willen helpen?' Ze richtte haar lichtpaarse blik weer op Chang. 'U bent van mij, kardinaal Chang...' Karl-Horst liep naar Gray; ze pakte zijn arm beet en hield hem tegen. 'Weet u wat? Laat de kardinaal meneer Gray maar helpen. Ik weet zeker dat hij meer ervaring met het stelpen van wonden heeft dan de kroonprins van Mecklenburg.'

Hij hielp hen met alles. Zijn lichaam volgde haar bevelen op zonder ook maar een vraag te stellen, terwijl zijn geest van binnenuit toekeek als van een verschrikkelijke afstand, door een berijpt raam. Allereerst verbond hij Grays wond kundig en daarna tilde hij Blach op de tafel, zodat Gray zijn hoofd kon onderzoeken. Hoe lang had dit geduurd? Bascombe kwam terug met een aantal dragonders in rode jas, en sprak met de contessa. Bascombe knikte en fluisterde de prins ernstig iets in het oor. Toen riep hij de anderen – de dragonders tilden Blach op, Gray nam Flaüss bij de arm – en ging hun allemaal voor naar de ronde kamer. Chang bleef alleen achter met Rosamonde. Ze liep naar de deur en deed hem op slot. Ze liep weer naar hem toe en zette een stoel recht. Hij kon zich niet bewegen. Haar gezicht had een uitdrukking die hij nog nooit eerder had gezien, net alsof het met opzet van zelfs het geringste spoortje vriendelijkheid was ontdaan.

'U zult merken dat u mij kunt horen en dat u vrij rudimentair antwoord kunt geven. Door het poeder in uw longen kunt u niet praten. Dit effect trekt weg – tenzij ik wil dat het van blijvende aard is. Voorlopig neem ik genoegen met "ja" of "nee" als antwoord. Een knikje is genoeg. Ik had gehoopt u tijdens een gesprek over te halen of om u, als dat niet zou lukken, over te leveren aan het procédé, maar nu is er geen tijd voor en er is niemand die naar behoren kan assisteren. Ik zou het heel vervelend vinden als al uw informatie door een ongelukje verloren zou gaan.'

Het was net alsof ze het tegen iemand anders zei. Hij voelde dat hij instemmend knikte, ten teken dat hij het begreep. Verzet was uitgesloten – hij kon nauwelijks volgen wat ze zei, en toen hij eenmaal begreep wat ze zei, had zijn lichaam al geantwoord.

'U bent in gezelschap geweest van de jongedame Temple en van de dokter van de prins.'

Chang knikte.

'Weet u waar zij nu zijn?'

Hij schudde zijn hoofd.

'Komen ze hierheen?'

Hij schudde zijn hoofd.

'Hebt u afgesproken elkaar ergens te ontmoeten?'

Chang knikte. Rosamonde zuchtte.

'Nou, ik ben niet van plan om al mijn tijd te verdoen met raden waar… U hebt met Xonck gesproken. Is hij wantrouwig? Jegens mij in het bijzonder?'

Chang knikte.

'Heeft Bascombe jullie gesprek gehoord?'

Chang schudde zijn hoofd. Ze glimlachte.

'Dan hebben we nog alle tijd... Het is waar dat Francis Xonck iets van de enorme macht van zijn oudere broer heeft, maar het is maar heel weinig, want hij is zo opstandig en losbandig dat er tussen hen geen sprake is van intieme vriendschap, en er is weinig zicht op een erfenis. Maar ík ben natuurlijk wel bevriend met Francis, wat er ook gebeurt – dus hij kan eigenlijk nergens anders heen. Goed, genoeg... Niet te geloven toch, dat ú míj bang probeert te maken? Dan nu over wat ú weet, uit uw onderzoekingen... Weet u wie kolonel Trapping heeft vermoord?'

Chang schudde zijn hoofd.

'Weet u waarom wij Mecklenburg hebben gekozen?'

Chang schudde zijn hoofd.

'Bent u op de hoogte van het bestaan van Oskar Veilandt?'

Chang knikte.

'Echt waar? Gefeliciteerd. Bent u op de hoogte van het bestaan van het blauwe glas?'

Chang knikte.

'Ai... Dat is niet zo best. Voor uw kans op overleven, bedoel ik. Wat hebt u gezien... Wacht... Was u in het instituut?'

Chang knikte.

'U hebt ingebroken... Dus dat was u, toen die idioot het boek liet vallen? Of hebt u er soms voor gezorgd dat hij het boek liet vallen?'

Chang knikte.

'Ongelooflijk... U bent niet te stuiten. Hij is dood, moet u weten. En dan natuurlijk wat er daardoor met het meisje van de comte is gebeurd... Maar ik neem aan dat u daar niet mee zit?'

In de gevangenis van zijn gedachten leed Chang onder de bevestiging dat Angelique door zijn toedoen ten onder was gegaan. Hij knikte. Rosamonde hield haar hoofd scheef.

'Echt waar? Maar niet voor de man. Wacht... wacht... Het meisje... Zij was uit het bordeel – ik vond u niet bepaald hoffelijk –, maar wacht, kénde u haar?'

Chang knikte. Rosamonde lachte.

'Het toeval van een damesroman. Laat me raden... Was u vreselijk verliefd op haar?'

Chang knikte. Rosamonde moest nog harder lachen.

'O, wat kostelijk! Lieve, lieve kardinaal Chang... Ik geloof dat u mij net de informatie hebt gegeven die ik nodig heb om weer vriendschap te sluiten met Mr Xonck – een onbedoelde beloning.' Ze probeerde haar gezicht weer onder controle te krijgen, maar grijnsde nog steeds. 'Hebt u nog ander glas gezien dan het gebroken boek?'

Chang knikte.

'Dat spijt me echt, voor uw bestwil. Was het... Ach ja, natuurlijk, de prins had een van die nieuwe kaartjes van de comte bij zich, hè? Ik ken geen man die er zo van houdt naar zichzelf te kijken als hij. Heeft de dokter het gevonden?'

Chang knikte.

'Dus de dokter en Miss Temple zijn ook op de hoogte van het blauwe glas?'

Chang knikte.

'En ze zijn op de hoogte van het procédé – laat maar zitten, dat spreekt voor zich. Ze heeft het met eigen ogen gezien, en de dokter heeft de prins onderzocht... Weet u wat er achter het huwelijk van Lydia Vandaariff steekt?'

Chang schudde zijn hoofd.

'Bent u in Tarr Manor geweest?'

Chang schudde zijn hoofd. Ze kneep haar ogen tot spleetjes.

'Miss Temple is er geweest, neem ik aan, met Roger... Maar dat is zo lang geleden dat het niks te betekenen heeft. Goed. Dan voorlopig de laatste vraag... Ben ik de meest verrukkelijke vrouw die u ooit hebt gekend?'

Chang knikte. Ze glimlachte. Toen stierf haar glimlach langzaam weg, als een zon die achter de horizon gleed, en zuchtte ze. 'Het is een mooie gedachte om mee af te sluiten, misschien voor ons allebei wel. Het einde zelf is verdrietig. U bent een exotisch gerecht voor mij... nogal rauw... en ik had graag wat meer tijd aan u besteed. Het spijt me.' Ze stak haar hand in het minuscule zakje van haar strakke zijden jasje en toen die er weer uit kwam, lag er op de punt van haar in een handschoen gestoken vinger nog een portie fijn blauw poeder.

'Beschouw het maar als een manier om uw verloren geliefde terug te vinden...'

Ze blies het poeder in zijn gezicht. Changs mond was dicht, maar hij voelde dat het via zijn neus naar binnen ging. Zijn hoofd voelde aan alsof het ter plekke bevroor, zijn bloed verstijfde en deed de aderen in zijn schedel splijten. Hij verkeerde in doodsnood, maar kon zich niet verroeren. In zijn oren echode een hoorbaar gekraak. Zijn ogen schoten alle kanten op. Hij keek naar de vloertegels. Hij was gevallen. Hij was blind. Hij was dood.

De kroonluchter bestond uit drie grote ijzeren concentrische ringen, en elke ring was voorzien van kaarshouders van smeedijzer. In alle drie de ringen zaten wel honderd houdertjes. Chang keek naar het hoge plafond boven hem en zag dat er nog een stuk of acht brandden. Hoeveel tijd was er verstreken? Hij had geen flauw idee. Hij kon nauwelijks nadenken. Hij draaide zich om om over te geven en merkte dat hij dat al gedaan had – misschien zelfs al heel wat keren. Het braaksel was blauw en zelfs hij vond het stinken. Hij draaide de andere kant op. Hij had het gevoel alsof iemand zijn hoofd had afgehakt en het in ijs en stro had gepakt.

Zijn neus had hem gered, zoveel was zeker. De schade vanbinnen, de littekens, de verstoppingen – op de een of andere manier was het poeder niet volledig binnengedrongen, of niet in voldoende mate om hem dood te maken. Hij veegde over zijn gezicht – uit zijn mond en uit beide neusgaten liepen vegen blauw slijm. Ze had hem met een overdosis willen vermoorden, maar zijn luchtwegen zaten vol littekens en hadden daardoor voorkomen dat de fatale dosis zijn uitwerking kreeg. Ze hadden de afschuwelijke chemicaliën langzamer opgenomen en daardoor had hij de tijd gekregen om te overleven. Hoe lang had het geduurd? Hij keek omhoog naar de ronde ramen. Het was al donker. Het was koud in de kamer, en de vloer zat onder de spetters kaarsvet, in een slordige kring. Hij probeerde te gaan zitten. Dat lukte niet. Hij krulde zich om, weg van het braaksel, en deed zijn ogen dicht.

Hij werd wakker en voelde zich een stuk beter, zij het nog steeds maar een fractie beter dan een geslacht varken aan een haak. Hij draaide zich op zijn knieën en ging vol afkeer met zijn tong door zijn mond. Hij diepte een zakdoek uit zijn zak op en veegde zijn gezicht af. Zo te zien was er nergens in de kamer water te vinden. Chang stond op en deed zijn ogen dicht. De duisternis golfde om hem heen, maar hij hield zich staande. Hij zag de theepot omgevallen op de grond liggen. Hij pakte hem op en schudde hem zachtjes heen en weer – het laatste beetje zat er nog in en klotste. Hij goot de bittere thee in zijn mond – heel voorzichtig om te voorkomen dat hij zich aan de kapotte tuit sneed –, spoelde zijn mond ermee en spoog het uit op de grond. Hij nam nog een slok, slikte die door en zette de kapotte pot op het theeblad. Tot zijn niet-geringe verbazing zag hij zijn stok onder de tafel liggen. Het feit dat ze die daar hadden laten liggen vatte hij op als een minachtend gebaar – voornamelijk met de bedoeling dat zijn lichaam met een wapen gevonden zou worden. Zo zwak en ziek als hij zich voelde, was Chang toch maar al te zeer bereid om ervoor te zorgen dat ze hier nog spijt van zouden krijgen.

In de kamer stond een lantaarn, en na een paar minuten zoeken vond hij ook lucifers om hem aan te steken. Hij deed de deur open en betrad de duisternis, net als eerst, maar nu was Chang in staat om goed te navigeren, ook al had hij geen flauw idee waar hij heen moest. Hij liep een paar minuten rond door allerlei voorraadkamers, vergadervertrekken en gangen, zonder iemand te zien of iets te horen. De kamers waarvan hij zich herinnerde dat hij er met Bascombe en Xonck door gekomen was, vond hij niet, en dus ging hij maar gewoon voorwaarts en sloeg hij nu eens links, dan weer rechts af in een poging een rechte lijn aan te houden. Dit bracht hem uiteindelijk op een doodlopend punt: een grote deur zonder slot of deurknop. Er was geen beweging in te krijgen. Hij was vanaf de andere kant afgesloten of gebarricadeerd. Chang deed zijn ogen dicht. Hij voelde zich weer misselijk; al dat lopen was een te grote belasting voor zijn verzwakte lichaam. Uit frustratie bonkte hij op de deur.

Vanaf de andere kant antwoordde een gedempte stem: 'Meneer Bascombe?'

In plaats van iets te roepen bonkte Chang weer op de deur. Hij hoorde dat de grendel verschoven werd. Hij wist niet wat hem te wachten stond – of hij de lantaarn moest gooien, zijn stok in de aanslag moest houden of het hazenpad moest kiezen. Voor geen van die opties had hij de energie. De deur werd opengetrokken. Chang stond oog in oog met een dragonders in een rode jas.

Hij bekeek Chang eens goed. 'U bent niet Mr Bascombe.'

'Bascombe is vertrokken,' zei Chang. 'Uren geleden al. Hebt u hem niet gezien?'

'Ik sta pas vanaf zes uur op wacht.' De cavalerist fronste zijn wenkbrauwen. 'Wie bent u?'

'Ik heet Chang. Ik maakte deel uit van Bascombes gezelschap. Ik ben ziek geworden. 'Hebt u…' Chang sloot zijn ogen even en deed zijn best om de zin af te maken. 'Hebt u misschien wat water voor me?'

De cavalerist nam de lantaarn van Chang aan, pakte hem bij de arm en bracht hem naar een klein bewakershokje. Net als de gang was dit voorzien van gaslampen, en er hing een warme, nevelachtige gloed. Chang zag dat ze vlak bij een grote trap waren; misschien was het de hoofdtrap naar deze verdieping, in tegenstelling tot het geheime verblijf van Bascombe, waar ze hem naartoe gebracht hadden. Hij was te moe om na te denken. Hij ging op een eenvoudige houten stoel zitten en kreeg een metalen mok thee met melk. De cavalerist, die had gezegd dat hij Reeves heette, zette een bord met brood en kaas op Changs schoot en gaf met een knikje te kennen dat hij iets moest eten.

De hete thee brandde zich een weg omlaag door zijn keel, maar hij voelde toch dat hij ervan opknapte. Met zijn tanden trok hij een homp van het witte brood en dwong zichzelf erop te kauwen, al was het alleen maar om zijn maag rustig te krijgen. Na de eerste paar happen realiseerde hij zich echter hoeveel honger hij had en begon hij gestaag alles te verslinden wat de man hem gegeven had. Reeves schonk zijn mok nog eens bij, pakte zijn eigen mok en ging zitten.

'Ik ben u zeer dankbaar,' zei Chang.

'Laat maar zitten.' Reeves glimlachte. 'U zag eruit als een lijk, als ik zo vrij mag zijn. Nu ziet u er alleen nog beroerd uit.' Hij lachte.

Chang glimlachte en nam nog een slok thee. Hij voelde hoe rauw zijn keel en verhemelte waren, daar waar het poeder had gebrand. Elke ademhaling ging gepaard met een pijnscheut, alsof hij zijn ribben gebroken had. Over hoe zijn longen eraan toe waren kon hij alleen maar speculeren.

'Dus volgens u zijn ze allemaal vertrokken?' vroeg Reeves.

Chang knikte. 'Er is een ongeluk gebeurd met een lantaarn. Een van de andere heren, Francis Xonck – kent u hem?' Reeves schudde zijn hoofd. 'Hij heeft olie op zijn arm gekregen en die heeft vlam gevat. Mr Bascombe is met hem meegegaan om een arts te zoeken. Ik ben alleen achtergebleven en op onverklaarbare wijze onwel geworden. Ik dacht dat hij wel terug zou komen, maar merk nu dat ik in slaap ben gevallen. Ik heb geen flauw idee hoe laat het is.'

'Bijna negen uur,' zei Reeves. Hij keek een beetje zenuwachtig naar de deur. 'Ik moet mijn ronde afmaken...'

Chang stak zijn hand uit. 'Laat u er niet door mij van weerhouden. Ik ga... Als u me alleen de weg wilt wijzen... Ik wil u absoluut niet tot nog meer last zijn...'

'Een vriend van Mr Bascombe helpen is geen last.' Reeves glimlachte. Ze stonden op, en Chang zette onhandig zijn mok en bord op de buffetkast.

Toen hij opkeek, zag hij een man in de deuropening staan, met een glimmende koperen helm onder zijn arm en een sabel langs zijn zij. Reeves sprong in de houding. De man zette een voet over de drempel. Op de kraag en epauletten van zijn uniform stond in goud de rang van kapitein.

'Reeves...' zei hij, waarbij hij zijn blik op Chang gericht hield.

'Dit is Mr Chang, overste. Een collega van Mr Bascombe.'

De kapitein gaf geen antwoord.

'Hij was binnen, overste. Toen ik mijn ronde maakte, hoorde ik hem op de deur kloppen...'

'Welke deur?'

'Deur vijf, overste. De kant van Mr Bascombe. Mr Chang is onwel geworden...'

'Ja. Goed, vooruit maar. U moet Hicks aflossen en u bent al te laat.'

'Kapitein!'

De kapitein liep nu helemaal het vertrek binnen en gebaarde Chang te gaan zitten. Achter hem griste Reeves zijn helm mee en ging op een drafje de kamer uit, waarbij hij bij de deur nog even bleef staan om Chang achter de rug van de kapitein toe te knikken. Zijn gehaaste stappen kletterden de gang door en de trap af. De kapitein schonk een mok thee in en ging zitten. Pas toen ging Chang ook zitten.

'"Chang" zei u, hè?'

Chang knikte. 'Zo heet ik.'

'Smythe, kapitein, vierde regiment dragonders. En Reeves zei dat u onwel geworden was?'

'Inderdaad. Hij was erg vriendelijk.'

'Hier.' Smythe haalde een kleine flacon uit zijn jas. Hij draaide de dop eraf en gaf de flacon aan Chang. 'Pruimenbrandewijn,' zei hij met een glimlach. 'Ik ben een zoetekauw.'

Chang nam een slokje, want hij voelde zich roekeloos en wilde niets liever dan een borrel. Hij voelde een scherpe pijnscheut in zijn keel, maar de brandewijn leek zich door het restant blauw stof heen te branden. Hij gaf de flacon terug.

'Hartelijk dank.'

'Bent u een van de mannen van Bascombe?' vroeg de kapitein.

'Dat zou ik niet durven zeggen. Ik ben op zijn verzoek hierheen gekomen. Iemand anders van het gezelschap had een ongeluk gehad met lantaarnolie...'

'Ja, Francis Xonck.' Kapitein Smythe knikte. 'Ik heb gehoord dat hij lelijke brandwonden heeft opgelopen.'

'Dat verbaast me niets. Ik heb het net al tegen uw collega gezegd, maar terwijl ik zat te wachten tot ze terug waren, ben ik ziek geworden. Ik moet geslapen hebben; misschien was het koorts... Het was een paar uur geleden, en toen ik wakker werd, was ik alleen. Ik dacht dat Bascombe wel terug zou komen. We waren nog lang niet klaar met waar we mee bezig waren.'

'Hij moest zich ongetwijfeld om Mr Xonck bekommeren.'

'Ongetwijfeld,' zei Chang. 'Hij is... een belangrijk man.'

Hij was zo vrij om zichzelf nog wat thee in te schenken. Smythe leek het niet te merken. In plaats daarvan stond hij op, liep naar de deur, trok hem dicht en draaide de sleutel om. Hij glimlachte ietwat bedroefd naar Chang.

'In een overheidsgebouw kun je niet voorzichtig genoeg zijn.'

'Het vierde regiment dragonders is onlangs pas bij het ministerie van Buitenlandse Zaken ingedeeld,' merkte Chang op. 'Ik geloof dat ik dat in de krant gelezen heb. Of was het bij het paleis?'

Smythe wandelde terug naar zijn stoel en bekeek Chang een ogenblik aandachtig alvorens antwoord te geven. Hij nam een slokje thee en leunde achterover, met de mok in allebei zijn handen. 'Volgens mij kent u onze kolonel.'

'Hoe dat zo?'

Smythe zweeg. Chang zuchtte – dwaasheid had altijd zo zijn prijs.

'U hebt mij gisterochtend gezien,' zei hij. 'Op de kade, met Aspiche.'

Smythe knikte.

'Een onverstandige plek om af te spreken.'

'Wilt u mij vertellen wat daar de reden voor was?'

'Misschien…' Chang haalde zijn schouders op. Hij kon de argwaan en afweer van kapitein Smythe voelen, maar besloot hem nog verder op de proef te stellen. 'Maar dan moet u mij eerst iets vertellen.'

Smythes mond verstrakte. 'En dat is?'

Chang glimlachte. 'Was u samen met Aspiche en Trapping in Afrika?'

Smythe fronste zijn wenkbrauwen – dit was niet de vraag die hij verwacht had. Hij knikte.

'Dat vraag ik,' ging Chang verder, 'omdat kolonel Aspiche nogal hoog opgaf over de morele en professionele verschillen tussen Trapping en hemzelf. Ik heb geen enkele illusie over het karakter van kolonel Trapping. Maar – als ik zo vrij mag zijn – dat hij per se op die plek wilde afspreken was slechts één voorbeeld, in de contacten die wij met elkaar gehad hebben, van de onnadenkende *arrogantie* van Aspiche.'

Chang vroeg zich af of hij te ver was gegaan – je wist nooit hoe je loyaliteit moest interpreteren, zeker niet bij een ervaren soldaat.

Voordat Smythe iets zei, bekeek hij hem heel aandachtig.

'Veel officieren hebben hun opdrachten gekocht – het is niet onge-bruikelijk om met mannen te dienen die geen soldaat zijn, behalve dan dat ze met geld worden betaald.' Chang was zich ervan bewust dat Smythe zijn woorden met uiterste zorg koos. 'De adjudant-kolo-nel was niet een van hen, maar...'

'Hij is niet meer de man die hij vroeger was?' opperde Chang.

Smythe keek hem even onderzoekend aan en nam hem met een professioneel scherpzinnige blik op die niet helemaal prettig voelde. Even later slaakte hij een diepe zucht, alsof hij tot een beslissing was gekomen die hem niet aanstond, maar waar hij om de een of andere reden niet omheen kon.

'Bent u bekend met opium eten?' vroeg hij.

Chang moest zijn uiterste best doen om niet te glimlachen, en gaf toen maar een ongeïnteresseerd, veelbetekenend knikje. Smythe ging verder.

'Dan kent u ongetwijfeld het patroon waarbij een man de eerste keer al verslaafd kan raken, zodat hij verder elk ander deel van zijn leven opoffert voor een narcotische droom. Dat is het geval met Noland Aspiche, behalve dan dat het hier niet om opium gaat, maar om de positie en het succes van Arthur Trapping. Ik ben niet zijn vij-and. Ik heb hem loyaal en respectvol gediend. Maar zijn algunst op het onverdiende succes van deze man verteert alles in zijn karakter wat plichtsgetrouw en eerlijk is, of liever gezegd: heeft dat allemaal verteerd.'

'Hij voert momenteel anders wel het bevel over het regiment.'

Smythe knikte bruusk en instemmend. Zijn blik verhardde. 'Ik heb genoeg gezegd. Waarom had u met hem afgesproken?'

'Ik ben iemand die dingen *doet*,' zei Chang. 'Adjudant-kolonel Aspiche heeft me in de arm genomen om Arthur Trapping te vinden, die was verdwenen.'

'Waarom?'

'Niet uit liefde, als u dat soms bedoelt. Trapping vertegenwoor-digde machtige mannen, en hun macht – hun belang – was de reden waarom het regiment van de koloniën is overgeplaatst naar het paleis. Toen was hij weg. Aspiche wilde het bevel voeren, maar maakte zich

345

zorgen over de andere krachten in het spel.'

Smythe kreunde vol afkeer. Chang was blij met zijn besluit om de hele waarheid voor zich te houden.

'Aha. Hebt u hem gevonden?'

Chang aarzelde en haalde toen zijn schouders op. De kapitein kwam vrij openhartig over. 'Ja. Hij is dood, vermoord. Ik weet niet hoe of door wie. Het lichaam is in de rivier gegooid.'

Hier schrok Smythe van. 'Waarom in 's hemelsnaam?' vroeg hij.

'Ik zou het echt niet weten.'

'Is dat de reden waarom u hier bent... Om dit aan Bascombe te melden?'

'Niet precies...'

Smythe verstijfde van argwaan. Chang stak zijn hand op.

'Wees niet bang... Althans, wees wel bang, maar niet voor mij. Ik ben hierheen gekomen om met Bascombe te praten. Wat voor indruk hebt u van hem?'

Smythe haalde zijn schouders op. 'Hij is een ambtenaar van het ministerie. Hij is niet op zijn achterhoofd gevallen... en hij heeft niet die superieure houding die veel mensen hier hebben. Hoezo?'

'Zomaar... Hij is onbelangrijk, want ik kwam eigenlijk voor Xonck, en voor de contessa Lacquer-Sforza, want zíj zaten wel in het complot met kolonel Trapping – met name Xonck. Om redenen die ik niet goed begrijp heeft een van hen – ik weet niet wie, en zijzelf misschien ook wel niet – geregeld dat hij moest sterven. U weet net zo goed als ik dat ze Aspiche nu in hun macht hebben. Uw bezigheden van vandaag, de kisten met apparatuur die u van het Koninklijk Instituut...'

'Naar Harschmort hebt gebracht, ja.'

'Precies,' zei Chang zonder ook maar een moment te haperen, maar hij was dolblij over wat Smythe had onthuld. 'Robert Vandaariff maakt deel uit van hun plan, is er vermoedelijk de bedenker van, samen met de kroonprins van Mecklenburg...'

Smythe stak zijn hand op om hem het zwijgen op te leggen. Hij haalde zijn flacon uit zijn zak, draaide de dop er met een frons af en nam een grote slok. Hij stak Chang de flacon toe, die niet weigerde. De teug brandewijn zette zijn keel nogmaals in vuur en vlam, maar op de een of andere zelfkastijdende manier wist hij zeker dat het goed voor hem was. Hij gaf de flacon terug.

'Dit alles...' Smythe praatte zo zachtjes dat hij bijna niet te verstaan was. 'Heel veel dingen hebben niet goed gevoeld – maar toch, promoties, decoraties, het paleis, de ministeries –, zodat we onze tijd kunnen besteden aan rijtuigen begeleiden, of aan leden van de *beau monde* die zo stom zijn zichzelf in brand te steken...'

'Voor wie werkt u in het paleis?' vroeg Chang. 'Hier werkt u voor Bascombe en Crabbé, maar zij moeten toch ook toestemming van hogerhand krijgen?'

Smythe luisterde niet. Hij was in gedachten verzonken. Hij keek op en op zijn gezicht stond een vermoeidheid te lezen die Chang er niet eerder had gezien. 'Het paleis? Een nest impotente hertogen die rond een onbeminde, uitgebluste feeks paraderen.' Smythe schudde zijn hoofd. 'U kunt beter gaan. Zo meteen wisselt de wacht, en misschien is de kolonel erbij. Hij gaat vaak laat op de avond naar de onderminister. Ze maken plannen, maar geen van de andere officieren weet wat die inhouden. De meesten zijn net zo arrogant als Aspiche, zoals u zich wel zult kunnen voorstellen. We moeten opschieten – misschien hebben ze uw naam doorgekregen. Ik neem aan dat dat ziek-zijn van u een verzinsel was?'

Chang stond samen met hem op. 'In het geheel niet. Maar het was wel het gevolg van vergiftiging, en van het feit dat ik het verschrikkelijk slechte fatsoen had in leven te blijven.'

Smythe stond zichzelf een glimlachje toe. 'Wat moet er van de wereld terechtkomen als iemand zijn meerderen niet meer gehoorzaamt en gewoon doodgaat als dat van hem wordt gevraagd?'

Smythe ging hem snel voor de trap af naar de eerste verdieping, en daarna door allerlei kronkelende gangen naar het balkon boven de achteringang. 'Deze aflossing is later dan aan de voorkant, en mijn manschappen zijn er nog,' legde hij uit. Hij bekeek Chang eens goed, te beginnen bij zijn kleding en eindigend bij zijn ondoordringbare ogen. 'Ik vrees dat u een schurk bent – althans, dat zou ik normaal gesproken waarschijnlijk van u vinden –, maar vreemde tijden brengen soms vreemde ontmoetingen met zich mee. Ik geloof dat u de waarheid spreekt. Als we elkaar kunnen helpen... Nou ja, dan staan we niet helemaal alleen.'

Chang stak zijn hand uit. 'Ik ben ervan overtuigd dat ik ook echt een schurk bén, kapitein. Maar toch ben ik de vijand van deze mensen. Ik ben u zeer dankbaar voor uw vriendelijkheid. Ik hoop dat ik een keer iets terug kan doen.' Smythe pakte zijn hand en knikte in de richting van het hek.

'Het is halftien. U moet gaan.'

Ze liepen de trap af. In een opwelling fluisterde Chang tegen hem: 'We zijn niet alleen, kapitein. Het kan zijn dat u een Duitse arts ontmoet, ene Svenson, die deel uitmaakt van het gevolg van de prins. Of een jonge vrouw, Miss Celeste Temple. Wij zitten hier samen in. Als u mijn naam noemt, zullen ze u vertrouwen. Ik verzeker u dat ze ontzagwekkender zijn dan ze eruitzien.'

Ze waren bij het hek. Kapitein Smythe knikte hem beleefd toe – meer dan dat en het zou door de cavaleristen zijn opgemerkt – en Chang liep de straat op.

Hij liep naar St. Isobel Square en ging bij de fontein zitten, waar hij gemakkelijk iedereen kon zien die op hem af liep, ongeacht waarvandaan. De maan gaf achter de donkere wolken een geringe bleke gloed. Van de rivier was mist opgestegen, en die kroop over de stenen naar hem toe. De vochtige lucht kriebelde in zijn rauwe keel en longen. Met een knagend gevoel van ongenoegen vroeg hij zich af hoe erg hij gewond was. Hij had weleens tbc-patiënten gezien, die in bloederige doeken hun longen uit hun lijf hoestten – was dit het eerste stadium van die ellende?

Bij het inademen voelde hij nog een scheut, alsof hij glas in zijn longen had, dat bij elke ademhaling in het vlees sneed. Hij rochelde een kwak dikke vloeistof uit zijn keel op en spoog het op straat. Het zag er donkerder uit dan normaal, maar hij wist niet of het nog meer blauwe afscheiding was of bloed.

De kisten waren naar Harschmort gestuurd. Omdat daar meer ruimte was? Meer privacy? Het was allebei waar, maar er kwam nog een gedachte in hem op. De kanalen. Harschmort was dé locatie om de kisten naar zee te sturen... Naar Mecklenburg. Hij sloeg zichzelf voor zijn kop dat hij de landkaarten in het vertrek met de koepel niet had bestudeerd toen hij daar de kans voor had. Hij had ze in elk geval voor Svenson kunnen beschrijven; nu had hij alleen maar heel vaag enige notie van waar ze een paar gekleurde punaises hadden geprikt. Hij zuchtte – een gemiste kans. Hij liet het voor wat het was.

De periode waarin hij buiten westen was geweest had alle hoop dat hij Miss Temple zou vinden de grond in geboord, want waar zij ook naartoe gegaan kon zijn, het was niet waarschijnlijk dat ze daar nu nog was – ongeacht wat er was gebeurd. Het lag voor de hand dat ze naar het huis van Bascombe was gegaan, maar daar verzette hij zich tegen, net zoals het hem plezier had kunnen verschaffen om Bascombe in elkaar te slaan, ongeacht waar de ware loyaliteit van deze man lag. Hij vroeg zich voor het eerst af of Celeste niet ook dezelfde weerstand had gevoeld; was het mogelijk dat ze niet naar Bascombe was gegaan? Ze had hen kolkend van emotie achtergelaten, nadat ze verteld had over wat ze was verloren. Als ze daarmee niet Bascombe bedoelde, wie kon het dan zijn? Als hij haar op haar woord geloofde – en hij realiseerde zich dat hij dat nooit had gedaan – zat Bascombe niet meer aan haar hart verankerd. Wie kon haar geluk dan zo geschaad hebben?

Chang vervloekte zichzelf en liep zo snel hij kon naar het St. Royale Hotel.

Hij sloeg geen acht op de voorkant en liep in één keer door naar het steegje aan de achterkant, waar mannen in een wit jasje metalen vuilnisemmers vol met de restjes en het afval van die avond uit de keuken sleepten. Hij beende naar de dichtstbijzijnde man, gebaarde naar de steeds groter wordende verzameling emmers en beet hem toe: 'Wie heeft je gezegd dat je die hier neer kunt zetten? Waar is je bedrijfsleider?'

De man keek niet-begrijpend naar hem op – ze zetten de vuilnisemmers daar toch altijd neer? –, maar Changs norse, vreemde houding bracht hem aan het stamelen. 'M-meneer Albert?'

'Ja! Ja... Waar is meneer Albert? Ik moet hem ogenblikkelijk spreken!'

De man wees naar binnen. Inmiddels stonden de anderen ook te kijken. Chang draaide zich naar hen toe. 'Uitstekend. Blijft u hier. Ik ga hierover praten.'

Hij ging naar binnen, beende een dienstgang door en nam de eerste afslag die hij kon vinden, weg van de keuken en van meneer Albert. Zo kwam hij, zoals hij al had gehoopt, in de waskamer en opslagruimten. Hij liep snel door, totdat hij gevonden had wat hij zocht: een geüniformeerde kruier die met een pul bier in zijn hand onderuithing. Chang liep naar binnen – te midden van dweilen, emmers en sponzen – en deed de deur achter zich dicht. De kruier schrok, verslikte zich en deinsde intuïtief achteruit, tegen een kletterende verzameling bezemstelen aan. Chang greep hem bij zijn kraag en sprak snel en zacht tegen hem.

'Luister. Ik heb haast. Ik moet een boodschap overbrengen – persoonlijk, discreet – aan iemand in de vertrekken van de contessa di Lacquer-Sforza. Kent u haar?' De man knikte. 'Mooi. Breng me er dan nu heen, via de trap aan de achterkant. We mogen niet gezien worden. De reputatie van de dame staat op het spel. Ze moet mijn boodschap krijgen.' Hij haalde een zilveren munt uit zijn zak. De man zag hem, knikte en vervolgens stak Chang in één beweging de munt in zijn zak en trok de man de kamer uit. Hij kreeg hem pas als ze er waren.

Het was op de tweede verdieping, aan de achterkant, en dat kon iemand met zo'n argwanende geest als Chang wel begrijpen: het was te hoog om naartoe te klimmen of vanaf te springen, en ver weg van de menigte op straat. De kruier klopte op de deur. Geen reactie. Hij klopte weer. Geen reactie. Chang trok hem weg van de deur en gaf hem de munt. Hij pakte nog een zilverstuk. 'Wij hebben elkaar nooit gezien,' zei hij, en hij gooide de munt in de hand van de kruier, aldus zijn loon verdubbelend. De kruier knikte en deinsde achteruit. Na een paar passen – waarbij Chang hem doordringend aankeek – draaide hij zich om en zette hij het op een lopen. Chang pakte zijn sleutelring. De vergrendeling schoot open en hij draaide de knop om. Hij was binnen.

De suite had alles wat de suite van Celeste in het Boniface niet had gehad; hij straalde de luxe uit die het St. Royale kenmerkte, van de tapijten tot het kristal, de monsterlijke, van overdreven houtsnijwerk voorziene meubels, de overdaad aan bloemen, de luxueuze draperieën, het pijnlijk fijne dessin van het behang, tot de werkelijk reusachtige afmetingen van de suite zelf. Chang deed de deur achter zich dicht en stond in de salon. Er viel geen levend wezen in de suite te bekennen. Het gaslicht was laag gedraaid, maar bij de vage gloed kon hij toch goed zien. Hij zag nog een verschil en glimlachte spottend. Overal lagen kleren – toegegeven, van kant en zijde –, her en der verspreid over de stoel- en bankleuningen, en zelfs op de grond. Hij kon zich absoluut niet voorstellen dat zoiets onder het streng toeziend oog van tante Agathe gebeurde, maar hier bracht het decadente leven van de bewoonster een nonchalante minachting voor een dergelijk naïef gevoel voor orde met zich mee. Hij liep naar een liefdevol vervaardigde secretaire die vol stond met lege flesjes, en ging met de al net zo elegante houten stoel terug naar de toegangsdeur, waar hij die onder de deurknop klem zette. Hij wilde niet gestoord worden terwijl hij de boel doorzocht.

Hij draaide de gaslamp hoger en ging terug naar de salon. Aan weerskanten bevond zich een open deur en aan de andere kant een dichte deur. Hij keek snel naar beide kanten – kamers voor de dienstmeisjes en nog een salon, die al net zo bezaaid lag met kleren als de eerste, en met glazen en borden. Hij liep naar de dichte deur en duwde hem open. Het was er donker. Hij tastte naar het muurlampje en verlichtte nog een elegante zitkamer, dit keer met twee mooie chaises longues en een blad met spiegelglas vol flessen. Chang bleef doodstil staan, met een steek van angst in zijn hart. Onder één chaise lagen twee omgevallen groene enkellaarsjes.

Zijn blik zocht de kamer af naar andere tekenen. Op het dienblad stonden vier glazen – sommige halfleeg en met vegen lippenstift erop, en op de grond onder de andere chaise stonden nog twee glazen. Hoog aan de muur tegenover hem hing een grote spiegel in een zware lijst die schuin naar zijn deuropening wees. Chang keek er vol afkeer in – hij vond het altijd vreselijk om zichzelf te zien –, maar zijn blik werd afgeleid door iets anders in de weerspiegeling: op de muur naast hem hing een klein schilderij dat alleen maar door de hand van Oskar Veilandt vervaardigd kon zijn. Hij pakte het van de muur en draaide het om, zodat hij de achterkant van het doek kon bekijken. In naar hij aannam het handschrift van de kunstenaar, in blauwe verf, stond

351

'*Annunciatie*, fragment, 3/13', en daaronder een reeks symbolen – net een wiskundige formule met Griekse letters erin –, die op hun beurt gevolgd werden door de woorden '*en zij zullen herboren worden*'.

Hij draaide het doek om, met de geschilderde afbeelding naar zich toe, en stond versteld van het onverbloemd choquerende karakter. Misschien kwam het door het contrast tussen de afbeelding en de rijke goudkleurige lijst, door de daaropvolgende afzondering – het fragmentarische karakter, de inhoud – van het onderwerp, waardoor het geheel zeer grensoverschrijdend leek, maar Chang kon zijn ogen er niet van afhouden. Het was niet zozeer pornografisch – het was zelfs niet eens echt expliciet – als wel tastbaar monsterlijk, op de een of andere manier. Hij kon niet eens zeggen waarom, maar de grimmige trilling van weerzin was net zo onmiskenbaar als de beroering in zijn kruis, en trad op precies hetzelfde moment op. Dit deel van het schilderij hoorde zo te zien niet naast het deel dat ze in de galerie hadden gezien, van het hartstochtelijke gezicht vol littekens van de vrouw (het idee alleen al dat zij 'Maria' was, was stuitend). Op dit deel was haar naakte bekken van opzij te zien, en haar prachtige dijen waren om de heupen van een figuur in het blauw geslagen, die haar duidelijk had bestegen. Toen Chang nog eens keek, zag hij echter dat de handen van de blauwe figuur de heupen van de vrouw vasthielden. De handen waren ook blauw, en versierd met vele ringen, net zoals de polsen glinsterden van de vele armbanden in verschillende soorten metaal – goud, zilver, koper, ijzer. De man droeg geen blauw kledingstuk, *maar het blauw was zijn huid*. Misschien was hij een engel – op zich al heiligschennend genoeg –, maar het onnatuurlijke karakter van het doek kwam voort uit de volmaakt weergegeven vleselijkheid van de lichamen, de sensuele nabijheid van het gewicht van de heupen van de vrouw in de handen van de man, de verdraaide hoek van hun vereniging, voor heel even vastgelegd, maar die meteen de kronkelende verrukkelijke samensmelting opriep die hierop zou volgen – in elk geval in de geest van de toeschouwer.

Chang slikte en hing het schilderij onhandig terug aan zijn haak. Hij keek er weer even naar, dodelijk geschrokken door zijn reactie, geboeid en opnieuw verontrust over de lange nagel aan de punt van elke blauwe vinger en de teder weergegeven afdrukken die zij in het lichaam van de vrouw hadden achtergelaten. Hij draaide zich weer om naar de chaise en pakte de groene laarsjes die eronder lagen. Ze waren van Celeste geweest. Het kwam zelden voor dat Chang wat voor verplichting dan ook tegenover een andere ziel voelde, en het feit dat zo'n band tot stand was gekomen – en ook nog met zo'n onwaarschijnlijk persoon –, om vervolgens zo snel weer verbroken te worden, knaagde vreselijk aan zijn geweten. De schrijnende pijn die de lege laarsjes hem bezorgden – het idee alleen al dat ze zulke kleine voeten had, dat die in zo'n ruimte pasten en haar toch in staat stelden halsstarrig voorwaarts te gaan – was plotseling ondraaglijk. Hij slaakte een verbitterde zucht, overvallen door spijt, en liet ze weer op de chaise vallen. De kamer had één deur, en die stond op een kier. Hij dwong zichzelf er met de punt van zijn stok tegenaan te duwen. Hij ging geluidloos open.

Dit was duidelijk Rosamondes slaapkamer. Het bed was heel groot, met op elke hoek een hoge mahoniehouten pilaar en aan weerskanten een dichtgetrokken zwaar gordijn van paars damast. De vloer lag bezaaid met kleren, voornamelijk onderkleding, maar hier en daar ook een jurk, een jasje of zelfs schoenen. Hij herkende geen enkel stuk als iets van Celeste, maar wist dat hij dat toch nooit had gekund. De gedachte aan Celestes ondergoed alleen al dwong zijn geest ergens heen waar hij nog nooit geweest was, wat hem op de een of andere manier – nu hij bang was dat ze dood was – als een schending overkwam. Misschien kwam het door het laatste beetje impact dat het schilderij van Veilandt op hem had, maar Chang merkte dat zijn gedachten – en misschien zelfs zijn hart? – geschaad werden door het beeld van zijn handen om haar smalle ribbenkast... die omlaag gleden naar haar heupen, heupen die niet gehinderd werden door een korset of onderrok, de ongetwijfeld romige textuur van haar huid. Hij schudde zijn hoofd. Waar was hij met zijn gedachten? Voor hetzelfde geld trok hij zo meteen de paarse gordijnen open en lag daar haar dode lichaam. Hij dwong zichzelf verbeten terug naar zijn taak, naar de kamer, weg van zijn opdringerige fantasieën. Chang haalde bewust diep adem – zijn borstkas trok samen van de pijn – en liep naar het bed. Hij trok het gordijn open.

353

Het beddengoed was zwaar en lag in de war, nonchalant op een hoop geschopt, maar Chang zag nog wel dat er een bleke vrouwenarm onderuit stak. Hij keek naar de berg kussens op het hoofd van de vrouw en trok het bovenste weg. Hij zag een bos donkerbruin haar. Hij trok nog een kussen weg en zag het gezicht van de vrouw, met dichte ogen, haar lippen iets uit elkaar, met op de huid rond haar ogen de bijna weggetrokken lusvormige littekens. Het was Margaret Hooke – Mrs Marchmoor. Op het moment waarop ze haar ogen opendeed, realiseerde Chang zich dat ze naakt was. Ze knipperde met haar ogen toen ze hem boven zich zag, maar haar gezicht bleef in de plooi. Ze gaapte en wreef loom de slaap uit haar linkeroog. Ze ging zitten, de lakens gleden naar haar middel, maar ze trok ze afwezig op om zichzelf te bedekken.

'Lieve hemel,' zei ze, en ze gaapte weer. 'Hoe laat is het?'

'Ik denk tegen elven,' antwoordde Chang.

'Ik moet uren geslapen hebben. Dat is vast heel stout van me.' Ze keek naar hem op, en haar ogen dansten van ingetogen genoegen. 'U bent de kardinaal, hè? Ik dacht dat u dood was.'

Chang knikte. Ze had in elk geval het fatsoen om niet teleurgesteld te klinken.

'Ik ben op zoek naar Miss Temple,' zei hij. 'Ze was hier.'

'Wás…' antwoordde de vrouw enigszins sloom; ze was er met haar gedachten niet bij. 'Is er verder niemand aan wie u het kunt vragen?'

Hij bood weerstand aan de neiging om haar een klap te geven. 'U bent alleen, Margaret. Tenzij u er de voorkeur aan geeft dat ik u meeneem naar Mrs Kraft. Ik weet zeker dat ze zich vreselijk zorgen over u maakt.'

'Nee, dank u.' Ze keek hem aan alsof ze hem nu pas voor het eerst goed zag. 'U bent vervelend.' Ze zei het alsof het een verrassing voor haar was.

Chang pakte haar bij haar kaak en dwong haar hem recht in de ogen te kijken. 'Ik kan nog veel vervelender worden. Wat hebben jullie met haar gedaan?'

Ze glimlachte naar hem, maar er schemerde angst door haar gezichtsuitdrukking heen. 'Wat brengt u ertoe te denken dat ze het niet zelf gedaan heeft?'

'Waar is ze?'

'Dat weet ik niet. Ik had zo'n slaap... Ik heb aldoor zo'n slaap... na afloop... Maar sommige mensen krijgen dan juist trek. Hebt u het al in de keukens gevraagd?'

Chang reageerde niet op haar vulgaire suggestie – hij wist dat ze loog om hem uit zijn tent te lokken, om tijd te rekken, maar haar woorden lokten niettemin choquerende gedachten uit die impulsief aan zijn geestesoog voorbijtrokken. Hij zag de mond van deze vrouw verstrakken, verbaasd over haar eigen genot – en vervolgens veranderde haar gezicht met schrikbarend gemak in dat van Celeste, met haar lippen gekruld in een wanhopige mengeling van angst en verrukking. Chang schrok en deed een stap bij Mrs Marchmoor vandaan. Hij liet haar los. Ze gooide de dekens van zich af, stond op en liep naar een berg kleren op de grond. Ze was lang en eleganter dan hij gedacht had. Ze draaide weloverwogen haar rug naar hem toe en bukte zich vanuit haar taille om een kamerjas te pakken – een beetje als een danseres –, waarbij ze hem een wellustige blik op zichzelf gunde. Toen ze weer overeind kwam – ze keek om en beantwoordde Changs goedkeurende blik met een glimlach –, zag hij een raster van dunne witte littekens op haar rug: zweepslagen. Ze trok de kamerjas aan – lichte zijde met een enorme rode Chinese draak op de rug – en bond de ceintuur met een geoefend gebaar vast, alsof haar handen het vertrouwde einde, of begin, van een geheimzinnig ritueel uitvoerden.

'Ik zie dat uw gezicht al wat geneest,' zei Chang.

'Mijn gezicht is volkomen onbelangrijk,' antwoordde ze, en met haar voet woelde ze door de berg kleren, vond onder het praten één enkele pantoffel en stak haar voet erin. 'De verandering vindt vanbinnen plaats, en is fenomenaal.'

Chang lachte spottend. 'Dus u hebt alleen maar het ene bordeel voor het andere ingewisseld?'

Haar ogen stonden nu fel; tot zijn grote voldoening zag hij dat hij haar beledigd had.

'U weet niet waar u het over hebt,' zei ze, en ze wendde een luchtigheid voor die niet gemeend was, dat wist hij.

'Ik heb net gezien dat iemand anders jullie afgrijselijke procédé onderging – geheel tegen zijn wens – en ik kan u nu al vertellen dat als jullie dat ook met Miss Temple gedaan hebben...'

Ze lachte minachtend. 'Het is geen straf. Het is een geschenk. Het idee alleen al – het uiterst bespottelijke idee – dat die persoon... die dierbare Miss Onbelangrijk van u...'

Chang voelde heel even een intense opluchting, de verlossing van een angst waarvan hij zich niet had gerealiseerd dat hij die had... dat Celeste een van hen zou worden... Het was bijna alsof hij dan maar liever wilde dat ze dood was. Maar Mrs Marchmoor was nog niet uitgesproken. '... geen oog heeft voor het vermogen, de krachts-reserves...' Hij wist dat het een kenmerk van trots was, vooral bij mensen die in hun leven onderworpen zijn geweest en dan verheven worden – jaren van ingehouden woorden veranderden hun mond in een arrogante sluisdeur, en haar vlotte ommezwaai van ingetogen verleidster tot hooghartige dame ontlokte Chang een spotlach. Die zag ze. Ze werd razend.

'U denkt zeker dat ik niet weet wie u bent? Of wie zíj is...'

'Ik weet dat u de bordelen hebt afgestroopt, op zoek naar ons allebei. Onbekwaam en zonder succes.'

'Zonder succes?' Ze lachte. 'U bent nu toch hier?'

'Net als Miss Temple. Waar is ze nu?'

Ze moest weer lachen. 'U begríjpt echt niet...'

Chang deed snel een stap naar voren, pakte met zijn volle hand haar kamerjas beet en gooide de vrouw op het bed, waarbij ze haar witte benen bloot schopte. Hij stond over haar heen en gunde haar even de tijd om haar haar uit haar gezicht te schudden en naar zijn bodemloze ogen omhoog te kijken.

'Nee, Margaret,' fluisterde hij. 'Ú begrijpt het niet. U bent een hoer geweest. Uw lichaam overleveren is niet meer iets waar u moei-lijk over hoeft te doen, dus u zult begrijpen, gezien míjn beroep... Nou ja, probeer u maar eens in te denken waarom ík geen reden meer heb om te aarzelen. En ik zit achter ú aan, Margaret, niet u achter mij. Vandaag heb ik Francis Xonck in lichterlaaie gezet, ik heb de majoor van de prins verslagen en ik heb de listen van uw con-tessa overleefd. Mij flikt ze geen kunstjes meer. Begrijpt u dat? Bij dit soort dingen – en reken maar dat ik die ken – krijg je zelden een

tweede kans. Uw mensen hebben de kans gehad me te vermoorden
– de enige van jullie die dat zou kunnen – en ik heb het overleefd.
Ik ben hier om erachter te komen – en snel ook –, of ik ook maar
iets aan u heb of niet. Als ik niets aan u heb, kunt u ervan op aan dat
ik niet de geringste schroom zal voelen om u af te maken alsof u de
zoveelste rat bent in een smerige plaag die ik ga uitroeien – neem dat
van mij aan.'

Hij trok zijn stok zo dramatisch mogelijk uit elkaar – in de hoop
dat wat hij net gezegd had niet te veel van het goede was geweest – en
sloeg een wat meer aanvaardbare gesprekstoon aan.

'Goed, dan nog maar een keer de vraag, Margaret: waar is Miss
Temple nú?'

Op dat moment drong de ernst van het procédé pas goed tot Chang
door. De vrouw was niet dom, ze was alleen, ze beschikte over gezond
verstand en ervaring, maar toch, ook al had ze grote ogen van schrik
opgezet toen hij zijn dolk te voorschijn had gehaald, begon ze tegen
hem uit te varen, alsof de woorden wapens waren waarmee ze hem
weg kon krijgen.

'U bent niet goed wijs! Ze is weg! U zult haar nooit vinden; ze
is niet meer te redden. Ze valt buiten uw bevattingsvermogen! U
leeft als een kind – jullie zijn allemaal kinderen –, de wereld is nooit
van u geweest en zal dat ook nooit zijn! Ik ben verteerd en opnieuw
geboren! Ik heb me overgegeven en ben vernieuwd! U kunt mij niets
aandoen – u kunt niets veranderen –, u bent een worm in de modder! Ga weg! Ga deze kamer uit en snijd in de goot uw eigen strot
door!'

Ze krijste en Chang was plotseling woedend; de diepe minachting
in haar stem stak als een giftand door zijn beheersing heen. Hij liet
zijn stok vallen, pakte met zijn linkerhand haar schoppende enkel
beet en trok haar lichaam met een ruk naar zich toe. Ze kwam overeind, krijsend en al, en haar gezicht stond nu heel boos. Ze nam niet
eens de moeite hem met haar armen af te weren, en het speeksel
vloog van haar lippen. De dolk lag in zijn rechterhand. In plaats van
haar te steken, dwong hij zichzelf haar een kaakslag te geven, waarbij zijn vuist ondersteund werd door het handvat van de stok. Haar

hoofd vloog naar achteren – zijn vingers schuurden pijnlijk tegen elkaar –, maar ze viel niet. Haar woorden werden onsamenhangender, er stonden tranen in haar ooghoeken, haar haar zat in de war.

'... niets waard! Onnozel en in de steek gelaten... Alleen in kamers... Zielige kamers vol zielige lichamen... Kennels... De paartijd van honden...'

Hij liet de dolk vallen en gaf haar nog een klap. Ze viel met gespreide armen en benen kreunend op het bed neer, met haar hoofd over de rand hangend, en was stil. Chang schudde kermend zijn hand los en stak de dolk in de schede. Zijn woede was verdwenen. Haar minachting voor hem viel zo duidelijk samen met haar minachting voor zichzelf – hij moest eraan denken dat Mrs Kraft had gezegd dat Margaret Hooke de dochter van een molenaar was geweest – dat hij het verder maar liet voor wat het was. Hij vroeg zich af of iemand anders in het hotel het gehoord had en hij hoopte maar dat dergelijk gekrijs – te oordelen aan de vele lege flessen – geen uitzondering was in de vertrekken van Rosamonde, contessa Lacquer-Sforza. Hij keek neer op het lichaam van Margaret Hooke – door de openhangende kamerjas heen zag hij haar zachte buik en de open wirwar van haar benen, die hem op de een of andere vreemde manier ontroerden. Ze was een mooie vrouw. Haar ribben kwamen bij iedere nog steeds onregelmatige ademhaling omhoog en daalden weer. Ze was een dier, zoals iedereen. Hij dacht aan de littekens op haar rug, heel anders wellicht dan de littekens op haar gezicht, maar beide getuigen van haar onderwerping aan de verlangens van mensen die machtiger waren dan zij, en toch ook beide tekenen van een onuitgesproken tastend zoeken naar gemoedsrust van haar kant. Haar scheldkanonnade was voor Chang een teken dat ze die nog niet gevonden had, maar dat ze haar ontevredenheid alleen maar begroef onder vele lagen zelfbeheersing. Dat was misschien wel het meest aangrijpend van alles. Hij trok haar kamerjas recht, ging even met zijn hand over haar heupen en verliet toen ongezien het hotel.

Terwijl Chang door de donkere straten liep, herhaalde hij in gedachten nog eens wat Mrs Marchmoor gezegd had: 'Niet meer te redden.' Dat betekende dat er al iets met Celeste gebeurd was, óf dat het zo zeker was dat er iets zou gebeuren dat hij er toch niets meer aan kon veranderen. Door haar arrogantie neigde hij tot het laatste. Hij voelde Celestes enkellaarsjes in zijn jaszakken klossen. Hij had het gevoel dat ze haar waarschijnlijk naar een of ander machtscentrum hadden gebracht – misschien om haar met behulp van het procédé te bekeren, misschien om haar te vermoorden –, maar als dat het geval was, waarom hadden ze het dan niet al gedaan? Met een misselijk gevoel dacht hij terug aan Angelique en het glazen boek. Zouden ze dat ritueel met Celeste durven herhalen? Hun poging met Angelique was mislukt doordat hij ze kwam storen. Maar hoe zag een succesvol resultaat er eigenlijk uit? Hij twijfelde er geen moment aan dat het hoe dan ook nóg monsterlijker zou zijn.

De eerste vraag was: waar hebben ze haar mee naartoe genomen? Dat moest óf Harschmort zijn – waar ze de kisten naartoe hadden gestuurd , óf Tarr Manor – waar Rosamonde hij hem naar had geïnformeerd. Beide locaties beschikten over eenzaamheid en ruimte, zonder wat voor inmenging van buitenaf ook. Hij nam aan dat Svenson inmiddels op Tarr Manor was aangekomen, dus moest hij misschien maar naar Harschmort gaan... Maar als er echt dergelijke krachten in het spel waren, kon hij er dan wel op vertrouwen dat de dokter een redding kon bewerkstelligen? Hij zag die ernstige man al voor zich, met een levenloze Celeste over zijn schouder, terwijl hij onder het lopen probeerde de revolver op een achtervolgende bende dragonders af te vuren... ten dode opgeschreven. Hij moest en zou weten waar ze haar naartoe gebracht hadden. Een verkeerde gok kon hun allemaal de das om doen. Hij zou een bezoekje aan de bibliotheek moeten wagen.

Net als de meeste voorname gebouwen was de bibliotheek zo groot dat er geen belendende daken waren die het probleem geheel en al uit de wereld hadden kunnen helpen. De hoge dubbele deuren aan de voorkant en de personeelsingang aan de achterkant waren binnen altijd voorzien van bewaking, zelfs 's nachts. Vanaf een uitkijkpunt op een meter of veertig ervandaan kon Chang ook de zwarte cavaleristen van Mecklenburg zien, die zich nonchalant in de schaduw van de zuilen langs de trap aan de voorkant ophielden. Hij ging ervan uit dat die ook aan de achterkant stonden, zodat hij dus zowel binnen als buiten met bewaking te maken had. Het deed er allebei niet toe. Chang holde naar een gedrongen stenen gebouwtje, op een meter of vijftig van het hoofdgebouw. De deur had een grendel van onbewerkt hout, maar na een minuut verwoed proberen met de dolk – door het gat naar binnen laten glijden, in de grendel hakken, hem een fractie naar opzij duwen, nog een keer en nog een keer – was de deur open. Hij ging naar binnen en deed hem achter zich dicht. In het schemerlicht dat door het enige getraliede raam naar binnen viel, zag hij een stapel lantaarns. Hij koos er een uit, keek of er olie in zat en streek toen voorzichtig een lucifer aan. Hij draaide het kousje laag, zodat er net genoeg gloed was om het luik in de vloer te vinden. Hij zette de lamp neer en trok uit alle macht aan het handvat. Het zware metalen luik kraakte in zijn scharnieren, maar ging wel open. Hij pakte de lantaarn weer op en tuurde in het gat onder zich. Voor de tweede keer die dag was hij het lot dankbaar voor zijn beschadigde neus. Hij daalde af in het riool.

Hij had dit al eerder gedaan, tijdens een langdurig conflict met een klant die weigerde te betalen. De man had agenten de bibliotheek in gestuurd, en Chang was genoodzaakt geweest van deze uiterst weerzinwekkende schuilplaats gebruik te maken. Toen hij later die avond het raam van de klant intrapte – om het conflict op het scherp van de snede op te lossen – droop hij nog van het rioolwater, maar dat was aan het eind van het voorjaar geweest. Chang hoopte dat nu zo dicht op de winter het waterniveau nog laag was, zodat hij erdoor kon zonder doordrenkt te raken van smerigheid. Het luik voerde naar een glibberig stenen trapje, zonder wat voor leuning ook. Hij liep het af, met zijn stok in zijn ene hand en de lantaarn in de andere, tot hij bij de tunnel van het riool zelf uitkwam. De stinkende stroom was sinds zijn vorige bezoek gedaald en tot zijn opluchting zag hij dat er een glibberige strook steen langs liep, waarover hij kon lopen. Hij boog zijn schouders onder het gewelf en liep voetje voor voetje verder.

Het was heel donker en het kousje van de lantaarn sputterde en vonkte in de bedorven lucht. Hij bevond zich onder de straat en het zou niet lang meer duren – hij telde zijn passen – of hij bevond zich onder de bibliotheek zelf. Nog twintig passen en dan kwam hij bij nog een trapje en nog een luik. Hij liep het trapje op, duwde het luik met zijn schouder omhoog en betrad de laagstgelegen kelder van de bibliotheek – drie verdiepingen onder de grote hal. Hij veegde zijn laarzen zo goed mogelijk en deed het luik achter zich dicht.

Chang draaide het licht heel laag en liep naar de begane grond; hij stak snel de gang over en dook het magazijn in. Hij kende het gebouw op zijn duimpje; hij kon er blindelings de weg vinden. Voor elke ruime verdieping van de bibliotheek die open was voor het publiek waren er drie verdiepingen met aan het zicht onttrokken boekenmagazijnen. De gangpaden waren volgestouwd, stoffig en smal, vol met zelden gebruikte boeken, die niettemin nimmer van de hand gedaan konden worden. De wanden – en de vloeren en de plafonds – bestonden uitsluitend uit ijzeren stellages, en overdag kon je door de gaten omhoogkijken, als door een vreemd soort caleidoscoop, helemaal naar de bovenkant van het gebouw, wel twaalf verdiepingen hoger. Chang liep snel zes smalle trappen op naar wat de tweede verdieping van de bibliotheek zelf was, duwde de deur met zijn schouder open – hij klemde altijd – en betrad de overwelfde kaartenzaal, waar hij onlangs door Rosamonde ingehuurd was.

Nu draaide Chang de pit wat hoger, want het was toch uitgesloten dat de bewakers hem zouden zien – de kaartenzaal lag een eind bij de grote trap vandaan, waar je vanaf een lagere verdieping licht kon zien. Hij zette de lantaarn op een van de grote houten kisten en zocht op het bureau van de curator naar een bepaald deel in het bijzonder, te weten de reusachtige *Codex van Landkaarten van Koninklijke Landmeters*, en de gemakkelijkste bron voor een gedetailleerde ligging van Harschmort en Tarr Manor. Hij wist echter niet waar die zich precies bevonden, of in elk geval niet precies genoeg om te kunnen vermoeden op welke kaart ze zouden staan. Hij stelde zich in op de kleine lettertjes van de *Codex* en bladerde, terwijl hij zijn ogen pijnlijk half dichtkneep, naar het register met plaatsnamen. Het duurde een paar minuten voor hij ze gevonden had, met behulp van rasterverwijzingen naar de overzichtskaart voor in de *Codex*. Door ze op de met een raster aangegeven overzichtskaart op te zoeken, die hij onhandig voor in de *Codex* openvouwde, beschikte hij over de nummers voor de gedetailleerde landkaarten, waarvan er zich in de collectie van de bibliotheek honderden en nog eens honderden bevonden. Het was een kwestie van nog een paar minuten, waarin hij dicht over de overzichtskaart gebogen zat, en dan kon hij ervandoor, naar de landkaarten die in een hoog bureau met brede, platte laden werden bewaard. Met zijn gezicht op een paar centimeter van de cijfers – alweer – vond hij de twee kaarten in kwestie, en hij trok ze uit het bureau. Hij sleepte de kaarten – die allebei minstens twee vierkante meter groot waren – naar een van de brede leestafels en haalde de lantaarn erbij. Hij wreef in zijn ogen en begon aan de volgende fase van zijn zoektocht.

Tarr Manor – en het enorme stuk grond van lord Tarr – bleek in het graafschap Floodmaere te liggen. De steengroeve was vrij gemakkelijk te vinden, op een kilometer of zeven van het huis zelf, waar het landgoed van de lord een keten van lage woeste heuvels besloeg. Het landhuis zelf was groot, maar niet overdreven groot, en de grond eromheen wekte geen onmiddellijke argwaan: boomgaarden, weidegrond, stallen. Het land was zo te zien grotendeels ongecultiveerd en zonder bebouwing. Op de landkaart stonden bij de steengroeve zelf wel een paar afgelegen kleine gebouwtjes, maar waren die groot genoeg voor de experimenten van de comte?

De landkaart van Harschmort bracht hem ook al niet veel verder. Het huis was groter, dat wel, en dan had je vlakbij nog de kanalen, maar het omringende land bestond uit moerasland en vlakke weidegrond. In het huis zelf was hij geweest; dat was niet uitzonderlijk hoog. Hij zocht een plek waar ze het grote verzonken gebouw van het instituut konden namaken, dat diep verzonken in de aarde had gelegen, maar waar op zo'n locatie toch een soort hoge toren voor nodig was. Op geen van beide kaarten zag hij een dergelijke plek. Chang zuchtte en wreef in zijn ogen. De tijd drong. Hij keek weer op de kaart van Harschmort, want daar hadden de dragonders van Aspiche de kisten van de samenzwering naartoe gebracht, en ging na of hij niet iets over het hoofd had gezien. Hij kon de uiterste rand van de kaart niet goed zien en draaide hem op de tafel rond dichter bij het licht. In zijn haast scheurde hij de onderste hoek eraf. Hij vloekte geërgerd en keek naar de schade. Daar stond iets geschreven. Hij keek eens beter. Het was een nummering voor een andere kaart, een

tweede kaart van hetzelfde gebied. Waarom nog een kaart? Hij ont-
hield de nummering en liep naar de *Codex*, waarin hij de verwijzing
snel opzocht. Hij begreep niet meteen wat dit te betekenen had. De
tweede kaart was onderdeel van een overzicht van gebouwen. Chang
liep snel naar het bureau, zocht de kaart in allerijl op en spreidde
hem op de tafel uit. Hij was het vergeten. Robert Vandaariff had een
gevangenis gekocht en tot zijn voorname huis laten verbouwen.

Even later had hij de aanwijzing waarnaar hij op zoek was. Het huidige huis bestond uit een ring van gebouwen rondom een open mid-
dengedeelte, waar zich een flinke formele tuin bevond in de Franse
geometrische stijl. Op de kaart van de gevangenis werd dit midden-
gedeelte ingenomen door een rond bouwwerk, dat een heleboel verdiepingen naar omlaag ging – Changs brein werkte koortsachtig om
al deze informatie te verwerken –, een panopticum van gevangeniscellen rondom een centrale observatietoren, allemaal ondergronds.
Hij keek weer naar de kaart van Vandaariffs Harschmort... Geen
spoor van te bekennen. Chang wist ogenblikkelijk dat het er nog
steeds was, onder de grond. Hij dacht aan de kamer in het instituut,
de enorme hoeveelheid buizen die over de muren naar de tafel liep
waar Angelique had gelegen. Het panopticum van de gevangenis kon
moeiteloos voor hetzelfde doel worden ingericht. Tarr Manor kon
nooit over een dergelijke locatie beschikken – de onkosten zouden
de opbrengst van een dergelijk middelgroot landgoed ver te boven
gaan. Hij liet de landkaarten voor wat ze waren en beende met de
lantaarn terug naar het boekenmagazijn. Hij wist bijna zeker dat
Celeste zich op dit moment in de omarming van die tafel in Harschmort bevond.

Toen hij Stropping binnenreed, was het inmiddels al na middernacht. Het station bood een nog veel helsere aanblik dan hij zich
herinnerde (want Chang ging niet graag de stad uit, dus het station
was steevast omgeven door irritatie en wrok): het snerpende gefluit,
de fonteinen van stoom, de nors kijkende engelen aan weerskanten
van de verschrikkelijke klok, en onder dat alles een wanhopig handjevol opgejaagde zielen, zelfs op dit uur nog, moederziel alleen onder
het gigantische ijzeren baldakijn. Chang rende naar het grote bord

waarop de aankomst- en vertrektijden, de perrons en de bestemmingen stonden, en al rennend probeerde hij uit alle macht zijn blik scherp te krijgen. Hij was halverwege de hal toen de wazige letters tot een vorm stolden die hij kon lezen: perron 12, vertrek om 12.23 uur naar Orange Canal. Het kaartjesloket was dicht – hij zou wel bij de conducteur betalen – en hij spurtte naar het perron. De trein stond er al, en uit de pijp van de rode locomotief kwam stoom.

Toen hij dichterbij kwam, zag hij met een steek van argwaan dat er een rij mooi geklede mensen – mannen en vrouwen – stond te wachten om in het achterste rijtuig in te stappen. Hij ging over op gewoon wandeltempo. Zou er weer een bal zijn? Na middernacht nog? Ze zouden pas tegen tweeën 's ochtends in Harschmort aankomen. Hij draalde wat totdat de laatste van de rij was ingestapt – hij herkende niemand – en liep toen zelf op het achterste rijtuig af, ongezien. Er was een man of twintig ingestapt. Hij keek omhoog naar de klok – het was 00.18 uur – en nam nog een minuutje de tijd, zodat zij uit het achterste rijtuig verdwenen waren, alvorens het trapje op te klimmen en in te stappen. De conducteur was er niet. Had hij de anderen naar voren begeleid? Chang liep nog een paar passen naar voren en keek om zich heen. In de achterste coupés zat niemand. Hij draaide zich om naar de deur en bleef stokstijf staan. Over de marmeren vloer van het station van Stropping kwam onmiskenbaar de gestalte van Mrs Marchmoor naar hem toe gelopen, in een dramatische zwart-met-gele jurk, en achter haar marcheerde een groepje van een stuk of vijftien in rode jas gestoken dragonders. Hun officier liep naast haar. Chang draaide zich op zijn hakken om en vloog naar voren, het rijtuig in.

De coupés waren leeg. Aan de andere kant van het gangpad trok Chang de deur open en deed hem achter zich dicht. Hij liep gestaag voorwaarts. Dit rijtuig was zo te zien ook al leeg. Dat was niet zo vreemd, gezien het late tijdstip, vooral aangezien de mensen die wel instapten één groot gezelschap leken te vormen. Ze zouden ongetwijfeld bij elkaar plaatsnemen – en Chang twijfelde er niet aan dat Mrs Marchmoor zich ook bij hen zou voegen, zodra ze tot haar tevredenheid had vastgesteld dat hij nergens te bekennen viel. Hij kwam bij het eind van het tweede rijtuig en liep door naar het derde.

Hij keek geschrokken achterom, want door de glazen deuren, twee gangpaden verderop, zag hij de rode gestalten van de dragonders. Ze waren ingestapt. Chang zette het op een lopen. Deze coupés waren ook leeg. Hij nam niet eens meer de moeite naar binnen te kijken. Hij kwam bij het eind van het derde rijtuig en bleef stokstijf staan. Deze deur was anders. Hij kwam uit op een klein open platform met aan weerskanten een uit een ketting bestaande leuning. Daarachter, een stapje verder maar, bevond zich nog een rijtuig, anders dan de andere, zwart geschilderd, met goudkleurige armaturen en met een onheilspellende deur van zwartgeschilderd staal. Chang pakte het handvat. De deur zat op slot. Hij draaide zich om en zag de rode jassen aan het eind van het gangpad. Hij zat in de val.

De trein kwam met een schok in beweging. Chang keek naar rechts en zag de grond van het station wegvallen. Zonder zich verder te bezinnen sprong hij over de ketting heen en landde met een dreun in hurkhouding op het grind, waarbij met een gemeen scherpe klap de adem uit zijn longen werd geslagen. Hij dwong zichzelf overeind te komen. De trein meerderde nog steeds vaart. Hij liep er stommelend achteraan, stuwde zijn lichaam voorwaarts en vocht tegen het gevoel dat hij zojuist een doosje spelden had ingeademd. Hij begon te rennen, wat hem verschrikkelijk veel pijn deed, met zwoegende benen, haalde het platform waar hij af gesprongen was en rende toen door naar de voorkant van het zwarte rijtuig. Voor hem verdween het spoor een tunnel in. Hij keek omhoog naar de ramen van het zwarte rijtuig, donker, met dichte gordijnen – of was het verf? Of staal? Zijn longen deden verschrikkelijke pijn. Hij zag het gat aan de voorkant van het rijtuig, maar zelfs als hij dat haalde, had hij dan wel de kracht om zichzelf op te trekken? Vol afgrijzen zag hij al voor zich hoe hij onder de wielen van de trein viel – zijn benen er binnen een tel af gemaaid, de bloedspetters, en als laatste glimp die hij van het leven opving de met roet bedekte sintels van een spoorlijn bij Stropping. Hij ging nog harder rennen. De fluit klonk. Ze waren bijna bij de tunnel. Met een golf van opluchting zag hij dat er aan het uiteinde van het rijtuig een ladder zat. Chang sprong, pakte hem beet, terwijl zijn benen vlak boven de rails zwaaiden, en trok zich als een bezetene hand over hand op – op de een of andere manier lukte hem dat zonder zijn stok te laten vallen – totdat hij een knie achter de onderste sport kon haken. Hij hijgde als een gek, en zijn longen en keel stonden in brand. De trein reed de tunnel in en hij werd opgeslokt door het duister.

Chang klampte zich uit alle macht vast en wurmde allebei zijn benen door de sporten om zijn armen te ontlasten. Zijn borst ging op en neer. Hij rochelde en spoog een paar keer in het donker, van de trein af, met een bloedsmaak in zijn mond. Zijn hoofd tolde en hij was bang dat hij elk moment kon flauwvallen. Hij pakte de ijzeren sporten steviger beet en haalde diep adem, wat hem vreselijk pijn deed. Hij werd misselijk bij de gedachte dat hij, als iemand hem gezien had, absoluut niet in staat zou zijn zichzelf te verdedigen. Hij vervloekte Rosamonde en haar blauwe poeder. Zijn longen werden vermalen als worstvlees. Hij spoog weer en kneep zijn ogen dicht van de pijn.

Hij wachtte tot hij aan het eind van de tunnel was, en dat duurde minstens een kwartier. Er kwam niemand uit het rijtuig naar buiten. De trein reed door de stad heen naar het noordoosten, langs troosteloze tuintjes en vervallen bakstenen huizen, naar de krotten van hout en teerpapier die aan de rand van de stad langs het spoor stonden. De verscholen maan bood Chang toch nog zoveel licht dat hij zag dat er nog een platform met een ketting was, die het zwarte rijtuig met het volgende verbond, waar helemaal geen deur in zat, alleen een ladder die naar de bovenste rand liep. Toen drong het tot hem door, maar dan wel met een traagheid waaraan hij merkte dat hij volkomen uitgeput was. Dit was de kolenwagon, en daarvoor de locomotief. Hij trok zijn benen los, zette zijn voet goed schrap en stak zijn hand over de lege ruimte heen uit naar de ladder van de kolenwagon. Zijn arm was iets van acht centimeter te kort. Als hij zichzelf erop stortte, wist hij bijna zeker dat hij het zou halen. Dat hij er niet eens nog een keer over nadacht was een ander teken van zijn vermoeidheid. Maar hij kon niet blijven zitten waar hij zat, en hij had er al helemaal geen fiducie in dat hij over de ketting kon springen. Hij stak zijn arm en één been uit, keek één keer naar het grind naast het spoor dat onder hem langs ratelde, waarbij de dwarsliggers een flakkerend waas vormden. Hij richtte zijn blik enkel en alleen op de ladder, haalde diep adem en sprong... en kwam precies goed terecht, met bonkend hart. Vanuit deze gunstigere hoek keek hij naar de metalen deur. Zo te zien was hij precies hetzelfde als de deur aan de andere kant: zwaar, staal, geen ramen – net zo verwelkomend als de voorkant van ongeacht welke bankkluis. Chang richtte zijn blik op de bovenkant van de ladder en begon te klimmen.

De kolenwagon was onlangs gevuld, dus de afstand van de bovenkant van de ladder naar de lading kolen bedroeg hooguit een halve meter – precies genoeg om Chang voor iedereen op het platform tussen de twee rijtuigen aan het zicht te onttrekken. Wat nog beter was, was dat het niveau van de kolen in het midden hoger was, daar waar ze in de wagon gestort waren, waardoor er een heuveltje ontstond tussen Chang en de machinisten en stokers aan de andere kant. Hij ging op zijn rug liggen en keek omhoog de middernachtelijke nevel in, terwijl de trein voortraasde en het geluid van de wielen en de stoom hard in zijn oren galmde, maar wel zo constant dat het rustgevend was. Hij draaide zich om en spoog tegen de wand van de wagon. De smaak in zijn mond liet niets aan duidelijkheid te wensen over: bloed. Hij voelde een ijle rilling van oerangst over zijn ruggengraat omhoogtrekken en dacht aan het verschrikkelijke jaar waarin hij voor het eerst de karwats over zijn ogen had gevoeld – hij was veroordeeld tot de ziekenboeg van een armenhuis, maar had gelukkig wel de koorts overleefd; al zijn gedachten zaten gevangen in de angstige ruimte tussen de persoon die hij zich herinnerde te zijn en de persoon die hij tot zijn grote schrik vreesde te worden: zwak, afhankelijk, verachtelijk. Toen hij de ziekenboeg eindelijk uit mocht en een poging deed zijn leven weer op te pakken, was de werkelijkheid nog veel erger gebleken dan zijn angst. Na de eerste dag had hij alles in de steek gelaten voor een nieuw bestaan, gedreven door bitterheid, woede en de wanhoop van hen die geen cent te makken hebben. En wat betreft de jonge edelman die hem geslagen had... Chang had indertijd niet geweten wie hij was. Hij had de klap gekregen in het studentenvertrek van een drankgelegenheid van de universiteit, te midden van een veel grotere kluwen van ruziënde studenten – en hij wist het nog steeds niet. Hij had een heel korte glimp van de man opgevangen: een scherpe kaak, een grijns vol wrede blijdschap, woeste groene ogen. De man kon net zo goed jaren geleden al aan syfilis zijn bezweken – misschien hoopte hij dat wel. Zo'n soort indruk had hij op hem gemaakt.

In de kolenwagon begon het echter allemaal opnieuw. Als zijn longen verpest waren, dan gold dat ook voor zijn middelen van bestaan. Zijn werk in de bibliotheek kon hij wel piepend doen, maar echt orde op zaken stellen – wat hij leuk vond én waar hij trots en eigenwaarde aan ontleende – was verder uitgesloten. Hij dacht aan zijn onvoorbereide avonturen van de afgelopen paar dagen en wist dat hij nooit aan de soldaat in zijn kamer had kunnen ontkomen – of uit het instituut, of aan de majoor, aan Xonck, of dat hij levend uit de handen van Rosamonde was gekomen... Als zijn lichaam er zo aan toe was, was dat allemaal uitgesloten. Hij had een nieuw leven voor zichzelf gecreëerd, met wilskracht, door te leren overleven, door zijn vak te leren (wanneer en in welke mate hij iemand kon vertrouwen, wie hij kon vertrouwen, wanneer en hoe hij iemand moest doden, wie hij moest doden, of wanneer hij iemand alleen maar een afranseling moest geven) en, wat het allerbelangrijkste was, waar hij zichzelf veilig, in een leven met afzonderlijke segmenten – werk en vrede, actie en vergetelheid – een zekere mate van menselijk contact kon toekennen. Of hij nu met Nicholas de barkeeper tussen twee drankjes door in de Raton Marine over paarden kletste of zichzelf de pijnlijke luxe toestond om toenadering tot Angelique te zoeken (de klepperende vaart van de trein deed hem aan haar accent denken – hij had gezegd dat iemand die Chinees sprak net als een goed articulerende kat klonk, en zij had daarom moeten glimlachen, omdat hij wist dat ze van katten hield), in beide gevallen stond of viel de ruimte voor al deze interacties met zijn plaats in de wereld, met zijn vermogen om voor zichzelf te zorgen. En als die nu eens verdwenen waren? Hij deed zijn ogen dicht en zuchtte. Hij dacht aan hoe het zou zijn als hij in zijn slaap overleed, als hij stikte in het bloed in zijn borst en gevonden werd wanneer de stokers de berg kolen tot hier afgegraven hadden. Hoe lang zou dat duren? Een paar dagen? Zijn lichaam zou dan naar een armengraf gaan, of gewoon in de rivier gegooid worden. Zijn gedachten dwaalden af naar dokter Svenson, en hij zag hem al voor zich hoe hij stommelend wegliep voor zijn achtervolgers

– mank, want Chang realiseerde zich vaag dat de dokter de hele tijd dat hij hem had meegemaakt mank had gelopen, hoewel hij er geen moment iets over had gezegd – hij had geen patronen meer en liet de revolver vallen... Het was met hem gedaan. Met Chang was het ook gedaan. Changs gedachten raakten op drift, en zonder dat hij er erg in had, als in een droom, zorgde zijn medeleven met de benarde situatie van de dokter ervoor dat hij zichzelf naar de worsteling over-plaatste – hij zag hoe zijn eigen handen de revolver op de grond gooiden, naar zijn stok grepen, hem uit elkaar trokken (ergens in zijn achterhoofd verbaasde hij zich erover dat de dokter zo'n wapen had) en uithaalden naar al die mannen die hem in de mist achtervolgden (of sneeuwde het nu – hij was vast zijn bril kwijt) – overal sabels, omringd door soldaten in het zwart en in het rood... Hij maaide hul-peloos in het rond, zijn wapens werden hem uit handen geslagen... De messen schoten naar hem toe als stervende schitterende vissen die uit de diepte van de zee omhoogsprongen, en hun afgrijselijke steken in zijn borst – of kwam het alleen doordat hij ademhaalde? – en toen achter hem, van heel ver weg, maar toch dringend in zijn oor, de fluisterstem van een vrouw, haar vochtige, warme adem. Angelique? Nee, het was Rosamonde. Ze zei dat hij dood was. Natuurlijk was hij dood... Een andere verklaring was er niet.

Toen Chang zijn ogen opendeed, reed de trein niet meer. Hij hoor-de het onsamenhangende gesis van de locomotief in ruste, als een mompelende getemde draak, en verder niets. Hij ging rechtop zit-ten, knipperde met zijn ogen en haalde een zakdoek te voorschijn om zijn gezicht af te vegen. Zijn ademhaling ging inmiddels gemakke-lijker, maar in allebei zijn mondhoeken en rond beide neusgaten zat een donkere korst. Die zagen er niet echt uit als opgedroogd bloed – hij kon het in het donker niet met zekerheid zeggen –, maar meer als bloed dat gekristalliseerd was, alsof het in suiker was getrokken, of als gemalen glas. Hij gluurde over de rand van de kolenwagon. De trein stond op een station. Hij zag niemand op het platform. Het zwarte rijtuig was nog steeds dicht – of wéér dicht, want hij had geen idee of er mensen uit waren gegaan of niet. Het stationsgebouw zelf was donker. Aangezien de trein niet verder leek te zullen rijden, waren ze volgens hem op het eindstation, in Orange Canal. Chang zwaaide moeizaam zijn been over de rand van de wagon en klom eruit, waarbij hij de stok onder zijn arm stak. Zijn gewrichten waren stijf, en hij keek omhoog naar de lucht; aan de hand van de stand van de maan probeerde hij te bepalen hoe lang hij had geslapen. Twee uur? Vier uur? Hij liet zich op het grind vallen en veegde zichzelf zo goed mogelijk schoon – hij wist dat de rug van zijn jas zwart was van het kolengruis. Zoals hij er nu uitzag was het uitgesloten dat hij zich langs bedienden kon bluffen, maar dat maakte niet uit. De situatie was toch niet meer te redden.

Zoals zo vaak het geval is, leek de terugreis naar Harschmort veel korter dan zijn vlucht ervandaan. Kleine herkenningspunten – een duin, een opbreking in de weg, een boomstronk – doemden vlak achter elkaar op, bijna als een soort plichtsgetrouwe rapportage, en een uiterst kort halfuur later bevond Chang zich al op een heuveltje met kniehoog gras, vanwaar hij over een vlak moerasachtig weiland naar de hel verlichte, onheilspellende muren van het landhuis van Robert Vandaariff keek. Hij liep door en overwoog een aantal verschillende opties om het huis te benaderen, gebaseerd op de delen van het huis die hij kende. De tuinen aan de achterkant waren afgegrensd met een aantal glazen deuren, waardoor je gemakkelijk binnenkwam, maar de tuin lag boven de verborgen kamer – de omgekeerde toren – en werd misschien wel goed in de gaten gehouden. De voorkant van het huis was zonder meer goed bewaakt, en de grote vleugels hadden alleen ramen die een heel eind van de grond af zaten, zoals in de oorspronkelijke gevangenis. Dus bleef alleen de zijvleugel over, waar hij een laag raam had ingeslagen om te ontsnappen, en waar eerder ook een groot deel van de geheime activiteiten was aangetroffen – in elk geval het lichaam van Trapping. Moest hij het daar dan proberen? Hij moest ervan uitgaan dat Mrs Marchmoor hen had gewaarschuwd dat hij misschien in aantocht was, ook al had ze hem in de trein niet gevonden. Dat ze hem verwachtten was een ding dat zeker was.

De wind stak op, waardoor de mist verjaagd werd, en nu viel er meer maanlicht op het terrein dat voor hem lag. Chang bleef staan, met een prikkend gevoel van argwaan in zijn nek. Hij was halverwege het weiland en zag plotseling dat het gras voor hem in smalle sporen platgedrukt was. Hier waren net nog mensen geweest. Hij liep langzaam door en zijn ogen registreerden dat deze sporen zijn pad konden kruisen. Hij bleef weer staan en liet zich op een knie zakken. Hij stak zijn stok voor zich uit en duwde het gras opzij. In de zanderige grond was nog net een stuk ijzeren ketting te zien. Chang stak de stok eronder en tilde de ketting op uit het zand. Hij was ruim een halve meter lang, en het ene uiteinde zat aan een metalen pen vast die diep in de grond gestoken was. Met iets van een vermoeid soort angst zag hij dat het andere uiteinde aan een metalen berenval vastzat, of in dit geval een mensenval, waarvan de gemene cirkel met ijzeren tanden wijd openstond, klaar om zijn been te verbrijzelen. Hij keek omhoog naar het huis, dat zich nu achter hem bevond. Hij had geen idee waar ze die dingen nog meer hadden gelegd; hij wist niet eens of ze hier begonnen waren of dat hij tot nu toe op zijn tocht alleen maar geluk had gehad. De weg lag een heel eind verderop en ernaartoe lopen was niet veiliger dan nu maar gewoon doorlopen. Hij moest het er maar op wagen.

Omdat hij niet wilde dat de punt van zijn stok zou afbreken, wurmde hij hem onder de rand van de tanden van de klem en manoeuvreerde hem tot bij de kleine gevoelige plaat. Hij tikte met de punt tegen de plaat, en de val sloeg met een gevaarlijke snelheid dicht, waarbij een gemene knal klonk. Ook al had hij het verwacht, toch schrok Chang en liepen de rillingen hem over de rug. De val sloeg gewoon ijzingwekkend snel dicht. Hij zette het op een krijsen en zette daarbij zijn hand aan zijn mond, zodat het geluid in de richting van het huis zou gaan. Hij gilde weer, wanhopig, smekend, en liet het geluid wegsterven en in gekreun overgaan. Chang glimlachte. Hij voelde zich beter nu de spanning eraf was, als een locomotief die de verzamelde stoom vrijgeeft. Hij wachtte. Hij gilde voor de derde keer, nog wanhopiger, en werd beloond met een nieuw straaltje licht in de dichtstbijzijnde muur, een deur die openging en toen een rij mannen met fakkels. Chang zorgde ervoor dat hij laag bleef en schuifelde terug naar waarvandaan hij gekomen was, naar een deel van het weiland waar het gras hoog stond. Hij liet zich op de grond vallen en wachtte tot zijn adem tot rust gekomen was. Hij hoorde de mannen al en deed heel langzaam zijn hoofd omhoog, net genoeg om hen te zien aankomen. Ze waren met z'n vieren en ze hadden allemaal een fakkel bij zich. In een opwelling zette hij zijn bril af, want hij wilde niet dat zijn brillenglazen het licht van de fakkels zouden weerkaatsen. De mannen kwamen dichterbij, en tot zijn voldoening zag hij dat ze heel behoedzaam, allemaal achter elkaar, een bepaald pad volgden, dat daardoor heel duidelijk in het gras afgetekend stond. Ze kwamen bij de dichtgeslagen val, op een meter of twintig bij hem vandaan, en het begon hun zichtbaar te dagen dat ze geen kronkelende man in het gras zagen liggen en ook verder geen gekrijs hoorden. Ze keken argwanend om zich heen.

Chang glimlachte weer. Het kolengruis absorbeerde het licht en maakte hem bijna onzichtbaar. De mannen spraken zacht met elkaar. Hij verstond niet wat ze zeiden. Dat maakte ook niet uit. Drie van hen waren dragonders, met een koperen helm op waarin het licht van de fakkels weerkaatste, maar de man vooraan was iemand van de staf, met onbedekt hoofd en jaspanden die om zijn knieën flapperden. De soldaten hielden in hun ene hand een fakkel en in de andere een sabel. De man hield een fakkel en een karabijn vast. Hij zette de fakkel in de zanderige grond en inspecteerde de val, op zoek naar bloed. De man kwam overeind, pakte zijn fakkel en tuurde heel bewust het weiland om hem heen af. Chang liet zich langzaam zakken – hij mocht het niet nu alsnog verpesten – en wachtte, terwijl hij de gedachten van de man haarscherp kon volgen, alsof hij in zijn hoofd kon kijken. De man wist dat hij in de gaten gehouden werd, maar hij had geen idee vanaf welke plek. Chang voelde in abstracte zin nog wel sympathie voor hem, maar wiens idee die vallen ook geweest waren, dit was de man die ze had geplaatst, zoveel was zeker. Chang was een moordenaar, maar hij had geen bewondering voor mensen die in doodsnood handelden. Hij nam het gezicht van de man – een brede kaak met grijze bakkebaarden en een kalende knar – bewust goed in zich op. Misschien kwamen ze elkaar binnen nog tegen.

Even later, toen het duidelijk was dat ze niet bereid waren een beetje onhandig tussen de nog niet dichtgeslagen vallen rond te zoeken, gingen ze terug naar het huis. Chang wachtte tot ze weg waren en liep toen diep gebukt en heel voorzichtig in het veilige spoor van hun voetstappen. Aan de rand van het gras, waar zijn dekking ophield, wachtte hij – vermoedelijk keken ze vanachter een verduisterd raam toe. Hij bevond zich tegenover dezelfde zijvleugel, maar kon het raam niet vinden dat hij pas twee avonden geleden had ingeslagen. Er was al nieuw glas in gezet. Chang glimlachte vals en tastte om zich heen naar een steen. Nu Mrs Marchmoor al vóór hem was gearriveerd, kon hij alleen maar binnen komen door wat stampei te veroorzaken.

Hij rolde zich om op één knie en gooide – het was een mooie, gladde steen en hij zeilde heel goed door de lucht – zo hard hij kon naar het raam rechts van de deuropening waar de mannen door naar buiten waren gekomen, en dat ging met een bevredigende klap aan diggelen. Chang rende naar het huis toe, sprong over een border met bloemen, links van de deur, en toen hij bij de muur was, hoorde hij binnen geschreeuw en vervolgens zag hij uit het kapotte raam licht stromen. De deur ging open. Hij drukte zich plat tegen de muur. Er kwam een arm naar buiten die een fakkel vasthield, en daarachteraan de man met de grijze bakkebaarden. De fakkel bevond zich tussen zijn gezicht en Chang in, en de man richtte zijn aandacht – uiteraard – op het kapotte raam, dus de andere kant op.

Chang griste de fakkel uit zijn verbijsterde hand en gaf hem een harde schop tegen zijn ribben. De man ging kreunend tegen de vlakte. Achter hem, door de deur, zag Chang een menigte dragonders. Hij hield de fakkel vlak voor hun gezichten en dwong hen achteruit, totdat hij bij de deurknop kon. Voor ze konden reageren, gooide hij de fakkel het vertrek binnen, hopelijk tegen een gordijn aan. Hij sloeg de deur dicht, draaide zich weer om naar de grijze man, die overeind kwam, en sloeg de stok tegen zijn hoofd. De man schreeuwde het uit, zowel van verbijstering over zoveel onfatsoen als van de pijn, en bracht zijn armen omhoog om de volgende klap af te weren. Dit gaf Chang de kans hem nog een keer tegen zijn ribben te schoppen en hem een zet met zijn schouder te geven, waardoor de man zijn evenwicht verloor en met nog een kreet van woede op de grond viel. Chang schoot langs hem heen en volgde de muur. Met een beetje geluk zouden de dragonders eerst voorkomen dat het huis in lichterlaaie kwam te staan en dan pas de achtervolging inzetten.

Hij ging de hoek om en bleef rennen. Harschmort vormde een soort bijna gesloten hoefijzer, en hij bevond zich helemaal aan de rechterkant. In het midden lag de tuin, en hij rende snel weg tussen de sierbomen en -hagen, waarbij hij zoveel mogelijk afstand tussen hem en zijn achtervolgers creëerde. Overdag gaf de tuin ongetwijfeld een strenge en dorre indruk, doordat de natuur onderworpen was aan de strenge regels van de geometrie. In zijn verwoede haast om te ontkomen kwam de tuin op Chang echter eerder over als een onheilspellend labyrint dat enkel en alleen was gemaakt om botsingen te veroorzaken, want door de mist en het nachtelijk duister doemden er voortdurend bankjes, fonteinen, hagen en sokkels voor hem op. Maar als hij hier aan een achtervolging kon ontsnappen, zouden ze genoodzaakt zijn zich opnieuw te verzamelen en vervolgens óveral naar hem te zoeken, en dat betekende dat er overal ook minder vijanden zouden zijn, waardoor hij nog een kans had. Hij bleef staan in de schaduw van een in rechthoekige vorm gesnoeide struik, en in zijn longen stak die vermaledijde pijn weer op, als een schuldeiser die zich niet laat afschrikken. Ergens achter hem klonken laarzen. Hij dwong zichzelf door te lopen, diep gebukt, waarbij hij er goed op lette dat hij op de graspaden bleef en niet op het grind kwam. Hij bedacht dat hij op dit moment boven de grote verzonken ruimte liep. Zou er nog ergens een ingang zijn, via de tuin? Hij had geen tijd om ernaar te zoeken – en bovendien was de mist toch te dicht – en dus sloop hij verder de tuin door, naar de andere vleugel. Daar had hij Trapping voor het eerst ontmoet, in de grote balzaal. Als de gebeurtenissen van vanavond inderdaad een meer besloten karakter hadden, waren er nu misschien geen mensen.

De laarzen kwamen onaangenaam dichterbij. Chang luisterde aandachtig, wachtte en probeerde vast te stellen hoeveel mannen het waren. Als hij het buiten tegen twee of drie dragonders met sabels moest opnemen zou hij het niet overleven, zelfs niet als er geen bloed in zijn longen kolkte. Hij liep snel langs een haag ter hoogte van zijn middel, diep voorovergebogen, en toen over een grindpaadje het volgende groepje sierstruiken in. Door die paar passen op het grind zouden ze als een roedel honden op hem af stormen, en Chang veranderde ogenblikkelijk van richting. Hij liep nu schuin op het huis en de dichtstbij gelegen glazen tuindeur toe. Hij bereikte de beschutting van nog een lage heg, luisterde naar de laarzen die achter hem samenkwamen en was blij dat ze er niet aan hadden gedacht om ook mannen om de borders van de tuin heen te sturen, zodat die hem vanaf de zijkant in de val konden lokken. Net toen Chang zichzelf feliciteerde, hoorde hij het onmiskenbare geratel van een koppelriem, ergens vóór hem. Hij vloekte binnensmonds en trok zijn stok los. Hadden ze hem gezien? Hij dacht van niet. Hij schatte in waar de man zich bevond... Vlak bij een gedrongen kegelvormige dennenboom... Chang sloop ernaartoe, muisstil. Hij liep heel voorzichtig om de boom heen en zag toen de rug van een rode jas.

Of het nu door zijn raspende ademhaling kwam of dat de geur van de blauwe kristallen zijn aanwezigheid verried, of dat het enkel en alleen door zijn eigen vermoeidheid kwam, maar zodra zijn armen naar de man toe schoten wist Chang dat er een worsteling zou volgen. Hij drukte zijn linkerhand tegen de mond van de dragonders en smoorde elk geluid, maar zijn rechterarm kwam niet goed langs de schouder van de man en dus zat zijn mes niet meteen op de goede plaats. De man spartelde, zijn koperen helm viel op het gras en zijn sabel zwaaide om ergens houvast te krijgen. Een tel later trok Chang hem omver en plantte hij de rand van de dolk in 's mans keel... Op hetzelfde moment zag hij ook dat de man wiens leven in zijn handen lag Reeves was.

Wat deed het ertoe? Het vierde regiment dragonders waren zijn vijanden, bezoldigde lakeien van corrupte en slechte mensen. Maakte het hem wat uit of Reeves onder valse voorwendels door hen was aangenomen? Chang dacht eraan hoe vriendelijk de man in het ministerie was geweest en wist het antwoord, net zoals hij wist dat elk verbond met Smythe in rook zou opgaan als hij nu dragonders begon te vermoorden. In de tijd die nodig was om zijn mond vlak bij Reeves' oor te brengen schoten al deze gedachten door Chang heen – maar tegelijkertijd schatte hij ook in waar de andere dragonders zouden zijn en hoeveel lawaai hij maakte.

375

'Reeves,' fluisterde hij, 'verroer je niet. Zeg geen woord. Ik ben niet je vijand.' Reeves hield op met spartelen. Chang wist dat het misschien maar een paar seconden zou duren voordat ze gevonden werden. 'Ik ben het: Chang,' siste hij. 'Ze hebben tegen je gelogen. Er is een vrouw in het huis. Ze gaan haar vermoorden. Wat ik zeg is de waarheid.'

Hij liet hem los en deed een stap achteruit. Reeves draaide zich om; zijn gezicht was bleek en zijn hand dwaalde omhoog naar zijn keel. Chang sprak op dringende fluistertoon verder.

'Is kapitein Smythe op Harschmort?'

Een scherp geluid trok hun aandacht. Reeves draaide zich om. Over zijn schouder zag Chang de grijze kalende man met de karabijn uit de schaduw van de hagen naar voren komen, samen met een kluitje dragonders. Ze waren een flink eind bij hen vandaan – iets van twintig meter.

'Jij daar!' riep de man. 'Staan blijven!'

De man drukte de karabijn tegen zijn schouder en richtte. Reeves draaide zich om naar Chang, met een en al verwarring op zijn gezicht, en net op dat moment echode het schot uit de karabijn door de tuin. Reeves kromde zijn lichaam in een afschuwelijke stuiptrekking en klapte met een van pijn vertrokken gezicht dubbel tegen Chang aan. Chang keek op en zag de man met de karabijn de patroon weggooien en een nieuwe in het magazijn stoppen. Hij sloeg de grendel dicht en bracht het wapen omhoog. Chang liet Reeves vallen – wiens benen zachtjes schopten, alsof daarmee de schade van de kogel ongedaan gemaakt kon worden – en dook weg achter de boom.

Het volgende schot vloog langs hem heen de nacht in. Chang zette het op een lopen, dwars door heggen heen, en probeerde bij het huis te komen. Hij had niet de illusie dat het daar veiliger zou zijn, maar daar was in elk geval minder gelegenheid om te schieten. Er klonk een derde schot, dat vlak langs hem heen floot, en toen een vierde, maar waar dat naartoe ging was hem niet duidelijk... Had hij ze dan even van zich af weten te schudden? Hij hoorde de man tegen de soldaten blaffen. Hij kwam bij de rand van de tuin, bleef staan en hapte naar adem. Tussen de plek waar hij op zijn hurken zat en de dichtstbijzijnde glazen deur was een open strook gras van misschien vijf meter breed. Gedurende de tijd die hij nodig had om bij de deur te komen en die – op wat voor manier ook – open te krijgen, zou hij geen enkele dekking hebben. Dat was een veel te groot risico. Hij zou ter plekke neergeschoten worden. Hij keek achterom – hij voelde dat de dragonders dichterbij kwamen. Er moest een andere manier zijn.

Maar er kwam niks in Chang op. Hij was uitgeput van de pijn, vermoeidheid en de plotselinge moord op Reeves. Hij keek naar de glazen deuren en maakte zich klaar – bespottelijk genoeg – voor een roekeloze, suïcidale spurt. Ze wachtten tot hij zich zou laten zien. Boven de glazen deuren rezen twee verdiepingen massief graniet op, en daarna kwam er pas een elegant erkerraam met uitzicht over de tuin. Het was uitgesloten dat hij daarbij kon komen. Hij kon zich het prachtige uitzicht vanuit dat raam al helemaal voorstellen. Misschien was het wel de kamer van Lydia Vandaariff zelf. Misschien wemelde het er wel van de kussens en zijden stoffen. Ze was een mooie jonge vrouw, wist hij nog van zijn bezoekje aan Harschmort. Hij vroeg zich doelloos af of ze nog maagd was, maar toen doemde met een golf van walging het beeld van Karl-Horst voor hem op, die haar besteeg en als een pauw kraaide. De gedachte bracht hem tot zijn afgrijzen ogenblikkelijk terug bij Angelique, bij de steeds pijnlijkere afstand tussen hen en bij het feit dat hij niet in staat was geweest haar te behouden. In zijn verstrooide geest kwamen de laatste woorden van 'Christina' van DuVine op, en hij deed zijn ogen dicht.

Wat is de aantrekking van een planeet voor de zwaartekracht van de liefde?
Wat is de stroom van de tijd voor haar ondoorgrondelijke hart?

Chang schudde zijn wanhoop met een ruk van zijn schouders van zich af – hij dwaalde weer af – en merkte dat hij naar zichzelf in het raam staarde. Er was iets mis met zijn spiegelbeeld. Door de vreemde hoek van het glas kon hij een deel van de tuin achter zich zien... en de mistflarden die opbolden in de wind. Hij fronste zijn wenkbrauwen. Er stond voor zover hij voelde helemaal geen wind in de tuin, in elk geval niet zoveel wind dat hij voor die beweging kon zorgen.

Hij draaide zich om en probeerde erachter te komen welk deel van de tuin weerspiegeld werd. Zijn hart raakte vervuld van hoop. De wind kwam van beneden.

Chang sloop langs de rand van de tuin verder, op de omzomende grasstrook, tot hij de mistflarden zag bewegen, stak hem over en zag een rij van vier grote stenen urnen, allemaal net zo hoog als hijzelf. Drie ervan waren getooid met de verwelkte stelen van seizoensbloemen. De vierde was leeg en het was duidelijk dat hier de gestage stroom warme lucht vandaan kwam. Hij legde zijn handen op de rand en ging op zijn tenen staan om naar binnen te turen. De warme lucht stonk en prikkelde het rauwe vlees in zijn mond en longen. Hij kreunde en deed een stap achteruit – zijn handen waren bedekt met een bleke laag kristalachtig poeder, veroorzaakt door de chemische uitstoot. Chang knielde neer en haalde zijn zakdoek te voorschijn. Die bond hij voor zijn gezicht, hij stond weer op en keek nog één keer de tuin rond. Hij zag niemand; ze wachtten nog steeds tot hij naar het huis zou rennen. Hij stak de stok onder zijn arm, hees zichzelf omhoog en zwaaide een been over de rand van de urn. Hij keek erin omlaag. Vlak onder zijn laars bevond zich dwars door de urn een houten rooster, ook bedekt met chemische aanslibsels, aangebracht om te voorkomen dat bladeren en takken uit de tuin die ertegenaan gewaaid waren – en nu een dun laagje ijzig blauw vertoonden – in de pijp geblazen werden. Chang bukte zich en schopte één keer heel hard tegen het rooster. Zijn voet ging er met hoorbaar gekraak doorheen. Hij schopte nog een keer en trapte daarmee het hele geval in. Achter hem klonken geluiden van de dragonders; ze hadden hem gehoord, ze kwamen op het geluid af. Hij liet zich helemaal naar binnen vallen, verdween daarmee uit beeld en trok de laatste beetjes van het rooster met zijn armen weg. Hij gleed naar de onderkant van de urn en drukte zijn benen tegen de zijkanten om te voorkomen dat hij in het donkere gat omlaaggleed. Hij had geen idee hoe ver het doorging, of het een grote afstand was, of dat hij in een oven uitkwam, maar hij wist dat het in elk geval beter was dan in de rug geschoten worden. Hij liet zich in de pijp zakken – de stalen zijkanten voelden warm aan –, tot hij aan zijn handen aan de onderrand van de urn hing.

Chang liet zich vallen.

ZES

De steengroeve

Toen dokter Svenson voor de gapende ingang van station Stropping uit het rijtuig stapte, was hij met zijn gedachten ergens anders. Tijdens zijn rit vanaf Plum Court had hij zijn gedachten de vrije loop gelaten, aangespoord door het ontroerende karakter van de roekeloze jacht van Miss Temple op een verloren geliefde, en waren ze afgedwaald naar het verdriet en de grillen van zijn eigen leven. Toen hij de volle trap af liep, tuurde hij werktuiglijk de mensenmassa af op zoek naar een kleine gestalte met kastanjebruine pijpenkrullen en een groene jurk, maar zijn hoofd was overspoeld met een uitzonderlijk strenge vorm van Scandinavische verwijten die hij van zijn afkeurende vader had geërfd. Wat had hij van zijn leven gemaakt? Toch niet meer dan een onopgemerkt dienstverband bij een verachtelijke hertog en diens nog verachtelijkere nazaat? Hij was achtendertig jaar. Hij zuchtte en liep de stationsvloer op. Zoals altijd concentreerden zijn spijtgevoelens zich op Corinna.

Svenson probeerde zich te herinneren wanneer hij voor het laatst op de boerderij was geweest. Drie winters geleden? Dat leek wel het enige seizoen waarin hij het kon opbrengen er langs te gaan. Op elk ander moment, wanneer er leven of kleur in de bomen was, deed hij hem te zeer aan haar denken. Hij was op zee geweest en had haar bij thuiskomst dood aangetroffen, gestorven aan een epidemie van 'bloedkoorts', die in het dal had gewoed. Ze was een maand ziek geweest, maar niemand had hem geschreven. Hij zou zijn schip ervoor in de steek gelaten hebben. Hij zou naar haar toe gegaan zijn en haar alles hebben verteld. Had zij geweten wat hij voelde? Hij wist zeker dat ze dat geweten had, maar wat had er in háár hart gespeeld? Ze was zijn nicht. Ze was nooit getrouwd geweest. Hij had haar één keer gekust. Ze had naar hem opgekeken en zich toen van hem losgemaakt... Er ging geen dag voorbij dat hij niet even een moment vond om zichzelf te kwellen... Geen dag, al zeven jaar niet. Bij zijn laatste bezoek waren er nieuwe pachters geweest (een onenigheid met zijn oom had Corinna's broer van het land verjaagd en de stad in gedreven) en hoewel ze Svenson beleefd hadden begroet en hem een kamer hadden aangeboden toen hij had uitgelegd dat hij familie was, merkte hij dat hij er kapot van was dat er mensen in haar huis woonden die niet wisten – het zich niet konden herinneren, er geen mooi plekje voor in hun hart hadden – wie er in de boomgaard begraven lag. Hij was overspoeld door een intens gevoel van verlatenheid, waarvan hij zich zelfs midden in zijn huidige beslommeringen niet had weten te bevrijden. Ongeacht waar hij was geweest, was zij zijn thuis geweest, zowel bij leven als onder de grond. De volgende dag was hij terug naar het paleis gereden.

Sindsdien was hij naar Venetië, naar Bern en naar Parijs geweest, allemaal ten dienste van baron Von Hoern. Hij had zijn werk goed gedaan – zo goed dat hij nog meer taken toebedeeld had gekregen, in plaats van teruggestuurd te worden naar een ijskoud schip – en hij had zelfs mensen het leven gered. Niet dat het ertoe deed. In gedachten was hij bij haar.

Hij slaakte weer een diepe zucht en realiseerde zich dat hij geen flauw idee had waar Tarr Manor lag. Hij liep naar de loketten en ging in een van de rijen staan. Het station gonsde van de bedrijvigheid, als een wespennest waar een gemeen kind een schop tegen gegeven heeft. Op de gezichten om hem heen stonden ongeduld, zorgen en vermoeidheid te lezen, en de mensen waren één in hun wanhopige poging om hun trein te halen, welke dat ook mocht zijn, en stroomden in onhandige kluitjes onophoudelijk heen en weer, als de luidruchtige bloedsomloop van een groot opgezwollen mythisch wezen. Van Miss Temple was geen spoor te bekennen, en het was zo druk op het station dat hij alleen maar kon hopen dat hij de trein zou vinden die zij wilde nemen, en dat hij haar daarin dan kon zoeken. Hij stak nog een sigaret op en toen hij die voor eenderde had opgerookt, stond hij vooraan in de rij. Hij boog zich naar de loketbediende toe en legde uit dat hij naar Tarr Manor moest. De man schreef ogenblikkelijk een treinkaartje uit, stak hem dat door de opening in het glas toe en zei hoeveel het was. Svenson diepte geld uit zijn zak op en schoof dat door de opening, tellend, muntje voor muntje. Hij pakte het kaartje, waar 'Floodmaere, 15.02' op stond, en boog zich weer naar voren.

'Bij welke halte moet ik uitstappen?' vroeg hij.

De loketbediende keek hem met onverholen minachting aan. 'Het dorp Tarr,' antwoordde hij.

Svenson besloot dat hij de conducteur straks wel kon vragen hoe lang de reis zou duren, en liep de stationshal in, terwijl hij om zich heen keek en het juiste perron zocht. Dat lag aan de andere kant van de grote hal. Hij keek omhoog naar de afzichtelijke klok en meende dat hij niet hoefde te rennen. Zijn enkel gedroeg zich en hij had geen zin om die onnodig te belasten. Hij keek onderweg nadrukkelijk in alle kraampjes – eten, boeken, kranten, iets te drinken –, maar zag nergens ook maar een spoor van Miss Temple. Toen hij eenmaal bij de trein zelf aankwam, was het hem duidelijk dat Floodmaere niet bepaald de meest illustere bestemming was. Aan een kolenwagon en een locomotief die beslist betere tijden had gekend zaten maar twee rijtuigen vast. Svenson keek nog een keer goed of hij niet een vrouw in het groen zag – of ergens een glimp groen opving –, maar nee. Hij knipte zijn sigarettenpeuk weg en stapte in het achterste rijtuig; hij had er vrede mee dat dit een onzinnige onderneming was en dat Chang haar wel zou vinden. Daar betrapte hij zichzelf toch. Vanwaar die opvlammende jaloezie, die – dat moest hij toegeven – bokkige bezitterigheid? Omdat hij haar eerder had leren kennen dan Chang? Maar dat was niet zo… Zij hadden elkaar in de trein gezien. Hij schudde zijn hoofd. Ze was nog zo jong… en Chang – een regelrechte schurk… verwilderd bijna… Niet dat Chang en hij in de verste verte een partij voor haar waren… Niet dat dat ook maar in hem zou opkomen… of dat hij daar bewust naar kon verlangen… Nee, dit was te bespottelijk voor woorden.

Een grijzende, ongeschoren conducteur, met een gezicht dat eruitzag alsof er pasta op gestippeld was, griste Svensons kaartje uit zijn hand en gebaarde bruusk dat hij naar voren moest lopen. Dat deed

Svenson maar, want hij dacht dat hij later wel bij de man kon informeren naar aankomsttijden, terugreis en andere reizigers. Het was beter als hij haar zelf vond, zo mogelijk zonder de aandacht te trekken. Hij liep het gangpad van het eerste rijtuig door en keek bij elke coupé even naar binnen. Ze waren leeg, op de achterste na, waar een talrijke zigeunerfamilie in zat, en in elk geval één krat met niet nader geïdentificeerd gevogelte.

Hij liep het tweede en laatste rijtuig in, waar het voller was en elke coupé bezet was, maar ook hier geen Miss Temple. Hij ging aan het eind van het gangpad staan en zuchtte. Het leek een nutteloze onderneming – moest hij alsnog uitstappen? Hij liep terug naar de conducteur, die hem met een reptielachtige uitdrukking van kille afkeer zag aankomen. Svenson zette zijn monocle voor zijn oog en glimlachte beleefd.

'Neemt u mij niet kwalijk. Ik ga met deze trein naar het dorp Tarr en ik had gehoopt een bekende tegen te komen. Zou het kunnen zijn dat ze een eerdere trein heeft genomen?'

'Natuurlijk kan dat,' zei de conducteur vinnig.

'Ik ben niet helemaal duidelijk. Wat ik bedoel te vragen is: wanneer is de laatste trein, de vorige trein, vertrokken, die die bekende van mij genomen kan hebben?'

'Om 14 uur 52,' zei hij, alweer vinnig.

'Dat is tien minuten vóór deze trein.'

'Ik hoor het al: u bent leraar wiskunde.'

Svenson glimlachte geduldig. 'Dus er is nog maar net een andere trein vertrokken die ook in Tarr stopt?'

'Zoals ik al zei: ja. Verder nog iets?'

Svenson negeerde hem en woog alle mogelijkheden af. Het was mogelijk, als haar rijtuig voort had gemaakt, dat Miss Temple de trein van 14.52 uur had gehaald. Als dat het geval was, moest hij met deze trein achter haar aan, in de hoop dat hij haar op het station van Tarr zou inhalen. Maar als ze hier helemaal niet naartoe was gegaan – als ze nog steeds in de stad was – moest hij naar het huis van Roger Bascombe, of naar het ministerie, om Chang waar hij kon te helpen. De conducteur sloeg zijn besluiteloosheid met zichtbaar genoegen gade.

'Meneer?'

'Ja, dank u. Ik heb informatie nodig over mijn terugreis van morgen...'

'Die kunt u het best bij de stationsmeester zelf bekomen, is mijn ervaring.'

'Bij de stationsmeester van Tarr?'

'Precies.'

'Prima, dan zal ik dat doen. Dank u wel.'

Svenson draaide zich om en beende de gang door naar het tweede rijtuig, terwijl de conducteur hoorbaar achter hem snoof. Hij had bepaald geen vertrouwen in zijn keuze, maar als er ook maar een kleine kans was dat zij hierheen was gegaan, moest hij haar achterna. Hij kon op het station naar haar vragen – ze moesten haar daar toch gezien hebben – en als ze niet was komen opdagen, zou hij meteen de volgende trein terug nemen. Hij zou op z'n hoogst een paar uur vertraging oplopen. En in het slechtste geval zou hij Chang de volgende ochtend op Stropping aantreffen – als hij geluk had met Miss Temple aan zijn zij.

Hij keek even in de eerste coupé en zag dat er een man en een vrouw in zaten, aan één kant naast elkaar. Aangezien de zitplaatsen tegenover hen leeg waren, trok hij de deur open, knikte hen toe en installeerde zichzelf bij het raam. Hij liet de monocle in zijn zak glijden en wreef in zijn ogen. Hij had hooguit twee uur geslapen. Zijn bedrukte stemming werd nu verergerd door het vermoedelijk zinloze karakter van zijn reis, en hij voelde een vage sombere afkeur voor het roekeloze gevaar waar Miss Temple zichzelf, en hen allemaal trouwens, in had gestort zonder een echt plan of enig inzicht in de situatie. Hij vroeg zich af of hun signalement aan de politie was doorgegeven. Was deze samenzwering zo zeker van zijn zaak dat men de sterke arm durfde in te schakelen? Hij snoof minachtend – voor alle praktische doeleinden waren zíj de sterke arm... Crabbé had een regiment tot zijn beschikking, Blach had zijn cavaleristen... Svenson kon alleen maar hopen dat een trein naar het platteland hem uit hun onmiddellijke invloedssfeer bevrijdde. De machinist floot en de trein zette zich in beweging.

Hooguit een minuut later was de trein het station uit en reed een tunnel binnen. Toen ze er in een smalle trog van beroete bakstenen gebouwen weer uit kwamen, maakte Svenson van de gelegenheid gebruik om zijn reisgenoten eens goed te bekijken. De vrouw was jong, misschien nog jonger zelfs dan Miss Temple, met haar in de kleur van licht bier, dat onder een blauwzijden mutsje gestopt zat. Haar huid was wit en haar wangen waren roze – ze had zo uit Mecklenburg kunnen komen – en in haar ietwat dikkige vingers hield ze stevig een zwart boek op haar schoot vast. Hij glimlachte naar haar. In plaats van terug te glimlachen keek ze snel naar de man, die dokter Svenson op zijn beurt met woedende argwaan aankeek. Hij was ook blond – Svenson vroeg zich af of het misschien broer en zus waren – en hij had het potsierlijke, broodmagere voorkomen van een ondervoed paard. Zijn armen waren lang en zijn handen, waarmee hij zijn knieën vasthield, groot. Hij had een bruin gestreept pak aan en een crèmekleurige das om. Op de zitplaats naast hem had hij een hoge bruine hoed neergelegd. Terwijl de man hem openlijk zat te bekijken, zag Svenson onwillekeurig dat hij een slechte huid had en dat hij kringen onder zijn ogen had – hoogstwaarschijnlijk als gevolg van zelfbevlekking.

Dokter Svenson was iemand die over het algemeen inschikkelijk was en in elk geval in gesprek altijd vriendelijk, en dus duurde het even voordat hij zich realiseerde dat het stel hem met onverholen haat bekeek. Hij keek weer naar hun gezichten en wist zeker dat hij hen nog nooit eerder had ontmoet... Zou het kunnen zijn dat hij enkel en alleen met zijn aanwezigheid hun privacy verstoorde? Misschien was de man van plan geweest een huwelijksaanzoek te doen? Of misschien speelde er iets louches... In Venetië had hij een keer een gehavend boek gekocht vol sensationele verhalen over de lichamelijke genoegens die verschillende vervoersmiddelen met zich meebrachten – treinen, schepen, paardenwagens, paarden, zeppelins – en ondanks zijn vermoeidheid moest hij net denken aan de details van een kamelenkaravaan (het had iets te maken met het unieke ritme van de tred van dat dier...), maar op dat moment sloeg de jonge vrouw tegenover hem haar boek open en begon hardop voor te lezen.

'In de tijd van de verlossing zullen de rechtschapenen als lantaarns in de nacht zijn, want door hun licht kunnen de goddelozen van de gelovigen onderscheiden worden. Kijk goed in de harten van de mensen om u heen en verkeer alleen met de heiligen, want de steden van de wereld zijn het rijk van de levende zonde, en zullen gestraft worden met de geseling van de Heer. Verdorven werktuigen zullen kapotgegooid worden. Het onreine huis zal afbranden. De bezoedelde beesten zullen geslacht worden. Alleen de gezegenden, die hun hart al voor de zuiverende vlam hebben opengesteld, zullen overleven. Zij zullen een paradijs van de wereld maken.'

Ze deed het boek dicht, hield het wederom stevig met beide handen beet en keek met halfdichtgeknepen afkeurende ogen naar de dokter. Door haar stem, die net zo lieflijk klonk als gebroken aardewerk, herkende hij nu veel beter de starre stupiditeit in haar gelaatstrekken, waar hij eerst alleen een neutrale, slome onbewogenheid had willen zien. Haar medereiziger greep zijn knieën nog steviger vast, alsof het reden voor verdoemenis zou zijn als hij ze losliet. Svenson zuchtte – hij kon er niks aan doen –, maar in deze stemming kon hij niet echt goed antwoord geven.

'Wat een bevredigende preek,' begon hij. 'Maar... als u paradijs zegt' – de vrouw tuitte haar mond, zo schrok ze ervan dat hij het lef had antwoord te geven – 'hebt u het dan over de situatie vóór de zondeval, toen men nog geen schaamte kende en verlangen onbezoedeld zijn loop nam? Dát zou pas verrukkelijk zijn. Het heeft me altijd een slim staaltje van Gods wijsheid geleken dat hij ieder van ons die gered is de onschuld en de vreugde van bronstige beesten op de weg – of, wie weet, in een treincoupé – geeft. Het gaat natuurlijk om de zuiverheid van de beleving. Ik dank de Heer elke minuut van de dag. Ik ben het volledig met u eens.'

Hij haalde nog een sigaret uit zijn zak. Ze reageerden niet, maar tot zijn voldoening zag hij dat ze grote ogen van gêne hadden opgezet. Hij zette zijn monocle weer voor, knikte en zei: 'Neemt u mij vooral niet kwalijk...,' en liep het gangpad op.

Zodra Svenson buiten stond, zocht hij een lucifer en stak zijn sigaret aan. Hij ademde diep in en probeerde zijn verstrooide gedachten na deze bespottelijke onderbreking weer op een rijtje te krijgen. De trein snelde voort in noordelijke richting, en langs het spoor zag hij bouwvallen, puin en gehavende boomstronken. Hij zag groepjes mensen om kookvuren staan en haveloze kinderen rondrennen, met opgewonden honden achter zich aan. Een paar tellen later was dat allemaal weg en vloog de trein door een weelderig koninklijk park, toen langs een pleintje met witstenen monumenten die hem aan Frankrijk deden denken. Hij blies de rook tegen het glas en dacht aan de verschillen tussen reizen over land en over zee – de relatieve dichtheid en afwisseling die je op land zag versus het schaarse karakter van zelfs het rijkste zeegezicht. Het was natuurlijk ironisch dat de relatieve overdaad van het land hem van zijn gedachten onthief – hij vond het al genoeg om het gewoon voorbij te zien komen –, terwijl de eentonigheid van de zee hem naar binnen keerde. Het leven op land – hoewel hij er blij mee was, in een soort noordelijke zelfkritiek – kwam hem nu op de een of andere manier als een lui leven voor, en verstoken van de hogere doelen van een ethisch kritische blik, van filosofische contemplatie, die de zee een mens opdrong. Het stel in de coupé – apen eigenlijk – was een uitstekend voorbeeld van landgebonden zelfgenoegzaamheid. Zijn gedachten dreven af naar Corinna en naar haar leven op het platteland – hoewel ze zo gretig gelezen had dat het wel leek alsof ze een hele oceaan in haar hoofd met zich meedroeg, want precies hierover hadden ze met elkaar gesproken. Ze had altijd beloofd dat ze bij hem langs zou komen en mee naar zee zou gaan… Dokter Svenson bande deze gedachten uit en probeerde aan iets anders te denken, aan Miss Temple. Hij vermoedde dat haar eigen ervaring met de zee, op een eiland en op haar overtocht, het deel van haar karakter dat hij het opvallendst vond gevormd moest hebben.

Hij dwong zichzelf het gangpad door te lopen, waarbij hij weer de coupés in keek – misschien kon hij ergens zitten waar hij wat meer welkom was. De andere passagiers vertegenwoordigden zonder meer een breed scala: kooplieden met hun vrouw, een groepje studenten en een aantal beter geklede dames en heren die Svenson niet herkende, maar die hij onwillekeurig toch met grote argwaan in ogenschouw nam (want dat was de wereld van Lacquer-Sforza,

Xonck en d'Orkancz). Bovendien zaten er zo te zien in elke coupé stelletjes, mannen en vrouwen – soms meer dan één –, maar nooit een reiziger in zijn eentje, met uitzondering van één coupé, waarin één man en één vrouw zaten, allebei aan een andere kant en zonder een woord met elkaar te wisselen. Svenson trapte zijn sigaret op de vloer van het gangpad uit, ging zijn coupé binnen en knikte toen beiden van het geluid opkeken.

Ze zaten allebei aan hun kant bij het raam, dus dokter Svenson nam plaats aan de kant van de man, het dichtst bij de deur. Toen hij eenmaal zat, voelde hij meteen hoe moe hij was. Hij deed zijn monocle uit, wreef met een wijsvinger en duim in zijn ogen, zette hem weer voor en knipperde als een verdoofde hagedis. De man en de vrouw keken discreet naar hem, niet met de vijandigheid van het stel in de eerste coupé, maar meer met de milde, beschaafde berisping in de vorm van argwaan die heel normaal is als je betrekkelijke eenzaamheid in het openbaar vervoer door een vreemde wordt verstoord. Svenson glimlachte eerbiedig en vroeg, bij wijze van olijftak, aangeboden in de vorm van conversatie, of zij deze verbinding met Floodmaere kenden.

'En dan met name,' voegde hij eraan toe, 'of u misschien weet hoe ver het is naar het dorp Tarr, en hoeveel haltes dat nog is.'

'Gaat u naar Tarr?' vroeg de man. Hij was een jaar of dertig en had een scherp gesneden pak van onbestemde kwaliteit aan, alsof hij de klerk van een advocaat van gemiddeld aanzien was. Hij droeg zijn zwarte haar met een scheiding in het midden en aan weerskanten plat gepommadeerd, en de strenge tanden van zijn kam hadden voren van bleke schilferende hoofdhuid blootgelegd, die contrasteerden met zijn rood aangelopen wangen. Was het dan zo warm in de coupé? Svenson vond van niet. Hij draaide zich om naar de vrouw – een dame van ongeveer zijn leeftijd, met haar bruine haar in een strakke knot op haar achterhoofd gevlochten. Ze had een eenvoudige, maar mooi gemaakte jurk aan – gouvernante van hooggeplaatste snotapen? – en ze droeg haar leeftijd met een aantrekkelijke openhartigheid die Svenson meteen onweerstaanbaar vond. Waar zat hij met zijn gedachten? Eerst Corinna, toen Miss Temple, de bronstige honden uit het paradijs en nu lonkte hij naar elke vrouw die hij zag. De dokter sprak zichzelf ernstig toe, maar nog terwijl hij dat deed bestudeerde hij de strak ingebonden deining van haar boezem. En op hetzelfde moment keek hij naar de vrouw en voelde vaag iets van herkenning prikkelen. Had hij haar al eens eerder gezien? Hij schraapte zijn keel en antwoordde kwiek.

'Jazeker, al ben ik er nog nooit eerder geweest.'

'Wat voert u daar dan naartoe, mijnheer...?' De vrouw glimlachte beleefd. Svenson beantwoordde de glimlach met alle genoegen – hij had geen idee waar hij haar eerder gezien kon hebben, misschien op straat, misschien wel daarnet in het station – en hij deed zijn mond open om antwoord te geven. Precies op dat moment, toen hij het gevoel had dat zijn bedrukte stemming weleens kon wegtrekken, viel zijn oog op het zwartleren boek dat op haar schoot lag. Hij keek even naar de man. Hij had er ook een bij zich; het stak opzij uit zijn jaszak. Was dit een trein vol puriteinen?

'Blach... Kapitein Blach. U zult aan mijn accent wel horen dat ik niet uit dit land kom; ik kom uit het graafschap Mecklenburg. Misschien hebt u gelezen over de verloving van de kroonprins van Mecklenburg met mejuffrouw Lydia Vandaariff – ik maak deel uit van het gevolg van prins Karl-Horst.'

De man knikte begrijpend; de vrouw leek helemaal niet op Svenson te reageren, en haar gezicht behield zijn vriendelijke uitdrukking terwijl daarachter haar gedachten leken te malen. Wat had dat te betekenen? Wat wisten zij? Daar wilde dokter Svenson achter zien te komen. Hij boog zich samenzweerderig naar voren en dempte zijn stem.

'En wat mij daarheen voert zijn ijzingwekkende gebeurtenissen... IJzingwekkende gebeurtenissen in de wereld – u begrijpt ongetwijfeld wel wat ik bedoel. De steden van de wereld... Die zijn toch maar het rijk van de levende zonde. Wie zal er verlost worden?'

'Ja, wie?' echode de vrouw rustig, met een zekere weloverwogen behoedzaamheid.

'Ik reisde met een vrouw,' ging Svenson verder. 'Mij is de gelegenheid ontnomen – misschien moet ik maar niet meer over haar zeggen – om deze dame te treffen. Het zou kunnen dat ze zich genoodzaakt zag een trein eerder te nemen. Daarbij is mij mijn' – hij knikte naar het boek dat op de schoot van de vrouw lag – 'laten we zeggen, mijn *gids* ontnomen.'

Lag dit er te dik bovenop? Dokter Svenson voelde zich bespottelijk, maar de man reageerde erop door zo te verschuiven dat hij hem recht aankeek, en hij boog zich met een ernstig bezorgd gezicht naar voren.

'De gelegenheid ontnomen? Hoe dan? En door wie?'

Dergelijke intriges – toneelspelen en liegen – gingen dokter Svenson nog niet erg gemakkelijk af. Zelfs bij zijn werk voor baron Von Hoern gaf hij de voorkeur aan discretie, pressie en tact boven wat voor huichelarij ook. Nu had hij te maken met een man die openlijk te kennen gaf dat hij er meer over wilde weten, maar als arts had hij ruimschoots ervaring met het voorwenden van geloofwaardig gezag, op momenten wanneer hij zich hulpeloos en onwetend voelde. (Hoeveel ten dode opgeschreven mensen hadden hem al gevraagd of ze doodgingen? Tegen hoevelen van hen had hij gelogen?) Dus hij kon zijn acute aarzeling – hij moest toch íets zien te bedenken – doen voorkomen als het getroebleerde moment waarop hij bepaalde of hij hun zijn verhaal kon toevertrouwen. Hij keek even naar het gangpad en boog zich toen op zijn beurt naar voren, alsof hij daarmee wilde zeggen dat het alleen in hun coupé veilig was, en begon toen te praten, maar nauwelijks luider dan op fluistertoon.

'Er zijn een paar mannen gestorven, en misschien ook een vrouw. Er is een verbond op poten gezet, dat in de schaduw opereert, onder leiding van een vreemde in het rood geklede man, een halfblinde Chinees, die levensgevaarlijk is met een mes. De prins is in het Koninklijk Instituut aangevallen en het belangrijke werk dat daar gedaan werd is verstoord... Het glas... Weet u... Hebt u... het blauwe glas gezien?'

Ze schudden allebei hun hoofd. De moed zonk Svenson in de schoenen. Had hij hen dan volledig verkeerd ingeschat?

'U weet toch van lord Tarr... dat hij...'

De man knikte heftig. 'Verlost is, ja.'

'Precies.' Svenson knikte, nu weer wat zelfverzekerder – maar was deze man soms gestoord? 'Binnen een paar dagen is er een nieuwe lord Tarr. De neef. Hij is een vriend van de prins... een vriend van ons allemaal...'

'Wie heeft u ervan weerhouden uw dame te treffen?' vroeg de vrouw met enige aandrang. Nog steeds dat knagende gevoel dat hij haar al eens eerder gezien had. Het had iets te maken met de ietwat schuine stand van haar hoofd wanneer ze een vraag stelde.

'Agenten van de Chinees,' antwoordde Svenson, en nog terwijl hij het zei voelde hij zich belachelijk. 'We waren genoodzaakt allebei een ander rijtuig te nemen. Ik hoop maar dat alles goed met haar is. Die mannen kennen geen genade. We zouden, zoals u weet, samen reizen, zoals afgesproken...'

'Naar het dorp Tarr?' vroeg de man.

'Precies.'

'Zou het kunnen dat een van die agenten in deze trein is gestapt?' vroeg de vrouw.

'Ik geloof van niet. Ik heb ze niet gezien. Volgens mij was ik de laatste die instapte.'

'Dat is alvast iets.' Ze slaakte een zuchtje van opluchting, maar ontspande haar schouders niet en bleef ook behoedzaam kijken.

'Waaraan kunnen we die agenten herkennen?' vroeg de man.

'Dat is het 'm nou net... Ze dragen geen uniform, maar zijn wel onbetrouwbaar en doortrapt. Ze zijn doorgedrongen tot het gevolg van de prins en hebben een van onze mensen voor hun zaak gewonnen: dokter Svenson, nota bene de lijfarts van de prins!'

De man ademde met opeengeklemde tanden in, wat een afkeurend gesis gaf.

'Ik vertel het aan u,' ging Svenson verder, 'maar eigenlijk mag verder niemand het weten... Het kan zijn dat er niks aan de hand is, en ik wil niet graag opschudding veroorzaken, of het openlijk kenbaar maken...'

'Natuurlijk niet,' beaamde ze.

'Zelfs niet aan...?' begon de man.

'Aan wie?' vroeg Svenson.

De man schudde zijn hoofd. 'Nee, u hebt gelijk. Wij zijn uitgenodigd... Wij zijn immers gasten, gasten voor een banket.' Toen glimlachte hij weer om het griezelverhaal van de dokter van zich af te schudden. Zijn hand ging naar het boek in zijn zak en gaf er afwezig een klopje op, alsof het een slapende puppy was. 'U ziet er wel heel moe uit, kapitein Blach,' zei hij vriendelijk. 'U krijgt nog alle tijd om uw vriendin te zoeken. Tarr is nog minstens anderhalf uur rijden. Waarom rust u niet wat uit? We hebben straks al onze kracht nodig voor de klim.'

Svenson vroeg zich af wat dat te betekenen had – de steengroeve? De heuvels? Zou hij er het landhuis mee bedoelen? Svenson had geen idee, en hij was uitgeput. Hij had slaap nodig. Was hij bij hen veilig? De vrouw onderbrak zijn gedachten.

'Hoe heet de dame, kapitein?'

'Pardon?'

'Uw vriendin. U hebt niet gezegd hoe ze heet.'

Svenson zag dat de man bezorgd naar de vrouw keek, maar haar gezicht bleef open en vriendelijk. Er was iets niet in de haak.

'Hoe ze heet?'

'Ja, dat hebt u niet gezegd.'

'Nee, dat klopt,' bevestigde de man, enigszins achter de feiten aan lopend en daardoor met iets meer aandrang, alsof hij betrapt was.

'O ja. Weet u… Ik weet het niet. Ik weet alleen maar wat voor kleren ze droeg: een groene jurk en groene schoenen. We zouden elkaar treffen en dan samen verder reizen. Waarom… Wist u vóór deze reis dan hoe de ander heette?'

Ze gaf niet meteen antwoord. Toen de man voor haar antwoord gaf wist hij dat hij het bij het rechte eind had gehad. 'We weten zelfs nu niet hoe de ander heet, kapitein. Die opdracht hebben we gekregen.'

'Maar nu moet u toch echt uitrusten,' zei de vrouw, en dit keer was haar glimlach wellicht voor het eerst oprecht. 'Ik beloof u dat we u zullen wekken.'

In zijn droom was een deel van dokter Svensons geest zich ervan bewust dat hij al minstens twee dagen geen normaal aantal uren achter elkaar geslapen had, en dus verwachtte hij turbulente visioenen. Dit piezeltje rationele afstandelijkheid kon de opeenvolgende golven van levendige schermutselingen die hem overvielen wel tegenspreken, maar niet veranderen. Hij wist dat de visioenen gevoed werden door zijn gevoelens van verlies en isolement – meer dan wat ook door zijn hulpeloosheid ten overstaan van de dood van Corinna en daarna door zijn eigen chronische terughoudendheid en lafheid in het leven – en daarna voegden al deze spijtgevoelens zich kolkend samen met een wereld van wreed ongestild verlangen naar andere vrouwen. Kwam het alleen maar doordat hij zelfs in zijn slaap zo uitgeput was dat zijn zelfbescherming beneden peil was? Of moest hij maar gewoon toegeven dat het kwam doordat zijn schuldgevoelens op hun beurt een geheim genoegen opriepen doordat hij met zoveel erotisch vuur in een open treincoupé durfde te dromen? Hij kende de intens warme omhelzing van de slaap, die in zijn gedachten moeiteloos overging in de omhelzing van bleke zachte armen en heerlijk strelende vingers. Hij had het gevoel alsof zijn lichaam in de facetten van een edelsteen uiteenbrak, waardoor hij talloze voorbeelden van zichzelf in hopeloos verrukkelijke omstandigheden zag – en voelde. Mrs Marchmoor die hem onder tafel streelde… Miss Poole met haar tong in zijn oor… Zijn neus begraven in Rosamondes haar, terwijl hij haar parfum opsnoof… Op zijn handen en knieën op het bed, terwijl hij elke ronde inkerving in het weelderige vlees van de bedlegerige Angelique likte… Zijn handen – o, de schande! – onder haar jurk om de billen van Miss Temple geslagen… Met dichte ogen teder wiegend, hongerig, tegen de ontblote borst van de gouvernante met het bruine haar, die nu naast hem was komen zitten, om zijn kwelling te stillen, en die zich aan zijn lippen overleverde… Het onvergelijkbaar zachte, heerlijke kussen van vlees… Haar andere hand die over zijn haar aaide… terwijl ze zachtjes tegen hem fluisterde… aan zijn schouder schudde.

Hij schrok wakker. Ze zat naast hem. Ze schudde aan zijn arm. Hij ging recht zitten, zich pijnlijk bewust van zijn opwinding, blij met zijn soldatenjas, met zijn haar in zijn ogen. De man was weg.

'We zijn bijna in Tarr, kapitein,' zei ze met een glimlach. 'Het spijt me dat ik u moest wakker maken.'

'Nee, nee, dank u… uiteraard…'

'U sliep heel diep… Het spijt me dat ik aan uw arm moest schudden.'

'Het spijt me…'

'Dat is nergens voor nodig. U zult wel erg moe geweest zijn.'

Hij merkte dat de bovenste knoop van haar jurk los was. Hij voelde kwijl op zijn lip en veegde het met zijn mouw af. Wat was er gebeurd? Hij knikte naar de plek waar de man had gezeten.

'Uw reisgenoot…'

'Hij is naar het voorste rijtuig. Ik ga zo naar hem toe, maar ik wilde zeker weten dat u wakker was. U was… U hebt in uw droom gepraat.'

'O ja? Ik herinner me er niets van. Ik herinner me zelden wat ik gedroomd heb…'

'U zei "Corinna".'

'O ja?'

'Ja. Wie is dat?'

Dokter Svenson zette expres een niet-begrijpende frons op en schudde zijn hoofd. 'Ik heb geen idee. Echt niet… Heel vreemd.' Ze keek op hem neer en haar open gezicht spoorde hem, samen met de aanhoudende druk in zijn broek, aan om verder te spreken. 'U hebt me nog niet verteld hoe u heet.'

'Nee.' Ze aarzelde even. 'Ik heet Eloïse.'

'U bent gouvernante van de kinderen van een of andere lord.'

Ze moest lachen. 'Geen lord. En ook geen gouvernante. Meer een *confidante*, en voor mijn salaris ben ik lerares Frans, Latijn, muziek en algebra.'

'Aha.'

'Ik heb geen flauw idee hoe u dat zo weet. Misschien komt het door uw militaire opleiding. Ik weet dat officieren hun manschappen moeten kunnen lezen als een boek!' Ze glimlachte. 'Maar ik ben niet de hele dag met mijn leerlingen bezig. Daar hebben ze nog een andere dame voor. Zíj is hun echte gouvernante, en ze houdt veel meer van kinderen dan ik.'

Svenson zei niets; vooralsnog vond hij het al fijn genoeg om haar alleen maar in de ogen te kijken. Ze glimlachte naar hem en stond toen op. Hij maakte aanstalten om ook op te staan, maar ze legde een hand op zijn schouder om hem ervan te weerhouden. 'Voor we er zijn moet ik naar het voorste rijtuig. Maar misschien zien we elkaar nog in het dorp.'

'Dat zou ik fijn vinden,' zei hij.

'Ik ook. Ik hoop dat u uw vriendin vindt.'

Op dat moment wist dokter Svenson waar hij haar eerder gezien had en waarom hij haar gezicht niet kon thuisbrengen, want deze Eloïse had een masker gedragen en zich naar voren gebogen om op Harschmort iets in het oor van Charlotte Trapping te fluisteren, op de avond dat kolonel Trapping was vermoord.

Toen was ze weg, en de deur van de coupé ging met een veerslot achter haar dicht. Svenson ging recht zitten en wreef over zijn gezicht. Daarna trok hij met een verlegen verwijt zijn broek recht. Hij stond op, schokschouderde wat, zodat zijn jas comfortabeler zat, voelde het gewicht van de revolver in zijn zak en blies zijn adem uit. Hij probeerde de intuïtieve warmte die hij voor de vrouw had gevoeld in overeenstemming te brengen met de wetenschap dat zij zich op Harschmort onder zijn vijanden had bevonden en nu hier in de trein zat, onmiskenbaar nog steeds bij hen in dienst. Het ging er bij hem niet in dat Eloïse zich bewust was van de duistere krachten die hier in het spel waren, maar toch kon het bijna niet anders. Ze hadden allemaal een zwart boek bij zich en reageerden soepel op zijn verzonnen verhaal... Zíj had haar best gedaan om hem te peilen, had hem vragen gesteld... maar toch... Met gelijktijdige stuiptrekkingen van sympathie en ongemak dacht hij aan haar rol in zijn droom. Hij blies nog een keer nadrukkelijk zijn adem uit en bande haar geheel uit zijn gedachten. Wat het doel van de pelgrimstocht naar het dorp Tarr van de andere reizigers ook mocht zijn, voor dokter Svenson ging het er enkel en alleen om dat hij Miss Temple vond voordat er nog meer ongelukken gebeurden. Als de stationsmeester haar niet had gezien, ging hij ogenblikkelijk terug. Waar ze ook was, ze had zijn hulp nodig.

Hij liep naar het raam en keek naar het langstrekkende landschap van het graafschap Floodmaere: lage struikgewassen tegen verweerde glooiende heuvels aan, met hier en daar een stuk weiland ertussen en rotsen van roodachtig steen die er als kapotte kiezen doorheen staken. Dokter Svenson had dat soort steen al eerder gezien, in de heuvels vlak bij zijn woonplaats, en hij wist dat het op ijzererts duidde. Hij moest denken aan hoe dat 's winters smaakte in de gesmolten sneeuw, aan hoe het water dat door het dal omlaagstroomde rood kleurde. Geen wonder dat hier mijnbouw was. Tot zijn genoegen zag hij dat de lucht helder was – hij had al zoveel dagen in de wolken en mist doorgebracht dat hij zich niet eens kon herinneren wanneer hij voor het laatst zo'n opklaring had gezien – en glimlachte toen hij bedacht dat het al bijna vijf uur moest zijn, want de zon ging al onder, alsof hij naar een blauwe lucht toe reisde, die hem vervolgens meteen weer afgenomen werd. Onder zijn voeten veranderde er iets in de vaart van de trein, en hij voelde dat hij langzamer ging rijden. Ze waren er bijna. Hij diepte nog een sigaret op uit zijn zak – hoeveel had hij er nu nog? – en stak hem in zijn mond, stak hem aan en wapperde de lucifer uit. Dat werd een terugreis zonder tabak, vreesde hij. De trein kwam tot stilstand. Hij zou in het dorp een ander merk moeten zien te vinden.

Toen hij eenmaal het perron op stapte, liep het gezelschap met paren een eind voor hem uit, in de richting van het stationsgebouw. Voor zover hij kon beoordelen was de trein nu leeg – hooguit op de zigeuners na. Hij zag Eloïse niet, en de klerk aan wie ze blijkbaar gekoppeld was ook niet, maar het verschrikkelijke stel uit zijn eerste coupé zag hij wel. De jonge blonde vrouw draaide zich om, zag hem en gaf een rukje aan de arm van haar begeleider, die zich toen ook omdraaide. Ze versnelden hun pas, waarbij haar dikke derrière heen en weer wiegde op een manier die Svenson normaal gesproken – stiekem – wel aantrekkelijk gevonden zou hebben, maar waardoor hem nu alleen maar de lust bekroop om er de zweep over te halen. Hij liet ze allemaal voor, door de houten overkapte ingang van het station naar buiten en het dorp in. Hijzelf liep het kleine stationsgebouw in. Er stonden misschien drie bankjes, allemaal leeg, en een koude metalen kachel. Hij liep naar het loket, maar het luik was dicht. Hij klopte erop en riep of er iemand was. Geen reactie. Aan het eind van de balie was een deur. Daar klopte hij ook op, kreeg weer geen antwoord en probeerde toen of de deur soms open was. Dat was hij niet. Als Miss Temple hier was geweest, wat hij durfde te betwijfelen, dan was ze er nu niet meer.

Aan de muur hing een schoolbord met een getekend rooster met de aankomst- en vertrektijden van de treinen. De volgende trein terug ging tot zijn ergernis pas de volgende ochtend om acht uur. Svenson slaakte een zucht van irritatie. Hij moest hier dus urenlang zijn tijd verdoen, terwijl zij waar niet al kon uithangen en Chang misschien wel zijn hulp nodig had gehad als hij bij hem was gebleven. Hij keek het vertrek rond, alsof hij door daar te blijven iets van verlichting zou vinden, maar dokter Svenson moest accepteren dat er toch eigenlijk niets anders op zat dan het dorp in lopen en een kamer voor de nacht zoeken. Misschien trof hij Eloïse en haar mysterieuze gezelschap nog, allemaal met hun zwarte boek. Was het de Bijbel? Hij had geen idee wat het anders kon zijn, vooral niet met dat intimiderende schrikbeeld van verlossing en zonde, maar wie nam zoiets nou serieus? Hij wist zeker dat het antwoord veel gevaarlijker en ingewikkelder was... Of bracht hij Eloïse nu eenmaal liever in verband met schurken dan met fanatici?

Hij liep het station uit en de weg op. De anderen waren inmiddels uit het zicht verdwenen. Aan weerskanten was de weg begroeid met een wirwar van doornstruiken, waarvan de harde doornen gemene schaduwen op het wegdek wierpen. Schaduwen? Het was wassende maan, en Svenson keek met genoegen omhoog. Boven de doornstruiken, in de verte, zag hij de rietgedekte daken van het dorp Tarr. Hij liep er met vastberaden tred op af, en even later kwam de weg al uit op een pleintje met een grasveld in het midden en een laantje met kasseien eromheen. Aan de andere kant stond een kerk met een wit schuin dak, maar het huis dat het dichtstbij stond maakte zich – gelukkig – door middel van een houten hangend bord, beschilderd met een kraai met een zilveren kroon op, aan hem kenbaar.

Svenson bleef bij de deur staan, met één voet op het trapje, en keek het plein rond. Hier en daar brandde licht in de huizen die hij zag, maar op straat was niemand te bekennen en hij hoorde ook geen enkel geluid. Als er wachters te zien waren geweest, zou Tarr hem nog het meest aan een militair kamp na zonsondergang hebben doen denken. Hij ging de taverne binnen.

Als buitenlander wist dokter Svenson dat hij geen verstand van zaken had, maar de King Crow leek hem wel een erg vreemde dorpskroeg, wat hem eens te meer het vermoeden bezorgde – zoals ook de overdreven ordelijke inrichting van het dorp zelf en het apocalyptische aureool van het gezelschap in de trein – dat Tarr weleens een van die gemeenschappen kon zijn die opzettelijk naar religieuze of morele principes waren ingericht (maar om wat voor leer ging het dan en wie was de charismatische, of strenge, leider?). Om te beginnen rook de King Crow helemaal niet naar een taverne, naar bier en rook en de zure stank van zweet en menselijk smeer. Nee, het rook er naar zeep en azijn en was, en het vertrek was net zo schoongeboend en karig ingericht als de kale, schone binnenkant van een schip, met witgepleisterde muren en een vuurtje in de bescheiden haard. Verder droegen de enige twee bezoekers een keurig zwart pak met een wit overhemd met hoge boord en een zwarte reiscape. Beide mannen stonden met een glas rode wijn in de hand bij het haardvuur, spraken niet eens, of niet meer, met elkaar, maar wachtten blijkbaar op een teken, of op iemand. Toen hij binnenkwam, draaiden ze zich allebei snel om.

De een schraapte zijn keel en nam het woord. 'Neemt u mij niet kwalijk. Bent u net aangekomen... met de trein van 15.02 uur?'

Svenson knikte beleefd, met een uitdrukkingsloos gezicht. 'Inderdaad.'

Ze keken hem onderzoekend aan, of wachtten tot hij iets zou zeggen... dus deed hij dat niet.

'Als ik me niet vergis is dat toch een uniformjas uit Mecklenburg, hè?' vroeg de andere man.

'Dat klopt.'

De een fluisterde de ander iets in het oor. Degene die luisterde knikte. Ze bleven naar hem kijken, alsof ze maar geen besluit konden nemen. Svenson richtte zijn blik op de bar, waarachter zwijgend een man met een varkenskop in een smetteloos wit hemd stond.

'Ik zoek een kamer voor vannacht,' zei Svenson. 'Hebt u die?'

De man keek naar zijn twee klanten – of dat nu was om instructies te krijgen of alleen maar om te zien of zij nog iets nodig hadden voordat hij wegging, dat wist Svenson niet – en liep toen, terwijl hij zijn handen afveegde, om de bar heen. Hij liep Svenson voorbij en mompelde: 'Deze kant op...'

Svenson keek nog één keer naar de twee mannen bij de open haard en draaide zich toen om om achter de zware tred van de waard aan de trap op te lopen.

Het was een eenvoudige kamer voor een redelijke prijs. Nadat Svenson hem even had bekeken – een smal bed, een standaard met een bekken, een harde stoel, een spiegel –, zei hij dat het goed was en vroeg hij waar hij iets kon eten. Wederom mompelde de man: 'Deze kant op...', en ging hem voor naar beneden, naar het vuur. De andere twee waren er nog – ze waren hooguit twee minuten weg geweest – en bleven naar hem kijken terwijl hij zijn soldatenjas uittrok en aan het tafeltje plaatsnam dat zijn gastheer hem aanwees alvorens door een deur achter de bar te verdwijnen, vermoedelijk de keuken in. Dat er niet gevraagd werd wat hij wilde eten, deerde hem niet. Hij was eraan gewend over het platteland te reizen en genoegen te nemen met wat hij kon vinden. Maar wanneer had hij voor het laatst gegeten? Thee in het Boniface, samen met Miss Temple en Chang? En daarvoor? Brood en worst de avond ervoor. Twee karige maaltijden in twee dagen. Daarmee kon je niet op avontuur.

De twee mannen bestudeerden hem nog steeds en probeerden inmiddels niet eens meer hun fatsoen op te houden.

'Wilt u soms iets zeggen?' vroeg Svenson.

Ze schuifelden wat heen en weer, mompelden wat en schraapten hun keel, maar dat was dan ook dat. Nu was het zijn beurt om hen aan te staren, dus dat deed hij ook. Achter dit vertrek hoorde hij de geruststellende geluiden van pannen en serviesgoed. Svenson voelde zich gesterkt door het vooruitzicht van een maaltijd en nam weer het woord.

'Ik neem aan dat u hier bent om een reiziger van de trein van 15.02 uur van Stropping te ontmoeten. Ik neem ook aan dat u de reiziger op wie u wacht niet kent. Ik zal het feit dat u mij bestudeert alsof ik een dier in de dierentuin ben dus maar niet als een persoonlijke belediging opvatten, maar als een bekentenis van uw eigen benarde situatie. Of vergis ik mij? Zegt u mij dat dan vooral. Is er sprake van een schoffering die wij, als heren onder elkaar' – hij liet zijn stem betekenisvol dalen – 'buiten moeten afhandelen?'

Normaal gesproken zou Svenson zich nooit zo arrogant opgesteld hebben, maar hij wist zeker dat deze twee mannen niet gewelddadig waren, nee, dat ze zelfs hoogopgeleid waren en gewend aan schone manchetten en handen zonder eelt – zoals hijzelf dus eigenlijk. Misschien raakte hij de invloed van Chang al wat kwijt. Even later hield de man die als eerste iets gezegd had, en die langer was en een scherpere neus had, zijn handpalm open.

'Neemt u ons niet kwalijk dat wij u gestoord hebben – dat is nooit onze bedoeling geweest. Het komt alleen doordat zo'n uniform – en zo'n accent – in deze contreien zelden voorkomen, zoals u zult begrijpen...'

'Komt u dan wel uit deze contreien?' vroeg Svenson. 'Dat zou me verbazen. Ik zou eerder denken dat u hier vandaag met de trein bent gearriveerd – met de trein van 14.52 uur, hoewel u natuurlijk ook een trein eerder genomen kunt hebben. Degene die u nu zoekt zou samen met u reizen, maar is niet komen opdagen. Toen hoopte u dat hij in de volgende trein zou zitten. Dat u überhaupt de mogelijkheid in overweging hebt genomen dat ik het zou kunnen zijn, bevestigt nog maar eens dat u deze persoon nog nooit gezien hebt. Dan vraag je je toch af of het doel van de ontmoeting wel zo fris was.'

Toen hij dat zei, vloog de keukendeur open en verscheen hun gastheer met in beide handen een houten dienblad overladen met allerlei schotels: gebraad, dik brood, gestoomde aardappelen, een kom jus, en een bord met koolrapenpuree met boter. Hij zette het blad op Svensons tafel neer en wees met zijn hand halfhartig naar de bar.

'Iets te drinken...' mompelde hij.

'Een pul bier, graag.'

'Hij heeft geen bier,' liet de tweede man weten, die wijkend haar had dat hoopvol naar voren was gekamd volgens de mode van het oude Britse Rijk.

'Wijn dan maar,' zei Svenson. De waard knikte en verdween achter de bar. Dokter Svenson richtte zich weer tot de twee mannen. Hij snoof de geuren van het eten dat voor hem stond op en voelde hoe groot zijn honger was. 'U hebt nog geen antwoord gegeven op mijn... hypothese,' zei hij.

De twee mannen keken elkaar snel even aan, zetten hun wijnglas op de schoorsteenmantel en beenden zonder nog een woord te zeggen spoorslags de King Crow uit.

De klok bij de ingang van de King Crow sloeg zeven uur. Dokter Svenson stak de eerste van de hem nog resterende sigaretten op, inhaleerde diep en blies de rook toen langzaam over de restanten van zijn maaltijd uit. Hij roerde er wat in rond en sloeg het laatste beetje van zijn tweede glas wijn achterover – een rondborstige rode landwijn –, zette het glas toen neer en stond op. De waard stond achter de toog een boek te lezen. Svenson trok zijn soldatenjas aan en riep de man.

'Ik ga even een stukje wandelen door het park. Kan ik er zo in? Hoe laat sluit u?'

'In Tarr gaan de deuren nooit op slot,' antwoordde de man, en hij las weer verder. Svenson begreep dat hij niet veel meer uit hem zou krijgen en liep naar de voordeur.

Buiten was het helder en koel, met hel maanlicht dat een bleke, zilverachtige glans over het gras wierp, alsof het net had geregend. Aan de overkant van het plein zag hij door de ramen van de kerk licht branden. In geen enkel ander gebouw leek iemand aanwezig te zijn, wederom alsof er opdracht was gegeven om op een bepaald tijdstip alle kaarsen te doven. Achter hem ging het licht uit achter de ramen van de King Crow, alsof men hem in die gedachte wilde bevestigen – de eigenaar sloot de tent. En het was nog maar net zeven uur! Wanneer werden deze dorpsbewoners dan wakker, vóór zonsopgang soms al? Misschien was het puriteinse karakter van het treingezelschap hier dan toch niet zo misplaatst; misschien had de tijd die hij onlangs in de van zonde overlopende stad (hij kon niet ontkennen dat dat zo was) had doorgebracht zijn sceptische denkbeelden overmatig beïnvloed. Svenson liep over het gras naar de kerk toe om te kijken of hij kon ontdekken waarom deze mensen nog wakker waren.

In het midden van het grasveld stond een heel grote, oude eikenboom, en Svenson ging er met opzet onder staan en keek door de reusachtige wirwar van ontbladerde takken omhoog naar de maan, alleen maar om zichzelf met de hierop volgende aanval van duizeligheid te kwellen. Toen hij naar zijn laarzen keek om de duizeligheid weer kwijt te raken, hoorde hij aan de overkant van het plein het onmiskenbare geluid van een rijtuig met paarden ervoor dat ratelend Tarr binnenreed. Het was een klein en efficiënt rijtuig, getrokken door twee zwarte paarden en met op de bok een goed ingepakte koetsier die de paarden recht voor de King Crow halt liet houden. Svenson wist onmiddellijk dat dit degene was – aan de late kant – die de twee mannen zouden ontmoeten. De koetsier liep naar de deur, klopte aan, wachtte, klopte weer aan, maar nu veel harder, en liep een paar minuten later, toen er niet was opengedaan, terug naar het rijtuig. Svenson moest, of hij nu wilde of niet, wel bewondering hebben voor de strijdlustige terughoudendheid van de waard. Na nog even met zijn meester gesproken te hebben klom de koetsier weer op de bok. Met een scherpe fluit en een tik met de teugels reed het rijtuig het plein over en verdween toen de dorpskern in. Al snel kon Svenson het niet meer horen, en in de opnieuw intredende stilte van de avond was het net alsof het rijtuig er helemaal nooit geweest was.

Qua bouw was de kerk van Tarr vrij eenvoudig: witgeschilderd hout met aan de achterkant een vierkantige torenspits die meer op een wachttoren leek dan op een ten hemel rijzende pinakel. De voorkant van de kerk was een nog groter mysterie. De dubbele deuren waren dicht, maar toen hij dichterbij kwam, zag hij dat ze ook vergrendeld waren, met een zware ketting door beide handgrepen, vastgemaakt met een bonkig hangslot. Svenson wandelde het kasseienlaantje op en keek omhoog naar de deur. Hij zag niemand, liep rustig de drie treden van het stenen trappetje op en legde zijn oor tegen de deur. Hij hoorde iets... een geluid dat hem, naarmate hij er langer naar luisterde, op de zenuwen begon te werken... Een zachte, golvende zoemtoon. Werd er gepsalmodieerd? Was het een vreemd, sikkeneurig gegons uit een orgel? Hij deed weer een stap achteruit, maar hij zag niets wat hem ook maar enig houvast gaf. De kerk was omgeven door een stuk open grond, dus hij liep rustig door het ongemaaide gras dat tot boven zijn enkels uitkwam en waar zijn schoenen, door de avonddauw, nat van werden. Aan één kant van de kerk zat een rij hoge ramen. Het oppervlak van het glas was onregelmatig, zoals bij druk bewerkt glas-in-lood, maar zonder kleuren die de illustratie zichtbaar maakten. Daardoor vroeg hij zich af of de afbeeldingen uitsluitend decoratief waren – een geometrisch patroon bijvoorbeeld –, zoals in een moskee, waar elke afbeelding van een man of vrouw, laat staan van de profeet, als godslasterlijk beschouwd zou worden. Hij keek omhoog, maar het enige wat hij zag was een vage gloed die van binnen kwam – er was dus wel íets van licht, maar niet meer dan een bescheiden lantaarn of een paar kaarsen. Plotseling zag Svenson een blauwe flits, als een azuurblauwe bliksemschicht, uit de ramen schieten. En net zo snel was hij weer weg. Hij ging niet met geluid gepaard, en van binnen kwam ook geen reactie. Had hij het wel goed gezien? Jazeker. Hij rende naar de achterkant van de kerk, op zoek naar een andere deur, ging de hoek om...

'Kapitein Blach!'

Het was de man uit de trein, de ogenschijnlijke partner van Eloise, de advocatenklerk. Hij stond in de open achterdeur van de kerk, met in zijn ene hand een brandende sigaret en in de andere – heel ongerijmd – een zware smeedijzeren moersleutel, die alleen voor een uiterst onhandelbare machine kon dienen. Voor Svenson een woord kon uitbrengen stak de man de sigaret tussen zijn lippen en reikte de dokter zijn hand.

'Dus u bent er toch... Ik was al bang dat u niet meer zou komen. Hebt u uw vriendin nog gevonden?'

'Nee, jammer genoeg niet...'

'Maakt u zich geen zorgen; ze is vast al met de anderen naar het huis.'

'Dat licht.' Svenson gebaarde achter zich naar de ramen. 'Een blauwe flits, een paar tellen geleden...'

'Ja!' De ogen van de man begonnen te schitteren. 'Prachtig hè? U bent net op tijd!'

Hij nam nog een trekje van zijn sigaret, liet hem in de stenen portiek vallen en trapte hem met zijn schoen uit. Svenson keek naar de moersleutel; hij was bijna net zo lang als de onderarm van de man. De man zag dat hij keek en grinnikte; hij tilde het brok ijzer op alsof het een prijs was. 'We mochten helpen met de bediening – het is net zo spannend als ik gehoopt had! Kom, iedereen zal blij zijn dat u er bent!'

Hij draaide zich om en ging de kerk binnen, waarbij hij de deur voor Svenson openhield. De blauwe flits deed hem denken aan d'Orkancz en het instituut. Hij had deze man een valse naam opgegeven, maar ieder lid van de samenzwering, als die aanwezig waren, zou meteen weten wie hij was. En dan – hij dacht koortsachtig na, gebaarde de man dat hij als eerste naar binnen moest gaan en deed de deur achter hen dicht –, waren de vrouwen in Tarr Manor? Welk ander huis kon hij bedoelen? Als dat zo was, was de connectie van deze groep met Bascombe en zijn samenzwering zonneklaar: de zwarte boeken, het puriteinse hellevuur. Maar... Hij moest een beslissing nemen, hij moest iets doen (de man ging hem op dit moment voor naar een vestibule vol kerkgewaden). Lord Tarr was gedood omdat men zeggenschap wilde hebben over de groeve en de afzettingen van indigoklei. Wat had dat te maken met deze religieuze rimram? En bij wat voor religieuze ceremonie was zo'n grote moersleutel nodig?

De man bleef abrupt staan, met één hand op de borst van dokter Svenson en de andere hand – waar hij de moersleutel mee vasthield, wat er bepaald stupide uitzag – tegen zijn mond om aan te geven dat hij stil moest zijn. Hij knikte in de richting van een open deur vóór hen en liep rustig naar voren, tot ze het volgende vertrek in konden kijken. Svenson liep achter hem aan, ongerust en nieuwsgierig tegelijk, en reikhalsde om over de schouder van de man te kunnen kijken.

Ze bevonden zich opzij van het altaar en keken erlangs het schip van de kerk in, waar de banken opzij waren geschoven en tegen de zijmuur waren opgestapeld. Midden op de open vloer stond een provisorische tafel, gemaakt van opgestapelde houten kisten... Kisten zoals Chang in het instituut had gezien, en zoals de mannen van kolonel Aspiche die ochtend op karren hadden weggevoerd. Boven op de tafel stond een... machine – een in elkaar grijpend conglomeraat van metalen onderdelen die uit een kistje staken, dat in het midden stond en dat een beetje op een middeleeuwse helm met vizier leek, en felle kronkelende stukken koperdraad die naar een open kist op de grond liepen (waar Svenson niet in kon kijken). Het rook er scherp naar diezelfde mechanische geur – ozon, cordiet, verbrand rubber, olie – die hij herkende van de lichamen van Trapping en Angelique en van de man in de keuken van Crabbé, maar dan nu zo intens dat zijn neusgaten zich uit protest optrokken, zelfs op deze afstand. Rondom de machine had zich een kring van mannen opgesteld – dezelfde mengeling van klassen en typen die hij in de trein had gezien, onder wie de lange man met het paardengezicht uit zijn eerste coupé. De meesten hadden hun jas uitgetrokken en hun mouwen opgerold; sommigen hielden een stuk gereedschap in hun hand, anderen een doek vol olievlekken; weer anderen stonden alleen maar met hun handen in hun zij tevreden toe te kijken, en allemaal staarden ze liefdevol naar de machine in het midden. Aan het hoofd van de kring stond een andere man, met een onverzorgde, maar elegant gesneden zwarte jas, zijn haar met grijze strepen achter zijn oren gestreken, met een scherp gezicht waarin vooral een donkere beschermbril opviel, en zijn handen uitvergroot – als die van een reus – door dikke leren handschoenen die tot aan zijn ellebogen reikten. Het was doctor Lorenz.

Svenson deed een stap bij de deur vandaan. Zijn begeleider voelde dat hij zich verplaatste en draaide zich met bezorgde blik om. Svenson stak zijn hand op en begon stilzwijgend te kokhalzen, terwijl hij gebaarde dat er iets niet in orde was met zijn ademhaling, met zijn keel. Hij deed nog een stap achteruit en gebaarde de man door te lopen, alsof het maar even zou duren en hij zo weer bij hem zou zijn. In plaats van door te lopen kwam de man achter hem aan, waarmee hij Svenson dwong om nog theatraler te kokhalzen, en draaide zich toen tot ontzetting van de dokter om naar de kerk, alsof hij om hulp wilde roepen. Svenson pakte de man bij zijn arm en trok hem mee terug naar de achterdeur van de kerk. Toen ze aan de andere kant van de kleedruimte stonden, durfde Svenson pas hoorbaar te hoesten en te kokhalzen.

'Kapitein Blach, gaat het wel met u? Voelt u zich niet goed? Doctor Lorenz kan vast...'

Svenson stormde door de achterdeur naar buiten en boog zich naar de stenen portiek, met zijn handen op zijn knieën, en ademde met diepe teugen in. De man kwam achter hem aan naar buiten en maakte bezorgde klakgeluidjes met zijn tong. Svenson kon absoluut niet naar binnen. Lorenz zou hem herkennen. Wat er verder ook zou gebeuren, vaststond dat deze man het over hem zou hebben – misschien had hij dat al gedaan –, en wel op zo'n manier dat er voor degenen die hem al als een vijand beschouwden niet veel te raden overbleef. Hij voelde een troostende hand op zijn rug en deed zijn hoofd omhoog.

'Ik hoop dat we ze niet storen,' zei Svenson hees.

'O, nee,' antwoordde de man. 'Ze weten vast niet eens dat we er zijn...'

Zoals Svenson al had gehoopt draaide de man toen hij dat zei intuïtief zijn hoofd naar de deur. Svenson stond snel op, met de kolf van de revolver in zijn rechterhand, en sloeg hem hard achter het oor van de man. De man kreunde verrast en wankelde door de deuropening naar binnen. Svenson aarzelde – hij wilde hem niet nog een keer slaan. Hij was geen expert in het uitdelen van klappen tegen het hoofd, maar hij wist heel goed dat die dodelijk konden zijn. De man kreunde en probeerde wankelend overeind te blijven. Svenson vloekte en sloeg hem nog een keer, waarbij hij de misselijkmakende dreun door zijn hele arm voelde. De man zakte als een hoopje in elkaar. Svenson borg de revolver snel op en sleurde hem de kerk in. Hij luisterde – van binnen hoorde hij niets – en griste snel een paar kerkgewaden uit de vestibule. Deze legde hij over het lichaam heen, en hij liet hem in zithouding achter de klemgezette open deur zitten, zodat hij voor een oppervlakkige passant goed verborgen was. Dokter Svenson voelde aan het achterhoofd van de man. Dat was opgezwollen, week, maar hij dacht niet dat er iets gebroken was, hoewel hij dat natuurlijk niet zeker kon weten, zoals hij daar in het donker over de man heen gebogen stond. De man leefde – hij hield zichzelf voor dat dat genoeg was, hoewel zijn schuldgevoel er niet minder van werd. Svenson pakte de moersleutel op. Toen rolde hij met zijn ogen om zijn eigen vergeetachtigheid, knielde weer, woelde door de lagen met gewaden en diepte het zwarte boek van de man op. Hij stopte het in zijn soldatenjas en sloop naar de binnendeur. Het zoemgeluid klonk weer.

De machine stond te trillen op het tafelblad en gaf een aanzwellend jammergeluid ten beste dat – te oordelen aan de reacties van de mannen eromheen – erop leek te wijzen dat het procédé, wat dat ook mocht wezen, bijna met succes voltooid was. Lorenz had een zakhorloge in zijn hand en hield zijn andere hand omhoog; de mannen om hem heen wachtten gespannen af tot hij het teken zou geven. In de ogen van Svenson leek het gewoon een groepje uit hun krachten gegroeide jongens die wachtten tot hun schoolmeester toestemming gaf om een vechtpartij te beginnen. De machine schokte, waardoor de kisten eronder gevaarlijk ratelend heen en weer schudden. Ging het ding exploderen? Lorenz had zich niet verroerd. De mannen stonden nog steeds dicht eromheen. Plotseling liet de wetenschapper zijn arm zakken en sprongen de mannen op de machine af en hielden hem stevig op zijn plaats vast. Door deze beteugeling leek de energie van de machine zich naar binnen te keren, en Svenson zag eerst ijle rookpluimen verschijnen en toen een gloed. Hij zag dat de mannen allemaal hun ogen stijf dichtgeknepen hadden en hun gezicht van de machine hadden afgewend; vlak voor het gebeurde realiseerde hij zich wat dit betekende, en hij draaide zich van de deur af, met zijn rug naar de muur en zijn ogen dicht. Uit het andere vertrek brak een helblauwe lichtflits die Svenson door zijn oogleden heen kon voelen, en zelfs zonder ze open te doen zag hij een naflits zweven door de lucht. Hij legde zijn hand voor zijn mond en neus – de stank was ondraaglijk. Hij hoorde de mannen in het andere vertrek naar adem happen, maar ook lachen. Ze feliciteerden elkaar. Hij draaide zijn hoofd terug naar de deur en keek even heel voorzichtig.

Lorenz boog zich over de machine. Hij had een metalen plaat aan een scharnier opengetrokken, net een deksel van een kachel, en ging met zijn hand met de dikke handschoen naar binnen, het felle blauwe licht in dat alle kleur uit zijn toch al zo bleke gezicht trok. De aandacht van de mannen was gericht op Lorenz' hand, die door de opening naar binnen ging en toen met een kloppende blauwe bal (van steen? van glas?) in zijn hand weer naar buiten kwam. Hij hield hem omhoog, zodat iedereen hem kon zien, en de mannen barstten in een schor, opgetogen gejuich uit. De gezichten van de mannen waren rood aangelopen en stonden uitzinnig. Svenson voelde zich nu al licht in zijn hoofd van de chemische geur, en hij moest er niet aan denken hoe dat voor hen moest zijn. Lorenz sloeg zijn cape open. Over zijn borstkas zat een zware lederen patroonriem, waaraan een heleboel metalen flacons met dop hingen, zoals de buskruitlading van een oude musketier. Hij draaide voorzichtig een van de flacons open en kneep toen de bal in zijn hand – alsof het gloeiende, kneedbare klei was – in de smalle opening. Toen hij er helemaal in zat, deed hij de dop er weer op en met een klein zwierig gebaar deed hij zijn cape weer dicht.

Doctor Lorenz keek op naar de mannen om hem heen en vroeg nieuwsgierig, maar op effen toon: 'Waar is Mr Coates?'

Svenson draaide zich om, zodat hij niet meer te zien was, met zijn rug tegen de muur. Met twee grote stille passen was hij de kleedkamer door en de kerk uit, waarna hij het op een lopen zette. Hij rende het open terrein over en dook weg achter het volgende gebouw, terug naar de kasseienweg en vandaar het parkje in. Hij rende gebukt en zo stil mogelijk en bleef pas staan toen hij bij de stam van de eikenboom was, waar hij neerknielde en eindelijk met bonkend hart omkeek. Er stonden mannen op het grasveld, en een van hen was helemaal naar de voorkant van de kerk gelopen en keek over het trapje naar het park. Svenson dook in elkaar. Hadden ze hem zien rennen? Met een beetje geluk zou een eventuele achtervolging, wanneer ze de onfortuinlijke Coates hadden ontdekt, zozeer vertraagd worden dat hij kon wegkomen. Gezien de opperbeste stemming van de groep konden ze ook best op onmiddellijke wraak uit zijn. Zou Coates bijkomen? Wat zou hij hun vertellen? Svenson durfde niet over het open stuk naar de King Crow te rennen. Hij keek omhoog. Een ander zou handig in de boom klimmen en zo onopgemerkt blijven. Svenson huiverde. Hij was kardinaal Chang niet.

De man voor de kerk keek nog eens goed naar het parkje en liep toen terug naar de achterdeur, waarbij hij onderweg de mannen die hij tegenkwam meetroonde. Svenson hoorde de achterdeur dichtgaan. Hij moest het nú op een lopen zetten om dekking te zoeken, maar hij bleef achter zijn boom staan kijken. Hij moest nog een kwartier in de bijtende kou wachten tot de deur weer openging en er een rij mannen naar buiten kwam, die de kisten tussen hen in droegen. Als laatste kwam Lorenz naar buiten, nu zonder de handschoenen en de beschermbril, met de cape dicht om zich heen. De rij verdween uit beeld, over dezelfde weg die het rijtuig eerder had genomen. Hij nam aan dat die weg naar Tarr Manor voerde.

Svenson gaf ze nog twee minuten en liep toen weg bij de eikenboom en ging terug naar de kerk. Hij had geen idee wat hij daar dacht aan te treffen, maar alles was beter dan nog een onnozel ommetje in het donker. De jassen lagen niet meer in de hoek waar hij ze had neergelegd – hopelijk had hij kunnen lopen nadat hij weer was bijgekomen – en Svenson liep op de tast door de kleedkamer de verduisterde kerk in. Er stroomde nog steeds maanlicht door de ramen, maar zonder de blauwe gloed van de machine had de ruimte een andere sfeer – rouwvoller en verlatener –, hoewel de banken haastig terug waren gezet. Svenson keek naar het altaar, waar nu een vreemde schaduw onder lag. Hij keek naar de ramen, maar zag niet wat het licht kon tegenhouden – een soort veeg of viezigheid op het glas, roet uit de machine? Hij liep naar het altaar en zag toen in dat hij zich vergist had. De schaduw was een plas. Svenson trok het witte doek weg en zag daaronder de in elkaar gezakte gestalte van meneer Coates, wiens keel keurig netjes doorgesneden was.

Svenson beet op zijn lip. Hij liet het doek vallen, draaide zich om en pakte de dienstrevolver uit zijn zak. Hij controleerde de patronen en de haan, draaide het magazijn rond en stopte hem weer weg. Hij keek om zich heen, kreeg steeds meer zin om de banken omver te trappen en dwong zichzelf gelijkmatig adem te halen. Hij kon niets voor Coates doen, behalve zich hem als een beminnelijke en attente man herinneren. Hij liep de kerk uit, naar de weg.

Vanwege de rij mannen die de kisten met apparatuur droegen, dacht Svenson min of meer dat hij ze wel zou inhalen – of in elk geval dat hij ze zou zien –, maar hij had al anderhalve kilometer over de landweg gelopen, met doornhagen links en kale wintervelden rechts, en zag nog niks. Bij een kilometerpaal kwam hij op een tweesprong, en in het maanlicht probeerde hij te besluiten welke kant hij zou nemen. Er was geen bordje en beide wegen leken even veel bereisd.

Hij keek voor zich uit en zag dat de linkerweg iets omhoogliep, wat hem eraan deed denken dat Coates het over een klim had gehad. Aangezien Svenson geen enkele andere aanwijzing had, nam hij die afslag maar.

Boven aangekomen zag hij dat de weg daalde en daarna weer steeg – een enigszins kronkelend pad om een stijgende reeks met struikgewas begroeide heuvels heen. Op elke heuvel die hij beklommen had kon de dokter zijn bestemming beter zien, en toen hij er eindelijk recht tegenover stond – nog steeds waren de mannen in geen velden of wegen te bekennen – zag hij een landhuis dat zo groot was dat het Tarr Manor wel móest zijn: boomgaarden in de omringende velden, een hoge beschutting tegen de wind in de vorm van ontbladerde populieren, en met een ouderwetse stenen muur en een hoge ijzeren poort eromheen. Er waren een paar kleine bijgebouwen, en het huis zelf was, hoewel het in het niet zonk bij een monstruositeit als Harschmort, een voorname kubus met kantelen, met een wirwar van puntgevels en leidingen en metselwerk, voor meer dan de helft gesmoord in klimop waarvan Svenson de bladeren in het verraderlijke maanlicht net de schubben van een reptiel vond.

De ramen op de begane grond gaven een zee van licht. Het wekte zijn nieuwsgierigheid toen hij zag dat het enige andere raam dat net zo hel verlicht was, het raam helemaal boven op zolder was, en daartussen telde hij vier volledig donkere verdiepingen. Hij liep behoedzaam op de poort af – het zou wel heel stom zijn als hij nu doodgeschoten werd wegens het wederrechtelijk betreden van andermans terrein – en zag dat hij met een ketting afgesloten was. Hij riep naar het hokje van de bewaking aan de andere kant van de muur, maar kreeg geen antwoord. Hij keek omhoog – de poort was heel hoog – en huiverde bij het idee dat hij daartegenop moest klimmen. Hij zocht liever een andere, minder vreselijke manier om binnen te komen en herinnerde zich van de blauwglazen kaart van Bascombe een beeld in de buurt van een boomgaard, van een vervallen muur waar hij, als hij hem kon vinden, met gemak overheen kon klauteren. Hij liep eromheen, door het hoge, droge gras dat omhoog tegen het steenachtige zand aan sloeg – hij vermoedde dat dat door de wind kwam.

Svenson probeerde een plan van aanpak te bedenken – iets waar hij nooit erg goed in was geweest. Hij vond het leuk om bewijsmateriaal te bestuderen en conclusies te trekken, en zelfs om degenen die hij met feiten in de val had weten te lokken daarop aan te spreken, maar al deze bezigheden – door huizen rennen, tegen afvoerbuizen en op daken klimmen, schieten, beschoten worden... dat was allemaal geheel zijn *métier* niet. Hij wist dat hij Tarr Manor in een soort slagorde moest benaderen – hij probeerde te bedenken wat Chang zou hebben gedaan, maar daar had hij niks aan; het maakte alleen maar extra duidelijk hoe volslagen ondoorgrondelijk Chang voor hem was. Svenson had vooral problemen met onzekere factoren. Hij zocht verschillende dingen tegelijkertijd en afhankelijk van wat hij vond konden zijn doelen geheel anders komen te liggen. Hij hoopte dat hij Miss Temple zou vinden, hoewel hem dat niet waarschijnlijk leek. Hij hoopte de vrouwen uit de trein te vinden, maar dat betekende ook dat hij wilde weten of Eloïse net zo corrupt was als hij dacht, of soms een misleide onschuldige, zoals Coates. Hij hoopte wat informatie over Bascombe en de vorige lord Tarr te vinden. Hij hoopte achter de ware aard van het werk in de steengroeve te komen. Hij hoopte de waarheid achter Lorenz en zijn machinerie te ontdekken, en wat die te maken had met deze mannen uit de stad. Hij hoopte erachter te komen wie in het rijtuig zaten en op die manier ook meer over de twee mannen die zelf uit de stad waren gekomen om erin mee te kunnen. Maar hij kon geen wijs meer uit al deze doelstellingen, en het enige waaraan hij kon denken was dat hij het huis in moest en er zo onopgemerkt mogelijk moest rondsluipen. En wat zou hij doen, vroeg hij zichzelf met strenge sceptische logica af, als hij iemand van de samenzwering vond die wist wie hij was, afgezien van Lorenz? En als hij nu eens voor de contessa of voor de comte d'Orkancz werd geleid? Hij bleef staan en zuchtte diep met een droge dichtknijpende keel. Hij had geen flauw idee wat hij moest doen.

Toen hij het rommelige gat in de muur vond, gluurde Svenson er eerst overheen om zich ervan te vergewissen dat het pad veilig was. Op deze plek was hij al veel dichter bij het huis – het leek wel of er zich alleen maar een paar fruitboompjes en braakliggende perken tussen hem en de dichtstbijzijnde ramen bevonden. Hij moest denken aan het krantenbericht over de dood van lord Tarr – die hadden ze toch in zijn tuin ontdekt?

Svenson hees zijn lichaam omhoog en over de muur heen, waarbij hij zijn handen een heel klein beetje schaafde, en liet zich op het gras vallen. Achter de ramen het dichtst bij hem brandde geen licht; misschien was dit de studeerkamer van de oude lord Tarr, die momenteel door niemand werd gebruikt (betekende dat dat Bascombe er niet was?). Svenson liep er heel stil naartoe; hij liep over het gras om maar vooral geen voetafdrukken in de aarde van de perken achter te laten. Hij kwam bij de ramen; de middelste twee waren openslaande deuren – vanaf de muur had hij het trapje dat er vanuit de tuin naartoe liep niet gezien. Svenson boog zich naar voren en zette zijn monocle voor. Een van de deuren was kapot; bij het handvat ontbrak een hele ruit. Hij keek op het trapje onder zich, en vond geen glas – dat was natuurlijk opgeruimd –, maar draaide zich toen weer om naar de ontbrekende ruit. Rondom het houtwerk waren splintertjes hout weggetikt. Als hij de signalen goed interpreteerde, was de klap van binnenuit gekomen en was het glas naar buiten toe ingeslagen. Zelfs als Svenson dacht dat een dier de oude lord had doodgemaakt (wat hij niet dacht) – want waarom zou een dier de deur zodanig openbreken dat je door het gat bij het slot kon? –, dan zou hij nog denken dat de aanvaller van buiten kwam. Als hij al binnen was, waarom zou hij de deur dan überhaupt openbreken? Zou het kunnen zijn dat lord Tarr de deur zelf had opengebroken, in zijn haast om te ontsnappen? Maar dat sloeg alleen ergens op als de deur vanaf de buitenkant op slot was gedaan… als iemand lord Tarr in zijn kamer had opgesloten…

De deur was nu op slot, vanaf de binnenkant, en Svenson stak voorzichtig zijn hand naar binnen en deed hem open. Hij liep de donkere kamer in en deed de glazen deur achter zich dicht. In het maanlicht zag hij een bureau en lange wanden die van onder tot boven bedekt waren met boekenplanken. Hij zocht in zijn zak naar een lucifer, streek die over zijn nagel aan en vond op een boekenplank een kaars in een oude koperen kandelaar. Bij dit beetje licht doorzocht hij zorgvuldig alle laden van het bureau, maar aan het eind wist hij niet meer dan dat lord Tarr een levendige belangstelling voor geneeskunde had en praktisch geen enkele voor zijn landgoed. Tegenover het enige grootboek – volledig geschreven in, naar Svenson aannam, het handschrift van zijn opzichter – waarin de zakelijke aangelegenheden van lord Tarr stonden opgetekend, stonden veel, heel veel opschrijfboeken en gebundelde stapels recepten van verschillende artsen. Svenson had die al zo vaak gezien dat hij meteen wist dat de aftakelende gezondheid van de lord op zichzelf een zoektocht naar plezier was geweest, alle versterkende middelen of geneesmiddelen ten spijt – zo te zien genoot de man er net zo goed van om de mislukkingen in zijn dagboek op te schrijven. Dit was een keurig deeltje dat Svenson in de bovenste la had gevonden, onder een ander groot grootboek vol recepten voor drankjes en behandelingen. Hij bladerde het doelloos door, klaar om het zo weer neer te leggen, maar toen viel zijn oog op de woorden: 'Doctor Lorenz: mineraalbehandeling. Geen effect!' Hij sloeg de bladzijde om en zag nog twee trefwoorden staan, precies dezelfde, maar dan met steeds meer uitroeptekens erachter. Achter het laatste stond ook de galachtige reactie van lord Tarr en de daaropvolgende gedwongen lediging van vele holtes in zijn lichaam. Dit was de laatste bladzijde van het dagboek, maar Svenson zag een smalle strook papier tussen deze bladzijde en de achterkant van het dagboek zitten... Daar had nog een bladzijde gezeten, of een paar, maar die had iemand er met een scheermes uit gesneden. Hij fronste geërgerd zijn wenkbrauwen. De trefwoorden waren niet van een datum voorzien – de patiënt was zo op zichzelf gericht dat hij ervan uitging dat het geen zin had om dingen vast te leggen die hij zelf al wist –, dus Svenson had geen idee hoe lang dit al gaande was. Dat maakte ook niet uit. Hij legde het dagboek weer terug in de la en deed hem dicht. De samenzweerders hadden een poging gedaan lord Tarr naar hun kamp over te halen, lang voordat ze het eens waren geworden over de opvolging van Bascombe... en over de moord.

Svenson knielde neer voor het sleutelgat en keek nutteloos omhoog naar een kale wand op ruim een meter afstand. Hij zuchtte, stond op en draaide heel, heel langzaam de deurknop om, waarbij hij de klink met een veel te goed hoorbare *klik* voelde loslaten. Hij bleef doodstil staan, klaar om zijn kruit te verschieten en naar de tuin te rennen. Blijkbaar had niemand het gehoord. Hij haalde adem en duwde de deur heel langzaam open, met zijn oog op de groter wordende kier gericht. God, hij snakte naar een sigaret. De gang was leeg. Hij deed de deur zo ver open dat hij zijn hoofd om de hoek kon steken en de andere kant op kon kijken. De gang was schemerig; er viel alleen licht binnen uit de verlichte kamers aan beide uiteinden. Hij kon niet zien wat voor kamers dat waren, en hij kon het ook niet horen. Svenson was op van de zenuwen. Hij dwong zichzelf de gang in te gaan en de deur achter zich dicht te doen – hij wilde niet dat iemand hem op een kier zag staan en vervolgens op onderzoek uitging –, ook al was hij bang om in het huis te verdwalen en het niet meer te herkennen als hij probeerde te ontsnappen. Hij vermande zich – hij hoefde helemaal niet te ontsnappen. Hij was hier het roofdier. De mensen in het huis moesten bang voor hém zijn. Svenson stak zijn hand in de zak van zijn soldatenjas en pakte zijn revolver beet. Stom dat hij zich door een wapen gerust moest laten stellen – je was moedig of je was het niet, berispte hij zichzelf; iedereen kon een wapen bij zich dragen –, maar toch voelde hij zich beter in staat om naar het eind van de gang te lopen en om de hoek te kijken.

Hij trok zijn hoofd met een ruk terug en bracht zijn hand naar zijn gezicht. De geur – die scherpe zwavelachtige mechanische geur – bestormde zijn neusgaten en zijn keel alsof hij de dampen van een ijzerfabriek had ingeademd. Hij veegde zijn neus en ogen met zijn zakdoek af en keek weer, dit keer met de zakdoek tegen zijn gezicht. Het was een groot vertrek, een ontvangstruimte, met rondom elegante ouderwetse stoelen en banken, allemaal met een brede zitting, zodat vrouwen met een queue of een hoepelrok erop konden plaatsnemen. Rond de stoelen stonden bijzettafeltjes, met overal halflege theekopjes en bordjes met korstjes en zedig niet helemaal opgegeten plakjes cake. Dokter Svenson telde snel even en kwam op een totaal van elf kopjes – genoeg voor de vrouwen uit de trein? Maar waar waren ze nu en waar was hun gastheer? Hij sloop de salon door en gluurde door de deur aan de andere kant; hij keek zo een kleine antichambre in met een schrikbarend steile trap en daarachter een overwelfde ingang naar nog een salon. Precies op dat moment gluurde vanuit deze overwelving een kleine, goed doorvoede in het zwart geklede vrouw naar binnen. Ze deinsden tegelijkertijd geschrokken achteruit, de vrouw met een gilletje, Svenson met zijn mond open en onhoorbaar zoekend naar een verklaring. Ze stak een hand naar hem op en slikte, terwijl ze met haar andere hand haar rood aanlopende gezicht koelte toe wuifde.

'Neemt u mij vooral niet kwalijk,' wist ze uit te brengen. 'Ik dacht dat ze allemaal weg waren – dat u weg was! Anders zou ik nooit... Ik kwam alleen maar voor de cake. Als er nog iets over is. Om op te bergen. Om naar de keuken te brengen. De kok is vast al weg – en het is een heel groot huis. Er zijn misschien wel ratten. Begrijpt u?'

'Het spijt me dat ik u aan het schrikken heb gemaakt,' antwoordde dokter Svenson, en in zijn stem klonk bezorgdheid door.

'Ik dacht dat iedereen weg was,' herhaalde ze, en haar stem klonk schril en piepend.

'Natuurlijk,' stelde hij haar gerust. 'Dat is heel begrijpelijk.'

Ze wierp een angstige blik langs de trap omhoog en keek toen pas weer naar Svenson. 'U bent een van de Duitsers, hè?'

Svenson knikte en – omdat hij dacht dat dat wel goed bij haar zou vallen – tikte zijn hakken tegen elkaar. De vrouw giechelde en legde meteen een mollig roze handje tegen haar mond. Hij bekeek haar gezicht eens goed, dat hem vooral aan dat van een gniffelend kind deed denken. Haar haar was ingewikkeld gekapt, maar niet in een bepaalde stijl. Eigenlijk was het een nogal overdreven pruik – hij realiseerde zich dat hij dat soort dingen altijd pas vreselijk langzaam doorhad. De zwarte jurk duidde op rouw, en hij bedacht dat haar ogen dezelfde kleur hadden als die van Bascombe en dat haar ogen en mond dezelfde elliptische vorm hadden. Was ze soms zijn zus? Zijn nicht?

'Mag ik u iets vragen, madame?'

Ze knikte. Svenson deed een stap opzij en wees met zijn hand naar de salon achter hem. 'Bent u niet bang voor de *geur*?'

Ze giechelde weer, dit keer met een woeste, onzekere glans in haar ietwat varkensachtige oogjes. De vraag maakte haar zenuwachtig, bang zelfs. Voor ze kon weglopen nam hij weer het woord.

'Ik bedoel alleen maar... Ik had niet gedacht dat ze hier... aan het werk zouden zijn. Ik dacht dat het ergens anders zou gebeuren. Ik spreek namens ons allemaal als ik zeg dat ik hoop dat hij niet al te erg in uw stoffering zal trekken. Hebt u de andere dames toevallig gesproken?'

Ze schudde haar hoofd.

'Maar u hebt ze wel gezien.'

Ze knikte.

'En u bent dus de huidige dame des huizes?'

Ze knikte.

'Kunt u mij – ik controleer alleen hún werk, moet u weten – vertellen wat u gezien hebt? Komt u toch binnen en gaat u zitten. Misschien is er toch nog wat cake over...'

Ze nam plaats op een gestreepte canapé en nam een schaal met onaangeroerde plakjes cake op haar schoot. De vrouw propte met impulsief genoegen een hele plak in haar mond, giechelde met volle mond, slikte geoefend en vastberaden door en nam nog een plak, alsof het feit dat ze er een in haar hand had al een hele troost was. Ze sprak gehaast.

'Weet u, het is zoiets dat, eh... dat heel erg lijkt, gewoonweg verschrikkelijk – maar ja, een heleboel dingen lijken in het begin verschrikkelijk, heel veel dingen die goed voor je zijn, of die zelfs, uiteindelijk, heerlijk blijken te zijn...' Ze realiseerde zich wat ze net had gezegd, en tegen wie, en begon weer schril te lachen, wat ze met nog een hap cake smoorde. Ze schrokte hem naar binnen, en haar volle boezem zwoegde onder het lijfje van haar jurk op en neer. 'En zo te zien waren ze gelukkig – die vrouwen –, schrikbarend gelukkig, mag ik wel zeggen. Als het niet zo angstaanjagend was zou ik jaloers geweest zijn. Misschien ben ik nog wel jaloers, maar daar heb ik natuurlijk geen enkele reden voor. Roger zegt dat het de familie ongelooflijk goed zal doen – dit allemaal –, maar dat moet ik misschien helemaal niet tegen u zeggen. Ik denk wel dat hij gelijk heeft. Mijn zoon is een kind – hij kan voorlopig jarenlang niks voor zijn familie doen – en Roger heeft beloofd, afgezien van alle andere vrijgevigheid, dat Edgar van hem zal erven, dat Roger – die geen kinderen heeft, maar zelfs als hij ze wel zou hebben... Hij had een verloofde, maar nu niet meer... Niet dat dat er iets toe doet; ze was een slecht meisje, dat heb ik altijd gezegd, ongeacht haar geld... Hij is een heel goede partij, en met uitstekende connecties. Als het zover is geeft hij het allemaal terug. Eerlijk is eerlijk! En weet u – het is bijna zeker –, we worden uitgenodigd op het paleis! Ik denk niet dat dat gebeurd zou zijn als Edgar het in zijn eentje had moeten doen!'

Dokter Svenson knikte bemoedigend.

'Ja, Mr Bascombe doet heel belangrijk werk.'

Ze knikte heftig. 'Vertel mij wat!'

'Maar het moet – ik kan me er natuurlijk alleen maar een voorstelling van maken... Sommige mensen zullen het toch een beetje... verontrustend vinden, al die inbreuk in hun huis.'

Ze gaf geen antwoord, maar glimlachte stijfjes naar hem.

'Mag ik ook vragen... De dood van uw vader, onlangs...'

'Wat is daarmee? Het heeft geen zin om... geen enkele zin om stil te staan bij... bij... een *tragedie!*'

Ze bleef hardnekkig glimlachen, hoewel haar ogen wederom woest stonden.

'Was u bij hem in het huis?'

'Niemand was bij hem.'

'Niemand?'

'Als er iemand bij hem was geweest, zouden zij ook door de wolven gedood zijn!'

'Wolven?'

'En het ergste is nog wel dat het beest niet gevonden is. Het kan zo weer gebeuren!'

Svenson knikte ernstig. 'Ik zou maar binnen blijven als ik u was.'

'Dat doe ik ook!'

Hij stond op en gebaarde naar de antichambre met de trap. 'Zijn de anderen... boven?'

Ze knikte, haalde toen haar schouders op en at het laatste beetje van haar tweede plak op.

'Heel vriendelijk van u. Ik zal het tegen Roger zeggen als ik hem zie... en tegen minister Crabbé.'

De vrouw giechelde weer en blies de kruimel weg.

Svenson liep de trap op en realiseerde zich dat hij Eloïse zocht. Hij wist dat Miss Temple hier niet was. Eloïse wilde hoogstwaarschijnlijk niet gevonden worden – dat wil zeggen, ze was zijn vijand. Was hij dan zo'n sentimentele dwaas? Hij keek langs de trap naar beneden en zag de Bascombe-vrouw nog een stuk cake in haar mond proppen, terwijl de tranen haar over de wangen stroomden. Ze zag hem kijken, slaakte een kreet van ontzetting en rende onhandig uit beeld, als een in zijde gewikkelde wegvluchtende hond. Svenson overwoog hooguit één seconde om achter haar aan te gaan, maar liep toen verder de trap op. Zijn hand dwaalde weer af naar zijn revolver. Zijn andere hand stootte tegen het zwarte boek in zijn andere zak. Was hij niet goed bij zijn hoofd? Hij was het helemaal vergeten – waarschijnlijk doordat er toch niet genoeg licht was om bij te lezen –, maar dat boek zou hem vast en zeker vertellen wat Eloïse – en alle anderen – hier deden.

Hij kwam op een donkere overloop en herinnerde zich toen dat deze en de volgende verdiepingen er vanbuiten volkomen donker uit hadden gezien. Tarr Manor was een oud huis dat het geheel moest hebben van lantaarns en kaarsen, en dat betekende dat er altijd wel een buffetkast in de buurt was met een la met talgstompjes voor noodgevallen. De dokter stommelde de gang door tot hij vond wat hij zocht, streek een lucifer af en stak de kaars aan. Nu nog een plek waar hij kon lezen. Svenson keek even naar de labyrintachtige gangen en deuren, en besloot te blijven waar hij was. Zelfs de tijd die hij hiervoor uittrok ging al in tegen zijn knagende angst dat er precies op dit moment misschien wel iets met de vrouwen gebeurde. Hij dacht aan Angelique. Als Lorenz, die blijkbaar geen last had van de ethische scrupules van de comte d'Orkancz, op dit moment nu eens boven was en de dop van een van zijn metalen flacons vol glas draaide?

Svenson riep zijn gedachten tot de orde – het had geen zin om zichzelf nu de zenuwen op het lijf te jagen. Twee minuten. Langer zou hij niet aan het boek besteden.

En meer was er ook niet voor nodig. Op de eerste bladzijde stond het citaat dat hem in de trein was voorgelezen. En op de tweede bladzijde, en de volgende, het hele boek door, keer op keer in een heel klein lettertje gedrukt, steeds weer dezelfde passage, in één grote niet-aflatende stroom. Hij keek op het schutblad en de achterkant om te zien of Coates er iets in had geschreven... en zag toen dat hij dat inderdaad had gedaan, een reeks getallen, in potlood neergekrabbeld en toen niet goed uitgegumd. Svenson hield de kaars er dichtbij en bladerde naar de eerste bladzijde waarvan het nummer stond opgeschreven, 97... Het leek een bladzijde als alle andere, voor zover hij kon zien zonder speciaal teken of speciale betekenis. Er begon hem iets te dagen... Hij keek naar het eerste woord boven aan de bladzij-de – zouden die bij elkaar een boodschap kunnen vormen? Een soort basiscode? Svenson pakte een stompje potlood uit zijn zak en schreef de woorden op de binnenkant van het boekomslag. Het eerste woord op bladzijde 97 was 'te'... Hij keek naar het volgende nummer van Coates' lijst, bladzijde 132... Het eerste woord was 'alleen'... Svenson sloeg snel de bladzijden om.

Hij fronste zijn wenkbrauwen. 'Tijd alleen rechtschapenen rijk de opengesteld...' Hij kon er geen touw aan vastknopen. Misschien was dit op zichzelf ook een code; hij probeerde hem te ontcijferen: 'tijd' betekende misschien het verleden, dus 'tijd alleen rechtschapenen' betekende misschien hun vorderingen tot nu toe. Maar waarom dan dat 'de'? In gecodeerde boodschappen stond toch nooit een woord te veel? Svenson zuchtte, keek naar het boek, waarvan hij net zoveel begreep als van een Hongaarse krant, maar had toch het gevoel dat de oplossing binnen handbereik was. Hij probeerde de laatste woorden van elke bladzijde, maar dat leverde hem 'van Heer zal hun nacht alleen' op. Dat klonk als een grimmig soort voorspelling, maar was niet wat hij zocht...

De letters! Hij keek naar de lijst met eerste woorden. Als hij alleen de beginletters nam kreeg hij... 't-a-r-r-d-o'... Hij keek gauw naar de volgende bladzijde – het eerste woord was 'rust' – het betekende Tarr dorp! Hij vond ook de 'p', maar de bladzijde daarop, bladzijde 150, begon met een witregel, net als de volgende, bladzijde 2. Hij wist het meteen: 15.02 uur! Het tijdstip van de trein! Een minuut later had Svenson het bijna helemaal af – alleen nog het laatste cijfer, van een bladzijde die met de letter 'p' begon, waardoor het laatste woord 'bravep' zou moeten luiden, maar dat kon natuurlijk nooit goed zijn. Hij controleerde de nummering van Coates nog eens en zag dat dit laatste cijfer onderstreept was. Zou dat dan iets anders kunnen betekenen? Hij grinnikte en wist het: daarmee werd het hele woord bedoeld! Hij schreef het snel op en keek naar wat hij op papier had gezet:

Tarr dorp. 15.02 uur. Wie bereid is tot zonde, zal het Paradijs trotseren.

Dokter Svenson sloeg het boek dicht en pakte de kaars. Deze mensen waren, zonder het van elkaar te weten, uitgenodigd om hierheen te komen, om 'zonde' te ondergaan in ruil voor 'het Paradijs'. Hij wist genoeg en huiverde bij de gedachte wat dit paradijs werkelijk zou kunnen inhouden. Wisten deze mensen wel met wie zij van doen hadden? Had Coates dat geweten? Hij liep terug naar de trap en vroeg zich af *waarom* – waarom deze mensen? Karl-Horst, lord Tarr, Bascombe, Trapping –, dat ze hén omkochten was begrijpelijk als gewin het oogmerk was, want het waren uitstekend gesitueerde marionetten. Hij dacht aan de stomme vrouw in de trein en hij dacht aan Eloïse. Hij dacht aan Coates onder het altaar en wist precies dat ze verleid waren door mensen die geen enkele waarde aan hen hechtten. Onder aan de trap haalde dokter Svenson de revolver uit zijn zak en blies de kaars uit. In het donker liep hij de trap op.

Hij hoorde niets, totdat hij op de derde verdieping aanbeland was. Boven hem bevond zich de zolder met de puntgevels, waar hij licht gezien had. Hij liep zo zacht hij kon de trap op, maar als er iemand luisterde, zou die het gekraak en gekreun van het oude hout beslist al ruim vóór zijn komst horen. Terwijl hij de trap op liep, rook hij ook een sterkere concentratie van de mechanische geur – heel pervers, alsof hij in de ijle berglucht liep, en zijn ademhaling werd oppervlakkiger en hij voelde zich licht in het hoofd. Hij bleef staan, drukte zijn zakdoek tegen zijn neus en mond, en zwaaide met de revolver de beschaduwde overloop langs.

De stilte werd verstoord door een voetstap boven hem op zolder. Svenson spande de haan van de revolver, keek hoe hij boven kon komen en struikelde er toen bijna over: plat op de grond lag een ladder. Wie het ook waren daar boven hem, hun terugweg was afgesneden.

Svenson duwde de haan terug en stopte de revolver in zijn zak. Hij pakte de ladder en keek omhoog naar het luik. Hij zag het alleen maar door de grendel waarmee het dichtzat, want het luik zelf lag gelijk met het plafond. Er zat een houten randje waar je de ladder tegenaan moest zetten, en Svenson zette hem stevig vast en begon aarzelend aan zijn klim, geholpen door de duisternis – hij wist niet precies hoe hoog hij zat, en dus ook niet hoe diep hij kon vallen. Hij bleef vastberaden naar boven kijken en stak zijn hand uit om de grendel open te schuiven – dat hij zich maar met één hand vasthield maakte dat de zenuwen hem door de keel gierden. Hij duwde het luik open en verloor bijna zijn evenwicht doordat hij terugdeinsde voor de chemische stank. Dat was mooi, want doordat hij intuïtief voor de stank ineenkromp, dook zijn hoofd net weg voor een scherpe houten hak. Even later – nadat hij de zwaaiende hak en de vrouw die ermee uithaalde had bekeken – gleed de voet van dokter Svenson van de sport en zakte erdoorheen. Hij maakte een plotselinge val van een halve meter, en toen wist hij zich weer vast te grijpen (waarbij zijn kaak ook tegen een sport aan smakte). Hij keek verstoord omhoog en wreef over zijn pijnlijke gezicht. De vrouw die naar hem omlaagkeek, met haar in haar gezicht en een schoen in haar hand, was Eloïse.

'Kapitein Blach!'

'Hebben ze u iets aangedaan?' vroeg hij hees, en hij deed zijn best om zijn bungelende been weer op de ladder te krijgen.

'Nee… nee, maar…' Ze keek naar iets wat hij niet kon zien. Ze had gehuild. 'Alstublieft… Ik móet naar beneden!'

Voor hij er iets tegen in kon brengen kwam ze het luik door en zat ze bijna boven op hem. Hij hield zo'n beetje haar benen vast terwijl ze de ladder af gingen, en was net op tijd op de grond om haar bij haar landing te helpen. Ze draaide zich om en legde haar gezicht tegen zijn schouder, hield hem stevig vast en trilde over haar hele lichaam. Even later legde hij zijn armen om haar heen – verlegen, zonder enige ongewenste druk uit te oefenen, hoewel zelfs dit kleine beetje contact al een wonderbaarlijke verbazing in hem teweegbracht over het feit dat iemand zulke kleine schouderbladen kon hebben – en wachtte tot haar emoties wat waren bedaard. In plaats van te bedaren begon ze nu te snikken, waarbij zijn soldatenjas de geluiden smoorde. Hij keek langs haar heen, omhoog het open luik in. Het licht in het vertrek was niet afkomstig van een kaars of lantaarn – op de een of andere manier was het bleker en killer, en het flakkerde niet. Dokter Svenson waagde het de vrouw wat klopjes op haar hoofd te geven en 'Stil maar, alles komt goed' in haar oor te fluisteren. Ze maakte haar gezicht van hem los, buiten adem, slikkend; het zat onder de vegen. Hij keek haar ernstig aan.

'Krijgt u wel adem? De geur… de chemicaliën…'

Ze knikte. 'Ik heb mijn hoofd bedekt… Ik… Ik moest…'

Voor ze wederom in tranen kon uitbarsten wees hij op het luik. 'Is daar nog iemand anders? Iemand die hulp nodig heeft?'

Ze schudde haar hoofd, deed haar ogen dicht en zette een paar passen opzij. Svenson wist niet wat hij ervan moest denken. Doodsbang voor wat hij er zou aantreffen klom hij de ladder op en keek naar binnen.

Het was een benauwde kamer met een puntgevel en aan weerskanten een schuin dak – een kind van zeven jaar had misschien zonder te hoeven bukken in het midden rechtop kunnen staan. Aan de andere kant, bij het raam, lagen de in elkaar gezakte vormeloze gestalten van twee vrouwen – dood, dat was duidelijk. Wat ook duidelijk was, hoewel hij er geen verklaring voor had, was dat hun lichamen de bron van de onnatuurlijke blauwe gloed waren die de griezelige zolder verlichtte. Hij kroop de kamer in. De geur was ondraaglijk en hij bleef even staan om de zakdoek weer goed voor zijn gezicht te doen. Daarna ging hij op handen en knieën verder. Het waren vrouwen uit de trein; een van hen was goed gekleed, de andere was waarschijnlijk een dienstmeid. Allebei hadden ze uit hun oren en neus gebloed, en over hun ogen lag een filmpje en ze waren ondoorzichtig, maar dan van binnenuit, alsof de inhoud van de oogbol onder extreme druk door elkaar geklutst was en een soort gelei was geworden. Hij dacht aan de medische belangstelling van de comte d'Orkancz en herinnerde zich de mannen die in de winter uit zee waren gehaald, wier zachte lichamen de verpletterende tonnen ijswater boven hen niet hadden kunnen weerstaan. De vrouwen waren natuurlijk volkomen droog – hun toestand viel niet door iets vergelijkbaars te verklaren. De spookachtige blauwe gloed die van elke zichtbare vierkante centimeter kleurloze huid straalde was ook door geen enkele noordpoolziekte te verklaren.

Svenson deed het luik achter zich dicht, klom naar beneden en legde de ladder op de grond. Hij kuchte in zijn zakdoek – zijn keel voelde vervelend rauw aan en hij kon zich alleen maar voorstellen hoe die van haar moest voelen – en stopte hem toen in zijn zak. Eloise was naar de trap geslopen en zat daar nu, zodat ze in de schaduw van de verdieping eronder kon kijken. Hij ging naast haar zitten; hij durfde geen arm meer om haar heen te slaan, maar waagde het er wel op – als arts – om met allebei zijn handen een van de hare vast te pakken.

'Toen ik wakker werd, waren zij er ook. In de kamer,' zei ze op fluistertoon – haar stem klonk hees, maar beheerst. 'Miss Poole…'

'Miss Poole!'

Eloïse keek naar Svenson op. 'Ja. Zij heeft ons allemaal toegesproken. Er was thee, er was cake. Ons allemaal, uit allerlei verschillende plaatsen, allemaal om verschillende redenen hierheen gekomen, voor onze *lotsbestemming*… Allemaal zielsverwanten onder elkaar.'

'Maar Miss Poole ligt niet op zolder…'

'Nee. Zij had het boek.' Eloïse schudde haar hoofd en legde een hand tegen haar ogen. 'Ik sla wartaal uit, het spijt me.'

Svenson keek weer naar de zolder. 'Maar die vrouwen… Die moet u toch kennen; ze zaten ook in de trein…'

'Ik ken ze net zomin als ik u ken,' zei ze. 'Ons is verteld hoe we hier moesten komen, dat we er niet over mochten praten…'

Svenson kneep in haar hand en verzette zich tegen elk gevoel van medeleven, want hij wist dat hij erachter moest zien te komen wie zij werkelijk was. 'Eloïse… Ik moet u iets vragen, het is heel belangrijk… en u moet me eerlijk antwoord geven…'

'Ik *lieg* heus niet… het boek… die vrouwen…'

'Daar gaat mijn vraag niet over. Ik moet meer over u weten. Wiens confidante bent u? Wiens kinderen geeft u les?'

Ze staarde hem aan; misschien voelde ze zich onzeker door zijn plotselinge aandrang, misschien bedacht ze wat ze het best kon antwoorden, en toen lachte ze spottend, verbitterd en ongelukkig. 'Om de een of andere reden dacht ik dat iedereen dat wel wist. De kinderen van Charlotte en Arthur Trapping.'

'Er valt zo veel te vertellen,' zei ze, en ze rechtte haar schouders en veegde de losgeraakte slierten haar uit haar ogen. 'Maar u begrijpt het pas als ik u uitleg dat Mrs Trapping, bij de verdwijning van kolonel Trapping' – ze keek naar hem om te zien of hij hieromtrent meer informatie nodig had, maar Svenson knikte alleen maar dat ze door moest gaan – 'zich in haar kamers had teruggetrokken en met niemand wilde praten, behalve met haar broers. Ik zeg broers, want dat is gebruikelijk in de familie, maar in werkelijkheid heeft de broer van wie ze iets wilde horen, de broer aan wie ze het ene na het andere kaartje stuurde – Mr Henry Xonck – geen één keer gereageerd, en de broer met wie ze een gespannen relatie heeft – Mr Francis Xonck – kwam de hele dag door bij haar langs. Tijdens een van die bezoekjes zocht hij me op in het huis, want hij komt vaak genoeg over de vloer om te weten wie ik ben en wat mijn relatie tot Mrs Trapping is.' Ze keek weer naar Svenson op, die een vriendelijk vragend gezicht opzette. Ze schudde haar hoofd, alsof ze haar gedachten op een rijtje wilde zien te krijgen. 'Die u natuurlijk niet kent – ze is een moeilijke vrouw. Ze is door haar oudere broer buiten de familieaangelegenheden gehouden; ze krijgt geld, begrijpt u, maar niet het werk, de macht, het aanzien. Dat zit haar vreselijk dwars en dat is dan ook de reden waarom ze per se wil dat haar man een belangrijke positie krijgt, en waarom zijn afwezigheid haar zoveel verdriet bezorgt. Het verlies van haar, als u mij toestaat, haar… *motor* was misschien nog wel erger voor haar dan het verlies van haar man. Hoe dan ook, Francis Xonck nam me apart en vroeg of ik er iets voor voelde om haar te helpen. Hij weet dat ik Mrs Trapping zeer toegewijd ben – zoals ik al zei: hij heeft gezien dat ze op mijn advies afgaat, en hij is een man aan wie niets ontgaat. Ik heb natuurlijk "ja" gezegd, ook al verbaasde ik me over deze plotselinge aandacht voor zijn zus, een vrouw die een hekel aan hem heeft omdat hij een corrumperende invloed op haar toch al corrupte man had. Hij zei dat er geheimhouding en intrige aan te pas zouden komen, dat er zelfs – en hierbij keek hij me doordringend aan – ik zou dit nooit aan iemand vertellen, kapitein, ware het niet dat... wat er gebeurd is...' Ze gebaarde om zich heen naar het donkere huis.

Svenson kneep in haar hand. Ze glimlachte weer, maar haar ogen stonden nog steeds hetzelfde.

'Hij keek naar me – hij keek ín me – en fluisterde dat ik zelf ook wel mijn voordeel kon doen met de hele kwestie, dat ik het... een openbaring zou vinden. Hij *grinnikte*. Maar zelfs terwijl hij me zomaar voor de lol verleidde, was het verhaal dat hij me vertelde heel duister en griezelig – hij was ervan overtuigd dat kolonel Trapping tegen zijn zin in werd vastgehouden – het zou een schandaal veroorzaken, en daarom kon hij er niet mee naar de politie. Meneer Xonck had alleen geruchten gehoord, maar stond zelf te zeer in de schijnwerpers om er iets aan te doen. Het maakte deel uit van een veel grotere reeks gebeurtenissen, zei hij. Hij zei dat er van me verwacht zou worden dat ik geheimen onthulde – compromitterende informatie – over de Trappings, over de familie Xonck – en daar gaf hij me toestemming voor. Ik weigerde, in elk geval als ik niet eerst Mrs Trapping geraadpleegd had, maar hij maakte me in zeer ernstige bewoordingen duidelijk dat het huwelijk, zelfs als ik haar alleen maar attent zou maken op dit kleine beetje van de benarde toestand van haar echtgenoot, op springen zou komen te staan, om nog maar te zwijgen over wat het met het zenuwgestel van de arme vrouw zou doen. Toch vond ik het schandelijk, want wat ik wist, wist ik alleen maar dankzij het vertrouwen dat zij in mij had gesteld. Ik weigerde nogmaals, maar hij drong aan – hij vleide me door mijn toewijding te prijzen, maar daarmee insinueerde hij alleen maar dat het van een nog grotere toewijding zou getuigen als ik zou doen wat hij vroeg. Eindelijk ging ik overstag; ik hield mezelf voor dat ik geen andere keus had, hoewel dat natuurlijk niet zo was. Je hebt altijd een andere keus, maar als iemand de lof over je spreekt of zegt dat je mooi bent, geloof je diegene maar al te snel.' Ze slaakte een zucht. 'En toen ontving ik vanochtend de instructie om de trein te nemen en hierheen te komen.'

'Wie bereid is tot zonde, zal het Paradijs trotseren,' zei Svenson. Eloïse snufte en knikte.

'De anderen waren net zulke mensen als ik: kennissen of bedienden of partners of relaties van mensen met heel veel macht. We dragen allemaal een geheim bij ons. Miss Poole bracht ons een voor een van de salon naar een ander vertrek. Daar waren een paar mannen; ze droegen allemaal een masker. Toen ik aan de beurt was, vertelde ik hun wat ik wist – over Henry Xonck en Arthur Trapping, over de honger en ambitie van Charlotte Trapping. Ik schaam me ervoor, en ik schaam me ervoor dat ik, terwijl ik dit met mijn verstand deed, vanuit de oprechte hoop dat ik de vermiste man kon redden, met een ander deel – deze waarheid is heel bitter voor me – heel graag wilde zien wat voor paradijs me te wachten stond. En nu... nu weet ik niet eens meer wat ik heb gezegd, wat er nu zo belangwekkend geweest kan zijn. De Trappings zijn geen aanstootgevende mensen. Wat ben ik dom geweest...'

'Zeg dat niet,' fluisterde Svenson. 'We zijn allemaal heel dom, gelooft u mij.'

'Dat kan nooit een excuus zijn,' antwoordde ze vlak. 'Ons is ook allemaal de kans gegeven om sterk te zijn.'

'Het was al heel sterk van u dat u in uw eentje helemaal tot hier gekomen bent,' zei hij. 'En op de zolder... was u zelfs nóg sterker.'

Ze deed haar ogen dicht en zuchtte. Svenson probeerde een vriendelijke toon aan te slaan. Hij twijfelde geen moment aan haar verhaal, maar toch wilde hij dat hij niet zo sterk geneigd was het te geloven. Ze was op Harschmort geweest – samen met de Trappings, zoals ze had uitgelegd –, maar dan nog... Hij had meer informatie nodig alvorens hij haar volledig kon vertrouwen.

'U had het erover dat Miss Poole een boek had...'

'Ze legde het op de tafel, nadat ik hun had verteld wat ik dacht dat ze wilden horen. Het was in zijde gewikkeld, als... als een soort Bijbel, of als de Joodse Thora... en toen ze de stof eraf wikkelde...'

'Was het van blauw glas.'

Ze hapte naar adem. 'Inderdaad! En u had het in de trein nog over glas gehad... en toen wist ik het niet, maar toen... ik moest aan u denken... en ik wist dat ik niet goed begreep in wat voor situatie ik verkeerde... en net op dat moment kreeg ik een heel levendige herinnering aan de kille ogen van meneer Francis Xonck... en toen deed Miss Poole het glazen boek open... en las ik... of moet ik zeggen: het las mij? Dat slaat nergens op – maar het slóeg ook nergens op. Ik viel erin alsof ik in een vijver viel, alsof ik in andermans lichaam viel, alleen was het er meer dan één – ik zag dromen, verlangens, zulke opwindende dingen dat ik moet blozen als ik er nog aan denk – en visioenen... van macht... en toen – Miss Poole – ik denk dat ze toen mijn hand op het boek heeft gelegd, want ik weet nog dat ze lachte... en toen... ik weet niet hoe ik het moet zeggen... ik was diep... heel diep, en ik had het heel koud, ik verdronk – ik hield mijn adem in, maar op een gegeven moment hapte ik toch naar lucht en toen zoog ik – ik weet niet wat het was – ijskoud vloeibaar glas naar binnen. Ik... Ik dacht dat ik doodging.' Ze zweeg, veegde haar ogen af en keek weer naar het luik. 'Daar ben ik wakker geworden. Ik heb geluk gehad – ik weet dat ik geluk gehad heb. Ik weet dat ik had moeten sterven, net als de anderen, met een blauw gloeiende huid.'

'Kunt u lopen?' vroeg hij.

'Ja.' Ze stond op, streek, terwijl ze nog steeds zijn hand vasthield, haar jurk glad en bukte zich om haar schoenen weer aan te trekken. 'Eerst hebben ze al die moeite gedaan om me hierheen te krijgen en dan gooien ze me achteloos in een hoek, zonder verder naar me om te kijken! Als u niet gekomen was, kapitein Blach – ik moet er niet aan denken wat er dan...'

'Niet aan denken,' zei Svenson. 'We moeten weg uit dit huis. Kom... Op de volgende verdiepingen is het donker; ik geloof dat er niemand meer in huis is – voorlopig althans. Ik ben het gezelschap heren gevolgd, en dat is volgens mij naar een andere locatie op het landgoed gegaan. Misschien hebben Miss Poole en de andere dames zich bij hen gevoegd.'

'Kapitein Blach...'

Hij onderbrak haar. 'Ik heet Svenson. Abelard Svenson, kapitein-scheepsdokter van de marine van Mecklenburg, in dienst van een heel domme jonge prins die ik, zelf ook dom, toch nog hoop te redden. Zoals u al zei hebben we geen tijd om het noodzakelijke verhaal te vertellen. Arthur Trapping is dood. Vanochtend heeft Francis Xonck geprobeerd me in de rivier tot zinken te brengen, in dezelfde ijzeren kist waarin het lichaam van kolonel Trapping lag. Het zou best kunnen dat hij van plan is zich van zijn broers te ontdoen, als zijn aandeel in deze samenzwering, en... Verdorie, wat een ellende ook – er valt veel te veel te zeggen... We hebben geen tijd... Ze kunnen terugkomen. De man met wie u in de trein zat, Mr Coates...'

'Ik wist niet...'

'Hoe hij heette – nee, hij wist ook niet hoe u heette. Maar hij is dood. Ze hebben hem vermoord, om niks eigenlijk. Ze zijn allemaal gevaarlijk, ze kennen geen scrupules. Moet u luisteren: ik herken u. Ik heb u bij hen gezien – ik móet dit zeggen – in Harschmort House, nog geen twee avonden geleden...'

Ze bracht haar hand naar haar mond. 'U! U hebt Lydia Vandaariff een boodschap van de prins overgebracht! Maar... maar daar ging het helemaal niet om, toch? Het ging om kolonel Trapping...'

'Die dood aangetroffen was, ja – vermoord; ik heb geen idee waarom en door wie. Maar wat ik wilde zeggen, wat ik... Ik heb besloten u te vertrouwen, ondanks uw connectie met de familie Xonck, ondanks...'

'Maar u hebt toch gezien dat ze geprobeerd hebben me te doden?'

'Ja, hoewel sommigen van hen het blijkbaar leuk vinden elkaar te doden. Maar hoe dan ook, wat ik u moet zeggen – mochten we ontsnappen, wat ik van harte hoop, maar als we elkaar kwijtraken... O, wat een onzin...'

'Wat? Wat?'

'Er zijn twee mensen die u kunt vertrouwen, hoewel ik niet weet hoe u ze zou moeten vinden. Een van hen is de man die ik in de trein aan u beschreven heb – in het rood gekleed, met een donkere bril op, heel gevaarlijk, een schurk – kardinaal Chang. Ik heb morgenmiddag om twaalf uur met hem afgesproken onder de klok op Stropping Station.'

'Maar waarom...'

'Omdat... Eloïse... Als ik van de afgelopen paar dagen iets heb geleerd, dan is het wel dat ik niet weet waar ik morgenmiddag om twaalf uur zal zijn. Misschien bent u daar dan in plaats van mij... Misschien hebben we elkaar wel enkel en alleen om die reden ontmoet.'

Ze knikte. 'En de ander? U zei dat het twee mensen waren.'

'Zij heet Celeste Temple. Een jonge vrouw, heel... vastberaden, kastanjebruin haar, klein van stuk. Zij is de ex-verloofde van Roger Bascombe – een ambtenaar van het ministerie die hierin een rol speelt... van wie dit huis is! O, we hebben helemaal geen tijd voor dit soort onzin. We moeten ervandoor.'

Svenson nam haar bij de hand en leidde haar de trappen af, terwijl er een knagend angstgevoel over zijn ruggengraat omhoogkroop. Ze hadden sneller weg moeten gaan. En zelfs als ze uit het huis wisten te ontsnappen, waar moesten ze dan heen? De twee mannen wisten dat hij in de King Crow zat, en als zij tot de samenzwering behoorden, wat ongetwijfeld het geval was, dan kon het daar niet veilig zijn. Maar de trein kwam pas de volgende ochtend. Kon hij bij iemand in de schuur slapen? Kon Eloïse dat? Hij bloosde bij het idee alleen al, en kneep instinctief even in haar hand, alsof hij zich ervan wilde verzekeren dat hij niet aan de gedachten in zijn hoofd zou toegeven – wat weer op losse schroeven kwam te staan doordat zij op haar beurt ook in zijn hand kneep.

Boven aan de laatste trap, die naar de helverlichte begane grond leidde en naar de salon waar hij de Bascombe-vrouw had achtergelaten, bleef hij weer staan en gaf hij te kennen dat ze nu heel stil moesten zijn. Svenson luisterde... Het was stil in huis. Ze slopen tree voor tree de trap af, totdat Svenson op zijn tenen naar de deur van de salon kon lopen en naar binnen kon gluren. Hij was leeg, de bordjes stonden er nog (maar de cake was weg). Hij keek de andere kant op – nog een salon, ook leeg. Hij draaide zich weer om naar Eloïse en fluisterde.

'Niemand. Welke kant moeten we op voor de deur?'

Ze liep de trap verder af en ging naar hem toe. Ze kwam dicht bij hem staan en boog zich voor hem langs om het met eigen ogen te kunnen zien. Ze deed een stap achteruit, nog steeds heel dicht bij hem, en antwoordde toen fluisterend: 'Volgens mij die kamer door en dan nog een – helemaal niet ver.'

Svenson hoorde amper wat ze zei. Door haar inspanningen op de zolder was van haar jurk nog een knoopje opengeschoten. Hij keek op haar neer – ze was niet heel klein, maar toch had hij een prachtig uitzicht – en zag de vastberadenheid op haar gezicht en in haar ogen, de naakte huid van haar hals en toen, door de open kraag van haar jurk heen, de samenkomst van haar sleutelbeenderen en haar borstbeen – beenderen die hem altijd met een vreemde sensuele prikkeling aan vogelskeletjes deden denken. Ze keek naar hem op. Zonder dat ze haar ogen bewoog wist hij dat zij zag dat hij naar haar lichaam keek. Ze zei niets. Rondom dokter Svenson was de tijd tot stilstand gekomen – misschien kwam het door al dat gepraat over ijs en vrieskou – en hij zoog haar aanblik en haar aanvaarding van zijn blik gelijkelijk in zich op. Hij voelde zich net zo hulpeloos als hij ten overstaan van de contessa was geweest. Hij slikte en probeerde iets te zeggen.

'Vanmiddag... in de trein... toen had ik me toch een droom...'

'O ja?'

'Ja... lieve hemel, ja...'

'Weet u nog hoe die ging?'

'Ja...'

Hij had geen idee wat zich achter haar ogen afspeelde. Hij stond op het punt haar te kussen, maar net op dat moment hoorden ze iemand krijsen.

Het was een vrouw, ergens in het huis. Svenson draaide zijn hoofd eerst naar de ene salon en toen naar de andere, maar hij wist niet welke kant hij op moest. De vrouw schreeuwde weer. Svenson greep Eloïses hand beet en trok haar mee tussen de theekopjes en taartbordjes door, terug naar de gang waar hij eerst was aangekomen en zocht onderwijl naar iets in de zakken van zijn soldatenjas. Hij deed snel de deur open en duwde haar de studeerkamer in. Ze wilde nog protesteren, maar toen hij het zware dienstwapen in haar handen legde, deed ze er het zwijgen toe. Haar mond ging open van schrik en Svenson drukte voorzichtig haar vingers om de kolf van het wapen, zodat ze het goed vasthield. Hier ging ze zo in op dat hij kon fluisteren en tegelijkertijd wist dat ze hem begreep. Achter hen schreeuwde de vrouw weer.

'Dit is de studeerkamer van lord Tarr. De tuindeur' – hij wees ernaar – 'is open en de stenen muur is zo laag dat u eroverheen kunt klimmen. Ik ben zo terug. Zo niet, dan moet u weggaan – aarzel niet. Morgenochtend gaat er om acht uur een trein naar de stad. Als iemand u tegenhoudt – als die iemand tenminste geen in het rood geklede man of vrouw met groene schoenen is – dan schiet u diegene dood.'

Ze knikte. Dokter Svenson boog zich naar voren en drukte zijn lippen tegen de hare. Ze reageerde heftig en liet een heel zacht kreuntje van bemoediging, spijt, verrukking en wanhoop tegelijk horen. Hij deed een stap achteruit en trok de deur dicht. Hij liep de gang door naar de andere kant en ging een kleine dienstruimte in. Svenson pakte een zware kandelaar, die hij in zijn hand ronddraaide om er goed grip op te krijgen. Het geschreeuw van de vrouw was opgehouden. Met tweeënhalve kilo koper in zijn hand beende hij de kant op waar volgens hem het geluid vandaan was gekomen.

Via een andere gang kwam Svenson uit in een grote eetzaal met tapijt op de grond, waarvan de hoge wanden vol hingen met olieverfschilderijen en de vloer in beslag genomen werd door een reusachtige tafel met misschien wel twintig stoelen met een hoge rugleuning eromheen. Aan de andere kant van de tafel stond een kluitje mannen, allemaal met een zwarte jas aan. Boven op de tafel lag de Bascombevrouw, op haar zij tot een bal opgekruld, met op- en neergaande schouders. Toen Svenson naar hen toe liep – het tapijt absorbeerde het geluid van zijn voetstappen –, zag hij dat de man in het midden haar kaak vasthield en haar hoofd zo boog dat ze hem wel moest aankijken. Ze hield haar ogen stijf dichtgeknepen en haar pruik zat scheef, waardoor het aangrijpend dunne, sluike, doffe haar eronder te zien was. De man was lang en had staalgrijs haar dat tot op zijn boord hing. Svenson zag tot zijn schrik de medailles op de borst van zijn jacquet en de scharlakenrode sjerp over zijn schouder – tekenen van de hoogste adeldom. Als hij Engelsman was geweest zou hij vast geweten hebben wie de man was. Was hij soms iemand van het koningshuis? Links van hem stonden de twee mannen uit de taverne. Rechts van hem stond Harald Crabbé, die – daartoe door een soort voorgevoel aangezet – opkeek en grote ogen opzette toen hij Svenson met een bars gezicht op hen af zag komen.

'Laat die vrouw met rust,' riep Svenson kil. Niemand verroerde zich.

'Het is dokter Svenson,' zei Crabbé ten behoeve van zijn meerdere.

Svenson zag dat de man van het koningshuis met zijn andere in een handschoen gestoken hand een ruitvormig stukje blauw glas boven de mond van de zich verzettende vrouw hield. Toen ze Svenson hoorde roepen, deed ze haar ogen open. Ze zag het glas en haar keel protesteerde gorgelend.

'Zo ongeveer?' vroeg de man sloom aan Crabbé, die het stuk glas met twee vingers beetpakte.

'Inderdaad, hoogheid,' antwoordde de onderminister, een en al eerbied, terwijl hij met grote ogen toekeek hoe Svenson op hen af kwam.

'Laat die vrouw met rust!' riep Svenson weer. Hij was nog maar iets van drie meter bij hen vandaan en liep heel snel.

'Dokter Svenson is de rebel uit Mecklenburg…' zei Crabbé monotoon.

De man haalde onverschillig zijn schouders op en stopte het glas in haar mond, sloeg de kaak van de vrouw toen tussen zijn twee handen dicht en hield hem zo stevig vast, en terwijl de effecten binnenin steeds heviger werden, steeg haar stem tot gesmoord geschreeuw. Hij beantwoordde de woedende blik van Svenson met minachting en verroerde zich niet. Zonder vaart te minderen bracht Svenson de kandelaar omhoog – de anderen zagen die nu pas –, uitsluitend met de bedoeling om de man zijn hersens in te slaan, wie hij ook mocht zijn.

'Phelps!' zei Crabbé vinnig, plotseling op wanhopig gebiedende toon. De kleinste van de twee mannen – die met het empirekapsel – stormde naar voren en stak zijn hand naar Svenson uit om hem tot rede te brengen, maar de dokter haalde al uit en raakte de man met de kandelaar tegen zijn onderarm, waardoor beide botten braken. Hij gilde en viel door de vaart van de klap naar opzij. Svenson denderde door en nu stond Crabbé tussen hem en de man van het

Koninklijk Huis – die zich nog steeds niet had verroerd.

'Starck! Hou hem tegen! Starck!' blafte Crabbé, die achteruit-deinsde en zijn gezag ten volle liet gelden. Over zijn schouder dook de andere man uit de taverne – Mr Starck – met beide handen op Svenson af. Svenson greep hem met zijn uitgestrekte linkerarm. Ze worstelden even op armlengte afstand van elkaar, waardoor Svenson zijn andere hand, die met de kandelaar, vrij had om uit te halen. De kandelaar kwam met een misselijkmakende, pompoensplijtende dreun tegen het oor van Starck aan, waardoor hij zo tegen de vlakte ging. Crabbé wankelde tegen de figuur van het koningshuis aan, die zich eindelijk rekenschap gaf van het tumult om hem heen. Hij had de kaak van de vrouw losgelaten – de belletjes op haar mond vorm-den een schuimend mengsel van blauw en roze. Svenson maakte zich gereed om over het hoofd van de kleine diplomaat heen recht-streeks naar de misdadige aristocraat – prins, hertog, wat dan ook – uit te halen, en realiseerde zich toen ergens in de periferie van zijn bewustzijn dat hij zich precies zo gedroeg als Chang. Het verbaasde hem dat hem dat zo'n goed gevoel gaf, en dat hij zich nog beter zou voelen zodra hij het gezicht van dit monster tot moes had geslagen. Maar net op dat moment stortte het plafond van het vertrek – toen hij viel wist hij niet wat er anders zo zwaar kon zijn – zonder enige waarschuwing neer op het achterhoofd van dokter Svenson.

Hij deed zijn ogen open en herinnerde zich heel duidelijk dat hij al eens eerder in precies dezelfde ellendige situatie had verkeerd, alleen bevond hij zich dit keer niet in een rijdend rijtuig. Zijn achterhoofd bonkte genadeloos en de spieren van zijn nek en rechterschouder voelden aan alsof ze in brand hadden gestaan. Zijn rechterarm was gevoelloos. Svenson keek opzij en zag dat die boven zijn hoofd aan een houten paal geketend zat. Hij zat op een aarden grond, tegen de zijkant van een houten trap geleund. Hij kneep zijn ogen tot spleetjes en probeerde door de pijn in zijn hoofd heen scherp te zien. Boven hem kronkelde de trap vele malen rond, tot wel dertig meter hoog. Eindelijk begon in zijn verdoofde brein de waarheid te dagen. Hij bevond zich in de steengroeve.

Hij werkte zich overeind en had vreselijke trek in een sigaret, ondanks zijn bittere droge keel. Dokter Svenson kneep zijn ogen samen en schermde ze met zijn hand af tegen het felle licht van de fakkel en de nogal drukkende warmte. Om hem heen was het een en al bedrijvigheid. Hij haalde zijn monocle te voorschijn en deed een poging het allemaal in zich op te nemen.

De steengroeve zelf was heel diep uitgegraven en de oranje stenen muren verrieden een nog hogere concentratie van ijzer dan hij vanuit de trein had gezien. De roodachtige kleur was zo intens dat zijn verstrooide geest zich afvroeg of hij soms in het geheim naar de bergen van Mecklenburg was vervoerd. De vloer was een vlak gemaakte laag steentjes en klei, en om zich heen zag hij bergen van verschillende soorten minerale substanties: zand, bakstenen, stenen, sintelhopen van gesmolten afval. Helemaal aan de andere kant zag hij een reeks schachten, roosters en stroomgoten – de groeve moest een vorm van watertoevoer hebben, eigen water of water dat erin gepompt werd – en iets wat eruitzag als een schacht die tot onder de grond liep. Hier vlakbij – ver weg, maar toch nog zo dichtbij dat het zweet Svenson in zijn boord stond – bevond zich een grote oven met een metalen luik. Voor het luikje zat doctor Lorenz op zijn hurken, geconcentreerd als een kwaadaardige gnoom, wederom met zijn beschermbril op en handschoenen aan, en om hem heen stond een kluitje identiek uitgeruste assistenten. Tegenover deze mijnwerkzaamheden van de groeve zaten de mannen en vrouwen uit de trein, op houten bankjes die Svenson aan een klaslokaal in de openlucht deden denken. Voor hen stond een kleine, weelderige vrouw in een lichte jurk die hen op zachte toon instructies gaf – dat moest Miss Poole zijn, dat kon niet anders. Op het achterste bankje zag Svenson tot zijn schrik, helemaal in haar eentje, de Bascombe-vrouw zitten, met haar pruik weer recht en haar gezicht – zij het een beetje pips en gespannen – bijna porseleinachtig weer in de plooi.

Hij hoorde iets en keek op. Recht boven hem stond, op het brede eerste tussenbordes van de trap, dat een balkon vormde van waaraf je uitzicht over de groeve had, het gezelschap van in zwarte jas geklede mannen: de figuur van het Koninklijk Huis, Crabbé en iets naar opzij, met een gezicht in de kleur van opgedroogde lijm, Mr Phelps, met zijn arm in een mitella. Achter hen stond een lange man met kortgeknipt haar en het rode uniform van het vierde regiment dragonders aan, met op zijn boord het insigne van kolonel, een sigaar te roken. Dat was Aspiche. Ze hadden Svenson nog niet gezien. Hij keek de groeve verder af – hij durfde niet te hopen dat Eloïse was ontsnapt – of hij ergens iets zag dat erop duidde dat zij gevangengenomen was. Aan de andere kant van de trap bevond zich een reusachtig aan elkaar genaaid allegaartje van zeildoeken, dat iets bedekte dat twee keer zo groot was als een treinwagon, en hoger – een soort geavanceerde graafmachine? Zou het feit dat het bedekt was betekenen dat ze klaar waren met graven, dat de aardlaag met indigoklei uitgeput was? Hij keek weer naar de oven om beter te begrijpen waar Lorenz precies mee bezig was, maar zijn blik bleef hangen op een ander zeildoek, eentje maar, dat over een kleine berg was gegooid, vlak naast de grote stapels hout waarmee de oven werd gestookt. Svenson slikte moeizaam. Onder het zeildoek stak de voet van een vrouw uit.

'Aha... hij is wakker,' klonk een stem boven hem.

Hij keek omhoog en zag Harald Crabbé met een kille wraakzuchtige blik over de reling leunen. Even later kwam het koninklijke personage bij hem staan; hij keek als een man die vee inspecteert zonder van plan te zijn er iets van te kopen. 'Wilt u mij een ogenblik excuseren, hoogheid? Ik stel voor dat u naar doctor Lorenz blijft kijken, die zo meteen ongetwijfeld iets heel interessants zal laten zien.' Hij boog en knipte toen met zijn vingers naar Phelps, die achter zijn meester aan de trap af sloop. Na nog een trek aan zijn sigaar wandelde Aspiche achter hen aan, terwijl zijn sabel bij elke stap die hij zette tegen zijn been sloeg. Svenson veegde zijn mond met zijn vrije linkerhand af, deed zijn best om het slijm uit zijn keel op te hoesten en spoog. Hij draaide zich om, zodat hij hen kon aankijken toen Crabbé van de trap kwam.

'We wisten niet of u weer tot leven zou komen, dokter,' riep hij. 'Niet dat het ons veel interesseerde, maar mocht het gebeuren, dan leek het ons nuttig om eens met u te praten over uw bezigheden en uw handlangers. Waar zijn de anderen – Chang en het meisje? Voor wie doen jullie deze hardnekkig stomme poging om dingen te verpesten waar jullie niks van begrijpen?'

'Voor ons geweten, minister,' antwoordde Svenson, en zijn stem klonk heser dan hij verwacht had. Hij wilde eigenlijk alleen maar slapen. Er kroop weer bloed in zijn arm, en hij wist vaag dat hij aanstonds, zodra de zenuwen weer tot leven kwamen, vreselijke pijn zou krijgen. 'Duidelijker kan ik het niet zeggen.'

Crabbé bekeek hem aandachtig alsof het uitgesloten was dat Svenson meende wat hij zei en dus wel in een soort geheimtaal moest spreken.

'Waar zijn Chang en het meisje?' herhaalde hij.

'Ik weet niet waar ze zijn. Ik weet niet eens of ze nog leven.'

'Waarom bent u hier?'

'En hoe gaat het met uw achterhoofd?' gniffelde Aspiche.

Svenson sloeg geen acht op hem, maar richtte zich tot de minister. 'Waarom denkt u? Om Bascombe te zoeken. Om u te zoeken. Om mijn prins te zoeken, zodat ik hem een kogel door zijn kop kan jagen en mijn land de schande van zijn troonsbestijging kan besparen.'

Crabbé bootste een glimlach na door zijn mondhoeken omlaag te trekken.

'U schijnt de arm van deze man gebroken te hebben. Kunt u botten zetten? U bent toch dokter, of niet soms?'

Svenson keek naar Phelps en zag zijn smekende blik. Hoe lang was het geleden? Minstens al uren, en de verse breuken knarsten bij elke stap die de arme man zette gemeen over elkaar. Svenson bracht zijn geketende pols omhoog. 'Dan moet dit los, maar ik kan wel wat doen, ja. Hebben jullie hout voor een spalk?'

'We hebben zelfs gips, of iets wat erop lijkt, zegt Lorenz. Dat gebruiken ze voor de mijnbouw, of om instortende muren te schragen. Kolonel, wilt u de dokter en Phelps begeleiden? Als dokter Svenson ook maar in de verste verte van zijn taak afwijkt, zou u mij een plezier doen door ogenblikkelijk zijn hoofd af te hakken.'

Ze staken de groeve door, langs het provisorische klasje, op Lorenz af. Svenson wierp in het voorbijgaan onwillekeurig toch een blik op Miss Poole, die hem met een oogverblindende glimlach aankeek. Ze excuseerde zich bij haar luisteraars en even later liep ze snel achter hen aan en probeerde hen in te halen.

'Dokter!' riep ze. 'Ik had niet gedacht dat ik u weer zou zien, niet zo snel althans, en in elk geval niet hier. Ik heb gehoord' – ze wierp snel een kwaadaardige blik op Aspiche – 'dat u zichzelf volstrekt onmogelijk hebt gemaakt en dat u bijna onze eregast hebt doodgeslagen!' Ze schudde haar hoofd alsof hij een aanbiddelijk ongehoorzaam jongetje was. 'Men beweert dat vijanden qua karakter vaak erg op elkaar lijken; ze onderscheiden zich alleen door hun instelling, en die is, zoals wij volgens mij allemaal wel weten, uiterst flexibel. Waarom sluit u zich niet bij ons aan, dokter Svenson? Neemt u mij niet kwalijk dat ik het zo botweg zeg, maar toen ik u voor het eerst zag in het St. Royale had ik geen flauw benul van uw faam als avonturier – u wordt met de dag legendarischer, net zo erg als uw onfortuinlijke vriend kardinaal Chang, die als ik het goed begrijp – hoe zal ik het zeggen? – niet langer uw concurrent op het gebied van heldhaftige inspanningen is.'

Toen hij dit hoorde, kromp Svenson onwillekeurig in elkaar. Tot zichtbare woede van kolonel Aspiche stak Miss Poole haar arm door die van Svenson, boog zich dicht naar hem toe en klakte met haar tong. Ze droeg sandelhout als parfum, net als Mrs Marchmoor. Haar zachte handen, de overweldigend verfijnde geur, het zweet in zijn nek, het gebonk in zijn hoofd, de irritante monterheid van dat mens – dokter Svenson had het gevoel alsof zijn hersenen aan de kook zouden raken. Ze grinnikte om zijn ongemakkelijkheid.

'En dan gaat u me nu natuurlijk vertellen dat u vrouwen redt en verdedigt – dat heb ik vanavond nog iemand horen zeggen. Maar moet u kijken,' – ze draaide zich om en zwaaide naar de Bascombe-vrouw, die op het bankje zat en die onmiddellijk terugzwaaide, net zo hoopvol vurig als een geslagen hond die met zijn staart kwispelt – 'daar zit Pamela Hawsthorne, de huidige lady van Tarr Manor, en zo blij als wat, ondanks het vervelende misverstand.'

'Heeft ze uw procédé ondergaan?'

'Nog niet, maar dat gaat vast zo gebeuren. Nee, we hebben haar alleen blootgesteld aan onze machtige wetenschap. Want het ís echt wetenschap, dokter, en ik hoop dat een wetenschapper als u dat toch zult inzien. De wetenschap ontwikkelt zich, weet u, net zoals de ruggengraat van onze samenleving zich moet ontwikkelen. Soms wordt hij meegesleept door de handelingen van mensen met meer verstand van zaken, als een recalcitrant kind. Dat begrijpt u vast wel.'

Hij wilde haar beledigen, haar uitschelden voor hoer, in één keer een eind maken aan dit zogenaamd vriendschappelijke geflirt, maar hij had niet de tegenwoordigheid van geest om de juiste belediging te formuleren. Misschien kon hij van duizeligheid overgeven. In plaats daarvan glimlachte hij maar.

'U bent erg overtuigend, Miss Poole. Mag ik u iets vragen, aangezien ik buitenlander ben?'

'Natuurlijk.'

'Wie ís die man?'

Svenson draaide zich om en knikte in de richting van de lange man die naast Crabbé op het tussenbordes van de trap stond en over de groeve uitkeek alsof hij een Borgia-paus was die vanaf een Vaticaans balkon spottend naar omlaag keek. Miss Poole grinnikte weer en gaf een toegeeflijk klopje op zijn arm. Hij bedacht dat ze deze macht vóór het procédé niet had gehad, en hij zocht nog steeds naar de juiste uitdrukking – was hij in haar ogen een kind, een leerling, een onwetend werktuig of een africhtbare hond?

'Dat is de hertog van Stäelmaere. Hij de broer van de oude koningin.'

'Dat wist ik niet.'

'Jazeker. Als de koningin en haar kinderen zouden komen te overlijden – wat God verhoede –, dan komt de hertog op de troon.'

'Dan moeten er wel een heleboel overlijden.'

'Begrijpt u mij alstublieft niet verkeerd. Geen broer geniet zo veel vertrouwen van Hare Majesteit als de hertog. In die hoedanigheid werkt hij op uiterst vertrouwelijke voet samen met de huidige regering.'

'Zo te zien is hij ook vertrouwelijk met Mr Crabbé.'

Ze moest lachen en wilde net een geestige opmerking maken, maar werd abrupt onderbroken door Aspiche.

'Zo is het wel genoeg. Hij is hier om de arm van deze man te zetten. En daarna sterft hij.'

Ze hoorde de interruptie beleefd aan en draaide zich toen naar Svenson om.

'Dat is niet zo'n best vooruitzicht, dokter. Ik zou maar op een ander paard wedden als ik u was. U weet echt niet wat u mist. En zou het niet jammer zijn als u daar ook nooit achter kwam?'

Miss Poole schonk hem een glimlachend, plagerig knikje met haar hoofd en liep toen terug naar haar klasje. Svenson keek even naar Aspiche, die haar met zichtbare verlustiging nakeek. Had zij in de besloten eetzaal van het St. Royale Aspiche of Lorenz bepoteld? Hij wist vrijwel zeker dat het Lorenz was geweest, hoewel Lorenz zo te zien geheel opging in zijn smelterij en nergens anders oog voor had. Svenson zag dat de man een van de flesjes uit de patroonriem leeggoot in een metalen beker die zijn assistenten daarna in de ziedende oven zouden stoppen. Hij vroeg zich af wat voor chemisch proces het nou eigenlijk was – er leken verschillende gradaties van verfijning te zijn… Waren die voor verschillende doeleinden bestemd, om de indigoklei voor verschillende toepassingen geschikt te maken? Hij keek om naar Miss Poole en vroeg zich af waar haar glazen boek nu was. Als hij daar eens de hand op zou weten te leggen…

Hij werd wederom door Aspiche onderbroken, die hem aan zijn tintelende arm meetrok naar Mr Phelps, die een pijnlijke poging deed om zijn zwarte jas uit te trekken. Svenson keek omhoog naar Aspiche en wilde hem om een spalk en om wat cognac vragen om in elk geval de pijn van de man wat te stillen, maar toen zag hij in het oranje licht van de oven de lusvormige littekens van het procédé opdoemen, als de tatoeages van een wilde eilandbewoner, die over zijn hele gezicht gekerfd stonden. Hoe kon het dat hij die niet eerder had gezien? Svenson moest hardop lachen, of hij nu wilde of niet.

'Wat is er?' beet de kolonel hem toe.

'U… Uw gezicht ziet eruit als dat van een clown,' antwoordde Svenson brutaal. 'Wist u dat het gezicht van Arthur Trapping, de laatste keer dat ik hem gezien heb – en let wel, dat was toen hij in zijn kist lag – er net zo uitzag? Denkt u dat u, enkel en alleen omdat ze uw *geest* groter gemaakt hebben, soms niet net zo goed hun toevallige werktuig bent?'

'Zwijg, of ik vermoord u!' Aspiche gaf hem een zet in de richting van Phelps, die zich uit de voeten wilde maken en toen ineenkromp van de pijn.

'U vermoordt me toch wel. Luister... Trapping was een man met machtige vrienden; hij was iemand die ze nodig hadden. Daar haalt u het niet bij; u bent alleen maar de man met de soldaten, en uw eigen promotie zou het bewijs moeten zijn dat ook u heel gemakkelijk te vervangen bent. U zorgt voor de honden wanneer ze op jacht moeten – dat is slavernij, kolonel, en uw grotere geest zou *breed* genoeg moeten zijn om dat in te zien.'

Aspiche gaf dokter Svenson een gemene dreun tegen zijn kaak. Svenson zakte in elkaar en voelde zijn gezicht steken. Hij knipperde met zijn ogen en schudde zijn hoofd. Hij zag dat Lorenz het geluid had gehoord en zich naar hen omdraaide; achter de zwarte beschermbril was niet te zien hoe hij erbij keek.

'En nu die arm zetten,' zei Aspiche.

Het 'gips' was in werkelijkheid een soort verzegeling voor de oven, maar Svenson dacht dat hij het er toch wel mee kon doen. De breuken waren door en door, en hij moest Phelps nageven dat hij niet flauwviel, hoewel Svenson dat toch altijd een bedenkelijk compliment vond. Als hij namelijk wél flauwgevallen was zou het voor iedereen een stuk gemakkelijker geweest zijn. Maar nu zat de man na afloop trillend en volkomen uitgeput op de grond met zijn arm in zijn spalk gezwachteld. Svenson had zich kortaf verontschuldigd voor het feit dat hij zijn arm gebroken had en het ongemak dat dat met zich meebracht, en hij verzekerde hem ervan dat hij niet hem, maar de hertog had willen raken. Phelps antwoordde dat het gezien de omstandigheden uiteraard volkomen begrijpelijk was.

'Uw vriend...' begon Svenson, terwijl hij zijn handen aan een doek schoonveegde.

'Die heeft het niet overleefd,' antwoordde Phelps, en zijn stem klonk door de pijn op de een of andere manier afstandelijk, met die tere fluistering van gedroogd rijstpapier. Hij knikte in de richting van het zeildoek. Nu ze er dichterbij waren zag Svenson dat er niet alleen een vrouwenvoet, maar ook de zwarte schoen van een man onderuit stak. Hoe had hij ook alweer geheten? Starck? De loden last dat hij iemand had gedood rustte de dokter zwaar op de schouders. Hij keek naar Phelps, alsof hij iets moest zeggen, en zag dat 's mans blik alweer ergens anders heen was gedwaald, en dat hij op zijn lip beet tegen het geknars van zijn gebroken botten.

'Die dingen gebeuren nu eenmaal in tijden van oorlog,' zei Aspiche op minachtende toon. 'Als je ervoor hebt gekozen om te vechten, heb je gekozen om te sterven.'

Svenson keek weer naar de afgedekte berg lichamen en probeerde zich uit alle macht te herinneren wat voor schoenen Eloïse had gedragen. Zou dat haar voet kunnen zijn? Hoeveel mensen – lieve God – lagen er onder dat zeildoek? Aan de hoogte te oordelen moesten het er minstens vier zijn – misschien wel meer. Hij hoopte dat ze, nu hij gevangengenomen was, niet de moeite zouden nemen om de volgende ochtend in de herberg of op het perron te gaan zoeken, zodat ze misschien kon ontkomen.

'Gaat hij het halen?' Dit riep doctor Lorenz spottend en schalks, die van de oven naar hen toe liep, met zijn beschermbril nu bungelend om zijn hals. Hij keek naar Phelps, maar wachtte niet eens tot hij antwoord kreeg. Hij liet zijn blik één keer over Svenson heen dwalen – een professionele inschatting die niets onthulde, behalve dan een net zo professionele mate van argwaan, en toen richtte hij zich op Aspiche. Lorenz gebaarde naar zijn assistenten, die vanaf de oven achter hem aan gelopen waren.

'Als we ons van dit bewijsmateriaal moeten ontdoen, moet het nu gebeuren. De oven is nu op z'n heetst en zal hierna alleen maar zachter branden. Hoe langer we wachten, hoe beter de resten te ontcijferen zullen zijn.'

Aspiche keek naar de andere kant van de groeve en bracht zijn arm omhoog om de aandacht van Crabbé te trekken. Svenson zag de minister turen, zich vervolgens realiseren waar de kolonel op wees en daarna goedkeurend zwaaien.

'Hij kan,' riep Aspiche naar de mannen van Lorenz.

Het zeildoek werd weggetrokken, de mannen gingen aan weerskanten van de berg staan en twee aan twee namen ze een lichaam tussen zich in. Svenson deinsde achteruit. Boven op de berg lagen de twee vrouwen uit de zolderkamer – hun lichamen gloeiden nog blauw na. Onder hen lagen Coates en Starck en nog een man die hij zich vaag uit de trein herinnerde, wiens huid ook gloeide (blijkbaar was het boek ook aan de mannen getoond). Hij keek vol afgrijzen toe hoe de eerste twee lichamen naar de oven werden gedragen, het breedste stookpaneel werd opengeschopt en er binnenin een wit-heet vuur te zien was. Svenson wendde zich af. De geur van brandend haar deed zijn maag omhoogkomen. Aspiche pakte hem bij zijn schouders en duwde hem terug naar de andere kant van de groeve, naar Crabbé. Hij merkte nog vaag dat Phelps achter hen aan stommelde. In elk geval had Eloïse er niet bij gelegen... Dat was haar tenminste bespaard gebleven...

Toen ze wederom langs Miss Poole en haar pupillen liepen, zag hij haar tussen de bankjes boeken uitdelen – deze hadden een roodleren kaft in plaats van een zwartleren. Ze fluisterde iedereen iets in het oor. Hij nam aan dat het een nieuwe code was, en de sleutel voor nieuwe boodschappen. Ze zag dat hij naar haar keek, en ze glimlachte. Aan weerskanten van Miss Poole stonden de man en vrouw bij wie hij aanvankelijk in de trein in de coupé had gezeten. Hij herkende hen nauwelijks. Hun kleding was anders – die van hem zat onder de vetvegen en het roet en die van haar was duidelijk losser geknoopt –, maar toch kwam het meer door de transformatie van hun gezichten. Eerst waren daar spanning en argwaan op te lezen geweest, maar nu zag Svenson ontspanning en vertrouwen – het was echt alsof het volkomen andere mensen waren. Ze knikten hem ook toe, met een stralende glimlach. Hij vroeg zich af wie zij in de gewone wereld waren, wie zij in hun leven zonet verraden hadden en wat ze in het glazen boek hadden aangetroffen waardoor ze nu zo veranderd waren.

Svenson probeerde er iets van te begrijpen, probeerde zijn vermoeide brein tot nadenken te dwingen. Hij zou eigenlijk de ene conclusie na de andere moeten trekken, maar in zijn huidige verdoofde toestand kwam er niks bovendrijven. Wat was het verschil tussen het glazen boek en het procédé? Het boek kon doden, zoveel was duidelijk – hoewel dit met een bijna wrede willekeur leek te geschieden, als een giftige reactie op schaaldieren, want hij durfde te betwijfelen of de sterfgevallen met opzet of voorbedachten rade plaatsvonden. Maar wat deed dat boek dán? Eloïse had gesproken over 'erin vallen', over visioenen. Hij dacht aan het verleidelijke karakter van het blauwgla-

zen kaartje en extrapoleerde dat naar hoe een boek dan moest zijn...
Maar verder... Hij had het gevoel dat hij bijna iets had... *Schrijven*...
In een boek moest geschreven zijn, de gedachten moesten vastgelegd
worden... Deden ze dat dan soms? Hij herinnerde zich wat Chang
over het instituut had verteld, dat de man het boek had laten vallen
terwijl het gemaakt werd – terwijl het op de een of andere manier
uit Angelique gemaakt werd – dezelfde man die ook in de keuken
van Crabbé was geweest. Wat was het verschil tussen een mens
gebruiken om het boek te maken en die mensen vervolgens hier te
gebruiken om erin te schrijven... of om in zijn klauwen getrokken
te worden als in het web van een spin? En hoe zat het dan met het
procédé? Dat was volgens hem alleen maar een omkering – een che-
misch-elektrisch procédé met gebruikmaking van de eigenschappen
van de geraffineerde indigoklei – indigoklei die op de een of andere
manier tot glas omgesmolten was – om het karakter te veranderen:
om remmingen op te heffen en gevoelens van loyaliteit te laten verschuiven. Zorgde dat er alleen maar voor dat er morele bezwaren uit
de wereld geholpen werden? Of werden ze hierdoor geherprogram-
meerd? Hij dacht eraan hoeveel een mens in het leven kon bereiken
als hij geen scrupules had, of hoeveel honderd van zulke mensen die
met elkaar samenwerkten konden bereiken, want het werden er elke
dag meer. Svenson wreef onder het lopen in zijn ogen. Hij was weer
helemaal in de war, en dat bracht hem terug naar de eerste vraag: wat
was het verschil tussen het procédé en het boek? Hij keek achterom
naar Miss Poole en haar schoolklasje tussen de hopen afval. Het was
een kwestie van richting, realiseerde hij zich. Bij het procédé ging
de energie het slachtoffer *in*, hief hij remmingen op en zette die in
voor de zaak. Bij het glazen boek werd de energie *uit* het slachtoffer gezogen – samen met de (of in de vorm van... – was herinnering
energie?) specifieke ervaringen in zijn leven. De chantage bestond
ongetwijfeld hieruit: de geheimen die deze bittere onderknuppels
moesten vertellen werden nu in het boek van Miss Poole *afgescheiden*,
en dat boek stelde – net als de kaarten – nu iedereen in de gelegenheid die schandelijke episodes ook *mee te beleven*. De macht van de
samenzwering over de mensen die er op die manier mee verstrengeld
waren was onontkoombaar en kende geen einde.

Hij begreep er nu iets meer van: de boeken waren instrumenten en konden, net als elk ander boek, voor allerlei verschillende doeleinden worden gebruikt, afhankelijk van wat erin stond. Verder zou het kunnen zijn dat ze op verschillende manieren en om verschillende redenen tot stand gekomen waren, waarbij sommige helemaal beschreven waren en andere juist een ander aantal lege bladzijden bevatten. Hij moest denken aan de levendige, verontrustende schilderijen van Oskar Veilandt – de composities die heel expliciet het procédé lieten zien, met op de achterkant van elk doek alchemistische symbolen geschreven. Lag het werk van die man soms ook aan de boeken ten grondslag? Leefde hij nog maar! Zou het kunnen dat de comte – die duidelijk de baas was in de samenzwering van deze perverse wetenschap – de geheimen van Veilandt had geplunderd en hem vervolgens had vermoord? Terwijl Svenson aan de boeken en de bedoelingen erachter dacht, vroeg hij zich plotseling af of d'Orkancz soms van plan was geweest om een boek te maken dat helemaal over Angelique ging – de onmetelijke avonturen van een dame van lichte zeden. Dat zou een uiterst overtuigend middel voor zijn zaak zijn, waarbij hij de gedetailleerde ervaring van duizend nachten in het bordeel liet zien zonder dat je er je kamer maar voor uit hoefde te gaan. Dat zou echter maar één voorbeeld zijn. De grens was de sensatie zelf – welke avonturen, reizen of golven van opwinding die één persoon had meegemaakt konden niet op een van deze boeken afgedrukt worden, voor iedereen te consumeren, dat wil zeggen, voor iedereen beschikbaar om *lijfelijk* mee te maken? Wat voor overdadige banketten? Welke hoeveelheden wijn? Wat voor strijdtonelen, strelingen, geestrijke gesprekken? Het kende echt geen einde... en ook wat mensen voor een dergelijke vorm van vergetelheid zouden willen neertellen kende geen grenzen.

Hij keek achterom naar Miss Poole en het glimlachende stel. Waardoor waren ze veranderd? Hoe kwam het dat de anderen gedood waren, maar deze twee in leven waren gebleven? Op de een of andere manier was het belangrijk dat hij daarachter kwam – want dit was een rimpeling, iets wat niet soepeltjes stroomde. Was er maar een manier om erachter te komen, maar elke gedachte over wie deze mensen waren of waar ze aan dood hadden kunnen gaan ging ook nu nog in rook op. Svenson snoof van kwaadheid; misschien was er toch genoeg overgebleven. Hun huid was doortrokken geweest van blauw – dit was niet gebeurd met de mensen die het niet hadden overleefd. Hij dacht aan het stel dat van argwanend en wrokkig nu open en vriendschappelijk was geworden... Svenson struikelde, zo hard kwamen zijn gedachten aan. Aspiche pakte hem bij zijn schouders en duwde hem naar voren.

'Doorlopen! Zo meteen mag je uitrusten!'

Dokter Svenson hoorde hem nauwelijks. Hij moest denken aan Eloïse – dat zij zich niet had kunnen herinneren wat voor schandalen ze wellicht over de familie Trapping of Henry Xonck had verteld. Ze had het gezegd op een toon alsof ze bedoelde dat er eigenlijk niets te vertellen viel. Svenson wist echter dat haar de herinneringen ontnomen waren, net zoals het corrupte stel zijn herinneringen aan wrok, onrechtvaardigheid en afgunst ontnomen was – met de bedoeling om ze allemaal in het boek te schrijven. En degenen die gestorven waren... Wat had d'Orkancz over Angelique gezegd? Dat de energie 'spijtig genoeg' de andere kant op was gegaan... Dat moest hier ook gebeurd zijn: de energie van het boek moest dieper tot de mensen die waren gestorven zijn doorgedrongen, hen helemaal hebben leeggezogen en aldus zijn sporen hebben achtergelaten. Maar waarom zij wel en de anderen niet? Hij keek weer naar de glimlachende mensen rondom Miss Poole. Niemand van hen kon zich precies herinneren wat ze hadden verteld. Misschien wisten ze niet eens waarom ze hier waren. Hij schudde zijn hoofd om zoiets fraais: iedereen kon veilig teruggestuurd worden naar zijn normale leven, zonder dat hij ook maar in de verste verte wist wat er gebeurd was, afgezien van een tochtje naar het platteland en een paar vreemde sterfgevallen. Maar de dood van iemand die toch onbelangrijk gevonden werd viel altijd wel te verklaren, toch? Wie zou ertegen in het geweer komen? Wie zou zich de mensen die gedood waren zelfs maar herinneren?

Heel even gingen Svensons gedachten uit naar Corinna, met alle pijn van dien – de mate waarin de herinnering aan haar uitsluitend in zijn borst bewaard bleef – en hij voelde vanbinnen de woede aanzwellen. De dood van Starck drukte zwaar op hem, maar hij dacht aan de woorden van de sullige Aspiche (waarom moesten zulke mannen de complexiteit van de wereld altijd tot eenlettergrepige gedachten terugbrengen – een koninkrijk van gebrom?) om zich in herinnering te brengen wie zijn ware vijanden waren. Hij was Chang niet – over moorden kon hij geen goed gevoel krijgen, en hij kon ook niet goed genoeg doden om zijn eigen leven te redden –, maar hij was Abelard Svenson. Hij wist waar deze schurken mee bezig waren en wie van hen de echte verantwoordelijken waren: boven hem op het bordes van de trap, Harald Crabbé en de hertog van Stäelmaere. Als hij hen kon doden, dan deden Lorenz, Aspiche en Miss Poole er niet meer toe; dan zou de ellende die zij in de wereld aanrichtten beperkt blijven tot de reikwijdte van hun eigen twee armen en dan zouden ze in dezelfde onmiskenbare ontevredenheid belanden die ze vóór hun glorieuze verlossing in het procédé hadden gekend. Het procédé was afhankelijk van de organisatie van de samenzwering – van deze twee, van d'Orkancz, van Lacquer-Sforza en van Xonck. En Robert Vandaariff... Die was vast de leider. Dokter Svenson wist plotseling dat hij, zelfs al zou hij ontsnappen, Chang of Miss Temple niet op Stropping Station zou treffen. Of ze waren dood, of ze waren op Harschmort.

Maar wat kon hij doen? Aspiche was lang, sterk, gewapend en kwaadaardig – misschien vormde hij zelfs voor Chang een uitdaging. Dokter Svenson was ongewapend en doodmoe. Hij keek weer naar de oven. Lorenz liep naar hen toe en trok onderwijl zijn handschoenen uit. Boven stonden Crabbé en de hertog rustig te babbelen – of Crabbé babbelde en de hertog knikte bij wat hij hoorde, met een ijzig uitdrukkingsloos gezicht. Svenson telde vijftien houten treden tot aan het tussenbordes waar zij stonden. Als hij daarnaartoe zou kunnen rennen, zodat hij er eerder was dan Aspiche... Crabbé zou zich voor de hertog gooien... Svenson doorzocht zijn zakken. Zat er iets van een wapen in? Hij lachte spottend: een potloodstompje, een sigarettenkoker, het glazen kaartje... Het kaartje... Als hij het nu eens onder het rennen in zijn handen doormidden brak en de onregelmatige rand gebruikte om één scherpe snee in Crabbés hals te maken, en dan om de hertog te gijzelen... Vervolgens zou hij hem op de een of andere manier de trappen op sleuren – zou zijn rijtuig boven staan? – en naar de trein rijden, of helemaal terug naar de stad.

Lorenz was nu bijna bij hen. Dit was dé perfecte afleiding. Hij liet zijn hand terloops in zijn zak glijden en zocht naar het kaartje. Hij verzette zijn voeten, klaar om het op een lopen te zetten.

'Kolonel Aspiche,' riep doctor Lorenz, 'we zijn bijna...'

Aspiche sloeg zijn onderarm met een dreun tegen Svensons achterhoofd, waardoor hij op zijn knieën viel, zijn hersenpan bijna uit elkaar barstte van de pijn, hij braaksel in zijn keel proefde en de tranen uit zijn ogen knipperde. Ergens achter hem – het leek wel op kilometers afstand – hoorde hij het flauwe lachje van Lorenz en daarna hoorde hij het duistere gefluister van Aspiche in zijn oor.

'Als u het maar uit uw hoofd laat.'

Svenson wist dat hij vermoedelijk zou sterven, maar hij wist ook dat hij, als hij niet overeind kwam, de oneindig kleine kans die hij had zou kwijtraken. Hij spoog en veegde zijn mond aan zijn mouw af. Lichtelijk tot zijn verbazing zag hij dat hij nog steeds het blauwe kaartje in zijn hand hield. Met een enorme krachtsinspanning zette hij zijn andere arm schrap op de groezelige klei en bracht hij één knie omhoog. Hij zette zich af, wankelde en voelde toen dat Aspiche de kraag van zijn soldatenjas vastpakte en hem met een ruk overeind trok. Hij liet los, Svenson stond te wiebelen op zijn benen en viel bijna weer om. Weer hoorde hij Lorenz lachen, en toen hoorde hij Crabbé van boven roepen.

'Dokter Svenson! Nog nieuwe ideeën over de verblijfplaats van uw kameraden?'

'Ik heb gehoord dat ze dood zijn,' riep hij terug, en zijn stem klonk hees en zwak.

'Dat zou kunnen,' antwoordde Crabbé. 'Misschien hebben we al te lang van uw tijd gebruikt.'

Achter zich hoorde hij zoevend metaal – kolonel Aspiche die zijn sabel trok. Hij moest zich omdraaien en hem aankijken. Hij moest het kaartje doormidden breken en de scherpe rand in zijn hals duwen, of in zijn ogen, of... Hij kon zich niet omdraaien. Hij kon alleen maar omhoogkijken naar het tevreden gezicht van Crabbé, die over de balustrade hing. Svenson wees naar de muren van de groeve en riep naar de onderminister: 'Mecklenburg.'

'Wat zegt u?'

'Mecklenburg. Deze groeve. Ik begrijp het verband: die indigoklei van u. Dit moet slechts een kleine laag zijn. De bergen van Mecklenburg zitten er vol mee. Als u de hertog van Mecklenburg in uw macht hebt, kunt u doen wat u wilt... Is dat uw plan?'

'*Plan*, dokter Svenson? Zo staan de zaken er al voor, ben ik bang. Het plan bestaat uit wat we gaan doen met de macht die we hebben weten te vergaren. Met de hulp van wijze mannen zoals de hertog hier...'

Svenson spoog. Crabbé hield halverwege zijn zin op.

'Wat vreselijk vulgair.'

'U hebt mijn land beledigd,' riep Svenson. 'U hebt mij beledigd. Daar zullen jullie voor boeten, stuk voor stuk, al die arrogante...'

Crabbé keek over Svensons schouder heen naar kolonel Aspiche. 'Dood hem.'

Het schot kwam als een verrassing voor hem, want hij verwachtte een slag met een sabel – en het duurde even voor hij zich realiseerde dat niet híj door de kogel was geraakt. Hij hoorde de schreeuw – weer vroeg hij zich af of die niet uit zijn eigen mond kwam – en zag toen de hertog van Stäelmaere tegen de balustrade aan wankelen, naar zijn rechterschouder grijpen, die duidelijk doorboord was, terwijl het bloed tussen zijn lange bleke vingers door stroomde die naar de wond grepen. Crabbé draaide zich als gestoken om, zijn mond trilde, en de hertog viel neer op zijn knieën en zijn hoofd gleed tussen de spijlen. Boven en achter hen stond Eloïse, die het rokende dienstwapen stevig met beide handen vasthield.

'God zij gedoemd, madame!' brulde Crabbé. 'Weet u wel wie u neergeschoten hebt? Dit is een doodzonde! Dit is verraad!' Ze schoot nog een keer, en dit keer zag Svenson dat de kogel door de borstkas van de hertog heen ging, wat een grote, snelle fontein van bloed opleverde. Stäelmaere schrok zo van de impact, van de schrikbarende reikwijdte van zijn doodsnood dat zijn mond openging en hij op de plankenvloer ineenzeeg.

Svenson draaide zich razendsnel om, putte nieuwe energie uit zijn redding, herinnerde zich iets wat hij een keer in een café aan de haven had gezien en schopte tegen de laars van kolonel Aspiche, terwijl hij de man tegelijkertijd met beide handen een keiharde zet naar achteren gaf. De kolonel viel achterover en Svenson zette zijn voet met zijn volle gewicht tegen de grond klem, zodat de man zijn evenwicht niet kon hervinden én hij er meteen voor zorgde dat hij met zijn eigen gewicht tegen zijn vastgeketende enkel gegooid werd. Toen de kolonel met een schreeuw van woede en pijn op de grond belandde, hoorde Svenson de botten kraken. Hij sprong weg – Aspiche zwaaide, gevloerd en wel, met de sabel, terwijl zijn gezicht rood aanliep en er tranen in zijn ooghoeken verschenen – en rende naar de trap. Eloïse schoot nog een keer en miste Crabbé blijkbaar, die zich had teruggetrokken in de hoek van het tussenbordes, met zijn armen voor zijn gezicht, weggedoken voor het wapen. Svenson haalde uit en raakte hem in zijn onbeschermde buik. Crabbé sloeg kreunend dubbel en greep met zijn handen naar zijn buik. Svenson haalde nog een keer uit, nu naar het inmiddels onbeschermde gezicht van de onderminister, en de man zeeg in elkaar. Svenson hapte naar adem – hij had geen idee dat je met zo'n dreun je hand kon bezeren – en wankelde naar zijn redster toe.

'God zegen je, lieve kind,' fluisterde hij, 'want je hebt mijn leven gered. Laten we naar boven…'

'Daar komen ze!' zei ze, en van de angst werd haar stem hoger. Hij keek omlaag en zag de assistenten van Lorenz en de groep mannen van de schoolbankjes allemaal aan komen rennen. Lorenz had Aspiche overeind geholpen, en de hinkende, manke kolonel zwaaide met zijn sabel en bulderde bevelen.

'Dood! Ze moeten dood! Ze hebben de hertog vermoord!'

'De hertog?' fluisterde Eloïse.

'Heel goed van je,' stelde Svenson haar gerust. 'Geef mij maar, want ze zijn met z'n velen…'

Hij pakte de revolver van haar aan, trok de haan terug en sprong omlaag naar de terugdeinzende Crabbé. De mannen stormden de trap op en Svenson greep de minister bij zijn kraag, trok hem omhoog, op zijn knieën, en drukte de loop van de revolver tegen Crabbés oor. Ze verdrongen zich tot aan de rand van het tussenbordes en keken Svenson en Eloïse vol haat aan. Svenson keek over de balustrade naar de vloer van de groeve, waar Lorenz Aspiche ondersteunde.

'Ik vermoord hem! Dat weten jullie! Roep die lui terug!' riep hij hun toe.

Hij keek om naar het gedrang en zag de mensen uiteengaan om Miss Poole door te laten. Ze liep met een ijzige glimlach het tussenbordes op.

'Gaat het wel met u, minister?' vroeg ze.

'Ik leef nog,' mompelde Crabbé. 'Is doctor Lorenz klaar met zijn werk?'

'Ja.'

'En uw pupillen?'

'Zoals u ziet gaat het heel goed met ze. Ze willen u dolgraag beschermen en de hertog wreken.'

Crabbé slaakte een zucht. 'Misschien is het zo maar het beste, misschien is het zo beter te doen. U zult zijn lichaam moeten klaarmaken.'

Miss Poole knikte en keek toen op, langs Svenson heen naar Eloise. 'Zo te zien hebben we u onderschat, Mrs Dujong!'

'Jullie hebben me gewoon laten liggen om dood te gaan!' riep Eloise.

'Natuurlijk,' zei Crabbé, en hij wreef over zijn kaak. 'U hebt de test niet doorstaan – het zag ernaar uit dat u wel degelijk zou sterven, net als de anderen. Daar is niets aan te doen; het is onterecht om Elspeth daar de schuld van te geven. Bovendien, moet u uzelf nu eens zien – zo onverschrokken!'

'Denkt u dat we onze beslissing overhaast hebben genomen, minister?' vroeg Miss Poole.

'Jazeker. Misschien sluit Mrs Dujong zich toch nog bij ons aan.'

'Me bij jullie aansluiten?' riep Eloïse uit. 'Me bij jullie *aansluiten*? Na alles... na...'

'U vergeet iets,' zei Miss Poole. 'U mag zich dan niet meer herinneren waarom u hierheen gekomen bent, maar ik herinner het me nog heel goed – ieder smerig geheimpje dat u verklapt hebt om er zelf beter van te worden.'

Eloïse keek met open mond naar Svenson en toen weer naar Miss Poole. 'Ik heb niks... Ik kan nooit...'

'U wilde het eerst wel,' zei Miss Poole. 'En u wilt het nog steeds.

U hebt bewezen dat u heel onverschrokken bent.'

'Je hebt geen keus, kind,' merkte Crabbé met een zucht op.

Svenson zag de verwarring op Eloïses gezicht en drukte de revolver hard in Crabbés oor om de man het zwijgen op te leggen. 'Hebt u niet gehoord wat ik zei? We vertrekken onmiddellijk!'

'O, jazeker, dokter Svenson, we hebben u heel goed gehoord,' mompelde Crabbé kreunend. Hij keek omhoog naar Miss Poole. 'Elspeth?'

De vrouw bleef ijzig glimlachen. 'Altijd even hoffelijk, dokter. Eerst Miss Temple, nu Mrs Dujong... U bent een echte hartenjager, dat had ik nooit achter u gezocht.'

Svenson negeerde haar en trok Crabbé achteruit naar de trap. 'We gaan...'

'Elspeth!' riep de onderminister hees.

'Helemaal niet,' verkondigde Miss Poole.

'Neemt u mij niet kwalijk?' zei Svenson.

'U gaat helemaal niet. Hoeveel kogels zitten er nog in uw revolver?'

Van beneden riep Aspiche naar haar – een stem zonder lichaam. 'Ze heeft drie keer geschoten en het is een cilinder met zes kogels.'

'Kijk eens aan,' ging Miss Poole verder, en ze wees op de mannen om haar heen. 'Drie kogels. Wij zijn minstens met z'n tienen en u kunt er hooguit drie neerschieten. Wij overmeesteren u.'

'Maar de eerste die ik doodschiet is minister Crabbé.'

'Het is belangrijker dat ons werk doorgang vindt, en door uw ontsnapping kan dat in gevaar komen. Dat bent u toch met me eens, hè, minister?'

'Svenson, tot mijn spijt heeft deze vrouw gelijk...'

Svenson sloeg hem hard met de kolf van de revolver op zijn hoofd. 'Mond houden!'

Miss Poole sprak tegen de groep mannen achter haar. 'Dokter Svenson is een Duitse agent. Hij is erin geslaagd de edele broer van de koningin in eigen persoon ter dood te brengen...'

Dokter Svenson keek omhoog naar Eloïse, die grote ogen had van angst. 'Rennen,' zei hij tegen haar. 'Probeer te ontsnappen... Ik hou ze wel tegen...'

'Doe geen moeite, Mrs Dujong,' riep Miss Poole. 'We kunnen niet toestaan dat u of dokter Svenson vertrekt – heus, dat zal niet gaan. En ik beloof u, dokter, dat zij, hoeveel voorsprong u uw handlanger met uw moedige gedrag ook bezorgt, in die jurk niet vijf kilometer lang over de weg harder zal kunnen lopen dan deze heren hier.'

Svenson was ten einde raad. Hij geloofde niet dat ze Crabbé zo gemakkelijk zouden opgeven, maar kon hij Eloïses leven daarop wagen? Maar, als hij zich zou overgeven – wat natuurlijk uitgesloten was –, hoe groot was dan de kans dat ze het zouden overleven? Nul komma nul! Dan eindigden ze als as in de oven van Lorenz – een afgrijselijke gedachte, ontstellend...

'Dokter... Abelard...' fluisterde Eloïse van boven naar hem. Hij keek omhoog, hulpeloos, sputterend.

'U sluit zich niet bij hen aan, hoor... U blijft hier niet...'

'En als ze nu eens wel wil blijven?' vroeg Miss Poole gemeen.

'Dat wil ze niet... Dat kan ze niet... Mond houden!'

'Dokter Svenson!' Dat was Lorenz, die van beneden naar hem riep. Svenson liep dichter naar de balustrade toe; hij trok zijn gijzelaar met zich mee en keek omlaag. De man was naar het grote samenraapsel van zeildoeken gelopen, waar de treinwagon onder verstopt lag. 'Misschien zal dit u overtuigen van ons belangwekkende doel!'

Lorenz trok aan een touw en de zeildoeken gleden weg. De grote vorm eronder steeg onmiddellijk met een schok wel vijf meter omhoog en maakte zich met een ruk los van het dekzeil. Het was een gigantische cilindrische gascel, een luchtschip, een zeppelin. Terwijl het ding opsteeg totdat de kabels waarmee het vastzat niet verder konden, zag hij propellers, motoren en de grote cabine eronder. Het hele geval was nog groter dan hij gedacht had en dijde uit als een insect dat uit zijn cocon komt, een ijzeren skelet van ondersteunende stijlen die tijdens het opstijgen op hun plaats schoten. Het geheel was in een kleur geschilderd die volkomen aansloot bij de allerdonkerste hemel bij nacht. Als men er 's nachts in reisde, zou het luchtschip bijna onzichtbaar zijn.

Voor Svenson een woord kon uitbrengen zette Eloïse het op een krijsen. Hij draaide zich razendsnel om en zag dat zij haar evenwicht verloor, dat een mannenhand door het gat in de trap heel ongepast haar been vastgreep – het was een arm in een rode mouw, Aspiche, van benedenaf, net op het moment dat hij zich als een onnozele hals door het schouwspel van Lorenz had laten afleiden. Svenson keek hulpeloos toe hoe zij zich los probeerde te trekken, hoe ze met haar andere voet op zijn pols probeerde te gaan staan – en meer was er niet nodig om de betovering te verbreken. De mannen rondom Miss Poole stormden naar voren, zodat Svenson van Eloïse afgesneden was. Crabbé liet zich opgekruld op de plankenvloer vallen en bracht Svenson daarmee aan het wankelen. Voor hij de revolver weer kon richten waren de mannen al bij hem – een vuist tegen zijn kaak, een onderarm die tegen zijn hoofd sloeg, en hij wankelde achteruit tegen de balustrade aan. Eloïse schreeuwde weer – ze stonden allemaal om haar heen... Hij had haar volledig in de steek gelaten. De mannen tilden hem op en gooiden hem over de balustrade.

Toen hij bijkwam, bewoog boven hem de wolkeloze zwarte hemel en voelde hij onder zijn hoofd het gestage gebonk van steentjes en aarde. Hij werd aan zijn voeten voortgesleept. Het duurde even voordat de dokter zich realiseerde dat zijn armen zich boven zijn hoofd bevonden en dat zijn soldatenjas tegen zijn rug opgepropt lag en terwijl hij voortgesleept werd als een hark losse aarde oprakelde. Naar de oven toe, zoveel was zeker. Hij reikhalsde en zag bij allebei zijn benen een man – twee handlangers van Lorenz. Waar was Eloïse? Hij voelde pijn in zijn nek en pijntjes over zijn hele lichaam, maar nergens de scherpe knarsende pijn die op een gebroken bot duidde – en dat zou hij toch moeten merken, gezien de manier waarop ze zijn benen droegen en zijn armen zich voortsleepten. Zijn handen waren leeg; wat was er met zijn revolver gebeurd? Hij vervloekte zijn zielige poging om de held uit te hangen. Hij was gered door een vrouw, om haar vertrouwen vervolgens met zijn onbekwaamheid te beschamen. Zodra de mannen zagen dat hij wakker was zouden ze hem eenvoudigweg met een baksteen de hersens inslaan. En wat kon hij in 's hemelsnaam uitrichten, zonder wapens, tegen twee man? Hij dacht aan iedereen die hij had teleurgesteld... Waarom zou dit dan anders verlopen?

De mannen lieten zijn benen zonder omhaal vallen. Svenson knipperde met zijn ogen, nog steeds daas, en toen keek een van hen met een veelbetekenende glimlach naar hem om en liep de ander naar de oven.

'Hij is wakker,' zei de glimlachende man.

'Geef hem een klap met de schep,' riep de ander.

'Komt voor elkaar,' zei de eerste, en hij keek om zich heen waar die stond.

Svenson wilde gaan zitten, wilde wegrennen, maar zijn lichaam – onhandig, pijnlijk, stijf – reageerde niet. Hij draaide zich op zijn zij en manoeuvreerde zijn knieën achter zich omhoog, zodat hij zich overeind kon werken en een wankele haperende poging kon doen om weg te lopen.

'Waar gaan we naartoe?' riep de lachende stem achter hem. Svenson kromp ineen en was bang dat hij elk moment kon voelen hoe de schep de achterkant van zijn schedel spleet. Zijn ogen zochten naar een antwoord, een idee – maar hij zag alleen maar de zeppelin boven de groeve zweven en daarboven een meedogenloos zwarte lucht. Zou dit dan toch de eindstreep zijn? Zo prozaïsch en wreed, afgeslacht als een beest op een boerenerf? In een plotselinge ingeving draaide Svenson zich naar de man om en stak hem zijn open hand toe.

'Heel even, alstublieft.'

De man had inderdaad de schep gepakt en hield hem in de aanslag. Zijn maat stond een meter achter hem met een metalen haak in zijn hand die hij zo te zien net had gebruikt om het deurtje van de oven open te wrikken. Zelfs op deze afstand van de gloeiende oven kon Svenson de hitte voelen aanzwellen. Ze glimlachten naar hem.

'Denk je dat hij ons geld wil geven?' zei de man met de haak.

'Nee,' zei de dokter. 'Om te beginnen heb ik geen geld, en ten tweede zou dat, als ik het had, toch al voor jullie zijn, zodra jullie me een klap op mijn hoofd hebben gegeven.'

Hierbij knikten de mannen, en ze grijnsden omdat hij hun onstuitbare plan doorhad.

'Ik heb jullie helemaal niets te bieden. Maar ik kan jullie wel iets vragen – zolang ik er de adem voor heb –, want ik weet dat jullie nieuwsgierig zijn en het zou me verdriet doen om zulke eerlijke kerels – want ik weet dat jullie alleen maar je plicht doen – in zulk ernstig gevaar achter te laten.'

Ze keken hem aan, heel even maar. Svenson slikte.

'Wat voor gevaar dan?' vroeg de man met de schep, en hij pakte het ding anders beet, klaar om Svenson er heel hard mee in het gezicht te slaan.

'Natuurlijk... Niemand heeft het jullie natuurlijk verteld. Laat maar... Het is niet aan mij om me ermee te bemoeien... Maar zouden jullie dan, omwille van mijn geweten, willen beloven dat jullie dit... dit *voorwerp* meteen – nou ja, meteen na míj in de oven gooien...' Zijn hand verdween in zijn zak en kwam er met de blauwe kaart die hij nog over had – hij had geen idee welke het was – weer uit, en hij hield hem omhoog zodat ze hem konden zien. 'Ik weet dat het er gewoon uitziet als een stukje glas, maar jullie moeten het voor jullie eigen veiligheid meteen in het vuur gooien. Doe het nu meteen... Of laat mij het doen...'

Voor hij nog iets kon zeggen deed de man met de schep een stap naar voren en griste het kaartje uit Svensons hand. Hij liep twee passen achteruit, hield de dokter daarbij stuurs en argwanend in de gaten en keek toen omlaag in het kaartje. De man bleef roerloos staan kijken. Zijn maat keek naar hem, toen naar Svenson en dook toen over de schouder van de ander om ook in de kaart te kijken, die hij met een grote eeltige hand probeerde vast te pakken. Toen verroerde ook hij zich niet meer; zijn aandacht was volkomen gefixeerd.

Svenson keek vol ongeloof toe. Was het echt zo eenvoudig? Hij deed voorzichtig een stap naar voren, maar toen hij zijn handen uitstak om de schep te pakken, bereikte het kaartje het einde van zijn cyclus en slaakten beide mannen een zuchtje, waardoor hij stokstijf bleef staan. Toen gingen ze op in de volgende herhalingen, met open mond en doffe ogen. Met genadeloze vastberadenheid trok Svenson de schep uit hun handen en liet hem twee keer neerdalen, met de platte kant op beide hoofden één keer, eerst de een en toen de ander, terwijl ze naar hem opkeken, nog steeds volslagen verdoofd. Hij liet de schep vallen, pakte het glazen kaartje en rende zo snel hij kon weg. Hij had het niet met de scherpe rand gedaan, dus met een beetje geluk overleefden ze het allebei.

Van de stenen wanden weerkaatste een hakkend geraas – het was zo'n allesoverheersend kabaal dat hij het nauwelijks gemerkt had, doordat hij ervan uitging dat het in zijn mishandelde hersenpan zat. Dat moest de zeppelin zijn – de motor en de propellers! Hij vroeg zich af waar zo'n ding op zou lopen. Kolen? Stoom? De cabine had er met zijn ijzeren frame beklagenswaardig kwetsbaar uitgezien. Had iemand zijn gesprek met de mannen gehoord? Had iemand hen gezien? Hij keek op en tuurde met halfdichtgeknepen ogen – waar was zijn monocle gebleven? – naar het demonische luchtschip. Het was tot de hoogte van de ijzerhoudende roodstenen muren gestegen en zat alleen nog maar met een paar kabeltjes aan de bedding van de groeve vast. Achter het raam van de gondel zag hij mensen, maar ze waren te ver weg om ze goed te kunnen zien. Ze interesseerden hem ook niet. Wat was er met Eloïse gebeurd? Als ze niet met hem naar de oven was gebracht – als ze niet dood was –, wat hadden ze dan wel met haar gedaan?

De hoge trap was zo te zien leeg, behalve helemaal bovenaan, waar een groepje mannen bij elkaar stond, ter hoogte van de zwevende cabine van de zeppelin. Op de grond van de groeve zag hij maar drie mannen, in de weer met de laatste touwen, al hun aandacht naar boven gericht. Dokter Svenson kwam eindelijk overeind, en stof en steentjes vielen van zijn jas, ten prooi aan de zwaartekracht. Hij liep mank naar de trap, met een slepend rechterbeen, en hij had het gevoel alsof zijn nek, schouders en hoofd in gips waren gewikkeld en in brand waren gestoken. Hij veegde zijn mond af aan zijn smerige mouw en spoog, want er was meer stof in zijn mond gekomen dan hij had weggeveegd. Er zat bloed op zijn gezicht – zijn eigen bloed? Hij had geen flauw idee. De mensen op de reusachtige trap moesten wel de mannen en vrouwen uit de trein zijn. Zou Miss Poole bij hen zijn? Nee, hij vermoedde dat er niemand bij hen was. Ze hadden gedaan wat ze moesten doen en waren nu nutteloos. Miss Poole zou vast vanuit de gondel naar hen zwaaien, op weg naar Harschmort, samen met de anderen. Waar was Eloïse?

Svenson versnelde zijn pas en verzette zich tegen de tegenwerpingen van zijn lichaam. Zijn vingers zochten in zijn jas en diepten er zijn sigarettenkoker uit op. Er zaten er nog drie in, en terwijl hij voorthobbelde stak hij er één in zijn bebloede mond. Toen probeerde hij een lucifer op de gespleten nagel van zijn duim af te strijken en slaakte hij een kreet van de pijn. Hij probeerde het met zijn andere hand, stak de sigaret aan en zoog een verrukkelijke pijnlijke long vol rook in, schudde de pijn uit zijn hand, sleepte zijn rechtervoet naar voren en hoestte tot slot achter uit zijn keel een dikke prop slijm met bloed en stof op. Zijn ogen traanden, maar de sigaret smaakte hem toch en bracht hem op de een of andere manier in herinnering wat hem te doen stond. Hij was bezig meedogenloos te worden, niet te stoppen, een legendarische tegenstrever. Hij spoog nog een keer en keek toevallig – het geluk was met hem – omlaag naar waar hij spoog, om te zien of er bloed in te zien was. Toen zag hij iets op de grond liggen waar het licht op viel. Het was glas; het was zijn monocle! De ketting was gebroken toen hij voortgesleept werd, maar het glas was nog heel! Hij veegde het zo goed en zo kwaad als het ging schoon, met een bête glimlach op zijn gezicht, en trok toen de slip van zijn hemd uit zijn broek om het nog een keer schoon te vegen, aangezien het door zijn mouw alleen maar smeriger was geworden. Hij draaide het in zijn oogkas.

Crabbé stond in de omlijsting van het open raampje en riep iets naar iemand op de trap. Het was Phelps, die blijkbaar genoeg hersteld was om in zijn eentje te reizen. Naast Crabbé stond inderdaad Miss Poole achter het raam uit alle macht te zwaaien. Lorenz zag hij niet – misschien bestuurde hij het luchtschip. Dokter Svenson wist niets, maar dan ook niets over hoe zo'n ding werkte; hij begreep niet eens hoe het in de lucht kon blijven. Aspiche zat er ook in, dat kon niet anders. Waar was het lichaam van de hertog? Zou dat op een kar liggen en samen met Phelps teruggaan naar de stad? Zou hij daar Eloïse ook vinden – dood of levend? Dat was aannemelijk – hij zou de trap op moeten en achter hen aan het dorp Tarr in rijden.

Hij was halverwege de groeve, en met elke stap die hij zette doemde het luchtschip groter boven hem op. Toch had nog niemand hem gezien; ze waren niet eens de twee versufte mannen komen zoeken.

Toch zou iemand zich moeten omdraaien – de mannen die met de kabel bezig waren konden hem nu elk moment losmaken. Hij zou het nooit halen tot aan de trap; een kind liep nog sneller dan hij. Hij moest zich verstoppen. Svenson bleef staan en keek om zich heen of hij ergens een nis in de rotswand zag. Toen viel er op een meter of tien bij hem vandaan iets op de grond. Hij keek ernaar, wist niet wat het was, en richtte zijn blik toen naar waar het voorwerp vandaan had kunnen komen. Boven hem, door het achterraam van de gondel van de zeppelin, zag hij een hand tegen de ruit en een bleek, half aan het zicht onttrokken gezicht. Hij keek nog een keer naar wat er op de grond gevallen was. Het was een boek... een zwart boek... in leer gebonden... Hij keek weer omhoog. Het was Eloïse. God, wat was hij stom.

Net op het moment dat de man van het groepje dat met de kabels bezig was die zich het dichtst bij hem bevond toevallig zijn kant op keek, stormde de dokter naar voren, maar de geschrokken kreet die de man slaakte bij het zien van de vreemde, rennende figuur kwam er als een onverstaanbare brul uit. Svenson bracht zijn schouder omlaag en ramde hem in zijn middenrif, waardoor ze allebei tegen de vlakte gingen en de kabel losschoot van de in de grond gestoken pin waaraan hij had vastgezeten. Terwijl de zeppelin tegen zijn meerkettingen aan duwde, wikkelde het touw zich om hen heen. De andere twee mannen lieten hun eigen lijnen los; ze dachten dat dit het signaal was geweest. Pas toen de lijnen al helemaal los waren, beseften ze dat ze zich vergist hadden. Svenson kwam moeizaam overeind en deed een duik naar de rondzwiepende kabel – hij was buiten zinnen, hij bazelde bijna van angst – en stak zijn arm door de lusknoop aan het uiteinde. De zeppelin schoot omhoog, Svenson gilde en werd de lucht in getrokken, tot ongeveer een meter boven de grond. Het luchtschip schoot de zwarte lucht in, dokter Svenson spartelde met zijn benen en hield zich steviger aan het touw vast dan hij ooit menselijkerwijs voor mogelijk had gehouden. Hij zwaaide langs de mensen die op de trap stonden en bungelde heen en weer als een menselijke pendule. Meteen was hij de groeve uit en bevond hij zich boven een weiland, met vlak onder hem zacht gras, dat er plotseling erg aanlokkelijk uitzag. Kon hij zich laten vallen en zou hij dat dan overleven? Zijn hand zat verstrikt in het touw. Van de angst was zijn greep staalhard geworden en voor hij nog een gedachte door zijn verlamde geest kon jagen steeg het luchtschip weer op en verdween het weiland in een spiraal steeds verder onder hem.

Met boven hem en rondom hem de zwarte nacht, geplaagd door een kille wind, keek dokter Svenson hulpeloos naar de gondel, die zich een onmogelijk eind bij hem vandaan bevond, en begon hij te klimmen, hand over bebloede hand, naar adem happend, snikkend, met onder zich alle verschrikkingen van de hel, doodsbang, met zijn ogen nu stijf dichtgeknepen.

ZEVEN

Het St. Royale

Toen Miss Temple eenmaal een beslissing genomen had, vond ze het volstrekt tijdverspilling om nog verder over haar keuze na te denken – en dus woog ze in haar veilige rijtuig niet de voors en tegens van haar reis naar het Hotel St. Royale tegen elkaar af, maar keek ze naar de winkels die aan weerskanten aan haar voorbijtrokken en naar de mensen van de stad die met hun dagelijkse gang van zaken bezig waren – een rustgevend genoegen. Normaal gesproken interesseerden die dingen haar niets – behalve dan dat ze graag met een zekere ziekelijke nieuwsgierigheid keek wat voor mankementen je uit iemands kleding en houding kon afleiden –, maar dit keer voelde ze zich, als gevolg van haar moedige afscheid van de dokter en van kardinaal Chang, bij machte om te observeren zonder meteen een oordeel te vellen, aangezien actie nu haar doel was, als bij een pijl die door de lucht vloog. Ze moest toegeven dat de storm aan gevoelens die haar in de tuin van de comte, en – wat nog erger was – op straat, had overspoeld, inderdaad alleen al door in beweging te zijn tot bedaren was gekomen. Als ze de uitdaging die het St. Royale Hotel vormde niet eens aankon, dan kon ze zichzelf toch nooit met goed fatsoen een avonturierster noemen? Heldinnen kozen hun eigen gevechten niet uit – de gevechten waarvan ze zeker wisten dat ze die zouden winnen. Nee, zij deden wat ze moesten doen en ze maakten zichzelf niet wijs dat ze op de hulp van anderen konden rekenen, maar handelden het gewoon zelf af. Had ze er verstandiger aan gedaan om op Chang en Svenson te wachten – ook al had ze het plan grotendeels zelf uitgedokterd –, zodat ze zich met geweld toegang hadden kunnen verschaffen? Het was op z'n minst discutabel of zij wel het meest geschikt was voor deze onderneming (onopvallendheid, om maar wat te noemen). Maar belangrijker dan dit alles was haar eigen mening over zichzelf en de mate van verlies voor haar, vergeleken met dat voor haar compagnons. Ze glimlachte en zag al voor zich hoe ze elkaar voor het hotel zouden tegenkomen – ze grinnikte bij de gedachte dat ze er heel lang voor nodig zouden hebben om haar te vinden –, met cruciale informatie in de hand en misschien wel de in het rood geklede vrouw of de comte d'Orkancz, nu volkomen onderdanig, in haar kielzog.

Bovendien lag haar lotsbestemming in het St. Royale. De vrouw in het rood, deze contessa Lacquer-Sforza (het zoveelste bewijs, voor zover dat nog nodig was, voor de Italiaanse voorkeur voor bespottelijke namen) was haar voornaamste vijand – de vrouw die haar de dood en erger in had willen sturen. Verder vroeg Miss Temple zich onwillekeurig af welke rol deze vrouw had gespeeld bij de verleiding – want zo mocht je het wel noemen – van Roger Bascombe. Het stond voor haar vast dat Rogers ambitie de belangrijkste drijfveer moest zijn; hij liet zich gemakkelijk manipuleren door de onderminister, wiens meningen Roger, als vastbesloten klimmer, slaafs overnam. Toch zag ze de vrouw en Roger steeds samen in een kamer, of ze nu wilde of niet, als een cobra met een puppy. Ze had hem natuurlijk verleid, maar hoe ver was het daadwerkelijk – dat wil zeggen, letterlijk, lichamelijk – gekomen? Eén volmaakte opgetrokken wenkbrauw en maar één keer de volle vuurrode lippen tuiten, en hij ging al door de knieën. En zou ze Roger voor zichzelf gehouden hebben of hem doorgestuurd hebben naar een van haar gunstelingen – een van de andere dames uit Harschmort House – die Mrs Marchmoor, of was het Hooke? Ze kon die namen ook niet uit elkaar houden. Miss Temple fronste haar voorhoofd, want ze werd kwaad als ze aan het stomme gedrag van Roger dacht, en als ze eraan dacht dat haar vijanden hem zo gemakkelijk voor hun eigen karretje spanden, werd ze nog veel kwaaier.

Het rijtuig hield voor het hotel halt, en ze betaalde de koetsier. Voor de man van zijn bok kon springen om haar te helpen, trad er al een geüniformeerde portier naar voren en stak haar zijn hand toe. Miss Temple pakte die glimlachend aan en stapte voorzichtig uit. Terwijl ze naar de deur liep, reed het rijtuig ratelend weg. Ze knikte een tweede portier, die de deur voor haar openhield, bij wijze van dank toe en liep de statige hal in. Ze zag niemand die ze kende – gelukkig maar. Het St. Royale was opzichtig luxueus, wat niet strookte met Miss Temples gevoel voor orde. Zo'n hotel deed het werk *voor* iemand, en ze begreep wel dat het onder andere daardoor zo aanlokkelijk was, maar het kon haar goedkeuring niet wegdragen. Wat had het voor zin om als een bijzonder persoon beschouwd te worden als het eigenlijk niet door jou kwam, maar door je omgeving? Dat nam niet weg dat Miss Temple wel bewondering had voor het uiterlijk vertoon. Er stonden roodleren bankjes en er hingen grote spiegels in gouden lijsten, er was een tinkelende fontein met drijvende lotusbloemen, er stonden grote potten met planten en een rij van goudrode zuilen die een rondlopend balkon ondersteunden dat boven de lobby hing, en die twee kleuren kronkelden zich als met de hand uitgesneden linten over de zuilen. Daarboven het plafond met nog meer glas en gouden spiegels, een kristallen kroonluchter waarvan de onderste sierbol, glinsterend en met veel facetten, net zo groot was als Miss Temples hoofd.

Ze nam dit alles langzaam in zich op, wetend dat er veel te zien was en dat een dergelijke aanblik iemand gemakkelijk kon verblinden, waardoor ze geen oog meer hadden voor wellicht belangrijke details: de rij spiegels tegen de linkerwand bijvoorbeeld, die een beetje vreemd rondliep. Die spiegels waren in die zin vreemd dat ze daar niet opgehangen leken voor mensen, om ervoor te staan, maar meer om de hele lobby te weerspiegelen, en zelfs de straat buiten – bijna alsof het meer een rij ramen was dan een rij spiegels. Miss Temple dacht onmiddellijk aan de hatelijke opmerking van de nog veel hatelijkere meneer Spragg, over het vernuftige Hollandse glas – over dat ze zichzelf in de kleedkamer in Harschmort zonder het te willen te kijk had gezet. Ze probeerde de tweeledige reactie – diepe gêne en opwinding – van zich af te zetten en concentreerde zich op wat haar nu te doen stond. Ze zag al helemaal gebeuren dat ze nog steeds in de lobby moed stond te verzamelen en dat Chang en Svenson achter haar binnenkwamen, nog voor ze ook maar iets had kunnen doen. Dan zou ze zich de hulpeloze sul voelen die ze nu net níet probeerde te zijn.

Miss Temple beende naar de receptie. De receptionist was een lange man met dunner wordend haar dat met iets te veel pommade naar voren was gekamd, zodat het normaal gesproken doorzichtige haarmiddel een schuimlaagje op de huid onder het haar had gevormd – wat er niet zozeer vies uitzag als wel onnatuurlijk, en wat de aandacht afleidde. Ze glimlachte met de bekende opgewektheid die ze bij de meeste onpersoonlijke uitwisselingen aan den dag legde, en liet hem weten dat ze voor de contessa Lacquer-Sforza kwam. Hij knikte eerbiedig, antwoordde dat de contessa momenteel niet in het hotel was en wees op de deur naar het restaurant, waarmee hij wilde opperen dat ze misschien terwijl ze wachtte een kopje thee kon drinken. Miss Temple vroeg of de contessa nog lang zou wegblijven. De man antwoordde naar waarheid dat hij dat niet wist, maar dat ze de gewoonte had om rond dit tijdstip met een aantal dames af te spreken om laat de thee of vroeg het aperitief te gebruiken. Hij vroeg of Miss Temple deze dames soms ook kende, want het kon best zijn dat er al iemand van hen, of een aantal zelfs, in het restaurant was. Ze bedankte hem en liep die kant op. Hij riep haar na en vroeg of ze haar naam voor de contessa wilde achterlaten. Miss Temple zei dat zíj de gewoonte had zich bij verrassing aan te dienen, en liep door naar het restaurant.

Voor ze de tafeltjes zelfs maar had kunnen afspeuren op zoek naar een bekend of gevaarlijk gezicht, stond er een in het zwart geklede kerel veel te dicht bij haar en vroeg of ze met iemand afgesproken had, of ze thee kwam drinken, kwam dineren of dat ze soms – en hierbij trok hij bemoedigend zijn wenkbrauwen op – een aperitief kwam drinken. Miss Temple beet hem toe – want ze hield er helemaal niet van om onder welke omstandigheden dan ook lastiggevallen te worden – dat ze thee met twee scones en wat fruit wilde – vers fruit, geschild –, liep langs hem heen en keek rond naar de tafeltjes. Ze liep af op een tafeltje tegenover de deur, maar dat wel op enige afstand stond, zodat ze niet onmiddellijk vanuit de deuropening – of de lobby – te zien zou zijn, en ze toch zelf iedereen die binnenkwam goed kon bekijken. Ze zette haar tas, met de revolver erin, op de stoel naast zich, zorgde dat hij goed onder het gesteven tafelkleed viel en niet te zien was voor welke vluchtige blik ook, en ging achteruitzitten in afwachting van haar thee, terwijl haar gedachten weer naar de kwestie van haar huidige eenzaamheid afdwaalden. Miss Temple besloot dat het haar prima beviel; het gaf haar zelfs een gevoel van vrijheid. Met wie moest ze rekening houden? Chang en Svenson konden best voor zichzelf zorgen, haar tante was netjes opgeborgen, dus wat kon een vijand haar nog maken, behalve een bedreiging van haar eigen lichamelijke veiligheid? Helemaal niets – en het idee dat ze de revolver moest trekken en hier ter plekke in het restaurant een hele horde vijanden moest afbluffen, kwam haar steeds aantrekkelijker voor.

Ze plukte aan de stof van het tafelkleed – die van zeer goede kwaliteit was, hetgeen haar deugd deed – en merkte dat het bestek en serviesgoed van het St. Royale al even mooi waren; ze waren niet alleen elegant vormgegeven, maar schuwden ook een bepaald onontbeerlijk *gewicht* niet, wat vooral heel belangrijk is voor het mes, ook al hoefde dat mes niet meer te doen dat een scone doormidden snijden en room in de dampende opening smeren. Miss Temple had die ochtend al thee gedronken, maar verheugde zich er niettemin bijzonder op om weer thee te drinken – de thee met toebehoren was zelfs haar favoriete maaltijd. Scones, thee, fruit, eventueel wat runderbouillon voor het slapengaan, en ze zou een gelukkige jongedame zijn. Haar thee werd als eerste geserveerd, en ze keek aandachtig toe hoe de ober in de weer was met de theepot, de heetwaterketel, de kop, het schoteltje, het zilveren theezeefje, het zilveren schoteltje waar het theezeefje op moest komen te liggen, het melkkannetje en het bordje met verse schijfjes citroen. Toen het allemaal voor haar stond en de man met een knikje weer vertrok, begon Miss Temple alles weloverwogen naar haar eigen inzicht en binnen haar bereik te schikken – de citroen verdween naar de zijkant (want ze hield niet zo van citroen in haar thee, maar vond het wel lekker op een paar schijfjes te zuigen nadat ze verder alles had opgegeten, als een soort mondsamentrekkend besluit van de maaltijd – maar verder vond ze altijd, aangezien ze voor die schijfjes citroen had betaald, dat ze ze dan ook maar moest proeven), het theezeefje ernaast, de melk naar de andere kant en de pot en het hete water zo neergezet dat ze gemakkelijk kon opstaan – wat vaak moest, omdat ze anders niet kon inschenken, als gevolg van het gewicht van de pot, de lengte van haar armen en de hefkracht die voor haar stoel nodig was (of de stoel zo hoog was dat ze met haar voeten op de grond kwam of niet; bij deze stoel raakte ze de grond maar net met haar tenen). Tot slot zorgde ze ervoor dat er genoeg ruimte was voor de scones, het fruit, de jam en de dikke room die elk moment konden arriveren.

Ze stond op en schonk een klein beetje thee in haar kop om te kijken of hij al genoeg getrokken was. Vervolgens schonk ze er een beetje melk in, pakte ze de theepot weer op en hield hem langzaam schuin. Bij het eerste kopje hoefde je, als je voorzichtig te werk ging, het theezeefje meestal niet te gebruiken, aangezien de meeste blaadjes doordrenkt op de bodem van de pot lagen. De thee was prachtig licht mahoniebruin en nog zo heet dat de damp eraf sloeg. Miss Temple ging zitten en nam een slokje. Hij was heerlijk; zo'n gezond, smakelijk brouwsel dat je eigenlijk met mes en vork in stukjes moest snijden en hap voor hap moest opeten. Twee minuten later, die ze genoeglijk doorbracht met slokjes nemen, kwam de rest, en zag ze wederom tot haar genoegen dat de jam een donkere bramenconfiture was en het fruit nota bene uit een prachtige oranje kasmango bestond, die in vingerdikke in de lengte gesneden plakjes op een bordje was gedrapeerd. Ze vroeg zich terloops af hoeveel deze thee met toebehoren zou kosten en haalde er toen haar schouders over op. Voor hetzelfde geld leefde ze morgenochtend niet eens meer. Waarom zou ze zichzelf de eenvoudige genoegens ontzeggen die zich onverwacht aandienden?

Miss Temple zorgde er natuurlijk wel voor dat ze, als ze eraan dacht, even naar de deur van het restaurant keek en degene die binnenkwam onderzoekend opnam, maar verder was ze toch twintig minuten lang druk in de weer met de scones, die op precies de juiste dikte doormidden gesneden moesten worden, waar een onderlaag jam op moest worden gesmeerd, met daar weer overheen de juiste hoeveelheid room. Als dat gebeurd was zette ze ze opzij en verwende ze zichzelf met twee reepjes mango, de een na de ander, die ze allebei met het uiteinde aan haar zilveren vork prikte, om dan vanaf de andere kant, hap voor hap, helemaal naar de tanden van de vork toe te eten. Hierna dronk ze haar eerste kop thee leeg en stond ze weer op om er nog een in te schenken, waarbij ze dit keer het theezeefje wel gebruikte en ook een bijna net zo grote hoeveelheid heet water inschonk om de thee die al die tijd had staan trekken aan te lengen. Ze proefde, deed er nog wat melk bij, ging toen weer zitten en probeerde de eerste helft van haar eerste scone, waarbij ze na elke hap een slokje thee nam, tot hij op was. Toen nog een plakje mango, en verder met de tweede helft van de eerste scone. Tegen de tijd dat ze die op had was het ook tijd voor nog een kop thee, waar nu net iets meer heet water bij moest dan bij de vorige. Ze was aan de laatste helft van haar tweede scone toe en aan het laatste plakje mango – ze probeerde te besluiten welke van de twee ze als eerste soldaat zou maken – toen ze merkte dat de comte d'Orkancz aan de andere kant van haar tafeltje stond. Tot grote tevredenheid van Miss Temple was ze in staat opgewekt naar hem te glimlachen en ondanks haar verbazing te verkondigen: 'Aha, dus daar bent u dan eindelijk.'

Dat was duidelijk niet wat hij van haar verwacht had te horen. 'Ik geloof niet dat wij al aan elkaar zijn voorgesteld,' antwoordde de comte.

'Dat klopt,' zei Miss Temple. 'U bent de comte d'Orkancz. Ik ben Celeste Temple. Gaat u zitten.' Ze wees op de stoel vlak bij hem – de stoel waar haar tas niet op stond. 'Wilt u een kopje thee?'

'Nee, dank u,' zei hij, en hij keek met een mengeling van belangstelling en argwaan op haar neer. 'Mag ik u vragen waarom u hier bent?'

'Is het niet onbeleefd om dat aan een dame te vragen? Als we een gesprek moeten voeren – ik weet niet waar u vandaan komt, ze zeggen uit Parijs, maar voor zover ik begrepen heb zijn ze zelfs in Parijs niet zo onbeleefd, of in elk geval niet op zo'n onnozele manier onbeleefd – zou het veel beter zijn als u ging *zitten*.' Miss Temple grinnikte vals. 'Tenzij u natuurlijk bang bent dat ik u zal neerschieten.'

'Zoals u wilt,' antwoordde de comte. 'Het is niet mijn bedoeling om... ongemanierd te zijn.'

Hij trok de stoel naar achteren en ging zitten, waarbij het door zijn grote lichaam vreemd genoeg leek alsof hij tegelijkertijd dicht bij haar en ver van haar af zat. Zijn handen lagen op tafel, maar zijn gezicht bevond zich daar, heel raar, een eind boven. Zijn bontjas had hij niet aan, maar in plaats daarvan een smetteloos zwarte jas van een rokkostuum, met een stijf wit hemd dat met glanzende blauwe knoopjes sloot. Ze zag dat aan zijn vingers, die verontrustend sterk en dik waren, een heleboel zilveren ringen zaten, waarvan sommige ook nog eens met blauwe stenen bezet waren. Zijn baard was vol, maar netjes geknipt, zijn mond door en door sensueel en zijn ogen glinsterend blauw. Er ging een vreemde macht van de man uit en zijn uitstraling was intens, verontrustend masculien.

'Wilt u liever iets anders dan thee?' vroeg ze.

'Een potje koffie maar, als u er geen bezwaar tegen hebt.'

'In koffie schuilt geen kwaad,' antwoordde Miss Temple enigszins stijfjes. Ze stak haar hand op om de ober te wenken en toen hij bij het tafeltje stond, gaf ze hem de bestelling van de comte door. Ze wendde zich weer naar hem toe. 'Verder niets?' Hij schudde zijn hoofd. De ober schoot weg naar de keuken. Miss Temple nam nog een slokje thee en leunde achterover, terwijl ze met haar rechterhand voorzichtig de schouderriem van haar tas pakte en hem op haar schoot trok. De comte d'Orkancz bekeek haar aandachtig, en met een enigszins geamuseerde blik schoten zijn ogen naar haar aan het zicht onttrokken hand.

'U verwachtte mij dus al, zie ik,' zei hij.

'Het kon me niet veel schelen wie het was, maar ik wist dat een van u zou komen, en dat ik diegene, wanneer het zover was, te spreken zou krijgen. Misschien had ik het liever ergens anders – dat wil zeggen, misschien heb ik elders privékwesties af te handelen –, maar de essentie blijft hetzelfde.'

'En die luidt?'

Miss Temple glimlachte. 'Kijk, dat is nou zo'n vraag die je aan een domme jonge vrouw zou kunnen stellen – zo'n vraag die een vrijer míj zou stellen als hij zo stom is te denken dat hij eerst een vleiend ernstige conversatie met me moet voeren alvorens mij op de sofa te kunnen bepotelen. Als wij iets willen bereiken, comte, doen we er allebei verstandig aan om redelijk en helder te zijn. Vindt u ook niet?'

466

'Ik geloof niet dat u door erg veel mannen op sofa's bent bepoteld.'

'Dat klopt.' Ze nam een hap van haar scone – het zat haar al een paar minuten niet lekker dat ze daarbij was gestoord – en toen nog een slokje thee. 'Is het soms beter als ik u de vragen stel?'

Hij glimlachte – misschien tegen wil en dank, dat wist ze niet – en knikte. 'Zoals u wilt.'

Maar op dat moment kwam zijn koffie en was ze genoodzaakt er het zwijgen toe te doen en te wachten tot de ober het kopje, de pot, de melk, de suiker en de bijbehorende lepeltjes had neergezet. Toen hij weg was, gaf ze de comte de tijd om zijn koffie te proeven, en ze was blij te zien dat hij hem zwart dronk, waardoor ze zo min mogelijk vertraging opliepen. Hij zette het kopje neer en knikte haar weer toe.

'De vrouw – ik neem aan dat er voor u heel véél vrouwen zijn,' zei ze, 'maar de vrouw die ik bedoel was iemand uit het bordeel, ene Angelique. Ik heb van dokter Svenson begrepen dat u mogelijk oprecht bezorgd – misschien zelfs verrast – bent geweest over de onfortuinlijke gevolgen van uw... procedure, met haar, in het Koninklijk Instituut. Ik ben benieuwd – en ik verzeker u dat het geen loze nieuwsgierigheid van me is, maar professionele – of u ook maar enige oprechte gevoelens voor het meisje hebt gekoesterd, voordat of nadat zij door uw toedoen kapotgemaakt is.'

De comte nam nog een slokje koffie.

'Hebt u er bezwaar tegen als ik rook?' vroeg hij.

'Als het niet anders kan,' antwoordde Miss Temple. 'Het is een smerige gewoonte, en ik toleeer geen gespuug.'

Hij knikte haar ernstig toe en viste een zilveren koker uit een binnenzak. Na de inhoud even bestudeerd te hebben haalde hij er een kleine, stevig ingepakte, bijna zwarte sigaar uit en klikte de koker dicht. Hij stak de sigaar in zijn mond en de koker in zijn zak, en haalde een doosje lucifers te voorschijn. Hij stak de sigaar aan, zoog er een paar keer aan, totdat het puntje rood opgloeide, en liet de gedoofde lucifer toen op zijn schoteltje vallen. Hij blies de rook uit, nam nog een slok koffie en keek Miss Temple recht aan.

'Dat vraagt u natuurlijk vanwege Bascombe,' zei hij.

'O ja?'

'Ja. Hij heeft uw plannen om zeep geholpen. Als u naar Angelique informeert, iemand uit de lagere klasse die wij hebben gevraagd zich bij ons aan te sluiten, iemand die wij *bevordering* in het vooruitzicht hebben gesteld – sociaal, materieel, *spiritueel* –, informeert u ook naar hoe wij tegenover hem staan, zij het niet vanuit een vergelijkbaar, bedenkelijk sociaal standverschil. En u probeert er dan ook achter te komen – u bent er zelfs op gebrand – of onze bezigheden ook wederzijdse gevoelens aan hem ontlokken.'

Miss Temples ogen schoten vuur. 'Integendeel, monsieur le comte, ik vraag het uit nieuwsgierigheid, aangezien het antwoord vermoedelijk zal uitmaken of het lot dat u beschoren is meer een plichtmatige vergelding uit hoofde van objectieve rechtvaardigheid is, of een tergend langzame, pijnlijke, meedogenloze marteling uit hoofde van wraak.'

'O ja?' antwoordde hij mild.

'Wat mij betreft – ach, het enige wat ertoe doet is dat uw intrige mislukt en dat u niet bij machte bent er nog verder mee door te gaan – en dat zou eveneens de wet, een kogel of vurige overtuiging kunnen betekenen. Roger Bascombe interesseert mij niets. Maar zoals ik me voel ten aanzien van uw vriendin die mij zeer kwalijk heeft behandeld – deze... deze contessa –, zo voelen andere mensen zich ten aanzien van u – met betrekking tot deze Angelique. U kunt er namelijk niet zomaar van uitgaan dat er geen consequenties aan vastzitten als het "alleen maar" om een vrouw gaat.'

'Ik begrijp het.'

'Dat durf ik te betwijfelen.'

Hij gaf geen antwoord, maar nam een slok koffie. Hij zette het kopje neer en zei op vermoeide toon, alsof het een lichamelijke inspanning voor hem was om zelfs over zoiets gerings zijn mening te vormen: 'Miss Temple, u bent een heel interessante jongedame.'

Miss Temple sloeg haar ogen ten hemel. 'Dat zegt me helemaal niets, aangezien het uit de mond van een moordzuchtige schoft komt.'

'Het is me duidelijk dat u zo over me denkt. Maar wie heb ik dan zo laaghartig behandeld?'

Miss Temple haalde haar schouders op. De comte tikte zijn as op de rand van zijn schoteltje en nam nog een haal, waardoor de punt van de sigaar rood opgloeide.

'Zal ik er dan maar naar raden? Het zou de dokter uit Mecklenburg kunnen zijn, want het was inderdaad de bedoeling dat hij door mijn toedoen het leven zou laten, maar ik kan me niet voorstellen dat hij de woeste wreker is die u voor ogen hebt – daarvoor is hij te veel de *raisonneur* –, of misschien gaat het om die andere kerel, die ik nog nooit heb ontmoet, die huurbandiet? Die is vermoedelijk te cynisch en te meedogenloos. Of is het nog iemand anders? Een misdaad uit mijn grijze verleden?' Hij zuchtte, bijna alsof hij zijn zondige last aanvaardde, en zoog toen weer aan zijn sigaar – Miss Temple hield haar ogen niet van het puntje gloeiende tabak af – alsof hij zijn helse drijfveren opnieuw wilde omhelzen.

'Waarom bent u eigenlijk naar het St. Royale gekomen?' vroeg hij haar.

Ze nam nog een hap van haar scone – ze genoot eigenlijk wel van dit ernstige gescherts – en nog een slok thee om hem weg te spoelen, en terwijl ze die doorslikte schudde ze haar hoofd, waardoor de kastanjebruine krullen aan weerskanten van haar gezicht in beweging kwamen. 'Nee, ik geef geen antwoord op uw vragen. Ik ben al één keer ondervraagd, op Harschmort, en dat was meer dan genoeg. Als u met me wilt praten, doen we dat zoals ík het wil. En zo niet, voelt u zich dan vooral vrij om weg te gaan, want u krijgt pas te weten waarom ik hier ben op het moment dat ík besloten heb u dat mede te delen.' Zonder op zijn antwoord te wachten prikte ze het laatste schijfje mango aan haar vork, nam een hap en likte haar lippen af om het sap op te vangen. Ze moest onwillekeurig glimlachen om de verrukkelijke smaak.

'Wist u,' vroeg ze, terwijl ze net genoeg van het fruit doorslikte om verstaanbaar te kunnen praten, 'dat deze bijna net zo lekker is als de mango's die in de tuin van mijn vader groeien? Hij is echt heerlijk, maar het verschil is denk ik te wijten aan het verschil in de kwaliteit van het zonlicht, aan de stand van de planeet. Begrijpt u wel? Om ons heen zijn grote krachten aanwezig, dag in dag uit – en wie zijn wij? Waar denken wij aanspraak op te maken? Bij wie van deze meesters zijn wij in dienst?'

'Ik juich uw metaforische gedachte toe,' zei de comte droogjes.

'Maar hebt u er een antwoord op?'

'Misschien wel. En hoe zit het met... met de kunst?'

'Met de *kunst*?'

Miss Temple wist niet goed wat hij bedoelde, en ze hield even op met kauwen en kneep haar ogen argwanend tot spleetjes. Was hij haar soms naar de galerie gevolgd (en zo ja, wanneer dan? Tijdens haar bezoek met Roger? Of onlangs? Had de agent van de galerie, Mr Shanck, al zo snel contact met hem opgenomen?), of bedoelde hij iets anders... Maar wat dan? Kunst was voor Miss Temple een curiositeit, als een met snijwerk versierd bot of een verschrompeld hoofd dat iemand op een dorpsmarkt had gevonden – een spoor van onbekend grondgebied dat ze nooit ofte nimmer zou betreden.

'Kunst,' herhaalde de comte. 'Bent u bekend met het... met het *idee*?'

'Welk idee in het bijzonder?'

'Van kunst als alchemie. Als een transformatieproces. Of als een herschepping en wedergeboorte.'

Miss Temple stak haar hand op. 'Het spijt me, maar weet u... Dit brengt mij er alleen maar toe u naar uw betrekkingen met een bepaalde schilder te vragen – ene Oskar Veilandt. Ik geloof dat hij ook uit Parijs komt en dat hij vooral bekend is om zijn heel grote en provocerende voorstelling met als thema de Annunciatie. Ik heb begrepen – maar misschien is dit alleen maar een wreed gerucht – dat dit expressieve *meesterwerk* in dertien stukken is gesneden en over heel Europa is verspreid.'

De comte dronk weer van zijn koffie.

'Zijn naam zegt me niets. Hij komt uit Parijs, zegt u?'

'Daar heeft hij gewoond, zoals zoveel vervelende mensen.'

'Hebt u zijn werk gezien?' vroeg hij.

'Jazeker.'

'Wat vond u ervan? Werd u geprovoceerd?'

'Ja.'

Hij glimlachte. 'Ú? Hoe dat zo?'

'Ik liet me provoceren tot de gedachte dat u zijn dood op uw geweten hebt. Want hij is dood, zoveel is zeker, en u schijnt heel veel van

470

hem gestolen te hebben – uw ceremonieën, uw procédé en uw kostbare indigoklei. Wat vreemd dat dat soort dingen van een schilder afkomstig zijn, hoewel hij geloof ik ook mysticus en alchemist was – vreemd dat u het daar net ook over had –, hoewel ik begrepen heb dat dat heel gebruikelijk is in die van zolderkamertjes vergeven, van absint doordrenkte gemeenschap. U doet wel zo stoutmoedig, monsieur, maar ik vraag me toch af of u in uw hele leven ooit weleens een oorspronkelijke gedachte hebt gehad.'

De comte d'Orkancz stond op. Hij hield zijn sigaar in zijn rechterhand en stak haar zijn linkerhand toe, en Miss Temple reageerde intuïtief door haar eigen hand te laten vastpakken, terwijl ze met de andere greep probeerde te krijgen op de kolf van de revolver. Hij bracht haar hand omhoog om hem te kussen – een vreemde, vochtige, fluisterende veeg langs haar vingers –, liet haar hand los en deed een stap achteruit.

'Wat gaat u plotseling weg,' zei ze.

'Beschouw het maar als een voorlopig uitstel.'

'Voor u of voor mij?'

'Voor u, Miss Temple. Want u zult volharden... En die volharding zal u helemaal verteren.'

'O ja?' Als sarcastisch antwoord was het niet echt geslaagd, maar aan de boze blik in zijn ogen te zien was dit het beste wat ze op dit moment te berde kon brengen.

'Jazeker. Zo zal het gaan,' zei hij, en hij legde allebei zijn handen op tafel, boog zich dicht naar haar gezicht toe en fluisterde: 'Als het zover is, zult u zich uit eigen beweging overgeven. Dat doet iedereen. U denkt dat u tegen monsters strijdt – u denkt dat u tegen ons strijdt! –, maar u strijdt alleen maar tegen uw eigen angst, en die angst zal ten overstaan van het verlangen helemaal verschrompelen. Denkt u soms dat ik uw honger niet bemerk? Die is voor mij zonneklaar. U bent al van mij, Miss Temple – u hoeft alleen maar het moment af te wachten dat ik uitkies om u te komen halen.'

De comte kwam weer overeind en stak de sigaar in zijn mond, waarbij zijn tong vochtig en roze afstak tegen de zwarte tabak. Hij blies de rook door zijn mondhoek uit, draaide zich zonder nog een woord te zeggen om en beende soepel het restaurant en het blikveld van Miss Temple uit.

Ze wist niet of hij het hotel uit ging of dat hij via de voorname trap naar een van de bovenverdiepingen liep. Misschien ging hij naar de vertrekken van de contessa – misschien was de contessa al terug en had ze haar door de comte niet gezien. Maar waarom was hij zo plotseling vertrokken, en ook nog na haar eerst bedreigd te hebben? Ze had iets over de kunstenaar, Veilandt, gezegd. Had ze daarmee een gevoelige snaar geraakt? Hád de comte d'Orkancz wel gevoelige snaren? Miss Temple wist niet wat ze nu moest doen. Alle plannen die ze zich ooit in het hoofd had gehaald waren door haar niet-aflatende verlangen om de comte tijdens het gesprek dwars te zitten en te verslaan in rook opgegaan – maar wat had ze daarmee bereikt? Ze tuitte haar lippen en dacht aan de eerste indruk die deze man op haar had gemaakt, in de trein naar Orange Canal, toen zijn afschrikwekkende gestalte twee keer zo groot had geleken door het bont, en ze dacht aan zijn hardvochtige, grimmige doordringende blik. Hij had haar angst ingeboezemd, en na de vreemde rituele vertoning in de snijzaal een nog veel duisterder angst. Maar ze was best tevreden over zijn reactie op het onderwerp Oskar Veilandt. Ondanks het meedogenloze verhaal van de dokter over de gevelde vrouw en over vergif, had Miss Temple het gevoel dat de comte d'Orkancz toch maar gewoon een man was: angstaanjagend, arrogant, wreed, heel machtig niet te vergeten, maar met zijn eigen bouwwerk van ijdelheid, dat, zodra het nader bestudeerd was, zou laten zien hoe hij ten val gebracht moest worden.

Ze voelde zich gerustgesteld en gebruikte de paar minuten hierna om om haar rekening te vragen en op te eten wat er nog over was, waarna ze zuigend op een schijfje citroen in haar tas naar de juiste hoeveelheid kleingeld zocht. Ze had overwogen om de kosten op rekening van de kamer van de contessa te laten zetten, maar besloot dat zo'n gemene streek beneden haar waardigheid was. Bovendien wilde ze deze vrouw absoluut niets verschuldigd zijn (een gevoel dat de comte duidelijk niet met haar deelde, want hij had Miss Temple gewoon voor zijn koffie laten betalen). Miss Temple stond op, pakte haar tas, liet de citroenschil op haar bord vallen en veegde haar vingers aan een verfrommeld servet af. Met een vaag gevoel van opkomende angst liep ze het restaurant uit, dat vol begon te lopen voor de vroege avondshift. Chang en Svenson waren niet gekomen. Dat was mooi, in die zin dat ze nog niet echt iets had bereikt, en ze wilde hen er echt niet bij hebben, zodat ze haar handen vrij had, maar toch… Betekende dit dat hun iets was overkomen? Natuurlijk niet; ze volgden alleen maar hun eigen gedachtegang, over die Angelique ongetwijfeld, of over de prins van dokter Svenson. Dat ze niet waren komen opdagen kwam de grote doelstellingen die ze er wederzijds op na hielden alleen maar ten goede.

Ze liep terug naar de receptie, waar dezelfde medewerker haar liet weten dat de contessa er nog steeds niet was. Miss Temple keek tersluiks om zich heen en boog zich toen dichter naar hem toe. Met haar ogen wees ze naar de rondlopende wand met de spiegels, en ze vroeg of iemand de besloten kamers voor die avond besproken had. De receptionist gaf niet meteen antwoord. Miss Temple liet haar stem meer naar fluistertoon dalen en zette tegelijkertijd een nonchalante onschuldige stem op.

'Misschien kent u ook andere dames uit het vriendinnengroepje van de contessa. Ene Mrs Marchmoor bijvoorbeeld. Of… Ik vergeet telkens hoe de anderen…'

'Miss Poole?' vroeg de receptionist.

'Miss Poole! Natuurlijk! Echt een engel.' Miss Temple glimlachte om vooral zo goed mogelijk tegelijkertijd onschuld en verdorvenheid voor te wenden. 'Wordt een van hen wellicht bij de contessa verwacht, of misschien bij de comte d'Orkancz… in een van uw besloten kamers?'

Ze ging nu zelfs zover dat ze op haar lip beet en met haar ogen naar de man knipperde. De receptionist sloeg een roodleren grootboek open, ging met zijn vinger over de bladzijde omlaag, deed het toen weer dicht en wenkte een van de mannen uit het restaurant. Toen die er was, wees de receptionist op Miss Temple. 'Deze dame gaat naar het gezelschap van de contessa in kamer *vijf*.'

'Er is nog een jongedame,' zei de ober. 'Die is een paar minuten geleden gearriveerd.'

'Ah, des te beter,' zei de receptionist, en hij draaide zich om naar Miss Temple. 'Dan krijgt u gezelschap. Poul, wil jij miss...'

'Miss Hastings,' zei Miss Temple.

'Wil jij Miss Hastings naar kamer vijf brengen? Als u of de andere dame iets nodig hebt, belt u Poul maar. Zodra de contessa er is, laat ik haar weten dat u er bent.'

'Ik ben u bijzonder erkentelijk,' zei Miss Temple.

De man ging haar voor, terug naar het restaurant, waar ze nu voor het eerst een rij deuren zag waarvan de knoppen en scharnieren heel gewiekst in het patroon van het behang wegvielen, zodat ze bijna onzichtbaar werden. Hoe kon het dat ze die andere vrouw niet had zien binnenkomen? Was ze toen met de comte in gesprek geweest? Zou haar entree de reden van het vertrek van de comte geweest kunnen zijn? Zou hij het ook alleen maar gedaan kunnen hebben om haar af te leiden? Miss Temple was razend nieuwsgierig wie het was. Op Harschmort hadden er nog drie vrouwen bij haar in het rijtuig gezeten, en ze nam aan dat twee van hen Marchmoor en Poole waren – maar misschien waren er nog wel veel meer aldus beïnvloede vrouwelijke gunstelingen –, maar ze had geen idee wie die derde was. Toen dacht ze aan al die mensen die zich in het publiek in de snijzaal hadden bevonden – zoals de vrouw met het masker met groene kralen in de gang. De vraag was of het iemand was die haar zou herkennen. Ze had op Harschmort het grootste deel van de tijd een masker gedragen – en degenen die haar zonder hadden gezien waren dood óf het waren bekende figuren, zoals de contessa... althans, dat hoopte ze – maar wie zou het zeggen? Wie had er nog meer achter de spiegel gestaan? Miss Temple trok wit weg. Had Roger er ook gestaan? Ze hield haar tas stevig vast, diepte er een muntje uit op om aan de ober te geven en liet hem openstaan, zodat ze de revolver snel kon pakken.

Hij deed de deur open en aan het hoofd van de tafel zag ze iemand zitten met een masker met veren op dat mooi paste bij het felle blauwgroen van haar jurk – pauwenveren die haar glanzende goudkleurige haar wuivend omlijstten. Haar mond was klein en kleurig, haar gezicht bleek, maar met een subtiel vleugje rouge, haar hals lang als van een zwaan, haar kleine tengere handen nog steeds in haar blauwe handschoenen gestoken. Ze deed Miss Temple denken aan een van die selectief gefokte Russische honden, mager en snel en voortdurend verongelijkt, met de verontrustende gewoonte om bij alles wat hun op hun onbeschermde zenuwen werkte de tanden te ontbloten. Ze drukte de ober het muntje in zijn hand op het moment dat hij haar aankondigde: 'Miss Hastings.' De twee vrouwen knikten elkaar toe. De ober vroeg of ze nog iets nodig hadden. Geen van beiden gaf antwoord – geen van beiden verroerde een vin –, en even later knikte hij en vertrok, na de deur goed achter zich dicht te hebben gedaan.

'Isobel Hastings,' zei Miss Temple, en ze wees op een stoel aan de andere kant van de tafel, tegenover de gemaskerde blonde vrouw. 'Staat u mij toe?'

De vrouw gebaarde ten teken dat ze kon gaan zitten, en dat deed Miss Temple ook. Ze schikte haar jurk, zodat ze gemakkelijk zat, maar verloor de ander daarbij geen moment uit het oog. Op tafel stond tussen hen in een zilveren dienblad met verschillende karaffen met amber-, goud- en robijnkleurige likeuren, en een verzameling cognacglazen en tumblers (niet dat Miss Temple wist welk glas waarvoor gebruikt werd, laat staan wat er in de flessen zat). Voor de blonde vrouw stond een klein glas, ter grootte van een tulp op een stijve doorzichtige steel, gevuld met het robijnkleurige goedje. Het glansde als bloed door het kristal heen. Ze zag dat de vrouw haar onderzoekend aankeek – haar overschaduwde ogen waren iets lichter blauw dan de jurk – en ze probeerde sympathie in haar stem te laten doorklinken.

'Ik heb gehoord dat de littekens binnen een paar dagen wegtrekken. Is het lang geleden gebeurd?'

De vrouw schrok zich zo te merken dood toen ze dat hoorde. Ze pakte haar glas en nam een slok, slikte door en kon zich er maar net van weerhouden haar lippen af te likken. Ze zette haar glas weer op het tafelkleed, maar bleef het vasthouden.

'Ik ben bang dat u... dat u zich vergist.' De stem van de vrouw klonk geschoold en precies, en Miss Temple vond hem ook enigszins kunstmatig, alsof een leven van beperkingen of vaste patronen na

475

verloop van tijd tot een zekere kleingeestigheid had geleid.

'Neemt u mij niet kwalijk, ik ging ervan uit... door het masker...'

'Ja, natuurlijk... dat begrijp ik... Maar nee, dat is niet de reden waarom... Nee, ik ben niet... Ik ben hier... in het geheim.'

'Kent u de contessa goed?'

'U?'

'Dat kan ik niet zeggen, nee,' zei Miss Temple luchtig, en ze nam het voortouw. 'Ik ben meer een kennis van Mrs Marchmoor. Maar ik heb de contessa natuurlijk wel gesproken. Was u aanwezig – als ik er zo vrij over mag spreken – bij die keer in Harschmort House, toen de comte zijn belangrijke *presentatie* hield?'

'Daar was ik bij, ja.'

'Mag ik u vragen wat u ervan vond? Het feit dat u híer bent is natuurlijk al een antwoord op zichzelf, maar afgezien daarvan...'

De vrouw onderbrak haar. 'Wilt u soms iets drinken?'

Miss Temple glimlachte. 'Wat drinkt ú?'

'Port.'

'Aha.'

'Hebt u daar bezwaar tegen?' De vrouw sprak snel en er klonk nu een gretig chagrijn in haar stem door.

'Nee hoor... Een slokje dan...'

De vrouw schoof het zilveren dienblad met veel omhaal naar haar toe, wel een meter de tafel over, waarbij de glazen tegen elkaar rinkelden en de flessen heen en weer schudden, hoewel er niets omviel of kapotging. Ondanks het effect dat dit vreemde gebaar had, moest Miss Temple toch nog opstaan om bij het blad te kunnen en ze deed dat dan ook. Ze schonk een klein beetje van de robijnrode port in precies zo'n glas, deed de zware stop er weer op en ging zitten. Ze snoof de zoete, medicinale geur van de drank op, maar nam nog geen slok, want er was iets met die geur waardoor haar keel samenkneep.

'Goed...' ging Miss Temple verder, 'dus we waren allebei in Harschmort House...'

'En de comte d'Orkancz,' onderbrak de vrouw haar alweer, 'kent u hém wel?'

'Jazeker. Ik heb net nog met hem gesproken,' antwoordde Miss Temple.

'Waar?'

'Gewoon, hier in het hotel, natuurlijk. Hij heeft blijkbaar iets anders dringends te doen en kan niet ook komen.'

Ze had heel even de indruk dat de vrouw zou opstaan, maar ze wist niet of ze nu de comte wilde zoeken of juist wilde vluchten, omdat ze geschrokken was dat hij zo dicht in de buurt was. Het was zo'n moment waarop Miss Temple voelde hoe vreemd onrechtvaardig het was om een jonge scherpzinnige en intelligente vrouw te zijn, want hoe groter haar inzicht in een bepaalde situatie was, hoe meer mogelijkheden ze zag en hoe minder goed ze wist wat ze moest doen – dat was de oneerlijkste en meest frustrerende vorm van 'helderheid' die je je maar kon indenken. Ze wist niet of ze nu moest opspringen en de vrouw ervan moest weerhouden weg te gaan of dat ze een nog veel weerzinwekkender loftrompet moest afsteken over het masculiene gezag van de comte. Ze wilde eigenlijk dat de vrouw het woord zou voeren, en niet zij, en dat ze even rust zou krijgen, zodat ze de port kon proeven. De naam van deze drank had haar altijd al aangesproken, als eilandbewoonster, maar ze had hem nog nooit eerder geproefd, aangezien hij altijd voorbehouden was geweest aan mannen, voor na de maaltijd met hun sigaar. Ze dacht dat ze hem net zo smerig zou vinden als hij rook – ze vond de meeste sterkedrank, van welk soort ook, in principe al smerig –, maar toch vond ze de naam mooi met zijn suggestie van reizen en de zee.

De vrouw stond niet op, maar ging na een paar tellen van besluiteloosheid toch weer achteruitzitten. Ze boog zich naar voren en nam – alsof ze de gefrustreerde gedachten van Miss Temple kon lezen – haar verfijnde glas op en hield het schuin naar Miss Temple, die het hare toen ook pakte. Ze namen een slokje, en Miss Temple genoot van de robijnrode zoetheid, maar vond het brandende gevoel in haar mond en keel helemaal niet prettig, en ook het misselijke gevoel niet dat ze nu in haar maag kreeg. Ze zette het glas neer en zoog met een geknepen glimlachje op haar tong. De gemaskerde vrouw had haar hele glas leeg en stond op om nog wat te pakken. Miss Temple schoof het dienblad naar haar terug – eleganter dan het naar haar toe was gegaan – en keek toe hoe de ander de karaf van het dienblad pakte, inschonk, een slok nam zonder de karaf terug te zetten en toen tot grote verbazing van Miss Temple nog eens inschonk. De vrouw liet de karaf staan waar hij stond en ging toen pas weer zitten.

Miss Temple voelde zich doortrapt; ze realiseerde zich met een sluw glimlachje dat haar afkeuring misplaatst was, want hoe dronkener en loslippiger haar slachtoffer werd, hoe beter haar ondervraging juist zou vorderen.

'U hebt me nog niet verteld hoe u heet,' zei ze lief.

'Dat ga ik ook niet doen,' zei de vrouw vinnig. 'Ik heb een masker voor. Bent u niet goed snik? Is niemand van jullie goed snik?'

'Neemt u mij vooral niet kwalijk,' zei Miss Temple onderdanig, en ze onderdrukte de neiging om de vrouw haar glas in het gezicht te gooien. 'Dat klinkt alsof u het vandaag al zwaar genoeg hebt gehad... Heeft iemand u lastiggevallen? Kan ik iets voor u doen, alstublieft?'

De vrouw zuchtte beverig, en Miss Temple was wederom verbaasd – zelfs enigszins ontsteld – over het gemak waarmee je zelfs met voorgewende vriendelijkheid door het wapenschild van de wanhoop heen kon breken.

'Neemt u mij niet kwalijk,' zei de vrouw, en haar stem klonk nauwelijks luider dan een fluistering. Op dat moment had Miss Temple de indruk dat deze vrouw iemand was die deze woorden nog bijna nooit in haar hele leven had hoeven uitspreken en dat ze dat nu echt alleen uit pure wanhoop deed.

'Nee, nee, alstublieft,' drong Miss Temple aan. 'Vertelt u me vooral alles wat er gebeurd is waardoor u zo'n zware dag hebt gehad, en dan vinden we er samen wel iets op.'

De vrouw sloeg de rest van haar port achterover, verslikte zich even, slikte toen moeizaam en schonk zichzelf nogmaals in. Dit begon uit de hand te lopen – het was nog niet eens tijd voor het diner –, maar Miss Temple maakte gewoon haar eigen lippen vochtig aan haar glas en zei: 'Verrukkelijk, hè?'

Het was alsof de vrouw haar niet hoorde. Ze begon weer te praten, op een soort zachte mompeltoon, die in combinatie met haar zwakke, scherpe stem het effect had van een of andere kermisattractie – van zo'n enge mechanische pop op de kermis die met behulp van een vreemde ruisende combinatie van luchtzakken en metalen platen uit een muziekdoos 'sprak'. Het geluid was niet precies hetzelfde, maar het schouwspel stemde er in zoverre mee overeen dat de stem van de blonde vrouw op een verontrustende manier niet met haar lichaam te rijmen viel. Miss Temple wist dat dat deels door het masker kwam – ze had heel veel over maskers nagedacht – en ze raakte raar genoeg opgewonden van de beweging van de koraalroze lippen van de vrouw, die open- en weer dichtgingen in een voortoneel van levendige veren… De verwarrende aanblik van haar bleke gezicht, de gezwollen vlezige lippen – ze waren wel smal, maar duidelijk nog steeds gevoelig –, de glimp die ze opving van witte tanden en van het donkerdere roze van haar tandvlees en tong. Miss Temple had plotseling de neiging om twee vingers in de mond van de vrouw te steken, enkel en alleen om te voelen hoe warm die was. Maar ze riep zichzelf tot de orde en schudde die choquerende gedachte van zich af, want eindelijk nam de vrouw nu toch het woord.

'Ik ben eigenlijk heel aardig, dociel zelfs, dat is het 'm net – en als je zo'n temperament hebt, weet je niet beter en word je niet geprezen omdat je zo bent, de mensen vinden het vanzelfsprekend en dan willen ze meer – ze willen altijd meer, en het is nu eenmaal mijn aard, want ik heb er altijd naar gestreefd om het iedereen binnen de grenzen van beleefde omgang naar de zin te maken, want ik heb geprobeerd niet trots te zijn, want ik zou best trots kunnen zijn, ik zou wel het trotste meisje van het hele land kunnen zijn – ik heb alle recht om te zijn wat ik maar wil, en het is heel vervelend, want soms voel ik wat ik zou moeten zijn, dat ik eigenlijk ook een koningin zou moeten zijn, méér dan de koningin, want de koningin is oud en ziet er afschuwelijk uit – en het ergste is nog wel dat ik, als ik ervoor zou kiezen om zo te zijn, als ik gewoon zou gaan commanderen en schreeuwen en eisen, dat ik het dan zou krijgen, dat ik dan precies dat zou krijgen – maar nu vraag ik me af of dat wel echt waar is, ik vraag me af of het niet al zo lang geleden is allemaal dat niemand meer wil luisteren, dat ze me in mijn gezicht zouden uitlachen, of in elk geval achter mijn rug, zoals ze allemaal achter mijn rug lachen – ook al ben ik wie ik ben – en ze zouden gewoon doen wat ze nu ook al doen, maar dan meer open en bloot en zonder te doen alsof, met minachting, die ik niet zou kunnen verdragen, denk ik, en mijn vader is nog wel de ergste van allemaal, hij is altijd de ergste geweest en nu ziet hij me helemaal niet meer staan, hij probéért zich niet eens meer om me te bekommeren – hij heeft zich nooit om mij bekommerd – en van mij wordt maar verwacht dat ik zonder ook maar één vraag te stellen de toekomst aanvaard die zij voor mij uitgekozen hebben. Niemand weet wat voor leven ik leid. En dat interesseert ook niemand wat – en die man, die ordinaire *man* – van mij wordt verwacht – een buitenlander – het is afschuwelijk – en mijn enige troost is dat ik altijd geweten heb dat hij – wie hij ook zou blijken te zijn – mijn hart tot op de grond toe zou verwoesten.'

De vrouw dronk haar vierde glas port leeg – en wie weet hoeveel ze er al soldaat had gemaakt voordat Miss Temple er was? –, grijnsde en pakte onmiddellijk de karaf weer. Miss Temple dacht aan haar eigen vader – verweerd, vol woede, onmogelijk afstandelijk, alleen vriendelijk als het hem uitkwam. De enige manier waarop zij haar vader kon begrijpen was door hem als een natuurkracht te beschouwen, als de zee of de wolken, en als het weer, zonnige dagen én stormwinden, zonder zich dat persoonlijk aan te trekken. Ze wist dat hij ziek geworden was, dat hij hoogstwaarschijnlijk niet meer leefde als zij eenmaal terugging – áls ze al ooit terugging – naar het eiland waar ze geboren was. Die gedachte bezorgde haar geweten een steek van verdriet, als ze het de kans gaf, maar ze liet het de kans niet, want ze wist niet goed of het verdriet zich wel onderscheidde van het verdriet om het gemis van de tropische zon. Miss Temple was van mening dat verandering steevast verdriet met zich meebracht. Bracht de afwezigheid van haar vader speciaal verdriet met zich mee – hetzij door de afstand, hetzij door de dood? Bracht het feit dat ze dit niet met zekerheid kon zeggen verdriet met zich mee? Ze had haar moeder nooit gekend – een jonge vrouw (jonger dan Miss Temple nu was, hetgeen een vreemde gewaarwording was), geveld door de geboorte van haar kind. Er waren zo veel mensen op de wereld die je teleurstelden – was de afwezigheid van nog één persoon dan echt zo'n verlies? Zo luidde het giftige antwoord waarmee Miss Temple normaal gesproken reageerde op betoond medeleven om de afwezigheid van haar moeder, en als er diep in haar hart dan toch een minuscuul diep weggestopt wondje zat, was ze niet van plan dat omwille van vreemden – omwille van niemand trouwens – op te diepen. Niettemin merkte ze, om een reden die ze niet kon of niet wilde benoemen, dat de onsamenhangende tirade van de gemaskerde vrouw haar wel degelijk raakte.

'Als u hem zou spreken,' vroeg ze vriendelijk, 'wat denkt u dan dat de comte d'Orkancz u zou adviseren?'

De vrouw lachte verbitterd.

'Waarom gaat u dan niet weg?'

'Waar zou ik heen moeten?'

'Er zijn vast een heleboel adressen...'

'Ik kan niet *weg*! Ik voel me *verplicht*!'

'Weiger die verplichting dan. Of, als u niet kunt weigeren, zorg dan dat hij in uw voordeel werkt... U zei dat u eigenlijk een koningin zou moeten zijn...'

'Maar niemand *luistert* naar me... niemand heeft ook maar enig *idee*...'

Miss Temple raakte geïrriteerd. 'Als u echt weg wilt...'

De vrouw pakte snel haar glas op. 'Jullie praten allemaal hetzelfde, met jullie trotse wijsheid... Terwijl jullie er alleen maar een plaats bij mij aan tafel mee verdienen! "Wees vrij! Verruim je horizon!" Allemaal veile kletspraat!'

'Als u zo erg belaagd wordt,' antwoordde Miss Temple geduldig, 'hoe bent u er dan in geslaagd om hierheen te komen, gemaskerd en in uw eentje?'

'Hoe denkt u?' De vrouw spoog de woorden er bijna uit. 'Het St. Royale Hotel is de enige plek waar ik heen kan! Met twee koetsiers die ervoor moeten zorgen dat ik afgezet en opgehaald word, zonder tussenstop!'

'Wat een bespottelijke toestand,' zei Miss Temple. 'Als u ergens anders heen wilt, ga dan gewoon.'

'Maar hoe?'

'Ik weet zeker dat het St. Royale tal van uitgangen heeft.'

'Maar dan? Waar moet ik dan heen?'

'Waar u maar wilt... Ik neem aan dat u geld hebt... De stad is heel groot. Je hoeft alleen maar...'

De vrouw lachte spottend. 'U hebt geen idee... U weet niet hoe...'

'Een onuitstaanbaar kind herken ik wel,' zei Miss Temple.

De vrouw keek als gestoken op – door de port was haar reactievermogen wat trager geworden –, met een combinatie van onbegrip en aanzwellende woede op haar gezicht, en met geen van beide kon ze uit de voeten. Miss Temple stond op en wees naar de enigszins afgezonderd hangende baan rode draperie op de muur links van haar.

'Weet u wat dat is?' vroeg ze bits.

De vrouw schudde haar hoofd. Miss Temple snoof, liep naar het gordijn en trok het met een ruk opzij – haar ingenieuze plan werd heel even de grond in geboord toen er een vlak stuk muur achter te voorschijn kwam. Maar voor de vrouw een woord kon zeggen, zag Miss Temple de uitsparingen in het geschilderde houtwerk – het was dus inderdaad geschilderd houtwerk en geen pleisterwerk –, waar je het kon vastpakken, en daarna de kunstig ingezette scharnieren, waaraan ze zag hoe het geheel openging. Ze zette haar kleine vingers schrap in de gaten en wrikte de houten luiken omhoog; hierachter was een verduisterd raam te zien, de achterkant van de Hollandse spiegel in gouden lijst, waardoor ze allebei onbelemmerd zicht op de lobby van het St. Royale Hotel en de straat aan de voorkant hadden.

'Ziet u wel?' zei ze, en ze was ook zelf afgeleid door de vreemde aanblik: ze kon mensen zien die maar op een meter afstand van haar stonden, maar die haar niet konden zien. Terwijl ze keek liep een jonge vrouw recht op het raam af en begon zenuwachtig aan haar haar te trekken. Miss Temple voelde een onaangename huivering; dit kwam haar bekend voor.

'Maar wat *betekent* het?' vroeg de blonde vrouw fluisterend.

'Dit betekent alleen maar dat de wereld niet bepaald wordt door uw problemen en dat u niet de grens bent van het complot waardoor u wordt omringd.'

'Wat... Wat een onzin! Het is net alsof je in een aquarium kijkt!'

Toen bracht de vrouw haar hand naar haar trillende mond en wilde ze bedrukt de karaf pakken. Miss Temple liep naar de tafel en schoof het dienblad weg, zodat ze er niet meer bij kon. De vrouw keek smekend naar haar op.

'O, u begrijpt er ook niks van! In mijn huis zitten overal spiegels!'

Achter hen ging de deur open, waardoor ze zich allebei omdraaiden en de ober Poul zagen, die een andere dame hun privévertrek in begeleidde. Ze was lang, had bruin haar en een mooi gezicht, ontsierd door de vervagende sporen van een roodachtig lusvormig litteken rond beide ogen. Ze had een beige jurk aan, afgezet met donkerbruine franje, en ze had een driedubbel parelsnoer strak om haar hals. In haar hand hield ze een tasje. Ze zag de vrouwen, glimlachte, stopte Poul een muntje in zijn hand en knikte hem toe het vertrek te verlaten, waarna ze hen opgewekt aansprak.

'U bent er! Ik wist niet of u allebei in de gelegenheid zou zijn om te komen – een onverhoopt genoegen, en nu hebt u dus al kennis kunnen maken.'

Poul was weg, de deur achter hem gesloten, en ze ging aan tafel zitten, op de plek waar Miss Temple eerst gezeten had. Terwijl ze haar jurk schikte, schoof ze het portglas opzij. Miss Temple herkende haar gezicht niet, maar de stem wel – in het rijtuig naar Harschmort, de vrouw met de zijden jurk die had verteld hoe twee mannen haar hadden uitgekleed. De littekens op haar gezicht waren al wat weggetrokken – zíj had in de snijzaal over haar veranderde bestaan verteld, over haar hervonden missie naar macht en plezier... Dit was Mrs Marchmoor... Margaret Hooke.

'Ik was al benieuwd of we elkaar nog eens zouden treffen,' zei Miss Temple ietwat ijzig tegen haar, omdat ze de blonde vrouw wilde wijzen op het overduidelijke gevaar dat deze nieuwkomer voor hen allebei betekende.

'Daar was u helemaal niet benieuwd naar,' antwoordde Mrs Marchmoor. 'U wist het zeker, want u wist dat u achtervolgd zou worden. De comte heeft me verteld dat u... een interessante vrouw bent.' Ze draaide zich om naar de gemaskerde vrouw in het blauw, die terug naar de tafel was gewandeld, hoewel ze niet weer was gaan zitten. 'Wat denk je, Lydia... is Miss Temple vanuit jouw standpunt gezien iemand die de moeite waard is? Is ze onze investering waard of moet ze uit de weg geruimd worden?'

Lydia? Miss Temple keek naar de blonde vrouw. Zou dit de dochter van Robert Vandaariff kunnen zijn, de verloofde van de dronken prins van de dokter, de erfgename van het grootste fortuin ter wereld? Het object van haar starende blik reageerde niet, behalve dan om weer naar de karaf te reiken, die ze dit keer wel te pakken kreeg. Ze trok de stop eruit en schonk nog een glas in.

Mrs Marchmoor grinnikte. Lydia Vandaariff sloeg de inhoud – haar vijfde glas? – achterover en blèrde: 'Hou je mond. Je bent te laat. Waar hebben jullie het over? Waarom zit ik hier met jullie te praten als ik eigenlijk Elspeth hoor te spreken? Of de contessa, nog beter! En waarom noem je haar Temple? Ze zei dat ze Hastings heette.'

Miss Vandaariff draaide zich om naar Miss Temple en keek haar argwanend met halftoegeknepen ogen aan. 'Toch?' Ze keek weer naar Mrs Marchmoor. 'Hoezo "achtervolgd"?'

'Ze maakt maar een grapje, een flauw grapje,' zei Miss Temple. 'Ik ben niet *gevonden*; integendeel, ik ben hier uit eigen beweging naartoe gekomen. Ik ben blij dat u de comte gesproken hebt, dan hoef ik tenminste niet meer uit te leggen…'

'Maar wie bént u?' Lydia Vandaariff werd nu met de minuut dronkener.

'Ze is een vijand van je vader,' antwoordde Mrs Marchmoor. 'Ze is ongetwijfeld gewapend en is van plan om herrie te schoppen of ons te bedreigen. Ze heeft op de avond van het bal twee mannen vermoord – voor zover wij weten; het kunnen er ook meer zijn – en haar handlangers hebben plannen om een aanslag op uw prins te plegen.'

De blonde vrouw staarde Miss Temple aan. 'Zíj?'

Miss Temple glimlachte. 'Bespottelijk, hè?'

'Maar… u zei wel dat u op Harschmort was!'

'Daar was ik ook,' zei Miss Temple. 'En ik heb geprobeerd om aardig voor u te zijn…'

'Wat deed u op mijn gemaskerd bal?' blafte Miss Vandaariff haar toe.

'Mensen vermoorden,' zei Mrs Marchmoor sarcastisch.

'Die soldaat!' fluisterde Lydia. 'Kolonel Trapping! Ze hebben gezegd… Hij leek heel fit… maar waarom zou iemand… Waarom wilde u hem dood hebben?'

Miss Temple sloeg haar ogen ten hemel en blies tussen haar tanden door haar adem uit. Ze had het gevoel alsof ze verzeild was geraakt in een krankzinnig toneelstuk dat uit het ene onsamenhangende gesprek na het andere bestond. Hier zat ze met een jonge vrouw wier vader zich ongetwijfeld in de kern van het hele complot bevond, en met een andere vrouw die een van de meest subtiel opererende personen van dat complot was. Waarom nam ze überhaupt nog de moeite om hun triviale vragen te bevestigen of te ontkennen, wanneer ze zelf bij machte was om de zaak in eigen hand te nemen? Miss Temple was zich in haar leven heel vaak bewust van de frustratie die steeds groter werd als ze andere mensen hun gang liet gaan, terwijl ze heel goed wist dat hun bedoelingen absoluut niet de hare waren. Dat patroon had ze eindeloos met haar tante en bedienden gevolgd, en ook nu weer, nu ze zich een shuttle voelde die tussen de twee vrouwen en hun irritante ruziënde gebeuzel heen en weer geslagen werd. Ze stak haar hand in haar tas en haalde de revolver te voorschijn.

'Zwijg, jullie allebei,' sprak ze, 'behalve om antwoord te geven op mijn vragen.'

Miss Vandaariff zette grote ogen op toen ze de glanzende zwarte revolver zag, die er in de kleine witte hand van Miss Temple angstaanjagend groot uitzag. Mrs Marchmoor trok daarentegen een onverstoorbaar kalm gezicht, hoewel Miss Temple durfde te betwijfelen of die sereniteit erg diep ging.

'En wat voor vragen dan wel?' antwoordde Mrs Marchmoor. 'Ga zitten, Lydia! En hou op met drinken! Ze heeft een wapen; probeer je alsjeblieft te concentreren.'

Miss Vandaariff ging ogenblikkelijk zitten, met haar handen zedig in haar schoot. Het verbaasde Miss Temple dat ze zich zo liet commanderen, en ze vroeg zich af of een dergelijke gehoorzaamheid de enige vorm van aandacht was die ze herkende en dus ook waarnaar ze verlangde, hoewel haar hele onsamenhangende tirade dit leek tegen te spreken.

'Ik ben op zoek naar de contessa,' zei ze tegen hen. 'Vertel me waar ze is.'

'Rosamonde?' begon Miss Vandaariff. 'Nou, die is...' Een blik van de andere kant van de tafel maakte dat ze er abrupt het zwijgen toe deed. Miss Temple keek boos naar Mrs Marchmoor en draaide zich toen weer om naar Lydia, die haar hand voor haar mond had geslagen.

'Wat wilde u zeggen?' vroeg Miss Temple.

'Niets,' fluisterde Miss Vandaariff.

'Ik wil graag dat u uw zin afmaakt. "Rosamonde?"'

Miss Temple kreeg geen antwoord. Tot haar grote ergernis krulden de mondhoeken van Mrs Marchmoor tevreden op. Ze draaide zich met een geërgerde grauw weer naar de blonde vrouw toe.

'U beklaagde zich toch net tegenover mij over de onrechtvaardigheid van uw positie, over het roofzuchtige karakter van de mensen om u heen, en om uw vader heen, over de weerzinwekkende eigenschappen van uw aanstaande echtgenoot, en over de mate waarin men u – uw positie ten spijt – geen respect betoont? En nu stelt u zich ondergeschikt op aan… aan wie? Aan iemand die een paar weken geleden nog in een bordeel werkte! Aan iemand die volledig op de hand is van de mensen aan wie u een hekel hebt! Aan iemand die het slecht met u voorheeft, zoveel is zeker.'

Miss Vandaariff zei niets.

Op het gezicht van Mrs Marchmoor verscheen nu een akelige glimlach. 'Volgens mij speelt dit meisje een spelletje met ons, Lydia. Het is alom bekend dat ze door Roger Bascombe, de toekomstige lord Tarr, aan de dijk is gezet, en wat deze persoon hier te zoeken heeft is ongetwijfeld een zielige poging om zijn genegenheid terug te winnen.'

'Ik ben hier niet voor Roger Bascombe!' beet Miss Temple haar toe, maar voor ze verder kon praten of het gesprek weer naar haar hand kon zetten, was Miss Vandaariff bij het horen van Rogers naam weer teruggestuiterd naar haar houding van neerbuigende superioriteit.

'Het verbaast me niets dat hij haar heeft laten vallen. Moet je haar zien! Revolvers in een hotel-restaurant – ze lijkt wel een wilde! Het soort dat een afranseling kan gebruiken!'

'Dat kan ik niet ontkennen,' antwoordde Mrs Marchmoor.

Miss Temple schudde haar hoofd toen ze deze nauwelijks geloofwaardige waanzin hoorde.

'Wat een onzin! Eerst zegt u dat ik een moordenares ben – een handlanger die tegen u samenspant – en nu ben ik een misleid meisje met liefdesverdriet! Besluit u alstublieft wat het wordt, zodat ik u ter zake kan uitlachen!' Miss Temple richtte zich nu rechtstreeks tot Miss Vandaariff, waarbij ze haar stem dusdanig verhief dat ze bijna schreeuwde. 'Waarom luistert u naar haar? Ze behandelt u als een bediende! Ze behandelt u als een kind!' Ze draaide zich weer om naar de vrouw aan het hoofd van de tafel, die doelloos een lok bruin haar om haar vinger ronddraaide. 'Waarom is Miss Vandaariff hier? Wat had u voor haar in gedachten? Jullie procédé? Of alleen maar de slavernij van de orgie? Ik heb het gezien... Ik heb u gezien... en hem... in deze kamer!'

Miss Temple stak haar hand in haar groene tas. Ze had nog steeds een van de glazen kaartjes van de dokter. Was dit het goede? Ze haalde het te voorschijn, keek ernaar en kwam wankel overeind, waardoor Mrs Marchmoor ook dreigend half van tafel opstond. Miss Temple herpakte zich – trok zichzelf uit de blauwe diepten – en nam de revolver in de aanslag, waarmee ze de vrouw gebaarde weer te gaan zitten. Het was het verkeerde kaartje, met Roger en haarzelf erop – maar misschien was de onheilspellende onderdompeling op zichzelf al genoeg. Miss Temple legde het kaartje voor Miss Vandaariff neer.

'Hebt u weleens zo'n kaartje gezien?' vroeg ze.

De klagerige blondine keek alvorens antwoord te geven eerst naar Mrs Marchmoor en schudde toen haar hoofd.

'Pak het en kijk erin,' zei Miss Temple kortaf. 'U kunt ervan schrikken. Het is een onnatuurlijke binnendringing in de geest en het lichaam van iemand anders – waar u hulpeloos bent, gevangen door gewaarwordingen, onderworpen aan hun verlangens!'

'Lydia... doe het niet,' fluisterde Mrs Marchmoor.

Miss Temple bracht de revolver omhoog. 'Lydia... doe het wél.'

Miss Temple vond het gemak waarmee je iemand een ervaring kon opdringen waarvan je – uit de eerste hand – wist dat deze verontrustend was, of angstaanjagend, of weerzinwekkend, iets vreemds hebben, en ook de meedogenloze tevredenheid waarmee je dan toekeek hoe die ander hem onderging. Ze had geen idee wat voor intieme ervaringen Miss Vandaariff had gehad, maar aan haar kinderlijke manier van doen te oordelen nam ze aan dat ze over het algemeen een beschermd leven had geleid. Ze mocht haar dan niet zomaar in de vleselijke versmelting van Karl-Horst en Mrs Marchmoor op de sofa storten – hoewel ze dat met alle plezier wel had gedaan –, toch vond ze het een beetje wreed van zichzelf dat ze haar zelfs maar dit veel minder choquerende kaartje opdrong. Ze moest aan haar eigen eerste onderdompeling denken – aan de manier waarop ze dokter Svenson naïef op het hart had gedrukt dat er niets was wat ze niet aankon (hoewel ze hem naderhand niet recht had durven aankijken) – en aan de verbijsterend plotselinge, verrukkelijke, verontrustende golf van gevoelens die haar had overspoeld toen de prins tussen de gespreide benen van zijn geliefde was gaan staan – de geliefde wier onmiskenbaar zalige beleving zij op dat verrukkelijke moment zelf ook had gevoeld. Als jongedame was het belang van haar deugd-zaamheid er bij haar ingestampt zoals discipline er bij een Duitse soldaat werd ingestampt, maar toch wist ze niet precies hoe het er momenteel met haar deugdzaamheid voor stond – of liever gezegd, ze kon de kennis over haar lichaam niet scheiden van die over haar geest of over de zintuiglijke gewaarwordingen die ze nu kende. Als ze zichzelf de ruimte gunde om na te denken – een gevaarlijke luxe, zoveel was zeker –, moest ze de waarheid onder ogen zien, namelijk dat haar verwarring niets anders was dan het onvermogen om onder-scheid te maken tussen haar gedachten en de wereld om haar heen – en dat ze dankzij dit gevaarlijke stukje glas toegang had tot extase, waardoor die net zoiets tastbaars werd als haar schoenen.

Miss Temple had het kaartje te voorschijn gehaald om op die manier in één klap aan Miss Vandaariff te laten zien tot welke slecht-heid haar vijanden in staat waren en welke verleidelijke gevaren ze haar wellicht al aangeboden hadden, en om haar, door haar bang te maken, te waarschuwen en er zo voor te zorgen dat de erfgename zich achter haar zou scharen, maar terwijl ze toekeek hoe het meisje in het kaartje tuurde – terwijl ze op haar onderlip beet, sneller ging ademhalen, haar linkerhand trekkerige bewegingen op het tafelblad maakte – en toen naar het hoofd van de tafel keek en zag dat Mrs Marchmoor de gemaskerde vrouw al net zo aandachtig bestudeerde, wist ze niet meer of ze er wel verstandig aan had gedaan. Nu ze zag hoe Lydia erin opging, vroeg ze zich af of ze het soms gedaan had om beter zicht op haar eigen beleving te krijgen, alsof ze, als ze naar Miss Vandaariff keek, eigenlijk zichzelf zag – want ze kon zichzelf maar al te gemakkelijk, ondanks het feit dat ze goed moest opletten, ondanks het overduidelijke gevaar, weer in de lobby van het Boniface zien zitten, terwijl haar ogen in de diepten van het blauwe glas zwommen, haar handen afwezig haar opgepropte jurk betastten en dokter Svenson al die tijd wist – zelfs toen hij met zijn rug naar haar toe ging staan – wat er met een huivering door haar lichaam trok.

Miss Temple moest plotseling aan de woorden van de comte d'Orkancz denken: dat ze ten prooi zou vallen aan haar eigen verlangen!

Haar hand schoot naar voren en ze griste het kaartje weg. Voor Miss Vandaariff iets kon doen, behalve in opperste verwarring wat sputteren, had ze het alweer in de groene tas gestopt.

'Begrijpt u?' riep Miss Temple met scherpe stem. 'De onnatuurlijke wetenschap – voelen wat iemand anders heeft beleefd...'

Miss Vandaariff knikte zwijgend en keek op, met haar ogen op de tas gericht. 'Wat... Hoe kan dat?'

'Ze willen gebruikmaken van uw invloedrijke positie, u verleiden zoals ze deze man, Roger Bascombe, hebben verleid...'

Miss Vandaariff schudde ongeduldig haar hoofd. 'Nee, zij niet... het glas... het *glas*!'

'En, Lydia...' grinnikte Mrs Marchmoor vanaf het hoofd van de tafel, met opluchting en tevredenheid in haar stem, 'werd je niet bang van wat je zag?'

Miss Vandaariff zuchtte, haar ogen glansden – een ademtocht van vergiftigde vreugde. 'Een beetje... maar eigenlijk interesseert het me helemaal niet wat ik gezien heb... Alleen wat ik gevoeld heb...'

'Vond je het niet *verbazingwekkend*?' fluisterde Mrs Marchmoor, die haar bezorgdheid van daarnet al helemaal vergeten was.

'O, lieve hemel... jazeker! Het was iets verrukkelijks! Ik was in zijn handen, zijn honger... Hij betastte haar...' Ze draaide zich om naar Miss Temple. 'Hij betastte ú!'

'Maar... nee, nee...' begon Miss Temple, en ze onderbrak zichzelf met een blik op Mrs Marchmoor, die als een vuurtoren zat te stralen. 'Ik heb er nog een... met déze vrouw! En uw prins! Véél intiemer... echt...'

Miss Vandaariff stak haar hand hongerig naar Miss Temple uit. 'Ik wil het zien! Hebt u het bij u? Het zijn er vast een heleboel, maar... u moet me deze nog een keer laten zien. Ik wil ze allemaal zien!'

Miss Temple zag zich genoodzaakt een stap achteruit te doen, weg van de graaiende handen van Miss Vandaariff.

'Interesseert het u dan niets?' vroeg ze. 'Die vrouw – daar! – met uw aanstaande...'

'Waarom zou me dat iets interesseren? Die man laat me volkomen koud!' antwoordde Miss Vandaariff, terwijl ze met haar hand in de richting van het hoofd van de tafel wapperde. 'Zíj laat me ook volkomen koud! Maar dat *gevoel*... in zo'n *beleving* ondergedompeld worden...'

De vrouw was dronken. Ze was in de war, beschadigd, verwend, en stond nu als een schooier aan Miss Temples arm te rukken om haar tas te pakken te krijgen.

'Beheers u!' siste ze, en ze deed snel drie stappen achteruit en bracht de revolver omhoog – hoewel ze op dat moment besefte dat je (en in haar achterhoofd wist ze dat dit nou precies was waardoor iemand als Chang zo professioneel was, namelijk dat er inderdaad dingen te leren en te onthouden vielen, bijvoorbeeld over zoiets als bedreiging met een vuurwapen), wanneer je een wapen gebruikte om andere mensen te dwingen bepaalde dingen te doen, er maar beter op voorbereid kon zijn om het ook echt te gebruiken. Als je dat niet was – zoals Miss Temple op dit moment moest erkennen dat ze niet bereid was het tegen Miss Vandaariff te gebruiken –, dan verdween je macht als de vlam van een uitgeblazen kaars. Miss Vandaariff was zo afgeleid dat er helemaal niets tot haar doordrong, behalve haar vreemde niet-aflatende verlangen. Mrs Marchmoor had het echter allemaal wel gemerkt. Miss Temple draaide zich om en stak haar revolver bijna recht in het glimlachende gezicht van de vrouw.

'Blijf staan waar u staat!'

Mrs Marchmoor grinnikte weer. 'Gaat u me doodschieten? Hier in een vol hotel? Dan wordt u door de politie ingerekend. Dan gaat u naar de gevangenis en wordt u opgehangen – daar zullen wij op toezien.'

'Dat zou kunnen, maar dan gaat u er toch eerst aan.'

'Arme Miss Temple – nu bent u zo moedig, maar toch begrijpt u er nog niks van.'

Miss Temple lachte hoorbaar spottend. Ze had geen idee waarom Mrs Marchmoor zich gerechtigd voelde iets dergelijks te zeggen, en dus nam ze haar toevlucht maar tot uitdagende minachting.

'Waar hebben jullie het over?' jammerde Lydia. 'Waar vind ik nog meer van die *dingen*?'

'Bekijk het nog maar een keer,' zei Mrs Marchmoor op kalmerende toon. 'Als je goed oefent, kun je ervoor zorgen dat het kaartje langzamer gaat, tot je jezelf net zo lang als je wilt in één enkel moment kunt laten blijven hangen. Moet je je voorstellen, Lydia... Stel je eens voor welke momenten je dan keer op keer op keer in je op kunt zuigen.'

Mrs Marchmoor trok haar wenkbrauwen naar Miss Temple op en hield haar hoofd scheef, alsof ze haar wilde aansporen het kaartje af te geven – waarmee ze leek te willen zeggen dat zij tweeën, dat wil zeggen de volwassenen in de kamer, zodra de erfgename afgeleid was, in alle rust met elkaar konden praten.

Tegen beter weten in zocht Miss Temple in haar tas, misschien alleen maar omdat ze benieuwd was of datgene wat Mrs Marchmoor net gezegd had ook echt waar was, en haalde ze het kaartje te voorschijn. Toen haar vingers het gladde koele oppervlak voelden, had ze de neiging om er zelf ook in te kijken. Voor ze het besluit had kunnen nemen om dat niet te doen, griste Miss Vandaariff het haar al uit de hand en vloog ze weg naar haar stoel, met haar ogen op de blauwe rechthoek gericht die ze eerbiedig in haar tot een kom gevouwen handen hield. Binnen een paar tellen schoot Lydia's tong over haar onderlip en was ze met haar gedachten ergens anders.

'Wat heeft het met haar gedaan?' vroeg Miss Temple ontsteld.

'Ze zal ons nauwelijks horen; we kunnen duidelijk spreken,' antwoordde Mrs Marchmoor.

'Haar verloofde schijnt haar niet erg aan het hart te gaan.'

'Waarom zou hij ook?'

'Gaat hij u aan het hart?' vroeg ze, doelend op de expliciete handelingen die in het glas waren vastgelegd. Mrs Marchmoor lachte en gaf een knikje naar de blauwe kaart.

'Dus ú zit in die kaart... en in de andere zit ík... gevangen met de prins?'

'Inderdaad... Als u het wilt ontkennen...'

'Waarom zou ik? Ik kan me de situatie goed voor de geest halen, hoewel ik moet bekennen dat ik me hem niet meer kan herinneren... Dat is de prijs die je betaalt om je beleving onsterfelijk te maken.'

'Herinnert u het zich niet?' Miss Temple was stomverbaasd over de decadente nonchalance van de vrouw. 'Herinnert u zich niet dat u... met de prins... waar andere mensen bij waren...'

Mrs Marchmoor moest weer lachen. 'O, Miss Temple, het is wel duidelijk dat u baat zou hebben bij de helderheid van het procédé. Zulke domme vragen zouden nooit meer over uw lippen komen. Heeft de comte, toen u met hem sprak, u niet gevraagd zich bij ons aan te sluiten?'

'Beslist niet!'

'Dat verbaast me.'

'Hij heeft me zelfs bedreigd... Hij zei dat ik me aan u moest onderwerpen, aangezien ik verslagen was...'

Mrs Marchmoor schudde ongeduldig haar hoofd. 'Maar dat is hetzelfde. Luister, u kunt nu wel met die revolver zwaaien, maar daarmee zult u mij er niet van weerhouden – ik ben namelijk niet meer zo'n onnozele hals dat ik me zo door wrok in beslag laat nemen – u nogmaals te vragen het onvermijdelijke onder ogen te zien en u aan te sluiten bij onze inspanningen voor de toekomst. Het gaat om een beter leven, met vrijheid en actie en gestild verlangen. U zwicht toch, Miss Temple – ik geef u op een briefje dat dat zal gebeuren.'

Miss Temple had hier niets op te zeggen. Ze gebaarde met de revolver. 'Sta op.'

Als Mrs Marchmoor haar ergens van had overtuigd, dan was het dat het privévertrek niet besloten genoeg was. Het had zich goed geleend om informatie in te winnen, maar het was niet geschikt om er nog langer te blijven rondhangen, tenzij ze het risico wilde lopen de politie tegen te komen. Met de revolver én het kaartje in haar tas liet ze de vrouwen voor zich uit lopen – Mrs Marchmoor werkte met een toegeeflijke glimlach op haar gezicht mee, Miss Vandaariff keek, nog steeds gemaskerd, steels om zich heen, waardoor haar rood aangelopen gezicht en glazige ogen te zien waren –, de voorname trap op, naar de vertrekken van contessa Lacquer-Sforza. Mrs Marchmoor had de vragende blik van de receptionist beantwoord door energiek te zwaaien, en zonder verdere kritische blikken liepen ze het luxueuze St. Royale in.

De kamers bevonden zich op de tweede verdieping, waar ze via een tweede, slechts een fractie minder statige trap kwamen, met stijlen en leuningen die helemaal van gepoetst koper waren en die vanuit de lobby de ronding van de eerste trap volgde. Miss Temple zag dat de rondlopende trappen een herhaling lieten zien van de rood-met-gouden uitgesneden linten rondom de steunpilaren van het hotel, en merkte dat ze voldoening putte uit de diepgang waarmee over het gebouw was nagedacht dat iemand zich die inspanning kon getroosten en dat zij zo slim was geweest om het op te merken. Miss Vandaariff keek weer even achterom naar haar, maar nu met een veel angstiger gezicht – bijna alsof een bepaalde gedachte nu ook in haar opgekomen was.

'Ja?' vroeg Miss Temple.

'Niets, laat maar.'

Mrs Marchmoor draaide zich onder het lopen naar haar toe. 'Zeg maar wat je denkt, Lydia.'

Miss Temple verbaasde zich over de invloed die de vrouw op de erfgename had. Als Mrs Marchmoor de littekens van het procédé nog droeg, kon ze pas heel kort in de samenzwering ingewijd zijn, en daarvóór zat ze in het bordeel. Maar Lydia Vandaariff was zo eerbiedig tegen haar als je tegen iemand was die al heel lang je gouvernante was. Miss Temple vond het volstrekt onnatuurlijk.

'Ik maak me alleen maar zorgen over de comte. Ik wil niet dat hij nu komt.'

'Maar het kan best zijn dat hij wel komt, Lydia,' antwoordde Mrs Marchmoor. 'Dat weet je best.'

'Ik vind hem niet aardig.'

'Vind je mij aardig?'

'Nee. Nee, ik vind u niet aardig,' mompelde ze knorrig.

'Natuurlijk vind je me niet aardig. En toch kunnen we het prima vinden samen.' Mrs Marchmoor wierp Miss Temple een zelfingenomen glimlach toe en wees op een zijgang. 'Deze kant op.'

De contessa was niet in de suite. Mrs Marchmoor had de deur met haar sleutel opengedaan en hen binnengelaten. In de gang had Miss Temple haar revolver te voorschijn gehaald, toen ze eenmaal boven aan de trap en uit het zicht waren, en ze volgde hen nu heel zorgvuldig. Haar ogen schoten heen en weer uit angst voor een eventuele hinderlaag. Ze trapte op een schoen in de hal en struikelde. Een schoen? Waar waren de dienstmeisjes? Dat was een heel goede vraag, want de vertrekken van de contessa waren één grote puinhoop. Waar Miss Temple haar blik ook liet gaan, zag ze niet-opgeruimde borden en glazen, flessen en asbakken, en alle mogelijke soorten dameskleding, van jurken en schoenen tot de meest intieme dingen, onderrokken, kousen en korsetten – over een divan in de salon gedrapeerd!

'Ga zitten,' zei ze tegen de anderen, en dat deden ze dan ook, naast elkaar op de divan. Miss Temple keek om zich heen en luisterde. Ze hoorde geen geluid uit een van de andere kamers komen, hoewel de gaslampen aan waren en gloeiden.

'De contessa is er niet,' liet Mrs Marchmoor haar weten.

'Is de boel tijdens haar afwezigheid geplunderd?' Miss Temple bedoelde het als een serieuze vraag, maar Mrs Marchmoor kon er alleen maar om lachen.

'Mevrouw is niet de netste, dat klopt!'

'Heeft ze geen personeel?'

'Ze heeft liever dat dat zich met andere taken bezighoudt.'

'Maar die stank dan? De rook, de drank, de borden – wil ze soms ratten krijgen?'

Mrs Marchmoor haalde haar schouders op en glimlachte. Miss Temple schopte tegen een korset dat vlak naast haar voet op het tapijt lag.

'O jee, dat is van mij,' fluisterde Mrs Marchmoor gniffelend.

'Waarom trekt u in de salon van een adellijke dame in 's hemelsnaam uw korset uit?' vroeg Miss Temple enigszins ontzet, maar nu al benieuwd naar het antwoord, dat verontrustend choquerende mogelijkheden bood. Ze wendde haar blik van Mrs Marchmoor af om haar gezicht in de plooi te krijgen en zag zichzelf toen in de grote spiegel boven zich aan de muur: een vastberaden gestalte in het groen, haar kastanjebruine krullen aan weerskanten van haar hoofd naar achteren getrokken, die in het warme licht van de gaslampen een tint donkerder leken, en overal om haar heen de flarden van een decadente uitspatting. Maar toen ving ze achter haar hoofd in de weerspiegeling een flits van een helblauwe kleur op, en ze draaide zich om en zag een ingelijst doek dat wel van de hand van Oskar Veilandt moest zijn.

'Nog een *Annunciatie...*' fluisterde ze hardop.

'Inderdaad,' antwoordde Mrs Marchmoor, ook fluisterend, waarbij haar stem aarzelend en behoedzaam achter haar klonk. Toen ze dat zei, had Miss Temple het gevoel dat ze heel goed in de gaten gehouden werd, als een vogel die door een langzaam voortbewegende kat wordt beslopen. 'Hebt u het al eens ergens anders gezien?'

'Ja.'

'Welk deel? Wat stond erop?'

Ze wilde geen antwoord geven, ze wilde niet op de ondervraging ingaan, maar het beeld was zo krachtig dat ze toch begon te praten. 'Haar hoofd...'

'Ja, natuurlijk... Op de tentoonstelling van Mr Shanck. Het hoofd is prachtig... Haar gezicht heeft zo'n hemelse uitdrukking van vrede en genot, vindt u niet? En hier... Kijk eens hoe de vingers de heupen vastpakken... Zo is ze door de engel bestegen... volgens de interpretatie van de kunstenaar.'

Achter hen hoorden ze Miss Vandaariff jammeren. Miss Temple wilde zich naar haar omdraaien, maar ze kon haar blik niet van het bijna ziedende beeld afhouden. Dus liep ze er langzaam naartoe... De penseelstreken waren onberispelijk en glad, alsof het oppervlak eerder van porselein was dan van pigment en doek. Het lichaam was schitterend weergegeven, hoewel ze het fragment zelf – uit de context van het geheel, zonder de gezichten, met alleen hun heupen en de twee blauwe handen – fascinerend vond, maar tegelijkertijd ook angstaanjagend. Ze wendde met moeite haar blik af. Allebei de vrouwen keken naar haar. Miss Temple deed haar best een normale toon aan te slaan en afstand te nemen van de macabere intimiteit van het schilderij.

'Het is een allegorie,' zei ze. 'Het vertelt het verhaal van uw complot. De engel staat voor uw bezigheden met het blauwe glas, de dame voor iedereen die u onder handen neemt. Het is de Annunciatie, want jullie denken dat de geboorte – wat jullie plannen inhouden – jullie zal... zal...

'Ons allemaal zal verlossen,' maakte Mrs Marchmoor de zin voor haar af.

'Zoiets godslasterlijks heb ik nog nooit gezien!' verkondigde Miss Temple met grote stelligheid.

'Dan hebt u de rest van het schilderij nog niet gezien,' zei Miss Vandaariff.

'Stil, Lydia.'

Miss Vandaariff reageerde niet, maar legde toen plotseling allebei haar handen op haar buik en kreunde naar het zich liet aanzien van oprecht ongemak. Toen sloeg ze dubbel en kreunde ze nog een keer, heen en weer wiegend, terwijl er een angsttoon in haar gekreun doorklonk, alsof ze dit gevoel ergens van kende.

'Miss Vandaariff?' riep Miss Temple. 'Wat is er?'

'Niks aan de hand,' zei Mrs Marchmoor welwillend, en ze klopte de aangeslagen vrouw zachtjes op haar heen en weer wiegende rug. 'Hebt u toevallig ook port gedronken?' vroeg ze aan Miss Temple.

'Nee.'

'Ik heb anders wel nog een glas zien staan...'

'Een klein beetje om mijn lippen te bevochtigen, meer niet...'

'Dat was heel verstandig van u.'

'Wat zat erin?' vroeg Miss Temple.

Miss Vandaariff kreunde weer, en Mrs Marchmoor boog zich naar voren om haar arm vast te pakken. 'Kom, Lydia, kom met me mee, dan voel je je een stuk beter...'

Miss Vandaariff kreunde nu nog deerniswekkender.

'Kom, Lydia...'

'Wat is er met haar?' vroeg Miss Temple.

'Niets. Ze heeft alleen te veel van de voorbereidende *filtre* gedronken. Hoeveel glazen hebt u haar zien drinken?'

'Zes?' antwoordde Miss Temple.

'Lieve hemel, Lydia! Het is maar goed dat ik er ben om je te helpen om het teveel kwijt te raken.' Mrs Marchmoor hielp Miss Vandaariff overeind en glimlachte toegeeflijk. Ze loodste de jonge blonde vrouw, die wankel ter been was en schuifelde, naar een open deur en bleef daar even staan om zich naar Miss Temple om te draaien. 'We zijn zo terug, maakt u zich geen zorgen; we gaan alleen even naar het toilet van de suite. We wisten dat ze van de port zou drinken, dus is er in het geheim de voorbereidende filtre aan toegevoegd. Ze heeft dat mengsel nodig, alleen niet in zo'n grote hoeveelheid.'

'Waar heeft ze het dan voor nodig?' vroeg Miss Temple met stem verheffing. 'Waar bereidt het haar op voor?'

Mrs Marchmoor leek haar niet gehoord te hebben en streek het haar van Miss Vandaariff glad.

'Ik denk dat het haar goed zal doen om te trouwen, dan kan ze dit soort eigengereide slemppartijen achter zich laten. Daar kan ze helemaal niet tegen.'

Miss Vandaariff kreunde weer, misschien wel uit protest tegen deze onheuse vaststelling, en Miss Temple keek geïrriteerd en nieuwsgierig toe hoe het tweetal naar de kamer ernaast verdween – alsof ze helemaal geen revolver had en zij geen gevangenen of gijzelaars waren! Ze bleef staan waar ze stond, in- en inbeledigd, en luisterde naar het gekletter van het deksel van een po en het vastberaden geruis van onderrokken. Daarna besloot ze dat dit een uitstekende gelegenheid was om ongezien eens in de andere vertrekken te gaan kijken. Op de salon waar zij zich bevond kwamen drie deuren uit – een naar de po, wat naar ze aannam de kamer van een dienstmeisje was, en nog twee kamers. Door een open overwelfde ingang zag ze nog een salon. Daarin stond een kaarttafeltje met de halfopgegeten resten van een niet-afgeruimde maaltijd, en tegen de muur aan de andere kant stond een hoge buffetkast vol flessen. Terwijl ze naar binnen keek en iets van wat daar te zien was probeerde te begrijpen

– hoeveel mensen er aan de tafel hadden gezeten, hoeveel ze gedronken hadden –, zoals volgens haar een echte avontuurlijke onderzoe-
ker hoorde te doen, vroeg Miss Temple zich bezorgd af of ze niet
toch minstens één hele slok port had gedronken, en of dat genoeg
was om haar lichaam de verraderlijke bedoeling van hun gruwelijke
filtre toe te dienen. Op welk lot werd Miss Vandaariff voorbereid?
Het huwelijk? Maar dat kon toch bijna niet, of in elk geval niet in de
normale zin van het woord. Miss Temple moest denken aan vee dat
voor de slacht werd klaargemaakt en voelde de rillingen over haar
rug lopen.

Met een hand tegen haar voorhoofd kwam ze weer de salon in, en ze
liep snel naar de derde deur, die op een kier stond. Ze hoorde nog
steeds het geluid van gekreun en schuifelende voeten achter zich.
Dit was de slaapkamer van de contessa. Voor haar stond een reusachtig hemelbed met paarse gordijnen, en de vloer lag bezaaid met
nog meer kleren. Deze voorwerpen, groot en klein, leken echter te
zweven in de kamer, waarvan de muren heel ver weg stonden en, net
als de vloer, in een donkere schaduw gehuld waren, als het oppervlak
van zwart, doods stilstaand water, waarop de neergegooide kledingstukken als dotten bladeren dreven. Ze trok de bedgordijnen opzij.
In een primitieve intuïtieve waarneming sperde Miss Temple haar
neusgaten open... Het lichaam van de contessa had een verfijnde
geur in het beddengoed achtergelaten. Die bestond deels uit aman-
delparfum, maar onder die zoete bloesemgeur lag nog iets anders,
iets dat voorzichtig tussen de lakens getrokken was, iets dat leek
op de geur van vers gebakken brood, van rozemarijn, van gepekeld
vlees, zelfs van lindebloesem. De geur steeg naar Miss Temple op,
waardoor ze aan de menselijke eigenschappen van deze vrouw moest
denken, die, ook al was ze nog zo angstaanjagend of beheerst, toch
ook iemand met begeerte en zwakheden was... en Miss Temple was
tot haar hol doorgedrongen.
    Ze haalde weer adem en likte haar lippen af.

Miss Temple vroeg zich snel af of de contessa, in die rampzalige
wanorde, iets waardevols had verstopt, een dagboek of een plan of

een voorwerp waaruit de geheime bedoelingen van de samenzwering zouden blijken. Achter haar hield het klaaglijke gekreun van Miss Vandaariff aan. Wat hadden ze in godsnaam met die vrouw uitgespookt – het was net alsof ze aan het bevallen was! Miss Temple voelde de bezorgdheid weer knagen, en ze merkte dat er op haar voorhoofd en tussen haar schouderbladen een zweem van transpiratie kwam opzetten. Haar grootste tegenstanders – de contessa en de comte d'Orkancz – zouden op een gegeven moment weer naar deze vertrekken terugkeren. Was ze bereid tot zo'n ontmoeting? Ze had haar gesprek tijdens de thee met de comte goed doorstaan, maar ze was een stuk minder tevreden over haar langdurige bemoeienis met de twee dames, die hoe je het ook bekeek veel minder ontzagwekkende tegenstanders waren (als je het woord 'tegenstander' wel voor de verontrustend losgeslagen Miss Vandaariff kon gebruiken). Op de een of andere manier was de confrontatie, die gespannen, vijandig en opwindend had moeten zijn, mysterieus, verward, sensueel en slordig geworden. Miss Temple besloot maar te kijken wat ze kon vinden en dan zo snel mogelijk weer weg te gaan.

Om te beginnen haalde ze haar hand onder de dikke veren kussens op het hoofdeinde door. Niets. Dat viel te verwachten – snel even de matras optillen en onder het bed kijken leverde hetzelfde resultaat op – en slechts met een fractie meer hoop beende Miss Temple naar de ladekast van de contessa, op zoek naar de la met haar ondergoed. Een domme vrouw zou daar misschien dingen in verstoppen, ervan uitgaand dat het persoonlijke karakter van de inhoud verdere nieuwsgierige blikken zou weren. Miss Temple had zelf altijd vijandig tegenover nieuwsgierige aagjes gestaan en wist daardoor dat het tegendeel het geval was, namelijk dat zulke zijden spullen, korsetten en baleinen juist bij zo ongeveer iedereen een woeste nieuwsgierigheid aanwakkerden – wie wilde daar nou níet aanzitten? – en als je bijvoorbeeld een delicaat dagboek op zo'n plaats opborg kon je het eigenlijk net zo goed als een krant in de foyer leggen, of, erger nog: op de eettafel van het personeel, rond etenstijd. Zoals ze al verwachtte zaten er geen waardevolle spullen tussen de onderkleding van de contessa, hoewel ze misschien heel even treuzelde om haar vingers door al die zijde te laten glijden en ze misschien ook wel met een steelse blos een paar weelderige stukken fijngoed tegen haar neus had gehouden – en toen deed ze de la dicht. De beste plekken om iets te verstoppen waren vaak de meest banale – heel gewiekst open en bloot te zien, of bijvoorbeeld rommelig tussen iemands schoenen gestopt. Maar ze vond niets, behalve een werkelijk verbijsterende en dure verzameling schoeisel. Miss Temple draaide zich om – had ze nog tijd om de hele ladekast te doorzoeken? kreunde Miss Vandaariff nog steeds? – op zoek naar een overduidelijk slimme en zichtbare verstopplaats. Maar ze zag alleen maar overal neergegooide kleren... en Miss Temple moest glimlachen. Daar, opzij van de ladekast, tegen de donkere muur, in schaduw gehuld, lag een berg blouses en sjaals die zo te zien opzettelijk uit de loop was neergelegd. Ze knielde voor de stapel neer en doorzocht die snel. Binnen een mum van tijd had ze een groot boek, helemaal van blauw glas gemaakt, opgediept, dat met zijn gloed in een omslag van geel Italiaans damast was genesteld, als een pasgeboren baby in het stro.

Het was zo groot als een middeldik deel van een encyclopedie – de 'N' of de 'F' bijvoorbeeld –, ruim dertig centimeter hoog en net iets minder breed, en iets van zeven centimeter dik. Het had een dik omslag, alsof de glasmaker het gebosseleerde Toscaanse leer had willen namaken dat Miss Temple op de markt in de buurt van de St.-Isobel-kerk had gezien, en ondoorzichtig, want ook al leek het alsof ze er zo doorheen had moeten kunnen kijken, de lagen waren in feite vrij dicht. Zo leek het boek ook op het eerste gezicht in één kleur te zijn, namelijk een levendig donker indigo-blauw, maar toen Miss Temple beter keek, zag ze dat het doorkliefd was met golvende strepen en dat de kleur daar een prachtig palet doorliep, van azuurblauw tot kobaltblauw tot aquamarijn, waarbij elke ronddraaiende tint een verontrustend tastbare impact op haar geestesoog had, alsof ze allemaal zo hun eigen emotionele én visuele signatuur hadden. Ze zag geen tekst op het omslag en ook niet op de rug; terwijl ze keek, legde ze een hand op het boek om het te draaien.

Toen Miss Temple het boek aanraakte, viel ze bijna in katzwijm. Als de blauwe kaart al een verleidelijke aantrekkingskracht op iemand had, riep het boek een maalstroom aan rauwe gewaarwordingen op, bedoeld om haar geheel en al op te slokken. Miss Temple trok haar hand terug en hapte naar adem.

Ze keek naar de open deur – de andere vrouwen daarachter waren stil. Ze moest nu echt terug – ze móest weg –, want ze konden elk moment de kamer binnenkomen, en de comte of de contessa zou spoedig in hun kielzog volgen. Ze stak haar hand onder de sjaal van damast, om het boek ongestraft te kunnen aanraken, en wilde het inpakken en meenemen – hiermee had ze immers een trofee in handen waar de dokter en Chang versteld van zouden staan. Miss Temple keek omlaag en beet op haar lip. Als ze het boek opendeed zonder het glas aan te raken... Dan zou ze toch wel beschermd zijn? Dan zou ze vast nog meer begrijpen en dat aan de anderen kunnen vertellen. Ze keek nog een keer achterom – was Miss Vandaariff flauwgevallen? – en deed het omslag voorzichtig open.

De bladzijden – ze kon er namelijk doorheen kijken; elke dunne laag overlapte de volgende met zijn unieke vormloze patroon van kolkende blauwtinten – zagen er net zo delicaat uit als de vleugels van een wesp – vierkante wespenvleugels ter grootte van een etensbord – en zaten op een vreemde manier in de rug gescharnierd, zodat ze ze als bij een gewoon boek kon omslaan. Ze zag het niet meteen, maar het leek wel alsof er honderden bladzijden in zaten, allemaal, net als het omslag, doortrokken van een pulserende blauwe gloed die de hele kamer in een onnatuurlijk spookachtig licht deed baden. Ze durfde de bladzijde niet goed om te slaan uit angst om het glas te breken (net zoals ze bang was om er te aandachtig naar te kijken), maar toen ze moed verzameld had en het toch deed, merkte ze dat het glas eigenlijk best stevig was – het voelde meer aan als het dikke glas van een ruit dan als het flinterdunne velletje dat het eigenlijk was. Miss Temple sloeg de ene na de andere schitterende bladzijde om. Ze keek in het boek, knipperde met haar ogen en kneep ze toen tot spleetjes – kon het zijn dat de vormloze wervelingen ook echt *bewogen*? De bezorgdheid in haar hoofd was in een zwaar gevoel veranderd, in een drang om te slapen, of anders, als ze niet kon slapen, om alle voornemens en controle los te laten. Ze knipperde weer met haar ogen. Ze moest het boek eigen onmiddellijk dichtdoen en weggaan. Het was bloedheet in de kamer geworden. Er viel een druppeltje zweet van haar voorhoofd op het glas, waardoor het oppervlak daar waar het neergekomen was donker kleurde, toen begon te draaien en de donkere vlek zich over de hele bladzijde verspreidde. Miss Temple keek ernaar en werd plotseling bang – een indigokleurige knoop die openging als een orchidee of als bloed dat uit een wond opwelde... Misschien was dit wel het mooiste wat ze ooit had gezien, maar ze was doodsbang om wat er zou gebeuren als de donkere plek zich zo ver had ontrold dat hij de hele bladzijde bedekte. Maar toen was het zover; het laatste beetje glinsterend blauw was weggevaagd en ze kon er niet meer doorheen kijken naar de onderliggende bladzijden. Ze kon alleen nog maar in de diepte van de indigokleurige vlek kijken. Miss Temple hoorde iemand naar adem happen – ze was zich er vaag van bewust dat dat geluid uit haar eigen mond kwam – en werd opgeslokt.

De beelden kronkelden door haar hoofd en schoten er toen in volle vaart doorheen, en het vreemde daarvan was, zowel angstaanjagend als verrukkelijk, dat zij er helemaal niet bij aanwezig leek, want net zoals met Mrs Marchmoor en de kaart was gebeurd was haar bewustzijn ondergebracht in de intuïtieve gewaarwordingen die haar nu gevangenhielden. Miss Temple had het gevoel alsof ze in de ervaring van verschillende levens, in een uitzinnige opeenvolging opgestapeld, was gestort, die zo volstrekt overtuigend was en waar het er zoveel van waren dat het idee dat Celeste Temple een stabiele entiteit was erdoor aan het wankelen werd gebracht. Ze bevond zich op een gemaskerd bal in Venetië, waar ze in de winter warme wijn dronk, de geur van het water in de kanalen, het vochtige steen en de warme talgkaarsen, de handen die haar in het donker van achteren beetpakten en haar eigen verrukking, terwijl ze op de een of andere manier het gesprek met de gemaskerde geestelijke die voor haar stond gaande wist te houden, alsof er helemaal niks onwelvoeglijks gebeurde... Ze sloop langzaam door een smalle gang van baksteen, met aan weerskanten minuscule alkoofjes, met een afgeschermde lantaarn in haar hand, ze telde de alkoven aan weerskanten en bij de zevende aan haar rechterhand liep ze naar de muur, schoof ze een ijzeren schijfje aan een spijker opzij, drukte ze haar oog tegen het gat dat daarachter lag en keek ze de voorname slaapkamer in, waar twee mensen tegen elkaar aan gedrukt stonden – een jonge gespierde man, wiens naakte dijen melkbleek waren, die over een zijtafel gebogen stond, met een oudere man achter hem, met rood aangelopen gezicht, schuimbekkend als een stier... Ze zat op een paard, met haar benen hield ze het dier krachtig en kundig vast, één hand aan de teugels en in de andere een vervaarlijk gekromde sabel; ze stormde over een droge Afrikaanse vlakte en viel een vliegensvlugge driehoeksformatie ruiters met witte tulbanden op en donkere gezichten aan, waarbij ze het uitschreeuwde van angst en genot; de mannen met rode jas naast haar schreeuwden ook, en de twee gelederen stormden snel als een knallende zweep op elkaar af; ze dook met haar lichaam omlaag over de hals van haar voortdenderende rijdier, met uitgestoken sabel, terwijl ze het paard tussen haar knieën klemde, en toen volgde één fractie van een seconde waarin ze op elkaar knalden – het zwaard van de Arabier schoot langs haar schouder en haar punt boorde zich in zijn hals, er spoot meteen bloed uit, een verschrikkelijke ruk aan haar arm toen de paarden langsreden, de sabel werd losgerukt, weer een Arabier vóór haar, een schreeuw van opgetogenheid over het doden... Een extatische waterval ter grootte van twee kathedralen, ze stond te midden van gedrongen roodhuidindianen met hun boog en pijlen, zwart haar geknipt als dat van een middeleeuwse koning. Bergen drijfijs, de geur van vis en zout, een bontkraag die in haar gezicht kriebelde, achter haar stemmen die het over huiden, ivoor en begraven metalen hadden, in haar in een grote handschoen gestoken hand een griezelig uitgesneden figuurtje, gedrongen, met een wellustige mond en één groot oog... Een donkere marmeren kamer die glansde van het goud, potjes en kruiken, kammen en wapens, allemaal van goud, en toen de kist zelf, niet veel meer dan het lichaam van de jeugdige koning, stevig in een dik vel gedreven goud gewikkeld en bezet met edelstenen, daarna haar eigen hand die een mes openklikte, waarna zij zich bukte om er een wel erg mooie smaragd uit te wrikken... Het atelier van een kunstenaar, naakt op een divan, schaamteloos achteroverliggend, omhoogkijkend naar een open dakraam, met parelgrijze wolken boven haar; een man met blauwgeschilderde huid tussen haar benen, die haar blote voeten speels in zijn handen vasthield en er een naar zijn schouders omhoogbracht en zich toen omdraaide, waarbij ook zij zich omdraaide, om aan de kunstenaar zelf te vragen wat hij van deze pose vond – een gestalte achter een reusachtig doek dat ze niet kon zien, net zoals ze zijn gezicht niet kon zien, alleen zijn sterke handen die het palet en het penseel vasthielden, maar voor ze zijn antwoord kon horen ging haar aandacht weer heerlijk terug naar haar poserende partner, die zich voorovergebogen had om heel zinnelijk met twee vingers, waarbij hij haar nauwelijks raakte, langs haar geschoren schaamlippen te gaan... In een stinkende snikhete ruimte vol donkere, glibberige lichamen aan kletterende ketenen beende ze heen en weer, met haar laarzen op de plankenvloer van het schip, terwijl ze aantekeningen maakte in een grootboek... Een banket met lange, bleke, bebaarde mannen in uniform en hun elegante dame, druipend van de sieraden, de grote zilveren dienbladen vol glaasjes met een randje bladgoud, allemaal gevuld met een doorzichtige, vurige dropkleurige likeur, terwijl ze het ene glas na het andere achteroversloeg, achter de beleefde conversatie een gordijn van violen, kristallen schalen met zwarte hom in ijs, schalen met donker brood en oranje vis, een knikje naar een functionaris met een blauwe sjerp die haar nonchalant een zwartleren boek overhandigde met een omgeslagen bladzijde, die ze later zou lezen; ze glimlachte en vroeg zich af wie van de verzamelde gasten het boek haar zou opdragen te verraden... Op haar hurken voor een kampvuur met een kring van stenen eromheen, de zwarte schaduw van een kasteel dat zich donker aftekende tegen het maanlicht, de hoge muren die van de steile roodstenen kliffen opstegen, terwijl ze het ene stuk perkament na het andere in de vlammen gooide en keek hoe de bladzijden zwart werden en omkrulden en de rode waszegels borrelden tot er niets meer van over was... Een stenen binnenplaats op een warme avond, omringd door de geurende jasmijnbloesem en vogelgeluiden, ruggelings op een zijden bed, allemaal mensen om haar heen die zich niet om haar bekommerden, die dronken, praatten en spottend naar de gespierde hemdloze wachters met tulband keken, met haar benen wijd en haar vingers verstrikt in het lange gevlochten haar van het jonge meisje dat over haar bekken gebogen stond en haar lippen en tong heen en weer liet schieten in een afgemeten dromerige volharding, het opkomende genot dat door haar hele lichaam aanzwol, een verrukkelijke golf die elk moment kon breken, die hoger werd en hoger, haar vingers die zich steeds steviger vastgrepen, het veelbetekenende gegrinnik van het meisje dat net op dat moment met opzet ophield en alleen maar met de punt van haar tong over het gloedvolle, hunkerende vlees gleed en toen weer naar voren dook, de golf die afgezwakt was zwol weer aan, werd hoger, voller, kon elk moment breken als de bloesem van duizend blauwe orchideeën, over en in elke centimeter van haar lichaam...

Precies op dit verrukkelijke moment werd Miss Temple zich er ergens ver weg van bewust dat ze verloren was, en met enige moeite wist ze in haar geheugen – of in het geheugen van heel veel andere mensen – een ijle stem te lokaliseren, met op de achtergrond het extatische gebrul: de woorden van Mrs Marchmoor tegen Miss Vandaariff over de kaart, over dat ze zich op een moment moest concentreren om dat opnieuw te beleven, om de gewaarwording, de ervaring zelf de baas te worden. De behendige tong van het meisje bracht nog een samentrekking van genot in haar lendenen teweeg, en Miss Temple keek – door de ogen van degene die haar ervaring aan dit boek had overgedragen, wie dat ook geweest mocht zijn – omlaag en concentreerde zich met een enorme inspanning op hoe het haar van het meisje tussen haar handen voelde, hoe haar vingers tegen de vlechten, bezet met kralen, duwden, en toen op de kralen alleen, op de kleur... Ze waren blauw, natuurlijk waren ze blauw... van blauw glas... Ze dwong zichzelf erin te kijken, heel diep, hapte weer naar adem, stootte met haar heupen – ze kon er niets aan doen –, maar op de een of andere manier wist ze haar aandacht toch aan de zalig zoekende tong te ontrukken en weerde ze alle andere gedachten en gewaarwordingen uit haar hoofd, tot ze niets anders zag en voelde dan het oppervlak van het glas, en toen dwong ze zichzelf, op dat heldere moment, met de kracht van haar hele wezen, om ergens anders te zijn, en trok ze zich los.

Miss Temple hapte weer naar adem en deed haar ogen open. Tot haar verbazing zag ze dat haar hoofd op de vloer lag, in de stapel stof naast het boek gedrukt. Ze voelde zich zwak, haar huid was warm en vochtig, en ze werkte zich op handen en knieën en keek achter zich. Het was doodstil in de suite van de contessa. Hoe lang had ze in het boek gekeken? Ze kon zich bij lange na niet alle verhalen herinneren die ze had gezien – waar ze een rol in had gespeeld. Had het uren geduurd, hele levens? Of was het net als in een droom, waarin uren binnen een paar minuten kunnen verstrijken? Ze kantelde zich op haar hakken, voelde hoe wankel haar benen waren en ook, heel vervelend, hoe nat het daartussen was. Wat was er met haar gebeurd? Wat voor gedachten hadden zich nu in haar hoofd genesteld – wat voor herinneringen – over verwoestingen aanrichten en verwoest worden, aan bloed en zout, man en vrouw? Met een vaag gevoel van ironie vroeg Miss Temple zich af of ze soms de liederlijkste maagd uit de hele geschiedenis was geworden.

Miss Temple dwong haar uitgeputte lichaam in beweging te komen, sloeg de damasten sjaal zorgvuldig om het boek heen en bond hem vast. Ze keek om zich heen en zocht haar groene tas. Ze zag hem niet. Die had ze toch in haar hand gehad? Ja, dat wist ze zeker, maar nu was hij weg.

Ze kwam overeind, pakte het in stof gewikkelde boek en richtte haar aandacht op de nog steeds op een kier staande deur. Ze gluurde zo stil mogelijk door de kier de salon in. Heel even wist ze niet zeker of ze echt wel uit het boek weg was, want wat ze daar zag was zo vreemd, zo volledig *beheerst* – het was net alsof ze in een Pompejaanse grot keek, in de moderne wereld nagemaakt. Mrs Marchmoor lag achterover tegen de leuning van een divan, met haar beige jurk opengeknoopt en tot haar heupen omhooggeschoven, haar korset uit, het bovenlichaam naakt, op het driedubbele parelsnoer na dat strak om haar hals zat. Miss Temple moest, of ze nu wilde of niet, wel naar haar linkerborst kijken, zwaar en bleek, en naar de vingers van de linkerhand van de vrouw, die loom met de tepel speelden, want haar rechterhand werd tegengehouden door het hoofd van Miss Vandaariff. Miss Vandaariff, die nu geen masker meer droeg, en wier blonde haar los over haar rug hing, lag naast Mrs Marchmoor op de divan, met haar ogen dicht, haar benen opgetrokken, één hand tot een slappe vuist gebald in haar schoot, terwijl de andere hand zacht de tweede borst ondersteunde, waaruit ze dromerig dronk, bij wijze van troost, als een verzadigde melkdronken baby.

Tegenover hen zat in een leunstoel, met in de ene hand een sigaar en in de andere zijn ebbenhouten stok met parelmoeren knop, de comte d'Orkancz. Achter hem stonden vier mannen in een halve kring opgesteld: een oudere man met zijn arm in een mitella, een kleine, gedrongen man met een rode huid en vurige littekens om zijn ogen, en verder nog twee mannen in uniform, die, zo wist ze door haar kennismaking met dokter Svenson, uit Mecklenburg moesten komen. Een van hen was een strenge, nors uitziende man met heel kort haar, een verweerd, afgetobd gezicht en bloeddoorlopen ogen. De andere kende ze – van het kaartje, besefte ze nu; ze kende hem heel intiem: Karl-Horst von Maasmärck. Haar eerste lichamelijke indruk van de prins was bepaald niet gunstig: hij was lang, bleek, mager, vermoeid én verwijfd, had geen kin en ogen die aan rauwe oesters deden denken. Maar haar blik werd langs al deze figuren naar de tweede divan getrokken, waar de contessa Lacquer-Storza zat, met haar sigarettenhouder precies in de juiste stand, terwijl er een dun sliertje rook naar het plafond kringelde. De dame droeg een strak jakje van paarse zijde met een franje van zwarte veertjes ter omlijsting van haar bleke boezem en hals, en bungelende amberen oorhangers. Onder het jakje droeg ze een zwarte jurk, en het was net alsof die – alsof ze een of ander elementair magisch wezen was – over haar lichaam omlaagstroomde en rechtstreeks in de donkere vloer overging... waar aan de bende kleren van daarnet nu ook de volledig overhoopgehaalde inhoud van de opengesneden en verwoeste reistas toegevoegd was.

Met uitzondering van Miss Vandaariff hield iedereen zijn ogen in volkomen stilzwijgen op Miss Temple gericht.

'Goedenavond, Celeste,' zei de contessa. 'Je bent terug uit het boek. Heel indrukwekkend. Dat lukt niet iedereen, hoor.'

Miss Temple reageerde niet.

'Ik ben blij dat je er bent. Ik ben blij dat je de gelegenheid hebt gehad om met de comte van gedachten te wisselen, en met mijn vriendin Mrs Marchmoor, en ook dat je kennis hebt kunnen maken met onze lieve Lydia, met wie je natuurlijk veel gemeen moet hebben: twee welgestelde jongedames, wier leven het toonbeeld van een eindeloze horizon moet lijken.'

De comte blies een pluimpje blauwe rook uit. Mrs Marchmoor glimlachte naar Miss Temple en draaide de rossige punt van haar borst tussen haar duim en wijsvinger rond. De rij mannen verroerde zich niet.

'Je begrijpt natuurlijk wel,' ging de contessa verder, 'dat je vriend kardinaal Chang niet meer leeft. De dokter uit Mecklenburg is de stad uit angst ontvlucht en heeft jou in de steek gelaten. Je hebt de resultaten van ons procédé gezien. Je hebt in een van onze glazen boeken gekeken. Je kent onze namen en gezichten, en je weet hoe onze inspanningen zich verhouden tot lord Vandaariff en tot de familie Von Maasmärck in Mecklenburg. En je moet zelfs op de hoogte zijn' – hierbij glimlachte ze – 'van de feiten achter de ophanden zijnde bevordering van een zekere lord Tarr. Al die dingen weet je en naar nog veel meer dingen kun je gissen – want ik weet zeker dat je niet alleen volhardend, maar ook heel slim bent.'

Ze bracht de gelakte houder naar haar lippen en nam een trekje. Daarna liet ze haar hand weer loom wegzweven en op de divan neerdalen. Met een nauwelijks hoorbare zucht trok ze haar lippen in een spottende, bedachtzame glimlach en blies ze een stroompje rook uit haar mondhoek.

'En dat betekent allemaal, Celeste Temple, dat je hoe dan ook moet sterven.'

Miss Temple reageerde niet.

'Ik moet bekennen,' ging de contessa verder, 'dat ik je wellicht verkeerd beoordeeld heb. De comte zegt dat dat inderdaad zo is, en zoals je vast wel zult weten heeft de comte zelden ongelijk. Je bent een sterk, trots, vastbesloten meisje, en hoewel je me heel veel ongemak hebt bezorgd, en zelfs – ik geef het toe – woedend hebt gemaakt... is er geopperd dat ik je een aanbod doe... een aanbod dat ik normaal gesproken nooit zou doen aan iemand die ik toch ga doden. Maar goed, er is geopperd... dat ik jou toesta om een gewillig, waardevol onderdeel van ons belangrijke werk te worden.'

Miss Temple reageerde niet. Haar benen voelden slap, haar hart was koud. Was Chang dood? Was de dokter vertrokken? Ze kon het niet geloven. Ze weigerde het te geloven.

Het was alsof de comte opstandigheid in haar trillende lip bespeurde, en hij nam de sigaar uit zijn mond en sprak haar op zijn zachte, hese, onheilspellende manier toe.

'Het is zo eenvoudig als wat. Als u er niet mee instemt, wordt uw keel ogenblikkelijk, hier in dit vertrek, doorgesneden. Als u wel instemt, gaat u met ons mee. Aan dubbelhartige listigheid hebt u niets, daar kunt u van op aan. Laat uw hoop varen, Miss Temple, want die zal verdreven worden... en plaatsmaken voor *overtuiging*.'

Miss Temple keek naar zijn strenge gezicht en toen naar de onheilspellende schoonheid van de contessa Lacquer-Sforza, wier volmaakte glimlach warm en verleidelijk en tegelijkertijd steenkoud was. De vier mannen keken haar uitdrukkingsloos aan; de prins krabde met een nagel aan zijn neus. Waren ze allemaal door het procédé getransformeerd, was hun bestiale logica ontdaan van morele beperkingen? Ze zag de littekens bij de prins en bij de gezette man. Zo te zien had de oudere man dezelfde glazige honger – misschien waren zijn littekens al weggetrokken –, en alleen de andere soldaat keek normaal uit zijn ogen, met een combinatie van overtuiging en twijfel. Op het gezicht van de anderen stond alleen een onmenselijk, ongecompliceerd vertrouwen te lezen. Ze vroeg zich af wie van hen haar zou moeten doden. Op het laatst keek ze naar Mrs Marchmoor, wier uitdrukkingsloze blik volgens Miss Temple een oprechte nieuwsgierigheid moest verhullen... alsof ze niet wist wat Miss Temple zou doen, en ook niet wat daar, als ze eenmaal gezwicht was, de gevolgen van zouden kunnen zijn.

'Het ziet ernaar uit dat ik geen keuze heb,' fluisterde Miss Temple.

'Dat klopt,' beaamde de contessa, en ze draaide zich om naar de grote man die naast haar zat en trok haar wenkbrauwen op, alsof ze wilde zeggen dat haar aandeel in deze kwestie hiermee ten einde was.

'Zou u zo goed willen zijn, Miss Temple,' zei de comte d'Orkancz, 'om uw schoenen en kousen uit te trekken?'

Ze was op blote voeten – een eenvoudige list om te voorkomen dat ze hard kon weglopen door de smerige ongelijke straten – de trap af gelopen en het St. Royale Hotel uit. Mrs Marchmoor was niet meegegaan, maar de rest was samen met haar naar beneden gelopen: de soldaat, de gezette man met de littekens en de oudere man, die vooruit was gegaan om rijtuigen te regelen, de comte en de contessa aan weerskanten van haar, de prins achter haar, met Miss Vandaariff aan zijn arm. Terwijl ze de statige trap af liep, zag Miss Temple een nieuwe receptionist achter de balie zitten, die alleen maar eerbiedig boog toen de contessa hem elegant toeknikte. Miss Temple verbaasde zich erover dat zo'n vrouw het procédé of het magische blauwe glas überhaupt nodig had – ze durfde te betwijfelen of iemand de kracht of de neiging had om de contessa iets te weigeren, wat ze ook maar vroeg. Miss Temple keek even snel naar de comte, die uitdrukkingsloos voor zich uit keek, met in zijn ene hand de parelmoeren knop van zijn stok en met in de andere hand het in stof gewikkelde blauwe boek, als een verbannen vorst met plannen om zijn troon weer op te eisen. Onder het lopen voelde ze de draadjes van het tapijt tussen haar tenen prikken. Als meisje had ze harde en eeltige voeten gehad, want ze was gewend om zonder schoenen over de plantage van haar vader te rennen. Nu waren ze net zo zacht en gevoelig geworden als die van een in melk gebade dame, en net zo'n belemmering voor een ontsnapping als ijzeren ketenen. Met een steek van troosteloos verdriet dacht ze aan haar groene laarsjes, in de steek gelaten, onder de divan geschopt. Nu zou nooit meer iemand zich daarom bekommeren, wist ze, en ze vroeg zich onwillekeurig af of zich ooit nog iemand om haar zou bekommeren.

Voor het hotel stonden twee rijtuigen te wachten: een elegante rode coupé en een groter zwart rijtuig met op het deurtje naar zij aannam het wapen van Mecklenburg geschilderd. De prins, Miss Vandaariff, de soldaat en de gezette man met de littekens stapten in dit rijtuig, en de oudere man trok zich met een zwaai omhoog om naast de koetsier plaats te nemen. Een portier van het hotel hield het deurtje van de coupé open voor de contessa en daarna voor Miss Temple, die toen ze naar binnen ging het reliëf van de ijzeren tree scherp in haar voet voelde drukken. Ze ging tegenover de contessa zitten. Even later kwam de comte ook binnen, en het hele rijtuig schudde onder zijn gewicht. Hij ging naast de contessa zitten en de portier deed het deurtje dicht. De comte tikte met zijn stok tegen het dak en het rijtuig zette zich in beweging. Vanaf het moment waarop de comte haar schoenen had opgeëist tot het moment waarop het rijtuig in beweging kwam, hadden ze geen woord gesproken. Miss Temple schraapte haar keel en keek hen aan. Langdurige stilte was altijd een aanslag op haar zelfbeheersing.

'Ik zou weleens iets willen weten,' begon ze.

Even later antwoordde de comte hees: 'En dat is?'

Miss Temple richtte haar blik nu op de contessa, want de vraag was eigenlijk voor haar bestemd. 'Ik zou weleens willen weten hoe kardinaal Chang aan zijn eind is gekomen.'

Contessa Lacquer-Sforza keek Miss Temple met een scherpe, onderzoekende blik recht aan.

'Ik heb hem gedood,' verklaarde ze, op een toon die Miss Temple verbood verder nog iets te zeggen.

Miss Temple liet zich nog niet ontmoedigen – als haar overweldiger dit onderwerp dan niet wilde bespreken, werd het nu iets om Miss Temples wilskracht mee op de proef te stellen.

'O ja?' vroeg ze. 'Hij was een vervaarlijke kerel.'

'Inderdaad,' beaamde de contessa. 'Ik heb zijn longen gevuld met vermalen glas, dat uit onze indigoklei geblazen was. Dat heeft veel werkzame eigenschappen, en in de hoeveelheden waarin de kardinaal het heeft ingeademd is het dodelijk. "Vervaarlijk" is natuurlijk een woord met vele betekenissen, en lichamelijke moed is vaak het eenvoudigst en gemakkelijkst te overwinnen.'

Miss Temple werd volkomen overdonderd door het gemak waarmee de contessa Changs ondergang beschreef. Hoewel ze kardinaal Chang maar heel kort had gekend, had hij zo'n diepe indruk op haar gemaakt dat ze zijn al net zo plotselinge verscheiden van een verwoestende wreedheid achtte.

'Was het een snelle dood of een langzame?' vroeg Miss Temple op zo neutraal mogelijke toon.

'*Snel* is te veel gezegd...' Terwijl de contessa antwoordde, pakte ze uit een zwart tasje, geborduurd met bungelende gitkralen, achtereenvolgens haar sigarettenpijpje, een sigaret om in het uiteinde te draaien en een lucifer om hem aan te steken. 'Misschien is de dood zelf wel mild, want – zoals je zelf gezien hebt – het indigoglas brengt een ontvankelijkheid voor dromen en… zintuiglijke ervaring met zich mee. Er is al vaak geconstateerd dat mannen die opgehangen worden in een toestand van hevige zwelling sterven…' – na die woorden zweeg ze en ze trok haar wenkbrauwen op om zich ervan te vergewissen dat Miss Temple begreep wat ze bedoelde – 'of zelfs met een overduidelijke spontane uitbarsting, wat er toch op duidt dat een dergelijk einde, in elk geval voor de mannen op onze wereld, te verkiezen valt boven vele andere. Ik ben ervan overtuigd dat de dood teweeggebracht door het indigoglas gepaard gaat met soortgelijke, of misschien zelfs met nog meer uitgebreide vormen van vervoering. Dat hoop ik althans, want kardinaal Chang was inderdaad een wel heel bijzondere tegenstander. Heus, ik zou hem bijna geen kwaad toewensen, afgezien dan van het feit dat ik hem dood wilde hebben.'

'Heb je zijn broek onderzocht om je hypothese bevestigd te zien?' vroeg de comte gepikeerd. Het duurde even voordat Miss Temple in de gaten had dat hij lachte.

'Daar had ik geen tijd voor.' De contessa grinnikte. 'Het leven zit vol dingen waar we spijt van hebben. Maar wat zijn dat? Bladeren uit een voorbij seizoen – gevallen, vergeten en opgeveegd.'

Het schrikbeeld van Changs dood – die ze zich ondanks de sensationele suggestie van de contessa alleen maar als iets afgrijselijks kon voorstellen, met bloed uit mond en neus – had Miss Temple meteen met de neus op haar eigen ophanden zijnde lot gedrukt.

'Waar gaan we naartoe?' vroeg ze.

'Dat weet je vast wel,' antwoordde de contessa. 'Naar Harschmort House.'

'Wat gaat u met me doen?'

'Het heeft geen enkele zin om bang te zijn voor dingen waar u toch niets aan kunt veranderen,' verkondigde de comte.

'Afgezien van het genoegen dat wij eraan zullen beleven om je te zien kronkelen,' fluisterde de contessa.

Hier had Miss Temple geen antwoord op, maar na een paar seconden, waarin haar pogingen om uit de raampjes te kijken – die aan weerskanten van hun zitplaatsen zaten, maar niet bij de hare, vermoedelijk om het voor iemand in hun positie gemakkelijker te maken om niet gezien te worden of om, op een onschuldigere planeet, in slaap te vallen – haar niet veel wijzer maakten over waar in de stad ze zich nu bevond, schraapte ze haar keel om weer iets te zeggen.

De contessa grinnikte.

'Wat heb ik gedaan dat zo vermakelijk is?' vroeg Miss Temple.

'Niks, maar je gaat zo wel iets doen,' antwoordde de contessa. 'Ik heb zelden zo'n vastberaden iemand meegemaakt, Celeste.'

'Er zijn maar heel weinig mensen die me zo goed kennen dat ze me bij de voornaam noemen,' zei Miss Temple. 'Ze zijn naar alle waarschijnlijkheid op de vingers van één hand te tellen.'

'Kennen wij elkaar dan niet goed genoeg?' vroeg de contessa. 'Ik zou zeggen van wel.'

'Hoe luidt úw voornaam dan?'

De elegante vrouw moest weer grinniken, en zo te zien krulde zelfs de comte d'Orkancz zijn lip op in een aarzelende grijns.

'Rosamonde,' zei de contessa. 'Rosamonde, contessa di Lacquer-Sforza.'

'Lacquer-Sforza? Is dat een *plaats*?'

'Dat was een plaats. Maar nu is het meer een idee geworden.'

'Aha,' zei Miss Temple, hoewel ze het helemaal niet begreep, maar ze was bereid vriendelijk over te komen.

'Iedereen heeft zijn eigen plantage, Celeste... zijn eigen eiland, al is het maar in zijn hart.'

'Wat jammer voor hen,' zei Miss Temple. 'Een echt eiland geeft veel meer voldoening, vind ik.'

'Soms' – de warme toon van de stem van de contessa werd net iets luider – 'is dat de enige manier waarop zo'n plek bezocht of onderhouden kan worden.'

'Door niet echt te zijn, bedoelt u?'

'Als je het zo wilt zien.'

Miss Temple zweeg; ze wist dat ze niet begreep waar de contessa heen wilde.

'Ik ben niet van plan die van mij kwijt te raken,' zei ze.

'Dat is niemand ooit van plan, lieveling,' antwoordde de contessa.

Ze reden zwijgend verder, totdat de contessa net zo vriendelijk glim-lachte als eerst en zei: 'Maar je wilde iets vragen.'

'Inderdaad,' antwoordde Miss Temple. 'Ik wilde informeren naar Oskar Veilandt en zijn schilderijen van de Annunciatie, want in uw vertrekken hing er nog een. De comte en ik hebben het bij de thee over deze kunstenaar gehad.'

'Nee maar.'

'Ik heb de comte er zelfs op gewezen dat het er, wat mij betreft, verdacht veel op lijkt dat hij bij deze man in het krijt staat.'

'O ja?'

'Ja.' Miss Temple maakte zichzelf niet wijs dat ze deze twee men-sen door ze boos te maken of naar de mond te praten zodanig kon afleiden dat ze uit het rijtuig kon springen – wat hoogstwaarschijnlijk haar dood zou betekenen, onder de wielen van de rijtuigen achter hen –, maar toch vormden de schilderijen een onderwerp dat wel-eens nuttige informatie zou kunnen opleveren over het procédé, die zij dan zou kunnen gebruiken om haar uiteindelijke ondergang af te wenden. De natuurwetenschap of de alchemie zou ze toch nooit helemaal begrijpen – waren natuurwetenschap en alchemie hetzelf-de? –, want theoretische kennis had haar altijd koud gelaten, hoewel ze wist dat dat in elk geval niet voor de comte gold. Bovendien wist Miss Temple dat de kwestie van de vermiste schilder gevoelig bij hem lag, en in de regel was ze er niet vies van om iemand lastig te blijven vallen.

'Hoe zit dat dan precies?' vroeg de contessa.

'Omdat,' antwoordde Miss Temple, 'de Annunciatie-schilderijen zelf duidelijk een allegorie zijn op uw procédé, zelfs op uw samen-zwering in zijn geheel – dat de beeldtaal op zichzelf een schaamte-loze godslastering is, doet er nu even niet toe, behalve dan dat je er de mate van arrogantie aan kunt aflezen – zoals u het ziet, op voor-uitgang, teweeggebracht door de effecten van uw kostbare blauwe glas. Het lijkt natuurlijk,' ging ze verder, met een blik opzij naar de roerloze comte, 'of de comte zich dit alles – want de man heeft op de achterkant van de schilderijen heel onverstandig zijn alchemistische geheimen gekrabbeld – voor zichzelf heeft toegeëigend – u hebt het u allemaal toegeëigend – ten koste van het leven van de vermiste Mr Veilandt.'

'Heb je dat tegen de comte gezegd?'

'Uiteraard.'

'En hoe reageerde hij daarop?'

'Hij liep weg.'

'Het is dan ook een ernstige beschuldiging.'

'Integendeel, het is een voor de hand liggende beschuldiging – en verder kan een dergelijke beschuldiging, na alle verwoesting en geweld die u in gang hebt gezet, u geen van beiden als onwaarschijnlijk of ongegrond voorkomen. Het werk zelf is monsterlijk, en de moord op de maker nog veel monsterlijker, dus ik had niet gedacht dat de moordenaar zelf zo… *teergevoelig* zou zijn.'

Om een antwoord te geven dat wellicht te zeer aan Miss Temples hoop op opschudding tegemoet zou komen, boog de comte d'Orkancz zich nadrukkelijk naar voren en stak zijn geopende rechterhand uit, totdat hij die om de keel van Miss Temple kon leggen. Ze drukte haar lichaam vergeefs achteruit tegen haar stoelleuning en probeerde zichzelf ervan te overtuigen dat hij haar, als hij haar uit woede iets zou aandoen, veel sneller beetgepakt zou hebben. Terwijl de sterke vingers zich strakker tegen haar keel aan drukten, kreeg ze zo haar twijfels, en keek ze ontzet in de kille blauwe ogen van de man. Hij hield haar stevig in zijn greep, maar verstikte haar niet. Ze werd ogenblikkelijk overspoeld door afschuwelijke herinneringen aan Mr Spragg. Ze verroerde zich niet.

'U hebt de schilderijen bekeken – allebei, hè?' Zijn stem klonk zacht en onmiskenbaar gevaarlijk. 'Vertel eens… Wat was uw indruk?'

'Waarvan?' piepte ze.

'Maakt niet uit waarvan. Wat voor gedachten riepen ze bij u op?'

'Nou ja, zoals ik al zei, een allegorie…'

Hij kneep haar keel zo hard en plotseling dicht dat ze dacht dat haar nek zou breken. De contessa boog zich ook voorover en zei vriendelijk: 'Celeste, de comte probeert je aan het *denken* te krijgen.'

Miss Temple knikte. De comte liet zijn greep verslappen. Ze slikte.

'Ik geloof dat ik de schilderijen onnatuurlijk vond. De vrouw die erop te zien is, is overgeleverd aan de engel – ze is overgeleverd aan... aan gewaarwordingen en genot... alsof er niets anders op de wereld bestaat. Zoiets bestaat niet. Het is gevaarlijk.'

'En waarom dan wel?' vroeg de comte.

'Omdat er dan niets gepresteerd zou worden! Omdat... Omdat... er geen grens is tussen de wereld en je lichaam, je geest... Dat zou onverdraaglijk zijn!'

'Mij lijkt het juist verrukkelijk,' fluisterde de contessa.

'Maar mij niet!' riep Miss Temple uit.

Onder snel stofgeruis ging de contessa aan de andere kant van het rijtuig zitten, naast Miss Temple, en drukte ze haar lippen dicht tegen het oor van de jonge vrouw.

'Weet je dat wel zeker? Want ik heb je gezien, Celeste... Ik heb je door de spiegel heen gezien, en ik heb gezien hoe je over het boek gebogen zat... En zal ik jou eens wat vertellen?'

'Nou?'

'Toen je in mijn kamer was... en je zo lief vooroverboog... toen kon ik je *ruiken...*'

Miss Temple kreunde, maar wist niet wat ze moest doen.

'Denk aan het boek, Celeste,' siste de contessa. 'Je weet toch nog wat je gezien hebt? Wat je gedaan hebt, wat ze met jou gedaan hebben – wat er van je *geworden* was! – door wat voor verrukkelijke gebieden je gereisd hebt!'

Toen Miss Temple dat hoorde, voelde ze haar bloed kolken – wat gebeurde er met haar? Haar herinneringen aan het boek voelden in haar hoofd als voetsporen van een vreemde. Ze waren overal! Ze wilde ze niet! Maar waarom kon ze ze niet gewoon terzijde schuiven?

'Niet waar!' riep Miss Temple uit. 'Dat is niet hetzelfde!'

'Dat geldt voor u ook,' zei de comte d'Orkancz spottend. 'U hebt de eerste stap in uw transformatieproces al gezet!'

Het was bloedheet geworden in het rijtuig. De contessa had haar hand op Miss Temples been gelegd en liet die toen snel onder haar

516

jurk verdwijnen, en de vaardige vingers kropen langs de binnenkant van haar dij omhoog. Miss Temple hapte naar adem. Dit waren niet de stompe, priemende, onbehouwen vingers van Spragg, maar ze waren – ook al drongen ze zich nog steeds aan haar op – speels, plagerig en volhardend. Ze was nog nooit zo door iemand, daar, aangeraakt. Ze kon niet meer nadenken.

'Nee... nee...' begon ze.

'Wat hebt u in het boek gezien?' drong de comte bij haar aan met zijn dwingende, afschrikwekkende hese stem. 'Weet u hoe de dood en macht smaken? Weet u wat geliefden in hun bloed voelen? Ja, dat weet u best! Dat weet u allemaal, en nog veel meer! Dat heeft zich in uw hele wezen geworteld! Terwijl ik het zeg voelt u het! Zult u ooit in staat zijn datgene wat u gezien hebt de rug toe te keren? Zult u ooit in staat zijn deze genoegens af te wijzen, nadat u hun bedwelmende kracht ten volle hebt geproefd?'

De contessa duwde haar vingers door de opening van haar zijden onderbroekje en gleden bedreven over haar vochtige vlees. Miss Temple kromp ineen bij haar aanraking, maar de zitplaats in het rijtuig was heel klein en wat ze voelde was verrukkelijk.

'Ik denk van niet, Celeste,' fluisterde de contessa. Ze duwde zachtjes met twee vingertoppen, liet ze toen glibberig en nat dieper naar binnen glijden en wreef tegelijkertijd voorzichtig met haar duim op een plekje erboven. Miss Temple wist niet wat er van haar verwacht werd, waar ze zich tegen verzette, behalve dan dat ze niet wilde dat zij hun wil aan haar oplegden, maar ze wilde zich helemaal niet verzetten, het genot dat in haar lichaam aanzwol was hemels, en toch verlangde ze er ook naar om zich uit hun openlijke roofzucht los te rukken. Wat betekende haar genot voor hen? Het was niet meer dan een prikkel, een instrument, een eindeloze bron van verslaving en controle. De vingers van de contessa glibberden heen en weer. Miss Temple kreunde.

'Uw geest staat in brand!' fluisterde de comte haar toe. 'U kunt niet aan uw *geest* ontsnappen... Wij hebben u in onze macht, u moet zich overgeven... Uw lichaam zal u verraden, uw hart zal u verraden... U bent al volkomen aan ons overgeleverd... Uw nieuwe herinneringen zwellen aan... omringen u volledig... Uw leven – uw *ik* – is veranderd... Uw ooit zo zuivere ziel is bezoedeld door het *gebruik* van mijn glazen boek!'

Terwijl hij tegen haar sprak, voelde ze ze; overal in haar rondtollende geest gingen deuren open die rechtstreeks in haar koortsachtige lichaam uitkwamen – het bal masqué in Venetië, de twee mannen door het kijkgat, het kunstenaarsmodel op de divan, het hemelse serail, en nog heel veel meer... Miss Temple hijgde, de contessa bewerkte met haar vingers heel vaardig haar meest intieme delen, de lippen van de vrouw tegen haar oor, die haar genot aanmoedigde met spottende kreuntjes die niettemin – het uiterst provocerende geluid van die vrouw, zelfs als ze extase nabootste – een concrete aansporing vormden om nog meer te genieten... Miss Temple voelde de verrukking in haar lichaam aanzwellen, een warme wolk die elk moment kon losbarsten... maar toen deed ze haar ogen dicht en zag ze zichzelf, in het rijtuig tussen haar vijanden in, ingesloten, en toen zag ze Chang, dood, zijn bleke gezicht besmeurd met bloed, en de dokter, rennend en in tranen, en tot slot, alsof dat het antwoord was waarnaar ze op zoek was geweest, kreeg ze een warm, helder, open beeld van kaal wit zand, grenzend aan een blauwe onverschillige zee... Ze deinsde achteruit van de steile rand – ze wist dat het hun steile rand was, niet de hare...

En precies op dat moment trok de contessa haar hand weg, en wel zodanig dat Miss Temple wist dat ze haar innerlijke overwinning niet hadden bemerkt, en ging ze ingenomen met haar zege weer op de andere stoel zitten. De comte liet haar hals los en leunde weer achterover. Ze voelde het genot in haar lichaam plotseling wegebben en merkte dat het intuïtief protesteerde tegen het uitblijven van de prikkeling. Ze keek hen aan en zag dat ze haar alleen maar tot aan de rand hadden gebracht om aan te tonen dat ze aan hen onderworpen was. Ze keken haar met een minachting aan die een paar seconden daarvoor wellicht vernietigend was geweest – en voor ze een woord kon uitbrengen sloeg de contessa haar met haar hand – dezelfde hand die onder haar jurk had gezeten – hard in haar gezicht. Miss Temples hoofd sloeg naar opzij, haar wang brandde. De contessa sloeg haar nog een keer, net zo hard, en sloeg haar met haar hele lichaam in de hoek van het rijtuig.

'Je hebt twee van mijn mensen gedood,' zei ze furieus. 'Als je maar niet denkt dat ik dat ooit vergeet.'

Miss Temple raakte haar gevoelloze gezicht aan, geschrokken en duizelig, en voelde de natheid van de hand van de contessa – dat wil zeggen, van zichzelf. De felle woede over de klappen werd getemperd doordat ze tot haar dodelijke schande besefte dat het in het benauwde rijtuig naar haar eigen opwinding rook. Ze trok haar jurk met een ruk over haar benen omlaag en zag toen ze opkeek dat de contessa haar vingers systematisch aan een zakdoek afveegde. Hun poging om te laten zien hoe hulpeloos ze was had Miss Temples opstandigheid alleen maar sterker gemaakt. Ze snoof nog een keer, knipperde haar tranen van pijn weg en voelde zich nog meer gesterkt toen ze uit de zak van de volumineuze bontjas van de comte d'Orkancz een hoekje van haar groene tas zag steken.

De rit met het rijtuig eindigde op Stropping Station, waar Miss Temple wederom op blote voeten moest lopen, de trap af en de stationshal door naar hun trein. Ze wist vrijwel zeker dat haar voetzolen zwart waren van het vuil van al die reizigers en daar had ze ook gelijk in; ze bleef even staan en lachte met openlijke afkeer om het smerige resultaat, alvorens weer een duw in haar rug te krijgen. Ze liep weer tussen de comte en de contessa in, de prins en zijn verloofde liepen achter hen en de drie andere mannen vormden de achterhoede. Ze passeerden allerlei mensen die hen beleefd toeknikten – naar de prins en Miss Vandaariff waarschijnlijk, want die werden vaak herkend –, maar die perplex keken naar de jongedame op blote voeten die zich blijkbaar geen dienstmeisje kon veroorloven om haar haar te doen en zelfs het eenvoudigste schoeisel niet kon betalen. Miss Temple besteedde er geen aandacht aan, zelfs niet toen hun vragende blikken in openlijke afkeuring overgingen. In plaats daarvan keek ze onafgebroken om zich heen op zoek naar een manier om te ontsnappen, maar vond niets. Ze zag zelfs af van twee geüniformeerde agenten, want in het gezelschap van zulke elegante adellijke types zou niemand haar geloven als ze vertelde dat ze gevangengehouden werd, laat staan als ze het hele complot uit de doeken deed. Ze zou uit de trein zelf moeten ontsnappen.

Miss Temple had net besloten dat dit plan het moest worden toen ze tot haar grote ontzetting zag dat er op het perron twee mensen bij de conducteur stonden te wachten, bij de open deur van de achterste wagon. Een van hen was volgens haar, als ze de beschrijving van dokter Svenson moest geloven, Francis Xonck, die het jasje van een rokkostuum droeg, maar dan alleen aan zijn linkerarm, en dichtgeknoopt – de andere mouw hing er los bij –, aangezien zijn rechterarm dik in het verband zat. De andere man, die er rijzig bij stond in een keurige zwarte overjas, was een man die ze tot haar laatste snik zelfs vanaf de andere kant van het station zou herkennen. Miss Temple bleef staan, maar de comte d'Orkancz greep haar meteen zachtjes bij haar schouder en haar lichaam werd een paar onhandige stappen voortgeduwd, waarna ze haar tred hervonden had. Hij liet haar los – zonder ook maar één keer naar omlaag te kijken – en ze keek even snel naar de contessa, net op tijd, want ze zag haar nog net wreed geamuseerd glimlachen.

'Ach, kijk, daar heb je Bascombe en Francis Xonck! Misschien hebben we onderweg tijd om de geliefden met elkaar te herenigen!'

Miss Temple bleef weer staan, en weer schoot de hand van de comte naar voren om haar voort te duwen.

Roger liet zijn blik heel snel over haar heen gaan, maar ook al verborg hij het nog zo goed achter het starre gezicht van een overheidsfunctionaris, toch zag ze dat haar aanwezigheid hem net zomin welgevallig was als de zijne voor haar. Wanneer hadden ze elkaar voor het laatst gesproken? Negen dagen geleden? Tien? Toen waren ze nog verloofde geliefden geweest. Miss Temple moest al kreunen van het woord alleen – welk woord kon door de gebeurtenissen van de afgelopen uren in 's hemelsnaam ingrijpender veranderd zijn? Ze wist dat ze nu van elkaar gescheiden waren door een afstand die zij zich hiervoor nooit had kunnen voorstellen, door uiteenlopende denkbeelden en ervaringen die net zo uitgestrekt waren als de oceaan die ze was overgestoken om überhaupt haar intrede te kunnen doen in de wereld van Roger Bascombe. Het kon niet anders of Roger had zichzelf overgeleverd aan de samenzwering en het bijbehorende procédé, aan amorele gewaarwordingen – aan verdorven

520

handelingen waar je, als je het boek moest geloven, alleen maar naar kon gissen. Hij moest de moord op zijn oom hebben beraamd – hoe kon het anders dat hij de titel droeg? Had hij soms zelfs toegekeken – of misschien zelfs meegedaan? – terwijl moorden en nog ergere dingen werden gepleegd, misschien zelfs bij de moord op kardinaal Chang? Ze wilde het niet geloven, maar toch was hij hier. En haar eigen veranderingen dan? Miss Temple dacht aan de avond waarop ze zo'n verdriet had gehad, toen ze in bed om de brief van Roger had liggen huilen; wat was dat vergeleken met de aanval van Spragg, of het dreigement van de contessa, of de duivelse wreedheid van het procédé? Wat was dit vergeleken met de reserves die ze bij zichzelf ontdekt had op het gebied van vastberadenheid en gewiekstheid, van gezag en keuzes – of met haar rol als gelijkwaardige derde, samen met de dokter en de kardinaal, als verdienstelijk avonturierster? Rogers oog viel op haar vieze voeten. Ze was altijd tot in de puntjes verzorgd geweest wanneer hij bij haar was, en ze zag hoe hij haar op dit moment kritisch opnam en dat hij haar niet goed genoeg bevond – wat niet anders kon, aangezien hij haar had afgedankt. De moed zonk haar heel even in de schoenen, maar toen haalde Miss Temple diep adem en sperde ze haar neusgaten open. Het maakte niet uit wat Roger Bascombe dacht; het zou nooit meer iets uitmaken.

Francis Xonck trok heel even haar belangstelling; ze nam hem vluchtig op, verder niet. Ze wist wat voor reputatie hij had – de spilzieke, losbandige broer van de machtige Henry Xonck –, ze zag zijn overdreven geposeerde, spottende blik en wist meteen genoeg over zijn vernuft en manier van doen, als van een paraderende pauw, en ze zag tot haar tevredenheid dat hij blijkbaar een zware en pijnlijke verwonding aan zijn arm had opgelopen. Ze vroeg zich af hoe dat gebeurd was en wilde dat ze erbij was geweest.

De twee mannen traden naar voren om hun opwachting bij de contessa te maken. Xonck boog als eerste en stak toen zijn hand naar de hare uit, pakte hem vast en bracht hem naar zijn lippen. Miss Temple was al vreselijk vernederd, maar alsof dat nog niet genoeg geweest was, zag ze tot haar afgrijzen dat Francis Xonck zijn neus discreet optrok toen hij de hand van de contessa vasthield – dezelfde hand die tussen haar benen had gelegen. Met een valse glimlach

ging Xonck, terwijl hij de contessa aankeek – de contessa, die hem
op haar beurt ook een uiterst valse glimlach schonk – in plaats van
de vingers te kussen, er nadrukkelijk met zijn tong overheen. Hij
liet de hand los, tikte zijn hakken tegen elkaar en draaide zich met
een veelbetekenende wellustige blik naar Miss Temple om. Ze stak
hem haar hand niet toe, en hij maakte ook geen aanstalten om hem
aan te nemen en richtte zich vervolgens met een nog bredere glimlach tot de comte, die hij toeknikte. Maar Miss Temple lette al niet
meer op hem; ze kon haar ogen, of ze nu wilde of niet, niet van
Roger Bascombe afhouden, die nu aan de beurt was om de hand van
de contessa te kussen. Wederom zag ze dat haar geur geregistreerd
werd – hoewel Roger dat eerder liet merken door heel even in de
war te raken dan door zich er vals vrolijk over te maken. Hij zorgde
er bewust voor dat hij de contessa niet recht in haar lachende ogen
aankeek, raakte haar hand heel oppervlakkig met zijn vaardige lippen
aan en liet hem toen los.

'Ik geloof dat u elkaar al kent,' zei de contessa.

'Dat klopt,' zei Roger Bascombe. Hij knikte beleefd. 'Miss Temple.'

'Mr Bascombe.'

'U bent uw schoenen kwijt, zie ik,' zei hij, niet echt onvriendelijk,
om toch iets te zeggen te hebben.

'Beter mijn schoenen kwijt dan mijn ziel, Mr Bascombe,' antwoordde ze, en haar woorden klonken haar wreed en kinderachtig in
de oren. 'Of moet ik lord Tarr zeggen?'

Roger keek haar één keer kort aan, alsof er iets was wat hij wel wilde, maar niet kón zeggen, of in elk geval niet in dit gezelschap. Toen
draaide hij zich om en richtte zich tot de comte en de contessa.

'We kunnen instappen, als u dat wilt – de trein vertrekt meteen.'

Miss Temple werd alleen in een coupé gezet, in een rijtuig dat het
gezelschap helemaal voor zich alleen leek op te eisen. Ze had verwacht – of gevreesd – dat de comte of de contessa tijdens de reis het
misbruik van de rit in het rijtuig zou hervatten, maar toen de comte
de deur van de coupé open had geschoven en haar naar binnen had
geduwd, had ze zich omgedraaid en gezien dat hij nog steeds in het

gangpad stond en de deur weer dichtdeed, waarna hij onverstoorbaar wegliep en uit het zicht verdween. Ze had geprobeerd de deur zelf open te maken. Hij zat niet op slot, en ze had haar hoofd naar buiten gestoken, waar ze Francis Xonck op een paar meter afstand in gesprek zag staan met de officier uit Mecklenburg. Toen ze de deur hoorden, draaiden ze zich met zo'n gevaarlijke onverholen geïrriteerde blik om dat Miss Temple de coupé weer in was geschoten, min of meer bang dat ze achter haar aan zouden komen. Dat deden ze niet, en na daar een paar minuten zenuwachtig te hebben gestaan, ging Miss Temple zitten en probeerde ze na te denken over wat ze kon doen. Ze werd naar Harschmort gebracht, alleen, ongewapend en tot haar grote spijt ongeschoeid. Wat was de eerste halte van de reis naar Orange Canal – Crampton Place? Gorsemont? Packington? Kon ze het raam van de coupé discreet opendoen en zich er gedurende de tijd dat ze op het station stilhielden uit laten zakken? Kon ze zich van die hoogte – het was minstens vier meter – op het spoor met de scherpe stenen laten vallen zonder haar voeten te bezeren? Als ze het niet meteen nadat ze eruit geklauterd was op een lopen kon zetten, zou ze onmiddellijk gegrepen worden, zoveel was zeker. Miss Temple blies haar adem uit en deed haar ogen dicht. Had ze eigenlijk wel keus?

Ze vroeg zich af hoe laat het was. Haar beproevingen met het boek en in het rijtuig waren heel zwaar voor haar geweest en ze had dolgraag wat water willen drinken, en nog liever had ze even in alle veiligheid haar ogen dicht willen doen. Ze trok haar benen op haar stoel en schikte haar jurk eromheen. Ze krulde zich zo goed mogelijk op, waardoor ze zich een beest op transport voelde dat in een hoek van zijn kooi in elkaar gedoken zat. Al deed Miss Temple nog zo haar best, haar gedachten dwaalden toch af naar Roger, en ze verbaasde zich weer over hoe ver hun leven van vroeger nu achter hen lag. Vroeger – en dat verklaarde zijn afwijzing voor haar ook – was ze slechts een van de vele elementen geweest – zijn familie, zijn morele rechtschapenheid –, die hij ten behoeve van zijn ambitie terzijde had geschoven. Maar nu zaten ze in dezelfde trein, op slechts een paar meter afstand van elkaar. Niets weerhield hem ervan naar haar coupé te komen (de contessa zou dat beslist goedvinden, al was het maar omdat ze het zo vermakelijk vond), en toch deed hij dat niet. Ook al had hij het procédé vermoedelijk ook ondergaan en ondervond hij daar nu de effecten van, toch vond ze het aantoonbaar wreed dat hij haar uit de weg ging – hij had haar toch in zijn armen gehouden? Had hij dan geen grammetje sympathie of aandacht meer voor haar, niet eens genoeg om haar te troosten, om zijn eigen hart te sussen over het lot dat haar te wachten stond? Nee, dat had hij niet, zoveel was wel duidelijk, en alle eerdere voornemens ten spijt en haar geheime overwinningen op zowel het boek als haar overweldigers ten spijt – want veranderde daar ook maar iets door? – merkte Miss Temple dat ze zich wederom moederziel alleen in het dorre landschap van het verlies bevond.

De deur van haar coupé werd door de officier uit Mecklenburg open-gedaan. Hij had een metalen veldfles in zijn hand en stak haar die toe. Haar keel was uitgedroogd, maar toch aarzelde ze. Hij fronste geërgerd zijn voorhoofd.

'Water. Pak aan.'

Dat deed ze, en ze draaide de dop eraf en nam een grote slok. Ze ademde uit en nam nog een slok. De trein minderde vaart. Ze veegde haar mond af en gaf de veldfles terug. Hij pakte hem van haar aan, maar bleef wel staan. De trein stond stil. Ze wachtten in stilte. Hij stak haar de veldfles nog een keer toe. Miss Temple schudde haar hoofd. Hij deed de dop er weer op. De trein zette zich in beweging. Met een moedeloos gevoel zag ze het bordje CRAMPTON PLACE langs haar raam voorbijgaan en uit het zicht verdwijnen. Toen de trein weer op normale snelheid reed, knikte de soldaat haar kortaf toe en verliet de coupé. Miss Temple stak haar benen weer onder zich en legde haar hoofd op de leuning; ze wilde liever slapen dan weer toe-geven aan haar tranen.

Ze werd wakker toen de trein stopte op Packington en de offi-cier weer binnenkwam, en daarna nog een keer op Gorsemont, De Conque en Raaxfall. Hij had telkens de metalen veldfles met water bij zich en elke keer zeiden ze geen woord tot de trein weer op volle snelheid reed. Daarna liet hij haar alleen. Na De Conque had Miss Temple geen zin meer om te slapen, en dat kwam deels doordat ze het vervelend vond om telkens wakker gemaakt te worden, maar meer nog doordat de behoefte eraan verdwenen was. Daarvoor in de plaats was een gevoel gekomen dat ze niet goed kon benoemen – knagend en verontrustend –, waardoor ze herhaaldelijk rusteloos ging verzitten. Ze wist niet waar ze was – althans, ze besefte plotseling, als de inslag van een kogel, dat ze niet wist wie ze was. Eerst was ze gewend geraakt aan de onstuimige tactiek van het avontuur – met pistolen schieten, via het dak ontsnappen, bewijsstukken opdiepen uit een kachel, alsof dit een vanzelfsprekende karakterontwikkeling was (en Miss Temple dacht heel even weemoedig aan alle avontuurlijke dingen die ze de afgelopen paar dagen had gedaan) –, maar nu leek het wel alsof er door haar mislukking een andere mogelijkheid opdoemde, namelijk dat ze alleen maar een naïeve en grillige jonge vrouw was, niet diepzinnig genoeg om te begrijpen hoezeer ze verdoemd was. Ze dacht aan dokter Svenson op het dak – de man was doodsbang geweest! Maar terwijl Chang en zij zich over de dakrand hadden gebogen om in de steeg te kijken, had hij zichzelf ertoe gezet helemaal naar de andere kant van het dak van het Boniface Hotel en de twee gebouwen ernaast te lopen, en was hij zelfs over de daadwerkelijke ruimtes tussen de gebouwen heen gestapt (die te verwaarlozen waren, oké, maar een soortgelijke angst kwam niet uit logica voort).

Ook al luidde haar oordeel nog zo hard, Miss Temple vond het prettig om de dingen duidelijk te schetsen, en ze begon met heldere blik en vastberaden – bij het ergelijke gebrek aan een opschrijfboekje en een potlood (o, had ze maar een potlood!) – in gedachten een verslag te maken van haar vermoedelijke lot. Ze kon natuurlijk niet weten of ze weer ruw behandeld en belasterd zou worden, net zoals ze niet kon weten, alles wat de contessa gezegd had ten spijt, of ze uiteindelijk gedood zou worden, voor of na gemarteld te zijn. Ze overzag de volledige reikwijdte van het dodelijke karakter van haar vijanden, en weer huiverde ze. Ze haalde diep adem en dacht aan een nog veel ijzingwekkender mogelijkheid: haar transformatie door toedoen van het procédé. Wat was er nou erger dan in iets veranderd worden wat ze verfoeide? Doodgaan en gemarteld worden waren in elk geval handelingen die tegen háár uitgevoerd werden. Het procédé zou dat besef van zichzelf tenietdoen, en Miss Temple besloot ter plekke daar in de coupé dat ze dat niet zou laten gebeuren. Of dat nu betekende dat ze zich in een kookpot moest werpen of dat ze hun glaspoeder moest inademen, net als Chang, of dat ze alleen maar een bewaker zover moest zien te krijgen dat hij haar nek brak – ze zou zich nooit ofte nimmer aan hun boosaardige zeggenschap onderwerpen. Ze moest denken aan de dode man over wie de dokter het had gehad – over wat het kapotte glas uit het boek met zijn lichaam had gedaan... Als zij het boek nu eens in handen kon krijgen en het kapot zou slaan, of het in haar armen zou houden en dan met het hoofd voorover op de grond zou springen – dan moest het wel aan gruzelementen gaan en zou haar leven meteen beëindigd zijn. Misschien had de contessa ook wel gelijk toen ze zei dat de dood door toedoen van het indigoglas een bedwelmend vleugje dromen met zich meebracht.

Ze begon honger te krijgen – ze was dol op thee met scones, maar je kon het niet echt een overdreven vullende maaltijd noemen –, en na vijf minuten aan niks anders te hebben kunnen denken deed ze de deur van haar coupé open en keek de gang weer in. De soldaat stond nog steeds op dezelfde plek, maar nu was hij niet in gesprek met Francis Xonck, maar met de gezette man met de littekens.

'Neemt u mij niet kwalijk,' riep Miss Temple. 'Hoe heet u?'

De soldaat fronste zijn wenkbrauwen, alsof het feit alleen al dat ze het woord tot hem richtte een onbetamelijke schending van de etiquette was. De man met de littekens – die weer een beetje bij zinnen leek te zijn, want hij keek minder glazig uit zijn ogen en bewoog zich soepeler – antwoordde haar met een stem die een heel klein beetje flemerig klonk.

'Dit is majoor Blach, en ik ben herr Flaüss, gezant voor de diplomatieke missie van Mecklenburg die prins Karl-Horst von Maasmärck vergezelt.'

'Is dát majoor Blach?' Als de majoor te trots was om iets tegen haar te zeggen, wilde Miss Temple maar al te graag over hem praten alsof hij een staande lamp was. Ze wist dat dit de aartsvijand van zowel de dokter als van Chang was. 'Dat wist ik niet,' zei ze, 'want ik heb natuurlijk veel over hem gehoord – over u allebei trouwens.' Ze had eigenlijk niet veel over de gezant gehoord, behalve dan dat de dokter hem niet mocht, en dat had hij niet eens met zoveel woorden gezegd; hij had het afgedaan door alleen maar zo'n beetje verstrooid zijn schouders op te halen. Toch dacht ze dat iedereen het leuk vond als er over hem gesproken werd, procédé of geen procédé. Van de majoor wist ze natuurlijk dat hij levensgevaarlijk was.

'Kunnen we u ergens mee van dienst zijn?' vroeg de afgezant.

'Ik heb honger,' antwoordde Miss Temple. 'Ik zou wel iets te eten willen hebben – als dat er tenminste is in de trein. Ik weet dat het minstens nog een uur duurt voordat we bij Orange Locks zijn.'

'Ik zou het niet weten, moet ik u bekennen,' zei de gezant. 'Maar ik ga het meteen vragen.' Hij knikte haar toe en draafde door het gangpad weg. Miss Temple keek hem na en voelde toen de doordringende blik van de majoor op zich gericht.

'Naar binnen jij,' beet hij haar toe.

Toen de trein in St. Triste halt hield, kwam de majoor binnen met een in wit vetvrij papier gewikkeld pakje en met zijn veldfles. Hij overhandigde ze haar allebei zonder een woord te zeggen. Ze maakte geen aanstalten het pakje open te maken, want dat deed ze liever als ze alleen was – verder was er bijzonder weinig afleiding – en dus wachtten ze samen in stilte tot de trein zich weer in beweging zette. Toen dat gebeurde, wilde hij haar de veldfles weer afnemen. Ze liet hem niet los.

'Mag ik niet een beetje water bij mijn maaltijd drinken?'

De majoor keek haar boos aan. Er was duidelijk geen reden om haar dat niet toe te staan, of het moest uit gemeenheid zijn, maar zelfs daarmee zou hij blijk geven van enige belangstelling, en dat was hij niet van plan. Hij liet de veldfles los en verliet de coupé.

De inhoud van het vetvrije papier was de moeite niet waard – een dun driehoekje witte kaas, een snee roggebrood en twee ingelegde bietjes waardoor het brood en de kaas onder de paarse vlekken zaten. Toch at ze alles zo langzaam en systematisch mogelijk op – ze nam van alles om de beurt voorzichtig een klein hapje en kauwde elke hap minstens twintig keer alvorens hem door te slikken. Zo ging er een kwartier voorbij. Ze dronk op wat er nog in de veldfles zat en deed de dop er weer op. Ze maakte een prop van het papier, en met de veldfles in haar hand stak ze haar hoofd weer om de deur en keek het gangpad in. De majoor en de gezant stonden nog op dezelfde plek.

'Ik ben klaar,' riep ze. 'U mag de veldfles weer hebben.'

'Heel vriendelijk van u,' zei gezant Flaüss, en hij stootte de majoor aan, die naar haar toe beende en de veldfles uit haar hand griste. Miss Temple hield de prop papier omhoog.

'Wilt u die ook hebben? U wilt vast niet dat ik een briefje aan de conducteur doorspeel!'

Zonder een woord te zeggen pakte de majoor de prop aan. Miss Temple knipperde met haar wimpers naar hem en toen naar de gezant die verderop in het gangpad stond toe te kijken. De majoor draaide zich om en liep weg. Ze ging grinnikend weer zitten. Ze had geen idee wat ze hiermee gewonnen had, behalve dan wat afleiding, maar dat beetje ondeugendheid gaf haar het bemoedigende gevoel weer de oude te worden.

In St. Porte kwam majoor Blach haar coupé niet binnen. Toen de trein vaart minderde en er niemand was gekomen, keek Miss Temple op naar de deur van de coupé. Had ze hem zo op de zenuwen gewerkt dat hij haar nu de kans gaf het raampje open te doen? Ze stond op, keek nog steeds naar de lege deuropening en zette toen in zenuwachtige haast de aanval in op de raamvergrendeling. Ze had er nog niet eens één opengekregen en toen hoorde ze achter zich het klikje van de deur van de coupé al. Ze draaide zich pijlsnel om, klaar om de afkeurende blik van de majoor met een innemende glimlach te beantwoorden.

Maar in de deuropening stond Roger Bascombe.

'Ah,' zei ze, 'Mr Bascombe.'

Hij knikte haar nogal formeel toe. 'Miss Temple.'

'Wilt u gaan zitten?'

Ze had de indruk dat Roger aarzelde – misschien doordat het zo overduidelijk was dat ze bezig was geweest het raam open te maken, maar het kon ook net zo goed komen doordat er tussen hen heel veel nog onuitgesproken was. Ze ging weer zitten, stak haar vuile voeten zo ver mogelijk onder haar lange jurk en wachtte tot hij uit de deuropening zou komen. Toen hij dat niet deed, sprak ze hem op beleefde toon toe, waar slechts een vleugje ongeduld uit op te maken viel.

'Even gaan zitten kan toch geen kwaad? Behalve dan dat je kunt merken dat iemand slecht opgevoed is wanneer hij als een koopman... of als een Mecklenburger marionettensoldaat blijft staan.'

Roger voelde zich op de vingers getikt en aan de manier waarop hij zijn lippen tuitte zag ze dat hij geïrriteerd was. Hij ging aan de andere kant van de coupé zitten. Hij haalde diep adem, ter voorbereiding op wat komen ging.

'Miss Temple... Celeste...'

'Ik zie dat uw littekens genezen zijn,' zei ze bemoedigend. 'Die van Mrs Marchmoor niet, en ik moet bekennen dat ik het een akelige aanblik vind. En dan de arme Mr Flaüss – of misschien moet ik *herr* Flaüss zeggen –, die ziet eruit als een getatoeëerde aboriginal uit het poolijs!'

Tot haar tevredenheid zag ze Roger kijken alsof er een schijfje citroen onder zijn tong vastzat.

'Bent u klaar?' vroeg hij.

'Ik geloof van niet, maar u mag het woord wel nemen, hoor, als dat is waar u...'

Roger blafte haar fel toe. 'Het verbaast me helemaal niet dat u zich zo in het triviale vastbijt – zo bent u altijd geweest –, maar zelfs ú zou nu toch de ernst van uw situatie moeten inzien!'

Miss Temple had hem nog nooit zo smalend en krachtig meegemaakt, en ze liet haar stem plotseling tot ijzige fluistertoon dalen.

'Dat zie ik uitstekend in... Neemt u dat van mij aan... Mr Bascombe.'

Hij gaf geen antwoord; ze realiseerde zich tot haar ziedende ergernis dat hij gewoon wachtte tot de in zijn ogen door haar erkende reprimande goed tot haar doordrongen was. Miss Temple was vastbesloten om niet als eerste de stilte te verbreken en merkte dat ze goed keek hoe zijn gezicht en gedrag veranderden – dit geheel in weerwil van zichzelf, want ze wilde nog steeds elke vorm van aandacht van zijn kant met minachting tegemoet treden. Ze begreep wel dat Roger Bascombe haar de eerlijkste informatie over de effecten van het procédé kon verschaffen die ze maar kon krijgen. Ze had Mrs Marchmoor en de prins ontmoet – haar pragmatische manier van doen en zijn emotieloze afstandelijkheid –, maar geen van beiden had ze van tevoren goed gekend. Wat ze nu op het gezicht van Roger Bascombe zag deed haar verdriet, en vooral door de wetenschap dat een dergelijke transformatie van zijn oprechte verlangen getuigde – en in haar ongelukkige hart wist ze zeker dat dat zo was. Roger had altijd erg van bevelen en fatsoen gehouden, de sociale geneugten nauwgezet in de gaten gehouden en er tegelijkertijd een onwrikbaar beeld op na gehouden van wie welke titel en welke landgoederen bezat. Zij had echter geweten – en dat ze zo op hem gesteld was geweest was daar deels door bepaald – dat die onverdroten aandacht voortkwam uit het feit dat hij zelf geen titel of landgoed bezat en uit zijn vooralsnog middelmatige positie in de regering – met andere woorden: uit zijn van nature behoedzame karakter. Nu zag ze dat dit allemaal veranderd was, dat Rogers vermogen om in gedachten met de verschillende belangen en rangen van veel mensen te jongleren niet meer in dienst stond van zijn zelfbescherming, maar dat hij het daarentegen aanwendde om er zelf expliciet, manipulatief voordeel mee te behalen. Ze wist zeker dat hij als een eerbiedige havik de andere leden van de samenzwering geen moment uit het oog verloren had, klaar om de eerste de beste misstap te signaleren (ze was er plotseling zeker van dat de ingezwachtelde arm van Francis Xonck hem diep in zijn hart goed had gedaan). Roger had vroeger wel om haar met verve verkondigde meningen gegrijnsd, maar dat kwam dan door haar tactloosheid of doordat ze geen oog had voor het fijne sociale weefsel van een gesprek dat hij met pijn en moeite gaande had gehouden – en zijn reactie had haar een schalks genoegen bezorgd. Ondanks haar pogingen om hem uit zijn tent te lokken, zag ze nu alleen maar een geknepen, onwillige *verdraagzaamheid*, die voortkwam uit de teleurstelling dat hij zijn tijd verdeed met iemand die hem in geen enkel opzicht iets te bieden had. Dit verschil met vroeger maakte Miss Temple verdrietig, en wel op een manier die ze niet had voorzien.

'Ik ben zo vrij geweest me even bij u te vervoegen,' begon hij, 'op voorstel van de contessa di Lacquer-Sforza...'

'De contessa doet u ongetwijfeld alle mogelijke voorstellen,' onderbrak Miss Temple hem, 'waar u ook vast en zeker gewillig gehoor aan geeft!'

Geloofde ze het zelf? De beschuldiging had zo voor de hand gelegen dat ze er geen weerstand aan had kunnen bieden... Niet dat hij enig effect bij zijn doelwit leek te hebben.

'Aangezien het de bedoeling is,' zei hij na een korte stilte, 'dat u bij aankomst in Harschmort House het procédé ondergaat, zal het geval zich voordoen dat wij, ondanks het feit dat wij de afgelopen paar dagen van elkaar gescheiden zijn, na uw beproeving weer in hetzelfde kamp, als bondgenoten, verenigd zullen worden.'

Hier was ze helemaal niet op bedacht geweest. Hij keek haar defensief en verwachtingsvol aan, alsof haar stilzwijgen de voorbode van de zoveelste kinderachtige uitbarsting van kwaadaardigheid was.

'Celeste,' zei hij, 'ik raad je ten zeerste aan je gezonde verstand te gebruiken. Ik vertel je de feiten. Als het nodig is – als dat je situatie duidelijker zou maken – zal ik je er nogmaals van overtuigen dat ik alle gevoelens van genegenheid, maar ook die van wrok achter me heb gelaten.'

Miss Temple geloofde haar oren niet. Wrok? Terwijl zíj toch zomaar aan de kant gezet was, terwijl zíj al die avonden en middagen van hun verlovingsperiode het bijna mummificerende gezelschap van de neerbuigende, starre en middelmatig gefortuneerde familie Bascombe had moeten verdragen!

Ze wist nog net 'Pardon?' uit te brengen.

Hij schraapte zijn keel. 'Wat ik wil zeggen... waarvoor ik gekomen ben... is dat ons nieuwe bondgenootschap... want je zult andere banden krijgen, en als ik de contessa goed ken zal zij erop staan dat wij in harmonie blijven werken...'

Miss Temple kneep haar ogen samen en vroeg zich af wat hij daar in 's hemelsnaam mee bedoelde.

'... en het zou het beste zijn als je, als denkend wezen, me zou helpen door je vergeefse genegenheid en zinloze bitterheid van je af te zetten. Heus, neem van mij aan, dan is de *pijn* minder.'

'En neem jij van mij aan, Roger, dat ik dat allang gedaan heb. Jammer genoeg is het de laatste tijd zo druk geweest dat ik nog geen tijd heb gehad om mijn hevige minachting van me af te zetten.'

'Celeste, ik zeg het voor jouw bestwil, niet voor de mijne... Heus, ik zeg het uit generositeit...'

'Generositeit?'

'Ik verwacht niet van je dat je het begrijpt,' mompelde hij.

'Natuurlijk niet! Ik heb me nog niet door een *machine* laten hersenspoelen!'

Roger staarde haar zwijgend aan en kwam toen langzaam overeind, trok zijn jas recht en streek gewoontegetrouw zijn haar met twee vingers naar achteren, en zelfs toen vond ze hem diep in haar hart nog heel aantrekkelijk. Maar de blik waarmee hij haar doordringend aankeek had iets wat ze nog nooit eerder bij hem gezien had: onverbloemde minachting. Hij was niet boos – nee, wat haar nog het meest pijn deed was juist het gebrek aan emotie in zijn ogen. Ze begreep er helemaal niets van; in het lichaam van Miss Temple, in haar herinnering, waren al dat soort momenten in een soort *gevoel* geworteld, en de Roger Bascombe die zij voor zich zag leek in geen enkel opzicht op een man die zij al eens eerder ontmoet had.

'Je zult het wel merken,' zei hij met kille, zachte stem. 'Het procédé zal je volledig vernieuwen, en je zult – ongetwijfeld voor de allereerste keer in je leven – de ware aard van je gesloten geest leren kennen. De contessa zegt dat je karakter over reserves beschikt die ik niet bij je gezien heb – en daar kan ik alleen maar op zeggen dat ik ze inderdaad niet gezien heb. Je was altijd een heel knap meisje, maar daar zijn er vele van. Ik verheug me erop dat ik straks zal ontdekken – zodra je tot op het bot verbrand bent en daarna door de "machine" die jij maar niet kunt begrijpen *opnieuw gemaakt* bent – of er echt sprake is van zulke bijzondere kwaliteiten.'

Hij liep de coupé uit. Miss Temple bleef doodstil zitten; in haar hoofd galmden zijn bitse woorden na, en honderden onuitgesproken weerwoorden. Haar gezicht was warm en ze had haar handen tot vuisten gebald. Ze keek naar buiten en zag haar spiegelbeeld in de ruit, tussen haar en het duister wordende landschap van zilt grasland dat buiten voorbijraasde. Ze bedacht dat dit vage, doorzichtige, tweedehandse beeld haar eigen toestand uitstekend illustreerde: overgeleverd aan de macht van anderen, terwijl haar eigen wensen slechts in de marge iets met haar lot van doen hadden, onstoffelijk en maar voor de helft aanwezig. Ze slaakte een sidderende zucht. Hoe kon Roger Bascombe – na alles – nog steeds invloed hebben op haar gevoelens? Hoe kon hij haar zo radeloos ongelukkig maken? Haar geagiteerde onrust was niet coherent – er was geen beginpunt van waaruit ze op zoek kon naar antwoorden – en haar hart ging steeds sneller kloppen, totdat ze zelfs haar handen voor haar ogen moest slaan en diep moest ademhalen. Miss Temple keek op. De trein minderde vaart. Ze drukte haar gezicht tegen het raam, schermde het licht uit het gangpad met haar hand af en zag door de weerspiegeling heen het station, het perron en het witgeschilderde bord voor Orange Locks. Ze draaide zich om en zag dat majoor Blach de deur voor haar opendeed en haar met een handgebaar uitnodigde de coupé te verlaten.

Aan het eind van het perron stonden twee rijtuigen te wachten, allebei met een span van vier paarden ervoor. De prins liep naar het eerste rijtuig, arm in arm met zijn verloofde, net als daarstraks gevolgd door zijn afgezant en de oudere man met de arm in het verband. De majoor begeleidde Miss Temple naar het tweede rijtuig, deed de deur open en hielp haar erin te stappen. Hij knikte haar kortaf toe en liep weg – ongetwijfeld om zich weer bij de prins te voegen –, waarna zijn plaats werd ingenomen door de comte d'Orkancz, die tegenover haar ging zitten, daarna door de contessa, die instapte en naast haar, tegenover de comte, plaatsnam, daarna door Francis Xonck, die glimlachend naast de comte ging zitten en tot slot door Roger Bascombe, met een vrij uitdrukkingsloos gezicht, die een fractie van een seconde aarzelde toen hij zag dat er door de afmetingen van de comte en de ruimte die de dik ingezwachtelde arm van Xonck innam alleen aan de andere kant van Miss Temple nog plaats was. Hij stapte zonder iets te zeggen in. Miss Temple zat stevig ingeklemd tussen de contessa en Roger; hun benen drukten in vermeende vertrouwelijkheid tegen de hare aan. De koetsier deed de deur dicht en klom op de bok. Hij liet zijn zweep knallen en ze gingen ratelend op weg naar Harschmort.

De rit begon in alle stilte, en na een tijdje vroeg Miss Temple, die er aanvankelijk van uit was gegaan dat het door haar aanwezigheid kwam – een indringer die hun gebruikelijke gekonkel verstoorde – of dit wel echt het geval was. Ze waren behoedzaam genoeg om niet uit de school te klappen, maar ze voelde toch iets van concurrentie en wantrouwen... vooral nu Francis Xonck zich bij het gezelschap had gevoegd.

'Wanneer kunnen we de hertog verwachten?' vroeg hij.

'Voor middernacht neem ik aan,' antwoordde de comte.

'Hebt u hem gesproken?'

'Crabbé heeft hem gesproken,' zei de contessa. 'Er is geen reden waarom iemand anders hem zou spreken. Dat zou de boel maar verwarren.'

'Ik weet dat iedereen de trein heeft gehaald – de verschillende gezelschappen,' voegde Roger eraan toe. 'De kolonel heeft de hertog persoonlijk opgehaald, en twee van onze mannen...'

'Onze mannen?' vroeg de comte.

'Van het ministerie,' verduidelijkte Roger.

'Aha.'

'Die zijn vooruitgegaan om hem op te vangen.'

'Wat attent,' zei de contessa.

'En uw nicht Pamela?' vroeg Xonck. 'En haar uit zijn recht ontzette snotaap?'

Roger gaf geen antwoord. Francis Xonck grinnikte vals.

'En het *prinsesje*?' vroeg Xonck. '*La Nouvelle Marie?*'

'Zij zal het fantastisch doen,' zei de contessa.

'Niet dat ze enig idee heeft wat er van haar wordt verwacht,' zei Xonck spottend. 'En de prins?'

'Ook onder controle,' zei de comte hees. 'Hoe zit het met zijn transport?'

'Mij is verzekerd dat het vanavond gaat varen en zijn positie inneemt,' antwoordde Xonck. Miss Temple vroeg zich af waarom

534

hij nu net degene was die over informatie over schepen beschikte. 'Het kanaal is afgelopen week dichtgegaan en de voorbereidingen zijn getroffen.'

'En de bergen... het wetenschappelijke wonder van de doctor?'

'Lorenz lijkt ervan overtuigd te zijn dat er geen problemen zijn,' merkte de contessa op. 'Blijkbaar kun je het heel keurig laten verdwijnen.'

'En hoe zit het met... eh... de lord?' vroeg Roger.

Niemand gaf meteen antwoord; men keek elkaar nauwelijks merkbaar aan.

'Mr Crabbé was benieuwd of...' begon Roger.

'De *lord* staat overal voor open,' zei de contessa. 'En de *volgelingen*?' vroeg ze.

'Blenheim heeft laten weten dat ze verspreid over de dag zijn gearriveerd, zonder opzien te baren,' antwoordde Roger, 'samen met een eskader dragonders.'

'We hebben niet nog meer soldaten nodig; dat is een vergissing,' zei de comte.

'Daar ben ik het mee eens,' zei Xonck. 'Maar Crabbé staat erop, en we hebben afgesproken om, daar waar het om de regering gaat te doen wat hij zegt.'

De contessa richtte voor Miss Temple langs het woord tot Roger. 'Heeft hij nog nieuwe informatie over... onze verscheiden zwagers bij de dragonders?'

'Nee, niet dat ik weet. Maar we hebben elkaar natuurlijk al een tijdje niet gesproken...'

'Blach zegt dat het geregeld is,' zei Xonck.

'De kolonel was vergiftigd,' beet de contessa hem toe. 'Zo gaat de man aan wie de majoor de schuld wil geven nooit te werk – afgezien van het feit dat de man zijn werkgever op het hart gedrukt heeft dat hij het níet heeft gedaan, terwijl het hem, als hij het wel gedaan zou hebben, veel geld zou opleveren. Hoe zou híj bovendien hebben moeten weten wanneer hij zijn slachtoffer kon vinden in die kwetsbare periode nadat hij het procédé had ondergaan? Dat is uitgesloten. Die informatie was alleen bij een select – een héél select

– gezelschap bekend.' Ze knikte met haar hoofd in de richting van Xoncks ingezwachtelde arm en zei spottend: 'Is dat het werk van een elegante samenzweerder?'

Xonck reageerde niet.

Even later schraapte Roger Bascombe zijn keel en vroeg zich hardop op welwillende toon af: 'Misschien is het hoog tijd dat de majoor zelf het procédé ondergaat.'

'Vertrouwt u erop dat Lorenz alles aan boord heeft?' vroeg Xonck aan de comte. 'De deadline was dringend… de grote hoeveelheden…'

'Natuurlijk,' antwoordde de comte korzelig.

'Zoals u weet,' ging Xonck verder, 'zijn de uitnodigingen verstuurd.'

'Met de tekst zoals we die hebben afgesproken?' vroeg de contessa.

'Uiteraard. Dreigend genoeg om er zeker van te zijn dat men komt… maar als we de steun van onze oogst uit het land niet hebben…'

'Ik ben er volkomen gerust op.' De contessa grinnikte. 'Als Elspeth Poole bij hem is zal doctor Lorenz zich tot het uiterste inspannen.'

'Als dank dat zij zich met onvermoeibare inzet achter hem schaart!' kraaide Xonck. 'Ik weet zeker dat de hele transactie zijn mathematische geest aanspreekt – sinussen, tangensen, doormidden gesneden bollen, en wat niet al.'

'En hoe is het met ons ekstertje?' vroeg Xonck, die zich naar voren boog en zijn hoofd schuin hield om Miss Temple te kunnen aankijken. 'Is zij het procédé waard? Is zij een *boek* waard? Of iets heel anders? Of misschien is zij niet te beïnvloeden?'

'Iedereen is te beïnvloeden,' zei de comte. Xonck reageerde niet, maar stak zijn hand uit en raakte even een van Miss Temples krullen aan.

'Misschien… Misschien gebeurt er wel iets ánders…' Hij draaide zich weer om naar de comte. 'Ik heb gelezen wat er op de achterkant van elk schilderij stond. Ik weet waar u op doelt… wat u met uw Aziatische hoer geprobeerd hebt.' De comte zei niets en Xonck moest lachen; hij vatte de stilte op als een bevestiging van zijn vermoeden. 'Dat is het risico als u zich met slimme mensen verenigt, monsieur le comte. Heel veel mensen zijn niet slim, en zij die het wél zijn ontwikkelen soms de gewoonte te denken dat niemand anders doorheeft wat er in hun hoofd omgaat.'

'Zo is het wel genoeg,' zei de contessa. 'Celeste heeft mij schade berokkend, en dus is ze van míj; dat hebben we zo afgesproken en daar valt niet over te twisten.' Met haar vinger raakte ze de punt van Miss Temples litteken van de kogel aan. 'Neemt u van mij aan: niemand zal teleurgesteld zijn.'

Het rijtuig reed ratelend de kasseien van het plein voor Harschmort House op en Miss Temple hoorde de koetsier tegen zijn span paarden roepen, waarna het halt hield. De deur ging open en ze werd overgedragen aan twee in zwarte livrei gestoken lakeien; de kasseien voelden koud en hard aan onder haar voeten. Miss Temple had nog niet eens goed en wel door waar ze was – ze zag dat de prins en zijn gevolg uit het tweede rijtuig stapten en dat op het gezicht van Miss Vandaariff de ene na de andere steelse glimlach en frons verscheen –, maar de comte duwde haar al met ijzeren greep naar een kluitje mensen bij de voorname hoofdingang. Zonder enige omhaal – en zonder ook maar even om te kijken of de anderen ook kwamen – werd ze ruw meegenomen, terwijl ze haar best deed om te voorkomen dat ze een teen tegen de ongelijkmatige stenen stootte, om pas weer tot stilstand te komen toen de comte de groet van een man en een vrouw beantwoordde die zich van een grotere groep losmaakten (bestaande uit bedienden, in het zwart geklede soldaten van Mecklenburg en dragonders met rode jas). De man was lang en breed, met grijzende en verontrustend dikke bakkebaarden en een kalende kruin waar het licht van de fakkels op viel, waardoor zijn hele gezicht net een primitief masker leek. Hij boog formeel voor de comte. De vrouw had een eenvoudige donkere jurk aan, die haar niettemin goed stond, en op haar vriendelijke gezicht waren rond haar ogen de bekende littekens te zien. Haar haar was bruin, met eenvoudige krullen en naar achteren samengebonden met een zwart lint. Ze knikte Miss Temple toe en keek toen glimlachend op naar de comte.

'Welkom terug op Harschmort, monsieur,' zei ze. 'Lord Vandaariff is in zijn werkkamer.'

De comte knikte en richtte zich tot de man. 'Blenheim?'

'Alles verloopt volgens plan, monsieur.'

'Zorg voor de prins. Mrs Stearne, wilt u Miss Vandaariff naar haar kamers begeleiden? Miss Temple gaat met u mee. De contessa komt de dames ophalen als het zover is.'

De man knikte kort en de vrouw wipte op om een kniksje te maken. De comte trok Miss Temple mee naar voren en duwde haar in de richting van de deur. Ze keek achterom en zag dat de vrouw – Mrs Stearne – weer boog, dit keer voor de contessa en Miss Vandaariff, en omhoogkwam om de jonge vrouw op beide wangen te kussen. Daarna pakte ze haar bij de hand. De comte liet Miss Temple los – zijn aandacht ging nu uit naar wat er tussen Xonck, Blach en Blenheim gezegd werd –, Mrs Stearne pakte haar hand en Lydia Vandaariff kwam aan de andere kant naast de vrouw staan. Gedrieën liepen ze het huis in, met vlak achter hen aan vier lakeien in livrei.

Miss Temple keek één keer naar Mrs Stearne; ze wist zeker dat ze nu eindelijk de vierde vrouw van haar eerste rit per rijtuig naar Harschmort gevonden had. Dit was de piraat, die in de snijzaal het procédé had ondergaan en die het ten overstaan van het fraai uitgedoste publiek had uitgeschreeuwd. Mrs Stearne zag haar kijken en glimlachte; ze kneep even in Miss Temples hand.

De vertrekken van Lydia Vandaariff keken uit over een reusachtige formele tuin aan de achterkant van het huis; Miss Temple nam aan dat dit ooit het exercitieterrein van de gevangenis was geweest. Het idee alleen al dat je in een gevangenis woonde vond ze maar morbide, zo niet bespottelijk hypocriet, temeer daar de kamers waarin men woonde zo overladen waren met kant dat ze wel één groot kussen met een zee aan ruches leken. Lydia trok zich onmiddellijk met twee van haar dienstmeisjes terug in een privékamertje om zich te verkleden, waarbij ze boos dingen tegen hen mompelde en haar hoofd schudde. Miss Temple moest op een brede met franje versierde bank gaan zitten. Hierdoor waren haar vuile voeten te zien, wat Mrs Stearne ertoe bracht nog een dienstmeisje met een waterbekken en een handdoek te laten komen. Het meisje knielde neer en waste de voeten van Miss Temple een voor een heel voorzichtig en droogde ze met een zachte handdoek af. Miss Temple zei de hele tijd geen woord; de gedachten over haar situatie waren nog steeds op drift en in haar hart heerste nu eens woede en dan weer wanhoop. Ze had de weg die ze van de voordeur naar de vertrekken van Lydia hadden afgelegd zo goed mogelijk in haar geheugen geprent, maar had nauwelijks enige hoop dat ze zou kunnen ontsnappen, want overal stonden bedienden en soldaten langs de kant, alsof het hele landhuis een militair kamp was geworden. Het viel Miss Temple onwillekeurig op dat ze nergens iets zag – een nagelvijl, een kristallen snoepschaaltje, een briefopener, een kandelaar – dat ze mee zou kunnen grissen en als wapen zou kunnen gebruiken.

Toen het meisje klaar was, pakte ze haar spullen bij elkaar, knikte eerst naar Miss Temple en toen naar Mrs Stearne en liep toen achter uit de kamer uit, waarna de twee even in stilte bleven zitten – of bijna in stilte, want ondanks de afstand en de gesloten deuren drong het intimiderende commentaar van Miss Vandaariff tegen haar dienstmeisjes toch nog tot hen door.

'U zat in het rijtuig,' zei Miss Temple uiteindelijk maar. 'De piraat.'

'Dat klopt.'

'Ik wist niet hoe u heette. Sindsdien heb ik Mrs Marchmoor ontmoet en de anderen over Miss Poole horen spreken...'

'Zeg maar Caroline,' zei Mrs Stearne. 'Stearne is de naam van mijn man – mijn man is dood en wordt niet gemist. Ik wist natuurlijk ook niet hoe u heette; ik wist niemands naam, hoewel we waarschijnlijk allebei dachten dat de anderen oudgedienden waren. Misschien was Mrs Marchmoor wel een oudgediende, maar ik weet zeker dat ze net zo bang – en opgewonden – was als de rest.'

'Ik durf te betwijfelen of ze dat zou toegeven,' antwoordde Miss Temple.

'Ik ook.' Caroline glimlachte. 'Ik weet nog steeds niet hoe u in ons rijtuig verzeild bent geraakt; het getuigde wel van moed, zoveel is zeker. En wat u sindsdien gedaan hebt... Het moet heel moeilijk voor u geweest zijn.'

Miss Temple haalde haar schouders op.

'Natuurlijk.' Caroline knikte. 'U had geen keus. Hoewel de meeste mensen zouden vinden dat uw pad een overdaad aan keuze bood, terwijl het in uw ogen onverbiddelijk is – net als het mijne. Dus nu zitten we hier toch samen. Ons karakter mag dan nog zo vastomlijnd lijken, het wordt ons slechts met één beproeving tegelijk onthuld. En dus zitten we hier toch samen, en misschien hebben we wel meer met elkaar gemeen dan we bereid zijn toe te geven – hoewel je natuurlijk gek moet zijn om de waarheid niet toe te geven, zodra die zich klip-en-klaar aan je voordoet.'

De vrouw was eenvoudiger gekleed dan Mrs Marchmoor: minder opzichtig, minder dan de manier waarop een acteur denkt dat rijke mensen zich kleden, besefte ze. Het speet haar dat ze de neiging had om haar overweldiger aardig te vinden (dat kwam zo zelden voor in Miss Temples leven dat het op zichzelf al een verrassing was, overweldiger of geen overweldiger). De vrouw had ongetwijfeld precies om die reden deze plaats toegewezen gekregen, vanwege een vanzelfsprekende sympathie die op de een of andere manier het procédé had overleefd of in elk geval zo kon worden voorgewend, om de vastberadenheid van Miss Temple nog verder uit zijn schuilplaats te lokken.

'Ik heb naar u gekeken,' zei ze beschuldigend, 'in de snijzaal... U... U krijste het uit...'

'Ongetwijfeld,' zei Caroline. 'En toch lijkt het er misschien nog wel het meest op alsof je een pijnlijke kies laat trekken. De handeling zelf is zo akelig omdat hij op geen enkele manier gerechtvaardigd lijkt. Maar naderhand, de gemoedsrust... de ontspanning – en dat terwijl mijn leven daarvoor geen echte problemen heeft gekend, alleen de verzwakkende zorgen van alledag. Ik kan me nu niet voorstellen dat ik het zonder deze... Nou ja, het is een soort gelukzaligheid.'

'Gelukzaligheid?'

'Misschien vindt u dat stom klinken.'

'Helemaal niet... Ik heb Mrs Marchmoor gezien... haar soort... schouwspel... en ik heb het boek gezien... een van jullie glazen boeken... Ik ben erin geweest – de gewaarwording, de losbandigheid...

Misschien is "gelukzaligheid" inderdaad wel een toepasselijk woord,' zei Miss Temple. 'Al kan ik u verzekeren dat ik er niet voor kies.'

'U moet niet te hard over Mrs Marchmoor oordelen. Ze doet wat ze moet doen voor het doel dat zij uiteindelijk voor ogen heeft. Waar wij allemaal naartoe geleid worden. Zelfs u, Miss Temple. Als u in die bijzondere boeken hebt gekeken, weet u wel wat ik bedoel.' Ze gebaarde naar de kleedkamer van Miss Vandaariff. 'Heel veel mensen zijn erg gevoelig, hebben honger, zijn erg behoeftig. Hoeveel van wat u gelezen hebt – of zelfs van wat u zich herinnert – kwam eerst en vooral voort uit pijn en eenzaamheid? Als iemand zich van zo'n bron van verdriet zou kunnen ontdoen, zou u hem dan ongelijk geven?'

'Verdriet en verlies horen bij het leven,' wierp Miss Temple tegen.

'Inderdaad,' beaamde Caroline. 'Maar toch... Als dat nou eens niet zou hoeven?'

Miss Temple gooide haar hoofd achterover en beet op haar lip. 'U bent vriendelijk, maar de anderen... Dat is addergebroed. Mijn vrienden zijn vermoord. Ik ben hier onder dwang naartoe gebracht... Ik ben aangerand, en zal aangerand worden – alsof die fraai uitgedoste bende van u een troep kozakken was!'

'Heus, ik hoop dat dat niet zal gebeuren,' zei Caroline. 'Maar als het procédé mij iets heeft geleerd, dan is het wel dat wat er hier gebeurt slechts de weergave is van wat je zelf hebt besloten – nee, zelfs waar je zelf om hebt gevraagd.'

'Pardon?'

'Dat zeg ik niet om u kwaad te maken.' Ze stak haar hand op om te voorkomen dat Miss Temple zou zeggen dat ze al kwaad was. 'Denkt u dat ik de blauwe plekken in uw mooie hals niet zie? Denkt u dat ik dat leuk vind? Ik ben geen vrouw die van macht of roem droomt, hoewel ik weet dat er velen als gevolg van zulke dromen zijn gestorven. Ik zou niet durven zeggen dat ik de oorzaak ervan begrijp. Ik weet dat er gemoord is, om mij heen en in dit huis. Ik weet dat ik níet weet wat de mensen boven mij van plan zijn. En toch weet ik ook dat deze dromen – de hunne en de mijne – de keerzijde van hun medaille met zich meebrengen, zo u wilt: een gelukzaligheid bestaande uit wilskracht, eenvoud en, ja Céleste, uit overgave.'

Miss Temple haalde diep adem en slikte, vastbesloten om niet overstag te gaan. Ze was er niet aan gewend dat haar naam zomaar gebruikt werd, en het werkte haar op de zenuwen. De vrouw verwoordde de voornemens van de samenzwering in termen van redelijkheid en verantwoordelijkheid – in al haar onschuld leek ze wel een tegenstander van een veel hoger plan. Ze hield het niet uit in deze kamer – al dat kant en al die parfums verstikten haar.

'Ik heb liever dat u Miss Temple tegen mij zegt,' zei ze.

'Prima,' zei Caroline met iets wat een vriendelijk, verdrietig soort glimlachje leek.

Alsof het door een draaiing van het mechanisme van een klok kwam zeiden ze geen woord meer. De kamer dompelde zich in stilte en vervolgens ook in overpeinzing. Toch kon Miss Temple alleen maar aan de drukkende leegte van de meubels om haar heen denken – hoewel ze ervan overtuigd was dat Miss Vandaariff zichzelf hierin oprecht weerspiegeld zag – en aan het lage plafond dat, ondanks het kostbare kersenhout, nog steeds van opsluiting getuigde. Ze keek naar de wanden en besloot dat er alleen al voor deze kamer minstens vier gevangeniscellen waren doorgebroken. Zou dit luxueuze onpersoonlijke verblijf nu echt haar laatste toevluchtsoord als onaangetast persoon zijn? Plotseling barstte Miss Temple in tranen uit, alsof haar last haar plotseling te veel geworden was, waardoor haar gezicht smolt, haar schoudertjes schokten, ze met haar ogen knipperde, haar roze wangen onder de vegen kwamen te zitten en haar lippen trilden. Tranen waren, zoals zo vaak in haar leven, het gevolg van een belediging of ontkenning, een uitdrukking van frustratie en een gevoel van onrechtvaardigheid – wanneer de mensen met macht (haar vader, haar gouvernante) aan haar wensen tegemoet hadden kunnen komen, maar dat uit wreedheid niet deden. Nu had Miss Temple het gevoel dat ze huilde om een wereld waarin zulk gezag helemaal niet bestond... en het vriendelijke gezicht van Caroline – ook al wist ze nog zo goed dat dat de belangen van haar overweldigers vertegenwoordigde – versterkte alleen maar het besef dat haar klachten triviaal en onbeantwoord moesten blijven, dat haar verlies niets te betekenen had en dat ze heel ver verwijderd was geraakt van de liefde, of in ieder geval, als het geen liefde was, van een vooraanstaande plaats in iemands gedachten.

Ze veegde haar ogen af en vervloekte zichzelf omdat ze zo zwak was. Er was toch niets gebeurd waarvan ze niet diep in haar hart al geweten had dat het zou gebeuren? Wat voor openbaringen hadden haar pragmatische, onverbiddelijke vastberadenheid aangetast? Ze had zich toch precies voor deze situatie hardheid aangeleerd – en hardheid, een ferme geest, waren toch haar enige hoop? Toch bleven de tranen stromen, en ze legde haar handen tegen haar gezicht.

Niemand raakte haar aan, niemand zei een woord. Ze bleef voorovergebogen zitten – hoe lang wel niet? –, totdat ze minder hard snikte, met haar ogen stijf dicht. Ze was heel bang, nog banger dan tijdens haar helse worsteling met Spragg, want die was plotseling en gewelddadig geweest en daarbij hadden ze zich dicht op elkaar bevonden, maar dit... Ze hadden haar de tijd gegeven – alle tijd – om zich onder te dompelen in haar angst, om in beroering te raken bij het vooruitzicht dat haar ziel – *iets* in elk geval, een fundamenteel element dat Miss Temple maakte tot wie ze was – nu elk moment een woeste, meedogenloze verandering kon ondergaan. Ze had Caroline op het podium gezien, terwijl haar armen en benen zich aan de leren riemen probeerden te ontworstelen, ze had haar dierlijk gekreun van onbegrijpelijke doodsnood gehoord. Ze moest denken aan haar voornemen om uit een raam te springen of om een plotselinge dodelijke straf uit te lokken, maar toen ze opkeek en zag dat Caroline liefdevol en geduldig stond te wachten, begreep ze dat ze de kans niet zou krijgen om zo'n onbezonnen zet te doen. Naast Caroline stonden Miss Vandaariff en haar dienstmeisjes. De jonge vrouw had twee witte zijden gewaden aan, waarvan het buitenste – mouwloos – aan de hals en de zoom was afgezet met een rij geborduurde groene cirkeltjes. Ze had blote voeten en een klein oogmasker voor dat helemaal bedekt was met witte veertjes. Haar haar was heel precies aan weerskanten van haar hoofd in pijpenkrullen gezet en van achteren opgestoken – zo'n beetje als het haar van Miss Temple zelf. Miss Vandaariff glimlachte samenzweerderig en legde toen haar hand voor haar mond om een openlijke giechel te onderdrukken.

Caroline draaide zich naar de dienstmeisjes om. 'Miss Temple kan zich hier wel verkleden.'

De twee dienstmeisjes traden naar voren en toen zag Miss Temple pas dat ze over hun armen nog een stel gewaden hielden.

Caroline liep tussen hen in, met een maskertje van zwarte veren voor haar ogen, terwijl ze hen allebei bij de hand hield, en het drietal werd gevolgd door een tweede trio van in het zwart geklede Mecklenburger soldaten met galmende zwarte laarzen. De marmeren vloer van de gang – dezelfde statige gang met de spiegels – voelde koud aan Miss Temples nog steeds blote voeten aan. Ze had haar eigen zijden broekje en hemdje uit moeten trekken en had, net als die ene keer, eerst het korte doorzichtige gewaad gekregen, daarna het lange gewaad zonder mouwen en tot slot het maskertje met de witte veren. Al die tijd was ze zich bewust geweest van de openlijk onderzoekende blikken van Miss Vandaariff en Caroline.

'Groene zijde,' zei Lydia goedkeurend toen de onderkleding van Miss Temple te zien was.

Caroline keek Miss Temple glimlachend aan. 'Die zijn vast speciaal voor u gemaakt.'

Miss Temple draaide haar hoofd om, want ze had het gevoel dat haar verlangens – dom en naïef – net zo duidelijk tentoongespreid waren als haar lichaam.

De dienstmeisjes hadden het koord vastgebonden en deden met een eerbiedig buiginkje een stap achteruit. Caroline stuurde hen weg met het verzoek om de contessa te laten weten dat zij nadere instructies van haar afwachtten, en glimlachte de twee in het wit geklede vrouwen toe.

'Wat zien jullie er allebei prachtig uit,' zei Caroline.

'Zeg dat wel.' Miss Vandaariff glimlachte en keek toen verlegen even naar Miss Temple. 'Volgens mij hebben we allebei even grote borsten, maar doordat Celeste kleiner is, lijken de hare groter. Ik was even jaloers; ik wilde erin knijpen!' Ze lachte en kromde gemeen haar vingers naar Miss Temple. 'Maar ik ben eigenlijk best blij dat ik zo lang en slank ben.'

'Je zou waarschijnlijk het liefst de borsten van Mrs Marchmoor hebben,' zei Miss Temple, en haar stem klonk een beetje hees, doordat ze probeerde haar sarcastische geest nieuw leven in te blazen. Miss Vandaariff schudde meisjesachtig haar hoofd.

'Nee hoor, ik vind haar helemaal niet mooi,' zei ze. 'Ze is me veel te grof. Ik heb liever mensen om me heen die klein, fijn en elegant zijn. Zoals Caroline, die als geen ander heel schattig thee kan inschenken en die een prachtige zwanenhals heeft.'

Voor Caroline iets kon zeggen – in haar antwoord zou ze ongetwijfeld het uiterlijk van Miss Vandaariff prijzen – hoorden ze iemand zachtjes op de deur kloppen. Een dienstmeisje deed open, en daar stonden drie soldaten. Het was tijd om te gaan. Miss Temple probeerde zichzelf ertoe aan te zetten om naar het raam te rennen en zich naar buiten te storten. Maar ze kon zich niet verroeren, en toen pakte Caroline haar bij de hand.

Ze waren nog niet eens halverwege de gang met spiegels toen ze achter zich plotseling laarzen hoorden stampen. Miss Temple zag de man met de bakkebaarden, Blenheim, van wie ze aannam dat hij de kamerheer van lord Vandaariff was, naar hen toe snellen met een groep roodgejaste dragonders in zijn kielzog. Hij had een karabijn in zijn hand, en alle dragonders hielden de schede van hun sabel vast, zodat die onder het rennen niet op en neer zou springen.

Binnen een tel was zijn groepje hen gepasseerd; ze renden door naar een van de deuren helemaal aan het eind rechts... een kamer – ze had geprobeerd de geografie van Harschmort onder het lopen goed voor ogen te houden – waardoor je buiten kwam. Caroline trok aan haar hand en ging sneller lopen. Miss Temple zag dat ze bijna bij de deur waren waar zij samen met de contessa door was gegaan, waar ze de vorige keer haar gewaden had gevonden – de kamer die naar de snijzaal voerde... Het leek wel een herinnering uit een ander leven. Ze liepen door. Ze waren er – moest ze proberen te vluchten? Caroline liet haar hand niet los, maar knikte een van de soldaten toe ten teken dat hij naar de deur moest gaan. Net op dat moment vloog de deur voor hen – waar het gezelschap van Blenheim door was gegaan – open en kwam er een zwarte rookwolk naar buiten.

Een dragonder met zijn gezicht onder de roetvegen riep: 'Water! Water!'

Een van de Mecklenburger mannen draaide zich onmiddellijk om en rende de gang door. De dragonder ging weer door de open deur naar binnen, en Miss Temple vroeg zich af of ze eropaf zou durven rennen, maar weer voelde ze, nog voordat ze in beweging had kunnen komen, dat Caroline in haar hand kneep en haar meetrok. Een van de overgebleven soldaten van Mecklenburg deed de deur open naar het binnenvertrek, en de andere loodste hen bezorgd naar binnen, weg van de rook. Toen de deur achter hen dichtging, wist Miss Temple zeker dat ze het geschreeuw en het galmende kabaal van nog meer laarzen in de marmeren gang hoorde escaleren.

Toen was het weer stil. Caroline knikte naar de eerste soldaat en hij liep naar de deur aan de andere kant, die vernuftig in de muur was weggewerkt, en verdween. De overgebleven man posteerde zichzelf bij de ingang naar de gang, met zijn handen op zijn rug en zijn rug vierkant tegen de deur. Caroline keek om zich heen om zich ervan te vergewissen dat alles in orde was en liet toen hun handen los.

'Jullie hoeven niet bang te zijn,' zei ze. 'We wachten alleen maar tot de rust is weergekeerd.'

Maar Miss Temple zag dat Caroline wel degelijk bang was.

'Wat is er gebeurd, denkt u?' vroeg ze.

'Niets wat Mr Blenheim niet al duizend keer eerder bij de hand gehad heeft,' antwoordde Caroline.

'Is er echt brand?'

'Blenheim is afschuwelijk,' zei Lydia Vandaariff tegen niemand in het bijzonder. 'Als ik kan doen wat ik wil ontsla ik hem.'

Miss Temple dacht koortsachtig na. Aan de andere kant van de snijzaal was nog een wachtkamer; misschien had de soldaat daar naartoe gemoeten… Ze herinnerde zich dat de snijzaal bij haar eerste bezoek leeg was geweest. Als ze nu eens weer naar de snijzaal rende? Als die weer leeg was, kon ze misschien naar de galerij klimmen en dan naar de wenteltrap, en vandaar – ze wist het! – kon ze de route van Spragg en Farquhar over het terrein en door de dienstingang terug naar de rijtuigen volgen. En dan hoefde ze alleen maar over vloeren en tapijten en over het gras van de tuin te rennen – dat kon ze best op blote voeten! Het enige wat ervoor nodig was, was een kortstondige afleiding...

Miss Temple deed alsof ze geschrokken naar adem hapte en fluisterde toen op dringende toon tegen Miss Vandaariff: 'Lydia! Lieve hemel, zie je niet dat je er uiterst onkuis bij loopt!'

Lydia keek ogenblikkelijk naar haar gewaad omlaag en plukte er wat aan, maar zag niet wat eraan schortte. Haar stem steeg tot een verontrustende jammertoon. Uiteraard ging de aandacht van Caroline, en van de soldaat van Mecklenburg, ook die kant op.

Miss Temple vloog op de binnendeur af en nog voordat iemand in de gaten had wat ze deed, draaide ze de knop om. De deur was open en nog voordat Caroline een verbaasde kreet kon slaken stormde ze al naar buiten... Maar toen slaakte Miss Temple zelf een kreet, want ze liep recht tegen de comte d'Orkancz aan. Hij stond in een donkere schaduw en blokkeerde de deur met zijn enorme gestalte, die op de een of andere manier nog groter leek dankzij het dikke leren schort dat hij over zijn witte hemd droeg, de reusachtige leren handschoenen die zijn armen tot aan de elleboog omhulden en de angstaanjagende met koper afgezette helm die hij onder een arm hield, met kruislings vastgemaakte leren banden, een enorme bril, net insectenogen, en vreemde metalen dozen die over de mond en oren gelast zaten. Ze deinsde achteruit, weer de kamer in.

De comte wierp één afkeurende blik op Caroline en keek toen naar Miss Temple.

'Ik ben jullie zelf maar komen halen,' zei hij. 'Het wordt hoog tijd dat jullie verlost worden.'

ACHT

De kathedraal

Chang probeerde heel bewust zijn knieën te buigen – hij wist namelijk dat een stijf been ook best tot een verbrijzeld gewricht kon leiden – en terwijl hij dat deed kwam hij keihard tegen een gebogen, warme wand van smerig, glibberig metaal aan. De tijd die hij daadwerkelijk door de lucht vloog – ongetwijfeld heel kort – was lang genoeg om hem tijdelijk het gevoel te geven dat hij zweefde, waarbij zijn maag omhoogkwam, hetgeen door de volstrekte duisternis in de schacht een buitengewoon desoriënterende uitwerking had. Met zijn verstand begreep hij de val wel – hij was tegen een bocht in de pijp gekomen, na een val van iets van drie, vier meter; zijn lichaam zakte in elkaar en rolde om, zonder nog enig evenwicht of controle te kunnen voorwenden, en toen viel het weer, daar waar de pijp recht werd. Dit keer kwam hij nog harder neer en een gelaste hoek sloeg de adem uit zijn longen – hij was tegen een opening aan gekomen, waar een andere pijp in de zijne uitkwam. Zijn bovenlichaam kwam tegen de naad en zijn benen schuurden erlangs en trokken hem naar beneden. Hij probeerde zich ergens aan vast te houden, maar kreeg geen grip op het glibberige metaal – met net zo'n slijmerige laag erop als het rasterwerk in de urn – en gleed verder omlaag de duisternis in, waarbij hij nog net zijn stok kon grijpen toen die onder zijn jas vandaan kletterde. Maar de klap had zijn afdaling afgeremd, en hij viel nu niet meer, maar gleed – deze pijp liep schuin af. De lucht die naar Chang opsteeg was nu giftiger en werd warmer – het zag er akelig genoeg naar uit dat hij via deze route zelf in de oven zou belanden. Hij drukte zijn armen en benen tegen de zijkant van de pijp, waardoor hij zijn afdaling schoorvoetend, maar gestaag remde. Tegen de tijd dat hij tegen de volgende vertakking aan sloeg was hij in staat de rand vast te grijpen en zichzelf geheel tot stilstand te bren-

548

gen, terwijl zijn benen onder hem in het duister bungelden. Hij trok zichzelf moeizaam op en wurmde zijn bovenlichaam in de opening, zodat hij bijna in balans hing en zijn armen kon ontspannen. Chang kwam op adem en vroeg zich af hoe ver hij was gevallen en wat hem in 's hemelsnaam had bezield.

Hij deed zijn ogen dicht – hij kon toch niks zien – en dwong zichzelf zich te concentreren op wat hij kon horen. Uit de pijp onder hem klonk een aanhoudend metaalachtig geratel, tegelijk met dampende, chemisch vervuilde lucht die met regelmatige tussenpozen omhoogwolkte. Hij boog zich in de tweede pijp, de vertakking, die niet zo groot was – wel zo groot dat hij erin kon? – en die koeler aanvoelde. Hij wachtte, voor het geval hier sprake was van een langzamere cyclus, maar hoorde geen geratel uit de diepte en merkte ook niets van soortgelijke giftige uitwasemingen. Hij realiseerde zich afwezig dat zijn hoofd pijn deed. In zijn maag reikten de eerste tentakels van een galachtige misselijkheid naar omhoog. Hij moest hieruit zien te komen. Hij draaide zich met moeite rond in de benauwde ruimte en stak zijn voeten in de smallere pijp. Het ging net, en Chang zette de gedachte aan het vooruitzicht dat de pijp halverwege het midden smaller werd van zich af – hij wilde er niet aan denken dat hij tegen de glibberige binnenwand weer terug zou moeten klauteren. Hij stak zijn stok onder zijn jas, zette hem met zijn linkerarm klem en liet zichzelf zo langzaam mogelijk naar beneden glijden, waarbij hij zijn benen tegen de zijkant van de schacht drukte. Hier zat minder vettig aanslibsel, en Chang merkte dat hij zijn afdaling min of meer in de hand had, aangezien de pijp hier veel minder schuin afliep. Hoe verder hij van de hoofdschacht af raakte, hoe helderder de lucht werd en hoe minder bang hij was dat hij in een kookpot met gesmolten glas zou vallen. De pijp liep nog een eindje door – hij wachtte even en probeerde te raden hoe ver – en werd toen recht, godzijdank zonder smaller te worden, zodat hij nu op zijn rug lag (en zijn best deed om vooral niet aan verhalen over doodskisten en mensen die levend begraven waren te denken). De pijp liep nog rond, maar wel horizontaal… alsof hij, bedacht hij met een glimlach, om de vloer van een rond vertrek heen liep. Hij kroop centimeter voor centimeter vooruit, met zijn voeten eerst – hij kon namelijk niet keren –, terwijl hij zo min mogelijk geluid probeerde te maken, hoewel hij zich één keer genoodzaakt zag te stoppen en enkel en alleen door wilskracht wist te voorkomen dat hij zijn maag leegde – met zijn kaken op elkaar geklemd tegen de opkomende gal, als een gewond paard door zijn gehavende neusgaten snuivend. Hij duwde zichzelf vooruit totdat hij in de duisternis boven zich een lichtstraaltje zag, zo plotseling dat het even duurde voordat het tot zijn benevelde hoofd doordrong wat hij zag – dát hij überhaupt iets zag. Hij stak zijn hand uit en voelde de onderkant van een metalen sluithaak, en door er voorzichtig omheen te tasten ontwaarde hij tot zijn grote vreugde de randen en de scharnieren van een of ander paneel.

Chang draaide de sluithaak opzij, liet de vergrendeling eraf glijden, zette toen allebei zijn handen onder het paneel en duwde langzaam. De scharnieren gaven met een roestige kreun mee. Hij wachtte even, luisterde en dwong zichzelf nog langer te luisteren – een hele tergende minuut lang. Er viel schemerig licht door de schacht, en hij zag tot zijn afkeer hoe roestig en smerig die was. Hij duwde weer, en met een langer protesterend gepiep zwaaide het paneel open. Chang zoog de schonere lucht op en ging recht zitten. Alleen zijn hoofd en de punt van één schouder konden met gemak door de opening. Hij bevond zich in een soort machinekamer met bakstenen muren – een reservekamer, misschien, want hij was gelukkig niet in gebruik –, met allerlei pijpen van vergelijkbare afmetingen die in verschillende richtingen door de muren heen staken en allemaal uitkwamen op een reusachtige met klinknagels beslagen metalen boiler, vol metertjes en kleinere slangen. Hij liet zich weer in de pijp glijden, maakte zijn rechterarm en wederom zijn hoofd los en slaagde er toen na een ongemakkelijke, wanhopige minuut in om zijn linkerarm en bovenlichaam door de opening te trekken, waarbij hij zijn ribben en schouder kneusde. Chang voelde zich net een insect dat uit zijn plakkerige cocon kwam – net zo zwak –, kroop heel voorzichtig op de grond en bekeek het vertrek waarin hij zich bevond. Het was eigenlijk vrij klein. Aan een rij haken hingen een hele verzameling injectiespuiten en reageerbuizen met dop, leren handschoenen en een van die duivelse helmen van koper en leer. Zijn ontsnappingsluik werd ongetwijfeld gebruikt om de vloeistof of gasachtige brouwsels die in de ijzeren ketel zaten te testen. Naast de haken hing een blaker met het stompje van een dikke, sputterende talgkaars erin: het zwakke licht dat door het uit latten bestaande paneel had geschenen. Dat de kaars brandde betekende dat er net nog iemand in het vertrek was geweest... en zou terugkomen.

Op dat moment interesseerden de mensen, de machine of waar die toe diende hem niet. Onder het rek met pijpen stond een vuile leren blusemmer. Chang kroop erheen en kotste er moeiteloos in, totdat er niets meer in zijn maag zat en zijn keel rauw aanvoelde. Hij ging weer zitten, trok de slip van zijn hemd te voorschijn om zijn mond af te vegen en trok hem daarna nog verder los om het vuil uit de oven-pijpen van zijn gezicht te vegen. Chang dwong zichzelf op te staan en keek verbitterd en gelaten naar zijn roodleren jas. Het pronkstuk van zijn garderobe was helemaal naar de filistijnen. Het kolenstof kreeg hij er nog wel af, maar toen hij over de aangekoekte chemische aanslibsels veegde, zag hij dat het rode leer eronder verkleurd was en blazen vertoonde, bijna alsof de jas zelf verbrand was en bloedde. Hij schepte de rommel zoveel mogelijk met zijn vingers weg en veegde zijn handen toen af aan zijn smerige broek; hij had het gevoel alsof hij net door een duivels moeras gezwommen had. Hij haalde diep adem. Hij voelde zich nog steeds licht in zijn hoofd en achter zijn ogen beukte de pijn als een hamer – het soort pijn waarvan hij wist dat hij er, bij gebrek aan opium, dagenlang mee rond zou lopen. Hij vermoedde dat op dit moment toch iets van een achtervolging plaatsvond, op weg naar deze krochten van het huis, al was het alleen maar om bevestigd te zien dat zijn botten in een oven knetterden en kapotsprongen, of dat hij in de pijpen erboven de verstikkingsdood gestorven was, als een dode eekhoorn die klem zit in een schoor-steen. Chang voelde dat zijn keel kurkdroog was en dat zijn hoofd verschrikkelijk tolde. Hij moest water hebben. Zonder water zou hij aan de kling van de eerste de beste dragonder die hem hier aantrof sterven.

De deur zat op slot, maar het slot was oud en Chang wist het met zijn lopers open te krijgen. Erachter lag een smalle, ronde gang van bak-steen, verlicht door een sputterende fakkel die in een metalen haak boven de deur zat. Verder zag hij nergens een fakkel. Hij liep snel de duisternis rechts van hem in. Vlak om de bocht eindigde de gang bij een bakstenen muur waarvan de specie zichtbaar verser was dan die in de zijmuren of het plafond. Chang liep langs de boilerkamer de andere kant op en keek omhoog naar het drukkende plafond en naar de ronde gang. Hij was ervan overtuigd dat die met de zijkant van de grotere kamer correspondeerde. Het was van cruciaal belang – om zelf wat ademruimte te krijgen en om Miss Temple te vinden – dat hij een manier vond om boven te komen.

De volgende fakkel zat in een houder vlak bij een deur die open-stond. Daarachter lag een stenen wenteltrap met tegen de binnenste muur een glimmende ijzeren leuning. Chang keek omhoog, maar kon maar een paar meter vooruitkijken, vanwege de wentelingen. Hij luisterde… Hij hoorde iets, een zacht gebrul, als van de wind of van een zware regenbui in de verte. Hij liep de trap op.

Na twintig treden kwam hij weer bij een open deur en nog een ronde gang. Hij stak zijn hoofd om de hoek en zag dat het plafond helde, alsof het de onderkant van een stadion was. Chang deed een stap achteruit, de trap weer op, en deed zijn ogen dicht. Zijn keel brandde. Zijn borst voelde aan alsof hij van binnenuit samengeknepen werd; hij zag al helemaal voor zich hoe de korreltjes glas zijn zwoegende longen doorboorden. Hij dwong zichzelf de gang in te lopen, op zoek naar een vorm van verlichting, en hij volgde het pad terug naar de plaats waar op de verdieping eronder de boilerkamer had gelegen. Precies op die plaats zat weer een deur, en dat slot kreeg hij al net zo gemakkelijk open. Het was donker in de kamer. Chang trok de fakkel uit de houder en stak hem de kamer in: weer een boiler, en weer van die metalen pijpen die door de muren heen staken – mis-schien was dit de vertakking waar hij zijn greep had verloren. Op de grond zag hij nog zo'n leren blusemmer staan. Hij liep ernaar toe en zag tot zijn opluchting dat er water in zat – smerig, brak, ongezond, maar dat interesseerde hem niet. Chang liet de fakkel zakken, zette zijn bril af en plenste het water in zijn gezicht. Hij spoelde de sme-rige smaak uit zijn mond en spoog het water uit. Daarna dronk hij er gulzig van, hapte naar adem en dronk weer. Hij ging zitten, tegen de pijp geleund, en haakte zijn bril weer achter zijn oren. Hij rochelde nog een fluim op van god mag weten wat en spoog hem in een donker hoekje van het vertrek. Het was geen suite in het Boniface, maar het kon ermee door.

Chang was weer in de gang en liep terug naar de trap. Het verbaasde hem dat er niemand was afgedaald om hem te zoeken; of ze waren ervan overtuigd dat hij dood was, of hij was dieper gevallen dan hij aangenomen had, of ze concentreerden zich op de belangrijkste plaatsen waar hij eerst neergekomen kon zijn. Alle mogelijkheden ontlokten hem een glimlach, want ze getuigden er allemaal van dat zijn vijanden alle vertrouwen hadden, en door dat vertrouwen had hij meer tijd. Maar misschien zorgden ze er alleen maar voor dat hij niet in een bepaald vertrek kwam waar hij een bepaalde gebeurtenis kon verstoren – waarna ze op hun gemak achter hem aan konden gaan. Dat kon best, en dat kon maar om één iemand gaan: Celeste. Hij was niet goed bij zijn hoofd. Hij rende naar de trap en liep die met twee treden tegelijk op. Weer een deur. Hij ging naar binnen – weer een smalle, stoffige gang met een hellend plafond – en luisterde. Het doffe gebrul was nu luider, maar hij was ervan overtuigd dat dit alleen maar dienstgangen waren, dat hij zich nog steeds onder de hoofdingang bevond. Zou hij helemaal naar boven moeten voor hij naar binnen kon? Het moest ook op een andere manier kunnen; op het pad boven wemelde het ongetwijfeld van de soldaten. Chang rende de gang door, beide kanten op, eerst naar rechts, waar zijn boiler had gestaan – weer een deur die op een leeg vertrek uitkwam waarvan de boiler óf net weggehaald was óf nog niet geïnstalleerd – en weer liep de gang dood. Hij draaide zich om en holde naar links. Het gebrul werd luider, en toen hij aan het doodlopende eind kwam – in dit deel van de gang zag hij helemaal geen deur –, legde hij zijn hand op het baksteen en voelde hij tegelijk met het rommelende geluid heel vaag een trilling.

Hij rende over de wenteltrap weer een verdieping hoger – hoe diep was hij in 's hemelsnaam gevallen? – en dit keer kwam hij niet bij een open deur, maar bij een metalen deur die op slot zat. Hij keek omhoog, zag niemand en spitste wederom zijn oren om te horen of hij een geluid hoorde waar hij iets aan had. Waren dat stemmen? Was het muziek? Hij wist het niet zeker; als hij gelijk had, betekende dat dat hij zich maar een paar van deze niveaus onder het hoofdgebouw zelf bevond. Hij richtte zijn aandacht op de deur. Dit was vast de toegang die hij zocht. Hij moest bijna hardop lachen. Een of andere idioot had de sleutel in het slot laten zitten. Chang pakte de deurknop en draaide die op precies hetzelfde moment om dat hij ook van de andere kant werd omgedraaid. Hij greep zijn kans en schopte uit alle macht tegen de deur, waardoor hij tegen degene die aan de andere kant stond, wie dat ook mocht wezen, aan vloog. Hij stormde naar binnen en trok tegelijkertijd zijn stok uit elkaar. Met een jammerende kreet wankelde Mr Gray, de vent van Rosamonde die het procédé aan de ongelukkige Mr Flaüss had voltrokken, achteruit, terwijl hij zijn in verband gewikkelde arm beetpakte, die de klap van de deur had opgevangen. Chang striemde hem met het handvat van de stok dwars over zijn gezicht, waardoor hij met een draai op de grond viel, en keek snel naar links en naar rechts. Gray was alleen. Deze gang was breder, het plafond helde nog steeds, maar was met wandlampjes met gaslicht verlicht in plaats van met fakkels, en Chang zag deuren – of nissen? – langs de wanden. Voor Gray zijn hoofd kon optillen en om hulp kon blèren – want Chang zag dat hij dat van plan was –, liet hij zich op de borst van de man vallen, zette hij Grays armen gemeen onder zijn knieën klem en drukte hij het handvat van zijn stok hard tegen zijn keel. Chang liet een giftig gesis horen, dat ogenblikkelijk Grays volledige aandacht trok, en legde de punt van zijn dolk tegen het gezicht van de oude man, recht op diens linkeroog gericht.

'Waar is Miss Temple?' fluisterde hij.

Gray deed zijn mond open om antwoord te geven, maar er kwam niets uit. Chang voerde de druk op 's mans luchtpijp op.

'Probeer het nog eens,' fluisterde hij.

'Ik... Ik weet het niet!' riep Mr Gray uit.

Chang balde zijn vuist waarmee hij de dolk vasthield en ramde die tegen Mr Grays wang aan, waardoor zijn hoofd keihard tegen het steen kwam.

'Probeer het nog eens,' fluisterde hij. Gray begon te huilen. Chang hief zijn vuist. Gray zette grote ogen op van radeloze angst en zijn mond begon te bewegen, zoekend naar woorden.

'Ik... Niet doen! Ik heb haar niet gezien... Ze zouden haar naar de snijzaal brengen... of naar de grote zaal... ergens anders in het huis! Ik weet het niet! Ik hoef alleen de werken maar voor te bereiden... de grote werken...'

Chang gaf nog een keer een vuistslag tegen het hoofd van Mr Gray.

'Wie is er bij haar?' vroeg hij. 'Hoeveel bewakers zijn er?'

'Ik weet het écht niet!' Gray huilde nu openlijk. 'Er zijn een heleboel Mecklenburgers, dragonders – de comte is bij haar... en Miss Vandaariff... ze moeten allebei tegelijk het procédé ondergaan...'

'Het procédé?'

'Ze worden verlost...'

'Verlost?' Chang voelde hoe het natuurlijke genot van het geweld naadloos in razernij overging.

'U bent te laat! Het is nu al begonnen... Als u het onderbreekt gaan ze allebei dood!' Mr Gray keek op en zag zijn eigen spiegelbeeld in de ondoorzichtige zwarte bril van kardinaal Chang, en hij begon te jammeren. 'O... Iedereen zei dat u... Waarom bent u niet *dood*?'

Toen Chang de dolk in het hart van Mr Gray stak, sperde hij zijn ogen nog verder open, als dat al mogelijk was; Chang wist dat dit veel sneller en minder bloederig was dan wanneer hij de man de keel doorsneed. Binnen een paar seconden had het lichaam van Gray zich ontspannen en was het leven er voor altijd uit geweken. Chang rolde zich weer op zijn knieën, waarbij hij nog steeds zwaar ademhaalde, veegde de dolk aan Grays jas af en stak hem in de schede. Hij spoog nog een keer, voelde een pijnscheut in zijn longen en mompelde onheilspellend: 'Wie zegt dat ik dat niet al ben?'

Hij sleepte het lichaam terug naar de trap, één hele wenteling naar omlaag, en trok het toen overeind en duwde het naar voren, waarbij hij zijn best deed om de niet-betreurde Mr Gray helemaal naar beneden te gooien. Waar hij ook mocht neerkomen, hij was in elk geval niet te zien voor iemand die bij deze deur moest zijn. Hij stak de sleutel in zijn zak die Gray stom genoeg in het slot had laten zitten en liep terug naar de gang. Hij probeerde erachter te komen waar Gray mee bezig was geweest. Chang zuchtte. Hij had de man meer informatie kunnen ontfutselen, maar hij had haast en popelde om zelf, nadat hij achternagezeten en aangevallen was, ook een slag toe te dienen. Dat hij nu net een oude, gewonde man had moeten treffen maakte voor kardinaal Chang helemaal niets uit. Al deze mensen waren vijanden van hem, en hij dacht er niet aan om ook maar één ziel te sparen.

De nissen in de binnenwand waren oude celdeuren – zware metalen monstruositeiten waarvan het handvat er met een beitel af gehakt was en die sloten met behulp van ijzeren grendels die in het baksteen schoven. Chang legde zijn vingers in de tralies van het kleine raam en zette kracht, maar kreeg er geen beweging in. Hij tuurde de cel in. De traliemuur aan de andere kant was afgeschermd met doek. Hij wist dat zich aan de andere kant van het doek de grote zaal bevond, maar op deze manier kon hij daar niet komen. Hij liep snel de rondlopende gang door. Gray was ook zo'n idioot uit het instituut, net als Lorenz en de man die hij had overvallen terwijl hij het boek maakte. Chang las graag gedichten en geloofde derhalve dat kennis gevaarlijk was en zich het best leende voor overpeinzingen in alle beslotenheid; kennis was niet iets wat aan de hoogste bieder moest toevallen – zoals in het instituut gebeurde, waar men onderworpen was aan de steun van mannen met wilde machtsdromen. De maatschappij werd niet beter van de visie van dergelijke 'zieners' – maar Chang vroeg zich af of de maatschappij sowieso wel van iemand beter werd. Hij glimlachte wolfachtig bij de gedachte dat hij wel degelijk beter af was zonder de corrupte Mr Gray en vond het wel een vermakelijke gedachte dat hij dus zelf als de motor achter maatschappelijke vooruitgang gezien kon worden.

Aan het eind van de gang zag hij nog een deur. Grays sleutel draaide vlot rond in het slot, en Chang keek in een kamer die nauwelijks groter was dan een kast, met zeven grote pijpen die verticaal uit het plafond kwamen en in de vloer verdwenen, allemaal voorzien van een toegangspaneel, vergelijkbaar met dat uit de kamer waar hij beneden in uitgekomen was. Het was snikheet in de kamer en zelfs hij vond het er stinken, naar de scherpe, chemische uitwaseming van indigoklei. Aan de zijkant hing weer een rek met haakjes, waaronder ook een verzameling kolven, fiolen en verontrustend grote injectiespuiten hing. Het gebrul van de machines weergalmde in het minuscule kamertje alsof hij vlak naar de gonzende pijpen van een gigantisch kerkorgel stond. Chang zag tussen twee pijpen een piezeltje licht en toen hij eens beter keek, zag hij elders in de muur die ze vormden identieke openingetjes. Hij realiseerde zich dat dit letterlijk waar was: de achterwand van de kast bestond echt uit de pijpen, en daarachter lag de grote zaal, waarvan de helle verlichting erdoorheen scheen. Chang ging op zijn hurken zitten en zette zijn bril af. Hij drukte zijn gezicht tegen het eerste het beste kiertje licht dat hij kon vinden. De pijpen voelden warm aan tegen zijn huid, en hij had maar heel beperkt zicht, maar wat hij zag loog er niet om: tegenover hem een muur, zo hoog als een klif, met nog veel meer pijpen die de hele hoogte van een gigantische overwelfde kamer besloegen, en toen, net aan de rand van zijn blikveld, iets wat eruitzag als de centrale toren, als de naaf van een wiel, bedekt met beslagen staal, dat wemelde van de kleine luchtgaten, waardoor je in elke cel van de oude gevangenis kon kijken. Chang ging op handen en knieën naar een andere opening en zocht een invalshoek waardoor hij meer te zien kreeg. Nu zag hij een ander deel van de tegenoverliggende muur. Tussen de rijen met pijpen was een hele verdieping cellen te zien – het waren zelfs een paar verdiepingen –, met de tralies er nog in en die er eigenlijk net zo uitzagen als het balkon in een theater. Hij ging zitten, sloeg gewoontegetrouw het stof van zich af en kreunde toen hij zag hoe smerig hij was. Wat er ook in de zaal gebeurde, het was in elk geval de bedoeling dat er publiek bij aanwezig was.

Hij was weer op de wenteltrap en liep rustig naar boven, met beide handen aan zijn stok. De volgende en laatste deur kwam pas na twee keer het gebruikelijke aantal treden, en toen hij er eindelijk voor stond, zag hij tot zijn verbazing dat hij van hout was, met een nieuwe koperen deurknop en slot – passend bij de formele inrichting van Harschmort. Chang was opgeklommen tot het – vermoedelijk laagste – niveau van het huis zelf. Gray had gezegd dat ze dachten dat hij dood was... Bedoelde hij daarmee op het ministerie of zonet in de pijpen van de oven? Ze hadden hem ongetwijfeld in de tuin herkend, maar deed het er iets toe? Hij was dolblij dat hij de rol van de wraak-zuchtige geest mocht spelen. Hij deed de deur op een kier open en tuurde naar binnen, niet de gang in, zoals hij had verwacht, maar een donker kamertje in, afgeschermd met een dicht gordijn, waaronder hij licht zag flakkeren – flakkeringen die correspondeerden met hoorbare voetstappen aan de andere kant van het gordijn. Chang wurmde zich naar binnen en sloop dicht naar het gordijn toe. Hij nam de stof heel voorzichtig tussen twee vingers beet en maakte een kiertje dat net groot genoeg was om doorheen te gluren.

Het gordijn maskeerde alleen maar een alkoof in een grote voor-raadkamer, met tegen de wanden allemaal planken en op de vloer vrijstaande rekken vol flessen, potten, blikken en dozen. Terwijl hij keek, tilden twee bedienden een houten krat met rinkelende bruine flessen op een kar en duwden die uit beeld, waarna ze even bleven staan om met iemand die Chang niet kon zien een praatje te maken. Toen ze weg waren, was het stil in het vertrek... op de laarzen en een metaalachtig geklop na dat Chang maar al te vaak had gehoord: het gebonk van de schede van een sabel van een verveelde wachter die heen en weer loopt. Maar de wachter ging schuil achter de andere kant van de rekken. Om bij hem te komen zou Chang eerst de met het gordijn afgeschermde alkoof uit moeten en dan kon hij pas bepa-len vanuit welke hoek hij de aanval moest inzetten – terwijl hij dan al te zien was.

Voor hij aanstalten kon maken hoorde hij voetstappen naderen en een bevelende stem die hij nog uit de tuin herkende.

'Waar is Mr Gray?'

'Hij is nog niet terug, Mr Blenheim,' antwoordde de wachter – aan zijn accent te horen was hij niet een van de Mecklenburgers.

'Wat ging hij doen?'

'Dat weet ik niet, sir. Mr Gray is naar beneden gegaan...'

'Verdomme nog aan toe! Weet hij dan niet hoe laat het is? Kent hij het schema niet?'

Chang zette zich schrap – ze gingen nu vast zoeken. Zonder het geluid van de bedienden als dekking was het uitgesloten dat hij weer door de deur naar buiten kon glippen zonder dat zij hem hoorden. Misschien maar beter ook. Mr Blenheim zou het gordijn opzijtrekken en Chang zou hem doden. De wachter zou misschien voordat hij ook sneuvelde de alarmklok kunnen luiden – of de wachter zou Chang doden; in beide gevallen was het een extra portie wraak.

Maar Blenheim kwam niet in beweging.

'Laat ook maar zitten,' zei hij geërgerd. 'Mr Gray kan de pot op. Kom mee.'

Chang luisterde en hoorde hun voetstappen wegsterven. Waar waren ze naartoe? Wat was er zo belangrijk?

Chang kauwde een handje brood weg dat hij onder het lopen in de voorraadkamer van een duur, vers witbrood had getrokken; hij herkende niets om zich heen van zijn eerdere tochten door de achterafgangen van Harschmort House. Hij was nu op een lagere verdieping, die fraai, maar niet overdreven ingericht was. Via de pijpen had hij op ongeacht welk punt van de hoefijzervorm van het huis kunnen belanden. Hij moest zich een weg naar het midden zien te banen – daar zou hij de ingang naar de toren van de koepelgevangenis, naar de grote zaal vinden – en wel snel ook. Hij kon zich niet herinneren ooit zulk verrukkelijk brood gegeten te hebben – hij had er nog een in zijn zak moeten steken. Dit bracht Chang ertoe naar zijn broekzak omlaag te kijken, waar hij het bonzende gewicht van het groene enkellaarsje van Miss Temple voelde. Was hij soms een sentimentele dwaas?

Chang bleef staan. Waar wás hij eigenlijk? De werkelijkheid van zijn situatie stak abrupt als een mes door zijn gedachten heen: hij was in het landhuis van Robert Vandaariff, hét centrum van de rijken en bevoorrechten, van een samenleving waarin hij in een ballingschap van wederzijdse minachting had geleefd. Hij dacht aan het brood dat hij at, en het genoegen dat hij eraan beleefde voelde als verraad; haat tegen de eindeloze luxe om hem heen stak de kop op, tegen het alomtegenwoordige comfortabele leven dat zich aan hem opdrong, waar hij ook keek. In Harschmort House zag kardinaal Chang zichzelf plotseling zoals hij door de bewoners gezien moest worden, als een soort dolle hond die op de een of andere manier naar binnen was geglipt, maar al ten dode was opgeschreven. En waarom was hij hiernaartoe gekomen? Om juist uit deze wereld van rijkdom een onnadenkend meisje te redden? Om net zoveel vijanden in de pan te hakken als hij maar te pakken kreeg? Om de dood van Angelique te wreken? Maar daarmee zou hij toch niet eens een krasje weten aan te brengen op het vernis van deze wereld, van dit onmenselijke labyrint? Hij had het gevoel dat hij doodging en dat zijn dood net zo onzichtbaar zou zijn als zijn leven was geweest. Chang deed heel even zijn ogen dicht; zijn woede werd uitgehold door wanhoop. Hij haalde scherp, snijdend adem en deed ze weer open. Wanhoop maakte hun overwinning er nog gemakkelijker op. Hij liep verder, nam een grote hap brood en wou dat hij ook iets te drinken had gevonden. Chang snoof; dat was precies de manier waarop hij Blenheim tegen het lijf moest lopen, of majoor Blach, of Francis Xonck: met een fles bier in de ene hand en iets te eten in de andere. Hij propte het laatste beetje brood in zijn mond en trok zijn stok uit elkaar.

Onderweg wist hij twee groepjes dragonders en één groepje in het zwart geklede Duitsers te ontwijken. Ze gingen allemaal dezelfde kant op, dus veranderde hij van koers om hen te volgen; hij ging ervan uit dat de gebeurtenis waar Blenheim naartoe moest ook hun bestemming was. Maar waarom zocht niemand hem? En waarom zocht er niemand naar Mr Gray? Gray had iets met de chemische werkzaamheden te maken gehad, met de inhoud van de pijpen. Daar leek geen van de soldaten zich om te bekommeren. Deed Gray soms iets voor Rosamonde waar de anderen niets vanaf wisten – een geheime operatie? Zou dat dan betekenen dat er verdeeldheid binnen de samenzwering was? Dat verbaasde hem niets – het zou hem pas verbaasd hebben als er géén sprake van was geweest –, maar het verklaarde wel waarom er niemand achter hem aan was gegaan. Het betekende ook dat Chang het plannetje van Rosamonde onopzettelijk in de war had gestuurd. Ze zou alleen maar weten dat Gray niet was teruggekomen, maar nooit waarom, en ze zou verteerd worden door twijfels en bezorgdheid. Hij glimlachte bij de gedachte. Want als de comte of Xonck haar man nu eens gestoord had – mannen die ogenblikkelijk zouden weten dat zij van plan was hen te verraden? Hij glimlachte bij de gedachte aan de benarde toestand van deze dame.

Chang richtte zijn aandacht op de grote zaal; hij dacht aan de rij cellen, van waaruit gevangenen – of toeschouwers – konden zien wat er beneden gaande was. Hij ging ervan uit dat hij Celeste daar zou vinden. Hij schatte hoe hoog hij inmiddels geklommen was – díe rij cellen kon weleens op deze verdieping zijn... Maar hoe moest hij die vinden? De alkoof met het gordijn had de ingang naar de wenteltrap heel onopvallend afgeschermd... De deur naar die cellen was misschien wel op net zo'n nonchalante manier aan het oog onttrokken. Was hij er soms al voorbij? Hij draafde de gang door, deed elke naar binnen gerichte deur open en tuurde in blinde hoeken. Hij vond niets en had al snel het gevoel dat hij zijn tijd verdeed. Moest hij dan maar achter de soldaten en Blenheim aan? Die zouden vast de comte en zijn ceremonie bewaken. Celeste kon toch net zo goed bij hen zijn? Hij zou nog één minuut zoeken en dan ging hij achter ze aan. De minuut verstreek, en toen nog vijf, en nog steeds kon Chang zich niet losrukken van wat naar zijn gevoel de juiste weg was. Hij stormde de ene na de andere kamer door. Deze hele verdieping van het huis leek wel uitgestorven. Hij spoog achteloos op de bleke, geboende houten vloer en kreunde toen hij de vuurrode kleur van zijn fluim zag. Toen sloeg hij de zoveelste hoek om. Waar was hij? Hij keek op.

Hij zuchtte. Hij was niet goed wijs.

Chang bevond zich in een soort werkruimte met een heleboel tafels en banken, houten rekken, planken boordevol potten en flessen, een grote vijzel, penselen, emmers, grote tafels met allemaal brandplekken erop, kaarsen en lantaarns en allerlei grote staande spiegels – om licht te weerspiegelen? – en overal opgespannen doeken van verschillende afmetingen. Hij bevond zich in een schildersatelier. Hij bevond zich in het atelier van Oskar Veilandt.

Het was overduidelijk wie de schilderijen gemaakt had, want ze vertoonden allemaal dezelfde opvallende penseelvoering, schelle kleuren en verontrustende compositie. Chang liep schroomvallig het vertrek in, alsof hij een graftombe betrad... Oskar Veilandt was dood... Waren dit zijn schilderijen? Meer dan er uit Parijs waren gered? Had Robert Vandaariff zich ten doel gesteld om het volledige oeuvre van de man te verzamelen? Alle penselen en flesjes ten spijt zag geen enkel schilderij eruit alsof het halfvoltooid was, alsof de schilder in leven was en nog werkte. Was er dan iemand anders bezig om de doeken op aanwijzingen van Vandaariff te restaureren of schoon te maken? Chang liep in een opwelling naar een klein portret dat tegen een van de tafels stond – van een gemaskerde vrouw met een ijzeren kraag en een glinsterende kroon op – en draaide het om. Op de achterkant van het doek waren, net zoals Svenson had verteld, alchemistische symbolen gekrabbeld, en iets wat wel een wiskundige formule leek. Hij keek of het gesigneerd was en of er een datum op stond, maar vond die niet. Hij zette het schilderij neer en zag aan de andere kant van het vertrek een groot schilderij, dat niet ergens tegenaan stond, maar hing, met de onderrand vlak boven de vloer. Het was een levensgroot portret van niemand minder dan Robert Vandaariff. De voorname man stond voor kantelen van donker steen, met daarachter een vreemde rode berg en daarachter weer een helblauwe lucht (deze compositorische elementen deden Chang denken aan een reeks platte, beschilderde decorstukken in het theater), met in de ene hand een in doek gewikkeld boek en in de andere twee grote metalen sleutels. Wanneer zou het geschilderd zijn? Vandaariff had Veilandt persoonlijk gekend; dat betekende dat de bemoeienis van de lord minstens terugging tot aan het overlijden van Veilandt.

Maar terwijl hij daar zo te midden van al die verontrustende schilderijen van de man stond, kon hij bijna niet geloven dat hij überhaupt dood was, zo sterk was de veelbetekenende, insinuerende, opgetogen dreiging die ervan uitging. Chang keek weer naar het portret van Vandaariff, als een allegorisch embleem van een Medici-prins, en realiseerde zich dat het lager hing dan de schilderijen eromheen, met de lijst bijna op de vloer. Hij liep ernaartoe, tilde het geval van zijn haak en zette het niet al te zachtzinnig opzij. Hij schudde zijn hoofd – wat voor de hand liggend! Achter het schilderij was nog een smalle alkoof, met drie stenen treden die naar een deur liepen.

Hij ging naar binnen toe open; de scharnieren waren onlangs gesmeerd en maakten geen geluid. Chang kwam in weer een lage rondlopende gang, waar door kleine openingen in de binnenmuur licht naar binnen viel, als in het binnenste van een oud schip, of – toepasselijker – als in de krochten van een gevangenis. Langs de binnenmuur bevonden zich allemaal cellen. Chang liep naar de dichtstbijzijnde: ook hier waren de deurknoppen eraf gebeiteld en waren de deuren in de deurpost vergrendeld. Hij schoof een kijkgat open en hapte naar adem.

De achterwand van de cel was wel met tralies afgeschermd, maar daardoorheen kon je de hele grote zaal zien. Chang dacht niet dat hij ooit iets gezien had – een ambitieus monument voor de duistere doeleinden van de heer des huizes – dat hem zo sterk met angst vervulde: een helse kathedraal van zwart steen en glanzend metaal.

Midden in het vertrek bevond zich de reusachtige ijzeren toren, die van het dichte plafond (het felle licht in de kamer was afkomstig van gigantische kroonluchters aan kettingen, waar lantaarns aan bungelden) helemaal tot aan de vloer liep, waar het krioelde van de schitterende pijpen en kabels die over de muren naar de onderkant van de toren omlaagstroomden, als een mechanische zee die tegen de voet van een vreemde aan land gebonden vuurtoren aan sloeg. Het glibberige oppervlak van de toren zat vol met minuscule kijkgaatjes. Als gevangene in de insectenkorf van open cellen kon je nooit weten of er binnen iemand keek of niet. Chang wist dat de gevangene zich onder zulke omstandigheden ging gedragen alsof er te allen tijde wél naar hem gekeken werd, of hij nu wilde of niet, waardoor hij zijn gedrag gestaag aanpaste en zijn opstandige geest als door een onzichtbare hand meedogenloos de kop in werd gedrukt. Chang snoof minachtend bij de gedachte hoe volmaakt dit monsterlijke bouwwerk beantwoordde aan de ideologie van zijn huidige eigenaren.

Vanaf zijn positie kon hij de onderkant van de toren niet zien, en hij wilde net een betere plek opzoeken toen hij een metaalachtig gekletter hoorde en in een van de cellen tegenover hem even een beweging bespeurde… Benen… Er kwam een man via een ladder naar beneden. Plotseling hoorde hij nog meer gekletter, maar veel dichterbij, rechts van hem. Voor hij zag waar het precies vandaan kwam, hoorde hij recht boven zijn hoofd voor de derde keer gekletter, uit de cel waar hij in keek. Er was een luik in het plafond opengegaan en de benen van een man in een blauw uniform gleden erdoorheen, tastend naar een metalen ladder die tegen de muur bevestigd zat en die Chang niet had gezien. Overal in de zaal klommen nu allerlei mannen en vrouwen de cellen in; meestal verscheen de man eerst en hielp hij daarna de dames, soms kregen ze een vouwstoeltje aangereikt en richtten ze de gevangeniscel in alsof het een loge in het theater was. Overal om Chang heen tintelde de lucht van opwinding over wat komen ging, als bij een publiek dat wachtte tot het doek opging. De man in het blauwe uniform – een soort matroos – riep vrolijk door het luik omhoog dat de volgende kon komen. Wat er ook stond te gebeuren, Chang kon er vanaf de plek waar hij zich nu bevond niets aan doen. Hij mocht dan nog zoveel ontdekt hebben, over de plaats waar hij Celeste meende te kunnen vinden had hij het bij het verkeerde eind gehad. Chang wist niet wat de comte voor schouwspel voor al deze mensen in petto had, maar hij wist zeker dat zij er deel van zou uitmaken – voor hetzelfde geld liep ze op dit moment al in de centrale toren de trap af.

Onder het rennen reageerden zijn longen op elke ademhaling met een piek van scherpe pijnscheutjes. Chang spoog – weer bloed dit keer – en vervloekte zichzelf nogmaals omdat hij zo stom was geweest de contessa niet meteen te doden toen hij daar de kans toe had. Hij joeg zichzelf naar voren – op zoek naar een trap, een manier om op de begane grond te komen, die niet ver kon zijn. Toen hij hem zag, hoorde hij op hetzelfde moment het geluid van stappen die de trap af liepen en recht op hem af kwamen. Hij kon niet snel genoeg wegkomen. Hij trok zijn stok uit elkaar en wachtte, terwijl hij diep ademhaalde en zijn lippen rode vlekjes vertoonden.

Hij wist niet goed wie hij dacht te zullen zien, maar in elk geval niet kapitein Smythe. De officier zag Chang en bleef stokstijf op de trap staan. Hij keek even snel naar boven en deed toen vlug een stap naar voren.

'Lieve hemel,' fluisterde hij.

'Wat is er aan de hand?' fluisterde Chang. 'Er staat boven iets te gebeuren...'

'Ze denken dat u dood bent – ík dacht ook dat u dood was –, maar niemand kon een lichaam vinden. Toen ben ik zelf maar gaan kijken.'

Smythe trok zijn sabel, liep de trap af en beende weg, met het wapen losjes in de hand.

Chang riep hem na. 'Kapitein... de grote zaal...'

'Ik was zo stom u te vertrouwen en toen hebt u mijn man gedood,' grauwde Smythe. 'De man die uw onbetrouwbare leven heeft gered!'

Hij haalde uit, en Chang sprong weg en wankelde tegen de gangmuur aan. De kapitein sloeg naar zijn hoofd; Chang kon nog net wegduiken en rolde weg. De kling kliefde met een bleek stofwolkje door het pleisterwerk.

Smythe nam zijn sabel in de aanslag om nog een keer uit te halen. Als reactie hierop – als hij het gevecht met hem aanging had hij geen enkele hoop dat hij het er levend van af zou brengen – richtte Chang zich op, ging midden in de gang staan en hield zijn armen wijd open, in de vorm van een kruis, bij wijze van uitnodiging aan het adres van Smythe om hem te doorboren. Hij siste Smythe woedend en gefrustreerd toe.

'Als u er zo over denkt, doe dan maar wat u moet doen! Maar ik zeg u dat ik Reeves niet heb gedood!'

Smythe wachtte even, met de punt van zijn kling op een stap van Changs borst verwijderd, maar binnen zijn bereik.

'Vraag maar aan uw eigen vervloekte mannen! Die waren erbij!' beet Chang hem toe. 'Hij is met een karabijn doorgeschoten... Hij is doodgeschoten door... door... hoe heet hij ook alweer... de opzichter... *Blenheim*... de kamerheer! Doe niet zo stom!'

Kapitein Smythe zweeg. Chang keek hem onderzoekend aan. Ze stonden zo dicht bij elkaar dat het niet ondenkbaar was dat hij de sabel met zijn stok opzij kon duwen en de kapitein vervolgens met de dolk kon raken. Als de man volhardde in deze onzin, zat er niets anders op.

'Ik heb andere berichten gekregen,' zei Smythe, die heel langzaam sprak. 'U hebt hem als schild gebruikt.'

'Wie heeft u dat verteld? Blenheim?'

De kapitein zweeg; hij keek nog steeds woedend uit zijn ogen. Chang lachte spottend.

'We waren aan het praten, Reeves en ik. Blenheim zag ons. Hebt u het lichaam gezien? Reeves is in de rug neergeschoten.'

Dat kwam keihard aan, en Chang zag Smythe denken, zag dat hij zijn woede door wilskracht wist te beheersen, dat zijn gedachten alle kanten op gingen. Even later liet de kapitein zijn sabel zakken.

'Ik zal het lichaam zelf onderzoeken.' Hij keek achterom naar de trap en toen weer naar Chang, maar met andere ogen, alsof hij hem nu voor het eerst zonder de sluier van woede zag.

'U bent gewond,' zei Smythe, en hij haalde een zakdoek uit zijn zak en gooide die Chang toe. Chang griste hem uit de lucht en veegde zijn mond en gezicht af. Op het bezorgde gezicht van de officier zag hij weerspiegeld hoe erg hij eraan toe was. De gedachte dat hij echt stervende was knaagde wederom aan zijn vastberadenheid om door te gaan – wat had het voor zin? Had het ooit wel enige zin gehad? Hij keek naar Smythe, ongetwijfeld een goed mens, zelf ook verbitterd, maar gesterkt door zijn uniform, door zijn manschappen die hem bewonderden – misschien wel door een vrouw en kinderen. Chang wilde plotseling snauwen dat hij die dingen allemaal niet wilde, dat hij walgde van de gedachte alleen al aan zo'n gevangenis, dat hij walgde van Smythe, die zo vriendelijk was. Walgde hij ook van zichzelf, omdat hij van Angelique hield of omdat hij iets voor Celeste was gaan voelen? Hij wendde zich snel af van de bezorgde blik van de kapitein en zag overal om zich heen de luxueuze, spottende inrichting van Harschmort. Hij zou op Harschmort doodgaan.

'Ja, maar er is niets aan te doen. Ik vind het heel erg van Reeves, maar u moet naar me luisteren. Er is een vrouw ontvoerd... De vrouw over wie ik het gehad heb: Celeste Temple. Ze kunnen elk moment iets met haar gaan doen... een duivelse ceremonie. Ik heb het gezien... Het is te erg voor woorden... Neemt u van mij aan dat ze nog liever gewoon doodgaat.'

Smythe knikte, maar Chang zag dat de man zich nog steeds stond te vergapen aan hoe hij eruitzag.

'Het ziet er erger uit dan het is... Ik ben door de pijpen gekomen... Aan die stank is niets te doen,' zei hij. Hij wilde de zakdoek teruggeven, maar zag hoe Smythe reageerde en stak hem toen maar in zijn eigen zak. 'Voor de laatste keer, ik smeek u: wat gaat er boven gebeuren?'

Smythe keek één keer omhoog naar de trap, alsof er iemand achter hem aan had kunnen komen, en begon toen snel te praten. 'Ik weet het zelf nauwelijks... Ik ben nog maar net in het huis. We waren buiten, in afwachting van de komst van de kolonel...'

'Aspiche?'

'Ja... Het is een ramp... Ze zijn van het platteland gekomen... Er is iets van een ongeluk gebeurd, de hertog van Staëlmaere...'

'Maar de mensen gaan de grote zaal binnen om de ceremonie bij te wonen!' zei Chang. 'We hebben geen tijd...'

'Daar kan ik niets over zeggen... Er zijn overal gezelschappen en het huis is heel groot,' antwoordde de officier. 'Al mijn mannen waren ingezet voor het gezelschap van de hertog... nadat ze geland zijn...'

'Geland?'

'Het voert te ver om het u uit te leggen. Maar het hele huis is overgedragen aan...'

'Dan is er misschien nog hoop!' zei Chang.

'Waarvoor?' vroeg Smythe.

'Ik wil alleen maar naar boven en u hoeft mij alleen maar de goede richting op te wijzen.'

Hij merkte wel dat Smythe hem aan de ene kant wilde helpen en aan de andere kant zijn verhaal bevestigd wilde zien. Hij vermoedde dat de aanwezigheid van Aspiche er in de eerste plaats de oorzaak van was dat de officier zich tot muiterij aangezet voelde.

'Onze overplaatsing naar het paleis...' begon Smythe rustig, alsof dit een antwoord op Changs verzoek was, 'is vergezeld gegaan van een aanzienlijke salarisverhoging voor alle officieren, en dat was van levensbelang voor mannen die jarenlang in het buitenland hebben gezeten en tot over hun oren in de schulden zaten. Het zou ons niet moeten verbazen wanneer de beloning – het geld dat nu uitgegeven wordt – uiteindelijk een val blijkt te zijn.'

'Ga naar Reeves,' zei Chang rustig, 'en praat met uw mannen die erbij waren. Zij zullen u volgen. Wacht en wees paraat... Wanneer het moment daar is weet u wel wat u moet doen, heus.'

Smythe keek hem zonder wat voor vorm van vertrouwen dan ook aan. Chang lachte – het droge gekras van een kraai – en gaf de man een klap op de schouder.

'Het huis is in het begin nogal verwarrend,' fluisterde Smythe tegen hem toen ze de trap op liepen en de gang van de begane grond in slopen. 'In de linkervleugel bevindt zich een grote balzaal – op dit moment vol mensen – en in de rechter een grote spiegelgang die naar privévertrekken en -appartementen leidt – ook vol mensen op dit moment. In de rechtervleugel is ook een binnengang die je naar een wenteltrap brengt – die ben ik nog nooit op gegaan. Toen ik hem zag, stond de gang vol Mecklenburger wachters.'

'En het middendeel van het huis?' vroeg Chang.

'De grote ontvangsthal, de keukens, de waskamer, de dienstver-trekken, het hoofd van de huishouding – dat is Blenheim – en zijn personeel.'

'Waar is de studeerkamer van lord Vandaariff?' vroeg Chang plot-seling, terwijl zijn gedachten maalden. 'Aan de achterkant van het huis?'

'Dat klopt,' – Smythe knikte – 'en op de begane grond. Ik ben er nog niet geweest. De hele linkervleugel is alleen toegankelijk voor speciale gasten en een paar uiterst betrouwbare personeelsleden. Niet voor dragonders.'

'Nu we het er toch over hebben,' zei Chang, 'wat doen jullie hier eigenlijk? Wanneer zijn jullie van het ministerie hierheen geko-men?'

Smythe glimlachte verbitterd. 'Dat zult u een leuk verhaal vin-den. Toen mijn manschappen afgelost werden, ontving ik een drin-gende boodschap – ik neem aan van mijn kolonel – dat we naar het St. Royale Hotel moesten komen. We snelden erheen – hoewel huiselijke twisten niet tot onze normale taken behoren – en ik werd daar ontvangen door een uiterst arrogant vrouwmens, dat mij te verstaan gaf dat ik haar ogenblikkelijk per trein naar dit huis moest vergezellen.'

'Mrs Marchmoor, natuurlijk.'

Smythe knikte. 'Ze scheen nogal van haar stuk te zijn gebracht door een in het rood geklede kerel – een echte schurk, naar het schijnt.'

'Ik geloof dat we in dezelfde trein zaten. Ik had me in de kolenwa-gon verstopt.'

'Die mogelijkheid is bij me opgekomen,' zei Smythe, 'maar ik kon geen man naar voren sturen zonder hem ook het dak op te laten gaan; het was ons namelijk verboden om door de met ijzer beslagen zwarte wagon te gaan.'

'Wat zat daar dan in?' vroeg Chang.

'Ik zou het u niet durven zeggen. Mrs Marchmoor had de sleutel en is alleen naar binnen gegaan. Toen we in Orange Locks aankwamen, stond Mr Blenheim ons op te wachten met wagens en een rijtuig. Hij is met zijn manschappen in de zwarte wagon gestapt en kwam onder toeziend oog van Mrs Marchmoor naar buiten met...'

'Met wat?' fluisterde Chang, die het plotseling dolgraag wilde weten, maar toch bang was voor wat komen ging.

'Nogmaals: ik zou het u niet kunnen zeggen. Het was bedekt met zeildoek. Misschien was het wel weer een van hun kisten, maar het zou ook een doodskist geweest kunnen zijn. Maar toen ze het uitlaadden, heb ik Blenheim duidelijk tegen de koetsier horen zeggen dat hij langzaam moest rijden... om het *glas* niet te breken...'

Ze werden onderbroken door het geluid van naderende voetstappen. Chang drukte zich plat tegen de muur. Smythe deed een stap naar voren en door de gang klonk de onmiskenbare en gebiedende stem van Mr Blenheim.

'Kapitein! Wat doet u hier zo zonder uw manschappen? Wat hebt u in 's hemelsnaam in dit deel van het huis te zoeken, sir?'

Chang kon Smythe niet meer zien, maar hoorde dat zijn stem gespannen klonk.

'Ik ben erop uitgestuurd om Mr Gray te zoeken,' antwoordde hij.

'Erop uitgestuurd?' beet Blenheim hem onverholen sceptisch toe. 'Door wie dan wel?'

De arrogantie van de man was stuitend. Als Chang in Smythes schoenen stond, in de wetenschap dat de opzichter net een van zijn manschappen had vermoord, zou Blenheims hoofd nu al over de grond rollen.

'Door de contessa, Mr Blenheim. Wilt u het soms bij haar navragen?'

Blenheim reageerde hier niet op. 'En? Hebt u Mr Gray ook gevonden?'

'Nee.'

'Waarom bent u hier dan nog?'

'Zoals u ziet ga ik nu weg. Ik heb begrepen dat u het lichaam van mijn cavalerist naar de stallen hebt verplaatst?'

'Natuurlijk. Als de gasten van de heer des huizes iets niet hoeven zien is het wel een lijk.'

'Zegt u dat wel. Toch moet ik, als zijn officier, me over zijn bezittingen ontfermen.'

Blenheim snoof minachtend bij de gedachte aan zoiets onbelangrijks. 'Dan zou u mij een plezier doen dit deel van het huis te verlaten en mij ervan te verzekeren dat u noch uw manschappen hier zullen terugkomen. Lord Vandaariff heeft hoogstpersoonlijk de wens uitgesproken dat alleen zijn gasten hier komen.'

'Uiteraard. Het is het huis van lord Vandaariff.'

'En ik bestier dat huis, kapitein,' zei Blenheim. 'Komt u met mij mee.'

Chang spoedde zich zo goed hij kon naar de studeerkamer van de lord. Hij had de plattegrond van de gevangenis niet zo gedetailleerd in beeld gekregen als hij graag had gewild, maar het leek hem logisch dat de gevangenisdirecteur persoonlijk toegang had tot de centrale uitkijktoren. Had Vandaariff zich soms gewoonweg het hol van de voormalige despoot toegeëigend – en dat ongetwijfeld uitgebreid en laten inleggen met mahoniehout en marmer? Als Chang het bij het rechte eind had zou hij via de studeerkamer van Vandaariff bij Celeste kunnen komen. Die gedachte speelde steeds weer door zijn hoofd: hij moest haar redden. Hij wist dat er nog meer te doen was – Angelique wreken, de waarheid over Oskar Veilandt boven tafel krijgen, erachter zien te komen welke ruzie tussen zijn vijanden tot de dood van Trapping had geleid – en normaal gesproken had hij in zijn handen gewreven bij de gedachte dat hij die dingen allemaal door elkaar kon husselen en zou hij de daaruit voortvloeiende oplossingen in zijn hoofd met zich mee hebben gedragen zoals hij de uitgeplozen inhoud van de bibliotheek met zich meedroeg. Maar vanavond had hij daar geen tijd voor, had hij niet de ruimte om iets te laten mislukken en zou hij geen tweede kans krijgen.

Hij kon niet het risico lopen dat iemand hem zou zien en moest dus zijn toevlucht nemen tot pijnlijke spurts door open gangen, hij moest in hoeken wegsluipen en snel dekking zoeken wanneer er toevallig gasten of bedienden langskwamen. Met een spottend glimlachje dacht Chang eraan dat bijna iedereen in de piramide van bewoners van Harschmort een soort dienaar was – van beroep, door een huwelijk, door geld, uit angst, uit verlangen. Hij dacht aan Svensons slaafse plichtsbesef – op grond *waarvan*, dat wilde Chang maar niet begrijpen – en aan zijn eigen tot mislukken gedoemde opvattingen over verplichting en, ook al haalde hij zijn neus op voor dat woord, eer. Nu kon hij er wel op spugen, zoals hij bloed spuugde op deze witmarmeren vloeren. En Celeste? Was zij een dienaar van Bascombe geweest? Van haar familie? Van haar rijkdom? Chang realiseerde zich dat hij het niet wist. Hij zag haar heel even voor zich, zoals ze in het Boniface had geworsteld om zijn revolver opnieuw te laden... Een bijzonder diertje. Hij vroeg zich af of ze toch nog iemand had doodgeschoten.

Hij zag dat de gasten wederom gemaskerd en in avondkleding waren, en de gespreksflarden die hij opving hadden allemaal een gonzende ondertoon van verwachting en mysterie.

'Wist u... Ze zeggen dat ze gaan trouwen... Vanavond!'

'Die man met de cape... met de rode voering... dat is lord Carfax, terug uit de Baltische staten!'

'Hebt u de bedienden met het ijzer om hun borst gezien?'

'We krijgen een teken als we naar voren moeten komen; ik heb zelf van Elspeth Poole het teken gekregen!'

'Ik weet het zeker... een ontstellende kracht...'

'Zulke dromen... en daarna zo'n gemoedsrust...'

'Ze gaan als jonge hondjes vol vertrouwen mee...'

'Hebt u het gezien? In de lucht? Wat een machine!'

'Die trekken binnen een paar dagen weg... Ik heb het uit zeer betrouwbare bron...'

'Ik heb het gehoord van iemand die er al eerder geweest is... een bijzondere onthulling...'

'Niemand heeft hem gezien; zelfs Henry Xonck is geweigerd!'

'Zulk gekrijs heb ik nog nooit meegemaakt… en ook niet, meteen na afloop, zo'n extase…'

'Het is een verzameling *kwaliteit* die zijn weerga niet kent!'

'En waar iedereen bij was zei ze: "Geschiedenis kan maar het best met een zweepslag geschreven worden". Die vrouw is fenomenaal!'

'Hij heeft al dagen niemand gesproken… Het schijnt dat hij vanavond alles zal onthullen, al zijn geheime plannen…'

'Hij gaat spreken! De comte heeft het min of meer beloofd…'

'En daarna… zal het werk onthuld worden!'

'Ja… het werk zal onthuld worden!'

Dit laatste was afkomstig van twee magere zwierige mannen in rok en met een masker van zwart satijn voor. Chang was tot diep in de wirwar van privéappartementen doorgedrongen en stond op dit moment achter een marmeren zuil waarop een antieke en kwetsbare amfoor van malachiet met goud balanceerde. De grinnikende mannen passeerden hem – hij bevond zich in een zitkamer van gemiddelde afmetingen – en liepen naar een buffetkast waar allemaal flessen en glazen op stonden. De mannen schonken zichzelf een glas whisky in, namen tevreden een slok, leunden tegen het meubilair en glimlachten elkaar toe, precies zoals kinderen die wachten tot ze toestemming krijgen om hun verjaardagscadeautjes uit te pakken.

Een van hen fronste zijn voorhoofd. Hij trok zijn neus op.

'Wat is er?' vroeg de ander.

'Die stank,' zei de eerste.

'Lieve hemel,' beaamde de ander, die ook eens snoof. 'Wat zou dat kunnen zijn?'

'Ik heb geen idee.'

'Het is echt vreselijk…'

Chang dook zo goed mogelijk weg achter de zuil. Als ze op hem af liepen zat er voor hem niets anders op dan hen allebei aan te vallen. Een van hen zou zonder meer de kans krijgen het op een schreeuwen te zetten. Hij zou ontdekt worden. De eerste man had een verkennende stap in zijn richting gezet.

'Wacht!' fluisterde de ander hem toe.

'Hoezo?'

'Denk je dat ze misschien al begonnen zijn?'

'Ik begrijp het niet...'

'Die stank! Denk je dat ze begonnen zijn? De alchemistische vuren!'

'Ik weet het niet... Wat denk jij?'

'Ik weet het niet! Misschien komen we te laat!'

'Vlug... vlug...'

Ze gooiden allebei hun whisky achterover en zetten hun glas met een klap neer. Zonder ook maar iets te zien renden ze langs Chang heen, terwijl ze hun masker rechtzetten en hun haar glad streken.

'Wat denk je dat we moeten doen?' vroeg een van hen toen ze de deur opendeden om naar buiten te gaan.

'Dat doet er niet toe,' blafte de ander gehaast. 'Je moet het hoe dan ook doen!'

'Dat doe ik ook!'

'We worden verlost!' riep de een met een giechelig gegrinnik, en hij deed de deur achter zich dicht. 'Daarna kan niets ons nog tegenhouden!'

Chang kwam van zijn plaats. Hij vroeg zich hoofdschuddend af of hun reactie anders zou zijn geweest als hij niet door de ovenpijpen had gereisd, maar gewoon met de normale geuren van zijn pension in een salon van Harschmort zijn opwachting had gemaakt. Die geur zouden ze wel herkend hebben; die had zich in hun sociale begripsvermogen genesteld. De afschuwelijke geuren van Harschmort en van het procédé droegen de mogelijkheid van vooruitgang in zich, waardoor elk natuurlijk beoordelingsvermogen uitgeschakeld werd. Zo zag hij nu in dat de samenzwering net zo bot en open kon zijn over zijn beoogde macht en overheersing als men maar wilde. Het mooie daaraan was dat niemand van deze kandidaten – die samendromden in hun fraaie kleren alsof ze erin geslaagd waren een uitnodiging aan het hof te bemachtigen – zichzelf beschouwde als iemand die onderworpen was, hoewel je aan zijn wanhopige kruiperigheid wel kon aflezen dat dat wel het geval was. De onwerkelijkheid van vanavond – hun *introductie* – was alleen maar bedoeld om hen nog meer te vleien, om zichzelf in staat van opwinding te brengen met de zijden kleding en de maskers en de plannetjes – aanlokkelijke attributen waarvan Chang wel inzag dat het slechts de afleidingsmanoeuvres van een circusclown waren. In plaats van met enige argwaan naar de contessa of de comte omhoog te kijken, werd de aandacht van deze mensen vrolijk de andere kant op geleid, en keken ze naar alle mensen – vanuit hun nieuwe 'wijsheid' – die ze nu op hun beurt zouden kunnen overheersen. Hij zag welke wrede bedoeling erachter stak. Elk plan dat voor zijn welslagen afhankelijk was van het verlangen van de mens om anderen uit te buiten en de waarheid over zichzelf te ontkennen zou gegarandeerd slagen.

Chang deed de deuren aan de andere kant van het vertrek op een kier open en keek in de gang die Smythe had beschreven en waarop over de hele lengte deuren uitkwamen. Een van deze deuren had hem naar het lichaam van Arthur Trapping gebracht. Aan de ene kant van de gang zag hij de wenteltrap. Hij wist zeker dat de studeerkamer van Vandaariff de andere kant op moest zijn, als je tenminste via dat vertrek kon afdalen naar de grote zaal.

Maar waar moest hij beginnen? Smythe had gezegd dat het hele huis vol gasten was. Hij had ook gezegd dat de gang vol wachters zou staan, maar om de een of andere onverklaarbare reden was er op dit moment niemand. Chang kon niet verwachten dat dat zo zou blijven terwijl hij alle – hij telde even snel – dertig deuren probeerde. Was er al die tijd nog enige hoop dat Celeste in leven was?

Hij liep moedig de gang in en beende de andere kant op, weg van de trap. Hij liep langs de eerste deuren, de ene na de andere, en voelde de spanning stijgen. Als datgene wat er met Aspiche en de hertog (Chang kon zich geen weerzinwekkender lid van de koninklijke familie voor de geest halen) was gebeurd, wat dat ook geweest mocht zijn, inderdaad de ceremonie in de grote zaal had verstoord, dan zag Chang het als zijn taak om zoveel mogelijk extra verstoringen te veroorzaken. Hij trok zijn stok uit elkaar – er viel nog steeds niemand te bekennen – en was halverwege de gang. Zou het allemaal dan al begonnen zijn, in tegenstelling tot wat Smythe had beweerd? Chang bleef staan. Links van hem stond een van de deuren op een kier. Hij sloop erheen en gluurde erdoorheen: een smalle reep van een kamer met rood tapijt, rood behang en een standaard in lakwerk met daarop een Chinese urn. Hij luisterde... en hoorde onmiskenbaar het geluid van ruisende kleding en zware ademhaling. Hij deed een stap achteruit, trapte de deur keihard open en stormde naar binnen.

Voor hem op het tapijt lag een Mecklenburger soldaat met zijn broek op zijn knieën, die hij wanhopig omhoog probeerde te hijsen terwijl hij tegelijkertijd radeloos naar zijn sabel graaide – de riem en schede bungelden ergens rond zijn enkels. De man had zijn mond open uit angstig verzet en Chang zag nog net hoe de gezichtsuitdrukking van de man, toen hij zag wie hem had overvallen, van schaamte overging in onbegrip, alvorens hij de dolk tot aan het handvat in de keel van de soldaat stak, waardoor elke geschrokken kreet werd gesmoord. Hij trok het lemmet eruit, deed een stap achteruit, zoals een stierenvechter voor de fontein bloed, en liet de man naar opzij vallen, met zijn bleke billen onder de losse hemdspanden uit.

Wat getuigde nu meer van de hulpeloosheid der mensheid dan de ontblote geslachtsdelen en billen van een overledene? Chang kon niks ergers bedenken. Misschien één enkel afgedankt kinderschoentje... maar dat was slechts sentiment.

Achter de dode soldaat lag een fraai uitgedoste vrouw op het tapijt met haar jurk tot boven haar middel opgeschort, haar haar in de war, haar gezicht rondom een met groene kralen bezet masker glimmend van het zweet. Ze knipperde met haar ogen, waarin een wilde blik stond, en haar ademhaling was onregelmatig en gespannen, maar de rest van haar lichaam leek niet te reageren, alsof ze sliep. De man had duidelijk op het punt gestaan haar te verkrachten, maar Chang zag dat haar ondergoed nog maar voor de helft omlaaggetrokken was – hij had hem midden onder zijn aanranding overvallen. Toch sprak uit de lege blik van de vrouw geen enkele bezorgdheid. Hij stond even naar haar te kijken, waarbij zijn aandacht zowel naar haar schoonheid uitging als naar de stuiptrekkingen die door haar gestalte joegen, alsof ze zich midden in een langdurige toeval bevond. Hij vroeg zich af hoe lang de soldaat ervoor nodig had gehad om zover te komen vanaf het moment dat hij in de gang haar zware ademhaling had gehoord, via voorzichtig binnenkomen en voyeuristisch loeren tot je reinste verkrachting. Chang deed de deur achter zich dicht – er was nog steeds niemand in de gang te bekennen – en bukte zich toen om de jurk van de vrouw te fatsoeneren. Hij streek het haar uit haar gezicht en zag toen onder haar hoofd, als een kussen, datgene wat haar ogenschijnlijk nietsziende ogen zo gretig hadden verslonden: een glanzend blauwglazen boek.

De uitademingen van de vrouw gingen over in gekreun, haar huid voelde warm aan en was rood, alsof ze koorts had. Chang keek naar het boek en ging met zijn tong langs zijn lippen. Met een besluit-vaardigheid die niet helemaal tot hem doordrong pakte hij de vrouw onder haar armen beet en tilde haar ervanaf, waarbij hij met zijn ogen tegen de helle glans van het onbedekte glas moest knipperen. Toen hij haar wegtrok, jammerde ze zachtjes uit protest, als een doe-zelige puppy die van de speen wordt losgemaakt. Hij legde haar neer en kreunde – hij voelde het licht van het boek tot midden in zijn hoofd steken. Chang sloeg het dicht, met zijn lippen tot een grijns getrokken, en zelfs door zijn leren handschoenen heen voelde hij, toen hij het aanraakte, een vreemd kloppen, en toen hij het dicht-deed een protesterend energetisch verzet. De vrouw maakte geen geluid meer. Chang keek naar haar en veegde zijn dolk aan het tapijt af – dat was toch al rood, dus wat maakte het uit? Haar adem werd langzaam maar zeker rustiger, en haar ogen helderder. Hij schoof het kralenmasker voorzichtig opzij. Hij herkende haar niet. Ze was gewoon een van de voorname dames en heren die het verraderlijke web van Harschmort House in waren gesleurd.

Chang stond op en griste een kussen van de divan die het dichtst bij hem stond. Hij scheurde het open en keerde met de dolk de voering onbeheerst naar buiten, waarbij gelige dotten kapok op de grond vie-len. De dame kon als ze wakker werd wel voor zichzelf zorgen – haar vingers gingen grillig tastend over het tapijt – en zou zich voor altijd afvragen wie haar zo mysterieus gered had… En als ze ging gillen zou dat precies de opschudding veroorzaken waar hij op uit was. Hij liep terug naar de deur, bleef even staan en keek nog eens de kamer in. Er was geen andere deur… maar toch trok iets zijn aandacht. Het behang was rood, met een ronde decoratie van gouden ringen die hem vaag Florentijns voorkwam. Chang liep naar de andere kant van de kamer, naar een stuk van het behang ongeveer ter hoogte van zijn hoofd. Midden in een van de gouden ringen zag het patroon er wat gehavend uit. Hij drukte er met zijn vinger op en het binnenste van de ring wipte weg, waardoor er een gat ontstond. Een kijkgat. Chang beende langs de vrouw heen – die dromerig haar hoofd schudde en zich op een elleboog omhoog probeerde te werken – de gang op.

Changs indruk dat de meeste dingen alleen maar goed verborgen zitten omdat het nooit in iemand opkomt om ze te zoeken, werd wederom bevestigd. Toen hij eenmaal wist wat hij zocht – een smalle gang tussen de kamers – zag hij zo welke deur hij daarvoor moest hebben. Het was goed mogelijk dat de andere kant van het kijkgat zich in een andere gewone kamer bevond, maar toch had Chang het gevoel dat dit tegen het hele idee – zoals hij zich daar een beeld van had gevormd – van Harschmort House inging, namelijk het geïntegreerde karakter van het geheel. Waarom zou je in de ene kamer een kijkgat hebben, als je een gang binnendoor kon maken die aan weerskanten over de hele lengte van al die appartementen liep, zodat iemand met geduld en zachte zolen voordeel kon behalen op een hele groep gasten? Hij grinnikte bij de gedachte dat hij hiermee het beruchte succes van Robert Vandaariff bij zakelijke onderhandelingen kon verklaren, van zijn griezelige vermogen om te weten wat zijn rivalen in hun schild voerden – een reputatie die gelijk opging met zijn naam als genereus gastheer (vooral tegenover mensen – en Chang schudde zijn hoofd om zoveel doortraptheid – die hij als zijn grootste tegenstanders beschouwde). Op nog geen drie meter van de deur waardoor hij was binnengekomen vond Chang nog twee deuren, heel dicht bij elkaar – of, om preciezer te zijn: één deur in de ruimte waar zich elders in de gang alleen maar lege muur bevond.

Chang haalde zijn sleutels te voorschijn – eerst die van Gray en toen die van hemzelf – en probeerde het slot open te krijgen. Het was een lastig slot, anders dan de andere sloten die hij in het huis was tegengekomen. Hij keek steeds angstiger om zich heen, probeerde een tweede sleutel en toen een derde. Hij meende van de andere kant van de gang, in de buurt van de trap, aanzwellend geluid te horen... Applaus? Was er een soort voorstelling gaande? De sleutel paste niet. Hij probeerde de volgende. Met een klik die door de hele gang weergalmde ging er een deur open in het balkon boven de trap – en toen volgde het geluid van stappen, van heel veel mensen... Ze konden elk moment bij de balustrade verschijnen. Zijn sleutel pakte, draaide en zonder nog een moment te aarzelen glipte Chang naar binnen en vloog hij het bittere duister in. Hij deed de deur zo snel en stil mogelijk dicht; hij had geen flauw idee of hij gezien of gehoord was.

Maar daar kon hij nu toch niets meer aan doen. Hij draaide de deur achter zich op slot en liep tastend verder de duisternis in. De wanden stonden dicht op elkaar – zijn ellebogen kwamen onder het lopen aan weerskanten tegen het stoffige baksteen –, maar de vloer bestond uit gladde steen (en dus niet uit hout, dat kon kromtrekken en op een gegeven moment zou gaan kraken). Hij liep op de tast verder, daarbij gehinderd doordat hij in de ene hand zijn weer in elkaar gestoken stok hield en in zijn andere hand het omwikkelde boek, en door de laarsjes van Miss Temple die vanuit zijn zakken tegen de muren aan botsten. Het kijkgat in de kamer van de vrouw had op ooghoogte gezeten, dus legde hij onder het lopen op die hoogte ook zijn handen tegen de muren, om te voelen of er ergens een holte in het baksteen zat. Het moest hier toch ergens zijn... Hij was zo ongeduldig dat hij bijna halsoverkop vooroverviel toen zijn voet in het duister onder hem tegen een trede stootte en hij voorover kukelde. Dat hij niet meteen viel, ondanks een nare schaafwond op zijn knie, kwam doordat er zich daarboven nog twee treden bevonden. Hij merkte dat hij op zijn knieën op iets zat wat in feite een trapje was, ter breedte van de doorgang. Chang legde zijn stok en het boek voorzichtig neer, en voelde toen of hij het gat in de muur vond. Hij vond het dankzij het halve cirkeltje licht, veroorzaakt doordat hij de plug er vanuit de kamer deels uit geduwd had. Hij trok de plug heel stil los en gluurde naar binnen. De vrouw was bij de dode soldaat vandaan gekropen en zat nu op haar knieën op het tapijt. Ze zat met haar handen onder haar jurk om haar onderkleding in orde te maken of misschien om erachter te komen hoe ver de dode soldaat met zijn onmiskenbare bedoelingen was gevorderd. Ze had haar masker nog steeds op, en het verbaasde Chang dat ze ondanks de tranen op haar wangen een kalme en vastberaden indruk maakte... Was dit het gevolg van haar ervaring met het boek?

Hij deed de plug weer in de muur en vroeg zich af waarom het luchttrapje over de hele gang was gebouwd. Zat er in de andere muur soms ook een kijkgat? Chang draaide zich om en voelde ernaar. Hij vond de plug meteen. Hij trok hem zo voorzichtig mogelijk los en boog zich naar voren om in de tweede kamer te kunnen kijken.

Een man lag met zijn hoofd en schouders op een schrijftafel. Chang wist wie hij was, ondanks de zwarte doek die voor zijn ogen zat – zoals hij iedere man die hij op straat had gevolgd kende en hem van achteren of in een menigte alleen al aan zijn lengte of manier van doen herkende. Het was zijn voormalige cliënt, de advocaat John Carver, de man die zijn talenten had aanbevolen bij Rosamonde. Chang was ervan overtuigd dat de geheimen die Carver beroepshalve tot zijn beschikking had door de hele stad menige deur voor de samenzwering zou openen. Hij vroeg zich af hoeveel gerechtsdienaren er waren verleid, en schudde zijn hoofd bij de gedachte aan hoe eenvoudig die verleidingen geweest moesten zijn. Carvers gezicht was net zo rood als dat van de vrouw, en van zijn mond liep een parelende sliert kwijl naar het tafelblad. Het glazen boek sidderde onder Carvers hand. Het bovenste deel van zijn gezicht lag ertegenaan gedrukt en zijn ogen bewogen schokkerig van volslagen vervoering, verlamd door de inhoud. Chang zag tot zijn verbazing dat de huid van het gezicht en de vingertoppen – waarmee hij het glas aanraakte – van de advocaat een blauwachtige tint hadden aangenomen... bijna alsof ze bevroren waren geweest, hoewel zijn van zweet glanzende gezicht die verklaring tegensprak. Tot zijn afkeer zag hij dat Carver met zijn andere hand met een spastische, ontregelde aandrang in zijn kruis greep. Chang keek of er nog iemand in het vertrek was, of dat hij een ander teken zag waar hij iets aan had, maar vond niets. Hij wist niet goed wat de samenzwering er nu daadwerkelijk aan had als iemand aan het boek blootgesteld werd, behalve dan dat het slachtoffer buiten westen raakte. Ondergingen ze een persoonsverandering, net als bij het procédé? Stond er iets ín het boek wat ze moesten leren? Hij bevoelde het boek dat hij zelf onder zijn arm hield. Hij wist – door het glas in zijn longen en door Svensons verhaal over de aan diggelen geslagen glazen armen van die man – dat het object zelf dodelijk kon zijn, maar als een instrument, als een machine... Hij had in de verste verte geen idee hoe groot de ware destructieve kracht was. Chang deed de plug terug en tastte met zijn stok naar het volgende trapje.

Toen hij daar aangekomen was, keek hij weer; hij wrikte de plug er eerst aan de linkerkant uit, de kant waar hij de vrouw had gezien. Chang voelde zijn geweten knagen; moest hij de kijkgaten niet gewoon laten voor wat ze waren en rechtstreeks op het kantoor af gaan? Maar dan liet hij wel informatie over de samenzwering aan zijn neus voorbijgaan die hij misschien nooit meer zou krijgen. Hij zou sneller te werk gaan. Hij tuurde het vertrek in en bleef plotseling stokstijf staan. Hij zag twee mannen in zwarte jas die een bejaarde in het rood geklede man op een bank hielpen. Het gezicht van de geestelijke was aan het zicht onttrokken – was het soms de bisschop van Baax-Saornes? Hij was de oom van de hertog van Staëlmaere en de koningin, en als zodanig de machtigste geestelijke van het land, adviseur van de regering, een rem op de corruptie... en nu moesten boosaardige lakeien het spuug van zijn kin vegen. Een van de mannen wikkelde een pakje in stof – vast weer zo'n boek –, terwijl de ander de bisschop de pols voelde. Er werd op de deur geklopt, die Chang niet kon zien, en ze draaiden zich allebei om en liepen snel de kamer uit.

Zonder zich verder nog om de onteerde bisschop te bekommeren – hij kon toch niets voor hem doen – draaide Chang zich om naar het kijkgat aan de andere kant. Daar zat weer een man in elkaar gezakt boven een boek – hoeveel van deze duivelse voorwerpen waren er wel gemaakt? –, met zijn rode gezicht en schieterige ogen tegen het gloeiende oppervlak gedrukt. Dit was Henry Xonck, zoveel was zeker, maar van zijn gebruikelijke uitstraling van macht en zeggenschap was niets over. Chang had zelfs de indruk dat de normale eigenschappen van deze man weggezogen waren... in het boek gezogen? Het was een bespottelijke gedachte, maar toen moest hij aan de glazen kaartjes denken, aan de manier waarop daar herinneringen op gedrukt werden. Als de boeken datzelfde kunstje flikten, maar dan op grotere schaal... Chang vroeg zich plotseling af of de herinneringen gewoonweg uit de geest van het slachtoffer werden overgenomen of dat ze er daadwerkelijk uit verwijderd werden. Hoeveel herinneringen waren Henry Xonck – hoeveel van zijn ziel zelfs – al ontnomen?

De volgende kijkgaten lieten meer van hetzelfde zien, en ook al herkende Chang niet iedere in elkaar gezakte gestalte, hij herkende er genoeg om te begrijpen dat dit een onomwonden aanval op de machtige figuren van het land was: de minister van Financiën, de minister van Oorlog, een gevierd actrice, een hertogin, een admiraal, een rechter van het hooggerechtshof, de uitgever van de *Times*, de president van de Imperial Bank, de weduwe geworden barones die de belangrijkste, toonaangevende salon in de stad hield, en tot slot Madelaine Kraft, wat hem in de verleiding bracht zijn zoektocht nog langer uit te stellen en in te grijpen. Hij trof iedereen aan met de stuiptrekkingen van een rusteloze, bijna narcotische toestand van bezetenheid, geestelijk volledig afwezig en lichamelijk zonder wat voor reactie ook – hun aandacht ging enkel en alleen uit naar het boek dat zij voor zich hadden. In een aantal gevallen zag Chang gemaskerde figuren – mannen en vrouwen – die een geveld slachtoffer in de gaten hielden, die soms het boek pakten en het slachtoffer wilden wekken, maar die het soms ook nog wat langer in die blauwe gloeiende diepte ondergedompeld lieten. Chang herkende niemand van deze functionarissen. Hij wist zeker dat hun werk nog maar een paar dagen geleden gedaan was door mensen als Mrs Marchmoor of Roger Bascombe – en een paar dagen daar weer voor door de contessa en Xonck zelf. Nu hun organisatie groter was geworden – heel veel nieuwe volgelingen had opgenomen – hadden zij allemaal hun handen vrij voor belangrijker zaken. Dat overtuigde Chang er nogmaals van dat er iets anders in het huis gaande was – misschien als dekmantel voor de onderwerping van uitgerekend deze spectaculair hooggeplaatste personen, maar toch wel zo belangrijk dat de leiders van de samenzwering eropaf waren gekomen. Hij snelde verder het duister in.

De resterende kijkgaten liet hij voor wat ze waren, en hij rende door naar het eind van de gang in de hoop dat hij daar eenmaal daar aanbeland een deur zou vinden.

In plaats daarvan vond hij een schilderij. Zijn stok kwam in een lichte verkennende aanraking ergens tegenaan dat niet van steen was, en hij stak voorzichtig zijn hand uit en voelde het zware houtsnijwerk van de lijst. Zo te voelen was het net zo groot als het portret van Robert Vandaariff dat de deur naar de verdieping met cellen aan het zicht had onttrokken, hoewel het zo donker in de gang was dat hij geen idee had wat er daadwerkelijk op stond afgebeeld. Niet dat Chang daar verder tijd aan verspilde – hij zat op zijn knieën en voelde of er ergens een vergrendeling of handgreep zat waarmee de verscholen deur openging. Maar waarom hing het schilderij aan de binnenkant? Betekende dat dat de deur helemaal ronddraaide, elke keer dat hij openging, en dat er dus al iemand doorheen was gegaan? Dat was onwaarschijnlijk – een eenvoudig weggewerkt scharnier, dat normaal open- en dichtging, was veel gemakkelijker te gebruiken en te verbergen. Maar wat stond er dan op het schilderij dat in het donker moest blijven en niet gezien mocht worden?

Hij ging weer op zijn hurken zitten en zuchtte. Verwondingen, vermoeidheid, dorst... Chang was gebroken. Hij kon wel door blijven vechten – dat ging vanzelf –, maar tot iets echt slims was hij niet meer in staat. Hij deed zijn ogen dicht en haalde diep adem, blies langzaam uit en dacht aan de andere kant van de deur – de vergrendeling zat natuurlijk verstopt... Misschien zat die niet om de lijst heen, maar maakte die er juist deel van uit. Hij ging met zijn vingers langs de binnenrand van de druk (overdreven eigenlijk) bewerkte lijst en concentreerde zich eerst op het deel waar een normale deurknop zou zitten... Toen hij de ronde holte vond, realiseerde hij zich dat de enige truc die ze hier hadden uitgehaald eruit bestond dat de knop links zat in plaats van rechts – echt zo'n stomme misleiding waar hij gerust nog een halfuur mee zoet had kunnen zijn. Hij stak zijn vingers om de vreemd gevormde knop en draaide hem om. Het goed geoliede slot ging geruisloos open en Chang voelde hoe het gewicht van de deur zich in zijn handen verplaatste. Hij duwde hem open en liep naar binnen.

Hij wist onmiddellijk dat dit de studeerkamer van Vandaariff was, aangezien de man in eigen persoon voor hem achter een reusachtig bureau zat, terwijl hij ernstig met een ouderwetse ganzenveer op een lang stuk perkament zat te schrijven. Lord Robert keek niet op. Chang deed nog een stap naar voren, terwijl hij de deur met zijn schouder openhield en hij razendsnel het vertrek rondkeek. De tapijten waren rood en zwart en de langwerpige kamer was met behulp van meubilair onderverdeeld in functionele ruimtes: een lange vergadertafel met stoelen met hoge rug, een groepje met wat grotere, uitgebreider gestoffeerde leunstoelen en banken, het bureau van een medewerker, een rij hoge afgesloten kasten voor papierwerk, en dan het bureau van de grote man zelf, net zo groot als de vergadertafel en helemaal overladen met documenten, opgerolde landkaarten en een wirwar aan glazen en bekers – allemaal naar de rand van zijn huidige bezigheden geschoven, als wrakhout op een strand.

Verder was er niemand in het vertrek.

Toch gaf lord Vandaariff er nog steeds geen blijk van dat hij Chang had opgemerkt, en zijn gezicht bleef ernstig op zijn schrijfwerk gericht. Chang herinnerde zich zijn hoofddoel: een geheime toegang tot de grote zaal zien te vinden. Die zag hij niet. In de muur aan de andere kant, achter de tafel, zat de hoofdingang, maar zo te zien was dat de enige.

Toen Chang een stap naar voren deed, trok iets in zijn ooghoek zijn aandacht... Het was het schilderij achter hem – hij had er bij licht nog niet naar gekeken. Hij keek weer even naar Vandaariff – die totaal geen acht op Chang sloeg – en deed de deur wijd open. Het was weer een doek van Oskar Veilandt, maar met een ander soort afbeelding. De voorkant zag eruit als de achterkant van het fragment van de *Annunciatie* en van de andere schilderijen; wat op het eerste gezicht alleen maar gearceerde lijnen leken, was in werkelijkheid een dicht web van symbolen en diagrammen. De formule had in zijn geheel de vorm van een hoefijzer, zag Chang nu, meer uit intuïtie dan uit inzicht. Het waren wiskundige vergelijkingen in de vorm van Harschmort House. Met een zekere gêne realiseerde hij zich ook – en hij vroeg zich af of dit inzicht uitsluitend het product van zijn eigen verdorven geest was – dat het een pervers anatomische vorm was: de rondlopende U van het huis met de curieus gevormde cilindrische figuur van de grote zaal, die langer was dan hij zich had voorgesteld, er duidelijk in gestoken... Wat Veilandt verder ook met zijn alchemie van plan was, het was zonneklaar dat hij net zozeer in geslachtsgemeenschap wortelde als in wat voor transmutatie van de elementen ook – of ging het er nu juist om dat die dingen hetzelfde waren? Chang wist niet wat dit met de ceremonie in de kamer of met Vandaariff te maken had. En toch… Hij probeerde zich te herinneren wanneer Vandaariff de Harschmort-gevangenis had gekocht en laten verbouwen – op z'n hoogst een jaar of twee geleden. Had de galeriemedewerker hun niet verteld dat Veilandt al vijf jaar dood was? Dat was uitgesloten – het alchemistische schilderij op de deur was zonder meer van de hand van dezelfde man. Zou het kunnen dat Veilandt helemaal niet dood was? Zou het kunnen dat hij hier was – misschien vrijwillig, maar gezien de mate waarin Vandaariff en d'Orkancz al zijn ontdekkingen uitbuitten, leek het plotseling een stuk waarschijnlijker dat hij een gevangene was, of erger nog, dat hij het slachtoffer was geworden van zijn eigen alchemie, dat zijn geest ook in een glazen boek was gezogen, om vervolgens door anderen geconsumeerd te kunnen worden.

En toch… Ook al was Chang nog zo uitgeput en radeloos, hij kon zichzelf er niet van weerhouden aan dit sprankje hoop toe te geven. Als Veilandt in leven was moest hij ook te vinden zijn! Hoe moesten ze er anders achter komen hoe ze zich tegen de effecten van het glas dienden te verzetten of hoe ze die ongedaan konden maken? Chang realiseerde zich met een steek in zijn hart dat dit zelfs een kans bood om Angelique te redden. Zijn hart werd ogenblikkelijk verscheurd – zijn vaste voornemen om Celeste te redden, dit laatste gebed om Angelique te behoeden – het was onmogelijk. Veilandt kon wel overal zijn – in de ketenen geslagen in een kooi of kwijlend ergens in een vergeten hoekje… of, als hij nog bij zijn verstand was, ergens waar hij de samenzwering het best ten dienst kon staan… samen met de comte d'Orkancz onder in de grote toren.

Chang keek weer naar het schilderij. Het was inderdaad een plattegrond van Harschmort… maar ook een duizelingwekkend ingewikkelde alchemistische formule… en beslist ook pornografisch. Hij concentreerde zich op de plattegrond (want van alchemie had hij geen verstand en voor geilheid geen tijd) en zocht naar beste kunnen de plek waar hij zich op dit moment bevond. Stond daarin ergens een voor de hand liggende route naar de grote zaal en naar de gevangenistoren uitgestippeld?

Het vertrek zelf stond aangegeven – daar kende hij genoeg Grieks voor – met een alfa en vlak erboven, alsof het een machtsverheffing was, een piepkleine omega... en van de omega liep één rechte stippellijn van verf omlaag naar de wirwar aan symbolen die de kamer moest voorstellen. Chang keek op van het doek en voelde zich dom en fantasieloos. Als deze kamer de alfa was – waar bevond zich hier dan de omega? Voor zover hij kon bekijken lag die vlak achter het bureau van Vandaariff, daar waar de muur met een zwaar gordijn was afgeschermd.

Chang liep er snel naartoe en bleef Vandaariff daarbij goed in de gaten houden. De man keek nog steeds niet op van zijn schrijfwerk; hij moest sinds Chang binnen was al een halve bladzijde hebben volgeschreven. Dit was misschien wel de machtigste man van het land – zelfs van Europa – en Chang kon zijn nieuwsgierigheid niet bedwingen. Hij liep dichter naar het bureau toe – alleen al zijn stinkende kleren zouden de concentratie van een heilige om zeep hebben moeten helpen – om het onveranderlijk uitdrukkingsloze gezicht van Vandaariff eens beter te kunnen bekijken.

Kardinaal Chang had niet de indruk dat de ogen van Robert Vandaariff ook maar iets zagen. Ze waren open, maar ze stonden glazig en dof, de gedachten erachter vertoefden heel ergens anders; ze waren op het bureaublad gericht, maar een stuk naast zijn schrijfwerk, alsof hij uit zijn herinnering gedachten opschreef. Chang boog zich nog dichter naar hem toe om het perkament te kunnen bekijken – hij stond vlak naast Vandaariff en nog steeds kwam er geen reactie. Voor zover hij kon beoordelen legde de man de inhoud van een financiële transactie vast – verbazingwekkend gedetailleerd en ingewikkeld – met betrekking tot verscheping, tot bankzaken in Mecklenburg en Frankrijk, tot tarieven, markten, aandelen en terugbetalingstermijnen. Hij keek toe terwijl Vandaariff het blad volschreef en het toen kwiek omdraaide – de plotselinge armbeweging deed Chang achteruitspringen –, waarna hij boven aan de nieuwe kant de zin halverwege voortzette. Chang keek naar de vloer achter het bureau en zag het ene na het andere lange stuk perkament, helemaal volgeschreven, alsof Robert Vandaariff zijn hoofd ontdeed van elk financieel geheim dat hij ooit gekend had. Chang keek weer naar de schrijvende vingers, kreeg kippenvel van de onmenselijke volharding van de krassende pen en zag dat de vingertoppen een blauwe gloed vertoonden. Het was echter niet koud in de kamer, en het blauw gloeide heviger onder het bleke vlees dan Chang ooit bij een levend wezen had gezien.

Hij deed een stap bij de robot-lord vandaan, voelde achter zich naar het gordijn, schoof het opzij en zag een eenvoudige deur, op slot. Hij haalde zijn sleutelring te voorschijn, zocht er een uit en liet ze toen allemaal vallen; hij was plotseling bang om in Vandaariffs gevoelloze aanwezigheid te verkeren, met de pen die achter hem maar voortkraste. Chang pakte de sleutels op en gaf uit plotseling angstig ongeduld zo hard hij kon gewoon een schop tegen het hout rond het slot. Hij schopte nog een keer en voelde dat het hout begon te splijten. Hij bekommerde zich niet om het lawaai of om eventuele sporen van vernieling. Hij gaf nog een schop en het hout rond de grendel spleet open. Hij wierp zich ertegenaan, brak erdoorheen en liep wankel een kronkelende stenen tunnel in, waarvan het einde afliep en niet te zien was.

Afgezien van zijn niet-aflatend krabbelende hand verroerde lord Vandaariff zich niet. Chang wreef over zijn schouder en zette het op een lopen.

De tunnel was glad geplaveid en goed verlicht met op regelmatige afstand van elkaar geplaatste bollen met gaslicht boven zijn hoofd. De gang liep over een afstand van ongeveer honderd stappen iets rond, en aan het eind zag Chang zich genoodzaakt vaart te minderen. Dat was maar goed ook, want toen hij even bleef staan om op adem te komen – hij leunde met één hand tegen de muur en liet de dot bloederig speeksel stil uit zijn mond lopen – hoorde hij in de verte het geluid van een heleboel stemmen die tezamen een lied aanhieven. Voor hem maakte de tunnel een scherpe bocht naar rechts, in de richting van de grote zaal. Zou daar iets van bewaking staan? Het gezang overstemde elk ander geluid. Het kwam van beneden... van de bewoners van de overhangende cellen! Chang liet zich op zijn knieën vallen en gluurde heel behoedzaam om de hoek.

De tunnel kwam uit in een smaller gangpad, niet veel meer dan een smal looppad, met aan weerskanten een ketting, dat uitkwam in een zwart onheilspellend torentje van ijzer dat naar het stenen plafond boven hem opsteeg. Door het metalen rooster van het looppad steeg het gezang omhoog. Chang keek omlaag, maar door het schemerlicht en zijn halfdichtgeknepen ogen kreeg hij de kamer eronder niet goed in beeld. Aan de andere kant van het looppad zat een ijzeren deur, die er heel zwaar uitzag met een enorm slot en een ijzeren grendel, en die iemand op een kier had laten staan. Chang bleef vlak voor de deur staan, wachtte, luisterde, hoorde niemand en glipte de duisternis in... en kwam uit bij weer een wenteltrap – dit keer aan elkaar gelast van smeedijzeren platen.

De trap liep helemaal omhoog naar het dak van de spelonk, in de richting waar volgens hem de hoofdingang van de toren moest zitten. Maar Chang liep naar beneden; het getik van zijn stappen op de treden was eerder voelbaar dan dat het boven het stemmenkoor uit te horen was. Hij hoorde ze nu duidelijker, maar het was het soort gezang waarvan de tekst, zelfs als je de taal kende, net zo goed die van een Italiaanse (of wat hem betrof IJslandse) opera kon zijn, zo langgerekt en onnatuurlijk was de frasering van de muziek. De woorden die hij wel oppikte – 'ondoordringbaar blauw'... 'eeuwig zicht'... 'dierbare verlossing' – zorgden er alleen maar voor dat hij de trap nog sneller af liep.

De toren was vanbinnen verlicht met op regelmatige afstand van elkaar geplaatste wandlampjes, maar het licht was opzettelijk laag, zodat het niet door de open kijkspleten te zien was. Chang hield zijn pas in. Op de tree onder hem lag een rommelig hoopje. Het was een neergegooide jas. Hij pakte hem op en hield hem bij het dichtstbijzijnde lampje. Het was een uniformjas – ooit donkerblauw geweest, maar nu zat hij onder het vuil en het bloed, hetgeen zijn belangstelling wekte. De vlekken waren nog vochtig en de voorkant van de jas was er helemaal van doordrenkt. Hij zag echter geen beschadiging of scheur ín de jas – was het bloed afkomstig van de drager of soms van de vijand van de drager? Degene die hem gedragen had kon ook aan zijn hoofd gebloed hebben, of zijn hand kon er afgehakt zijn, waarna hij de stomp tegen zijn borst had gedrukt – alles was mogelijk. Op dat moment – wat werkte zijn verstand langzaam! – zag Chang de balkjes van de rang op de stijve boord van de jas... Hij keek nog een keer naar de snit, de kleur, het zilverkleurige galon rond de epauletten... Hij vervloekte zichzelf – wat was hij stom!

Het was de jas van Svenson, zonder enige twijfel, en hij zat onder het bloed.

Hij keek snel om zich heen op de trap en zag op de muur de druipende restanten van een breed spatpatroon van bloed. Het geweld had hier op de trap plaatsgevonden – misschien nog maar een paar tellen geleden. Was Svenson dood? Hoe was hij in 's hemelsnaam van Tarr Manor naar Harschmort gekomen? Chang liep zijwaarts nog een paar treden af, met zijn gezicht dicht tegen het ijzer. Er zat inderdaad een dalend bloedspoor, maar het vertoonde vegen... Het was niet gemaakt door een gewonde man die liep, maar door een gewonde – of dode – man die voortgesleept werd.

Chang gooide de jas neer – als de dokter hem had laten vallen, hoefde hij hem ook niet mee te nemen – en rende zo snel hij kon de trap af. Hij wist dat de afstand ongeveer even groot was als het eind dat hij daarstraks omhooggegaan was – tweehonderd stappen misschien? Wat zou hij in godsnaam onderaan aantreffen? Het dode lichaam van Svenson? Waar was d'Orkancz mee bezig? En waarom was er geen bewaking?

Changs voet gleed uit in een plas bloed en hij greep zich aan de ketting vast. Eén foutje en hij lag met een gebroken nek onder aan de trap. Hij dwong zichzelf zich te concentreren – de stemmen zongen nog steeds luidkeels, hoewel hij al langs de verdiepingen met uitkijkcellen was afgedaald en het koor zich nu boven hem bevond. Maar wanneer was Svenson hier dan aangekomen? Dat moest met Aspiche geweest zijn! Zou de dokter de oorzaak van de verwarring van Smythe geweest kunnen zijn? Dat ontlokte Chang een glimlach, ook al kreunde hij tegelijkertijd bij de gedachte aan de straf die de kolonel eenieder die zijn pad kruiste zou hebben opgelegd. Hij vond de gedachte dat de dokter het alleen tegen deze mannen had moeten opnemen bepaald niet prettig – hij was geen soldaat, en ook geen onverschrokken moordenaar. Dat was Changs taak, en hij wist dat hij zich naast Svenson moest scharen.

En als Svenson nu eens echt dood was? Dan was het misschien Changs taak om samen met hem... en met Miss Temple te sterven.

Hij rende nog dertig treden naar beneden en bleef op een klein tussenbordes staan. Zijn longen werden gemarteld door pijnscheuten en hij wist dat hij beter niet als een wrak onder aan de trap kon komen. Een van de kijkspleten bevond zich vlak bij hem en hij schoof hem open, grijnzend van onheilspellend genoegen. De kier was afgedekt met een stuk getint glas. Van binnenuit kon hij erdoorheen kijken, maar voor de gevangene was door het glas niet te zien of de metalen schuif open was of niet. Chang zette zijn bril af en drukte zijn gezicht tegen het glas. Precies op dat moment hield het gezang op.

Boven en tegenover hem bevonden zich de uitkijkcellen, vol prachtig geklede mensen, allemaal met een masker voor, met hun gezicht tegen de tralies gedrukt, alsof het krankzinnigen in een gesticht waren. Hij keek omlaag, maar kon de tafels niet zien. Hij zat nog te hoog.

Toen hij wegliep, galmde er een stem van beneden naar omhoog – onnatuurlijk, op een vreemde manier versterkt, laag en onmiskenbaar machtig. Hij herkende hem niet meteen... Hij had de man ook maar een paar woorden horen spreken, en die ook nog hees fluisterend tegen Harald Crabbé, met een reusachtige in bont gehulde arm om Angelique heen. Maar Chang wist het... Het was de comte d'Orkancz. Hij vervloekte zijn longen, zette het roekeloos op een lopen, vloog de treden met twee en zelfs drie tegelijk af, de hand met zijn stok op de ketting, in zijn andere hand het in stof gewikkelde boek, zodat het nergens tegenaan kon stoten, terwijl zijn smerige jas achter hem aan flapperde en zijn zware zakken tegen zijn benen sloegen. Overal om hem heen hoorde hij de kamer weergalmen van de onmenselijke stem van de comte.

'U bent hier omdat u in uzelf gelooft... omdat u gelooft dat u zichzelf aan een andere droom kunt overleveren... van de toekomst... van kansen... transformatie... openbaring... verlossing. Misschien zijn er onder u mensen die het waard zijn... die het echt waard zijn, en die echt bereid zijn hun illusies op te offeren... die hun gehele wereld willen opofferen... *want dat is een wereld van illusies*... voor deze laatste fase van de wijsheid. Na de verlossing komt de *uitver-kiezing*... zoals Maria uitverkoren werd uit alle andere vrouwen... zoals Sara na een onvruchtbaar leven toch zwanger werd... zoals in Leda twee zaadjes werden geplant – dat van schoonheid en dat van vernietiging... zo zijn deze instrumenten die voor u staan allemaal uitverkoren... bestemd voor een hoger doel... een transformatie waar u allemaal getuige van zult zijn. U zult de hogere energieën voelen... U zult deze grootheid proeven... dit hemelse ambrozijn... die hiervoor alleen bekend was bij de wezens die door de herders goden werden genoemd... en bij de kinderen die wij allemaal ooit waren...'

Chang verloor zijn evenwicht en viel tegen de ketting aan. Hij moest blijven staan en zich met beide handen vastpakken om te voorkomen dat hij zou vallen. Hij spoog tegen de muur en tastte naar adem happend naar de kijkspleet. Hij rukte zijn bril af om te kunnen kijken. Onder zich zag hij het hele schouwspel, als een ijzeren kathedraal uit de hel, klaar voor een helse mis. Onder in de toren bevond zich een verhoogd platform – dat zo te zien op een vlot van zilverkleurige buizen hing – waarop drie grote operatietafels stonden, allemaal omgeven door rekken, bladen en koperen kisten met apparatuur. Op elke tafel lag een vrouw, die met leren banden vastgebonden was, net zoals Angelique er in het instituut bij had gelegen, naakt, hun lichaam aan het zicht onttrokken door een weerzinwekkende wirwar van glibberige zwarte slangen. Van alle vrouwen was het gezicht geheel bedekt door een zwart masker waar kleinere slangen aan vastgemaakt waren – voor elk oor, elk oog, voor de neus en de mond één – en hun haar was helemaal in zwart doek gewikkeld, zodat Chang ondanks het feit dat ze naakt waren geen idee had wie er op welke tafel lag. Alleen de vrouw het dichtst bij het torentje, van wie hij vanuit zijn positie nog maar net een glimp opving, onderscheidde zich van de anderen doordat haar voetzolen net zo blauw verkleurd waren als de handen van Robert Vandaariff.

Naast haar stond d'Orkancz, met hetzelfde leren schort voor en dezelfde leren handschoenen aan die hij in het instituut ook had gedragen, en met dezelfde helm met koperbeslag op, waar hij nog

590

een slang aan had vastgemaakt, die hij in de metalen doos haakte die de mond van het masker vormde. De comte sprak door deze slang, en op de een of andere manier werd zijn stem door de motor versterkt, als die van een god, en knalde hij tot in de verste uithoeken van de reusachtige zaal. Achter d'Orkancz stonden zeker nog vier mannen, precies hetzelfde gekleed, van wie het gezicht niet te zien was. Mannen uit het instituut, zoals Gray en Lorenz? Of zou een van deze mannen Oskar Veilandt kunnen zijn – hetzij als gevangene, hetzij als slaaf? Chang kon de onderkant van de toren niet zien. Waar was de bewaking? Waar was Svenson? Op welke tafel lag Celeste? Zo te zien was geen van de vrouwen wakker – hoe moest hij haar hieruit krijgen?

Chang hoorde iets achter zich en draaide zich om – een kletterend geluid op de trap zelf. De trap draaide rond een ijzeren pilaar – het geluid kwam van binnenuit. Hij legde zijn hand ertegenaan en voelde een trilling. Het gekletter deed hem onmiddellijk aan een etenslift in een hotel denken... Zou de pilaar hol kunnen zijn? Hoe moesten ze anders snel dingen van boven naar beneden krijgen? Maar wat werd er dan gebracht? Dit was zijn kans. Als datgene wat er naar beneden werd gestuurd onderaan aankwam, moest iemand de deur van de toren openmaken om het te pakken – en dat was het moment waarop hij naar buiten moest stormen. Hij zette zijn bril weer op zijn neus, zette de kussensloop tegen de muur en gooide zichzelf naar voren.

De comte was nog steeds aan het woord. Dat interesseerde Chang niet – het was toch allemaal dezelfde onzin, het zoveelste stadium van de circusact om de klanten om de tuin te leiden. Wat de ware effecten van deze 'transformatie' ook waren, hij was ervan overtuigd dat ze alleen maar dienden om een ander ongezien web van uitbuiting en hebzucht te verhullen. Het gekletter verstomde. Toen Chang de laatste bocht om ging, zag hij twee mannen met het schort voor, de handschoenen aan en de helm op, die zich over de open etenslift heen bogen en er net een krat met ijzerbeslag uit trokken en op een karretje zetten. Achter hen bevond zich de open deur naar het platform van de zaal, met aan weerskanten daarvan een Mecklenburger soldaat. Chang negeerde de mannen en de kar en sprong vanaf de trap met een brul op de dichtstbijzijnde Mecklenburger, waarbij hij de man met zijn onderarm een slag tegen zijn kaak verkocht en een knie in zijn ribben ramde. De man ging tegen de vlakte. Voor de tweede zijn wapen kon trekken stak Chang de stok in zijn buik, waardoor hij dubbelsloeg (de man kwam met zijn gezicht zo dicht bij Chang dat hij diens tanden tegen elkaar hoorde slaan). Hij stak de dolk in de open kaak van de man omhoog en trok hem net zo snel weer los. Hij kwam overeind – de dode soldaat zeeg als een goed afgesteld contragewicht ineen – en draaide zich razendsnel om naar de eerste man, die hij weloverwogen tegen de zijkant van zijn hoofd schopte. Beide soldaten verroerden zich niet meer. De twee gemaskerde mannen staarden hem aan met het stemloze onbegrip van maanbewoners die voor het eerst getuige zijn van de wreedheden van de mens.

Chang draaide zich om naar de open deur. De comte was opgehouden met praten. Hij staarde Chang aan. Voor Chang kon reageren hoorde hij geluid achter zich, en zonder te kijken rende hij naar voren, de deur door – net op het moment dat de twee gehelmde mannen achter hem met de kar aanstormden. De hoek sneed gemeen in zijn rechterbovenbeen – het bloedde wel, maar niet genoeg om hem onderuit te krijgen. Chang stommelde het platform op, en de kathedraalachtige leegte doemde zo plotseling en reusachtig boven hem op dat hij er een aanval van duizeligheid van kreeg. Hij zocht tastend naar houvast. Op het platform stonden nog vier Mecklenburgers – drie soldaten, die hij in één glinsterende beweging hun sabel te voorschijn zag trekken, en majoor Blach, die heel rustig zijn zwarte revolver trok. Chang keek paniekerig om zich heen – Svenson was in geen velden of wegen te bekennen, en hij kon ook niet zien wie van de mannen met koperen masker Veilandt zou kunnen zijn – als die er al was. Toen keek hij omhoog naar de duizelingwekkende hoogte en de dicht opeengepakte kring van gezichten die begeesterd omlaagkeken. Er was geen moment te verliezen. Om aan de soldaten te ontkomen kon Chang alleen maar naar de tafels toe en naar d'Orkancz, die recht op hem af beende om te zorgen dat hij niet bij de vrouwen kon komen.

De soldaten stormden naar voren. Chang stormde op zijn beurt recht op de comte af en dook toen naar links en onder de eerste tafel, waar hij zich door de bungelende slangen heen sloeg om aan de andere kant te komen. De soldaten renden aan weerskanten om d'Orkancz heen. Chang bleef rennen, gebukt, tot hij onder de tweede tafel was. Toen hij er aan de andere kant weer onderuit kwam, riep de comte tegen de soldaten dat ze doodstil moesten blijven staan.

Chang kwam overeind en keek om. De comte keek vanaf de andere kant van de eerste tafel naar hem, nog steeds met het mechanische masker voor, terwijl de eerste vrouw onder een wirwar van slangen voor hem lag. Naast de comte stond Blach, met zijn revolver in de aanslag. De soldaten wachtten af. Svenson was er niet. Veilandt ook niet, voor zover hij kon beoordelen – althans niet in tegenwoordigheid van geest, want de twee gemaskerde mannen achter de comte waren opgehouden de koperen apparatuur te bedienen en zagen er net uit als twee insecten. Chang keek naar de rand van het platform. Daaronder lag aan alle kanten een dampende zee van metalen buizen, sissend van de hitte en stinkend van de zwaveldampen. Er was geen ontsnappen aan.

'Kardinaal Chang!'

De comte d'Orkancz sprak op dezelfde geprojecteerde, versterkte toon die Chang in de toren had gehoord. Van zo dichtbij klonken de woorden verschrikkelijk scherp, en hij kreunde, of hij nu wilde of niet.

'Geen beweging! U hebt zich op verboden terrein begeven, terrein waar u niets van begrijpt! Ik verzeker u dat u geen flauw benul hebt van de straffen die hiervoor staan!'

Zonder ook maar enige acht op de comte te slaan stak Chang zijn hand uit naar de vrouw op de tweede tafel en trok de donkere doek los die om haar haar zat.

'Raak haar niet aan!' krijste de comte d'Orkancz.

Het haar was te donker. Het was Celeste niet. Hij stoof meteen weg naar de andere kant van de derde tafel. De soldaten schoven ook op, naar de tweede tafel. De comte bleef samen met Blach aan de andere kant van de eerste tafel staan, waarbij de majoor de revolver heel duidelijk op Changs hoofd gericht hield. Chang dook achter de derde vrouw weg en trok de doek van haar haar. Te licht en minder krullen... Celeste moest dus op de eerste tafel liggen. Hij was als een gek langs haar heen gestormd en had haar overgeleverd aan d'Orkancz, die nu met haar kon doen wat hij wilde.

Hij kwam overeind. Toen de soldaten hem zagen, liepen ze naar voren, en Chang zag dat Blach heel even bewoog. Hij liet zich vallen en op hetzelfde moment klonk het schot. De kogel vloog langs zijn hoofd en boorde zich in een van de grote buizen, waardoor er gas naar buiten spoot dat als een blauwwitte vlam in de lucht flakkerde.

'Stop!' schreeuwde de comte weer.

De soldaten – die nu bijna bij de derde tafel stonden – bleven doodstil staan. Chang waagde het heel langzaam boven de wirwar aan zwarte slangen uit te kijken – daartussen ving hij een blik op van bleek vochtig vlees – en zag de onheilspellende blik van de majoor.

Het was doodstil in de kamer, op het doffe gebrul van de oven en de hoge toon van het sissende gas achter hem na. Hij moest negen mannen – de twee met de kar meegeteld – uitschakelen en Celeste van de tafel zien te krijgen. Zou hem dat lukken zonder haar iets aan te doen? En was wat hij haar aandeed erger dan wat er met haar zou gebeuren als het hem niet lukte? Hij wist dat ze zou willen dat het hem lukte – net zoals hij wist dat het nu van geen enkel belang meer was dat hij zijn eigen leven redde. Hij voelde het ziedende raster van snijwonden binnen in zijn borst. Om dit moment was het hem allemaal te doen geweest, uitgerekend deze poging was het laatste tartende, beschadigende litteken dat hij deze bevoorrechte wereld kon toebrengen. Chang keek op en zag weer de zee van gemaskerde gezichten in gespannen stilzwijgen op hem neerkijken. Hij voelde zich net een beest in de arena.

De comte maakte de zwarte spreekslang van het masker los en drapeerde hem zorgvuldig over een piëdestal vlak bij hem, vol hendels en knoppen. Hij draaide zich naar Chang toe en knikte – met het masker voor was dit net het gebaar van een onbespraakte bruut, een menseneter uit een sprookje – naar de vrouw die zich het dichtst bij Chang bevond, bij wie hij de doek van het haar getrokken had.

'Zoekt u iemand, kardinaal?' riep hij. Zijn stem klonk nu minder luid, maar doordat hij uit het vreemde mondstuk in het masker kwam, klonk hij Chang nog steeds onmenselijk in de oren. 'Misschien kan ik u helpen...'

De comte d'Orkancz trok de doek van het haar van de laatste vrouw weg. Het viel in een zee van donkere, glanzende zwarte krullen naar omlaag. De comte veegde met zijn andere hand de slangen weg die over haar voeten hingen. Het vlees was verkleurd en glansde ziekelijk, nog meer dan de hand van Vandaariff of het gezicht van John Carver, zoals dat tegen het boek aan lag – bleek als poolijs, glibberig van het zweet en met daaronder, waar hij ooit een goudkleurige warmte had gezien, nu de koele onverschilligheid van witte as. Aan de derde teen van haar linkervoet zat een zilveren ring, maar Chang wist het al bij de eerste glimp die hij van haar haar zag: het was Angelique.

'Als ik me niet vergis… kent u deze dame,' ging d'Orkancz verder. 'Maar misschien kent u de anderen ook wel… Miss Poole' – hij knikte naar de vrouw in het midden 'en Mrs Marchmoor.' De comte gebaarde naar de vrouw die vlak voor Chang lag. Hij keek omlaag en probeerde in wat hij zag Margaret Hooke (die hij het laatst op een bed in het St. Royale had gezien) te herkennen – het haar, de lengte, de kleur van het beetje huid dat hij onder het zwarte rubber zag. Hij voelde dat hij moest overgeven.

Chang spoog een ruitvormige fluim bloed op het platform en riep met hese stem, die verried hoe dodelijk vermoeid hij was, naar de comte: 'Wat gaat u met hen doen?'

'Wat ik aldoor al van plan was. Zoekt u Angelique of Miss Temple? Zij is hier niet, zoals u ziet.'

'Waar is ze dan?' riep Chang hees.

'De keuze is aan u, denk ik,' zei de comte daarop. 'Als het u erom gaat Angelique te redden, is er geen menselijke manier – want op uw gezicht bespeur ik de effecten van het glas, kardinaal – waarop u eerst haar hieruit kunt krijgen en daarna voor Miss Temple hetzelfde kunt doen.'

Chang zei niets.

'Het is uiteraard een theoretische kwestie. U had al tien keer dood moeten zijn – dat klopt toch, hè, majoor Blach? Dus dat gaat nu gebeuren. Maar het is misschien wel toepasselijk als dat aan de voeten van – als ik juist geïnformeerd ben – uw eigen hopeloze liefde gebeurt.'

Chang keek de comte recht aan en greep zoveel mogelijk slangen die uit het lichaam van Mrs Marchmoor staken vast en maakte zich gereed om die los te rukken.

'Als u dat doet, doodt u haar, kardinaal! Is dat wat u wilt? Een hulpeloze vrouw de dood in jagen? Van deze afstand kan ik u niet tegenhouden. De krachten zijn in werking gesteld! Geen van deze vrouwen kan zich aan haar lot onttrekken – en hun lot bestaat uit transformatie of de dood!'

'Wat voor transformatie?' riep Chang boven het aanzwellende gebrul van de buizen en het sissende gas achter hem uit.

Om te antwoorden pakte d'Orkancz de spreekslang en stak die weer in het masker. Zijn woorden galmden als een donderslag door de overwelfde ruimte.

'De transformatie der engelen! De vleesgeworden hemelse krachten!'

De comte d'Orkancz gaf een harde ruk aan een van de koperen hendels op de console en sloeg zijn andere hand als een hamer op een metalen pal. De slangen om Angelique heen, die er tot dan toe slap bij hadden gehangen, stonden ogenblikkelijk strak, doordat er gas en kokende vloeistof doorheen stroomden. Op de tafel kromde haar lichaam zich en er klonk een afgrijselijk geloei, dat steeds luider werd. Chang kon zijn ogen er niet van afhouden. De comte haalde nog een hendel over en haar vingers en tenen begonnen trekkerige bewegingen te maken. Toen de derde hendel, en tot Changs stijgende afgrijzen begon de kleur nog verder te veranderen, tot een dodelijk, ijskoud blauw. D'Orkancz duwde twee pallen tegelijk omlaag en zette de eerste hendel terug. Het geloei werd twee keer zo hevig, klonk door elke buis en galmde door het hele gewelf van de kathedraal. De menigte boven hen hapte naar adem en uit de cellen hoorde Chang geschreeuw – kreten van opwinding en verrukking, aanmoedigend gejoel –, dat overging in nog een gonzend koor. Haar lichaam kromde zich keer op keer, waardoor de slangen golfden als een hond die het regenwater van zich af schudt. Toen hoorde Chang in het geschreeuw en gebrul een andere toon, die zijn hart als een spies doorboorde: het geratel van Angeliques eigen stem, een wezen-

596

loos gekreun dat diep uit haar longen kwam, als het laatste verweer van haar lichaam dat zich gewonnen gaf tegenover deze onafzienbare mechanische aanval. De tranen stroomden de kardinaal over het gezicht en dat liet hij maar zo. Alles wat hij nu zou doen zou voor haar het einde betekenen – maar ze werd nu toch ook voor zijn ogen kapotgemaakt? Hij kon zich niet bewegen.

Het loeiende gebrul hield van het ene op het andere moment op, waardoor de hele kamer als door een geweerschot tot stilte werd gebracht. Met een plotselinge golvende schittering, waarvan Chang niet eens wist of hij het wel goed zag, stroomde er vlak onder haar huid door haar armen en benen vanaf haar handen en voeten een golf vloeistof omhoog naar haar heupen en bovenlichaam, waar uiteindelijk ook haar hoofd van doortrokken raakte.

Het lichaam van Angelique veranderde in schitterend, stralend, doorzichtig blauw, alsof zijzelf... haar lichaam... ten overstaan van iedereen in glas was veranderd.

De comte trok de pallen omhoog en duwde de laatste hendel omlaag. Hij hief zijn gezicht naar de menigte toeschouwers en stak zijn hand triomfantelijk de lucht in.

'Het is volbracht!'

De menigte barstte in extatisch gejuich en applaus los. D'Orkancz knikte hen toe, stak zijn andere hand omhoog, draaide zich toen naar Blach toe en trok heel even de spreekslang los.

'*Dood hem.*'

De obscene daad die d'Orkancz had gepleegd met Angelique – was het niet een verkrachting van haar *wezen*? – spoorde Chang onmiddellijk aan tot actie. Zijn hart werd van steen. Hij wierp zich om de derde tafel heen op de twee Mecklenburgse soldaten bij het hoofd van Miss Poole, terwijl hij alle lessen uitstootte die hij in duizend gevechten had geleerd met elke meedogenloze, bittere klap. Zonder enige onderbreking sloeg hij op hen in. Hij maakte een schijnbeweging – ze hieven hun sabels gelijktijdig naar zijn borst, zoals hun Duitse opleiding voorschreef – en maaide beide klingen met zijn stok opzij. Hij gaf met zijn dolk een jaap in het gezicht van de dichtstbijzijnde soldaat. Hij sneed het open van het puntje van zijn kin tot zijn neus – het bloed spoot tegen de zilveren pijpen. De soldaat waggelde slingerend opzij. De ander riposteerde, en deed een snelle uitval naar Chang. Terwijl Chang de steek langs zijn schouder afweerde, brak hij zijn stok. Hij besefte dat de soldaat door die uitval te dichtbij was gekomen. Hij stak zijn dolk onder de ribben van de jongeman, trok hem er met een ruk uit, en liet zich op zijn knieën vallen. Elke seconde leek van heel ver te komen terwijl hij de scène gadesloeg. Boven zijn hoofd boorde een tweede kogel van Blach zich in de muur van pijpen. De derde soldaat kwam om het voeteneind van Miss Poole op hem af en stapte over zijn gesneuvelde kameraden heen. Chang draaide zich om en dook op Angelique af. Blach ging naast het hoofd van Angelique staan zodat hij voldoende ruimte had om te schieten. De comte d'Orkancz stond aan Angeliques voeteneind. Chang zat klem – de soldaat stond vlak achter hem. Chang draaide zich bliksemsnel om en sneed een handvol slangen door. Het afschuwelijk stinkende gas spoot als een poolvlam naar buiten in het gezicht van de soldaat. Chang draaide zich vliegensvlug om, maaide de sabel van de soldaat opzij, gaf hem een stomp op zijn keel, en sloeg hem ter plekke bewusteloos. Voordat Blach kon schieten ramde hij de soldaat als een stier en dreef hem om de tafel heen tegen de majoor aan. Er weerklonk een schot. Chang merkte dat de soldaat begon te slingeren. Nog een schot en Chang voelde een brandende pijn. Een kogel (of was het een stuk bot?) schoot door de soldaat heen en schampte rakelings langs zijn schouder. Hij duwde de stervende man tegen Blach aan en rende onmiddellijk naar de deur.

Maar Blach was ook naar de deur gerend. Ze stonden recht tegenover elkaar, op een afstand van ongeveer twee meter. Blach richtte zijn revolver en vuurde, terwijl Chang in Blachs hand sneed. Het schot miste terwijl de dolk in Blachs vingers sneed, en de revolver viel op de grond. Blach slaakte een kreet van woede en sprong erachteraan. De deur werd nog steeds geblokkeerd door het ijzeren karretje en de twee gehelmde soldaten daarachter. Chang duwde er op volle kracht tegenaan, en dreef hen enkele stappen achteruit – maar ze bleven plotseling staan en duwden terug, zodat hij gevangenzat in de zaal. Blach raapte met zijn linkerhand de revolver op. De comte was druk bezig de spuitende slangen met touw dicht te binden.

Ineens zag Chang met een schok wat er in de kar zat, want het deksel van de ijzeren kist was in het tumult losgeraakt. Zonder na te denken liet hij zijn dolk vallen, greep het dichtstbijzijnde voorwerp en smeet het achteruit naar de majoor. Zodra hij het ding losliet wierp hij zich tegen de kar aan.

Het glazen boek vloog op Blach af terwijl hij de trekker overhaalde. Het boek verbrijzelde in zijn vlucht. Door de kracht van de kogel vloog de ene helft van de scherven terug naar de toren. De scherven drongen in de ijzeren wanden en vlogen door de deuropening naar de twee gehelmde soldaten, die wanhopig opzijsprongen. Maar de andere helft vloog door met de vaart van het boek zelf. De comte d'Orkancz werd afgeschermd door de tafel. Angelique werd afgeschermd door de slangen – als het glas enig effect op haar zou kunnen hebben in haar huidige toestand – en door de majoor zelf, die vlak voor haar stond. Hij kreeg onmiddellijk grote en kleine sneden in zijn onbeschermde gezicht en lichaam.

Chang hief zijn hoofd op van de kar en zag de man schokken van de stuiptrekkingen. Zijn mond stond wijd open en hij slaakte een afgrijselijke schorre gil die uit zijn longen leek op te stijgen als de rook van een uitslaande brand. Er verschenen blauwe vlekken om elke wond, die zich barstend en schilferend verspreidden. Met een roze stofwolk stierf het gereutel weg in zijn keel. Majoor Blach viel met een knappend, krakend geluid op zijn knieën. Daarna viel hij voorover op zijn gezicht. Toen hij neerkwam verbrijzelde de voorkant van zijn gezicht als een bord van terracotta met lapis lazuli-glazuur.

Het was stil in de hoge ruimte. De comte kwam langzaam overeind vanachter de tafel. Zijn blik viel op Chang, die stuntelig de kar af klauterde. De comte krijste met een versterkte woede die de hele kathedraal op zijn grondvesten deed schudden. Hij stormde op Chang af als een reusachtige hondsdolle beer. Chang zat zonder dolk (die ergens onder de ijzeren kist was gevallen). Hij schoof de kar – de twee mannen zaten op handen en knieën, ze waren overdonderd maar ze liepen niet zoveel gevaar als de majoor, beschermd als ze waren door hun leren voorschoten – achteruit tegen de comte aan.

Zonder een blik te werpen op de gevolgen snelde hij naar de trap en rende naar boven.

Bijna onmiddellijk, op de zevende traptree, gleed hij uit over een plas bloed en viel. Hij keek achterom, terwijl hij in zijn zak woelde om zijn scheermes te pakken. De twee mannen met voorschoten zaten in elkaar gedoken op de grond, nog steeds een eind van de deuropening. In de deuropening verscheen de comte d'Orkancz. Hij had de revolver van Blach van de vloer gegrist en richtte die nu op Chang. Chang wist dat er nog één kogel in zat en dat hij nog twee stappen moest lopen om buiten de vuurlinie te komen, maar hij kon zijn ogen niet afhouden van de tafel achter de comte waar de glasachtige blauwe arm van Angelique... in beweging kwam. Chang schreeuwde. Angeliques hand boog en strekte, tastte rond. Ze kreeg een handvol slangen te pakken en trok ze uit hun luchtdichte afsluiting, zodat er wolken blauwe stoom naar buiten spoten. De comte draaide zich om terwijl ze de slangen losliet en een tweede bos losrukte. Ze trok eraan alsof ze onkruid wiedde in een tuin. Terwijl d'Orkancz naar haar hand dook, luidkeels om zijn assistenten roepend, ving Chang een huiveringwekkende glimp van Angeliques gezicht op, dat boven de schouder van de grote man uitstak. Haar ogen waren nog steeds bedekt door het gedeeltelijk losgeraakte masker, haar gezicht was vertrokken van razernij, haar open mond, tong en lippen waren een glinsterend donker indigoblauw. Ze hapte als een dier met haar blauwwitte tanden. Chang vluchtte de trap op.

Pas bij de volgende bocht ontdekte hij het boek dat hij, gewikkeld in een kussensloop, tegen de muur had gezet. Chang griste het al rennend van de grond. Met zijn rechterhand haalde hij eindelijk het scheermes uit zijn zak. Beneden hoorde hij geroezemoes en een slaande deur, en daarna het slingerende gerammel van de etenslift die op gang kwam. Binnen een paar tellen had de lift hem bereikt – Changs kracht begon al af te nemen – en toen vloog hij voorbij. Degene die boven bij de lift stond zou gewaarschuwd zijn dat Chang in aantocht was, lang voordat hij de trap had bestegen. Hoeveel seconden zou het duren voor hij Blenheim en zijn mannen zou tegenkomen op hun weg naar beneden? Chang liep stug door. Als hij nu maar de gang naar het kantoor van Vandaariff kon bereiken...

Zijn gedachtegang werd onderbroken door de stem van d'Orkancz, die weergalmde door de hoge ruimte. Hij sprak de verzamelde mensenmenigte daarboven toe.

'Wees niet bang! Onze vijanden zijn talrijk en wanhopig, zoals u weet – zij hebben deze huurmoordenaar hiernaartoe gestuurd om ons werk te verstoren. Maar dat werk is niet tot staan gebracht! Zelfs de hemel zou onze inspanningen niet kunnen tegenhouden! Aanschouw datgene wat zich voor uw ogen heeft voltrokken! Aanschouw de metamorfose!'

Chang bleef staan op de trap, tegen beter weten in, terwijl zijn ziel werd verschroeid door het beeld van Angeliques gezicht en arm. Hij keek achterom naar de wentelende ijzeren diepte van de toren en hoorde daarbuiten, als het ruisen van de wind, hoe de adem van het publiek in de gevangeniscellen collectief stokte van verbazing.

'U ziet het!' ging de comte verder. 'Ze leeft! Ze loopt! En u ziet het zelf! Haar buitengewone krachten...'

De mensenmenigte hield opnieuw haar adem in – een sissend gefluister, onderbroken door verschillende kreten – van angst of vreugde, hij wist het niet. Weer snakten de mensen naar adem. Wat gebeurde er? De brandende tranen om Angelique stroomden nog steeds over Changs gezicht, maar hij kon ze niet tegenhouden. Hij week uit naar een kijkspleet en trok het schuiflatje opzij. Het was belachelijk om hier te blijven staan. Zijn vijanden konden elk moment boven aan de trap verschijnen – en toch moest hij het weten... Leefde ze nog? Was ze nog menselijk?

Hij kon haar niet zien – waarschijnlijk stond ze te dicht bij de voet van de toren –, maar hij zag d'Orkancz wel. De comte keek naar de plaats waar Angelique vermoedelijk stond. Hij was teruggelopen naar de tweede tafel en had zijn plaats ingenomen naast een tweede doos met hefbomen en pinnen. Aan elke tafel was een dergelijke doos bevestigd met die zwarte slangen, en Chang realiseerde zich op een instinctieve, misselijkmakende manier dat de twee andere vrouwen op het punt stonden dezelfde gedaantewisseling te ondergaan. Hij keek omlaag naar de roerloze gestalte op de derde tafel en voelde een steek in zijn hart bij de aanblik van Margaret Hooke, woest, gewond en trots. Ze kronkelde van de pijn terwijl haar lichaam werd omgesmolten tot glas. Had zij werkelijk gekozen voor dit lot, of had ze zich alleen aan d'Orkancz overgegeven vanuit een wanhopige ambitie. Vertrouwde ze erop dat zijn uiteindelijke doel in haar belang was, door die eerste kruimeltjes macht die hij haar had laten proeven?

De mensenmenigte hield opnieuw haar adem in. Chang voelde dat zijn knieën knikten en greep zich vast aan de leuning om zijn evenwicht te bewaren. Het duizelde hem alsof hij een schop tegen zijn hoofd had gekregen. Toen was het moment van duizeligheid voorbij en hij voelde dat hij in beweging kwam – maar het was een beweging van zijn geest, ijlings en rusteloos, als in een droom. Hij bewoog zich door verschillende scènes: een kamer, een straat, een bed, een plein vol mensen, de ene scène na de andere. Toen vertraagde de vaart van zijn gedachten. Zijn gedachten concentreerden zich op één duidelijk moment: de comte d'Orkancz in zijn bontjas in een deuropening. Hij stak zijn gehandschoende hand uit en bood hem een glanzende rechthoek van blauw glas aan. Chang voelde dat hij zijn eigen hand uitstak naar de comte, terwijl hij tegelijkertijd wist dat die hand de ijzeren leuning stevig vastgreep, en zag hoe hij het glas aanraakte – de kleine verfijnde vingers die hij zo goed kende – en voelde de plotselinge roes van erotische vervoering terwijl hij – als Angelique – werd meegesleept in de herinnering die in het glas besloten lag, een toenemende, ongelooflijk levendige prikkeling, onweerstaanbaar en verslavend als opium, die daarna snel en wreed werd teruggetrokken voordat hij kon begrijpen wiens heerlijke herinnering het was, onder welke omstandigheden. De comte stak de kaart weer terug in zijn jas en glimlachte. Dit was de eerste kennismaking tussen die schoft en Angelique, besefte Chang, en Angelique projecteerde nu op een of andere manier haar eigen herinnering aan dat intieme moment op de geest van alle mensen binnen een straal van honderd meter.

Het beeld verliet zijn geest met een nieuwe vlaag van duizeligheid en hij voelde zich plotseling leeg en verschrikkelijk alleen. Haar verschijning in zijn geest had een wrede inbreuk geleken, maar toen zij zich terugtrok verlangde een deel van hem naar meer – want zij was het, hij voelde dat zij het was, Angelique, naar wie hij zo lang had gehunkerd. Hij had er zo naar verlangd een dergelijke onmogelijke intimiteit met haar te beleven. Chang keek weer omlaag langs de wenteltrap en vocht tegen de neiging terug te keren, en zichzelf te vergooien in een omhelzing van liefde en dood. Een deel van zijn ziel hield vol dat geen van twee ertoe deed, zolang het van haar kwam.

'U voelt de kracht zelf! U beleeft de waarheid!'

De stem van de comte verbrak de betovering. Chang schudde zijn hoofd, draaide zich om en liep zo snel hij kon de trap op. Hij wist zich geen raad met zijn gevoelens – hij kon niet beslissen wat hij moest doen – en dus trok kardinaal Chang zich terug, zoals hij vaak deed, in pure activiteit, en dreef zichzelf voort tot hij een doelwit vond voor zijn diepongelukkige woede. Hij ging op zoek naar narigheid om zijn hart te zuiveren.

Het aanzwellende gierende gejammer begon opnieuw en bereikte de hoogste regionen van de kathedraal. De comte d'Orkancz liep naar de tweede vrouw, Miss Poole, en trok aan de hendels om met haar metamorfose te beginnen. Het geluid van de gierende machine werd verstrekt door kreten uit de rijen cellen. Nu de mensen wisten wat ze te zien zouden krijgen, gaven ze nog enthousiaster lucht aan hun aanmoediging en verrukking. Maar Chang was geschokt door de aanblik van de gekromde rug van de vrouw, als een twijg die tot het uiterste wordt gebogen tot hij knapt, en hij rende weg voor het applaus alsof hij wegvluchtte uit de hel.

Hij had nog steeds geen idee waar hij Svenson of Miss Temple zou kunnen vinden. Als hij hen wilde helpen, moest hij vrij blijven. Het gegier van de pijpen hield abrupt op en werd, na een afwachtend moment, gevolgd door een donderend applaus van de mensenmenigte. Opnieuw bazelde de comte iets over macht, metamorfose en de waarheid. Elke loze bewering werd weerkaatst door een nieuwe storm van applaus. Chang ontblootte in razernij zijn tanden. Het gierende geluid in de pijpen zwol weer aan – d'Orkancz ging verder met Margaret Hooke. Chang kon niets uitrichten. Hij liep twee wentelingen van de trap op en zag de deur naar de gang en het kantoor van lord Vandaariff.

Chang bleef hijgend staan, en spuwde. De ijzeren deur zat dicht, er was geen beweging in te krijgen – vergrendeld vanaf de andere kant. Chang werd als een hijgend hert naar het hoogste punt van de toren gedreven. Voor de derde keer viel het geraas van de pijpen plotseling stil. Het publiek barstte uit in gejuich. De drie vrouwen hadden de barbaarse alchemie van de comte ondergaan. Zijn vijanden zouden hem boven aan de trap opwachten. Hij had Celeste niet gevonden. Hij was Angelique kwijtgeraakt. Hij had gefaald. Chang stak het scheermes weer in zijn jaszak en liep verder omhoog.

De bovenste toegangsdeur was gemaakt uit dezelfde ijzeren platen, die aan elkaar vastzaten met de zware klinknagels van een treinwagon. De massieve deur zwaaide geluidloos open en onthulde een elegant, helder verlicht portaal, met witte muren en een glanzende bleke marmeren vloer. Ongeveer zeven meter van hem af stond een welgeschapen vrouw in een donkere jurk. Haar haren waren naar achteren getrokken in een lint en haar gezicht ging schuil achter een half masker van zwarte veren. Ze knikte hem afgemeten toe. Tien in rode uniformjassen gestoken dragonders stonden roerloos in een rij achter haar, met getrokken sabels. Ze stonden duidelijk onder haar bevel.

Chang stapte uit het torentje, betrad de marmeren vloer en keek omlaag. De tegels waren bevlekt met een grote plas bloed. Het bloed was overduidelijk uit een gapende wond gestroomd en uitgesmeerd doordat ze er iets (het slachtoffer waarschijnlijk) doorheen hadden gesleept. Het bloedspoor leidde recht onder de voeten van de vrouw door. Hij keek haar aan. Haar gezichtsuitdrukking was open en helder, hoewel ze niet glimlachte. Chang was opgelucht – hij had niet eerder beseft hoezeer de zelfvoldane grijns van zijn vijanden hem de keel uithing –, maar misschien had haar houding eerder iets te maken met de bloederige vloer dan met hem.

'Kardinaal Chang,' zei ze. 'Komt u even met mij mee?'
Chang haalde het glazen boek uit de kussensloop. Hij voelde de energie van het boek door zijn gehandschoende vingertoppen op zich af komen, een vijandige aantrekkingskracht. Hij klemde het boek steviger vast en stak het naar voren zodat ze het kon zien.

'U weet wat dit is,' zei hij met een hese, schorre stem. 'Ik ben niet bang om het kapot te smijten.'

'Nee, vast niet,' zei ze. 'Ik begrijp dat u bijna nergens bang voor bent. Maar er wordt hier niets beslist. Het is geen kritiek als ik zeg dat u absoluut niet weet wat er allemaal is gebeurd, of wat er op het spel staat. Ik weet zeker dat hier veel mensen zijn over wie u iets wilt horen; er zijn ook veel mensen die u graag willen zien. Zullen we zoveel mogelijk geweld vermijden?'

Het glanzende, met bloed besmeurde marmer onder haar voeten leek een volmaakt symbool voor dit afschuwelijke huis. Hij moest zijn uiterste best doen haar niet af te snauwen om haar minzame toontje.

'Hoe heet u?' vroeg Chang.

'Ik ben absoluut niet belangrijk, dat verzeker ik u,' zei ze. 'Alleen een boodschapper...'

Chang hapte hijgend en piepend naar lucht, wat haar het zwijgen oplegde. Zijn korte, heldere indruk van Angelique – de onnatuurlijke kleur van haar huid, met de glasachtige, glimmende indigoblauwe diepten en de lichtere doorzichtige hemelsblauwe oppervlakte – stond in Changs geheugen gegrift, maar de hevige, overweldigende uitwerking daarvan kon hij niet bevatten of in woorden vertalen. Hij slikte, trok een grimas van onbehagen, spuwde nog eens, en liet zich overmannen door woede om zijn tranen de baas te worden. Hij maakte een gebaar met zijn rechterhand, zijn vingers grepen krampachtig in razernij bij de gedachte aan een dergelijke wandaad die was verricht om zoveel – zoveel respectabele – toeschouwers te vermaken.

'Ik heb het grote werk aanschouwd,' siste hij. 'Niets wat u zegt zal mij van mijn doel afbrengen.'

Hierop deed de vrouw een stap opzij en gaf met een handgebaar te kennen dat hij haar moest volgen. Toen ze in beweging kwam splitste de rij dragonders zich in tweeën. Ze namen kordaat hun plaats in aan weerskanten van Chang. Ze vormden spitsroeden waar hij doorheen moest lopen. Ongeveer tien meter achter hen zag Chang een tweede rij, die zich in tweeën splitste met hetzelfde harde laarzengestamp. Ze vormden een open poort die verder het huis in leidde.

Achter hem in het torentje hoorde hij een gedempt gebrul – de mensen in de gevangeniscellen schreeuwden het uit – maar voordat hij zich kon afvragen waarom, begonnen Changs knieën te knikken. Hij werd plotseling getroffen door een nieuw visioen dat zijn geest binnendrong. Tot zijn oneindige schaamte werd hij geconfronteerd met een beeld van zichzelf met zijn stok in de hand. Hij was zo goed mogelijk opgekalefaterd; een toonbeeld van armoedige ijdelheid met een gezichtsuitdrukking van nauwelijks verholen honger, die zijn hand uitstak om het kleine handje te drukken dat naar hem werd uitgestoken – uitgestoken, wist hij nu (en voelde hij nu) met desinteresse en minachting. Hij zag zichzelf gedurende een flitsend, ongelooflijk helder moment door de ogen en het hart van Angelique, en stond daar geopenbaard in haar geest als een armzalig overblijfsel uit haar vroegere leven, wat ze altijd met haar hele wezen had verafschuwd.

Het visioen werd van hem weggerukt en hij wankelde. Toen Chang opkeek zag hij dat alle dragonders zich met knipperende ogen vermanden en hun militaire houding terugvonden; hij zag ook dat de vrouw haar hoofd schudde. Ze keek hem vol medelijden aan, maar ze bleef op haar hoede. Ze maakte opnieuw een gebaar dat Chang haar moest volgen.

'Het zou beter zijn, kardinaal Chang,' zei ze, 'als we zorgen dat we buiten haar bereik komen.'

Ze liepen zwijgend door. Er liep een rij dragonders voor en achter hem. Changs bonkende hart had de bittere invloed van Angeliques visioen nog niet van zich af geschud. Zijn zoetste herinneringen waren nu aangetast door verdriet. Toen zag hij dat de vrouw omlaag keek naar het boek in zijn hand. Hij zweeg. Chang was fysiek kapotgemaakt; hij werd heen en weer geslingerd tussen razernij en wanhoop. Met elke stap werd zijn geest steeds verder meegesleurd in een bitter fatalisme. Hij kon niet naar een soldaat of de vrouw kijken – of naar de nieuwsgierige welgedane gezichten van de bedienden die hem achter de rug van de dragonders aanstaarden terwijl ze voorbijliepen – zonder zich in gedachten voor te bereiden op de snelste, wreedste aanval met zijn scheermes.

'Mag ik vragen waar u dat vandaan hebt?' vroeg de vrouw terwijl ze nog steeds naar het boek keek.

'Uit een kamer,' snauwde Chang. 'Het had de vrouw die het had gekregen verlamd. Toen ik haar aantrof, merkte ze absoluut niet dat een soldaat bezig was haar te verkrachten.'

Hij sprak zo scherp mogelijk. De vrouw met het zwarte masker vertrok geen spier.

'Mag ik vragen wat u toen deed?'

'Behalve dat ik het boek afpakte?' vroeg Chang. 'Het is zo lang geleden dat ik het me nauwelijks kan herinneren – u wilt toch niet zeggen dat het u iets kan schelen?'

'Is dat zo vreemd?'

Chang bleef staan; zijn stem verhief zich tot een ongewone ruwheid. 'Op grond van wat ik heb meegemaakt, madame, is het onmogelijk!'

Toen ze zijn toon hoorden bleven de dragonders staan met hun zwaarden in de aanslag. Hun laarzen stampten in de maat op de marmeren vloer. De vrouw hief haar hand naar hen op om te beduiden dat ze even moesten wachten.

'Natuurlijk bent u erg van streek. Ik begrijp dat u moeite hebt met het werk van de comte. Het is moeilijk voor te stellen en moeilijk te verdragen. Ik heb natuurlijk het procédé ondergaan, maar dat is niets vergeleken bij... bij wat u hebt gezien... in de toren.'

Haar gezichtsuitdrukking was volkomen redelijk, zelfs sympathiek – Chang kon het niet verdragen. Hij gebaarde woedend naar de met bloed bevlekte vloer achter hen.

'En wat is daar gebeurd? Weer een moeilijk werk? Weer een executie?'

'Uw eigen handen zitten onder het bloed, kardinaal – hebt u enig recht van spreken?'

Chang keek met tegenzin omlaag – hij zat helemaal onder de bloedspatten – van Mr Gray tot de soldaten daar beneden. Toch keek hij haar met bittere minachting aan. Geen van deze mensen betekende iets voor hem. Ze waren slachtoffers van bedrog, dwazen, beesten in het gareel... Misschien was hij zelf net zo.

'Ik weet niet wat hier is gebeurd,' ging ze verder. 'Ik was ergens anders in het huis. Maar het kan toch zeker alleen bevestigen, voor ons allebei, hoe ernstig de situatie is?'

Hij grijnsde honend naar haar.

'Zou u door willen lopen?' vroeg ze, 'want we zijn erg laat.'

'Doorlopen waarnaartoe?' vroeg Chang.

'Naar waar ze u zullen ondervragen, natuurlijk.'

Chang verroerde zich niet, alsof hij kon uitstellen dat hij te horen zou krijgen dat Miss Temple en de dokter dood waren, als hij bleef staan. De soldaten staarden hem aan. De vrouw keek recht in zijn donkere brillenglazen en boog zich voorover. Haar neusvleugels gingen wijd uitstaan door de indigostank, maar de uitdrukking op haar gezicht bleef onveranderd. Hij zag de heldere blik in haar ogen die getuigde van het procédé, maar geen spoor van de trots of de arrogantie. Had hij een hogere, meer betrouwbare pion ontmoet, nu hij verder tot het hart van het complot was doorgedrongen?

'We moeten gaan,' fluisterde ze. 'U bent niet het middelpunt van deze avond.'

Voordat Chang kon antwoorden werden ze onderbroken door een luide kreet uit de gang voor hen. Het was een scherpe stem, die hij direct herkende.

'Mrs Stearne! Mrs Stearne!' schreeuwde kolonel Aspiche, 'Waar is Mr Blenheim – we hebben hem ogenblikkelijk nodig!'

De vrouw draaide zich om naar de stem terwijl de dragonders uiteenweken om hun commandant erdoor te laten, die naderbij kwam met een eigen eskadron dragonders in zijn kielzog. Toen Aspiche hem zag, kneep hij zijn ogen tot spleetjes en trok zijn lippen strak. Daarna vestigde hij nadrukkelijk zijn blik op de vrouw.

'Lieve kolonel...' begon ze, maar hij viel haar ruw in de rede.

'Waar is Mr Blenheim? Hij wordt al een hele tijd gezocht – dit oponthoud is onverdraaglijk!'

'Ik weet het niet. Ik ben hiernaartoe gestuurd om...'

'Dat zie ik maar al te goed,' snauwde Aspiche, die haar onderbrak. Hij wilde haar niet eens toestaan de naam van Chang uit te spreken, alsof hij ongedaan kon maken dat hij Chang vroeger had ingehuurd. 'Maar u hebt er zo lang over gedaan dat ze me op mijn beurt hebben gevraagd u te komen ophalen.' Hij wendde zich tot de soldaten die met hem mee waren gekomen, terwijl hij bevelen brulde. 'Drie naar elke vleugel, zo snel als je kunt; stuur onmiddellijk bericht terug. Jullie moeten hem vinden – mars!'

De soldaten stoven weg. Aspiche keek Chang niet aan, liep naar de vrouw toe en bood haar zijn arm aan – hoewel Chang half en half vermoedde dat hij dit deed omdat hij zelf hulp nodig had; hij hinkte – en niet om de dame te steunen. Hij vroeg zich af wat er met het been van de kolonel was gebeurd. Daardoor voelde hij zich iets beter.

'Kunt u me vertellen waarom hij niet geketend is, of dood?' vroeg de kolonel, zo beleefd mogelijk, ondanks zijn woede dat hij genoodzaakt was die vraag te stellen.

'Dat is mij niet bevolen,' antwoordde Mrs Stearne – die niet ouder kon zijn dan dertig, realiseerde Chang zich toen hij naar haar keek.

'Hij is buitengewoon gevaarlijk en gewetenloos.'

'Dat hebben ze tegen me gezegd. Maar' – nu wendde ze zich tot Chang met een merkwaardig neutrale uitdrukking op haar gezicht – 'hij heeft toch geen keus. Het enige waar kardinaal Chang iets aan heeft – al was het alleen voor zijn zielerust – is informatie. Wij brengen hem daarnaartoe. Bovendien voel ik er niets voor om een boek te verspillen in een nodeloos gevecht – en de kardinaal houdt er een vast.'

'Informatie, hè?' sneerde Aspiche, terwijl hij langs de vrouw naar Chang keek. 'Waarover? Die hoer van hem? Over die idioot Svenson? Over...'

'Houd uw mond, kolonel,' siste ze. Haar geduld was op.

Chang zag tevreden, en enigszins verbaasd, dat Aspiche zijn hoofd met een ruk naar achteren trok terwijl hij geërgerd snoof. En zweeg.

De balzaal was dichtbij. Het lag zeer voor de hand die te gebruiken voor een nieuwe bijeenkomst – misschien waren de mensen uit de hoge zaal al op weg daarnaartoe, tegelijk met degenen uit de snijzaal beneden aan de wenteltrap. De moed zonk Chang in de schoenen. Hij vroeg zich plotseling af of Miss Temple naar de snijzaal was gebracht, want hij had haar niet gezien in de hoge zaal. Was hij vlak langs haar gelopen, net op tijd om te horen hoe ze applaudisseerden voor haar vernietiging?

Met Aspiche op sleeptouw moesten ze langzamer lopen. Door de stampende laarzen van de dragonders konden ze moeilijk horen wat er elders in het huis gebeurde. Hij vroeg zich af of zijn eigen executie of gedwongen bekering de voornaamste attractie van de voorstelling zou zijn. Hij zou nog liever het boek tegen zijn eigen hoofd kapotslaan. Kennelijk was het een snelle dood, die even vreselijk was om te zien als te ondergaan. Hij zou zijn beulen bij zijn laatste snik in elk geval een afschuwelijk moment bezorgen.

Hij voelde dat Mrs Stearne naar hem keek. Hij keek met een quasi-uitnodigende blik op. Hij zag haar voor het eerst aarzelen.

'Ik zou... Neem me niet kwalijk, ik zou u dankbaar zijn – want, zoals ik al zei, ik was ergens anders in het huis – als u me kon vertellen wat u daar beneden hebt gezien, bij de comte....'

Chang moest zich bedwingen haar niet in het gezicht te slaan.

'Wat ik heb gezien?'

'Ik vraag ernaar omdat ik het niet weet. Mrs Marchmoor en Miss Poole... ik heb ze gekend... Ik weet dat ze iets hebben ondergaan... dat het grootse werk van de comte...'

'Zijn ze uit vrije wil naar hem toe gegaan?' vroeg Chang.

'O, ja,' antwoordde Mrs Stearne.

'Waarom u niet?'

Ze aarzelde even, en keek hem in zijn afgeschermde ogen.

'Ik... Ik moet... mijn eigen taak voor vanavond...'

Ze werd onderbroken door een autoritair gesnuif van Aspiche, een duidelijke waarschuwing voor dit gespreksonderwerp – sterker nog: het feit dat ze een gesprek met Chang voerde.

'Angelique was in plaats van u.'

'Ja.'

'Uit vrije wil?'

Voordat Aspiche iets kon zeggen draaide Mrs Stearne zich naar hem om en snauwde: 'Kolonel, houd uw mond!' Ze keek weer naar Chang. 'Ik ga er op mijn beurt ook uit vrije wil naartoe. Maar u weet waarschijnlijk van dokter Svenson – ja, ik weet wie hij is; ik weet ook wie Celeste Temple is – wat er op het instituut met die vrouw is gebeurd. Sterker nog: ik heb begrepen dat u daar zelf ook was, dat u misschien zelfs verantwoordelijk... Ik bedoel niet met opzet,' zei ze vlug toen Chang zijn mond opendeed om iets te zeggen, 'maar u weet heel goed dat ze in een ernstige toestand verkeerde. Volgens de comte was dit haar enige kans.'

'Kans waarop? U hebt niet gezien wat – wat – wat voor een ding ze is geworden!'

'Eerlijk, ik heb geen...'

'Dan moet u er niet over praten!' riep Chang.

Aspiche grinnikte.

'Vindt u iets grappig, kolonel?' snauwde Chang.

'Ik vind ú grappig, kardinaal. Een moment.'

Aspiche bleef staan en trok zijn arm uit die van Mrs Stearne. Hij reikte in zijn vuurrode uniformjas en haalde er een dunne zwarte sigaar en een doosje lucifers uit. Hij beet het puntje van zijn sigaar af en spoog het uit. Hij keek met een valse grijns op zijn gezicht naar Chang terwijl hij de sigaar in zijn mond stak, en een lucifer afstreek voor een vuurtje.

'Ziet u, ze hebben me verteld dat u een oneindig verdorven man bent. Iemand zonder scrupules en zonder geweten, die voor een fooi bereid is mensen op te jagen en te vermoorden. En toch, wat tref ik hier aan? Uw laatste uur heeft geslagen; uw leven wordt teruggebracht tot zijn essentie. Een man die de slaaf is van een hoer die hem even onbelangrijk vindt als haar ontbijt van gisteren, een man – de eenzame wolf van de waterkant! – die zich heeft aangesloten bij een idiote dokter en een nog idioter meisje – of moet ik zeggen: oude vrijster? Ze is, hoe oud – vijfentwintig? – en de enige man die haar wilde hebben is tot bezinning gekomen en heeft haar weggegooid als een zeurkous die over haar hoogtepunt heen is!'

'Dus ze leven nog?' vroeg Chang.

'O... dát heb ik niet gezegd.' Aspiche grinnikte en schudde zijn lucifer uit.

De kolonel inhaleerde; de punt van zijn sigaar gloeide en hij liet een dunne rookpluim zijdelings uit zijn mond ontsnappen. Hij bood

Mrs Stearne opnieuw zijn arm aan, maar Chang maakte geen aanstalten om door te lopen.

'U moet weten, kolonel, dat ik daarnet majoor Blach en drie van zijn soldaten heb gedood – of misschien waren het er vijf, ik had geen tijd om ze te tellen. Ik zou u ook met het grootste genoegen doden.'

Aspiche lachte spottend en blies nog meer rook uit.

'Weet u, Mrs Stearne,' Chang sprak zo hard dat iedere dragonder hem duidelijk kon verstaan, 'hoe ik de kolonel heb leren kennen? Dat zal ik u vertellen...'

Aspiche gromde en greep zijn sabel. Chang hief het boek hoog boven zijn hoofd. De beide rijen dragonders trokken hun sabels, klaar voor de aanval. Mrs Stearne sperde haar ogen wijd open en ging tussen hen in staan.

'Kolonel – kardinaal – dit mag niet gebeuren...'

Chang negeerde haar, en keek woedend in de van haat vervulde ogen van Aspiche. Hij siste van genot. 'Ik heb de adjudánt-kolonel Aspiche leren kennen toen hij me inhuurde – om zijn commandant, kolonel Arthur Trapping van het vierde regiment dragonders – koud te maken – te vermóórden.'

Deze woorden werden gevolgd door een stilte, maar de uitwerking op de dragonders om hen heen was even tastbaar als een klap in hun gezicht. Mrs Stearne zette grote ogen op – zij had kolonel Trapping ook gekend. Ze wendde zich tot Aspiche, en sprak aarzelend.

'Kolonel Trapping...'

'Belachelijk! Wat gaat u nog meer verzinnen om een wig te drijven tussen mij en mijn soldaten?' riep Aspiche, met een zeer geloofwaardige imitatie van iemand wiens eer was aangetast, dat moest Chang toegeven – hoewel, Aspiche was zo blind in zijn eigenwaan dat hij zichzelf waarschijnlijk allang had overtuigd dat hij die opdracht tot moord nooit had verstrekt. 'U staat algemeen bekend als een leugenachtige, moorddadige schoft...'

'Wie heeft hem dan vermoord, kolonel?' hoonde Chang. 'Hebt u dat al ontdekt? Hoe lang denkt u te blijven leven voordat ze u vermoorden? Hoeveel tijd zal de uitverkoop van uw eer u opleveren?

Hebben ze u gevraagd erbij te zijn toen ze zijn lijk in de rivier dumpten?'

Aspiche slaakte een kreet en trok met een snelle klievende beweging zijn sabel, maar daarbij liet hij zijn gewicht op zijn zwakke been rusten, want hij was door zijn woede uit zijn evenwicht geraakt. Hij wankelde even. Chang duwde Mrs Stearne opzij en stompte Aspiche met zijn vuist midden op zijn keel. De kolonel wankelde een paar stappen naar achteren, met een hand bij zijn kraag, en hapte met een rood gezicht naar adem. Chang deed onmiddellijk een stap achteruit, naar Mrs Stearne, en stak zijn handen in overgave omhoog. Mrs Stearne riep naar de dragonders, die duidelijk op het punt stonden Chang aan hun sabel te rijgen: 'Stop! Hou op! Hou op! Jullie allemaal!'

De dragonders weifelden, nog steeds klaar voor de aanval. Ze draaide zich bliksemsnel om naar Chang en Aspiche.

'Kardinaal, u moet uw kop houden! Kolonel Aspiche, u moet zich gedragen zoals het hoort bij een escorte! We lopen ogenblikkelijk door! Als er nog meer idiote dingen gebeuren sta ik niet in voor de gevolgen!'

Chang knikte naar haar en deed veiligheidshalve een stap verder uit de buurt van de kolonel. Hij was zo gewend geraakt aan de kalme manier van doen van Mrs Stearne dat haar waarachtige vertoon van gezag hem verbaasde. Het was alsof ze dat gezag van binnen uit had opgeroepen, als iets aangeleerds, zoals de werktuiglijke reactie van een soldaat op een commando – alleen dit was een emotie, een karaktervastheid die een vrouw die niets van commanderen af wist in staat stelde om twintig goedgetrainde soldaten in bedwang te krijgen – waarbij hun directe commandant werd gepasseerd. Chang was verbijsterd en van zijn stuk gebracht door de reële kracht van het procédé.

Ze liepen zwijgend door en sloegen een nieuwe bediendegang in, die langs de keukens liep. Chang keek door elke open deur of poort waar ze langs kwamen, in de hoop een glimp van Svenson of Miss Temple op te vangen. Hij loerde op een kans om te ontsnappen. Het kortstondige plezier dat hij had beleefd toen hij Aspiche treiterde was voorbij, en zijn geest werd opnieuw gekweld door twijfel. Als hij het boek kapotsmeet tegen de soldaten, zodat hij kon wegrennen door het gat dat hierdoor zou ontstaan, zou hij een kans maken – maar het was zinloos als hij toch niet wist waar hij naartoe moest. Als hij een willekeurige richting op rende zou hij waarschijnlijk recht in de armen lopen van een ander eskadron soldaten of een groep kwaadaardige aanhangers. Hij zou zonder een spoortje wroeging in stukken worden gehakt.

Chang draaide zich om toen hij hollende voetstappen achter zich hoorde. Het was een van de dragonders die Aspiche had uitgestuurd om Blenheim te zoeken. De soldaat baande zich een weg door de achterste rij soldaten, salueerde voor de kolonel, rapporteerde dat Blenheim nog steeds werd vermist, en dat de andere groepen zich verspreidden door het huis. Aspiche knikte afgemeten.

'Waar is kapitein Smythe?'

De soldaat wist het niet.

'Zoek hem!' snauwde Aspiche, alsof de soldaat ongelooflijk dom was; alsof hij al eerder naar Smythe had gevraagd. 'Hij zou buiten moeten zijn – om leiding te geven aan de wachters. Haal hem onmiddellijk hierheen!'

De dragonder salueerde opnieuw en rende weg. Aspiche zweeg en ze liepen verder.

Herhaaldelijk werden ze gedwongen te wachten terwijl een groep gasten de gang overstak waarin ze liepen. De gasten waren langs een andere route onderweg naar de balzaal, vermoedde hij. Ze waren formeel gekleed en gemaskerd; de meesten waren stralend en geestdriftig – ze deden hem denken aan de twee mannen die hij een tijdje geleden had afgeluisterd in de zitkamer. De meeste gasten keken nieuwsgierig naar de soldaten en de drie mensen tussen hen in – Aspiche, Mrs Stearne en Chang – alsof ze een vreemd allegorisch raadsel moesten oplossen: de soldaat, de dame en de duivel. Chang wierp vuile blikken op iedereen die te lang keek, maar hij voelde zich na elke ontmoeting nog eenzamer dan eerst, en hij besefte hoe hoogmoedig het was geweest om naar Harschmort te komen… Zijn einde was nabij.

Na ongeveer veertig meter lopen kwamen ze bij een korte gestalte met een zware cape en een donkere bril op, die een vreemdsoortige patroongordel om zijn borst had geslagen. Daaraan hingen meer dan twintig metalen flacons. Hij hief zijn hand op om hen tot staan te brengen. Aspiche maakte zich los van Mrs Stearne, liep hinkend naar hem toe en sprak zacht, maar niet zo zacht dat Chang het niet kon verstaan.

'Dokter Lorenz!' fluisterde de kolonel. 'Is er iets mis?'

In tegenstelling tot de kolonel had dokter Lorenz geen behoefte aan discretie. Hij sprak op messcherpe toon en richtte het woord tegelijk tot Aspiche en tot de vrouw.

'Ik eis een aantal soldaten op. Zes is genoeg, denk ik. We hebben geen seconde te verliezen.'

'Opeisen?' snauwde Aspiche. 'Waarom zou u mijn soldaten opeisen?'

'Omdat er iets is gebeurd met de kerels die mij zijn toegewezen,' blafte Lorenz. 'Dat is toch zeker niet zo moeilijk te begrijpen?'

Lorenz gebaarde naar de deuropening achter hem. Chang zag nu pas de bloederige handafdruk op de houten deurpost. Het hout was duidelijk opengereten door een kogel.

Aspiche draaide zich om, selecteerde met een knip van zijn vingers zes soldaten uit de eerste rij, en hinkte samen met hen door de deuropening. Lorenz keek hen na, maar liep niet achter hen aan. Hij trommelde afwezig met zijn vingers tegen een van de bungelende flacons. Zijn aandacht dwaalde af naar Chang en Mrs Stearne, en richtte zich toen nadrukkelijk op het boek onder Changs arm. Dokter Lorenz likte langs zijn lippen.

'Weet u welk boek dat is?' De vraag was gericht tot Mrs Stearne, maar hij kon zijn ogen niet van het glazen boek afhouden.

'Ik weet het niet. De kardinaal zei dat hij het van een dame had afgepakt.'

'Aha,' antwoordde Lorenz. Hij dacht een ogenblik na. 'Een masker met kralen?'

Chang gaf geen antwoord. Lorenz likte weer langs zijn lippen, en knikte.

'Die moet het zijn geweest. Lady Mélantes. En lord Acton. En kapitein Hazelhorst. En ik geloof oorspronkelijk Mrs Marchmoor zelf. Als ik me goed herinner. Een tamelijk belangrijk exemplaar.'

Mrs Stearne gaf geen antwoord. Op die manier gaf ze te kennen dat ze heel goed wist hoe belangrijk het boek was; dat hoefde dokter Lorenz haar niet te vertellen.

Even later verscheen Aspiche aan het hoofd van zijn soldaten. Met z'n zessen droegen ze een kennelijk loodzware draagbaar, bedekt met een stuk canvas dat aan het frame was vastgenaaid, zodat degene die eronder lag goed was verborgen.

'Uitstekend,' verklaarde Lorenz. 'Mijn dank. Deze kant op...' Hij wees de dragers een deur aan de overkant van de hal.

'Gaat u niet met ons mee?' vroeg Aspiche.

'Ik heb geen tijd,' antwoordde Lorenz. 'Ik heb nu al kostbare minuten verloren. Als het moet gebeuren moet het direct gebeuren. Onze voorraad ijs is uitgeput! Doet u alstublieft de groeten aan iedereen. Madame.' Hij knikte Mrs Stearne toe en volgde de soldaten naar buiten.

Ze liepen door tot het eind van de gang en bleven weer staan. Aspiche stuurde een soldaat vooruit om te kijken of de weg vrij was. Terwijl ze stonden te wachten, klemde Chang het boek steviger vast. De eerste rij dragonders was nu teruggebracht van tien naar vier. Als hij het boek goed mikte, kon hij ze allemaal buiten gevecht stellen en de weg vrijmaken... maar waarnaartoe? Hij keek aandachtig naar de ruggen van de soldaten voor hem en stelde zich voor dat het boek hen zou verbrijzelen... en dacht onwillekeurig aan Reeves, en aan zijn prille bondgenootschap met kapitein Smythe. Wat hadden de dragonders hem aangedaan? Hoe zou hij kapitein Smythe onder ogen kunnen komen als hij een paar van zijn soldaten op zo'n afschuwelijke manier had gedood? Als er geen andere uitweg was zou hij niet aarzelen... maar als hij werkelijk niet kon ontsnappen... waarom zou hij de dragonders iets aandoen? Hij zou het boek houden – hetzij als middel om zoveel mogelijk belangrijke figuren van de samenzwering te doden – Rosamonde of de comte – hetzij als ruilmiddel, misschien niet voor zijn eigen leven, maar voor dat van Svenson of Celeste. Hij bleef hopen dat ze nog leefden.

Hij slikte met een vertrokken gezicht van de pijn en hij zag dat Mrs

Stearne naar hem keek. Of het expres was of niet, hun doelbewuste tocht vanaf het torentje had zo lang geduurd dat zijn grootste woede was gezakt. Er zat niets anders op dan zijn lichaam de volle last van uitputting en smart te laten dragen. Hij voelde iets op zijn lip en veegde het met zijn handschoen weg – een veeg helder bloed. Hij keek terug naar Mrs Stearne, maar haar gezichtsuitdrukking verried geen greintje gevoel.

'Ik heb zeer weinig te verliezen, dat ziet u wel,' zei hij.

'Dat denken mensen altijd,' merkte kolonel Aspiche op, 'tot dat kleine beetje wordt afgepakt – en dan lijkt het de hele wereld.'

Chang zweeg. Hij had er de pest over in dat de kolonel een sprankje inzicht vertoonde.

De dragonder verscheen opnieuw in de deuropening, sloeg zijn hakken tegen elkaar en salueerde voor Aspiche.

'Neem me niet kwalijk, commandant, ze zijn klaar.'

Aspiche liet zijn sigaartje op de grond vallen en trapte het uit met zijn hak. Hij hinkte naar voren en betrad de balzaal aan het hoofd van zijn soldaten. Mrs Stearne hield Chang goed in de gaten terwijl ze achter hem aan liepen, en zorgde er angstvallig voor dat ze buiten bereik van zijn armen bleef.

Toen ze de balzaal betraden, had zich daar een enorme hoeveelheid mensen verzameld. Chang kon niet door de dichte drommen heen kijken. Een wig van dragonders liep voor hen uit en maakte de weg vrij. De toeschouwers weken uiteen als een fluisterende elegante golf. Ze baanden zich een weg naar het midden van de balzaal, waar de kolonel en zijn dragonders, na een scherp commando van Aspiche, de open ruimte groter maakten door ongeveer zes passen in alle richtingen uit te waaieren. Ze dreven de mensen verder naar achteren. Toen draaiden ze zich op hun hakken om naar kardinaal Chang en Mrs Stearne, die alleen in de open cirkel stonden.

Mrs Stearne deed vastberaden een stap naar voren en maakte een diepe buiging. Ze boog haar hoofd zo diep alsof ze voor de koninklijke familie stond. Voor het publiek, als een rij vorsten op een verhoogd podium, stonden de belangrijkste leden van de samenzwering: de contessa di Laquer-Sforza, onderminister Harald Crabbé, en

Francis Xonck, die zijn arm tot grote voldoening van Chang in een verband had gewikkeld. Naast hen stond de prins met herr Flaüss, die een masker op had en kennelijk weer op zijn benen kon staan, aan zijn linkerhand. Aan zijn rechterarm hing een glimlachende slanke blonde vrouw in een wit gewaad met een wit veren masker.

'Heel goed gedaan, Caroline,' zei de contessa, die de buiging beantwoordde met een knikje. 'Je kunt verdergaan met je opdracht.'

Mrs Stearne ging weer rechtop staan en wierp nog een blik op kardinaal Chang, waarna ze snel wegliep door de mensenmenigte. Hij stond alleen voor zijn rechters.

'Kardinaal Chang...' begon de contessa.

Kardinaal Chang schraapte zijn keel en spuwde op de grond. De vuurrode klodder vloog tot ongeveer halverwege het podium. Er weerklonk een diep verontwaardigd gefluister door de menigte. Chang zag dat de dragonders zenuwachtige blikken wisselden terwijl de gasten achter hen naar voren drongen.

'Contessa,' zei Chang, haar begroeting beantwoordend, met een stem die nu afschuwelijk schor klonk. Zijn blik gleed over de rest van het podium. 'Minister... Mr Xonck... hoogheid...'

'Wij eisen dat boek op,' stelde Crabbé. 'Leg het op de grond en loop er vandaan.'

'En wat dan?' sneerde Chang.

'Dan wordt u gedood,' antwoordde Xonck. 'Maar op een humane manier.'

'En als ik het niet doe?'

'Dan is alles wat u tot nu toe hebt meegemaakt,' zei de contessa, 'een onbeduidend voorproefje van uw pijn.'

Chang keek naar de menigte om hem heen en de dragonders – nog steeds geen spoor van Smythe, Svenson of Celeste. Hij was zich pijnlijk bewust van de luxueuze aankleding van de balzaal – de kristallen kroonluchters, de glanzende parketvloer, de muren van spiegels en glas – en de prachtige kleren van de gemaskerde toeschouwers. Dat alles vormde een schril contrast met zijn eigen smerige voorkomen. Hij wist dat deze mensen de staat van zijn lichaam en zijn kleren beschouwden als duidelijke tekenen van zijn minderwaardige sociale status. Dat deed hem ook zo'n verdriet over Angelique. In dit huis was ze een slaaf, een stuk vee, net als hij. Waarom was zij anders de eerste geweest die die afschuwelijke gedaantewisseling had ondergaan – waarom was zij als eerste meegevoerd naar het instituut? Omdat het niets uitmaakte als ze doodging. En toch kon ze hun minachting niet zien – net zomin als ze hem kon zien (maar dat was niet waar, ze zag hem natuurlijk wel – ze wees hem alleen af). Ze kon niet verder kijken dan haar eigen wanhopige ambitie. Ze zag de waarheid niet: dat ze was gebruikt. Maar toen herinnerde Chang zich de belangrijke figuren uit de grote wereld die hij de een na de ander in de geheime kamers had aangetroffen, in elkaar gezakt boven de glazen boeken, en Robert Vandaariff, die was gereduceerd tot een robot die op het perkament zat te krassen. De minachting van de samenzweerders was niet voorbehouden aan mensen van nederige afkomst of lage maatschappelijke positie.

Hij moest toegeven dat iedereen in gelijke mate werd gebruikt.

Toch keek Chang spottend naar de blikken vol woede en minachting die hem door de kring van zenuwachtige dragonders heen bestookten. Iedere gast had de kans gekregen de hielen van de samenzweerders te likken, en nu verdrongen ze zich om dit voorrecht te mogen smaken. Wie waren die mensen die er zo gemakkelijk in slaagden zoveel anderen te verblinden?

Hij bedacht bitter dat het halve werk al voor de samenzweerders was verricht. De koortsachtige ambitie van hun aanhangers had in hun leven altijd op de achtergrond op de loer gelegen, hunkerend naar een kans om op de voorgrond te treden. Die kans was net zo eerlijk als een vishaak met een worm, maar dat was nooit in iemand opgekomen. Ze prezen zichzelf gelukkig terwijl ze het aas doorslikten.

Hij hield het glinsterende glazen boek omhoog zodat iedereen het kon zien. Om een of andere reden drukte deze inspanning op zijn gepijnigde longen. Kardinaal Chang barstte uit in een verscheurende hoestbui. Hij spuwde opnieuw en veegde zijn bebloede mond af.

'Nou moeten we straks de vloer schoonmaken,' merkte de contessa op.

'U zult me wel lastig vinden omdat ik niet meteen ben doodgegaan op het ministerie,' antwoordde Chang schor.

'Ja, verschrikkelijk lastig, maar u hebt uw reputatie gevestigd als een geduchte tegenstander, kardinaal.' Ze glimlachte naar Chang. 'Vindt u ook niet, Mr Xonck?' riep ze. Nu wist Chang in elk geval dat ze Xonck bespotte om zijn verwondingen.

'Inderdaad! De kardinaal is een illustratie van de moeilijke taak die ons allen te wachten staat – de vastberaden strijd die we moeten leveren,' antwoordde Francis Xonck, die hard praatte, zodat hij in alle uithoeken van de zaal was te verstaan. 'Het ideaal dat wij nastreven wordt even hardnekkig bestreden als deze man het doet. Onderschat hem niet, maar u moet ook uw eigen moed en wijsheid niet onderschatten.'

Chang luisterde met een spottende glimlach naar die schaamteloze vleierij, en vroeg zich af waarom de aalgladde welbespraakte Xonck geen toespraken hield in de politiek, in plaats van Crabbé. Hij herinnerde zich het in elkaar gezakte lichaam van Henry Xonck – het zou niet lang duren of Francis Xonck was veel machtiger dan vijf Harald Crabbés bij elkaar. Crabbé voelde dat waarschijnlijk, want hij deed een stap naar voren en richtte zich ook tot het voltallige publick.

'Deze man heeft vanavond moorden gepleegd – te veel om op te noemen! – in zijn streven om ons ideaal te vernietigen. Hij heeft onze soldaten gedood, onze vrouwen onteerd – als een barbaar heeft hij ingebroken in het ministerie en zelfs in dit huis. En waarom?'

'Omdat u een leugenachtige syfilislijder bent die...'

'Omdat...' Crabbé overschreeuwde de schorre stem van Chang met gemak. 'Omdat wij u een ideaal bieden dat de wurggreep verbreekt waarin deze man – en zijn geheime opdrachtgevers – u heeft gevangen, om u in het gareel te houden, en u een bete broods te geven terwijl ze profiteren van uw arbeid en uw geld! Wij zeggen dat dit moet stoppen – en hun bloedige knecht is gekomen om ons te vermoorden! U ziet het zelf!'

De menigte barstte uit in een koor van woedende kreten, en weer besefte Chang dat hij eigenlijk niets van mensen begreep. In zijn ogen waren de woorden van Crabbé net zo idioot en kruiperig als die van Xonck, precies even vals en onderdanig. Dat was zonneklaar. En toch huilden de luisteraars als bloeddorstige jachthonden om Chang te verscheuren. De dragonders verloren terrein terwijl de menigte steeds verder naar voren drong. Hij zag Aspiche, die tegen zijn rug naar voren werd geduwd, en zenuwachtig omhoog blikte naar het podium. Daarna keek hij Chang met een woedende blik vol heftige verontwaardiging aan, alsof het allemaal Changs schuld was.

'Lieve vrienden... alstublieft! Alstublieft... een moment!' Xonck glimlachte, hief zijn goede hand op en probeerde het lawaai te overstemmen. De kreten stierven onmiddellijk weg. Zijn gezag was verbijsterend. Chang betwijfelde of deze mensen het procédé hadden ondergaan – daar was toch niet voldoende tijd voor geweest? Hij kon nauwelijks begrijpen hoe een niet-getrainde (of niet-Duitse) verzameling mensen zo eensgezind kon reageren.

'Lieve vrienden,' hernam Xonck, 'maakt u zich geen zorgen. Deze man zal boeten... en wel onmiddellijk.' Hij keek Chang aan met een gretige glimlach op zijn gezicht. 'We weten alleen nog niet hóe we dat gaan doen.'

'Leg het boek neer, kardinaal,' herhaalde de contessa.

'Als iemand een stap in mijn richting zet zal ik het kapotsmijten tegen uw mooie gezicht.'

'Is het werkelijk?'

'Met het grootste plezier.'

'Erg minnetjes, kardinaal, dat valt me tegen van u.'

'Nou, mijn verontschuldigingen. Als het iets zou uitrichten, zou ik u het liefst vermoorden, niet omdat u me ongetwijfeld al hebt gedood met het glas in mijn longen, maar omdat u echt mijn gevaarlijkste vijand bent. De prins is een idioot, Xonck heb ik al te grazen genomen, en onderminister Crabbé is een lafaard.'

'Wat bent u toch dapper,' antwoordde ze, niet in staat een klein glimlachje te onderdrukken. 'Wat vindt u van de comte d'Orkancz?'

'Hij voert zijn werk uit, maar u bepaalt de koers die wordt gevaren – uiteindelijk is hij uw slaaf. U beraamt zelfs complotten tegen uw bondgenoten – weet een van hen wat voor werk Mr Gray moest opknappen?'

'Mr... wie?' De glimlach op het gezicht van de contessa verstarde plotseling.

'O, kom nou – waarom zo verlegen? Mr Gray. Van het instituut – op het ministerie was hij er ook – toen herr Flaüss werd begiftigd met het procédé.' Hij knikte naar de dikke Mecklenburger, die terugknikte, ondanks de weifelende uitdrukking op zijn gezicht. Voordat de contessa kon antwoorden verhief Chang zijn stem opnieuw. 'Ik vermoed dat u die opdracht aan Mr Gray had gegeven. Waarom zag ik hem anders beneden in de gevangenistunnels, terwijl hij aan de ovens van de comte zat te knoeien? Ik heb geen idee of hij had uitgevoerd wat u hem had opgedragen, of niet. Ik heb hem gedood, voordat we de kans kregen om het laatste nieuws uit te wisselen.'

Ze was sterk, dat moest hij toegeven. Binnen twee tellen nadat hij was uitgesproken wendde ze zich met een dodelijk ernstige sissende stem, die buiten het podium nauwelijks hoorbaar was, tot Crabbé en Xonck.

'Weten jullie daar iets van? Hebben júllie Gray erop uitgestuurd?'

'Natuurlijk niet,' fluisterde Crabbé. 'Gray viel onder ú...'

'Was het de comte?' siste ze weer, nog kwader dan eerst.

'Gray viel onder ú,' herhaalde Xonck. Zijn hersens draaiden duidelijk op volle toeren achter zijn afgemeten toon.

'Waarom was hij dan in de tunnels?' vroeg de contessa.

'Ik weet zeker dat het niet waar is,' zei Xonck. 'Ik weet zeker dat de kardinaal liegt.'

Ze draaiden zich om naar Chang. Voordat ze haar mond kon opendoen haalde Chang iets uit zijn zak.

'Dit is zijn sleutel, geloof ik,' riep Chang, en hij gooide de zware ijzeren sleutel kletterend op de grond voor het podium.

Natuurlijk had die sleutel van iedereen kunnen zijn. Hij betwijfelde of een van hen de sleutel van Gray zou kunnen herkennen, maar het concrete voorwerp had het gewenste effect; het leek zijn woorden te bewijzen. Hij glimlachte met een grimmige voldoening. Eindelijk voelde hij een welkome kilte in zijn hart verschijnen bij deze schertsvertoning. Chang wist dat niets gevaarlijker is dan een volkomen onverschillig mens, en hij was blij dat hij de kans kreeg zoveel mogelijk verdeeldheid te zaaien in deze laatste, uitzichtloze minuten. De figuren op het podium zwegen, evenals het publiek – hoewel hij zeker wist dat het publiek geen flauw idee had wat er aan de hand was. Ze zagen alleen dat hun leiders zich geen raad wisten.

'Wat deed hij daar…' begon Crabbé.

'Doe de deuren open!' riep de contessa. Ze wierp een woedende blik op Chang, maar verhief haar stem, zodat die als een scheermes door de hele balzaal sneed. Achter zich hoorde Chang dat de grendels werden weggeschoven. De mensen begonnen onmiddellijk te fluisteren; ze keken achterom en weken opzij. Er kwam iemand de balzaal binnen. Chang keek naar de mensen op het podium – ze leken allemaal net zo gespitst op de nieuwe entree als het publiek – en keek toen om, aangezien het gefluister werd onderbroken door mensen die naar adem snakten of zelfs kreten slaakten van verbazing.

De menigte week eindelijk uiteen, en er ontstond een open ruimte tussen kardinaal Chang en de comte d'Orkancz, die langzaam op hem af liep. In zijn linkerhand had hij een zwarte leren riem, die met een ijzeren gesp vastzat aan de leren halsband van een vrouw die achter hem aan liep. Ondanks alles hield Chang zijn adem in.

Ze was naakt, haar haar hing nog altijd in zwarte, weelderige krullen omlaag, en ze liep met doelbewuste passen achter d'Orkancz aan. Haar ogen dwaalden over de hele zaal zonder zich ergens specifiek op te richten, alsof ze alles voor het eerst zag. Ze liep langzaam, maar zonder schaamte, even natuurlijk als een dier. Ze zette haar voeten voorzichtig neer, waarbij ze de vloer doelbewust aftastte terwijl ze naar de gezichten om zich heen keek. Haar lichaam was glanzend blauw, glinsterend vanuit de indigoblauwe diepten, en haar huid was glad als water, buigzaam maar toch ook stijf terwijl ze liep, waardoor Chang de indruk kreeg dat elke beweging haar bewuste concentratie en voorbereiding vereiste. Ze was mooi en onaards – Chang kon zijn ogen niet van haar afhouden: haar zware borsten, de volmaakte verhoudingen van haar ribben en heupen, de verleidelijke zwaai van haar benen. Hij zag dat er nu geen haar meer groeide op het gezicht en lichaam van Angelique, alleen op haar hoofd. Zonder wenkbrauwen had haar gezicht een open uitdrukking, zoals die van een gelukzalige maagdelijke middeleeuwse madonna. Haar naakte geslacht was tegelijkertijd ongelooflijk onschuldig en liederlijk.

Alleen het wit van haar ogen was licht. Haar blik vestigde zich op Chang.

De comte schudde haar leiband en Angelique schreed naar voren. Het was stil in de balzaal. Chang hoorde elke voetstap tikken op de gladgewreven houten vloer. Hij dwong zichzelf te kijken naar d'Orkancz, en zag kille haat. Hij keek naar het podium: een geschokte uitdrukking op het gezicht van Crabbé en Xonck. De contessa echter, hoezeer ook van haar stuk gebracht, bestudeerde haar metgezellen alsof ze peilde of deze afleiding succes had gehad. Chang keek weer naar Angelique. Hij kon zichzelf niet weerhouden. Ze kwam dichterbij... en hij hoorde haar spreken.

'Kar-di-naal Chang,' zei ze, iedere lettergreep even zorgvuldig uitsprekend als altijd... maar haar stem was anders: zachter, intenser – alsof de helft van de klankkast was weggesmolten.

Haar lippen bewogen niet – konden ze bewegen? – en hij realiseerde zich met een schok dat hij haar woorden alleen in zijn hoofd hoorde.

'Angelique...' Hij fluisterde.

'Het is afgelopen, kardinaal... U weet het... kijk me aan.'

Hij probeerde de andere kant op te kijken. Het lukte niet. Ze kwam steeds dichterbij.

'Arme kardinaal... u begeerde me zo verschrikkelijk... Ik begeerde ook zo... Weet u nog?'

De woorden ontvouwden zich in zijn geest als Chinese wonderschelpen in water, die opbloeien tot kleurige bloemen. Op dat moment werd hij overweldigd door haar aanwezigheid, en haar geprojecteerde gedachten namen de plaats in van zijn eigen zintuigen.

Hij was niet langer in de balzaal.

Ze stonden samen in de schemering bij de oever van de rivier en staarden naar het grijze water. Hadden ze ooit zoiets gedaan? Ja, één keer – een keer waren ze elkaar toevallig op straat tegengekomen en ze stond hem toe haar terug te brengen naar het bordeel. Hij had een levendige herinnering aan die dag, op hetzelfde moment dat hij die dag opnieuw beleefde via haar eigen geprojecteerde herinnering. Hij zei iets tegen haar. De woorden waren nietszeggend – hij had iets willen zeggen om haar te bereiken, een verhaal over de geschiedenis van de huizen waar ze langs liepen, over zijn waaghalzige avonturen, over het echte leven aan de waterkant. Ze had nauwelijks een woord gezegd. Op dat moment had hij zich afgevraagd of het een taalprobleem was – ze sprak toen nog met een sterk accent –, maar nu, met haar gedachten in zijn geest, zag hij verpletterend duidelijk dat ze gewoon verkoos niet te praten en dat de hele ontmoeting absoluut niets met hem te maken had. Ze had hem alleen toegestaan met haar mee te lopen – was doelbewust op straat naar hem toe gegaan – om een andere jaloerse klant te ontlopen die haar de hele weg vanaf Circus Garden had gevolgd. Ze had nauwelijks gehoord wat Chang zei, ze had beleefd geglimlacht en geknikt bij zijn dwaze verhalen en had alleen gewenst dat het voorbij was... tot ze even aan de kade waren blijven staan, en omlaag hadden gekeken naar het water. Chang had gezwegen, en haar toen zachtjes verteld over de rivier die naar de onmetelijke zee stroomde – hij merkte op dat zelfs zij op dat moment, midden in hun morsige leven, een plaats hadden aan de grens van het mysterie, omdat ze daar stonden.

Dat beeld van een mogelijke ontsnapping, die onbedoelde weerklank van haar eigen uitgestrekte verbeeldingswereld, die zo ver buiten haar bereik lag... had haar verrast. Ze had dat moment onthouden en was hem dankbaar, hier aan het eind.

Kardinaal Chang knipperde met zijn ogen. Hij keek naar de vloer. Hij zat op handen en knieën, terwijl de bloederige speekselslierten uit zijn mond hingen. Kolonel Aspiche torende hoog boven hem uit, met het glazen boek in zijn handen. Angelique stond naast de comte d'Orkancz, met een dwalende blik die noch nieuwsgierigheid, noch interesse verried. De comte knikte naar het podium en Chang dwong zichzelf om te keren. Dicht bij het podium week de mensenmassa opnieuw uiteen... voor Mrs Stearne. Ze kwam binnen en leidde een kleine vrouw in een witzijden gewaad aan de hand. Chang schudde zijn hoofd – niet tot denken in staat. De vrouw in het wit... hij kende haar... Hij knipperde opnieuw met zijn ogen, veegde zijn mond af en slikte moeizaam. De jurk was dun en zat strak om haar lichaam... Ze liep op blote voeten... een masker van witte veren... kastanjebruin haar in pijpenkrullen aan weerszijden van haar hoofd.

Met moeite kwam Chang op zijn knieën overeind.

Hij deed zijn mond open om iets te zeggen toen Mrs Stearne haar arm naar achteren bracht en het veren masker van Miss Temples gezicht trok. Ze had vurige lusvormige littekens van het procédé om elk grijs oog, en ingebrand in een streep over haar neusbrug.

Chang trachtte haar naam te zeggen. Zijn stem weigerde dienst.

Hij voelde dat kolonel Aspiche achter hem bewoog. De kracht van de klap deed de balzaal tollen, zodat Chang zich afvroeg, in zijn laatste moment voor de duisternis, of zijn hoofd er af was geslagen.

NEGEN

De provocateur

Dokter Svenson was een chirurg, en daarom wist hij dat het lichaam zich niet de pijn herinnerde. Het herinnerde zich alleen dat een ervaring pijnlijk was geweest. Maar extreme angst werd in het geheugen gegrift, sterker dan wat ook ter wereld. Hij trok zich hand over hand onder ondraaglijke pijnen omhoog, in de richting van de ijzeren cabine, terwijl het donkere landschap duizelingwekkend onder hem rondtolde en de ijskoude wind zijn gezicht en handen verkleumde. Hij moest de grootste moeite doen de greep op zijn verstand niet te verliezen. Hij probeerde aan iets anders te denken dan de afschuwelijke diepte onder zijn schoppende laarzen, maar dat lukte niet. De inspanning benam hem de adem. Hij kon niet roepen of het uitschreeuwen, maar hij jammerde van panische angst bij elke martelende beweging. Zijn hele leven was hij teruggedeinsd voor alle mogelijke soorten hoogte – zelfs als hij aan boord van een schip een ladder op klom dwong hij zichzelf recht vooruit te kijken en zijn ledematen te bewegen, om te voorkomen dat zijn maag of zijn verstand bezweek onder die geringe hoogte. Ondanks zijn angst lachte hij zichzelf uit – een korte blaf vol speeksel – omdat hij uitgerekend aan ladders dacht... wat een idee! Zijn enige, uiterst schrale troost, was dat de gierende wind en de donkere lucht hem tot nu toe verborgen hadden gehouden voor mensen die uit een raampje keken. Niet dat hij zeker wist dat ze hem niet hadden gezien. Hij had zijn ogen stijf dichtgeknepen.

Hij was misschien halverwege het touw en zijn armen voelden aan als brandend lood. Het leek nu al alsof hij zich alleen nog maar kon vasthouden. Hij deed zijn ogen heel even open om een glimp van de schommelende gondel op te vangen, maar hij deed ze krijsend van hoogtevrees onmiddellijk weer dicht. Daar waar hij een tijdje geleden een gezicht voor het ronde raampje had gezien zag hij nu alleen zwart glas. Had hij Eloïse echt gezien? Toen hij op de grond stond wist hij dat zeker, maar nu – nu wist hij nauwelijks hoe hij heette. Hij dwong zichzelf omhoog te klimmen – elke keer dat hij een hand losliet om het touw boven hem vast te grijpen stak een dolk van angst in zijn hart, en toch ging hij door. Hij baande zich een weg, zijn gezicht van inspanning vertrokken tot een afschuwelijke grimas.

Nog twee meter. Zijn geest werd overmand door twijfel – waarom hield hij niet op? Waarom liet hij niet los? Was dat eigenlijk niet de onderliggende angst achter zijn hoogtevrees; de angst dat hij zou springen? Waarom deinsde hij altijd achteruit voor balkons en ramen? Was dat niets anders dan de vrees voor de plotselinge opwelling zichzelf omlaag te storten. Nu zou het heel eenvoudig zijn. De grazige weiden onder hem konden even goed tot graf dienen als de zee – en hoe vaak had hij dat niet overwogen sinds Corinna's dood? Hoe vaak had hij niet versteend van kou over de ijzeren reling van een Baltisch schip gehangen, terwijl hij knaagde op de neiging zichzelf overboord te werpen, als een depressieve terriër met een kapotgeknauwde stok?

Nog twee meter. Hij klemde zijn tanden op elkaar, schopte met zijn benen en dreef zichzelf voort uit pure wilskracht en woede. Dát was een reden om te blijven leven: zijn haat jegens deze mensen; hun neerbuigendheid, hun vanzelfsprekende toe-eigening van voorrechten, hun gewetenloze machtshonger. Hij dacht aan de samenzweerders in de gondel, beschermd tegen de vrieskou. Ze waren ongetwijfeld gehuld in bontmantels, gesust door de fluisterende wind en het fluitende gezoem van de rotors. Nog een meter, zijn armen waren zo slap als touw. Hij spreidde zijn hand en deed een nieuwe greep... schopte met zijn voeten... nog eens... nog eens. Hij dwong zichzelf aan andere dingen te denken dan de diepte onder hem. De zeppelin – hij had nog nooit zoiets gezien! Hij zat kennelijk vol met een bepaald soort gas – waterstof, nam hij aan –, maar was dat alles? Hoe werd hij aangedreven? Hij had geen idee hoe de zeppelin het gewicht van de gondel kon dragen, om nog maar te zwijgen over een stoommachine... Was er een andere krachtbron? Iets met Lorenz en de indigoklei? In theorie zou Svenson deze vragen fascinerend hebben gevonden, maar nu wierp hij zich erop met de stompzinnige hartstocht van een man die de tafels van vermenigvuldiging opzegt om een naderende zenuwcrisis af te weren.

Hij deed zijn ogen weer open en keek omhoog. Hij was dichterbij dan hij dacht; hij hing ongeveer tien meter onder de lange ijzeren cabine. Het bovenste uiteinde van het touw was vastgemaakt aan het ijzeren net om de gasballon zelf, vlak achter de cabine. Voor zover hij kon zien waren er geen ramen aan de achterkant van de cabine... maar was er een deur? Hij deed zijn ogen dicht en klom drie pijnigende meters verder, en keek opnieuw omhoog. Dokter Svenson was plotseling ontzet... Terwijl hij met zijn ogen dicht naar boven was geklommen, had hij zich niet gerealiseerd... Even bleef hij gewoon hangen waar hij was. Onder hem en aan weerskanten van de cabine waren de achterste rotors – per stuk waren ze misschien acht meter lang – en het touw leidde precies tussen de rotors door. Door de wind en zijn eigen inspanningen zwiepte het touw heen en weer – de bladen van de rotors draaiden zo snel dat hij niet kon zien hoe breed de tussenruimte eigenlijk was. Hoe hoger hij klom, hoe groter de kans dat hij door zijn inspanningen te ver naar links of naar rechts zou schieten – recht in de bladen.

Het enige wat hij kon doen was vallen. Hoe langer hij door zijn angst uitstelde naar boven te klimmen, hoe minder kracht hij in zijn armen zou hebben. Hij trok zichzelf op, kneep zijn ogen dicht en klemde de kabel steviger tussen zijn benen om het zwiepen tot bedaren te brengen. Terwijl hij omhoogkroop, hoorde hij duidelijker de dreigende omwentelingen van de rotors. De lucht werd meedogenloos gehakt. Hij hing net onder hen. Hij rook de uitlaatgassen – dezelfde karakteristieke scherpe geur van ozon, zwavel en verbrand rubber die hem bijna had doen kotsen op de zolder van Tarr Manor. Dit vliegende vehikel was een uitvloeisel van de misdadige wetenschap van de samenzwering. Hij voelde de nabijheid van de rotors, die onzichtbaar langs hem heen kliefden. Hij greep het touw hoger vast, en toen nog eens, en hees daarna zijn hele lichaam binnen het bereik van de rotors. Hij zette zich schrap voor de wrede slag die een arm of been zou afsnijden. De platte bladen van de rotors loeiden om hem heen, maar hij bleef ongedeerd. Svenson kroop omhoog, terwijl zijn hele lichaam trilde van inspanning. De gondel hing recht voor hem – ongeveer drie meter buiten zijn bereik. Elke poging het touw ernaartoe te zwaaien zou tot gevolg hebben dat hij door de achterzwaai in de rotors terechtkwam, als het hem niet zou lukken de gondel vast te grijpen. Erger nog: er was geen uitsteeksel aan de achterkant van de gondel. Er was niets waaraan hij zich kon vastgrijpen als hij een poging zou doen. Hij keek omhoog. De kabel zat aan het ijzeren net vast met een ijzeren bout... Het was zijn enige kans. Nog twee meter. Zijn hoofd stak boven de rotors uit. Hij kon de bout bijna aanraken. Hij kroop nog een meter omhoog, snakkend naar adem. Zijn lichaam was uitgeput op een manier die zijn bevattingsvermogen te boven ging. Nog vijftien centimeter. Hij reikte met grote pijn omhoog, voelde de bout, en daarboven de vastgeklonken ijzeren stijl. Een schok van angst schoot door hem heen – hij hield zich met één hand aan het touw vast, en met zijn knieën. Hij slikte, en verstevigde zijn greep op de stijl. Hij moest loslaten en zichzelf optrekken. Hij moest zijn benen om de stijl slaan en boven de rotors uit naar het dak van de gondel klimmen. Maar hij zou het touw moeten loslaten. Plotseling – het was wellicht onvermijdelijk – werden zijn zenuwen hem de baas en de hand aan het touw gleed weg. Direct greep dokter Svenson met beide handen naar de ijzeren stijl en klemde zich vast, terwijl zijn benen wild maaiden. Hij keek omlaag en zag het touw verdwijnen in de rotor aan de rechterkant, waar het aan flarden werd geranseld. Met een jammerkreet trok hij zijn knieën tegen zijn borst – voordat de rotors zijn voeten zouden afhakken. Hij sloeg zijn benen om de ijzeren stijl. Hij keek omhoog naar de canvas gasballon vlak boven zijn hoofd. Vlak onder hem was de dood – als hij niet te pletter zou vallen, zouden zijn armen en benen worden afgehakt. Hij kroop langzaam langs de stijl; met pijnlijke vingers verplaatste hij zijn greep op het ijskoude ijzer om de tussenliggende dwarsverbindingen. Zijn handen waren bevroren – hij greep net zo goed met zijn onderarmen als met zijn vingers.

Het kostte hem tien minuten om tien meter af te leggen. De gondel hing nu recht onder hem. Zo voorzichtig mogelijk liet hij zijn benen omlaagzakken en hij voelde het stevige ijzer onder zijn voeten. Uit zijn ogen stroomden tranen – van ontroering of van de wind, dokter Svenson had geen idee.

De gondel was een gladde kist van zwartgeverfd ijzer, die drie meter onder de enorme gasballon hing aan ijzeren stijlen. Op elke hoek van het frame zat een stijl. Het dakoppervlak was glad van de kou en de vochtige mistige zeelucht. Dokter Svenson was te zeer verlamd door angst en afgestompt door uitputting om naar de rand te durven kruipen, zodat hij zichzelf zou kunnen vasthouden aan een van die hoekstijlen. Daarom dook hij midden op het dak in elkaar. Hij sloeg zijn armen om dezelfde ijzeren band die hij daarvoor had gebruikt om erbovenop te klimmen. Klappertandend dwong hij zijn verwarde geest om zijn toestand in ogenschouw te nemen. De gondel was ongeveer vier meter breed en tien meter lang. Hij zag een ronde luikopening in het dak, maar als hij daarnaartoe wilde kruipen moest hij de band loslaten. Hij deed zijn ogen dicht en concentreerde zich op zijn ademhaling. Hij bibberde ondanks zijn overjas en de inspanning die hij daarnet had geleverd – of misschien juist door die inspanning, want het zweet op zijn lichaam en in zijn kleren maakte dat hij het ijskoud had in de snijdende wind. Toen de zeppelin plotseling zwenkte, deed hij zijn ogen open en greep de band om zijn leven te redden. De zeppelin maakte een bocht en Svenson voelde dat zijn greep onvermijdelijk verslapte toen hij door de kracht van de bocht werd meegezogen. Met een krankzinnige schaterlach vergeleek hij zijn toestand – zich wanhopig vastklemmend aan een zeppelin die een snelle bocht maakte – met zijn levenslange angst om op een ladder te klimmen. Hij herinnerde zich dat hij gisteren nog – was het zo kortgeleden? – op handen en knieën over het platte dak van de Mecklenburgse ambassade was gekropen! Als hij dit toen had geweten! Svenson greep zich steviger vast en lachte opnieuw. Het platte dak! Hij klemde zich vast aan de oplossing van het mysterie. Hoe was de prins ontsnapt? Ze hadden hem opgehaald met de zeppelin! Bij een lagere snelheid maakten de rotors natuurlijk minder geluid; ze zouden gemakkelijk naar de juiste plaats kunnen zweven en een paar mannen naar beneden kunnen laten om de prins te bevrijden, zonder dat iemand er iets van merkte. Er was zelfs een verklaring voor de verfrommelde sigarettenpeuk – de contessa di Laquer-Sforza had die uit het raam van de cabine gegooid terwijl ze toekeek. Hij kon nog steeds niet verklaren waarom de prins was ontvoerd zonder dat

631

de andere leden van het complot – Xonck en Crabbé in elk geval – er iets van wisten. Zijn vijanden hadden onverklaarbare geheimen voor elkaar, zoals de dood van Arthur Trapping... Als hij een van die geheimen kon ontrafelen, zou hij alles begrijpen.

Na de bocht ging de zeppelin weer rechtdoor. De mist werd dichter om Svenson heen. Hij liep over het dak naar voren, terwijl hij zijn best deed niet te hard te stampen – het laatste wat hij wilde was dat iemand daar beneden zou ontdekken waar hij was. Hij deed zijn ogen weer dicht en probeerde zijn hijgende ademhaling tot bedaren te brengen. Hij zou stil blijven zitten tot zijn armen eraf vielen of tot de zeppelin op zijn bestemming aankwam, een van de twee.

Toen hij zijn ogen weer opendeed maakte de zeppelin een nieuwe bocht, minder scherp dan eerst. Hij had het zich niet eerder gerealiseerd, maar zag het nu door de flarden mist heen: ze vlogen lager, ongeveer zeventig meter boven iets wat eruitzag als een laag, moerasachtig weiland, waar nauwelijks een boom te zien was. Zouden ze de zee oversteken? Hij zag lichtjes in de schemering, eerst onduidelijk en flakkerend, maar later steeds duidelijker. Toen kon hij hun bestemming in haar geheel zien liggen – want de zeppelin bleef inderdaad dalen.

Het was een enorm gebouw, maar relatief laag – Svenson vermoedde dat het twee of drie verdiepingen hoog was. Het zag er buitengewoon stevig uit. Het huis als geheel zag eruit als een los stuk kaakbeen, om een soort formele tuin. Terwijl ze dichterbij zweefden, hoorde hij een verandering in het geluid van de rotors – ze gingen langzamer draaien – en hij zag meer bijzonderheden: een groot open plein voor het huis, vol koetsen, en bezaaid met op mieren lijkende (of, toen ze dichterbij kwamen, op muizen lijkende) gestalten van koetsiers en knechten. Svenson keek naar de andere kant en ontwaarde twee zwaaiende lantaarns op het dak van het huis, en achter die lantaarns een groep mannen. Ze stonden ongetwijfeld te wachten om de landvasten op te vangen. Ze zweefden dichterbij... dertig meter, twintig meter... Svenson maakte zich plotseling zorgen dat ze hem zouden zien, en geheel tegen zijn zin liet hij zich opnieuw vallen en hield zich vast aan het handvat van het luik. Hij lag plat op zijn buik op het dak van de gondel. De stalen platen waren ijskoud.

Met één arm hield hij het handvat vast en zijn andere arm strekte hij uit over het dak om zijn evenwicht te bewaren, en hij spreidde zijn benen naar verschillende hoeken. Ze daalden. Hij hoorde kreten van beneden, en toen hoorde hij dat iemand met een knal een raam opendeed en iets terugriep uit de gondel.

Ze landden op Harschmort House.

Dokter Svenson deed zijn ogen weer dicht, meer uit angst om ontdekt te worden dan omdat hij hoogtevrees had. Overal om hem heen hoorde hij geschreeuw en gefluit vanuit de dalende zeppelin. Er kwam niemand door het luik naar boven – kennelijk werden de landvasten aan de voorkant van de gondel naar beneden gegooid. Misschien zouden ze de touwen opnieuw vastmaken aan de bout waarop hij was geklommen zodra de rotors waren gestopt. Hij had geen idee – het was slechts een kwestie van tijd voor hij zou worden ontdekt. Hij dwong zichzelf na te denken over zijn situatie en zijn meest urgente problemen.

Hij was ongewapend. Hij was fysiek uitgeput – hij had zijn enkel verstuikt, zijn hoofd gestoten en bij het klimmen zijn handen geschaafd. Op het dak stonden ongetwijfeld potige kerels die hem maar al te graag te grazen zouden nemen, als ze hem niet naar beneden zouden smijten op het plein. In de gondel hield zich een handvol vijanden schuil: Crabbé, Aspiche, Lorenz, Miss Poole... en in hun macht was, hij wist niet in welke staat – of, om eerlijk te zijn: bij wie ze hoorde – Eloïse Dujong. Beneden hem hoorde hij nog een knal en daarna een luid geratel van metaal dat eindigde in een zwaar gekletter van ijzer op de stenen. Hij onderdrukte de neiging zijn hoofd op te heffen om een kijkje te nemen. De gondel schommelde een beetje en tegelijkertijd hoorde hij stemmen – eerst riep Crabbé iets, daarna Miss Poole. Iemand van beneden gaf antwoord. Daarna kon hij het gesprek niet meer volgen doordat er te veel mensen door elkaar heen praatten – ze daalden af uit de gondel langs een neergelaten ladder of trap.

'Eindelijk.' Dat was Crabbé, die over het dak naar iemand riep. 'Staat alles klaar?'

'Het was heerlijk,' zei Miss Poole tegen iemand anders, 'hoewel niet zonder avonturen...'

'Verdomd vervelend,' ging Crabbé verder. 'Ik heb geen idee – Lorenz zegt dat hij het kan, maar ik heb er nog nooit van gehoord – ja, twee keer – de tweede keer recht door zijn hart...'

'Voorzichtig! Voorzichtig nou!' Dat was Lorenz. 'En ijs – we hebben straks onmiddellijk een badkuip vol ijs nodig – ja, jullie allemaal – hou vast! Vlug, we hebben geen tijd!'

Crabbé luisterde, terwijl iemand die zacht praatte zodat Svenson hem niet kon verstaan, hem op de hoogte bracht van de ontwikkelingen elders – zou dat Bascombe zijn?

'Ja... ja... ik begrijp het...' Hij zag voor zich dat de onderminister knikte terwijl Bascombe tegen hem praatte. 'En Carfax? Baax-Saornes? Barones Roote? Mrs Kraft? Henry Xonck? Uitstekend. En hoe gaat het met onze vermaarde gastheer?'

'De kolonel heeft zijn enkel verstuikt, ja.' Miss Poole grinnikte – die vrouw moest altijd overal om lachen. 'In gevecht met de gevreesde dokter Svenson. Ik ben alleen bang dat die arme dokter een nare dood is gestorven – ik word asgrauw bij de gedachte alleen al!'

Miss Poole barstte in lachen uit om haar eigen grap – en kolonel Aspiche sloot zich bij haar aan met een bulderend *hahaha*. In zijn uitgeputte emotionele toestand duurde het een tijdje voor Svenson zich realiseerde dat ze moesten lachen omdat hij in een oven was verbrand.

'Deze kant op. Deze kant op – ja! Nou, Miss Poole, de vlucht is haar duidelijk niet goed bekomen!'

'Terwijl ze kortgeleden nog zo meegaand was, kolonel. Misschien heeft ze alleen nog wat meer van uw vriendelijke aandacht nodig.'

Ze voerden Eloïse weg – ze leefde nog. Wat hadden ze met haar gedaan? Erger nog: wat bedoelde Miss Poole met 'meegaand'? Hij kwelde zichzelf met het beeld van Eloïse op de houten trap, de verwarring in haar ogen... Ze was naar Tarr Manor gekomen met een bepaalde reden, hoewel ze zich die niet herinnerde. Hoe kon Svenson weten wie ze was? Toen herinnerde hij zich haar warme lippen op de zijne, en wist hij helemaal niet meer wat hij moest denken. Svenson durfde zijn hoofd nog steeds niet op te tillen, uit angst voor ontdekking. De seconden kropen voorbij en hij mopperde in zichzelf. Hij wenste vurig dat het hele stel zo snel mogelijk van het dak zou verdwijnen.

Eindelijk waren de stemmen verdwenen. Maar wat deden de mensen die de zeppelin moesten vastmeren of bewaken? Dokter Svenson hoorde een gedempt geklik vanuit het luik onder hem, en voelde het handvat in zijn hand draaien. Hij kroop haastig achteruit terwijl de grendel werd losgemaakt. Het luik zwaaide omhoog, en direct daarna verscheen het met olievlekken besmeurde gezicht van een man in een overall. Hij zag Svenson. Zijn mond zakte open van verbazing. Svenson schopte met zijn hak zo hard mogelijk in het gezicht van de man, en vertrok zijn gezicht tot een grimas toen hij het knarsende geluid van de schop hoorde. De kerel viel pats-boem door het open luik naar beneden, en Svenson krabbelde achter hem aan. Hij gooide beide benen door het ronde gat, negeerde de rij ijzeren treden die aan de muur waren vastgeschroefd, en liet zich neervallen op het kreunende, overrompelde lichaam aan de voet van de trap. Svenson kwam pal boven op de schouders van de man terecht en sloeg hem met een fikse klap tegen de grond. Hij deed struikelend een stap opzij van zijn roerloze slachtoffer en greep zich aan de treden vast om zijn evenwicht te bewaren. Uit een zak van de overall stak een enorme vettige moersleutel. Terwijl hij het voorwerp op zijn hand woog, herinnerde Svenson zich de moersleutel waarmee hij in Tarr Village Mr Coates had gedood en de kandelaar waarmee hij de arme Starck had vermoord. Was het werkelijk nodig om dood en verderf te zaaien? Was het pas gisteravond dat Svenson door de comte had moeten terugdenken aan die keer dat hij een kerel – een schurk, maar maakte dat iets uit? – had vergiftigd in Bremen? Wat was er overgebleven van zijn verfijnde scrupules?

Hij liep voorzichtig door de gondel die in kleine hutten was onderverdeeld, als het krappe maar goed ingerichte interieur van een zeiljacht. Tegen de muur stonden zachte leren banken en ingelegde tafeltjes en iets wat eruitzag als een drankkast – de vastgesjorde flessen waren zichtbaar door de verstevigde glazen deur. Svenson frunnikte met zijn verstijfde vingers aan de leren banden voor de kastdeur. Zijn handen waren nog half bevroren en bebloed, en hij kon ze niet dwingen zo'n verfijnd werkje te verrichten als het losmaken van een eenvoudige gesp. Hij kreunde van ongeduld en haalde de moersleutel te voorschijn. Hij gaf een klap tegen het glazen paneel en stootte vervolgens door het verbrijzelde gat om de rand te ontdoen van puntige glasscherven. Voorzichtig pakte hij een fles cognac en peuterde met zijn stijve, kromgetrokken vingers de kurk eruit. Hij nam een grote slok, hoestte een keer tevreden door de warmte, en nam toen nog een slok. Hij ademde krachtig uit, terwijl de tranen in zijn ogen sprongen, en nam toen weer een slok. Svenson zette de fles neer – hij wilde op krachten komen en warm worden, niet dronken.

Tegen de muur aan de overkant stond een andere, hogere houten kast. Hij liep ernaartoe en probeerde de deur open te trekken. Die zat op slot. Svenson hief de moersleutel en sloeg het hout rond het slot met een krachtige klap kapot. Toen hij de kastdeuren opentrok zag hij vijf glanzende goedgeoliede karabijnen, vijf gepoetste kapmessen en daarachter drie dienstrevolvers aan haken. Svenson gooide de moersleutel op een leren stoel en greep snel een revolver en een doos patronen. Hij liet het magazijn openklappen om de revolver te laden. Hij hief zijn hoofd omhoog en luisterde, terwijl zijn vingers de ene kogel na de andere in de revolver lieten glijden, en na zes kogels klapte hij het magazijn weer dicht. Hoorde hij iemand buiten? Hij pakte een kapmes. Het was een absurd gevaarlijk wapen, zoiets als een vlijmscherp slagershakmes van veertig centimeter lang, met een glanzend koperen handvat dat even groot was als zijn hele hand. Hij had geen idee hoe hij het moest hanteren, maar het ding zag er zo angstaanjagend uit, dat het bijna leek alsof het uit zichzelf kon doden.

De man in de overall bleef roerloos liggen. Svenson deed een stap naar de deur, bleef staan, zuchtte, en knielde toen vlug bij hem neer, terwijl hij de revolver in zijn zak moffelde. Hij voelde de hartslag bij de halsslagader. Die hartslag was er. Hij zuchtte weer, omdat de man duidelijk een gebroken neus had, en schoof hem een beetje opzij zodat het bloed kon wegstromen zonder dat hij erin stikte. Hij veegde zijn handen af, ging rechtop staan en haalde de revolver uit zijn zak. Nu hij zichzelf had overtuigd dat hij zijn menselijkheid had behouden, begon hij aan zijn wraaktocht.

Dokter Svenson liep door de volgende, kleinere hut naar de deuropening – weer een luik met een uitklapbare ijzeren trap naar het dak, dat ongeveer drieënhalve meter lager lag. Een tweede trap leidde omhoog naar de stuurhut van de zeppelin. Hij vergewiste zich ervan dat niemand aan de voet van de trap hem kon zien en bleef staan om te luisteren. Deze middelste hut leek erg veel op de andere: bankjes en tafeltjes. Toen viel zijn blik op een onschuldig uitziende kluwen touw op de vloer onder een ijzeren beugel in de muur. Svenson liet zich vol afschuw op zijn knieën zakken. De stukken touw waren aan één kant doorgesneden en bebloed... De boeien van Eloïse, waarmee haar handen, haar voeten en haar mond waren vastgebonden. Iemand had haar zonder medelijden vastgebonden – strak, tot bloedens toe. Svenson rilde bij de gedachte aan haar marteling, en een golf van razernij ging door zijn lichaam. Was dit niet een bewijs van haar onschuld? Hij zuchtte, want het was natuurlijk alleen een bewijs van de wreedheid en grondigheid van de samenzweerders. Ze hadden potentiële aanhangers opgeofferd in Tarr Manor, en ze zouden er niet voor terugdeinzen de loyaliteit van een nieuwe aanhanger op de proef te stellen – en natuurlijk zou een echte aanhanger elke beproeving zonder protest ondergaan. Wist hij maar wat ze tegen haar hadden gezegd, hoe ze haar hadden overreed, hoe ze haar hadden verleid, wat ze hadden gevraagd, wat ze had geantwoord.

Hij haalde de revolver uit zijn zak. Met een diepe zucht kroop hij door het luik. Hij was niet zo veranderd dat hij zonder angst een trap kon afdalen, met wapens in zijn handen. Hij daalde (of denderde) zo snel mogelijk omlaag. Zijn blik vloog over het dak, op zoek naar een wachter. Maar hij was alleen, voor zover hij kon zien. De zeppelin was vastgemeerd met twee kabels die aan de onderkant van de gondel waren bevestigd, maar verder werd hij niet bewaakt. Hij besloot het lot niet te tarten en stevende af op de enige weg die zijn toekomstige slachtoffers konden hebben genomen: een stenen schuurtje, ongeveer twintig meter ver, met een deur die werd opengehouden door een steen.

Terwijl dokter Svenson daarheen liep, keek hij omlaag naar zijn handen: het kapmes in de linkerhand, de revolver in de rechter. Moest het zo? Hij was geen goede schutter, behalve op een korte afstand, en hij had ook geen enkele ervaring met een kapmes. Voor beide wapens gold dat hij ze effectiever kon gebruiken met zijn rechterhand – maar welk wapen zou het minst worden gehinderd door het gebruik van zijn linkerhand? Hij bedacht tegen wie hij zou moeten vechten: zijn eigen Ragnarok-soldaten of de dragonders van kolonel Aspiche. Ze zouden allemaal sabels dragen en ze waren getraind die meedogenloos te gebruiken. Met het kapmes in zijn linkerhand had hij geen schijn van kans om één slag af te weren. Aan de andere kant, als hij dat ding in zijn rechterhand hield – maakte hij dan wel een kans – of, nog belangrijker: was zijn kans groter dan wanneer hij op ze schoot? Nee, dat niet. Hij liet de wapens waar ze waren.

Hij deed de deur open en zag een verlaten trappenhuis met gladde witgepleisterde muren en een trap van flagstones. Hij hoorde niets. Svenson liet de deur tegen de stenen deurstopper leunen, maakte rechtsomkeert en liep snel naar de overkant van het dak, waar hij uitzicht had op de tuin, terwijl hij zijn groeiende angst trachtte te onderdrukken. Deze kant was als een monumentaal kasteel afgezet met een lage muur met kantelen, waaraan hij zich kon vasthouden terwijl hij naar beneden keek. Er hing nog steeds een dichte mist. Als door een sluier zag hij beneden zich een enorme tuin, met kegelvormige toppen van formeel gesnoeide sparrenbomen en de bovenkanten van standbeelden en siervazen. Toen zag hij toortsen oplichten in de opdoemende duisternis. Het leek alsof ze werden gedragen door dragonders, en hij hoorde kreten, maar het was moeilijk vast te stellen waar die vandaan kwamen; niet alle soldaten in de tuin hadden toortsen. Toen klonken de kreten luider – ergens in het midden van de tuin? Daarna volgden een schot en een gedempte kreet. Er weerklonken nog twee schoten vlak achter elkaar en Svenson zag dat de toortsen uit verschillende richtingen één kant op kwamen. Hij tuurde voor de toortsen uit om te zien waar ze op joegen. Er hing nog steeds een dichte mist, maar uit het feit dat ze bewogen maakte hij op dat degene die ze onder schot namen niet ernstig gewond was – of niet alleen was.

Plotseling zag dokter Svenson iets bewegen, bijna recht onder hem. Een gestalte kroop van de rij heggen naar het grasveld om de tuin, en maakte aanstalten vliegensvlug het grindpad over te steken naar het huis. De mist bleef aan de vochtige planten hangen en werd minder dicht aan de rand... Het was kardinaal Chang. De dragonders joegen op Chang! Svenson zwaaide verwoed met zijn armen, maar Chang keek niet naar zijn kant, maar naar een raam – de stommeling! Svenson wilde roepen, maar wat zou dat uitrichten – behalve dat er meteen een eskadron dragonders naar het dak zou stormen?

Toen was Chang verdwenen; hij schoot terug in de schaduw van de tuin – hij kroop god wist waarnaartoe. De dragonders arriveerden op de plaats waar hij even daarvoor had gestaan, alleen een paar seconden later. Huiverend realiseerde Svenson zich dat Chang hoogstwaarschijnlijk dood zou zijn geweest als hij erin was geslaagd zijn aandacht te trekken. De dragonders keken achterdochtig om zich heen – en toen omhoog, zodat Svenson achter de muur moest wegduiken.

Wat deed Chang hier? Hoe was het mogelijk dat geen van zijn achtervolgers de aankomst van de zeppelin had opgemerkt? Svenson veronderstelde dat het kwam door de mist en de donkere kleur van de zeppelin. Hij prees zich gelukkig dat zijn aankomst geheim was gebleven – hoe kon hij daar zijn voordeel mee doen?

Bij een luid gekraak van een brekende tak in de tuin keek Svenson opnieuw omlaag. Tot zijn verbazing ontdekte hij Chang onmiddellijk. Hij was vanaf zijn middel zichtbaar door de mist heen, wat betekende dat hij een eind boven de grond stond. Hij zat in een enorme stenen vaas en schopte met zijn benen. De toortsen kwamen van alle kanten op hem af – er weerklonken kreten. In een plotselinge opwelling boog Svenson zich over de rand van het dak en smeet het kapmes met al zijn kracht naar een raam onder hem, op de begane grond. Op het moment dat het glasgerinkel de kreten van de achtervolgers onderbrak dook hij weg achter een kanteel. Er klonk onmiddellijk een verwarrend spervuur van kreten en hij hoorde rennende voetstappen beneden op het grind. In elk geval was de aandacht van een aantal soldaten afgeleid door het raam, zodat Chang iets meer tijd kreeg... wat deed hij, verstopte hij zich in die vaas? Svenson waagde nog een vluchtige blik, maar hij zag hem niet meer. Hij kon niets doen – hoe langer hij op één plaats bleef staan, hoe meer risico hij liep gevangen te worden. Hij rende terug naar de deur van de trap en daalde af in het huis. Hij zou een deel van zijn energie kunnen toeschrijven aan de cognac, maar de wetenschap dat hij – hoe dan ook, ergens – niet alleen was, gaf hem nieuwe hoop.

De trap had tien treden en leidde omlaag naar een overloop op de derde verdieping. Hij liep niet verder omlaag, want het was alleen de trap naar het dak. Svenson legde zijn oor tegen de deur en duwde de deurkruk snel met een diepe zucht omlaag. Hij had zich niet gerealiseerd dat hij zijn adem had ingehouden toen hij voelde of de deur op slot zat. Hij vroeg zich terloops af waarom die mensen zo veel zelfvertrouwen hadden – aan de andere kant, wie hadden ze niet in hun macht gekregen, met uitzondering van drie willekeurige uitgeputte mensen? Hij dacht weer aan Chang – waarom was hij hiernaartoe gekomen? Met een schok – en een opkomend schuldgevoel – begreep hij het: Miss Temple. Chang had haar gevonden, had haar spoor gevolgd naar Harschmort. En nu deed Chang zijn best om aan zijn achtervolgers te ontsnappen. Maar zijn vijanden wisten niet dat Svenson er was. Terwijl ze op kardinaal Chang joegen – Svenson vertrouwde erop dat zijn kameraad hen zou ontwijken – moest hij zorgen dat Miss Temple werd gered.

En wat moest hij met Eloïse? Dokter Svenson zuchtte ondanks zichzelf. Hij wist het niet. Toch, als ze was wie hij hoopte – de geur van haar haren zweefde nog steeds door zijn herinnering –, zou hij haar toch niet in de steek kunnen laten? Het huis was erg groot – hoe kon hij beide doelen bereiken? Svenson bleef staan en wreef over zijn ogen; hij trachtte in zijn uitputting de roep van zijn hart af te wegen tegen die van zijn verstand. Wat stelden deze reddingen voor vergeleken bij zijn hogere doel: de redding van de prins en de eer van Mecklenburg zelf? Hij wist het niet. Hij was een man en hij stond er vooralsnog alleen voor.

Svenson glipte stilletjes van de trap naar een open overloop. Er liepen aan weerskanten gangen naar de zijvleugels, en vóór hem was het hoogste punt van de schitterende staatsietrap, met een marmeren balkon. Van daaruit zou hij (als hij over de rand boog) omlaag kunnen kijken naar de hoofdingang van het huis, twee verdiepingen lager (maar dat wilde hij niet). Beide zijgangen waren leeg. Als Miss Temple of Eloïse in een van die kamers was opgesloten, zou er iemand bij de deur op wacht staan, dat wist hij zeker. Hij moest nog een verdieping lager.

Maar wat zocht hij? Hij trachtte zich te concentreren op datgene wat hij wist – welke plannen waren nu in werking gezet? Voor zover hij wist, hadden de samenzweerders Tarr Manor gebruikt om een enorme hoeveelheid indigoklei te verzamelen en te raffineren – teneinde een nieuwe voorraad van het kwaadaardige glas te maken, of de zeppelin te bouwen, of iets wat nog griezeliger was... het alchemistische genie van Oskar Veilandt, geëxploiteerd door de comte d'Orkancz. Een tweede doel was het verzamelen – en vastleggen in glas – van persoonlijke informatie over hooggeplaatste, machtige figuren, doorgebriefd door hun ontevreden ondergeschikten. Aldus gewapend zouden de samenzweerders een ongelimiteerde macht hebben om mensen te dwingen en ondergeschikt te maken. Wie had geen geheimen waarvoor hij zich schaamde? Wie zou niet tot het uiterste gaan om die te bewaren? Dit schrikbeeld van pure macht deed Svenson denken aan de gesneuvelde hertog van Stäelmaere. Het derde doel was geweest hem – in betrekkelijk isolement – in contact te brengen met de samenzwering, om zijn gunst en medewerking te krijgen. Nu de hertog dood was, liepen de hofintriges van Crabbé in elk geval in het honderd.

En wat betekende dat voor Eloïse, zijn moordenares? Misschien maakte het niet uit aan welke kant ze stond, bedacht hij huiverend. Aangezien ze een dergelijke moed had getoond zou het complot haar aan het procédé onderwerpen en haar voor eeuwig inlijven. Zodra die gedachte in hem opkwam, wist hij dat het waar was. Als zijn redenatie klopte – en dat wist Svenson heel zeker –, wachtte Miss Temple precies hetzelfde lot.

De dokter sloop de brede eikenhouten trap af, met zijn rug tegen de muur en zijn hoofd vooruitgestoken om de wachters beneden in de gaten te houden. Hij bereikte een overloop tussen twee verdiepingen en keek omlaag. Niemand. Hij glipte naar de tegenoverliggende muur en sloop verder naar de tweede verdieping. Hij hoorde stemmen opklinken uit de grote hal op de begane grond. Hij zag geen bewakers, toen hij vlug links en rechts keek in de gangen op de tweede verdieping. Waar waren de passagiers van de zeppelin? Waren ze rechtstreeks naar de begane grond gegaan? Hoe kon hij ze achtervolgen in de drukte van het huis?

Hij had geen idee, maar hij stak de overloop over naar de laatste trap omlaag – deze trap was nog breder en weelderiger dan de andere twee, aangezien hij deel uitmaakte van de eerste indruk die een bezoeker kreeg door de voordeur. Svenson slikte. Ondanks zijn beperkte zicht zag hij een groep bedienden in zwarte livreien. Door de voordeur kwam een gestage stroom elegant geklede gasten binnen. Even later hoorde hij het gestamp van laarzen. Een man met een woedend gezicht en zware bakkebaarden marcheerde aan het hoofd van een rij dragonders door zijn gezichtsveld. De bedienden sprongen in de houding toen hij verscheen, salueerden als soldaten en riepen zijn naam – Plengham? Dat werd volledig genegeerd door de man. Toen verdween hij en Svenson zuchtte bitter terwijl hij omlaagkeek naar de vijf of zes bedienden die hij zou moeten overmeesteren, in aanwezigheid van honderd toeschouwers.

Hij hoorde een geluid achter zich en draaide met een ruk zijn hoofd om. Hij ontlokte een gilletje van schrik aan twee meisjes in het zwart met witte schorten voor en witte mutsjes op – dienstmeisjes. Svenson zag de ingebakken onderdanigheid op hun angstige gezichten en maakte daar onmiddellijk misbruik van – hoe meer tijd ze kregen om na te denken, hoe groter de kans dat ze een keel zouden opzetten.

'Daar zijn jullie eindelijk!' snauwde hij. 'Ik ben net aangekomen met minister Crabbé – ze hebben me hiernaartoe gestuurd om me op te knappen – ik heb een waskom nodig; een van jullie moet mijn jas afborstelen. Doe dadelijk wat je kunt. Schiet op, nu. Schiet op!'

Ze zetten grote ogen op toen ze zijn revolver zagen, die hij terugstopte in zijn jaszak. Daarna trok hij al lopend de jas van zijn schouders, en dreef de meisjes terug door de hal waar ze net uit waren gekomen. Hij gooide de smerige jas over de arm van de ene en knikte afgemeten tegen de andere.

'Ik moet zo direct praten met lord Vandaariff – informatie van levensbelang, buitengewoon dringend. Jullie hebben de prins toch wel gezien, prins Karl-Horst? Geef antwoord als ik iets vraag!'

Beide meisjes maakten een kniebuiging. 'Ja, mijnheer,' zeiden ze bijna tegelijk. Een van hen – zonder jas, met vet bruin haar dat bij haar oor onder haar kapje vandaan piepte, iets dikker dan haar metgezellin – voegde eraan toe: 'Miss Lydia heeft de prins net verwelkomd, weet ik.'

'Uitstekend,' onderbrak Svenson haar. 'Je hoort het aan mijn accent, ja – ik ben de lijfarts van de prins – informatie van levensbelang voor jullie meester, maar zó kan ik hem moeilijk onder ogen komen, nietwaar?'

Het meisje met de jas versnelde haar pas en deed een deur open. Het andere meisje siste ontzet tegen haar, en het eerste meisje siste terug, alsof ze wilde vragen waar ze hem dan mee naartoe moest nemen. Het tweede gaf toe – dit gebeurde allemaal zo snel dat Svenson geen kans kreeg zich te beklagen – en ze lieten hem binnen in een badkamer. Over alle voorwerpen was witte kant gedrapeerd en er hing een verstikkende lucht van geparfumeerde kaarsen en droogbloemen.

De meisjes kwamen in actie. Ze loodsten Svenson naar de spiegel, waar hij zich moest vermannen om niet in elkaar te krimpen toen hij zichzelf zag. Terwijl de ene dienstmeid onhandig zijn jas afborstelde, maakte de andere een doek nat en begon zijn gezicht te betten. Hij zag dat dit volslagen zinloos was. Zijn gezicht was een masker van vuil, zweet en geronnen bloed – van zijn eigen wonden of van zijn slachtoffers, dat wist hij niet, tot de ruwe stof het wegveegde of hem in elkaar deed krimpen. Zijn hoogblonde haar, dat hij altijd keurig achteroverkamde, was naar voren gevallen en samengeklit door bloed en vuil. Eerst was hij alleen van plan geweest de dienstmeisjes te gebruiken om uit het zicht te komen en informatie te krijgen, maar hij moest iets doen aan zijn deplorabele staat. Hij duwde de betuttelende handen weg en klopte tegen zijn stoffige jas en broek.

'Zorg voor mijn uniform, dit doe ik wel.'

Hij liep naar de waskom en plonsde zijn hoofd er rechtstreeks in, onwillekeurig hijgend door het koude water. Hij hief zijn druipende hoofd op, greep een handdoek die het meisje hem in de handen duwde, en ging toen rechtop staan, terwijl hij zijn gezicht en haren krachtig droogwreef. Hij bette herhaaldelijk zijn opnieuw geopende wonden, zodat de handdoek werd bestippeld met rode vlekjes. Hij gooide de handdoek opzij, slaakte een voldane zucht en streek zijn haar zo goed mogelijk met zijn vingers achterover. Hij betrapte het dienstmeisje met zijn jas erop dat ze in de spiegel naar hem keek.

'Jullie Miss Lydia,' riep hij tegen haar. 'Waar is ze nu – zij en de prins?'

'Ze zijn met Mrs Stearne meegegaan, mijnheer.'

'Kapitein,' verbeterde het andere meisje haar. 'Hij is een kapitein, nietwaar, mijnheer?'

'Goed gezien,' antwoordde Svenson, en hij forceerde een vriendelijke glimlach. Hij keek weer naar de waskom en likte langs zijn lippen. 'Neem me niet kwalijk...'

Svenson boog zich naar de koperen lampetkan, bracht die naar zijn mond en dronk gulzig, waarbij hij water op zijn kraag en jasje morste. Het kon hem niets schelen, net zomin als het hem iets kon schelen wat de dienstmeisjes dachten – hij was plotseling uitgedroogd. Wanneer had hij voor het laatst iets gedronken – in die kleine herberg in Tarr Village? Het leek een half leven geleden. Hij zette de lampetkan neer en pakte een nieuwe handdoek om zijn gezicht te betten. Hij liet de handdoek vallen, diepte zijn monocle uit zijn zak en frommelde hem op zijn plaats.

'Hoe gaat het met de jas?' vroeg hij.

'Neemt u me niet kwalijk, kapitein, maar uw jas is erg slordig,' antwoordde het dienstmeisje bedeesd. Hij rukte hem uit haar handen.

'Slordig?' vroeg hij. 'Hij is smerig. Je hebt tenminste gezorgd dat hij nu te herkennen is als jas, ook al is hij niet netjes – en dat is een hele prestatie. En jij,' – hij wendde zich tot het andere meisje – 'hebt gezorgd dat ik te herkennen ben als officier, ook al is het niet een bijzonder respectabele – maar dat is helemaal mijn schuld. Dank jullie wel.' Svenson stak zijn hand in zijn broekzak, haalde twee zilveren munten te voorschijn en gaf er een aan ieder meisje. Ze zetten grote ogen op. Het was verdacht. Het was te veel geld – dachten ze dat hij verlangde dat ze hem nog een extra ongepaste dienst bewezen? Ze keken hem nu schalks glimlachend aan. Dokter Svenson schraapte blozend zijn keel. Hij zette zijn monocle recht en schoot onhandig in zijn jas, terwijl zijn hooghartige toon plaatsmaakte voor een verlegen gestamel.

'Zouden jullie zo vriendelijk willen zijn om me te wijzen welke kant die Mrs – Mrs Stearne op is gelopen?'

Opgelucht liep dokter Svenson naar een zijtrap die de dienstmeisjes hem hadden aangewezen, die hij zelf nooit zou hebben gezien. De trap was te bereiken door een onopvallende deur naast een spiegel. Svenson wist nog steeds niet waar zijn verantwoordelijkheden lagen, wat hij moest doen. Hij volgde het spoor van Karl-Horst en zijn verloofde – zou dat niet evengoed kunnen leiden naar Miss Temple of Eloïse? De samenzweerders zouden ernaar streven mensen als Miss Temple zo veel mogelijk buiten het gezichtsveld van hun gasten te houden – of hun 'aanhangers' zoals Miss Poole ze noemde –, omdat ze er ongetwijfeld uitzag als een gevangene. Aangezien de gevangenen niet op deze verdieping waren, en ook niet op de verdieping daarboven, kon hij in elk geval ongezien over deze trap naar beneden. Wat zou er gebeuren als hij de prins het eerst vond? Moest hij dan de hoop opgeven dat hij de vrouwen zou vinden? Even stelde hij zich een triomfankelijke terugkeer naar Mecklenburg voor, naar dat bestaan van dorre plichtsbetrachting, met de idiote prins in zijn kielzog, en zijn hart zoals altijd in een dichte mist van wanhoop. Hoe moest het dan met het verbond dat hij op het dak van Hotel Boniface met Chang en Miss Temple had gesloten? Hoe moest hij kiezen tussen deze wegen? Svenson liet de dienstmeisjes achter in de hal, die hem met hun hoofden schuin als twee nieuwsgierige katten nakeken. Hij onderdrukte de neiging om naar ze te zwaaien en liep met grote stappen naar de trap.

Deze trap was smaller dan de hoofdtrap – alleen om aan te duiden dat de sfinx kleiner is dan de piramiden, want hij was schitterend. De treden waren kunstig ingelegd met allerlei kleuren hout en de muren waren beschilderd met buitengewoon getrouwe kopieën, in miniatuur, van de Byzantijnse mozaïeken van Justinianus en Theodora in Ravenna. Svenson onderdrukte een waarderend gefluit bij de gedachte aan de hoeveelheid geld die Robert Vandaariff had uitgegeven om die ene zijtrap op te knappen, en probeerde toen tevergeefs door extrapolatie te berekenen hoeveel het had gekost om de Harschmort-gevangenis om te toveren tot Harschmort House. Een dergelijk fortuin ging zijn verstand te boven.

Hij had verwacht dat er aan de voet van de trap een deur naar de hal op de eerste verdieping zou zijn, maar dat was niet zo. In plaats daarvan zag hij een dichte deur met een metalen veer, als een keukendeur. Was hij bij de keukens? Hij fronste zijn wenkbrauwen, terwijl hij zijn plaats in het huis trachtte te bepalen. Bij zijn vorige bezoek was hij met de prins door de hoofdingang binnengekomen en had de hele tijd doorgebracht in de linkervleugel – rond de balzaal – en daarna in de tuin, waar hij het lijk van Trapping had gezien. Hij was nu op onbekend terrein. Hij duwde de zwaaideur voorzichtig open, zodat hij naar binnen kon gluren.

Hij zag een vertrek met kale houten tafels en een eenvoudige stenen vloer. Om een tafel zaten twee mannen en drie vrouwen – twee vrouwen zaten, en een jongere vrouw schonk bier uit een kan in houten bekers. Ze waren alle vijf gekleed in eenvoudige, donkere wollen werkkleren. Op de tafel tussen hen in stonden een lege schaal en een stapel houten kommen – bedienden die een laat avondmaal nuttigden. Svenson trok zijn schouders naar achteren en stevende op hen af. Hij deed zijn best om majoor Blach te imiteren, met een overdreven accent en een onbeholpen taalgebruik voor een maximaal autoritair effect.

'Neem mij niet kwalijk! Ik ben vragend naar de prins Karl-Horst van Maasmärck – hij is hierlangs gekomen? Of – neem mij niet kwalijk – zal ik hem hier vinden?'

Ze keken hem aan alsof hij Chinees sprak. Dokter Svenson bootste opnieuw het gebruikelijke gedrag van majoor Blach na; met andere woorden, hij zette het op een schreeuwen:

'De prins! Met jullie Miss Vandaariff – hier? Een van jullie vertelt mij dadelijk!'

De arme bedienden krompen in elkaar. Het prettige besluit van hun avondmaal was verstoord door zijn opdringerige, dreigende gebrul. Drie van hen wezen met onderdanige ijver naar de tegenoverliggende deur en een van de vrouwen ging nota bene staan en wees ook naar die deur, terwijl ze gedwee knikte.

'Die kant op, mijnheer. Nog geen tien minuten geleden... Neemt u me niet kwalijk...'

'*Ach*, dat is beslist heel vriendelijk van je – ga alsjeblieft weer aan je werk!' snauwde Svenson, die naar de deur liep voordat iemand zich kon afvragen wie hij in 's hemelsnaam was en waarom zo'n smerige, haveloze man zo haastig achter de prins aan liep. Hij hoopte dat de eisen van de samenzweerders even onbegrijpelijk waren, gesteld door figuren die zich even autoritair gedroegen.

Dat was niet moeilijk te geloven.

Toen hij eenmaal door de zwaaideur was, bleef Svenson opnieuw staan, terwijl hij zijn arm naar achteren stak om het zwaaien te stoppen. Hij stond aan één kant van een grote, open ontvangstzaal – in een soort bediendengang met een laag overhangend plafond. Die gang was bedoeld om bedienden te laten binnenkomen zonder de mensen in de grote zaal te storen. Boven zijn hoofd was een balkon voor muzikanten; Svenson hoorde het zachte getokkel van een harp. Recht tegenover de gang, op een afstand van ongeveer tien meter, was een tweede zwaaideur, maar je moest de open zaal oversteken om die te bereiken. Hij drukte zich tegen het muurtje dat de zwaaideur verborg en luisterde naar de harde stemmen van de mensen daar vlak achter.

'Ze moeten kiezen, Mr Bascombe! Ik kan de natuurlijke loop der gebeurtenissen niet eindeloos uitstellen! Zoals u weet, komen onmiddellijk na deze kwestie de gedaantewisselingen van de comte, de initiaties in de snijzaal, de vele belangrijke gasten die zijn aangewezen voor de verzameling. Mijn persoonlijke aanwezigheid is bij al die dingen van het grootste belang...'

'En zoals ik ú heb verteld, dokter Lorenz, weet ik niet wat ze willen!'

'Het maakt niet uit – het is heel eenvoudig! Hij moet nu dadelijk worden geprepareerd of hij valt ten prooi aan verrotting en bederf!'

'Ja, u hebt duidelijk gemaakt wat we kunnen kiezen...'

'Niet zo duidelijk dat ze tot handelen overgaan!' Lorenz begon te sputteren, met de neerbuigende schoolmeesterachtigheid van een doorgewinterde academicus. 'U zult het zien – bij de slapen, de nagels, de lippen, de verkleuring, het lekken... U allen, ja, zelfs ú, zult ongetwijfeld de geur ruiken...'

'Ga tegen me tekeer zoveel u wilt, dokter, maar we moeten het bericht van de minister afwachten.'

'Ik zal zeker tegen u tekeergaan...'

'En ik moet u erop wijzen dat het lot van de broer van de koningin niet in uw handen ligt!'

'Hé, zeg... wat was dat voor geluid?'

Dat was een andere stem. Svenson wist dat hij die stem kende, maar hij kon hem niet thuisbrengen.

Wat belangrijker was: hij refereerde aan het geluid van zijn eigen binnenkomst door de zwaaideur. De anderen hielden op met ruziemaken.

'Wat voor geluid?' snauwde Lorenz.

'Ik weet niet. Ik dacht dat ik iets hoorde.'

'Afgezien van de harp?' vroeg Bascombe.

'Ja, afgezien van die prachtige harp,' mompelde Lorenz geprikkeld. 'Precies wat een afgeslacht lid van het Koninklijk Huis nodig heeft wanneer hij ligt opgebaard in een lekkend bad vol ijs...'

'Nee, nee... van díe kant...' zei de stem, die overduidelijk gericht was naar de kant waar Svenson zich maar ternauwernood verborgen hield.

De stem van Flaüss.

De gezant was bij hen. Hij zou Svenson herkennen en dat zou het einde betekenen. Kon hij terugrennen door de bediendenkamer? Maar waar moest hij naartoe – de trap op?

Zijn gedachtengang werd onderbroken door het geluid van een grote groep mensen die de zaal aan de andere kant betrad, dicht bij de anderen – vele stampende voeten... of, om precies te zijn, stampende laarzen. Lorenz begroette ze luid met zijn eentonige, spottende stem.

'Uitstekend, wat vriendelijk van u om eindelijk te komen. U ziet de last waaronder wij gebukt gaan. Ik heb twee soldaten nodig om een voorraad ijs te halen. Er is mij verteld dat ergens op het terrein een ijsheuvel staat...'

'Kapitein…' De stem van Bascombe die de woordenstroom van de dokter gladjes onderbrak. 'Zou u kunnen onderzoeken of we worden gehinderd door ongewenste gasten vanuit de bediendengang?'

'Zodra u twee soldaten op pad hebt gestuurd om ijs te halen,' eiste Lorenz.

'Juist,' zei Bascombe, 'twee soldaten voor het ijs, vier soldaten voor de badkuip, één soldaat om netjes aan de minister te vragen of hij nieuws heeft, en één om te kijken of we erdoor kunnen. Is iedereen het daarmee eens?'

Svenson glipte terug naar de deur en duwde er zachtjes tegenaan, zo geluidloos mogelijk. De deur zat klem. Hij was van binnenuit vergrendeld – de bedienden hadden ervoor gezorgd dat hij hun maaltijd niet nog eens zou verstoren. Hij duwde harder, tevergeefs. Vlug viste hij de revolver uit zijn zak – door het geluid van schrapend ijzer en schuifelende voeten van zijn vijanden aan de overkant van de zaal heen, hoorde hij namelijk doelbewuste voetstappen die recht op hem af kwamen.

Voor hij zover was, keek de man hem vol in het gezicht, op nog geen meter afstand: een lange kerel met sluik bruin haar. Een kapitein van de dragonders, met een onberispelijke rode uniformjas, een koperen helm onder zijn arm en een getrokken sabel in zijn hand. Svenson beantwoordde zijn doordringende blik en greep zijn revolver steviger vast, maar schoot niet. Het idee een soldaat te doden stuitte hem tegen de borst – wie weet wat ze tegen deze kerels hadden gezegd, of waartoe ze opdracht hadden gekregen, zeker van een regeringsleider als Crabbé of Bascombe? Svenson trachtte de daadkracht van Chang op te roepen en richtte zijn revolver.

De ogen van de man schoten op en neer, en namen Svenson in zich op: zijn uniform, zijn rang, en zijn onverzorgde uiterlijk. Zonder een woord te zeggen draaide hij zich om, keek de andere kant op en deed toen achteloos een stap naar Svenson toe, ogenschijnlijk met het doel – als er iemand uit de zaal naar hem keek – de deur achter Svenson te onderzoeken. Svenson kromp in elkaar, maar kon nog steeds niet de trekker overhalen. De kapitein boog zich naar Svenson toe, greep langs hem heen naar de deurknop en stelde vast dat de deur op slot zat. Svensons revolver drukte zowat tegen de borst van de kapitein, maar de kapitein liet zijn sabel doelbewust langs zijn zij omlaaghangen.

'Dokter Svenson?' fluisterde hij.

Svenson knikte, niet in staat een woord uit te brengen.

'Ik heb Chang gezien. Ik neem deze mensen mee naar het centrale deel van het huis – gaat u alstublieft de andere kant op.'

Svenson knikte weer.

'Kapitein Smythe?' riep Bascombe.

Smythe deed een stap achteruit. 'Niets bijzonders, mijnheer.'

'Práátte u met iemand?'

Smythe gebaarde vaag naar de deur terwijl hij wegliep en uit het zicht verdween.

'Er zijn bedienden in de kamer hiernaast. Ze hebben niemand gezien – misschien heeft de gezant een van hen horen bewegen. De deur zit nu op slot.'

'Ongetwijfeld,' stemde Lorenz ongeduldig in. 'Zullen we?'

'Wilt u mij volgen, heren?' riep Smythe. Svenson hoorde de deuren opengaan, het geschuifel en gekraak van de soldaten die de dode hertog optilden, het *splatsj* van het water dat uit de badkuip klotste, het geschuifel van voetstappen en ten slotte het geluid van een deur die werd dichtgedaan. Hij wachtte. Hij hoorde niets. Hij zuchtte en liep om het muurtje heen, terwijl hij zijn revolver terugstopte in zijn jaszak.

* * *

Herr Flaüss stond vlak naast de deur aan de overkant, met een zelf-voldane grijns op zijn gezicht. Svenson haalde zijn revolver weer te voorschijn. Flaüss snoof minachtend.

'Wat gaat u doen, dokter, mij doodschieten en alle soldaten in het hele huis attent maken op uw aanwezigheid?'

Svenson liep doelbewust door de grote zaal naar de gezant, terwijl hij zijn revolver voortdurend op diens borst gericht hield. Het was een bittere gedachte dat hij zou sneuvelen door deze miezerige, jen-gelende slaaf, na alle martelingen die hij had doorstaan.

'Ik wist dat ik iets had gehoord,' grinnikte Flaüss, 'en ik wist ook dat kapitein Smythe loog. Ik heb geen idee waarom – ik ben eigenlijk wel benieuwd welke macht u kunt uitoefenen over een officier van de dragonders, zeker in de volkomen verloederde staat waarin u verkeert.'

'U bent een verrader, Flaüss,' antwoordde Svenson. 'U bent altijd een verrader geweest.'

Hij stond bijna twee meter van Flaüss af. De toegangsdeur was ongeveer een meter achter Flaüss. Flaüss snoof opnieuw.

'Hoe kan ik een verrader zijn als ik de bevelen van mijn eigen prins opvolg? Weliswaar begreep ik het eerst niet helemaal – weliswaar hebben ze me geholpen mijn huidige inzicht te bereiken –, maar u beoordeelt mij, en de prins, even verkeerd als u altijd...'

'Hij is een idioot en hij is zelf ook een verrader,' snauwde Svenson woedend. 'Hij verraadt zijn eigen vader, zijn eigen land...'

'Mijn arme dokter, u bent hopeloos ouderwets. Er is veel veranderd in Mecklenburg.' Flaüss likte langs zijn lippen en zijn ogen glinsterden. 'Die baron van u is dood. Ja, baron Von Hörn – het was algemeen bekend dat hij er een armzalig netwerk van detectives op na hield. Waarom zou ik anders letten op elke beweging van een onbeduidende marinedokter? De gezondheid van de hertog zelf is ook slecht, uw opvattingen over patriottisme zijn achterhaald; zeer binnenkort wordt prins Karl-Horst hertog, zodat hij in een uitstekende positie verkeert om de gunstige financiële ondernemingen van lord Vandaariff en zijn compagnons met open armen te ontvangen.'

Flaüss droeg een eenvoudig zwart half masker over zijn ogen. Svenson herkende grimmig de vuurrode littekens achter de randen.

'Waar is majoor Blach?' vroeg hij.

'Hij is vast ergens hier in huis. Hij is vast erg blij dat ik u heb gevangen. Hij en ik zijn het uiteindelijk eens geworden, natuurlijk – nog een geluk! Het is echt een kwestie van dieper inzicht, een diepere waarheid. Als de prins niet zo begaafd is in politieke zaken, zoals u het noemt, is het des te belangrijker dat hij wordt gesteund door mensen die deze tekortkomingen kunnen compenseren.'

Svenson sneerde op zijn beurt. Hij keek achterom. Een bizarre aanvulling op de confrontatie met de geestelijk gehersenspoelde gezant was de verborgen harpist, die doorging met spelen. Hij wendde zich weer tot Flaüss.

'Als u wist dat ik hier was, waarom hebt u dan niets tegen uw bazen gezegd, tegen Lorenz of Bascombe?' Hij gebaarde met zijn revolver. 'Waarom gaf u mij een voorsprong?'

'Ik heb u helemaal geen voorsprong gegeven – zoals ik zeg: u kunt me niet doodschieten zonder uzelf in het verderf te storten. U bent geen dwaas en ook geen vechtersbaas. Als u wilt blijven leven moet u me uw wapen geven; daarna lopen we samen naar de prins. Ik zal ze bewijzen dat ze me kunnen vertrouwen in mijn nieuwe rol. Zeker omdat u vermoedelijk een groot aantal zogenaamde vijanden moet hebben ontweken om zover te komen.'

Aan de zelfvoldane gezichtsuitdrukking van de gezant zag Svenson het effect van het procédé en de reikwijdte van de verandering die daardoor was teweeggebracht. Deze man zou vroeger nooit zo stoutmoedig zijn geweest een openlijke confrontatie te riskeren – om maar te zwijgen van een dergelijke onbeschaamde onthulling van zijn geheime plannen. Flaüss was altijd iemand geweest die je op een mierzoete manier naar de mond praatte, terwijl hij achter je rug complotten smeedde. Er zaten altijd diepere lagen onder zijn snode plannen, die overdekt waren met neerbuigende minzaamheid. Hij had altijd minachting voor de botte argumenten van majoor Blach en Svensons gereserveerde onafhankelijkheid alsof het een uitdaging was – of zelfs een persoonlijke belediging. Ongetwijfeld was de loyaliteit van de man – zoals hij het uitdrukte – 'verhelderd' door de alchemistische beproeving die hij had doorstaan, en zijn twijfels waren minder duidelijk, maar Svenson zag dat zijn berekenende, narcistische aard geheel intact was gebleven.

'Uw wapen, dokter Svenson,' herhaalde Flaüss, op een besliste maar ook enigszins komisch aandoende strenge toon. 'Ik heb u met logica in een hoek gedreven. Ik sta erop.'

Svenson liet zijn revolver draaien, zodat hij de loop en het magazijn vasthield. Flaüss glimlachte, want dit leek de eerste stap naar een beleefde overhandiging van het wapen. In plaats daarvan in een ongewone vlaag van dierlijke kracht, hief Svenson zijn arm omhoog en sloeg het handvat van de revolver keihard tegen het hoofd van de gezant. Flaüss slaakte een kreet en wankelde achteruit. Hij keek woedend naar Svenson vanwege zijn verraad – alsof Svenson alle natuurwetten met voeten had getreden door de 'logica' van de man in de wind te slaan – en sperde zijn mond open om te schreeuwen. Svenson deed met opgeheven arm een stap naar voren, om opnieuw te slaan. Flaüss schoot weg, sneller dan hij eruitzag met zijn logge lichaam, en Svenson sloeg mis. Flaüss deed zijn mond weer open. Svenson pakte bliksemsnel het andere eind van zijn revolver vast en richtte hem regelrecht op het gezicht van de gezant.

'Als u schreeuwt, schiet ik u zéker dood! Ik zal geen enkele reden hebben om de stilte te bewaren!' siste hij.

Flaüss schreeuwde niet. Hij keek Svenson vol haat aan en wreef over de buil boven zijn oog. 'U bent een bruut!' riep hij. 'Een uitgesproken barbaar!'

Svenson liep rustig door de hal; hij droeg het zwarte zijden masker van de gezant, om zich gemakkelijker onder de plaatselijke bevolking te mengen. Volgens de aanwijzingen van Smythe liep hij weg van het centrale deel van het huis, zonder enig idee of deze route hem naar het oorspronkelijke doel van zijn reddingsactie zou leiden. Hoogstwaarschijnlijk verspilde hij de tijd die hij nodig had om de vrouwen te redden – hij lachte zichzelf hardop uit –, zoals hij zoveel tijd in zijn leven had verspild. Allerlei vragen over de kapitein van de dragonders spookten door zijn hoofd – hij had Chang 'gezien' (maar Chang was in de tuin toch juist gevlucht voor de dragonders?). Hoe had hij geweten wie Svenson was? Hij wou dat hij tijd had gehad om echt te praten; hoogstwaarschijnlijk wist de man waar Eloïse en Miss Temple waren. Hij had even overwogen Flaüss te ondervragen, maar hij kreeg de rillingen van de fysieke nabijheid van die man. Het had hem al genoeg tijd gekost om die ellendeling geboeid en gemuilkorfd achter een sofa te slepen. Hij was ervan overtuigd dat ze Flaüss zouden missen. Het was eigenlijk vreemd dat ze hem nog niet hadden gezocht. Hij had maar een zeer beperkte hoeveelheid tijd om onopgemerkt door Harschmort House te lopen. Anderzijds was het huis enorm groot. Hij zou zijn tijdelijke voorsprong verspelen als hij nu doelloos door de gangen ging dwalen.

De hal kwam uit op een T-kruising, met een gang naar beide kanten. Svenson bleef besluiteloos staan, als een sprookjesfiguur in een bos. De verkeerde keus zou leiden tot het equivalent van een kwaadaardige mensenetende reus, wist hij. Aan de ene kant was een rij kleine zitkamers, die naast elkaar lagen als schakels aan een ketting. Aan de andere kant was een smalle gang met kale muren, waarvan de vloer was bedekt met prachtige zwarte marmeren tegels. Terwijl hij daar stond hoorde dokter Svenson heel duidelijk het gegil van een vrouw... gedempt, alsof de gil door een dikke muur heen drong.

Waar kwam die gil vandaan? Hij spitste zijn oren. Er werd niet opnieuw gegild. Hij beende met grote passen de zwarte gang in – de minst gerieflijke, minst geruststellende en gevaarlijkste. Als hij de verkeerde keus maakte, kon hij daar het best zo snel mogelijk achter komen.

Overal in de gang waren kleine nissen met beelden – voornamelijk eenvoudige witte marmeren borstbeelden op stenen pilaren en hier en daar een tors zonder ledematen. De hoofden waren kopieën (hoewel, was dat wel zo, de rijkdom van Vandaariff in aanmerking genomen?) uit de Oudheid, en de dokter herkende verscheidene wezenloze, wrede of peinzende hoofden van grote en kleine caesars: Augustus, Vespasianus, Caius, Nero, Domitianus, Tiberius. Terwijl hij de laatste passeerde, bleef Svenson staan. Hij hoorde een gedempt applaus, hoewel het applaus luider klonk dan de gil. Hij draaide zich op zijn hakken om en trachtte vast te stellen waar het geluid vandaan kwam en zag, uitgesneden in de witte muur achter het borstbeeld van die peinzende, bittere keizer, uitgehouwen gleuven die op regelmatige afstand van elkaar naar boven liepen... sporten. Svenson wrong zich achter de pilaar en keek omhoog. Hij wierp een blik om zich heen, haalde diep adem, deed zijn ogen dicht – en klom naar boven. Er was geen luik. De trap liep verder door het donker tot zijn handen stuitten op een nieuw oppervlak waaraan ze zich konden vastgrijpen. De dokter deed zijn ogen open, knipperde, en gaf zijn ogen de tijd aan het donker te wennen. In zijn handen hield hij het uiteinde van een houten plankier, een langgerekte smalle loopplank. In de verte hoorde hij stemmen... en toen opnieuw het gefluister, als blaadjes die plotseling beginnen te ritselen, van een applaudisserend publiek. Was hij achter de coulissen van een theater? De dokter slikte moeizaam, want de duizelingwekkend hoge loopplanken waarop toneelknechten opereerden maakten hem altijd draaierig (en hij keek altijd dwangmatig omhoog, louter om zichzelf te kwellen met hoogtevrees). Hij herinnerde zich een voorstelling van Bonrichardts *Castor en Pollux*. Hij had bijna moeten overgeven van angst op de schoot van de arme douairière naast hem toen het gelijknamige paar in de triomfantelijke finale opsteeg naar de hemel. Ze zongen een afschuwelijk langgerekt duet terwijl ze omhoog werden gehesen (de tweeling was opera-achtig dik, de touwen protesteerden hoorbaar) tot ongeveer dertig meter buiten het zicht.

Dokter Svenson klauterde op de loopplank en kroop stilletjes vooruit. Voor hem zag hij een smal streepje licht glinsteren. Misschien was het een deur op een kier in de verte, die een enkele lichtstraal in het duister wierp. Wat voor voorstelling zouden ze in Harschmort opvoeren op een avond als deze? Het verlovingsfeest had een tweeledig karakter: een openbare viering van de verloving van Karl-Horst en Lydia, en een besloten gelegenheid voor de samenzweerders om hun geheime plannen uit te voeren. Sneed het mes vanavond ook aan twee kanten? Was deze toneelvoorstelling de fatsoenlijke keerzijde van een boosaardig plan, dat ergens anders in het huis werd uitgevoerd?

Svenson liep door. Hij kromp in elkaar van de spierpijn in zijn benen en zijn verstuikte enkel. Hij dacht aan de opschepperige woorden van Flaüss: de baron was dood, de hertog zou hem spoedig volgen. De prins was een idioot en een lichtmis, een uitstekend slachtoffer voor manipulatie en machtsmisbruik. Maar als de dokter erin zou slagen de prins uit de klauwen van de samenzweerders te redden (ondanks het procédé)? Zou er dan niet een sprankje hoop zijn, op voorwaarde dat de prins werd omringd door ministers met verantwoordelijkheidsgevoel en gezond verstand?

Maar toen herinnerde hij zich met een grimmig gesnuif zijn eigen korte gesprek met Robert Vandaariff, gebogen over het lijk van Trapping. De onweerstaanbare invloed van de grote man was zo sterk dat hij elke ongelukkige of schandalige gebeurtenis – zoals de dood van de kolonel – kon laten verdwijnen. Een kleinzoon van Robert

Vandaariff zou de beste opbrengst zijn die de financier zou kunnen krijgen voor de investering van zijn dochter, zeker als hij de titel als kind erfde en een regent nodig had. Na de geboorte van het kind zou Karl-Horst overbodig zijn – en zijn dood zou, alles in aanmerking genomen, in het geheel niet worden betreurd.

Maar wat kon Svenson doen? Als Karl-Horst zonder nakomelingen stierf, zou de troon van Mecklenburg worden doorgegeven aan de kinderen van zijn nicht Hortenze-Caterina, en de oudste was pas vijf. Was dit niet een beter lot voor het hertogdom dan te worden opgeslokt door het imperium van Vandaariff? Svenson moest de diepere waarheid onder ogen zien van de opdracht die de baron hem had gegeven. Aangezien hij wist wat er op het spel stond zou hij prins Karl-Horst moeten doodschieten, als hij het huwelijk niet kon voorkomen (wat onmogelijk leek). Hij zou zijn prins moeten verraden in dienst van een hoger patriottisme.

Van deze redenering kreeg hij een nare smaak in zijn mond, maar hij zag geen andere uitweg.

Svenson zuchtte, maar toen openbaarde het streepje licht voor hem – dat hij in het donker voor een deur in de verte had gehouden – zijn ware aard, als een goocheltruc: het was een smalle spleet tussen twee gordijnen, die op nog geen meter afstand voor zijn gezicht hingen. Hij duwde ze zachtjes opzij, zodat er licht en geluid door de spleet stroomden. De stof was eigenlijk heel zwaar, alsof er lood in was geweven om brand te voorkomen. Nu kon dokter Svenson alles zien en horen… en hij was verbijsterd.

Het was een snijzaal. De loopplank hing hoog in de lucht, aan de rechterkant van het publiek. De loopplank liep hoog in de lucht over het toneel heen, ongeveer twaalf meter boven een verhoogde operatietafel. Daarop lag een vrouw in een wit gewaad met een wit masker met leren riemen vastgebonden. De tribunes liepen steil omhoog en zaten vol goedgeklede, gemaskerde toeschouwers. Ze keken allemaal met ademloze belangstelling naar een gemaskerde vrouw die hen vanaf het podium toesprak. Dokter Svenson herkende ogenblikkelijk Miss Poole, al was het alleen aan de onstuitbare gloed van eigendunk die om haar heen hing.

Achter haar hing een groot schoolbord met de woorden 'EN ZO ZULLEN ZIJ WEDERGEBOREN WORDEN'.

Naast Miss Poole stond een andere gemaskerde in het wit geklede vrouw op haar benen te wankelen, met haar blonde haren in de war, alsof ze net een fysieke beproeving had doorstaan. Terwijl hij naar haar keek zag Svenson afkeurend (en van zijn stuk gebracht) dat de bijna doorzichtige zijde van haar gewaad uiterst dun was en strak om haar lichaam zat, zodat hij iedere ronding duidelijk kon zien. Aan de andere kant van de vrouw stond een man met een leren voorschoot klaar om haar op te vangen als ze viel. Daarachter, naast de vrouw op de tafel, stond een andere man, met leren handschoenen aan. Onder zijn arm had hij iets wat eruitzag als een helm van koper en leer – net zoals de comte d'Orkancz had gedragen toen Svenson de prins onder bedreiging van een revolver uit het instituut had ontvoerd. De man bij de tafel legde zijn helm neer en haalde een paar stukken gereedschap uit een stapel houten kisten – dezelfde kisten die de dragonders van Aspiche hadden weggedragen uit het instituut. De man bevestigde verschillende stukken gedraaid koperdraad aan machines uit de kisten – vanwaar hij stond kon Svenson alleen zien dat ze van glimmend metaal waren, met glazen wijzerplaten en koperen knoppen en hendels – en daarna aan beide zijden van een zwarte rubberen duikbril. Het duurde even tot de draad goed vastzat. Svenson realiseerde zich – op grond van de rubberen duikbril met de elektriciteitsdraden en de littekens – dat ze op het punt stonden het procédé uit te voeren met de vrouw die op de tafel lag, zoals ze ongetwijfeld ook hadden gedaan met de vrouw naast Miss Poole (de oorzaak van dat gegil!).

De man was klaar met de draden en bracht die afschuwelijke duikbril naar het gezicht van de vrouw. Hij pauzeerde even om een witte veer van haar gezicht te verwijderen. Ze schudde haar hoofd heen en weer in een wanhopige poging zijn handen te ontwijken – haar ogen waren wijdopen en haar mond – die, zoals hij zag, was dichtgestopt met een prop – bewoog krampachtig. Haar ogen waren fascinerend, een koud, schitterend grijs... Svenson hield zijn adem in. De man bond haar vast en bevestigde toen ruw de duikbril op haar gezicht; zijn rug benam de dokter het uitzicht. Svenson kon niet vaststellen in welke staat ze verkeerde – was ze bedwelmd? Hadden ze haar geslagen? Hij had de tijd tot Miss Poole klaar was met de blonde vrouw – wie was dat? vroeg hij zich af. Daarna zouden ze hun kwade bedoelingen onherstelbaar botvieren op Miss Temple.

Miss Poole liep naar een rollend zijtafeltje. Dat was bestemd voor een dienblad met medische instrumenten, wist Svenson. Ze pakte een flacon met een glazen stop. Met een veelbetekenende glimlach haalde ze de stop van de fles en liep naar de eerste rij van de tribune, terwijl ze de open flacon naar voren stak zodat de toeschouwers konden ruiken. De elegante figuren deinsden de een na de ander vol afschuw achteruit, tot grote hilariteit van Miss Poole. Na de zesde proefpersoon liep Miss Poole terug naar het heldere licht en haar blonde pupil.

'Het is een uitdaging voor mensen met de sterkste zintuigen, zoals iedereen die dit drankje heeft geroken zal beamen, en toch moesten wij deze lieflijke aanhanger, een pijl die door de lucht vliegt op weg naar haar lotsbestemming, dwingen deze vloeistof niet één keer, maar dagelijks te drinken, achtentwintig dagen achter elkaar, tot haar cyclus volledig was voltooid. Vóór vandaag konden we deze taak niet volbrengen zonder haar met geweld vast te houden of, wat ook weleens lukte, kleine hoeveelheden vloeistof te verstoppen in een stuk chocolade of een drankje. U kunt nu getuige zijn van haar zojuist verworven wilskracht.'

Miss Poole wendde zich tot de vrouw en gaf haar de flacon.

'Liefje,' zei ze, 'je weet dat je dit moet drinken, zoals je de afgelopen weken ook hebt gedaan.'

De blonde vrouw knikte en stak haar hand uit om de flacon aan te nemen.

'Ruik eraan, alsjeblieft,' vroeg Miss Poole.

De vrouw rook. Ze trok naar neus op, maar protesteerde verder niet.

'Drink het alsjeblieft op.'

De vrouw zette de flacon aan haar lippen en sloeg de inhoud achterover als een zeeman die in één teug een glas rum leegdrinkt. Ze veegde netjes haar mond af, hield haar lichaam even stil alsof ze de vloeistof met geweld moest binnenhouden, en gaf toen de flacon terug.

'Dank je, liefje.' Miss Poole glimlachte. 'Heel goed gedaan.'

Het publiek barstte los in een vurig applaus, en de jonge blonde vrouw glimlachte verlegen.

De dokter keek voor zich uit over de loopplank. Vastgeschroefd aan een ijzeren stellage aan het plafond – en binnen handbereik; hij realiseerde zich dat de loopplank diende om de lampen te bedienen – hing een rij vierkante paraffinelampen met ijzeren kappen, als in een theater. De voorkant van elke kap stond open, om het licht naar een bepaalde kant te laten schijnen. De lamp was voorzien van een lens met geslepen glas om het licht precies op een bepaald punt te richten. Hij dacht even na; hij kon ongezien naar buiten klimmen. Hij kon elke lamp uitblazen en de snijzaal in duisternis hullen... Maar er waren minstens vijf lampen over een lengte van vierenhalve meter van de ijzeren constructie. Hij kon ze niet allemaal uitblazen voordat ze hem zouden zien. Hij zou hoogstwaarschijnlijk worden doodgeschoten. Maar wat kon hij anders doen? Zo snel en behendig mogelijk kroop dokter Svenson door de opening van het gordijn, zichtbaar voor iedereen die toevallig omhoogkeek.

Miss Poole fluisterde in het oor van haar blonde pupil en leidde haar vervolgens dichter naar het publiek toe. De jonge vrouw maakte een diepe buiging en het publiek gaf haar een beleefd applaus. Svenson zou zweren dat ze bloosde van genoegen. De vrouw richtte zich weer op en Miss Poole leidde haar naar een van de Mecklenburgse soldaten, die haar zijn arm bood terwijl hij zijn hakken tegen elkaar sloeg. De blonde vrouw stak haar arm in de zijne en met een duidelijk waarneembare versnelde pas verdwenen ze over een van de loopplanken.

Via diezelfde loopplank verschenen twee nieuwe Mecklenburgse soldaten, die een derde gemaskerde vrouw in het wit meesleepten. Ze struikelde onhandig over haar voeten en haar hoofd hing omlaag – ze was gewond of onder invloed van bedwelmende middelen. Haar bruine haar hing los over haar rug en schouders, zodat je haar gezicht niet kon zien. Dokter Svenson ontdekte opnieuw, ondanks zijn beste bedoelingen, dat zijn blik afdwaalde naar haar lichaam. De witte zijde sloot strak om de ronding van haar heupen; haar bleke armen staken uit pofmouwtjes.

Toen ze binnenkwamen, draaide Miss Poole zich bliksemsnel met grote ergenis om. Svenson hoorde niet wat ze tegen de soldaten siste, noch wat ze eerbiedig terugfluisterden. Op dit verwarrende ogenblik keek hij naar Miss Temple met de afschuwelijke duikbril op, die tevergeefs worstelde om uit haar boeien los te komen.

Miss Poole gebaarde naar de zojuist aangekomen vrouw.

'Ik presenteer u nu een nieuw geval – wellicht exemplarisch voor de gevaren waarmee onze grootse onderneming gepaard gaat, en de corrigerende werking die van dit werk uitgaat. De vrouw die voor u staat – u ziet dat ze er haveloos uitziet en tot de lagere standen behoort – is iemand die we hadden gevraagd mee te doen, en die het lef had deze uitnodiging af te slaan, in een complot met onze vijanden. Erger nog: haar weigering nam de vorm aan... van moord! De vrouw die u voor u ziet heeft een van onze onschuldige aanhangers gedood!'

De toeschouwers fluisterden en sisten. Svenson slikte. Het was Eloïse Dujong. Hij had haar niet herkend. Haar haren waren eerst gevlochten en nu hingen ze los – een onzinnig detail, maar het brak zijn hart. Al zijn twijfels over haar integriteit vielen weg door deze plotselinge hevige emotie. De aanblik die ze bood met loshangend haar zou een intimiteit moeten zijn die zij hem schonk, en nu was ze verdoofd en kwetsbaar; de intimiteit werd onder de voet gelopen. Hij kroop snel naar de volgende lamp en zocht in zijn zak naar zijn revolver.

'En toch,' ging Miss Poole verder, 'hebben wij haar voorgeleid om u te laten zien wat de grote wijsheid is – en het zuinige gebruik – van onze onderneming. Ondanks alles getuigen de daden van deze vrouw onmiskenbaar van vasthoudendheid en moed. Zouden die eigenschappen verloren moeten gaan, enkel omdat zij niet de wil of de visie heeft om te zien waar haar belang ligt? Wij vinden dat zoiets niet mag gebeuren, en daarom drukken we deze vrouw aan onze boezem!'

Ze gebaarde naar haar assistent. Hij boog nog een keer over Miss

Temple om zich ervan te vergewissen dat de elektrische draden goed waren aangesloten, en knielde toen bij de kisten. Svenson keek radeloos om zich heen. Over een seconde zou het te laat zijn.

'Deze vrouwen – ik verzeker het u: meer verstokte schurken zult u buiten de Thuggee-cultus niet vinden! – zullen zich een voor een bij ons aansluiten, dankzij het verhelderende procédé. U hebt het effect van het procédé gezien op een gewillige onderdaan. Nu zult u zien hoe het een verstokte vijand verandert in de meest vurige aanhanger!'

Het eerste schot weerklonk vanuit het donker boven het toneel. De man naast Miss Temple wankelde plotseling achteruit en stortte neer onder het schoolbord. Er verspreidde zich een bloedplas over zijn leren voorschoot. Er weerklonken kreten vanaf de tribune. De gestalten op het toneel keken omhoog, maar ze keken regelrecht in de lampen en werden – een kostbaar ogenblik lang – verblind door het felle licht. Het tweede schot boorde zich door de schouder van de tweede man. Hij tolde weg van Eloïse en viel op zijn knieën.

'Daar is hij!' krijste Miss Poole. 'Dood hem! Dood hem!

Ze wees omhoog naar Svenson; haar gezicht was een toonbeeld van razernij. De Mecklenburgse soldaat verloor door de val van zijn kameraad zijn evenwicht, en moest Eloïse plotseling in zijn eentje ondersteunen. Hij liet haar los – ze viel direct op handen en knieën – en trok zijn sabel met een zwaai te voorschijn. Svenson negeerde hem. Hij was ver buiten het bereik van de sabel en hij wist dat de Ragnarok-soldaten geen vuurwapens droegen. Hij richtte zijn revolver op Miss Poole, maar toen – wat bezielde hem? hoe kon hij haar wreedheid vergeten in de mijn? – aarzelde hij om de trekker over te halen.

De loopplank achter hem helde over naar één kant. Svenson keek om en zag dat twee handen de rand beetgrepen. Hij draaide zich op zijn knieën om en sloeg met het handvat van de revolver keihard op beide handen, zodat de man terugviel op de tribune. Weer helde de loopplank over. Nu trokken er drie paar handen aan de rand, zodat de dokter tegen de houten reling aan tuimelde. Even keek hij hulpeloos omlaag naar het woedende publiek. Mannen waren op elkaars schouders geklommen, vrouwen gilden alsof hij een heks was. Hij schoot naar voren en trapte keihard op de dichtstbijzijnde hand. Nu waren er mannen aan weerskanten, die zich ophesen boven de rand. Aan zijn linkerhand was een atletische jonge man in jacquet, ongetwijfeld een ambitieuze tweede zoon van een lord die vastbesloten was de erfenis af te pakken van zijn oudere broer. Svenson schoot hem door zijn bovenbeen en wachtte niet tot hij hem zag vallen voordat hij zich omdraaide naar de andere man – een magere vent in hemdsmouwen (die zo slim was geweest zijn onhandige jas uit te trekken voor hij omhoogklom) die over de reling sprong en op een meter afstand als een kat neerhurkte. Svenson schoot opnieuw, maar er werd weer aan de loopplank gerukt. De kogel vloog uit de koers en kwam in een van de paraffinelantaarns terecht, die volkomen verbrijzelde. Een regen van gloeiend ijzer, gebroken glas en hete paraffine spatte op het toneel.

De man in hemdsmouwen wierp zich op Svenson en sloeg hem tegen de grond. Hij hoorde een vrouw schreeuwen op het toneel – hij zag rook – de paraffine – rook hij brandend haar? De man was jonger, sterker, minder moe – Svenson werd overrompeld door een elleboog tegen zijn kaak. Hij sloeg tevergeefs naar de ogen van de man. De loopplank helde over terwijl er meer handen aan trokken en meer mannen aan boord klommen. Een krakend geluid, een plank brak – de loopplank bezweek. De vrouw gilde nog steeds. De man in hemdsmouwen greep Svensons jas met beide handen beet en trok hem omhoog – oog in oog met een triomfantelijke vuile blik –, als voorbereiding op een vuistslag tegen zijn neus.

De loopplank bezweek en kantelde om naar de zijkant van het toneel. Ze vielen allebei over de reling tegen de rij lampen – Svenson siste van de pijn toen hij het gloeiend hete ijzer tegen zijn huid voelde – en daarna (in één afschuwelijke seconde gewichtloze doodsangst die als een schok van zijn ruggengraat tot zijn genitaliën door hem heen schoot) omlaag naar de vloer van de snijzaal.

Door de dreun klapten de kaken van de dokter op elkaar. Even bleef hij liggen. Hij was zich vaag bewust van allerlei activiteiten om hem heen. Hij knipperde met zijn ogen. Hij leefde nog. Hij hoorde kreten en gegil van alle kanten... rook... een enorme hoeveelheid rook... en hitte. In feite wees alles erop dat de snijzaal in brand stond. Hij trachtte zich te bewegen. Tot zijn verbazing lag hij niet op de grond; hij lag niet op iets glads. Hij rolde op zijn zij en zag het wasbleke gelaat van de man in hemdsmouwen, met een nek die onnatuurlijk opzij was geknakt en een blauwe tong. Svenson hees zich op zijn handen en knieën – en realiseerde zich dat hij de revolver nog steeds vasthield toen die met een bons op de grond viel.

De ruimte tussen het toneel en de tribune was in brand gevlogen door de kapotgevallen lampen, zodat het toneel in feite was afgesloten van de tribune. Door de rijzende vuurzee heen zag hij figuren; hij hoorde geschreeuw en gegil, maar hij draaide zich snel om naar een andere gil, die veel dichterbij klonk. Het was Eloïse, panisch van angst, maar nog steeds verdoofd door het bedwelmende middel. Ze schopte zwakjes naar de vlammen die aan haar rokende zijden gewaad lekten. Svenson stak de revolver tussen zijn riem en gooide zijn overjas uit. Hij boog zich voorover op zijn knieën, gooide de jas over haar benen en sloeg alle vlammen uit die hij zag. Daarna trok hij haar snel buiten bereik van het vuur. Hij draaide zich om naar de operatietafel en tastte naar Miss Temples hand. Haar vingers grepen zijn hand vast – een wanhopige zwijgende smeekbede –, maar hij moest zich loswringen om bij de gespen van haar leren boeien te komen. Hij frunnikte net zo lang tot haar armen los waren, en toen zag hij tot zijn vreugde dat haar eigen handen omhoogschoten naar de duivelse duikbril op haar gezicht. Hij maakte haar voeten los en hielp haar toen van de tafel, opnieuw verbaasd – want Svenson was niet een man die daaraan zou wennen – over het geringe gewicht van zo'n ondernemend persoon. Toen ze de dikke prop uit haar mond rukte, boog hij zich naar haar oor en schreeuwde boven het lawaai van de loeiende vlammen en het krakende hout uit.

'Deze kant op! Kunt u lopen?'

Hij trok haar omlaag onder de rookwolken en zag dat ze grote ogen opzette toen ze ontdekte wie haar redder was.

'Kunt u lopen?' herhaalde hij.

Miss Temple knikte. Hij wees naar Eloïse die nauwelijks te zien was. Ze zat in elkaar gedoken tegen de ronde muur van de snijzaal.

'Zij kan niet lopen! We moeten haar helpen!'

Miss Temple knikte opnieuw, en hij gaf Eloïse een arm – zich terloops afvragend of hij er fysiek niet veel slechter aan toe was. Svenson keek op. Hij hoorde een stormloop van stampende laarzen over de tribune, en daarna een donderend gesis. Hij zag een stoomwolk. Er waren mannen met emmers gearriveerd. Ze hesen Eloïse tussen hen in omhoog – Miss Temple was ruim twintig centimeter kleiner dan de vrouw die op haar leunde. Svenson riep naar haar: 'Ik heb Chang gezien! Er staat een zeppelin op het dak! De officier van de dragonders is ons welgezind! Kijk niet in de glazen boeken!'

Hij raaskalde, maar hij moest zoveel zeggen. Er werd nog meer water omlaaggegooid – de stoomwolken waren nu even hoog als de rook – en er klonk nog meer laarzengestamp. Svenson keerde zich om naar de stampende laarzen. Hij richtte zijn revolver en gaf de vrouwen achter zich een zet. Hij duwde ze vooruit.

'Ga weg! Nu meteen!'

De Mecklenburgse soldaat was teruggekeerd met een hele troep anderen. Svenson richtte zijn revolver toen er een nieuwe golf water vanaf de tribune naar beneden sloeg. Er rees een pluim van stoom en as omhoog vóór de andere loopplank. Hij voelde zich plotseling misselijk van uitputting en lichtzinnige roekeloosheid – hij had zojuist drie mannen beschoten en een vierde gedood in een worsteling, binnen vier seconden. Was dit de manier waarop mannen als Chang hun leven doorbrachten? Svenson kokhalsde. Hij deed een stap achteruit en struikelde over het karkas van een verbrijzelde lamp, viel met een kreet languit achterover op zijn rug en knalde met zijn achterhoofd tegen de houten vloerplanken. De pijn explodeerde door zijn hele lichaam – al het letsel dat hij had opgelopen in de mijn en Tarr Manor speelde hevig op. Hij deed zijn mond open, maar kon geen woord uitbrengen. Ze zouden hem te grazen nemen. Hij spartelde krachteloos als een schildpad op zijn rug. De zaal was bijna donker – slechts één lamp brandde nog. De kap was ontzet en blokkeerde de lichtstraal, en de lamp wierp een griezelige oranje gloed door de duisternis.

Hij verwachtte dat hij omringd zou worden door vijanden, als een varken gekeeld door vijf sabels tegelijk. Overal om hem heen hoorde hij geluiden van water en vuur, kreten van mannen en, een eind verderop, gegil van vrouwen. Hadden ze hem niet gezien? Waren ze alleen bezig het vuur te bestrijden? Hadden de vlammen zijn achtervolgers afgesneden? Met een grote krachtsinspanning rolde Svenson om en kroop achter de vrouwen aan door de glas- en ijzersplinters. Hij hoestte – hoeveel rook had hij ingeademd? Hij kroop verder, met zijn revolver nog steeds in zijn rechterhand. Met een vaag gevoel van angst herinnerde hij zich dat de doos met kogels nog steeds in de zak van zijn overjas zat. Die had hij aan Eloïse gegeven. Als hij haar niet terugvond, had hij nog twee kogels in zijn revolver over – tegen alle soldaten in Harschmort.

Svenson kwam bij een loopplank en kroop eroverheen. De loopplank maakte een bocht en hij voelde dat er iets in de weg lag – een laars... daarna een been. Het was de man die hij in zijn schouder had geschoten. In dit licht kon hij niet zien of de man dood was, stervend, of alleen bevangen door de rook. Hij had geen tijd. Hij krabbelde overeind, liep langs de kerel en zag een deur. Hij duwde de deur open en zoog zijn longen hijgend vol met frisse lucht.

De kamer was leeg. Er lagen dikke tapijten op de vloer en er stonden houten kasten en spiegels langs de muren. Het deed hem denken aan een kleedkamer in een operagebouw – of, als dat iets uitmaakte, aan de kamer van Karl-Horst in het paleis in Mecklenburg. Het idee dat deze kamer leidde naar een snijzaal was nog afschuwelijker, omdat het iets zei over Robert Vandaariff. Het was een wanorde. De kasten stonden open. Overal slingerden kledingstukken op de vloer. Hij deed een paar stappen, terwijl hij glassplinters en as van zijn uniform veegde. Zijn voeten zonken diep weg in het luxueuze tapijt. Toen bleef hij staan. Op de grond bij de kasten, geheel aan flarden gescheurd en duidelijk van haar lichaam gerukt, lag de jurk die Eloïse in Tarr Manor had gedragen. Hij hoorde nog steeds geen rumoer dat op een achtervolging duidde. Waar waren de vrouwen? Zijn keel deed pijn. Hij liep door de kamer naar een deur aan de overkant en duwde de kruk zachtjes omlaag, terwijl hij met één oog door de spleet gluurde.

Onmiddellijk deed hij de deur dicht. Het was erg druk in de gang

– bedienden, soldaten, kreten om emmers, kreten om hulp. Daar zou hij zeker worden gepakt. Zouden de vrouwen er beter aan toe zijn? Hij draaide zich weer om naar de deur die toegang gaf tot de loopplank. Zijn vijanden – wie dan ook – konden daar elk moment doorheen komen. Svenson had te veel schade aangericht om onopgemerkt te blijven. Hij werd geteisterd door wroeging om de mannen die hij had doodgeschoten, om de verwonding – vuur? vallend ijzer? – die Miss Poole had opgelopen, ondanks het feit dat hij haar haatte. Maar wat had hij anders kunnen doen? Wat zou hij nog moeten doen?

Hier had hij helemaal geen tijd voor. Zouden de vrouwen verstopt zitten in deze kamer? Hij voelde zich voor gek staan, maar hij fluisterde hardop: 'Miss Temple? Miss Temple! Eloïse?'

Geen antwoord.

Hij liep door de kamer naar de muur met open kasten, die hij vluchtig bekeek, maar hij bleef staan bij de jurk van Eloïse op de vloer. Svenson raapte de jurk op en betastte met een droevig stemmend intiem gevoel de gescheurde repen stof van het lijfje en de kapotgesneden, bungelende stukken kant. Hij drukte de jurk tegen zijn gezicht, rook eraan en slaakte een zucht om zijn vergeefse gebaar – de jurk rook naar indigoklei – zuur, scherp, en akelig – en opgedroogd zweet. Met een zucht liet hij hem op de vloer vallen. Hij moest de vrouwen vinden, natuurlijk, maar – hij wilde schreeuwen van wanhoop – wat moest er van de prins worden? Waar was hij? Wat kon Svenson doen behalve de prins vóór de huwelijksvoltrekking doodschieten? Hierdoor dacht hij weer terug aan de woorden van Miss Poole, in de snijzaal met de blonde vrouw en de afschuwelijke drankjes. Ze had de maandelijkse cyclus van het meisje genoemd... 'Tot de cyclus is voltooid...' Dat had weer iets te maken met die duivelse alchemistische plannen van de comte (of Veilandt). Die joegen Svenson de stuipen op het lijf – Miss Poole had ook de 'lotsbestemming' van de vrouw genoemd – want hij wist plotseling zeker dat deze gewillige blonde vrouw, het passieve werktuig van de samenzweerders, Lydia Vandaariff was. Zou Vandaariff zo harteloos zijn om zijn eigen dochter op te offeren? Svenson lachte spottend; het antwoord was overduidelijk. En als zijn eigen vlees en bloed zo weinig voor hem betekende, wat zou hij dan voelen voor de prins? Of de opvolging?

Hij schudde zijn hoofd. Zijn gedachten gingen te langzaam. Hij verspilde zijn tijd.

Svenson liep naar de kast en voelde dat hij op knerpend gebroken glas stapte. Hij keek naar beneden – hier had hij de glassplinters niet van zijn jas geveegd – en zag dat het tapijt was bezaaid met lichte scherven... glinsterend... weerkaatsend... Hij keek op... Een spiegel? De deuren van twee kasten waren naar elkaar toe opengeslagen... Die open deuren verborgen iets. Hij trok ze opzij en zag een groot gat met scherven. Iemand had een gat geslagen in een lange spiegel met een barokke vergulde lijst. Hij stapte voorzichtig over de scherven. Het glas deed enigszins vreemd aan... Verkleurd? Hij pakte een van de grote scherven en draaide die om en om in zijn hand. Toen hield hij de scherf tegen het licht. Aan de ene kant was het spiegelglas, maar aan de andere kant was het doorzichtig (hoewel het beeld iets verkleurde). Het was een spiegel om mensen te bespioneren, en een van de vrouwen (dat kon alleen Miss Temple zijn) had dat geweten en de spiegel kapotgeslagen. Svenson liet de scherf vallen en kroop door het gat – hij trok de kastdeuren achter zijn rug dicht, om zijn achtervolgers te vertragen – en daarna over een houten kruk die ze kennelijk had gebruikt om het glas kapot te slaan, want hij zag piepkleine splintertjes in de houten zitting.

De kamer aan de andere kant van de spiegel bevestigde alle bange vermoedens van dokter Svenson over het leven in Harschmort House. De muren waren een bordeelachtige kleur rood, er lag een keurig vierkant Turks tapijt met daarop een stoel, een klein schrijftafeltje en een weelderige bank. Tegen de muur stond een kast met schrijfblokken en inkt, maar ook flessen met whisky, gin en port. De lampen waren ook rood, zodat je niets zou zien door de spiegel aan de andere kant. De dokter vond het een smakeloze, duivelse kamer. Enerzijds begreep hij dat niets zo belachelijk is als de parafernalia van andermans genot. Anderzijds wist hij dat een dergelijke inrichting alleen diende om onschuldige, argeloze mensen wreed te misbruiken.

Hij knielde vlug op het tapijt en voelde of er bloedvlekken lagen.

Een van de vrouwen had misschien in haar voeten gesneden terwijl ze door het glas liep. Er waren geen bloedvlekken. Hij ging weer rechtop staan en liep op een armzalig sukkeldrafje achter de vrouwen aan. Overal in de gang hingen dezelfde roodgeverfde lampen, en de gang maakte een bocht zonder dat hij begreep waarom. Hoe lang zou het duren voor hij wist hoe dit huis in elkaar zat? Svenson vroeg zich af of de bedienden dikwijls verdwaalden – en welke straf je zou krijgen als je per ongeluk in een uiterst geheime kamer als deze belandde. Hij verwachtte een geraamte in een kooi aan te treffen, dat daar was neergezet om nieuwsgierige dienstmeisjes en knechten af te schrikken.

Hij bleef staan – deze tunnel liep maar door – en waagde nog eens te fluisteren.

'Miss Temple!' Hij wachtte op antwoord. Niets. 'Celeste! Eloïse! Eloïse Dujong!'

De gang was stil. Svenson draaide zich om en spitste zijn oren. Hij kon nauwelijks geloven dat zijn achtervolgers hem nog niet hadden ingehaald. Hij probeerde zijn enkel te buigen en kromp in elkaar van de pijn. Hij had hem opnieuw verstuikt bij zijn val van de loopplank en het zou niet lang duren tot hij zijn voet alleen nog kon voortslepen, of opnieuw moest terugvallen op dat absurde gehinkel. Hij hield zich vast aan de muur. Waarom had hij in de zeppelin niet meer gedronken? Waarom was hij in de eerste kamer langs de flessen gelopen? God, hij wilde nog een slok cognac. Of een sigaret! De drang overviel hem als een golf van schokkende noodzaak. Hoe lang geleden had hij voor het laatst gerookt? Zijn sigarettendoos zat in de binnenzak van zijn overjas. Hij wilde hardop vloeken. Maar een klein beetje tabak – dat had hij toch wel verdiend? Hij duwde een knokkel in zijn mond om zijn neiging tot gillen te bedwingen en beet er zo hard mogelijk op. Het hielp niets.

Hij strompelde naar een nieuw kruispunt. Aan zijn linkerhand liep de gang door. Die gang liep dood en aan het eind stond een ladder rechtop. Aan zijn rechterhand was een rood stoffen gordijn. Svenson aarzelde niet – hij had zijn buik vol van ladders en lange einden lopen. Hij zwiepte het gordijn opzij en stak zijn revolver naar voren. Het was een tweede observatiekamer. Er hing weer een doorzichtige spiegel aan de muur. De rode kamer was leeg, maar de zaal achter de spiegel niet.

Het schouwspel voor zijn ogen zag eruit als een middeleeuwse optocht, een *danse macabre* van allerlei figuren uit alle lagen van de bevolking, die werden weggevoerd door de dood en zijn handlangers. De figuren – een kerkelijk hoogwaardigheidsbekleder in een rode jas, een admiraal, mannen in prachtige overjassen, dames die dropen van juwelen en kant – schuifelden een voor een de zaal in, geassisteerd door een team van zwartgemaskerde bedienden, die iedereen naar een chaise longue of een stoel leidden waar ze zonder de vormen in acht te nemen in neervielen. Ze waren duidelijk niet bij hun positieven. Als Svenson in de stad woonde, zou hij weten wie iedereen was. Nu herkende hij alleen Henry Xonck, barones Roote (een gastvrouw van een *salon* die Karl-Horst eens maar nooit weer had uitgenodigd, aangezien hij zich de hele avond had bezat en daarna in een hoek op zijn stoel in slaap was gevallen), en lord Axewithe, de directeur van de keizerlijke bank. Een dergelijke bijeenkomst was nooit eerder vertoond, en een bijeenkomst waar ze allemaal op een dergelijke manier werden overheerst was ondenkbaar.

Midden in de kamer stond een tafel, waarop een van de twee bedienden telkens een grote glinsterende rechthoek van blauw glas neerlegde, terwijl de andere bediende zorgde dat de hulpeloze persoon ging zitten. Nog een glazen boek... Hoeveel waren het er? Svenson zag dat ze werden opgestapeld. Vijftien? Twintig? Harald Crabbé stond bij de tafel met een glimlach op zijn gezicht en zijn handen op zijn rug toe te kijken. Zijn ogen schoten tevreden heen en weer tussen de groeiende stapel boeken en de processie van wezenloze beroemdheden, die de steeds vollere kamer binnenkwamen. Naast Crabbé stond Bascombe, zoals te verwachten was. Hij maakte notities in een opschrijfboek. Svenson bestudeerde de gezichtsuitdrukking van de jongeman terwijl hij aan het werk was: zijn spitse neus en dunne ernstige mond, zijn haar netjes in model, zijn brede schouders, volmaakt bestudeerde houding, zijn lenige vingers die snel heen en weer bladerden in het opschrijfboek. Hij zette punten met zijn potlood alsof het een borduurnaald was.

Dokter Svenson had Bascombe natuurlijk al eerder gezien – aan de zijde van Crabbé – en hij had zijn gesprek met Francis Xonck in de keuken van de minister afgeluisterd. Maar nu observeerde hij Bascombe voor het eerst in de wetenschap dat hij de verloofde van Celeste Temple was geweest. Het was altijd interessant welke specifieke eigenschap twee mensen bij elkaar bracht – een gedeelde liefde voor tuinieren, een voorliefde voor het ontbijt, snobisme, pure seksuele honger – en Svenson kon er niets aan doen dat hij zich afvroeg wat de aantrekkingskracht was geweest tussen deze twee, al was het alleen om wat het onthulde over de piepkleine bondgenoot die hij moest beschermen (een plicht die nu werd gecorrumpeerd door de steeds terugkerende herinnering aan het dunne zijden gewaad dat strak om haar lichaam zat... het onverwacht zachte gewicht van haar lichaam in zijn armen toen hij haar van de tafel hielp... zelfs het kloddertje spuug van inspanning toen ze de prop uit haar opengesperde mond trok). Svenson slikte en fronste zijn wenkbrauwen toen hij Bascombe zag, en besloot dat hij die hooghartige manier van doen erg onplezierig vond. Je kon het gewoon zien aan de manier waarop hij punten zette. In het paleis van Mecklenburg had hij genoeg onbeschaamde ambitie meegemaakt. Zijn geoefende oog herkende de symptomen van machtshonger even duidelijk als de symptomen van syfilis. Bovendien kon hij zich voorstellen hoe Bascombe was veranderd door het procédé. Eigenschappen die vroeger werden verzacht door twijfel of respect voor zijn meerderen, waren in die alchemistische vuurproef verhard tot staal. Svenson vroeg zich af hoe lang het zou duren tot Crabbé een mes in zijn rug kreeg.

De bedienden leidden het laatste slachtoffer naar een bank, naast een onverschillige bejaarde geestelijke – een knappe vrouw met enigszins oosters aandoende trekken in een blauwzijden jurk. Er bungelden grote witte parels aan haar oren. Het laatste boek werd neergelegd – in totaal waren het er bijna dertig! Bascombe zette de laatste stippen met zijn potlood... en fronste toen zijn wenkbrauwen. Hij bladerde snel terug door zijn opschrijfboek en maakte zijn berekeningen opnieuw. Aan zijn dieper wordende frons te oordelen kwam hij weer uit op hetzelfde onbevredigende eindcijfer. Hij wisselde vlug een paar woorden met de bedienden, en trok zijn conclusies uit hun antwoorden. Zijn blik viel op een sluimerende gestalte van een bijzonder mooie vrouw in het groen, met een masker van glazen kraaltjes, dat waarschijnlijk Venetiaans was – buitengewoon duur. Bascombe riep weer, zo duidelijk alsof Svenson de woorden kon horen: 'Waar is het boek van deze vrouw?' Geen antwoord. Hij wendde zich tot Crabbé en ze fluisterden met elkaar. Crabbé haalde zijn schouders op. Hij wees naar een van de soldaten, die direct de kamer uit rende. Hij was er duidelijk op uitgestuurd om het boek te zoeken. De overige boeken werden voorzichtig in een met ijzer beslagen kist geladen. Svenson merkte op dat alle mensen die de glazen boeken aanraakten leren handschoenen droegen en er behoedzaam en zorgvuldig mee omsprongen – hun bewegingen deden hem sterk denken aan zeelieden die zenuwachtig bezig waren stukken ammunitie in een wapenkist te laden.

Het duidelijke verband tussen bepaalde boeken en specifieke mensen – mensen uit de betere kringen, met een hoge positie – had natuurlijk iets te maken met de eerdere verzameling van schandalen die de samenzweerders in Tarr Manor hadden aangelegd met behulp van de ondergeschikten van machtige mensen. Hadden ze met deze aanwinsten een nieuw niveau bereikt? In het landhuis hadden ze de middelen verzameld – en vastgelegd in de glazen boeken – waarmee ze die machtige mensen konden manipuleren. Was het doel alleen geweest die machtige mensen te chanteren zodat ze naar Harschmort zouden komen, waar ze tot deze nieuwe stap werden gedwongen? Hij schudde zijn hoofd over een dergelijk driest plan. Met de volgende stap zouden ze greep krijgen op de kennis, de herinneringen, de plannen – ja, zelfs de dromen van de machtigste mensen in het land. Hij vroeg zich af of de slachtoffers hun geheugen behielden. Of waren ze lege hulzen, lijdend aan geheugenverlies? Wat zou er gebeuren wanneer ze wakker werden – áls ze wakker werden – en tot hun volle bewustzijn kwamen? Zouden ze weten waar ze waren? Wie ze waren?

Toch zat er nog meer aan vast, alleen al in technisch opzicht. De mannen droegen handschoenen om het glas aan te pakken. Het was gevaarlijk om erin te kijken, zoals bleek uit de mensen die in Tarr

Manor waren gestorven. Maar hoe konden de samenzweerders dit kostbare materiaal gebruiken? Hoe werden die boeken gelezen? Als je die boeken niet kon aanraken zonder je leven of je geestelijke gezondheid in de waagschaal te stellen, wat had het dan voor zin? Er moest een manier zijn, een sleutel...

Svenson keek achterom. Hoorde hij iets? Hij spitste zijn oren... Niets... Gewoon de zenuwen. De mannen hadden de kist volgeladen. Bascombe stak het opschrijfboek onder zijn arm en knipte met zijn vingers terwijl hij bevelen gaf: deze lieden moesten de kist wegdragen, die moesten met de minister meegaan, die moesten blijven. Hij liep met Crabbé naar de deur – overhandigde de minister iets aan zijn assistent? Ja. Maar Svenson kon niet zien wat het was. Toen waren ze weg.

De twee overgebleven mannen bleven even staan. Toen liep de een naar het buffet en de ander naar een houten sigarenkistje op een zijtafeltje, terwijl ze zich zichtbaar ontspanden. Ze praatten glimlachend met elkaar, met een hoofdknik naar de mensen onder hun hoede. De man bij het buffet schonk twee grote glazen whisky in en liep naar de ander, die al een afgebeten stuk sigaar uitspuugde. Ze wisselden cadeautjes uit – een glas voor een sigaar – en staken op, de een na de ander. Hun bazen waren nog geen anderhalve minuut geleden vertrokken, en zij smakten prinsheerlijk met hun lippen en bliezen rookwolken uit.

Svenson keek om zich heen om op ideeën te komen. Deze observatieruimte was minder goed voorzien dan de andere: en was niets te drinken en er stond geen bank. De twee kerels liepen door de kamer en maakten opmerkingen over de mensen die ze moesten bewaken. Het duurde niet lang of ze voelden in de zakken van een jacquet of in de tas van een dame. Svenson kneep zijn ogen tot spleetjes toen hij zag wat die aasgieren deden en wachtte tot ze dichterbij kwamen. Vlak voor hem stond de bank met de geestelijke en de Arabische vrouw – haar hoofd hing achterover (haar ogen waren halfopen en staarden dromerig naar het plafond). De oorbellen met de parels glansden helder tegen haar donkere huid... die zouden ze zeker opmerken.

Een van de mannen keek op, alsof hij zijn gedachten had gelezen, zag de parels, negeerde de vijf slachtoffers tussen hem en de vrouw in en haastte zich naar haar toe. De andere man liep achter hem aan, terwijl hij de sigaar in zijn mond stak. Ze bogen zich algauw over de passieve vrouw, met hun zwarte rug naar Svenson gekeerd, op nog geen meter afstand van de glazen wand.

Hij duwde de loop van zijn revolver plat tegen de spiegel en haalde de trekker over. De kogel boorde zich in de rug van de dichtstbijzijnde man en kwam toen, met een onverwacht sierlijke boog, uit zijn borst en verbrijzelde het glas in zijn hand. Hij viel over de arme geestelijke heen. Zijn metgezel draaide zich bliksemsnel om en staarde niet-begrijpend naar het ronde gat in de spiegel. Svenson vuurde opnieuw. Bij dit tweede schot sprongen er sterren in het glas, en plotseling werd hem het zicht benomen door een spinnenweb. Hij stak de revolver vlug tussen zijn riem en greep een zijtafeltje met potten inkt en papier, die hij ruw op de grond liet glijden. Drie slagen met de tafel, zwaaiend als een bijl, en de spiegel viel in scherven.

Hij liet de tafel vallen en keek achterom. Het geluid van de schoten zou zich voornamelijk voortplanten door de gangen, niet naar de kamers, en hij ging ervan uit dat de gangen goed waren geïsoleerd voor de geheimhouding. Waarom zat er niemand achter hem aan? Op het tapijt aan zijn voeten lag de tweede man, die zwaar hijgend ademhaalde, gewond door een schot in zijn borst. Svenson liet zich op zijn knieën zakken om te zien waar de kogel het lichaam was binnengedrongen en kwam snel tot de conclusie dat de wond dodelijk was. Het zou nog een minuut duren. Hij kwam weer overeind omdat hij de starende blik van de man niet kon verdragen, liep naar diens metgezel, die morsdood was, en rolde hem van de bejaarde kerkvader af. Svenson schoof het lijk op de grond, terwijl hij werd bestormd door schuldgevoelens. Had hij ze niet kunnen verwonden? Eén keer schieten en hen overbluffen om hen tot overgave te dwingen, en hen vastbinden met gordijnkoorden, zoals Flaüss? Misschien... maar door zulke gevoeligheden – sinds wanneer was een mensenleven een gevoeligheid geworden? – bleef er geen tijd over om de vrouwen te zoeken, de prins in veiligheid te brengen, de meesters van deze kerels tegen te houden. Svenson zag dat er nog steeds een sigaar tussen de vingers van de dode man zat geklemd. Gedachteloos pakte hij de sigaar beet, inhaleerde diep en deed zijn ogen dicht bij het genot dat hij zo lang had moeten ontberen.

De mannen waren ongewapend, dus hij kon ze niet plunderen. Svenson legde zich erbij neer dat hij moest sluipen of toneelspelen. Hij klemde al lopend zijn lege revolver vast. Hij liet de andere mensen in de kamer met rust en baande zich voorzichtig een weg door een reeks lege kamers, op zoek naar Bascombe en Crabbé. Hij hoopte dat hij Bascombe zou vinden. Hij had uit de boeken in Tarr Manor opgemaakt dat je er herinneringen in kon opnemen, of vastleggen. Als dat waar was, kon die kist met boeken qua waarde wedijveren met een onontdekt continent. Hij besefte ook de bijzondere waarde van Bascombes opschrijfboek, waarin de inhoud van elk boek – van elke geest! – gecatalogiseerd en nauwkeurig beschreven was. Welke vraag zou je niet kunnen beantwoorden met behulp van die tegennatuurlijke bibliotheek, met die notities als leidraad? Welk voordeel zou je daar niet uit kunnen putten?

Dokter Svenson keek geërgerd om zich heen. Hij was door een zitkamer heen gelopen naar een ruime hal met een klaterende fontein. Het geluid van de fontein overstemde alle verre voetstappen die hem de juiste kant op zouden kunnen wijzen. Terloops vroeg de dokter zich af of er in het labyrint van Harschmort een Minotaurus woonde. Hij liep moeizaam naar de fontein en keek in het water – dat kon je toch niet laten? – en lachte hardop, want de Minotaurus stond voor hem: zijn eigen gehavende, met roet besmeurde, gewonde gezicht, met een sigaar in zijn mond en een revolver in zijn hand. Hij was toch de vastberaden, monsterlijke wreker voor alle gasten van deze gala-avond? Svenson lachte hardop bij deze gedachte – en lachte weer toen hij hoorde hoe grappig schor zijn stem klonk: als een kraai die probeerde te zingen nadat hij te veel glazen gin had gedronken. Hij legde zijn sigaar neer en propte zijn revolver tussen zijn riem. Hij doopte zijn handen in het bassin van de fontein en schepte eerst water om te drinken, toen om over zijn gezicht te laten spatten, en daarna nog eens om zijn haar glad achterover te strijken. Hij schudde zijn handen uit, zodat de waterdruppels zijn spiegelbeeld in golvende stukken braken, en keek op. Er was iemand in aantocht. Hij gooide de sigaar in het water en trok zijn revolver.

Het waren Crabbé en Bascombe. Twee ondergeschikten liepen achter hen aan, en tussen hen in liep onmiskenbaar lord Robert Vandaariff, met zijn gebruikelijke kaarsrechte houding. Svenson schoot vlug naar de andere kant van de fontein en liet zich op de grond vallen. Ondanks al zijn angst en uitputting voelde hij zich net een figuur uit een komische operette.

'Het is verbijsterend – eerst de snijzaal, en nu dit!' Dat was de stem van de minister, en hij klonk boos. 'Maar staan de soldaten nu op hun post?'

'Ja,' antwoordde Bascombe. 'Een eskadron Mecklenburgers.'

Crabbé snoof minachtend. 'Dat stel bezorgt ons meer last dan plezier,' zei hij. 'De prins is niet wijs, de gezant is een hielenlikker, de majoor is een Teutoonse boerenkinkel – en die dokter! Heb je dat gehoord? Hij leeft nog! Hij is hier in Harschmort! Hij moet met ons mee zijn gekomen, maar eerlijk gezegd weet ik niet hoe hij dat heeft klaargespeeld. Hij kan alleen zijn meegekomen als verstekeling – verstopt door een handlanger!'

'Maar wie zou dat kunnen zijn?' siste Bascombe. Toen Crabbé geen antwoord gaf, trachtte Bascombe aarzelend te raden. 'Aspiche?'

Het antwoord van Crabbé ging verloren, want ze waren nu buiten gehoorsafstand, aan de andere kant van de hal. Svenson kwam op zijn knieën overeind. Hij was opgelucht dat ze hem niet hadden gezien en liep voorzichtig achter hen aan. Hij begreep er niets van... hoewel Vandaariff tussen beide samenzweerders van het ministerie in liep, besteedden ze geen enkele aandacht aan hem en spraken ze door zijn lichaam heen... en de lord nam ook niet deel aan hun gesprek. Bovendien, wat was er gebeurd met de schatkist vol blauwe glazen boeken van Bascombe?

'Ja, ja, en dat is maar goed ook,' zei Crabbé. 'Ze moeten allebei meedoen. Die arme Elspeth heeft een heleboel haar verloren, en Margaret... Nu ja, ze wilde absoluut doorzetten. Ze wil altijd doorzetten, maar... klaarblijkelijk heeft ze in Hotel Royale een aanvaring gehad met de kardinaal. Nu, ik zou het niet weten. Het lijkt alsof ze ergens mee zit...'

'En dit gebeurt tegelijkertijd met het... eh... andere?' onderbrak Bascombe hem beleefd, het gesprek weer terugsturend naar het oorspronkelijke onderwerp.

'Ja, ja – zij is het proefkonijn, natuurlijk. Het gaat allemaal veel te snel, vind ik. Er worden te veel plannen uitgevoerd op te veel fronten tegelijk.'

'De contessa maakt zich zorgen over het tijdsschema...'

'Net als ik, Mr Bascombe,' antwoordde Crabbé op scherpe toon. 'Maar u zult het zelf wel merken – de verwarring, het risico – toen we tegelijkertijd probeerden de initiaties uit te voeren, de gedaantewisselingen van de comte in de kathedraal, het verzamelen van de herinneringen in de geheime kamers, de oogst van lord Robert,' – hij gebaarde nonchalant naar de meest machtige man in vijf landen – 'en nu, door die vervloekte vrouw, is de hertog...'

'Kennelijk is dokter Lorenz vol vertrouwen...'

'Hij is altijd vol vertrouwen! En toch is de wetenschap al tevreden als er één op de twintig experimenten werkelijk slaagt, Bascombe. Als er zoveel op het spel staat is het vertrouwen van dokter Lorenz niet genoeg – we hebben zekerheid nodig!'

'Natuurlijk, mijnheer.'

'Eén seconde.'

Crabbé bleef staan en draaide zich om naar de twee bedienden die achter hen liepen, zodat dokter Svenson zich bliksemsnel achter een zieltogende filodendron moest verstoppen.

'Ren maar vast vooruit naar het hoogste punt van de toren. Ik heb geen zin in verrassingen. Kijk of de kust veilig is, en laat één van jullie terugkomen. Wij wachten hier wel.'

De mannen renden weg. Svenson gluurde door de stoffige bladeren en zag Bascombe, die respectvol protesteerde.

'Mijnheer, denkt u nu werkelijk...'

'Ik word liever niet afgeluisterd door wie dan ook.'

Hij wachtte even voor hij verderging, zodat de mannen de tijd hadden om geheel uit het zicht te verdwijnen.

'Allereerst,' begon de onderminister, met een snelle blik op de gestalte van Robert Vandaariff, 'welk boek kunnen we gebruiken voor lord V hier? We hebben iets nodig wat als substituut kan dienen, nietwaar?'

'Ja, mijnheer. Hoewel we voorlopig het ontbrekende boek van lady Mélantes kunnen gebruiken...'

'Dat teruggevonden moet worden...'

'Natuurlijk, mijnheer, maar we kunnen het zolang gebruiken als zogenaamde bewaarplaats voor de geheimen van lord Vandaariff – tot we de kans krijgen een ander boek onherstelbaar te beschadigen.'

'Uitstekend,' mompelde Crabbé. De kleine man keek snel om zich heen. Hij likte langs zijn lippen, terwijl hij zich vooroverboog naar Bascombe. 'Vanaf het begin, Roger, heb ik je deze kans gegeven, nietwaar? Erfenis en titel, nieuwe vooruitzichten op een huwelijk, een hogere positie in de regering?'

'Ja mijnheer. Ik sta diep bij u in het krijt, en ik verzeker u...'

Crabbé wuifde Bascombes kruiperige woorden weg, alsof hij een vlieg wegjoeg. 'Wat ik daarnet zei – over te veel elementen die tegelijk in beweging worden gezet – is alleen voor jouw oren bestemd.'

Weer was Svenson verbijsterd dat geen van beide heren lord Vandaariff noemde, die nog geen halve meter van hen af stond.

'Je bent intelligent, Roger, en je bent niet minder sluw dan wie ook in deze hele onderneming, zoals je afdoende hebt bewezen. Hou je ogen open, in het belang van ons allebei, voor elk misplaatst woord of elke verdachte daad – van wie ook. Begrijp je? We moeten nu doorzetten, en ik zit tjokvol verdenkingen.'

'Wilt u suggereren dat een van de anderen – de contessa, of Mr Xonck...'

'Ik suggereer niets. Toch zijn we het slachtoffer geworden van al die ontwrichtingen...'

'Maar die provocateurs – Chang, Svenson...'

'En die Miss Temple van jou,' voegde Crabbé er op een zure toon aan toe.

'Als we haar meerekenen, is dat een bewijs voor de waarheid van hun bewering, mijnheer – die ieder van hen onder ede heeft gezworen – dat ze geen baas hebben, dat ze geen plan hebben, behalve dat ze ons duidelijk vijandig gezind zijn.'

Crabbé boog zich voorover naar Bascombe en liet zijn stemgeluid dalen tot een angstig gesis. 'Ja, ja, maar toch! De dokter komt hier aan door middel van de zeppelin! Miss Temple infiltreert in onze plannen met Lydia Vandaariff en slaagt er in – zonder hulp, wat nauwelijks te geloven is – om een onderdompeling in een glazen boek te weerstaan! En Chang – hoeveel mensen heeft hij niet gedood? Hoeveel vernielingen heeft hij niet aangericht? Denk je dat ze zo geweldig zijn dat ze dit allemaal zonder hulp hebben gedaan? En waar kan die hulp vandaan zijn gekomen, Roger, behalve van iemand uit onze gelederen?'

Crabbés gezicht was bleek en zijn mond trilde van woede – of angst, of beide. Zijn woede werd juist gewekt door het idee dat hij kwetsbaar was. Bascombe gaf geen antwoord.

'Jij kent Miss Temple, Roger – waarschijnlijk beter dan wie ook ter wereld. Denk jij dat ze in staat zou zijn die mannen te doden? Zich te ontworstelen aan dat boek? Lydia Vandaariff te vinden en haar bijna uit onze klauwen los te rukken? Als Mrs Marchmoor niet was binnengekomen...'

Bascombe schudde zijn hoofd.

'Nee, mijnheer... de Celeste Temple die ik ken is tot geen van die dingen in staat. En toch – er moet een verklaring zijn.'

'Maar is die er? Is er een verklaring voor de dood van kolonel Trapping? De provocateurs waren die nacht alle drie in dit huis; toch konden ze niet weten dat ze hem moesten vermoorden zonder dat iemand uit onze gelederen verraad heeft gepleegd!'

Ze zwegen. Svenson sloeg ze gade en hief met geduldige traagheid zijn hand op om zijn neus te krabben.

'Francis Xonck heeft brandwonden opgelopen door toedoen van kardinaal Chang.' Bascombe ging sneller praten, terwijl hij de mogelijkheden naging. 'Het is niet waarschijnlijk dat hij een dergelijke verwonding expres zou oplopen.'

'Misschien... Toch is hij buitengewoon geslepen en roekeloos.'

'Klopt. De comte...'

'De comte d'Orkancz houdt zich alleen bezig met zijn glas en zijn gedaantewisselingen – zijn visie. Ik zweer je: in zijn hart beschouwt hij deze hele onderneming alleen als een nieuw schildersdoek – zijn meesterwerk, misschien. Maar toch, zijn ideeën zijn naar mijn smaak een beetje te...' Crabbé slikte moeizaam en streek met zijn vinger over zijn snor. 'Misschien is het alleen... die afschuwelijke plannen voor het meisje – en dan weet ik nog niet eens zeker of hij die plannen volledig heeft onthuld...'

Crabbé keek op naar de jonge man, alsof hij te veel had gezegd, maar de gezichtsuitdrukking van Bascombe was niet veranderd.

'En de contessa?' vroeg Bascombe.

'De contessa,' herhaalde Crabbé. 'Inderdaad, de contessa...'

Ze keken op, want een van hun ondergeschikten keerde op een drafje terug. Terwijl ze wachtten tot hij er was, zwegen ze. Toen hij rapporteerde dat de kust veilig was, knikte Bascombe dat de man zich weer bij zijn kameraad moest voegen, die vooruit was gelopen. De man draaide zich kwiek om en de heren van het ministerie wachtten opnieuw tot hij uit het zicht was verdwenen, waarna ze zwijgend achter hem aan liepen. Ze waren duidelijk nog steeds aan het tobben. Svenson sloop achter hen aan. De mogelijkheid dat de samenzweerders onderling verdeeld waren en elkaar wantrouwden, was meer dan hij had durven hopen.

Zonder de mannen in de achterhoede die hem het uitzicht hadden belemmerd, kon hij de minister duidelijker zien. Een kleine vastberaden gestalte met een leren schoudertas, het soort dat je gebruikt voor officiële documenten. Svenson wist zeker dat die tas er niet was geweest toen ze de boeken verzamelden. Dat betekende dat Crabbé hem daarna had verworven – tegelijk met lord Vandaariff? Betekende het dat er papieren van lord Vandaariff in de tas zaten? Hij begreep nog steeds niet waarom de lord kennelijk meewerkte – hij liep zonder dwang met hen mee. Tegelijkertijd negeerden ze hem volkomen. Aanvankelijk had Svenson gedacht dat Vandaariff het oorspronkelijke brein was achter het complot. Nog geen twee dagen geleden had de man hem zeer doelbewust weggemanoeuvreerd van Trappings lijk. Hoe lang hadden de samenzweerders erover gedaan om hun val te laten dichtklappen, hoe hadden ze hem onder de duim gekregen, hoe lieten ze hem slaapwandelen... Dat was kortgeleden gebeurd. Ze hadden ten volle gebruik gemaakt van het huis, de rijkdom en de naam van de lord, om hun doel te bereiken. Deze situatie had alleen kunnen ontstaan met zijn volledige medewerking en goedkeuring. En nu liep hij als een gewillige geit achter hen aan, in zijn eigen huis. Toch had Svenson geen spoor van de littekens van het procédé op zijn gezicht gezien toen hij achter de fontein naar hem keek. Hoe hadden ze hem dan in hun macht gekregen? Door een glazen boek? Kon hij Vandaariff maar vijf minuten onder vier ogen spreken! In die korte tijd zou hij hem snel kunnen onderzoeken en enig inzicht krijgen in het lichamelijke effect van deze geestelijke dwang. Wie weet zou hij erachter kunnen komen hoe die geestelijke dwang ongedaan kon worden gemaakt.

Maar voorlopig kon hij alleen achter hen aan lopen. Hij was ongewapend en in de minderheid. Uit de kamers om hen heen hoorde hij een aanzwellend gedruis van menselijke activiteit: voetstappen, stemmen, bestek, rondrijdende karren. Tot nu toe hadden ze op hun weg elke open ruimte of kruispunt vermeden, ongetwijfeld om Vandaariff buiten het zicht van het publiek te houden. Svenson vroeg zich af of de huisbedienden wisten dat hun meester een slavenbestaan leidde, en hoe ze erop zouden reageren. Hij veronderstelde dat Robert Vandaariff geen vriendelijke werkgever was geweest – misschien wisten de bedienden het wel, en vierden ze vrolijk zijn ondergang. Misschien hadden de samenzweerders uit Vandaariffs rijkdommen geput om de loyaliteit van zijn bedienden te kopen. Beide mogelijkheden maakten dat Svenson de bedienden niet vertrouwde... Maar hij besefte dat de goede gelegenheid om in te grijpen snel tussen zijn vingers door glipte. Elke stap bracht hen dichter bij de andere leden van de samenzwering.

Svenson haalde diep adem. De drie mannen liepen ongeveer tien meter voor hem uit, en sloegen net een hoek om naar een andere gang. Zodra ze uit het zicht waren verdwenen rende hij vooruit om terrein te winnen, bereikte de hoek en gluurde – vijf meter ver, en ze liepen over een dunne loper van tapijt! Svenson liep de gang in met zijn revolver in de aanslag, en rende snel vooruit. Het gedempte

680

geluid van zijn voetstappen vermengde zich met dat van hen. Drie meter achter hen, toen anderhalve meter, en toen was hij vlak bij hen. Hoe dan ook voelden ze zijn aanwezigheid, en ze draaiden zich om. Op dat moment stak Svenson zijn linkerhand uit en greep ruw de kraag van Vandaariff beet. Met zijn rechterhand drukte hij de loop van zijn revolver tegen de slaap van de lord.

'Verroer u niet!' siste hij. 'Schreeuw niet – of deze man zal sterven, en daarna ieder van u op zijn beurt. Ik ben een uitstekende scherpschutter met een revolver, en ik zou dat met het grootste plezier doen!'

Ze schreeuwden niet, en weer voelde Svenson dat die verontrustende beestachtigheid bezit van hem nam – hoewel hij niet bepaald een goed schutter was, zelfs niet als zijn wapen was geladen. Hij wist alleen niet hoeveel waarde ze hechtten aan Vandaariff. Met een plotselinge rilling vroeg hij zich af of ze eigenlijk misschien wilden dat hij werd vermoord – iets wat ze wensten, maar waarvoor ze zelf terugschrokken –, zeker nu Crabbé die schoudertas met belangrijke informatie had.

De schoudertas. Die moest hij hebben.

'Die schoudertas!' blafte hij tegen de onderminister. 'Laat die onmiddellijk vallen, en doe een stap opzij!'

'Dat doe ik niet!' piepte Crabbé schril, met een bleek gezicht.

'Dat doe je wél,' snauwde Svenson, terwijl hij de haan spande en de loop stevig tegen de schedel van Vandaariff drukte.

Crabbés vingers frunnikten aan het leren handvat, maar hij gooide de tas niet op de grond. Svenson zwaaide de revolver weg van Vandaariff en richtte hem direct op de borst van Crabbé.

'Dokter Svenson!'

Dat was Bascombe, die zijn handen ophief in een wanhopig verzoenend gebaar. In Svensons ogen leek het iets te veel op een poging om zijn wapen te grijpen. Hij richtte de loop op de jongere man, die zichtbaar in elkaar kromp; daarna weer terug naar Crabbé, die de schoudertas nu tegen zijn borst klemde; daarna weer naar Bascombe, terwijl hij Vandaariff een stap opzijtrok zodat hij meer ruimte kreeg. Waarom werd hij niet beter in dit soort confrontaties?

Bascombe slikte en deed een stap naar voren. 'Dokter Svenson,' begon hij aarzelend. 'Dit houdt u niet vol. U zit midden in een wespennest, ze zullen u vangen...'

'Ik eis mijn prins op,' zei Svenson. 'En ik eis die schoudertas op.'

'Onmogelijk,' piepte Crabbé. Tot grote ergernis van Svenson draaide de onderminister zich om en slingerde de schoudertas als een discus door de gang. Hij botste tegen de muur en viel op de grond, ongeveer zes meter verderop. De moed zonk Svenson in de schoenen – die verduivelde vent! Als hij één kogel had bezeten, zou hij die recht door de oren van Harald Crabbé hebben geboord.

'Ziezo,' blaatte Crabbé, angstig ratelend. 'Hoe hebt u de mijn overleefd? Wie heeft u geholpen? Waar zat u verstopt in de zeppelin? Hoe bestaat het dat u nog steeds al mijn plannen in de war schopt?'

De stem van de minister rees tot een schril geschreeuw. Svenson deed nog een stap achteruit en sleurde Vandaariff mee. Bascombe – hoewel hij bang was bezat hij moed – deed in reactie daarop een stap naar voren. Svenson drukte de revolver weer tegen het oor van Vandaariff.

'Blijf staan! Geef antwoord: waar is Karl-Horst, de prins? Ik sta erop...'

Zijn stem stierf weg. Ergens onder in het huis hoorde Svenson een oorverdovend hoog gierend geluid, als de remmen van een trein die op hoge snelheid worden ingetrapt... en daarbinnen, als een zilveren draad die door een damasten koningsmantel was geweven, het gekrijs van een wanhopige vrouw. Wat had Crabbé gezegd over de activiteiten van de comte – 'in de kathedraal'? Ze stonden alle drie als aan de grond genageld terwijl het lawaai tot ondraaglijke hoogte aanzwol en toen, even plotseling, wegstierf. Hij sleurde Vandaariff nog een stap achteruit.

'Laat hem los!' siste Crabbé. 'U maakt het alleen erger voor uzelf!'

'Erger?' Svenson spoog vuur bij de arrogantie van deze man. O, had hij maar één kogel! Hij gebaarde naar de vloer, naar dat afschuwelijke lawaai. 'Wat voor afgrijselijke dingen gebeuren daar? Wat voor afschuwelijke dingen heb ik al meegemaakt?' Hij rukte aan Vandaariff. 'Jullie krijgen deze man niet!'

'We hebben hem al,' sneerde Crabbé.

'Ik weet wat jullie hem hebben aangedaan,' stotterde Svenson. 'Ik kan hem beter maken! Hij zal op zijn woord worden geloofd, en jullie allemaal verraden!'

'U weet niets.' Ondanks zijn angst was Crabbé vasthoudend – ongetwijfeld was dat een waardevolle eigenschap bij onderhandelingen over verdragen, maar Svenson voelde zich getergd als de hel.

'Jullie duivelse procédé is misschien onomkeerbaar,' verklaarde Svenson. 'Ik heb geen tijd gehad om het te bestuderen, maar ik weet dat lord Vandaariff dat ritueel niet heeft ondergaan. Hij heeft geen littekens – hij was twee dagen geleden volkomen helder en bij zijn volle verstand, lang voordat dergelijke littekens zouden kunnen wegtrekken. Bovendien weet ik, door wat ik daarnet heb gezien in jullie snijzaal, dat hij zich met alle geweld tegen mij zou verzetten, áls hij het procédé had ondergaan. Nee, heren, ik ben er zeker van dat hij tijdelijk onder invloed staat van een verdovend middel, waarvoor ik een tegengif zal vinden...'

'U doet niets van dat alles,' schreeuwde Crabbé, en hij wendde zich tot Vandaariff en sprak hem toe op een scherpe, bevelende toon zoals je een hond zou commanderen. 'Robert! Pak hem direct zijn revolver af!'

Tot afgrijzen van Svenson draaide lord Vandaariff zich bliksemsnel om en greep met beide handen naar zijn revolver. De dokter deed een stap opzij, maar de volhardend grijpende handen van de lord lieten niet los. Het was direct duidelijk dat de robotachtige lord veel sterker was dan de volkomen uitgeputte chirurg. Toen de dokter opkeek, zag hij Crabbés gezicht in tweeën splijten door een gemene glimlach.

Svenson kon deze arrogantie niet langer verdragen. Vandaariff kneep in zijn keel en greep naar zijn wapen. Svenson wrong zijn revolver los en richtte hem op het gezicht van de minister, terwijl hij de haan spande.

'Zorg dat hij zich koest houdt of u gaat eraan!' riep hij.

In plaats daarvan sprong Bascombe naar Svensons arm. Hij sloeg met zijn revolver naar Bascombe. De gerafelde rand van de loop sneed diep in het jukbeen van de jonge man, en bracht hem ten val. Op datzelfde moment klemde Vandaariffs hand zich om die van

Svenson, en kneep. De haan klikte naar voren. Svenson keek wanhopig op en zag de blik van Bascombe. Ze wisten allebei dat de revolver niet had gevuurd.

'Hij heeft geen kogels!' riep Bascombe, en hij verhief zijn stem die weerklonk door de hele gang. 'Help! Evans, Jones, help!'

Svenson draaide zich om. De schoudertas! Hij wierp Vandaariff van zich af en rende ernaartoe, hoewel hij recht op de bedienden af liep. Zijn laarzen dreunden op de gladde gewreven houten vloer, zijn verstuikte enkel protesteerde, maar hij bereikte de schoudertas, raapte hem op en rende strompelend terug naar Bascombe en Crabbé. Crabbé brulde tegen de mannen die hem ongetwijfeld dicht op de hielen zaten: 'De schoudertas! Pak die schoudertas! Die mag hij niet hebben!'

Bascombe stond weer overeind en sprong vooruit, met zijn armen uitgestrekt, alsof hij Svenson wilde tegenhouden – of hem wilde laten struikelen, zodat de anderen hem de hersens konden inslaan. Er waren geen zijdeuren, geen nissen, geen andere mogelijkheden behalve een stormloop op de man af. Svenson dacht terug aan zijn jaren op de universiteit, aan de dronken spelletjes die ze in de slaapzalen speelden – soms smokkelden ze zelfs paarden naar binnen –, maar Bascombe was jonger dan hij; hij was kwaad, en putte uit zijn eigen voorraad spelletjes.

'Hou hem tegen, Roger. Maak hem af!' Zelfs als hij razend was klonk Crabbé autoritair.

Voor Bascombe hem kon laten struikelen sloeg Svenson de schoudertas tegen zijn gezicht, een klap die eerder smadelijk was dan pijnlijk. Toch draaide Bascombe bij de botsing zijn hoofd weg. Svenson liet zijn schouder zakken en stootte Bascombe naar achteren. Bascombes handen grepen naar zijn schouders, maar Svenson worstelde zich los en Bascombes handen gleden omlaag langs zijn lichaam. Svenson was er bijna langs, struikelend en wel, toen Bascombe zijn linkerlaars met beide handen beetgreep en vasthield, zodat hij zijn evenwicht verloor en op de grond viel. Hij rolde op zijn rug en zag dat Bascombe in elkaar gezakt op de vloer zat, met een rood bebloed gezicht. Svenson hief zijn rechterlaars omhoog en schopte naar Bascombes gezicht. De schop belandde op Bascombes arm – beide mannen schreeuwden het uit, want dit was Svensons verstuikte enkel. Hij deelde nog twee gemene schoppen uit en hij was vrij.

Maar de bedienden in het zwart waren er ook nog; hij had geen kans. Hij krabbelde overeind en zag toen plotseling tot zijn vreugde dat de twee mannen instinctief vol eerbied bleven staan om Bascombe en Crabbé overeind te helpen. In een plotselinge opwelling rende Svenson recht op ze af, met de schoudertas in zijn ene hand en de revolver in de andere. Hij hoorde Crabbé protesteren: 'Nee, nee! Hij... Houd hem tegen!' en Bascombe riep: 'Schoudertas! Schoudertas!', maar hij was al bij hen en haalde uit toen de mannen opkeken. Geen van de klappen – schoudertas of revolver – trof doel, maar beide mannen krompen in elkaar, en hij won meters kostbare voorsprong terwijl hij langs hen heen rende door de hal. Ze holden achter hem aan, maar ondanks zijn angst en zijn verstuikte enkel was dokter Svenson in de stemming voor een wedstrijd.

Hij spurtte door de gang, terwijl hij bij elke stap uitgleed en in elkaar kromp van de pijn. Waar waren de mannen door Crabbé naartoe gestuurd om te wachten – 'naar het hoogste punt van de toren'? Hij fronste zijn wenkbrauwen – toen hij vanuit de zeppelin naar beneden keek had hij geen noemenswaardige torens gezien. Bovendien waren de mannen heel snel komen aanrennen op het hulpgeroep van Bascombe; ze hadden niet van een hoge trap naar beneden kunnen lopen. Behalve... Hij sloeg een hoek om naar een ruime hal, met een zwart-wit geblokte marmeren vloer als een schaakbord. In de muur aan de overkant was een vreemde ijzeren deur, die wijd openstond naar een donkere wenteltrap... dit was het hoogste punt van een toren die omlaag liep. Voordat hij dit idee kon verwerken, verloor dokter Svenson volledig zijn evenwicht, viel languit neer en gleed over de hele lengte van de marmeren vloer naar de overkant. Hij schudde zijn hoofd en trachtte overeind te komen. Hij droop van het... bloed! Hij was in een vuurrode plas bloed uitgegleden en had die door zijn val uitgesmeerd, zodat de hele rechterkant van zijn lichaam was gedrenkt in geronnen bloed.

Hij keek op. Zijn twee achtervolgers verschenen in de deuropening aan de overkant. Voordat iemand zich kon verroeren steeg er een nieuw doordringend schril mechanisch gegier op vanachter de open deur naar de toren; het zwol aan tot een oorverdovende, afschuwelijke en onverdraaglijke sterkte. Zijn oren bedrogen hem niet: middenin het gegier klonk duidelijk de schreeuw van een vrouw.

Svenson wierp zijn revolver uit alle macht naar de soldaten, en raakte er een vol op zijn knie. De soldaat kreunde en zakte achterwaarts in elkaar tegen de deurpost, en zijn revolver tolde weg over de vloer. De tweede soldaat dook erachteraan en griste hem van de vloer terwijl Svenson wegsprong naar de enige andere deur naar een brede gang die wegleidde van de toren (het laatste wat hij wilde was dichter bij dat geschreeuw komen). Achter zijn rug hoorde hij het klikken van de haan op het lege magazijn en daarna een woedende grauw van de soldaat – terwijl hij zijn voorsprong opnieuw verruimde. Hij sloeg een hoek om naar een andere, kleinere hal, met deuren aan weerskanten. Vlug en geruisloos stapte Svenson door een zwaaideur en liet die behoedzaam achter zich dichtvallen totdat hij stil hing. Hij zorgde dat hij er geen veeg bloed op achterliet. Hij was in een bijkeuken beland. De dokter liep langs tonnen en kasten naar een binnendeur. Hij had die juist bereikt toen de deur openzwaaide. Hij dook er snel achter weg, zodat hij vanuit de rest van de bijkeuken niet te zien was. Een seconde later ging de deur aan de overkant open – waardoor hij binnen was gekomen – en hij hoorde de stem van zijn achtervolger.

'Is hier iemand binnengekomen?'

'Wanneer?' vroeg een norse stem, op nog geen vijftien centimeter afstand van de plek waar de dokter zich schuilhield.

'Daarnet. Magere vent, buitenlander, onder het bloed.'

'Niet hier. Zie jij bloed?'

Er viel een stilte. Hij hoorde geschuifel van voeten, terwijl beide mannen om zich heen keken. De dichtstbijzijnde man leunde tegen de deur, zodat Svenson nog dichter tegen de muur moest kruipen.

'Ik weet niet waar hij anders naartoe zou kunnen rennen,' mompelde de man vanuit de gang.

'Naar de overkant – naar de trofeeënkamer. Vol geweren.'

'Godverdomme,' siste de achtervolger, en Svenson hoorde het prettige geluid van een dichtzwaaiende deur. Even later hoorde hij dat er een kast werd opengedaan. Hij hoorde de man in de kast rond-wroeten, en een geluid dat deed denken aan vallend grind. Zodra dat achter de rug was liep de man de kamer uit en trok de deur achter zich dicht. Svenson slaakte een zucht van verlichting.

Hij keek naar de muur. Die zat onder het bloed, omdat hij zich erte-genaan had gedrukt. Hij zuchtte – niets aan te doen – en vroeg zich af of er iets te drinken was in een van die kasten. Hij was niet vei-lig. Zijn vijanden waren maar enkele meters van hem verwijderd, in beide richtingen – maar aan die toestand was hij al gewend. Boven-dien... grind? Zijn nieuwsgierigheid kreeg de overhand, en Svenson sloop naar de grootste kast – ruim groot genoeg om in te staan. Hij wist zeker dat de man die had opengedaan. Hij trok de deur open en kromp in elkaar toen er een vlaag ijskoude lucht van binnen over zijn gezicht blies. Het was helemaal geen grind, maar ijs. Een zak vol gemalen ijs was leeggekieperd over het lijk van de hertog van Stäel-maere, dat met een blauwe huid en halfopen reptielachtige ogen griezelig en wel lag opgebaard in een ijzeren badkuip.

Waarom bewaarden ze hem? Wat dacht Lorenz dat hij kon uit-richten – hem weer tot leven wekken? Dat was absurd. Twee kogels – de tweede kogel was recht door zijn hart gegaan – hadden ernstige schade aangericht, en nu was het al zo lang geleden; het bloed zou zijn afgekoeld en gestold, de ledematen verstijfd... Wat waren ze in godsnaam van plan? Svenson kreeg plotseling de neiging een zakmes te voorschijn te halen en het lichaam nog meer toe te takelen – de keelader opensnijden misschien? – om de tegennatuurlijke plannen van Lorenz te dwarsbomen, maar het was weerzinwekkend om zoiets te doen. Zonder een concrete aanleiding zou hij niet zo diep zinken dat hij dit lijk zou schenden, ook al was het een louche kerel.

Toen hij neerkeek op dat lijk, voelde dokter Svenson dat hij de wan-hoop nabij was. Hij hief de schoudertas in zijn handen op – bracht die hem iets dichter bij de prins, of de redding van zijn vrienden? Zijn mondhoeken trilden, hij glimlachte flauw bij dit woord. Hij kon zich niet herinneren wanneer hij voor het laatst vriendschap met iemand had gesloten. De baron was, in het verleden, zijn jichtige werkgever en raadgever voor zijn leven in het paleis, maar ze namen elkaar niet in vertrouwen. Officieren met wie hij had gediend, te land of ter zee, werden metgezellen gedurende die reis, maar als ze later op verschillende posten werden geplaatst, dacht hij zelden aan hen terug. Hij had weinig vrienden van de universiteit, en de meesten waren dood. Zijn familierelaties waren overschaduwd door de dood van Corinna; hij dacht weinig aan hen. Het idee dat hij sinds een paar dagen zijn lot – niet alleen zijn leven, maar alles waar hij voor stond – had verbonden met dat onwaarschijnlijke tweetal (of waren het er nu drie?), die hij geen blik waardig had gekeurd als hij ze op straat was tegengekomen... Nee, dat was niet helemaal waar. Hij zou veelbetekenend glimlachen om Miss Temples beheerste eigenzinnigheid, zijn hoofd schudden om Changs opzichtige geheimzinnigdoenerij... en een steelse blik werpen op Eloïse Dujong in haar ongetwijfeld ingetogen jurk. Hij zou ze allemaal gevaarlijk onderschatten. Hun eigen indruk van hem zou misschien ook geen recht doen aan zijn huidige verrichtingen. Svenson kromp in elkaar, terwijl hij een blik wierp op het kleverige geronnen bloed op de zijkant van zijn uniform. Wat had hij uiteindelijk bereikt? Wat had hij eigenlijk ooit bereikt? Zijn leven was een dichte mist sinds Corinna was gestorven... Zou hij tekortschieten tegenover de anderen zoals hij was tekortgeschoten tegenover haar?

Hij was moe, gevaarlijk moe, terwijl hij daar stond zonder enig idee wat de volgende stap moest zijn, in de deuropening van een vrieskast, terwijl er links en rechts achter elke deur vijanden op hem wachtten. Aan een horizontale ijzeren stang boven zijn hoofd hingen een paar gemene ijzeren haken, met kleine houten handvaten. Ze waren bestemd om grote stukken vlees op te hangen. Twee van die haken zouden hem zeer goed van pas komen. Svenson rekte zich uit, pakte er een paar en glimlachte. Hij voelde zich net een zeerover.

Hij keek omlaag naar de hertog, want zijn blik werd ergens door getroffen. Er was niets veranderd – het lijk was niet levender dan eerst en niet minder blauw. Dat was het, realiseerde hij zich: het blauw was niet de normale kleur blauw van ijskoud dood vlees, dat hij vaak genoeg had gezien tijdens zijn dienst in de Baltische zeeën. Nee, dit was op een of andere manier helderder, blauwer. Het ijs schoof opzij en gleed smeltend omlaag. Svensons aandacht werd getrokken door het water in de badkuip... Het ijs en het water... Het ijs had zich opgehoopt aan de rand van het bad en over het onderlichaam van de hertog, terwijl het water, waar het ijs smolt, een poel vormde boven zijn borst en over zijn wond. Plotseling werd hij nieuwsgierig. Svenson ging achter de hertog staan, plaatste zijn haken onder de oksels van de man en hees hem een paar centimeter uit het bad, tot hij de echte wond kon zien. Waar het kapotgereten vlees een gat vormde, zag hij tot zijn verbijstering dat het was opgelapt met indigoklei. Het gat van de wond was opgevuld met indigoklei.

De deur van het vertrek ging open en Svenson schrok. Hij liet het lijk glippen. Het gleed terug in de badkuip, terwijl water en ijs met veel kabaal op de grond klotsten. Hij keek op – degene die was binnengekomen zou het geluid hebben gehoord, net zoals hij zou zien dat de kastdeur openstond – en bevrijdde vlug zijn haken. De schoudertas! Waar was de schoudertas? Hij had hem neergelegd toen hij omhoogreikte naar de haken. Hij vervloekte zichzelf, liet een van de haken in de badkuip vallen en griste de schoudertas van de vloer op hetzelfde moment dat de deur van de kast in beweging kwam. Svenson schoot naar voren en stootte met zijn schouder tegen de deur. Die knalde tegen degene die erachter stond, met een bevredigend *bam*. Een zwartgejaste bediende wankelde achteruit, beladen met een nieuwe jutezak vol versplinterd ijs, en viel. De zak scheurde open en de glanzende ijsmassa gleed over de vloer. Svenson stormde over de man heen. Hij stapte liever boven op hem dan dat hij riskeerde uit te glijden op het ijs, en drong naar buiten door de zwaaideur, waarbij hij een brede veeg rood achterliet op de roomwitte verf.

Dit was de echte keuken. Er stond een lange brede tafel om het eten klaar te maken, een enorme stenen haard, fornuizen, rekken vol potten en pannen en keukengerei. Aan de overkant van de tafel stond dokter Lorenz, met zijn zwarte cape over zijn schouders naar achteren geslagen, en een dikke bril op zijn neus. Hij tuurde op een dichtbeschreven vel perkament. Aan de rechterhand van de geleerde lag een rol van zeildoek met ijzeren gereedschappen – puntige instrumenten, messen en piepkleine scherpe schaartjes – en aan zijn linkerhand stond een rij glazen fiolen die met elkaar waren verbonden door distilleerslangen. Svenson zag de patroongordel met metalen flacons die over een stoel was gehangen – Lorenz' voorraad geraffineerde indigoklei uit de mijn.

Aan Svensons kant van de tafel zat een bediende een sigaar te roken. Twee anderen stonden bij de haard en hielden een oogje op de verschillende ijzeren potten die boven het vuur hingen. De potten zagen eruit als een griezelige kruising tussen een theeketel en een middeleeuwse helm, met een onduidelijke ronde vorm, beslagen met ijzeren banden en bouten, en glanzende ijzeren tuiten waar stoomwolken uit kwamen. Deze kerels droegen dikke leren handschoenen. Alle vier de mannen keken verrast op toen Svenson binnenkwam.

* * *

Zijn angst en vermoeidheid stremden in één seconde tot een brute gewelddadigheid – alsof hij ervoor in de wieg was gelegd. Svenson deed twee stappen naar de tafel en zwiepte uit alle macht, voordat de man op de stoel in beweging kon komen. De haak kwam – *tsjak!* – neer en pinde de rechterhand van de man aan het tafelblad vast. De man slaakte een kreet. Svenson liet de haak los en schopte de stoel onder de man weg, die het opnieuw uitschreeuwde. Hij viel op de grond, zodat er meer gewicht aan zijn vastgepinde hand kwam te hangen. Svenson liet de schoudertas vallen en sloeg de stoel zo hard mogelijk tegen de dichtstbijzijnde man bij de haard, die al op hem af kwam stormen. De stoel kwam keihard tegen de uitgestrekte armen van de man aan en brak zijn vaart. Svenson deed een stap opzij als een stierenvechter – of zoals hij dacht dat een stierenvechter zou doen – en sloeg opnieuw, dit keer tegen hoofd en schouders van de kerel. De stoel brak in stukken en de man viel op de grond. De eerste man gilde nog steeds. Lorenz brulde om hulp. De tweede man bij de haard stormde op hem af. Svenson schoot opzij naar het pannenrek – daarachter stond een zwaar slagershakblok. Svenson dook eropaf terwijl hij voelde dat de handen van de man zijn jasje beetgrepen. Hij zag een rij messen, maar hij kon er net niet bij. De man trok hem weg, draaide hem om en gaf hem een kaakstoot met zijn elleboog. Svenson viel met een grom tegen het slagershakblok; hij werd met zijn gekromde rug keihard tegen de rand gesmeten. Hij deed een greep achter zich, kreeg een stuk gereedschap te pakken en hij zwaaide het vooruit naar de man, terwijl een vuist in zijn maag stompte. Svenson sloeg dubbel, maar zijn eigen klap kwam zo hard aan dat zijn vijand achteruitwankelde. De dokter keek op, happend naar adem. Hij had een zware houten vleeshamer in zijn hand. In de platte hamerkop waren scherpe houten punten uitgesneden om sneller en effectiever te kunnen werken. Er druppelde bloed uit het hoofd van de verbijsterde kerel. Svenson sloeg nog eens; de hamer kwam vierkant op zijn oor terecht en de man viel bewusteloos neer.

Hij keek naar Lorenz. De man aan tafel zat nog steeds vastgepind, zijn gezicht was wit weggetrokken. Dokter Lorenz woelde woedend in de zak van zijn cape, terwijl hij Svenson met een blik vol haat aankeek. Als hij die patroongordel te pakken zou kunnen krijgen! Svenson zwoegde terug naar de tafel, terwijl hij de hamer ophief. De vastgepinde man zag hem aankomen en viel schreeuwend op zijn knieën. Het gezicht van Lorenz was vertrokken van inspanning. Eindelijk kreeg hij de buit te pakken: een klein zwart pistool! De dokters staakten even hun activiteiten en keken elkaar aan.

'U bent zo hardnekkig als een bedluis!' siste Lorenz.

'U gaat er allemaal aan,' fluisterde Svenson. 'Ieder van u.'

'Belachelijk! Belachelijk!'

Lorenz strekte zijn arm en richtte. Svenson slingerde zijn hamer tegen de rij glazen fiolen, waardoor ze volkomen verbrijzelden, en wierp zichzelf op de grond. Lorenz slaakte een gil van afgrijzen – om het geruïneerde experiment én het gebroken glas dat in zijn gezicht vloog –, de kogel schoot door de hele keuken en boorde zich in de deur aan de overkant. Svenson voelde de schoudertas onder zijn hand en griste hem weer van de vloer. Lorenz vuurde opnieuw, maar Svenson had het geluk dat hij over een pan struikelde (hij schreeuwde het uit omdat er een pijnigende schok door zijn enkel ging), waardoor hij niet langer op de plaats stond waar Lorenz richtte. Hij bereikte de deur en stormde erdoorheen – een derde schot spleet het hout vlak bij zijn hoofd –, tuimelde de hal in, gleed uit en kwam met een bons op de vloer terecht. Achter hem brulde Lorenz als een stier.

Svenson strompelde door de grote hal naar een andere gang, in de hoop dat hij de trofeeënkamer van lord Vandaariff zou vinden, voordat zijn opgezette hoofd daar een ereplaats zou krijgen.

Hij hinkte op goed geluk door de gang, op zoek naar een deur, en zijn angst steeg tot verlammende hoogte toen hij zich realiseerde wat hij zojuist had gedaan: de gecomprimeerde wreedheid, de berekenende verminkingen. Wat was er met hem gebeurd – mannen van de loopplank schieten alsof ze een gevoelloos doelwit waren, hulpeloze kerels door de spiegel heen vermoorden, en nu die afschuwelijke slachtpartij in de keuken? Hij had het allemaal zo gemakkelijk gedaan, en zo vaardig, alsof hij een doorgewinterde beroepsmoordenaar was, alsof hij kardinaal Chang was. Maar hij was Chang niet, hij was geen beroepsmoordenaar. Zijn handen trilden en zijn gezicht was glibberig van het koude zweet. Hij bleef staan en leunde zwaar tegen de muur, terwijl hij plotseling werd bestormd door het beeld van de hand van die arme man, vastgepind als een bleke spartelende vis. Dokter Svenson kokhalsde en hij keek om zich heen naar een vaas, een pot, of een plant. Hij ontdekte niets en dwong zijn maaginhoud door wilskracht weer omlaag, met een bittere galsmaak in zijn mond. Hij kon zo niet doorgaan, zwalkend van het ene gevecht naar het andere, zonder enig idee wat hij zocht. Hij moest zitten, uitrusten, huilen – een onderbreking, hoe kort ook. Overal om hem heen hoorde hij de geluiden van gasten en voorbereidingen, muziek, voetstappen – waarschijnlijk was hij heel dicht bij de balzaal. Met een tevreden kreun ontwaarde hij een eenvoudig deurtje, niet op slot; hij bad met al zijn verloren geloof dat de kamer leeg was en glipte naar binnen.

*　*　*

Hij stapte het donker in, deed de deur dicht, schaafde onmiddellijk zijn scheenbeen, struikelde, en veroorzaakte een luid weergalmend gekletter dat minutenlang leek te duren. Hij bleef stokstijf staan en wachtte, ademend in de donkere stilte. Er waren geen andere geluiden vanuit de kamer... niets vanuit de hal. Hij herademde langzaam.

Dat gekletter was hout, houten stelen... moppen, bezems... Hij stond in een bezemkast.

Voorzichtig legde dokter Svenson de schoudertas neer en tastte aan beide kanten om zich heen. Hij voelde planken – een van die planken had hij omgeschopt – en zijn handen bewogen voorzichtig, want hij wilde niet nog meer op de grond gooien. Zijn vingers zochten vlug, gleden van plank naar plank, tot zijn rechterhand stuitte op een houten kist vol gladde cilindervormige voorwerpen... Kaarsen. Hij haalde er een uit de kist en zocht verder naar een doosje lucifers – dat zou daar toch zeker ook zijn? Dat klopte. Het luciferdoosje lag een plank lager, en Svenson streek voorzichtig, op zijn hurken gezeten, op de tast een lucifer af – hoe vaak had hij dat 's nachts op een schip gedaan? –, en met één streek veranderde zijn kleine mysterieuze kamertje in een alledaagse lijst huishoudelijke artikelen: zeep, handdoeken, koperpoets, emmers, dweilstokken, bezems, stoffers, pannen, schorten, azijn, was, kaarsen... en een klein kruikje. Hij was het zorgvuldige dienstmeisje dankbaar, dat het daar had neergezet. Hij schoof opzij, draaide zich om en ging zitten, zodat hij de deur kon zien. Een zeer zorgvuldig dienstmeisje, want bij de deur hing een lusvormig ijzeren kettinkje aan een spijker in de muur. Dat kon om de deurknop worden geslagen en dienen als slot maar alleen van binnen in de kast. Svenson maakte het kettinkje vast en zag, vlak bij het luciferdoosje, een leeg stukje plank bevlekt met gesmolten was – de plaats waar de kastbewoners hun kaars neerzetten. Hij was in iemands heiligdom gedoken, en nu was het van hem. Dokter Svenson deed zijn ogen dicht en liet zijn schouders uit vermoeidheid hangen. Het was jammer dat het dienstmeisje geen plukje tabak had achtergelaten.

Het zou erg voor de hand liggen om in slaap te vallen, en hij wist dat het zó kon gebeuren. Met een grimas dwong hij zichzelf rechtop te gaan zitten, en toen – waarom vergat hij die steeds? – herinnerde hij zich de schoudertas, haalde hem tevoorschijn en legde hem op zijn schoot. Hij maakte de sluiting open en viste de inhoud eruit: een dikke stapel perkament, dichtbeschreven met aantekeningen in een mooi handschrift. Hij bladerde door de stapel. Hij hield de vellen papier schuin, zodat het kaarslicht erop viel.

Hij las snel. Zijn ogen gleden vluchtig van de ene regel naar de andere, naar de volgende bladzijde, en die daarna. Het was een uitgebreid verhaal over verworven bezittingen en trucjes, en het was duidelijk geschreven door Robert Vandaariff. Aanvankelijk herkende Svenson net genoeg namen en plaatsen om het geografische pad te volgen van deze financiële transacties: geldhuizen in Florence en Venetië, goederenmakelaars in Wenen en Berlijn, bonthandelaren in Stockholm, en diamanthandelaren in Antwerpen. Maar naarmate hij aandachtiger las – en meer heen en weer bladerde tussen de pagina's om de feiten met elkaar in verband te brengen (en erachter te komen wat de verschillende initialen betekenden; 'RLS' was Rosamonde Lacquer-Sforza en niet, zoals hij eerst dacht, Rotterdam Liability Services, een vooraanstaande verzekeringsmaatschappij voor scheepsladingen overzee) – begreep hij beter dat het een beschrijving was met twee verweven verhaallijnen: een voortdurende campagne van kredietspeculatie en acquisitie, en een reeks onwaarschijnlijke figuren, als eilanden in een stromende rivier, die ieder op hun beurt bepaalden waar de geldstroom naartoe vloeide. Maar wat de dokter het meest opviel waren de vele verwijzingen naar zijn land Mecklenburg.

Het was duidelijk dat Vandaariff gedurende lange tijd onderhandelingen had gevoerd, zowel openlijk als via een hele verzameling tussenpersonen, om een enorme hoeveelheid land te kopen in het berggebied van het hertogdom, waarbij de nadruk altijd lag op mijnrechten. Dit bevestigde wat Svenson had opgemaakt uit de roodachtige aarde in de mijn bij Tarr Manor. De heuvels in Mecklenburg bevatten nog veel meer indigoklei. Robert Vandaariff bezat een grote kennis over dit mineraal als grondstof – de speciale eigenschappen en de gevaarlijke toepassingen ervan. Ten slotte bevestigde het de indruk, die hij twee dagen geleden ook al had gehad, dat Robert Vandaariff zeer persoonlijk bij deze zaak was betrokken.

Een voor een identificeerde dokter Svenson de andere hoofdpersonen van de samenzwering, waarbij hij aandacht schonk aan de manier waarop ieder van hen het verslag van de veroveringen van Vandaariff binnenkwam. De contessa verscheen door middel van de Venetiaanse speculatiemarkt. Via haar kwam lord Robert in Parijs in contact met de comte d'Orkancz. Aanvankelijk beschouwde hij d'Orkancz als iemand die hem op discrete wijze kon adviseren over de aankoop van bepaalde Griekse beelden uit een recent ontdekt ondergronds Byzantijns klooster in Thessaloniki. Maar dat was een dekmantel, want de comte was in werkelijkheid gerekruteerd om onderzoek te doen naar de eigenschappen van bepaalde mineraal-monsters die lord Vandaariff kennelijk in het geheim had gekocht van diezelfde Venetiaanse speculanten. Toch verbaasde het hem dat er geen enkele verwijzing was naar Oskar Veilandt, voor zover hij zag. Zijn alchemistische onderzoek was tenslotte de oorsprong van een groot aantal activiteiten van de samenzwering. Zou het kunnen dat Vandaariff Veilandt al zo lang kende (of in zijn macht had) dat hij het niet nodig vond om hem te noemen? Dat leek onzin, en Svenson bladerde vlug vooruit om te zien of de schilder later nog ter sprake kwam, maar het verhaal vertakte zich algauw in beschrijvingen van ontdekkingen en diplomatieke betrekkingen. Het ging over weten-schappers en onderzoekers bij het Koninklijk Instituut, aan wie ook werd gevraagd de monsters te bestuderen. Het geld dat hij verdiende in het bedrijfsleven werd gebruikt om bepaalde experimenten te doen met de fabricage van indigoklei (hier verschenen dokter Lorenz en Francis Xonck voor het eerst) en toen ging het over Mecklenburg zelf, en de sluwe interacties tussen lord Vandaariff, Harald Crabbé en hun medeplichtige in Mecklenburg – natuurlijk, Svenson sloeg zijn ogen ten hemel –, de chagrijnige jongere broer van de hertog, Konrad, de bisschop van Warnemünde.

De uitvoering van Vandaariffs plannen verliep soepel, dankzij deze handlangers die het werk uitvoerden met behulp van zijn geld. Hij gebruikte het instituut om de vindplaatsen van indigoklei te lokali-seren, en hij gebruikte Crabbé om met Konrad te onderhandelen over het land. Konrad trad op als agent voor straatarme aristocra-tische grootgrondbezitters. Maar er was bedrog in het spel; er zat nog meer achter. Konrad verkocht het land niet voor goud, maar ruilde het tegen verboden wapens die door Francis Xonck werden geleverd. De broer van de hertog vergaarde een wapenarsenaal – om de macht te grijpen als Karl-Horst het land zou erven. Svenson glimlachte om de ironie ervan. De samenzweerders hadden Konrad gebruikt zonder dat hij het wist. Ze stelden hem in staat een geheim leger te importeren. Dat leger konden ze zelf gebruiken zodra zij het land regeerden als gevolmachtigden voor de toekomstige babyzoon van de prins (na de noodzakelijke moord op Konrad zelf). Zo konden ze hun zakelijke belangen verdedigen – daar waar de invasie van een buitenlands leger een opstand zou veroorzaken. Het was precies het soort strategie waar Vandaariff om bekendstond. Tussen al deze mensen in bewogen zich de comte en de contessa. Want Svenson zag wat Vandaariff niet had gezien. De financier verbeeldde zich dat hij het brein was achter dit plan, maar hij was in werkelijkheid slechts de geldschieter. De dokter twijfelde er niet aan dat de contessa en de comte het hele plan vanaf het begin in beweging hadden gezet, waarbij ze de grote man manipuleerden. Op welk moment ze zich precies hadden aangesloten bij de anderen – of ze met elkaar samenzwoeren vóór- of nadat Vandaariff ze had gerekruteerd – was onduidelijk, maar hij begreep onmiddellijk waarom ze waren overeengekomen zich als één man tegen hun weldoener te keren. Als Vandaariff de macht had, bepaalde hij wie de winst kreeg. Als hij hun slaaf was, stond zijn hele vermogen tot hun beschikking.

Er waren nog steeds veel dingen die Svenson niet begreep. Veilandt werd nergens genoemd. Hoe de samenzweerders erin waren geslaagd Vandaariff te onderwerpen was ook niet duidelijk, want hij was op de avond van het verlovingsfeest bij zijn volle verstand geweest. Zou dat de reden zijn waarom Trapping was vermoord? Had hij gedreigd Vandaariff te vertellen wat hem te wachten stond? Maar waarom wisten op z'n minst een paar leden van de samenzwering niet wie Trapping had vermoord? Of had Trapping gedreigd Vandaariff te vertellen wat de comte van plan was met Lydia, als lord Robert het niet al had geweten? Maar nee, wat deden de gevoelens van Vandaariff ertoe, als ze toch van plan waren om een slaaf van hem te maken? Of had Trapping iets anders ontdekt, waardoor een lid van de samenzwering als verrader te kijk stond? Maar wie dan? En wat was zijn geheim?

Svensons hoofd liep om van die overmatige hoeveelheid namen, data, plaatsen en figuren. Hij keerde terug naar de bladzijden dichtbeschreven tekst. In Mecklenburg was veel gebeurd waar hij nooit iets van had geweten. De samenzwering was steeds dieper in de grond geworteld. De samenzweerders hadden bezittingen en invloed vergaard en alles gedaan om nog meer te krijgen. Er was sprake van brandstichting, chantage, bedreigingen, zelfs moord... zelfs... Hoe lang waren ze hier al mee bezig? Het leek alsof het al jaren speelde. Hij las over experimenten – 'die nuttig waren omdat ze zowel een wetenschappelijk als een praktisch doel dienden' – waarbij ze ziekten introduceerden in gebieden waar de grootgrondbezitters hun land niet wilden verkopen.

Dokter Svensons bloed stolde. Hij las het woord 'bloedkoorts'. Corinna... Zou het kunnen dat deze mensen haar hadden vermoord... honderden mensen hadden vermoord... zijn nichtje hadden besmet... om de prijs van de *grond* omlaag te krijgen?

Hij hoorde voetstappen buiten de deur. Snel en geluidloos propte hij de papieren terug in de schoudertas en blies de kaars uit. Hij luisterde. Nog meer voetstappen. Hoorde hij gepraat? Muziek? Hij wilde dat hij precies wist waar hij was. Hij lachte spottend: hij wilde dat hij een geladen wapen had, hij wilde dat zijn lichaam niet zo'n pijnlijk wrak was – hij zou net zo goed kunnen wensen dat hij vleugels had! Dokter Svenson streek met zijn handpalm over zijn ogen. Zijn hand trilde... zijn eigen acute levensgevaar... de noodzaak de anderen te vinden... de prins... Maar alles viel in duigen door het idee – nee, de waarheid, hij twijfelde er niet aan – dat dit hele zaakje, deze zelfde mensen, achteloos en onverschillig zijn Corinna hadden vermoord. Het was alsof hij zijn eigen lichaam niet langer voelde, alsof hij er op een of andere manier boven zweefde. Hij bestuurde zijn armen en benen zonder dat hij ze bewoonde. Al die tijd die hij had verspild aan zijn worsteling. Hij was tekeergegaan tegen het wrede lot en die harteloze wereld, om nu tot de ontdekking te komen dat deze krachten niet waren belichaamd in het onverschillige verloop van een ziekte, maar in het doelbewuste handwerk van mensen. Dokter Svenson klemde een hand over zijn mond om een snik te onderdrukken. Het had voorkomen kunnen worden. Ze had helemaal niet dood hoeven gaan.

Hij droogde zijn tranen en ademde uit met een sidderend gefluister. Het was niet te verdragen. Hij kon het zeker niet verdragen in een kast. Hij haakte het kettinkje los van de deurknop, deed de deur open en stapte naar buiten de gang in, voor zijn zenuwen hem de baas werden. Overal om hem heen, aan beide kanten zichtbaar door open zuilengangen, liepen gasten met maskers en capes. Hij ving de blik op van een man en vrouw in cape en glimlachte, terwijl hij zijn hoofd boog. Ze beantwoordden zijn buiging; hun gezichtsuitdrukking weerspiegelde een mengeling van beleefdheid en afschuw om de manier waarop hij eruitzag. Gebruikmakend van het moment wenkte de dokter hen vlug met zijn vinger dichterbij. Ze bleven staan, terwijl het verkeer om hen heen doorstroomde; alle gasten liepen in de richting van de balzaal. Hij gebaarde weer, een beetje samenzweerderig, met een uitnodigende glimlach. De man kwam een stap dichterbij, de vrouw hield zijn hand vast. Svenson gebaarde nog eens; de man maakte zich eindelijk los van de vrouw en kwam dichterbij.

'Neemt u me niet kwalijk,' fluisterde Svenson. 'Ik sta in dienst van de prins van Mecklenburg, die verloofd is met Miss Vandaariff, zoals u weet.' Hij wees op zijn uniform. 'Er is een samenzwering geweest – geweld, zelfs. U kunt het aan mijn gezicht zien...'

De man knikte, maar het was duidelijk dat hij net zoveel reden zag om van Svenson weg te rennen als dat hij hem vertrouwde.

'Ik moet de prins bereiken – hij is waarschijnlijk bij Miss Vandaariff en haar vader – maar zoals u ziet kan ik dat niet doen zonder narigheid en opschudding te veroorzaken, wat beslist gevaarlijk zou zijn voor alle betrokkenen.' Hij keek om zich heen en praatte nog zachter. 'Het zou kunnen dat er nog steeds geheime agenten vrij rondlopen...'

'Inderdaad!' antwoordde de man, zichtbaar opgelucht dat hij iets kon zeggen. 'Ik heb gehoord dat ze er een hebben gevangen!'

Svenson knikte veelbetekenend. 'Maar er zijn misschien nog anderen. Ik moet mijn boodschap doorgeven. Zou ik op een of andere manier... Ik aarzel erg om het te vragen, maar zou ik op een of andere manier uw cape kunnen lenen? Ik zal uw naam vanzelfsprekend laten vallen bij de prins – en zijn medewerkers, natuurlijk, de onderminister, de comte, de contessa...'

'Kent u de contessa?' siste de man, met een schuldbewuste blik over zijn schouder naar de vrouw die in de zuilengang op hem wachtte.

'O, ja.' Svenson glimlachte en boog zich dichter naar het oor van de man. 'Zou u graag aan haar voorgesteld willen worden? Ze is onvergelijkelijk.'

Met de zwarte cape over zijn uniform vol bloedvlekken, rook en oranje stof, en het zwarte masker dat hij van Flaüss had afgepakt, wierp de dokter zich in de menigte, op weg naar de balzaal. Hij baande zich zo ruw als hij durfde een weg door het feestgedruis, en reageerde op alle klachten in gemompelde woorden Duits. Hij keek omhoog en zag het plafond van de balzaal door de volgende zuilengang heen, maar voor hij er was hoorde hij harde stemmen – en daarbovenuit een scherpe, commanderende kreet.

'Doe de deuren open!'

De stem van de contessa. De grendels werden weggetrokken en toen hoorden ze een scherp verschrikt gesis van de mensen vooraan die iets konden zien… en daarna een aarzelende, angstige stilte. Maar wie was er binnengekomen? Wat was er gebeurd?

Hij schoof naar voren met nog minder aandacht voor decorum dan eerst, stak de laatste zuilengang over en betrad de balzaal. De balzaal was stampvol gasten die achteruitliepen en tegen hem aan drongen toen hij binnenkwam, alsof ze ruimte maakten voor iemand in het midden van de zaal. Er gilde een vrouw, en daarna nog een; die kreten werden snel onderdrukt. Hij worstelde zich een weg door de zichtbaar ontredderde menigte en stuitte op een kring van dragonders. Door een gat tussen twee roodgejaste soldaten in ontwaarde hij het grimmige gezicht van kolonel Aspiche. Dokter Svenson draaide zich onmiddellijk om en ontdekte, in de kring zelf, de comte d'Orkancz. Hij passeerde een nieuwe rij toeschouwers en bleef als aan de grond genageld staan.

Kardinaal Chang zat inelkaargedoken op zijn handen en knieën; hij was buiten westen en kwijlde. Boven hem uit torende een naakte vrouw, die eruitzag als een levend standbeeld van blauw glas. De comte leidde haar aan een leren riem, die vastzat aan een leren halsband. Svenson knipperde met zijn ogen en slikte. Het was de vrouw uit de kas, Angelique! In elk geval was het haar lichaam, haar haar... Het duizelde hem bij de gedachte aan wat d'Orkancz had gedaan. Hij vroeg zich niet zozeer af hoe hij het had gedaan. Zijn ogen gleden vol ontzetting terug naar Chang. Was het mogelijk dat hij nog afschuwelijker dingen had meegemaakt dan Svenson zelf? Chang was een wrak, zijn huid was glibberig en bleek, overdekt met bloedspatten; zijn opzichtige jas was aan flarden gesneden, bevlekt en verschroeid. Svensons blik schoot langs Chang heen naar een verheven podium. Daar stonden al zijn vijanden op een rij: de contessa, Crabbé (maar Bascombe niet, dat was vreemd), Xonck, en daarnaast zijn eigen Karl-Horst, arm in arm met de blonde vrouw uit de snijzaal. Zoals hij had gevreesd was Lydia Vandaariff een werktuig dat even wreed door de samenzweerders werd gebruikt als haar vader.

Een nieuwe golf van gefluister ging door de zaal, als het geruis van de aanzwellende vloed. De menigte week uiteen om twee vrouwen door te laten, die de cirkel achter Chang betraden. De eerste vrouw was eenvoudig gekleed in een zwarte jurk, met een zwart masker op en een zwart lint in haar haren. Achter haar stond een vrouw met kastanjebruin haar, gekleed in het bekende witte zijden gewaad. Dat was Miss Temple. Chang zag haar en kwam overeind op zijn knieën. De vrouw in het zwart trok het masker van Miss Temple weg. Svenson hield zijn adem in. De littekens van het procédé waren scherp afgetekend op haar gezicht. Ze zweeg. Uit zijn ooghoek zag Svenson Aspiche, met een wapenstok in zijn hand. Hij zwiepte zijn arm omlaag en Chang viel plat op de vloer. Aspiche wenkte twee dragonders en wees in de richting waaruit de vrouwen waren binnengekomen.

Chang werd weggesleept. Miss Temple keurde hem geen blik waardig.

Zijn bondgenoten waren vermorzeld. De ene was lichamelijk overmeesterd, de andere geestelijk. Hij moest het onder ogen zien; hij moest de hoop opgeven dat hij ze kon redden of genezen. Als ze Miss Temple gevangen hadden genomen, wat was er dan met Eloïse gebeurd? De dood of diezelfde slavernij? Hij had ze niet alleen moeten laten. Hij had opnieuw gefaald – de ene ramp na de andere! Die schoudertas... Als hij die schoudertas in handen kon spelen van een buitenlandse regering, zou iemand tenminste weten... Maar terwijl hij in het gedrang van de overvolle balzaal stond, wist dokter Svenson dat dit ijdele hoop was. Er was een kleine kans dat hij uit het huis zou kunnen ontsnappen. Er was nog minder kans dat hij de grens of een schip zou bereiken... Hij had geen idee wat hij moest doen. Hij keek op naar het podium en kneep zijn ogen tot spleetjes toen hij de onnozel glimlachende prins zag. Als hij een revolver had zou hij naar voren lopen en erop los schieten. Als hij de prins kon doden en één of twee van die anderen zou hij tevreden zijn... maar zelfs die zelfmoordactie was hem niet vergund.

De stem van de contessa onderbrak zijn gedachten.

'Lieve Celeste,' riep ze, 'wat fijn dat je je bij ons hebt... aangesloten. Mrs Stearne, ik ben je zeer erkentelijk voor je tijdige entree.'

De vrouw in het zwart maakte een eerbiedige buiging.

'Mrs Stearne!' riep de krassende stem van de comte d'Orkancz. 'Bent u niet benieuwd naar uw getransformeerde lotgenoten?'

De grote man maakte een gebaar achter zich. Svenson werd opzij gedrongen terwijl zijn medegasten zich halsreikend omdraaiden, en zag nog twee glanzende blauwe vrouwen, ook naakt, ook met halsbanden om, die langzaam en vastberaden het toneel betraden. Hun voeten klikten tegen de parketvloer. De huid van beide vrouwen glansde helder en was zo doorzichtig dat je de donkere streken onheilspellende indigo in de diepte kon zien. Beide vrouwen hielden een opgerolde leiband vast. Toen ze dichter bij de comte kwamen strekten ze hun arm om het uiteinde aan hem te geven. Nadat de comte de riemen had vastgepakt lieten de vrouwen hun blik kalm en onbewogen over de mensenmenigte heenglijden. De vrouw die het dichtst bij hem stond... Hij slikte. Het haar op haar hoofd – in feite was dit het enige haar op haar lichaam, realiseerde hij zich terwijl zijn nekharen onbehaaglijk overeind gingen staan – was verbrand bij haar linkerslaap... De snijzaal... De paraffine... Dit was Miss Poole. Haar lichaam was mooi en onmenselijk. Haar prachtige strakke huid, glasachtig maar toch zacht... Svenson kreeg de rillingen terwijl hij ernaar keek, maar hij kon zijn ogen er niet vanaf houden, en hij voelde tot zijn afgrijzen de wellust in hem opkomen. De derde vrouw – het was moeilijk om hun gelaatstrekken te herkennen –, kon alleen Mrs Marchmoor zijn.

De comte gaf een klein rukje aan de leiband van Miss Poole. Ze liep naar de vrouw in het zwart. Plotseling viel het hoofd van die vrouw opzij. Ze wankelde, met een doffe blik in haar ogen. Wat was er gebeurd? Miss Poole draaide zich naar de kant van Svenson. Hij kromp in elkaar voor haar vreemde ogen, want het was alsof ze hem tot het bot ontleedde. Onmiddellijk begonnen zijn knieën te knikken en gedurende één verschrikkelijk moment viel de hele balzaal weg. Svenson zat op een bank in een donkere kamer... Zijn hand – een verfijnde vrouwenhand – streelde het loshangende haar van Mrs Stearne terwijl een gemaskerde man in een cape aan de andere kant zich overboog om haar op haar mond te kussen. De starende blik van Miss Poole (het visioen was afkomstig uit haar leven, net zoals de visioenen in de blauwe glazen kaarten, of de boeken... ze was een lévend boek!) veranderde enigszins van richting, terwijl ze met haar andere hand een glas wijn pakte – haar arm was in een wit gewaad gehuld zoals dat van Miss Temple; in feite droegen beide vrouwen hetzelfde witte gewaad van de inwijding! Maar opeens was de donkere kamer weg en Svenson bevond zich weer in de balzaal. Hij vocht tegen een opkomende misselijkheid. Overal om hem heen schudden de andere gasten verdwaasd hun hoofd. Wat een geweld! Het effect van de glazen kaarten werd geprojecteerd op het hele publiek, in iedere geest!

Dokter Svenson probeerde wanhopig hier iets van te begrijpen: de kaarten, het procédé, de boeken, en nu deze vrouwen, als drie duivelse Gratiën. Hij kwam tijd tekort! Hij dacht dat hij de rest begreep: het procédé en de boeken, want chantage en machtswellust waren algemene begrippen, zelfs op zo'n huiveringwekkende grote schaal, maar dit... Dit was alchemie. Hij begreep het niet en hij kon zich ook niet voorstellen waarom iemand zich zou overleveren aan zoiets afschuwelijks.

De comte zei weer iets tegen Mrs Stearne – en tegen de contessa; de contessa gaf antwoord – maar hij kon niet volgen wat ze zeiden, zijn brein was nog steeds vertroebeld door het overweldigende visioen. Svenson stommelde tegen de mensen achter hem op, die even gedesoriënteerd waren als hij. Hij maakte rechtsomkeert teneinde zich een weg te banen door de menigte, weg van zijn vijanden, weg van Miss Temple. Hij had nog geen zeven stappen gelopen voor een nieuw visioen zijn hoofd deed tollen... een visioen over hemzelf!

Hij was opnieuw in Tarr Manor, en stond tegenover Miss Poole op de trap naar de mijn. Crabbé worstelde om los te komen, de soldaten stormden naar hem toe en weerden zijn zwakke slagen af. Ze tilden hem lijfelijk op, en wierpen hem toen over de reling. Hij werd weer overspoeld door de herinnering van Miss Poole – hij zag zijn eigen nederlaag! Die herinnering was zo levendig dat hij in zijn zenuwen de abstracte glijvlucht voelde van het leedvermaak van Miss Poole om zijn meelijwekkende worsteling.

Svensons adem stokte hoorbaar toen hij weer bij zinnen kwam. Hij zat op zijn handen en knieën op de parketvloer. Mensen weken voor hem opzij en vormden een kring om hem heen. Dat was ook met Chang gebeurd. Ze had op een of andere manier gevoeld dat hij in de balzaal was. Hij krabbelde wild om overeind te komen, maar de handen om hem heen duwden hem terug en dreven hem tegen zijn zin naar het midden van de zaal.

Hij gleed opnieuw uit en viel, zwaaiend met zijn schoudertas. Het was voorbij. Toch was er iets. Hij probeerde wanhopig na te denken, alles te negeren. Hij hoorde kreten, voetstappen... Maar Svenson schudde zijn hoofd en klampte zich vast aan... aan wat hij zojuist had gezien! In het eerste visioen van Miss Poole... Over Mrs Stearne... De man op de bank was Arthur Trapping, en zijn gezicht was ontsierd door de verse littekens van het procédé. De herinnering ging over de avond dat hij was gestorven, precies een halfuur voordat hij werd vermoord. Terwijl Miss Poole haar hoofd draaide om haar wijn te pakken, had Svenson aan de muur tegenover haar een spiegel gezien... en in die spiegel, onmiskenbaar, het gezicht van Roger Bascombe, die alles gadesloeg vanuit de donkere gang achter een halfopen deur.

Hij kon er niets aan doen. Hij keek wanhopig naar Miss Temple.

Zijn hart brak opnieuw toen hij haar vlakke, onverschillige blik zag. Aspiche rukte de schoudertas uit zijn hand en de dragonders grepen hem ruw bij zijn armen. De wapenstok van de kolonel zwiepte meedogenloos omlaag. Dokter Svenson werd zonder plichtplegingen afgevoerd naar zijn ondergang.

TIEN

De erfgename

De comte d'Orkancz leidde hen allen – Miss Temple, Miss Vandaariff, Mrs Stearne en de twee soldaten – over de verduisterde loopplank de snijzaal binnen. De snijzaal gaf haar hetzelfde desolate gevoel dat ze zich herinnerde van de eerste keer. Haar blik viel op de lege operatietafel met de bungelende leren riemen en de stapel houten kisten daaronder. Sommige kisten waren opengebroken en er puilden lappen oranje vilt uit. Toen ze dat zag, werd ze zo bang dat haar knieën knikten. De hand van de comte hield Miss Temples schouder in een ijzeren greep. Hij keek achterom en vergewiste zich ervan dat ze allemaal binnen waren, voordat hij haar met een knikje doorgaf aan Mrs Stearne, die tussen de twee vrouwen met witte gewaden in ging staan. Ze nam beide vrouwen bij de hand en kneep erin. Ondanks haar diepgewortelde haat beantwoordde Miss Temple dat kneepje, hoewel ze zich ervan weerhield de vrouw aan te kijken. Ze was eindelijk verschrikkelijk bang. De comte legde zijn monsterlijke koperen helm op de met roestvlekken bedekte katoenen bekleding van de tafel (of was dat opgedroogd bloed?) en liep naar het reusachtige schoolbord. Met snelle brede halen schreef hij in blokletters de woorden: 'EN ZO ZULLEN ZIJ WEDER WORDEN GEBOREN'. Het handschrift kwam Miss Temple vreemd vertrouwd voor, alsof ze het ergens anders van kende, van een andere gelegenheid dan haar vorige bezoek aan de snijzaal. Ze beet op haar lip, want de kwestie leek op een of andere manier belangrijk, maar ze kon de herinnering niet terughalen. De comte liet zijn krijtje in het bakje vallen, draaide zich om en keek hen aan.

'Miss Vandaariff is de eerste,' kondigde hij aan, met een stem die klonk alsof hij uit ijzererts was gehakt, 'want ze speelt straks een belangrijke rol op het feest, en om dat te kunnen doen moet ze voldoende zijn hersteld van haar inwijding. Ik verzeker je, lieverd, dit is nog maar het eerste pretje in je balboekje voor deze feestelijke avond.'

Miss Vandaariff slikte en deed haar best om te glimlachen. Ondanks het feit dat ze daarnet nog vrolijk was, maakten de aanblik van de snijzaal en het angstaanjagende gedrag van de comte haar opnieuw bang. Miss Temple dacht dat zelfs een stalen heiligenbeeld bang zou worden.

'Ik wist niet dat hier een snijzaal was,' zei Lydia Vandaariff met een heel klein stemmetje. 'Hier zijn natuurlijk zoveel kamers, en mijn vader... mijn vader... heeft het erg druk...'

'Hij dacht vast dat je je niet voor de wetenschap interesseerde, Lydia.' Mrs Stearne glimlachte. 'Er zijn hier in huis vast ook voorraadkamers en werkplaatsen die je nog nooit hebt gezien!'

'Ik neem aan van wel.' Miss Vandaariff knikte. Ze staarde voor zich uit, langs de lampen naar de lege tribune, hikte onaangenaam en hield een hand voor haar mond. 'Maar komen er straks mensen kijken?'

'Natuurlijk,' zei de comte. 'Jij bent een voorbeeld. Je bent al je hele leven een voorbeeld, liefje, in dienst van je vader. Vanavond dien je als voorbeeld voor ons werk en voor je toekomstige echtgenoot, maar bovenal, Miss Vandaariff, voor jezelf. Begrijp je wat ik bedoel?'

Ze schudde nederig van nee.

'Dat is nog veel gunstiger,' kraste hij. 'Want ik kan je verzekeren: dat ben je.'

De comte tastte onder zijn leren voorschoot en haalde een zilveren kettinghorloge tevoorschijn. Hij kneep zijn ogen tot spleetjes en stak het uurwerk weer in zijn zak.

'Mrs Stearne, kunt u een eindje verderop gaan staan met Miss Vandaariff?'

Miss Temple haalde diep adem om moed te verzamelen toen Caroline haar hand losliet en Lydia naar de tafel loodste. De comte keek langs hen heen en knikte tegen de twee Mecklenburgse soldaten.

Voor Miss Temple met haar ogen kon knipperen schoten de soldaten naar voren, grepen haar vast en hesen haar op zodat ze op haar tenen moest staan. De comte trok zijn leren handschoenen uit en gooide ze een voor een in de ondersteboven gekeerde koperen helm. Zijn stem was even vastbesloten en dreigend als de scherpe halen van een kappersscheermes.

'Wat u betreft, Miss Temple, u wacht tot Miss Vandaariff haar beproeving heeft doorstaan. U zult zien wat er met haar gebeurt, en dit schouwspel zal uw angst vergroten, want u bent uw eigen ik nu volkomen, volkomen kwijtgeraakt. Uw eigen ik behoort voortaan aan mij toe. Om het nog erger te maken – en ik zeg het u nu opdat het volledig tot u doordringt, dit geschenk, uw autonomie die u aan mij geeft, geeft u uit vrije wil... gelukkig en dankbaar. U zult later terugkijken op uw eigenwijze verrichtingen van de afgelopen dagen. Die zullen u toeschijnen als de armzalige streken van een kind – of nog niet eens, de capriolen van een ongehoorzaam schoothondje. U zult zich schamen. Reken maar, Miss Temple, u zult in deze snijzaal worden herboren, vol wroeging en wijsheid, of u sterft.'

Hij staarde haar aan. Miss Temple gaf geen antwoord, kón geen antwoord geven.

De comte snoof verachtelijk, tastte toen weer naar zijn zakhorloge en fronste zijn wenkbrauwen, terwijl hij het terugstak achter zijn voorschoot.

'Er was enige consternatie in het buitenste portaal...' begon Mrs Stearne.

'Ik weet het,' baste de comte. 'Niettemin, dit... oponthoud – de toekomstige aanhangers zitten vast al te wachten. Ik geloof dat ik er verkeerd aan heb gedaan dat ik u er niet op uit heb gestuurd...'

Hij draaide zich om toen hij het geluid van een opengaande deur bij de tegenoverliggende loopplank hoorde, en beende er met grote passen naartoe.

'Hebt u enig benul van tijd, madame?' brulde hij in het donker. Hij beende terug naar de tafel en ging op zijn hurken tussen de kisten zitten. Achter hem bevond zich, terwijl ze vanaf de donkere loopplank op het podium stapte, het glimlachende gezicht van een kleine welgevormde jonge vrouw met krullend donkerbruin haar, een rond gezicht, en een gretige glimlach. Ze droeg een masker van pauwenveren en een glimmende lichte honingkleurige jurk, met een zilveren rand om haar boezem en mouwen. Ze had blote armen en droeg een aantal doffe, metalen flacons met doppen. Miss Temple wist zeker dat ze haar eerder had gezien – deze avond was een aaneenschakeling van bange vermoedens – en toen wist ze het weer: dit was Miss Poole, de derde vrouw in het rijtuig naar Harschmort, die op die gedenkwaardige avond was ingewijd in het procédé.

'Grote goedheid, monsieur le comte,' zei Miss Poole opgewekt. 'Dat weet ik heus wel, maar ik verzeker u dat we het oponthoud niet konden voorkomen. Onze bezigheden duurden gevaarlijk langer dan we dachten...'

Ze zweeg toen ze Miss Temple zag.

'Wie is dat?' vroeg ze.

'Celeste Temple – ik geloof dat u elkaar al eens eerder hebt ontmoet,' snauwde de comte. 'Waarom duurde het zo lang?'

'Dat vertel ik u later wel.' Miss Pooles blik dwaalde opnieuw naar Miss Temple, waarmee ze op weinig subtiele wijze duidelijk maakte waarom ze niet openlijk over het oponthoud wilde praten; daarna draaide ze zich om en wuifde meisjesachtig naar Mrs Stearne. 'Het volstaat te zeggen dat ik een andere jurk moest aantrekken – dat oranje stof, weet u –, maar u moet niet tegen me tekeergaan, want het kostte niet meer tijd dan dokter Lorenz nodig had om uw kostbare klei te bereiden.'

Met deze woorden overhandigde ze de flacons aan de comte en huppelde naar Miss Vandaariff. Haar gezicht lichtte opnieuw op in een stralende glimlach.

'Lydia!' kweelde ze, en ze nam de erfgename bij beide handen, terwijl Mrs Stearne toekeek met een waakzame, verhullende glimlach, meende Miss Temple.

'O, Elspeth!' riep Miss Vandaariff. 'Ik kwam je opzoeken in het hotel...'

'Ik weet het, liefje, en het spijt me heel erg, maar ze hadden me gevraagd de stad uit te gaan...'

'Maar ik was zo ziek!'

'Arme schat! Maar Margaret was er toch?'

Miss Vandaariff knikte zwijgend en snoof, alsof ze wilde zeggen dat ze liever niet door Margaret werd getroost, zoals Miss Poole heel goed wist.

'Om precies te zijn was Miss Temple daar eerst,' merkte Mrs Stearne koeltjes op. 'Lydia en zij hebben een hele tijd met elkaar gepraat voordat Mrs Marchmoor ertussen kon komen.'

Miss Poole gaf geen antwoord, maar keek naar Miss Temple. Ze trachtte het kaliber vast te stellen van deze tegenstander. Miss Temple keek even neerbuigend terug, en herinnerde zich de kinderachtige worsteling in het rijtuig – want ze had in de ogen van Miss Poole geprikt – en besefte dat die vernedering in de geest van Miss Poole intact was gebleven als een litteken na een zweepslag, ondanks het procédé. Afgezien daarvan had Miss Poole net dat nadrukkelijk vrolijke temperament waar Miss Temple een grondige hekel aan had, alsof je in één keer een pond mierzoete boter moest opeten. Zowel Mrs Marchmoor (hooghartig en dramatisch) als Mrs Stearne (ernstig en gereserveerd) leek wijzer te zijn geworden door de narigheid in hun leven, maar de nadrukkelijke vrolijkheid van Miss Poole was juist een schrille ontkenning van narigheid. Ze deed alsof ze een vriendin was van Lydia, alleen om de uitvoering van hun afschuwelijke plannen gemakkelijker te maken, en dat maakte haar in de ogen van Miss Temple nog afstotelijker.

'Ja, Lydia en ik konden heel goed met elkaar opschieten,' zei Miss Temple. 'Ik heb haar geleerd hoe ze in de ogen moet prikken van domme vrouwen die proberen boven hun eigen niveau uit te stijgen.'

De glimlach van Miss Poole verstrakte op haar gezicht. Ze wierp weer een blik op de comte – nog steeds bezig met kisten, flacons en stukken koperdraad – en riep toen naar Mrs Stearne, zo luid dat iedereen het kon horen.

'U hebt zoveel interessante gebeurtenissen gemist op het landgoed van Mr Bascombe – of moet ik zeggen lord Tarr? Ons oponthoud werd gedeeltelijk veroorzaakt door de gevangenneming en terechtstelling van de lijfarts van de prins – hoe heet hij ook alweer? –, een vreemde vent. Hij is nu morsdood, ben ik bang. De andere oorzaak was een van onze aanhangers; haar reactie op de materiaalverzameling was negatief, hoewel niet fataal. Uiteindelijk veroorzaakte ze een tamelijk ernstig probleem – hoewel dokter Lorenz zegt dat hij het zeker kan oplossen...'

Ze keek weer naar de comte. Hij verroerde zich niet en luisterde; zijn gezicht was uitdrukkingsloos. Miss Poole deed alsof ze het niet zag en sprak verder met Mrs Stearne. Een sluwe glimlach speelde om haar volle mond.

'Het grappigste is, Caroline – ik dacht dat jou dat bijzonder zou interesseren – is dat die Eloïse Dujong de gouvernante is van de kinderen van Arthur en Charlotte Trapping.'

'Ja, ja,' zei Caroline voorzichtig, alsof ze niet wist waar Miss Poole naartoe wilde met deze opmerking. 'Wat is er met die vrouw gebeurd?'

Miss Poole gebaarde naar de verduisterde loopplank achter haar. 'Nou, ze zit in de wachtkamer voor de snijzaal. Mr Crabbé suggereerde dat we een dergelijke stoutmoedige opstandigheid moesten gebruiken, dus ik heb haar mee hiernaartoe genomen om haar in te wijden.'

Miss Temple zag dat Miss Poole nu naar de comte keek. Ze genoot ervan hem iets te vertellen wat hij nog niet wist.

'Was deze vrouw innig verbonden met de Trappings?' vroeg hij.

'Ja, en zodoende natuurlijk ook met de Xoncks,' zei Miss Poole. 'Francis heeft haar verleid om naar Tarr Manor te komen.'

'Heeft ze iets onthuld? Over de dood van de kolonel of... of over...' Met een ongewone terughoudendheid knikte de comte naar Lydia.

'Niet dat ik weet – hoewel de onderminister haar natuurlijk het laatst heeft ondervraagd.'

'Waar is Mr Crabbé?' vroeg hij.

'Eigenlijk moet u eerst naar dokter Lorenz toe, monsieur le comte, want de schade die deze vrouw heeft aangericht – misschien herinnert u zich wie er aanwezig was bij onze bezigheden in Tarr Manor – is dusdanig dat de dokter zeer dringend met u moet overleggen.'

'O ja?' snauwde de comte.

'Zeer dringend.' Ze glimlachte. 'Het zou prettig zijn als u een dubbelganger had, monsieur, want wij hebben uw kennis op zoveel fronten nodig! Ik beloof u dat ik mijn best zal doen om enige aanwijzingen uit deze dame los te krijgen, want het ziet ernaar uit dat veel mensen graag wilden dat de kolonel stierf.'

'Waarom zeg je dat, Elspeth?' vroeg Caroline.

Miss Poole hield haar blik op de comte gevestigd terwijl ze antwoordde. 'Ik herhaal alleen wat de onderminister heeft gezegd. Als iemand die tussen zoveel partijen in stond, verkeerde de kolonel in een uitstekende positie om geheimen te raden.'

'Maar iedereen is hier met elkaar verbonden,' zei Caroline.

'En toch is de kolonel dood.' Miss Poole wendde zich tot Lydia, die naar hun gesprek had geluisterd met een verwarde halve glimlach op haar gezicht. 'En wat de geheimen betreft... wie weet wat we niet weten?'

De comte griste plotseling zijn helm en zijn handschoenen van de tafel. Daarbij deed hij een stap in de richting van Miss Poole, die veiligheidshalve een stapje achteruit deed.

'U wijdt eerst Miss Vandaariff in,' gromde hij, 'en daarna Miss Temple. Daarna, als er nog tijd over is – maar alléén als er nog tijd over is – wijdt u die derde vrouw in. U moet degenen die het werk uitvoeren instructies geven, en u niet bezighouden met de inwijding op zich.'

'Maar de onderminister...' begon Miss Poole.

'Zijn wensen zijn uw zaak niet. Mrs Stearne, u gaat met mij mee.'

'Monsieur?'

Het was overduidelijk dat Mrs Stearne van plan was geweest in de snijzaal te blijven.

'Er zijn belangrijker taken,' siste hij, en hij draaide zich om toen er twee mannen met leren voorschoten aan en helmen op binnenkwamen, die een in elkaar gezakte vrouw tussen hen in meesleepten.

'Miss Poole, spreek onze toeschouwers toe, maar wees niet zo hoogmoedig onze machines te bedienen.' Hij riep omhoog naar de in duisternis gehulde hoogste regionen van de tribunes. 'Doe de deuren open!'

Hij draaide zich bliksemsnel om, was in twee stappen bij de loopplank en verdween.

Mrs Stearne wierp een blik op Miss Temple en toen op Lydia, met een bezorgde uitdrukking op haar gezicht, en keek daarna in het glimlachende gezicht van Miss Poole, wier elegante figuurtje zojuist

– in haar eigen ogen, althans – Mrs Stearne in haar eenvoudige zedige donkere jurk van haar plaats had gestoten.

'We spreken elkaar later wel,' zei Miss Poole.

'Jazeker,' antwoordde Mrs Stearne, en ze vloog achter de comte aan.

Toen ze weg was, wuifde Miss Poole naar de twee soldaten van de comte. Bovenaan in de zaal ging een deur open. Er stroomden mensen naar de tribune, die gedempt met elkaar praatten over het schouwspel beneden op het podium.

'Kom, we leggen die lieve Lydia op de tafel. Heren?'

Tijdens de hele wrede beproeving van Miss Vandaariff hielden de twee soldaten uit Mecklenburg Miss Temple tussen hen in stevig vast. Miss Poole had een dikke dot katoenen watten in de mond van Miss Temple gepropt, zodat ze geen geluid kon maken. Hoe ze ook probeerde die nare prop met haar tong weg te duwen, haar pogingen hadden alleen tot gevolg dat er natte plukken achter in haar keel losraakten, zodat ze zich ongerust afvroeg of ze die zou inslikken en erin zou stikken. Ze vroeg zich af of die vrouw Dujong bij dokter Svenson was geweest toen hij stierf. Bij de gedachte aan die arme vriendelijke man pinkte Miss Temple een traan weg. Ze deed haar best niet te huilen, want ze zou niet kunnen ademen met een verstopte neus. De dokter… gestorven in Tarr Manor. Ze begreep het niet – Roger had in de trein gezeten naar Harschmort, hij was niet in Tarr Manor. Waarom zou iemand daar naartoe gaan? Ze dacht terug aan de blauwe glazen kaart, waarop Roger en de onderminister hadden zitten praten in het rijtuig… Ze was ervan uitgegaan dat Tarr Manor louter de beloning was geweest waarmee ze Roger hadden verleid. Was het misschien precies andersom? Moesten ze Roger inlijven omdat ze Tarr Manor nodig hadden?

Maar toen kwam er een andere kwellende gedachte bij Miss Temple op – de laatste seconden van de kaart: een met ijzer beslagen deur en de hoge zaal… De breedgeschouderde man stond over de tafel gebogen, op de tafel lag een vrouw… Uitgerekend die kaart kwam uit de herinnering van kolonel Trapping. De man bij de tafel was de comte. En de vrouw… Miss Temple wist het niet.

Deze gedachten werden verdrongen door het gesmoorde geschreeuw van Lydia, de krijsende machines en de werkelijk onverdraaglijke stank. Miss Poole stond een eind lager dan de tafel en beschreef iedere stap van het procédé voor het publiek alsof het een vorstelijke maaltijd was – haar glimlachende enthousiasme werd elke seconde weersproken door de gekromde rug en de klauwende vingers van het meisje, haar rode gezicht en haar dierlijke gegrom van de pijn. De toeschouwers fluisterden en applaudisseerden op elk belangrijk moment, tot oneindige afschuw van Miss Temple. Ze vatten de hele vertoning op als een circusvoorstelling. Hadden ze enig idee wie daar badend in het zweet voor hun ogen werd gemarteld – een schoonheid die iedere prinses naar de kroon stak, de lieveling van de societybladen, de erfgename van een imperium? Het enige wat ze zagen was een vrouw die kronkelde van de pijn, en een andere vrouw die hun vertelde hoe mooi dat was. Dit was het hele bestaan van Lydia Vandaariff in een notendop, vond Miss Temple.

Miss Temple was woedend op zichzelf toen het eenmaal voorbij was. Ze dacht niet dat ze werkelijk had kunnen ontsnappen aan de twee soldaten, maar ze wist zeker dat deze tijdsspanne van knetterende, afschuwelijke chaos het enige moment was waarop ze een kans zou hebben gemaakt. Zodra de assistenten van de comte Lydia hadden losgemaakt en haar verzwakte lichaam van de tafel tilden – terwijl de mierzoete Miss Poole gretig in het oor van het verpletterde meisje fluisterde –, liepen de soldaten op Miss Temple af en tilden haar op haar plaats. Ze schopte met haar benen, maar die werden onmiddellijk vastgegrepen en stevig omlaaggeduwd. Binnen een paar seconden lag ze hulpeloos op haar rug. Het katoenen laken onder haar was warm en vochtig van Lydia's zweet, de riemen klemden strak om haar middel, hals en boezem, en haar ledematen waren stijf vastgebonden. De tafel was zo gedraaid dat de mensen op de tribune haar hele lichaam konden zien, maar Miss Temple zag alleen de felle gloed van de hete paraffinelampen en een onduidelijke massa donkere gezichten – die even weinig medelijden met haar hadden als mensen met lege borden die wachten tot het angstige dier wordt geslacht.

Ze staarde naar Lydia terwijl de wankelende jonge vrouw vluchtig werd onderzocht door Miss Poole. Haar gezicht was overdekt met zweet, haar haar plakte vochtig in haar hals, ze had doffe ogen en een slappe mond. Met een rilling dacht Miss Temple aan haar opstandige korte leven – een litanie van gouvernantes en tantes, rivalen en huwelijkskandidaten, Bascombes, Pooles en Marchmoors... Nu zou ze zich bij hen voegen. Haar scherpe kantjes zouden eraf worden gesneden, haar veerkracht zou voor hun karretje worden gespannen, haar standvastigheid zou als een geketende os in het juk aan het werk worden gezet op het land van iemand anders.

Wat had ze dan gewild? Miss Temple was niet gespeend van inzicht en ze zag dat Marchmoor en Poole werkelijk waren bevrijd door het procédé. Ze twijfelde er geen seconde aan dat Lydia Vandaariff van nu af aan haar eigen ijzeren wil zou ontdekken. Zelfs Roger, wist ze – haar adem ontsnapte met een klaaglijk gejammer langs de prop in haar mond terwijl ze zijn gezicht voor zich zag –, was vroeger in toom gehouden door zijn fatsoen, dat was geworteld in angst en schuchtere begeerte. Het procédé maakte hen niet wijs – ze hoefde alleen terug te denken aan het feit dat Roger haar huidige daden niet in verband kon brengen met de verloofde die hij ooit had gekend –, maar het maakte ze fel. Miss Temple kokhalsde opnieuw toen ze de prop watten tegen haar zachte gladde keel voelde drukken. Ze wás al fel. Ze had geen behoefte aan deze onzin, en als ze de kracht van een man en de rijzweep van haar vader had gehad zou ze deze schurken allemaal op hun knieën hebben gekregen.

Miss Temple luisterde nauwelijks naar de uitleg van Miss Poole. Het grootste deel van deze strijd was terug te voeren op dromen, besefte ze. Mrs Marchmoor was bevrijd uit het bordeel, Mrs Stearne van een onvruchtbaar weduwschap, en Miss Poole van de meisjesachtige hoop dat ze zou trouwen met de beste man die ze kon krijgen... Dat begreep ze allemaal. Wat zij niet begrepen – wat niemand begreep, van haar tierende vader tot haar tante, Roger, de comte en de contessa met hun laaghartige aanrandingen – was het bijzondere karakter van haar eigen verlangens, haar eigen zongeblakerde, door vochtige lucht gevoede, zoutsmakende dromen. Voor haar geestesoog zag ze de griezelige *Annunciatie*-schilderijen van Oskar Veilandt. Ze zag de uitdrukking van verbijsterde zinnenprikkeling op Maria's gezicht en de glanzende blauwe handen met kobaltblauwe nagels die in haar gewillige vlees klauwden... En toch wist ze dat haar eigen begeerte, hoe die ook werd aangewakkerd door de ruwheid van deze lichamelijke transactie, er in werkelijkheid anders uitzag... Haar kleuren – de tinten van haar verlangen – bestonden al voor de kunstenaar had ingegrepen: verbrokkelde oermineralen en ongeraffineerde zouten, veren en botten, schelpen waar paarse inkt uit sijpelde, vochtig op het tafelblad, nog steeds ruikend naar de zee.

Dat was het hart van Miss Temple, en terwijl het hevig klopte, voelde ze niet langer angst, maar laaiende woede. Ze wist dat ze niet zou sterven, want ze hadden tot doel haar te corrumperen. Het was alsof ze de dood volledig wilden overslaan en een sprong voorwaarts wilden doen naar de langzame verrotting van haar ziel, met behulp van wormen die ze nu in haar geest zouden uitzetten. Ze zou het niet toestaan. Ze zou hen bevechten. Ze zou blijven wie ze was, wat er ook gebeurde, wat ze ook deden – en ze zou hen allemaal doden! Ze schoof haar hoofd met een ruk opzij toen een van de assistenten van de comte zich over haar heen boog en haar witte masker verving door de duikbril van metaal en glas. Hij duwde hem stevig tegen haar gezicht, zodat het zwarte rubber zich vastzoog tegen haar huid. Ze jammerde ondanks de prop in haar mond, want de ijzeren randen sneden scherp in haar huid en waren ijskoud. Nu kon de stroom ieder moment door de koperen draden stuwen. In de wetenschap dat het maar enkele seconden zou duren tot de foltering zou beginnen, kon Miss Temple alleen haar hoofd heen en weer schudden. Ze mobiliseerde al haar wilskracht en besloot dat Lydia Vandaariff een slappeling was. Het zou helemaal niet moeilijk zijn; ze zou alleen wild om zich heen slaan en schreeuwen om hen te overtuigen dat het ze was gelukt, niet omdat ze daartoe werd gedwongen.

Twee soldaten brachten Miss Dujong de snijzaal binnen. Ze hing slap en reageerde niet; de soldaten zetten haar neer op de grond. Ze hadden de ongelukkige vrouw in een wit gewaad gehesen, maar haar haren hingen voor haar gezicht en Miss Temple kon niet goed zien hoe oud of hoe mooi ze was. De prop in haar mond deed haar opnieuw kokhalzen en ze rukte aan haar boeien.

Ze haalden de hendel niet over. Ze vervloekte hen bitter omdat ze hun tijd zo verbeuzelden. Ze zouden sterven. Ze zou ieder van hen straffen. Ze hadden Chang vermoord. Ze hadden Svenson vermoord. Maar dit was niet het einde... Miss Temple zou dat niet toestaan.

De riemen zaten strak om haar hoofd, maar niet zo stijf dat ze de revolverschoten niet hoorde... Toen de woedende kreten van Miss Poole, en nog meer schoten. Miss Pooles woedende stem steeg tot een vreselijk gegil. Dit gegil werd overstemd door een klap die de tafel deed schudden. Het gegil klonk steeds luider... Vervolgens rook ze een brandlucht en voelde ze de hitte van vlammen – vlammen! – tegen haar blote voeten. Ze kon niet spreken of bewegen, en door de dikke duikbril kon ze het donker wordende plafond niet zien. Wat was er met de lampen gebeurd? Was het dak ingestort? Waren die 'geweerschoten' eigenlijk knallende dwarsbalken van een ondeugdelijk plafond? De hitte brandde nu pijnlijker tegen haar voeten. Zouden ze haar alleen laten, zou ze levend verbranden? Als ze haar niet aan haar lot overlieten kon ze doen alsof ze gewond was, zodat ze haar niet zo stevig zouden vasthouden. Na een keiharde duw zou ze de andere kant uit rennen... Maar wat moest ze doen als haar bewakers al waren gevlucht en haar hadden achtergelaten om te verbranden?

Een hand tastte naar haar arm en ze wrong zich in een bocht om degene die haar aanraakte vast te grijpen – ze kon haar hoofd niet draaien, ze kon niets zien door de steeds dikker wordende rook. Ze kneep – hij moest haar bevrijden, dat moest! Ze trok haar tenen weg van de steeds hogere vlammen en smoorde een kreet. Hij trok zijn arm los en de moed zonk haar in de schoenen – maar even later frunnikten zijn handen aan de riem. Ze was niet wijs – hoe kon die vent haar bevrijden als ze zijn arm vasthield? Na een eindeloze, wanhopig makende tijd was de riem los. Haar handen waren vrij. Haar redder richtte zijn aandacht op haar voeten en in een oogwenk vlogen haar handen naar haar gezicht en rukten aan de duikbril. Ze ontdekte de schroef waarmee hij losgedraaid kon worden – want ze had eerder gevoeld waar het ding was vastgedraaid – en sneed in haar vinger terwijl ze hem lostrok. De duikbril viel en Miss Temple greep een handvol koperdraden, ging rechtop zitten en liet de duikbril op haar rug bungelen als een middeleeuwse goedendag. Ze maakte zich op om hem tegen het hoofd te slingeren van de assistent met gewetenswroeging die eraan had gedacht om haar te bevrijden.

Hij had de andere riemen losgekregen. Ze voelde zijn handen onder haar benen en achter haar rug glijden om haar van de tafel te tillen en haar met beide voeten op de grond te zetten. Miss Temple snoof verontwaardigd om deze vrijpostigheid – het zijden gewaad was niets meer dan een onderjurk; dit was een schokkende intimiteit, ongeacht de omstandigheden – en bracht haar hand omhoog om een mep uit te delen met de zware duikbril (waar allerlei dikke metalen bouten op zaten die gemeen pijn zouden doen), terwijl ze met haar andere hand de drijfnatte prop uit haar mond trok. Er hing een dichte rook. Aan de andere kant van de tafel zag ze de vlammen flikkeren. Het was een oranje gordijn dat de tribune van het toneel scheidde en de toegang blokkeerde naar de meest verafgelegen loopplank. Ze hoorde geschreeuw en zag gestaltes opdoemen in het donker. Ze haalde diep adem in de rokerige lucht en hoestte. Haar redder had zijn arm om haar middel, zijn schouder was heel dichtbij. Ze mikte op zijn achterhoofd.

'Hiernaartoe! Kunt u lopen?'

Miss Temple stopte halverwege haar zwaai – die stem – ze aarzelde –, en toen trok hij haar omlaag onder de scheidslijn van de rook. Ze zette grote ogen op. Ze was verrukt toen ze zag wie hij was, en geschokt door de wanhopige, beproefde aanblik die hij bood, alsof hij letterlijk uit de hel omhoog was gekropen om haar te vinden.

'Kunt u lopen?' riep dokter Svenson nog een keer.

Miss Temple knikte, haar vingers lieten de duikbril los. Ze wilde haar armen om zijn schouders slaan en zou dat ook hebben gedaan als hij niet op dat moment aan haar arm had getrokken en naar de andere vrouw had gewezen – Dujong? – die uit Tarr Manor was meegekomen en nu in elkaar gedoken met de jas van de dokter om haar benen tegen de ronde muur van de snijzaal zat.

'Zij kan niet lopen!' riep hij boven de loeiende vlammen uit. 'We moeten haar helpen!'

De vrouw keek op toen de dokter haar een arm gaf, en Miss Temple moest plichtshalve haar andere arm pakken. Ze tilden haar met een onhandig gestommel op. In haar achterhoofd was Miss Temple absoluut niet overtuigd (ze ergerde zich, in feite) van de noodzaak deze nieuwe reisgenoot te aanvaarden, hoewel de vrouw inmiddels in staat was te lopen en iets tegen dokter Svenson te mompelen. Had Miss Poole haar niet beschreven als 'verleid door Francis Xonck'? Was ze niet een soort aanhanger die over vertrouwelijke informatie beschikte? Het laatste wat Miss Temple wenste was een dergelijke metgezel. Ze had ook geen begrip voor de bezorgde frons waarmee de dokter het haar uit het bezwete gezicht van de vrouw streek. Achter hen hoorde ze voetstappen en een oorverdovend scherp sissend geluid – er werden emmers leeggegooid in het vuur – en toen kreeg ze een hoestbui door de wervelende rook- en stoomwolken die in hun gezichten bliezen. De dokter boog zich over de Dujong-vrouw heen en riep: '... Chang! Er is een... machine... de dragonder... u moet niet... glazen boeken!'

Miss Temple knikte. Nog afgezien van het lawaai was deze informatie te onduidelijk om er iets zinnigs uit op te maken – te veel andere gewaarwordingen streden om haar aandacht: het hete metaal en het versplinterde hout onder haar blote voeten, een arm door die van de vrouw en de andere voor haar uit gestoken, tastend in de duisternis. Wat was er met de paraffinelampen gebeurd? Van de rij die eerst fel brandde zag ze nu nog maar één vage oranje lamp gloeien, als een bleek winterzonnetje dat niet door de mist kon dringen. Wat was er met Miss Poole gebeurd? Dokter Svenson draaide zich om – er bewoog iets achter hen – en duwde zijn deel van de vrouw helemaal bovenop Miss Temple, die verder strompelde. Hij duwde haar met zijn hand, dreef haar vooruit. In het halfduister zag ze dat dokter Svenson zijn revolver op hun achtervolgers richtte en ze hoorde hem roepen.

'Lopen! Loop onmiddellijk door!'

Miss Temple zou nooit haar directe levensbelang uit het oog verliezen, dus ze zakte door haar knieën, gooide de arm van die lastige vrouw over haar schouder en kwam kreunend overeind. Ze sloeg haar andere arm om Miss Dujongs middel en deed haar best zoveel mogelijk gewicht te dragen. Ze liep op haar tenen weg van de muur en strompelde langs de loopplank omlaag, in de hoop dat de helling voldoende vaart zou veroorzaken, zodat Miss Dujong in beweging zou blijven. In de bocht liepen ze tegen de buitenste muur aan. Ze schreeuwden het uit; de grootste klap werd opgevangen door de schouder van de langste vrouw. Ze stommelden achteruit, wankelden op hun benen en vielen bijna ondersteboven. Miss Temple manoeuvreerde hen langs de volgende bocht van hun stikdonkere reis. Ze struikelde over iets zachts en beide vrouwen verloren hun evenwicht; hun val werd gebroken door het roerloze lichaam waarover ze waren gestruikeld. Miss Temples tastende hand voelde leer – een voorschoot; het was een assistent van de comte – en daarna een kleverig spoor op de grond; dat was vermoedelijk bloed. Ze veegde haar hand af aan het voorschoot, ging weer rechtop staan, greep Miss Dujong onder de oksels en hees haar over het lijk heen. Ze hees haar weer rechtop – Miss Temple snoof beledigd, ze was niet in de wieg gelegd voor dit werk – en tastte voor zich uit naar de deur. Die zat niet op slot en werd ook niet geblokkeerd door de dode man. Hijgend trok ze Miss Dujong door de helder verlichte deuropening, naar het licht en de koele, frisse lucht.

Met een laatste krachtsinspanning sleurde ze de vrouw zo ver mogelijk de kamer in, tot ze over haar benen struikelde en op de grond viel. Op handen en knieën kroop Miss Temple terug naar de open deur om te kijken of ze een glimp van dokter Svenson zag. Er kringelde rook de kleedkamer in. Ze zag hem niet. Ze sloeg de deur dicht en leunde ertegenaan om op adem te komen.

De kleedkamer was leeg. Ze hoorde het rumoer in de snijzaal achter haar en hollende voetstappen in de spiegelhal aan de andere kant van de kleedkamer. Ze keek omlaag naar de vrouw voor wie ze moest zorgen, die probeerde op handen en knieën overeind te komen. Ze zag haar zwartgeblakerde voetzolen en de geschroeide, verkleurde zijde bij de zoom van haar jurk.

'Kunt u mij verstaan?' siste Miss Temple ongeduldig. 'Miss Dujong? Miss Dujong!'

Bij het geluid van haar stem draaide de vrouw zich om, met haar haren over haar gezicht. Ze probeerde te bewegen in het onpraktische gewaad dat samen met de overjas van dokter Svenson om haar benen zat gewikkeld. Miss Temple zuchtte en knielde voor de vrouw neer. Ze deed haar best een vriendelijke en bezorgde indruk te maken, hoewel ze voelde dat er verdomd weinig tijd was – of, eerlijk gezegd: ruimte – voor vriendelijkheid of bezorgdheid.

'Ik heet Celeste Temple. Ik ben een vriendin van dokter Svenson. Hij is achteropgeraakt – hij zal ons zeker inhalen –, maar als wij niet ontsnappen heeft hij al die moeite voor niets gedaan. Begrijpt u wat ik bedoel? We zijn in Harschmort House. Ze willen ons allebei vermoorden.'

De vrouw knipperde met haar ogen als een rotshagedis. Miss Temple greep haar bij haar kin vast.

'Begrijpt u het?'

De vrouw knikte. 'Het spijt me... Ze...' Haar hand fladderde met een vaag, onbestemd gebaar. 'Ik kan niet nadenken...'

Miss Temple snoof vol minachting en streek, terwijl ze de kin van de vrouw nog steeds vasthield, met vlugge uitvallen van haar vingers het haar uit haar gezicht. Ze stopte de lokken haar weg als een vogel die zijn nest in elkaar steekt. Ze was ouder dan Miss Temple – het zou niet eerlijk zijn om te schatten hoeveel, in haar huidige haveloze toestand – en terwijl ze zich liet vasthouden en opgekalefateren, verscheen er in haar gelaatstrekken een verfijnde gaafheid waar Miss Temple met tegenzin een schoorvoetende sympathie voor voelde.

'Het geeft niet als u niet kunt denken.' Miss Temple glimlachte, niet eens zo streng. 'Ik kan denken voor ons allebei – in feite zou ik dat prettiger vinden. Maar ik kan niet lópen voor ons allebei. Als we willen blijven leven – léven, Miss Dujong – moet u kunnen lopen.'

'Eloïse,' fluisterde ze.

'Wat zegt u?'

'Ik heet Eloïse.'

'Uitstekend. Dat maakt alles veel gemakkelijker.'

Miss Temple waagde niet de deur aan de overkant open te doen, want ze wist dat de gang daarachter zou wemelen van bedienden en soldaten – hoewel ze geen idee had waarom ze niet door deze kamer waren gekomen om de brand te bestrijden. Zou het verbod een dergelijke geheime kamer te betreden – een kamer die zo nadrukkelijk op de voorgrond stond in de meest geheime plannen van de samenzwering – zelfs op dit crisismoment van kracht blijven voor het personeel? Ze wendde zich weer tot Eloïse, die nog steeds op haar knieën zat en een kapotgereten jurk in haar armen had – ongetwijfeld degene die ze had gedragen toen ze aankwam.

'Ze hebben je jurk vernield,' zei Miss Temple tegen haar, terwijl ze voorbijliep naar de open kasten. 'Zo doen ze dat. Ik stel voor dat je je hoofd afwendt...'

'Ga je je verkleden?' vroeg Eloïse, terwijl ze haar best deed overeind te komen.

Miss Temple duwde de open kastdeuren opzij en zag de duivelse spiegel daarachter. Ze keek om zich heen en ontdekte een houten kruk.

'O, nee,' antwoordde ze. 'Ik ga glas breken.'

Miss Temple kneep haar ogen dicht tijdens de klap en kromp in elkaar, maar toch was de vernieling die ze aanrichtte enorm bevredigend. Bij elke klap dacht ze aan een andere vijand – Spragg, Farquhar, de contessa, Miss Poole – en bij iedere armzwaai gloeide haar gezicht meer van sportief genot. Toen ze een gat had gemaakt, dat nog niet groot genoeg was om erdoorheen te stappen, keek ze met een samenzweerderige grijns om naar Miss Dujong.

'Er is een geheime kamer,' fluisterde ze, en na een aarzelend knikje van Miss Dujong draaide ze zich op haar hakken om en zwaaide opnieuw. Deze activiteit zou gemakkelijk nog een halfuur tijd in beslag kunnen nemen als ze alle grote scherven weg- en alle hangende scherven losloeg. Zoals de zaken er nu voor stonden riep Miss Temple zichzelf tot de orde, liet de kruk vallen en stapte behoedzaam achteruit naar de verscheurde jurk van Eloïse. Samen spreidden ze de jurk uit over de route die ze moesten gaan, zodat die zoveel mogelijk glas bedekte, en baanden zich een weg door de spiegel. Toen ze er middenin stond, raapte Miss Temple de jurk op, maakte er een prop van en gooide hem terug in de kamer. Ze keek nog een laatste keer naar de binnendeur, met een groeiend gevoel van ongerustheid omdat de dokter er nog niet was, greep naar de twee kastdeuren aan weerszijden en trok ze naar zich toe om de kapotgeslagen spiegel te verbergen. Ze wendde zich tot Eloïse, die de overjas van de arme man stijf tegen zich aan drukte.

'Hij zal ons wel vinden,' zei Miss Temple tegen haar. 'Geef me maar een arm.'

Ze zwegen terwijl ze door de schemerige met tapijt beklede gang liepen. Hun bleke, met roet besmeurde gezichten en hun zijden gewaden leken rood in het hoerige gaslicht. Miss Temple wilde zo ver mogelijk uit de buurt komen van de brand. Pas dan wilde ze zich bezighouden met een ontsnapping en een vermomming... En toch keek ze bij elke bocht om en luisterde. Ze hoopte op een levensteken van de dokter. Had hij zichzelf opgeofferd om hen te laten ontsnappen? Daarbij had hij haar opgescheept met een metgezel die ze niet kende, en ze zag geen enkele reden om haar te vertrouwen. Ze voelde het gewicht van Eloïse aan haar arm en hoorde weer zijn dringende woorden: dat ze moest gaan, onmiddellijk moest gaan... En ze haastte zich verder.

Hun smalle weg kwam bij een kruispunt. Aan de linkerkant liep de gang door, tegen de doodlopende muur voor hen stond een ladder die omhoog rees in een donkere schacht, en aan de rechterkant hing een zwaar rood gordijn. Miss Temple stak voorzichtig haar wijsvinger uit en duwde het gordijn een eindje opzij. Daar was nog een observatieruimte, die uitkeek op een tamelijk grote, lege hal. Als ze werkelijk aan haar achtervolgers wilde ontsnappen, moet ze niet een tweede gebroken spiegel in haar spoor achterlaten. Ze deed een stap achteruit. Eloïse kon de ladder niet op klimmen. Ze liepen naar links.

'Hoe voel je je?' vroeg Miss Temple, zo hartelijk mogelijk met een fluisterstem.

'Veel beter,' antwoordde Eloïse. 'Dank je wel voor je hulp.'

'Niets te danken,' zei Miss Temple. 'Je kent de dokter. Wij zijn oude strijdmakkers.'

'Strijdmakkers?' Miss Dujong keek haar aan, en Miss Temple zag ongeloof in de ogen van de vrouw – haar lengte, haar kracht, het belachelijke gewaad – en voelde opnieuw een steek van ergernis.

'Inderdaad.' Ze knikte. 'Het is misschien beter dat je weet dat de

dokter, ik en een man die kardinaal Chang heet een bondgenootschap hebben gesloten tegen een samenzwering van sinistere figuren
met kwade bedoelingen. Ik weet niet wie van hen je kent – de comte
d'Orkancz, de contessa di Lacquer-Sforza, Francis Xonck,' – Miss
Temple sprak deze naam nadrukkelijk uit en trok haar wenkbrauwen op – 'Harald Crabbé, de onderminister van Buitenlandse Zaken,
en lord Robert Vandaariff. Bij deze bende horen nog een heleboel
minder belangrijke schurken – Mrs Marchmoor, Miss Poole – die
je geloof ik kent. Verder Caroline Stearne, Roger Bascombe, veel
te veel Duitsers – het is natuurlijk erg moeilijk om alles in het kort
te vertellen, maar het heeft kennelijk iets te maken met de prins van
Mecklenburg. Het heeft heel veel te maken met een vreemdsoortig
blauw glas waar je boeken van kunt maken. Die boeken bevatten – of
kunnen in zich opnemen – echte herinneringen, echte belevenissen
– dat is echt heel bijzonder...'

'Ja, ik heb ze gezien,' fluisterde Eloïse.

'O, werkelijk?' In Miss Temples stem klonk een vleugje teleurstelling, want ze wilde haar eigen verbijsterende ervaring graag aan
iemand anders vertellen.

'Ze hebben ieder van ons aan een dergelijk boek blootgesteld...'

'Wie 'ze'?' vroeg Miss Temple.

'Miss Poole, en dokter... dokter Lorenz.' Eloïse slikte. Sommige
vrouwen konden er niet tegen... Ze werden gedood.'

'Omdat ze niet wilden kijken?'

'Nee, nee – omdat ze wél keken. Gedood door het boek zelf.'

'Gedóód – door in de boeken te kijken?'

'Ik geloof het wel.'

'Ik ben niet gedood.'

'Misschien ben je erg sterk,' antwoordde Eloïse.

Miss Temple snoof. Het kwam zelden voor dat ze een vleiende
opmerking in twijfel trok, zelfs als ze wist dat er een bedoeling achter zat (zoals toen Roger haar fijngevoeligheid en humor prees terwijl zijn arm om haar middel op ontdekkingstocht ging in zuidelijke
richting). Toch hád Miss Temple zich op eigen kracht losgerukt van
het boek – een prestatie waar zelfs de eeuwig neerbuigende contessa
zich over had verbaasd. Het idee dat het tegenovergestelde mogelijk

was – dat ze opgeslokt had kunnen worden, dat ze had kunnen sneuvelen – maakte dat er een koude rilling over haar rug liep. Het zou geen enkele moeite hebben gekost, dat was waar – de inhoud van het boek was erg verleidelijk geweest. Maar ze was niet gesneuveld. Bovendien was Miss Temple ervan overtuigd dat de uitwerking van het boek zwakker zou zijn als ze er een volgende keer in keek. Aangezien ze zich los had getrokken uit het boek, wist ze dat ze dat nog eens kon doen. Ze wendde zich weer tot Eloïse; ze wist nog steeds niet wat ze aan die vrouw had.

'Maar jij moet ook sterk zijn, natuurlijk, want onze vijanden wilden je aan hun gelederen toevoegen. Ook al toen je aanvankelijk naar Tarr Manor werd gebracht. Want daarom dragen we deze gewaden, weet je: om onze geest in te wijden in hun verraderlijke mysteriën, om een procédé te ondergaan, zodat ze ons hun wil kunnen opleggen.'

Ze bleef staan en keek langs haar lichaam omlaag, terwijl ze met beide handen aan haar gewaad plukte.

'Desondanks is het gevoel van zijde tegen je lichaam (hoewel ik het niet praktisch zou willen noemen) zo... nou... zo...'

Eloïse glimlachte, of deed daar in elk geval een poging toe, maar Miss Temple zag dat haar onderlip begon te trillen.

'Alleen... Weet je, ik herinner me niet... Ik weet dat ik om een bepaalde reden naar Tarr Manor ging, maar ik kan het me niet meer herinneren!'

'We kunnen beter doorlopen,' zei Miss Temple, die even keek of de trillende lip was gevolgd door tranen, en een zucht van verlichting slaakte toen ze zag dat het niet zo was. 'En je kunt me vertellen wat je je nog wél herinnert over Tarr Manor. Miss Poole had het over Francis Xonck, en natuurlijk kolonel Trapping...'

'Ik ben gouvernante van de kinderen van de kolonel,' zei Eloïse. 'En ik ken Mr Xonck – zeker, hij is zeer attent geweest sinds de kolonel is verdwenen.' Ze zuchtte. 'Zie je, ik ben een vertrouwelinge van de zuster van Mr Xonck, de vrouw van de kolonel. Ik was zelfs hier aanwezig, in Harschmort House, op die avond dat de kolonel verdween...'

'Ben je hier geweest?' vroeg Miss Temple, enigszins abrupt.

'Ik heb me afgevraagd of ik onopzettelijk getuige ben geweest van een aanwijzing, of een geheim gesprek heb afgeluisterd – iets wat de nieuwsgierigheid van Mr Xonck zou kunnen wekken, of wat hij tegen zijn broer en zuster zou kunnen gebruiken, of wat zijn eigen aandeel in de dood van de kolonel zou kunnen verbergen...'

'Weet je misschien wie hem heeft gedood, of waarom?' vroeg Miss Temple.

'Ik heb geen idee!' riep Eloïse.

'Maar als die herinneringen weg zijn, volgt daaruit dat het de moeite waard was om ze af te pakken,' merkte Miss Temple op.

'Ja, maar omdat ik iets te weten ben gekomen wat niet voor mijn oren bestemd was? Of omdat ik – ik kan het niet anders uitdrukken – ben verleid eraan mee te doen?'

Eloïse bleef staan, met haar hand over haar mond. Er blonken tranen in haar ogen. De wanhoop van de vrouw klonk echt in de oren van Miss Temple, want ze wist net zo goed als iedereen – na haar ervaring met het glazen boek – dat een verleiding de meest strenge ziel kon doen wankelen. Als ze zich niet kon herinneren wat ze had gedaan, als ze nu werd verteerd door spijt, was de ware toedracht echt belangrijk? Miss Temple wist het niet – ze wist ook niet in hoeverre haar maagdelijkheid intact was gebleven. Voor het eerst klonk er een zweem van medelijden door in haar stem.

'Maar ze hebben je niet ingelijfd,' zei ze. 'Miss Poole zei tegen de comte en Caroline dat je erg lastig was.'

Eloïse slaakte een diepe zucht en haalde haar schouders op. 'De dokter bevrijdde me van een zolder en werd toen gevangen. Ik volgde hem, met zijn revolver, en probeerde hem op mijn beurt te bevrijden. Hierbij – neem me niet kwalijk, het is moeilijk om erover te praten – heb ik op een man geschoten. Ik heb hem doodgeschoten.'

'Maar dat is fantastisch, dat weet ik zeker,' antwoordde Miss Temple. 'Ik heb niemand doodgeschoten, maar ik heb een man vermoord met mijn eigen handen, en een andere man met behulp van een rijtuigwiel.' Eloïse gaf geen antwoord. Miss Temple ging hulpvaardig verder. 'Ik heb er zelfs over gepraat – nu ja, voor zover je daarover kunt praten – met kardinaal Chang, die een man van weinig woorden is, moet je weten. Hij is zelfs een zeer mysterieuze man. De allereerste keer dat ik hem zag wist ik dat al. Ik geef toe, hij zat geheel in het rood gekleed in een treincoupé, met een scheermes in zijn hand gedichten te lezen, en hij droeg een donkere bril, want zijn ogen zijn beschadigd. Hij viel me op, hoewel ik hem niet kende. Toen ik hem opnieuw ontmoette, toen we met de dokter een bondgenootschap sloten – herkende ik hem onmiddellijk. De dokter zei daarnet iets over hem – over Chang – in de snijzaal. Ik kon er niets van verstaan door dat afschuwelijke geschreeuw en die rook en die brand. Weet je, het is vreemd, maar ik heb gemerkt dat de extreme informatie die één zintuig overvalt alle andere zintuigen overweldigt. Bijvoorbeeld, die brandlucht en de aanblik van dat vuur en die rookwolken maakten dat ik onmogelijk iets kon horen. Ik vind het fascinerend om over zulke dingen na te denken.'

Ze liepen een tijdje door totdat Miss Temple zich haar oorspronkelijke gedachtegang herinnerde.

'Maar ja, de reden waarom ik dat besprak met kardinaal Chang… Nou, zie je, ik moet uitleggen dat kardinaal Chang een gevaarlijke man is, een zeer moorddadige kerel. Hij heeft waarschijnlijk vaker iemand gedood dan ik schoenen heb gekocht. Ik praatte met hem over de mannen die ik had gedood, en… Nou, eerlijk gezegd was het erg moeilijk om daarover te praten… En hij zei uiteindelijk tegen me… Hij legde me precies uit hoe ik een revolver moest gebruiken: je moet de loop zo hard mogelijk tegen het lichaam van je doelwit drukken. Begrijp je wat ik bedoel? Om me te helpen zei hij wat ik moest dóen, zodat ik erachter zou komen wat ik moest voelen. Want op dat moment kon ik er niet over praten. Toch zijn die gebeurtenissen… Ze maken ons duidelijk in wat voor wereld wij leven, en tot welke daden we in staat moeten zijn. Als jij die kerel niet had doodgeschoten, zou jij of de dokter dan nog leven? Zou ik nog leven als de dokter me niet van die tafel had bevrijd?'

* * *

Eloïse gaf geen antwoord. Miss Temple zag haar worstelen met haar twijfels. Ze wist uit eigen ervaring dat Eloïse door de overwinning van die twijfels en de acceptatie van de gebeurtenissen voor altijd een minder onschuldig mens zou zijn.

'Maar dit was de hertog van Stäelmaere,' fluisterde Eloïse. 'Dat is moord. Je begrijpt het niet – ze zullen me zeker ophangen!'

Miss Temple schudde haar hoofd.

'De lieden die ik heb vermoord waren schoften.' zei ze, 'En ik weet zeker dat die hertog ook een schoft was – de meeste hertogen zijn echt afschuwelijk...'

'Ja, maar dat kan niemand iets schelen...'

'Onzin, want het kan mij iets schelen, en het kan jou iets schelen, en ik weet zeker dat het de dokter iets kan schelen – dat is nou juist de kern van de zaak. Ik geef geen cent om de mening van onze vijanden.'

'Maar... de wet... Ze zullen op hun woord worden geloofd...'

Miss Temple haalde minachtend haar schouders op; dat was haar mening over de wet.

'Misschien moet je wel weg. Misschien kan de dokter je mee terugnemen naar Mecklenburg, of je kunt mijn tante vergezellen op een reis langs restaurantjes door de Elzas. Er is altijd een oplossing. Bijvoorbeeld – kijk hoe dom we zijn, we walsen god weet waarnaartoe zonder een ogenblik na te denken!'

Eloïse keek achterom, met een vaag gebaar. 'Maar ik dacht...'

'Ja, natuurlijk.' Miss Temple knikte. 'Ze zullen ons zeker achtervolgen, maar heeft een van ons de tegenwoordigheid van geest gehad om de zakken van de dokter te doorzoeken? Hij is een vindingrijk man. Je weet nooit, de opzichter van mijn vader zette als regel nooit een voet buiten de deur zonder een mes, een fles, gedroogd vlees en een pluk tabak voor een week.' Ze glimlachte sluw. 'Wie weet, misschien vangen we *en passant* een glimp op van het geheime leven van dokter Svenson...'

Eloïse zei vlug: 'Maar – maar ik weet zeker dat hij dat niet heeft...'

'Och kom, ieder mens heeft geheimen.'

'Ik niet, dat verzeker ik je – of in elk geval niets onfatsoenlijks...'

Miss Temple lachte spottend. 'Fatsoenlijk? Wat heb je aan? Kijk eens naar jou: ik zie je benen, je blote benen! Wat heb je aan fatsoen wanneer je in een levensgevaarlijke situatie bent beland? We lopen rond zonder zelfs maar een korset! Moeten ze ons veroordelen? Doe niet zo gek – hier.'

Ze stak haar hand uit en pakte de jas van de dokter, maar trok haar neus op om de toestand waarin die verkeerde. Het roodachtige licht kon misschien de vlekken verdoezelen, maar ze rook aarde, olie en zweet, en de hoogst onaangename geur van indigoklei. Ze gaf er vergeefs een paar klapjes op, waarbij ze stofwolkjes deed opstijgen, en gaf toen de moed op. Miss Temple groef in de binnenzak van de dokter en haalde er een kartonnen doosje met patronen voor zijn revolver uit. Die overhandigde ze aan Eloïse.

'Kijk, nu weten we dat hij kogels bij zich heeft.'

Eloïse knikte ongeduldig, alsof ze eigenlijk niet mee wilde doen. Miss Temple ving haar blik en kneep haar ogen tot spleetjes.

'Miss Dujong…'

'Mrs'

'Pardon?'

'Mrs Mrs Dujong. Ik ben weduwe.'

'Gecondoleerd.'

Eloïse haalde haar schouders op. 'Ik ben er allang aan gewend.'

'Uitstekend. Het punt is, Mrs Dujong,' – Miss Temple sprak nog steeds op een afgemeten, vastberaden toon – 'voor het geval je dat nog niet weet: Harschmort is een huis vol maskers, spiegels en leugens, vol gewetenloze wrede uitbuiting. We kunnen ons geen illusies veroorloven – al helemaal niet over onszelf, want onze illusies zijn datgene wat onze vijanden in de eerste plaats uitbuiten. Ik heb afschuwelijke dingen meegemaakt, verzeker ik je, en ze hebben afschuwelijke dingen met me gedaan. Ik heb ook ondergaan…' Ze raakte de draad kwijt en kon niet verder praten. Ze was overmand door haar emoties. In plaats daarvan zwaaide ze met de jas. 'Dit heeft niets te betekenen. Iemands jas doorzoeken? Wellicht heeft dokter Svenson zijn leven opgeofferd om ons te redden – denk je dat hij moeilijk doet over de inhoud van zijn zakken als wij daar iets aan zouden kunnen hebben? Als die ons zou helpen om hem te redden? Dit is niet het moment om je stupide te gedragen.'

Mrs Dujong gaf geen antwoord. Ze ontweek de blik van Miss Temple, maar toen knikte ze en maakte een kom van haar handen om vast te houden wat er nog meer uit de jaszakken zou opduiken. Miss Temple ging snel te werk. Ondanks het feit dat ze het prettig vond om kritiek te geven, was het niets voor haar om eindeloos door te gaan nadat ze duidelijk had gemaakt wat ze bedoelde. Ze ontdekte de sigarettendoos van de dokter, lucifers, de andere blauwe kaart, een uiterst smerige zakdoek, en een handvol verschillende munten. Ze keken naar de verzameling en Miss Temple stopte alles met een zucht op de juiste plaats terug – want de vrouwen hadden zelf geen zakken.

'Het ziet ernaar uit dat je gelijk hebt. We zijn geloof ik niets wijzer geworden.' Ze keek op en zag dat Eloïse naar de zilveren sigarettendoos keek. Hij was eenvoudig, zonder versierselen, behalve de woorden, in een ongekunsteld, elegant lettertype: *Zum Kapitänchirurgen Abelard Svenson, vom C.S.*

'Misschien is dit een herinnering aan zijn promotie tot kapitein,' fluisterde Eloïse.

Miss Temple knikte. Ze stopte de doos terug in de jaszak. Ze besefte dat ze zich allebei afvroegen wie het had gegeven: een medeofficier, een geheime liefde? Miss Temple hing de jas over haar arm en haalde haar schouders op – als de laatste initiaal een S was, hoefde het helemaal niets te betekenen; hoogstwaarschijnlijk was het een plichtmatig aandenken van een saaie zus of nicht.

Ze liepen verder door de smalle roodverlichte gang. Miss Temple was terneergeslagen omdat de dokter hen niet had ingehaald, en een beetje nieuwsgierig omdat ze nog steeds niet werden achtervolgd. Ze deed haar best om een ongeduldige zucht te onderdrukken toen ze de hand van Eloïse op haar arm voelde, en probeerde een verdraagzaam gezicht te trekken.

'Neem me niet kwalijk,' begon Eloïse.

Miss Temple deed haar mond open: het laatste wat ze wilde, nadat ze iemand op zijn donder had gegeven, was dat die figuur achteraf haar tijd verspilde met een verontschuldiging. Maar Eloïse raakte haar arm opnieuw aan en praatte verder.

'Ik heb niet goed nagedacht... ik moet een paar dingen vertellen...'

'Móet dat?'

'Ze namen me mee aan boord van de zeppelin. Ze stelden me vragen. Ik weet niet wat ik ze had kunnen vertellen. Eigenlijk weet ik niets wat ze niet hebben gehoord van Francis Xonck, maar ik herinner me wel wat ze vroegen.'

'Wie stelde de vragen?'

'Dokter Lorenz gaf me een verdovend middel en bond mijn armen vast, en daarna zorgden hij en Miss Poole ervoor dat ik onder hun invloed stond door de meest onbeschaamde eisen. Ik was niet in staat te weigeren... hoewel ik me schaam als ik eraan terugdenk...'

De stem van de vrouw klonk dieper in haar keel. Miss Temple dacht aan haar eigen ervaring, hulpeloos overgeleverd aan de comte en de contessa, en ze kreeg medelijden met Eloïse. Toch kon ze zich er niet van weerhouden zich af te vragen wat er precies was gebeurd. Ze klopte de vrouw op haar in zijde gehulde arm. Eloïse snoof.

'Toen ondervroeg minister Crabbé me. Over de dokter. En over jou. En over die Chang. Toen over mijn moord op de hertog – hij wilde niet geloven dat ik er niet toe was gedwongen door een andere belanghebbende.'

Miss Temple snoof hoorbaar.

'Maar daarná ondervroeg hij me – met een zachte stem die denk ik niet door de anderen werd gehoord – over Francis Xonck. Eerst dacht ik dat hij iets wilde weten over mijn werk bij de zuster van Mr Xonck, maar hij wilde iets weten over de plannen van Mr Xonck. Was ik bij hem in dienst? Toen ik antwoordde dat ik dat niet was – of dat ik dat in elk geval niet wist –, ondervroeg hij me over de comte en de contessa, vooral over de contessa...'

'Dat is een lange lijst,' antwoordde Miss Temple, die ongeduldig begon te worden. 'Wat vroeg hij precies over hen?'

'Of ze kolonel Trapping hadden vermoord. Hij wantrouwde vooral de contessa. Ik begreep dat ze de anderen niet altijd vertelt wat ze van plan is. Ze doet dingen zonder erbij stil te staan dat ze hun plannen in de war schopt.'

'En wat zei je tegen onderminister Crabbé?' vroeg Miss Temple.

'Nou, helemaal niets. Ik wist niets.'

'En hoe reageerde hij?'

'Nou, ik ken hem natuurlijk niet...'

'Maar als je zou moeten gokken?'

'Dat is het juist... Ik zou zeggen dat hij bang was.'

Miss Temple fronste haar wenkbrauwen. 'Ik wil je vroegere werkgever niet beledigen,' zei ze, 'maar je hoort van alle kanten... Nou, het schijnt dat de kolonel niet bepaald wordt gemist om zijn goede eigenschappen. Toch hoorde ik dat de comte d'Orkancz Miss Poole onder druk zette om dezelfde vragen te beantwoorden, net zoals je de nieuwsgierigheid van onderminister Crabbé beschrijft. Sterker nog: de contessa en Xonck vroegen het ook, in een rijtuig vanuit het station. Waarom zouden ze allemaal zoveel belang hechten aan zo'n... zo'n mislukkeling?'

'Ik denk niet dat ze dat doen,' zei Eloïse.

Degene die de kolonel had vermoord had de andere samenzweerders getrotseerd. Of had hij de samenzweerders daarvoor al getrotseerd, had hij al eerder een plan gemaakt om hen te verraden? Trapping wist iets en hij was vermoord voordat hij het aan de anderen kon vertellen! De kolonel ademde nog toen Miss Temple hem achterliet: hij was zojuist vergiftigd, of hij was direct daarna vergiftigd. Ze was op weg geweest naar de snijzaal... Toen ze daar aankwam was de comte al in de snijzaal... net als Roger – ze had Roger gadegeslagen terwijl hij voor haar uit de wenteltrap op liep. Ze had Crabbé en Xonck niet gezien – ze had toen nog geen idee wie Xonck was –, noch een van de Mecklenburgers. Maar achter haar – achter hen allemaal, alleen in de gang... liep de contessa.

Ze bereikten het eind van de gang. Aan de ene kant was een derde nis met een gordijn ervoor, aan de andere kant was een deur. Ze gluurden om het gordijn heen. Het belangrijkste meubelstuk in deze observatiekamer was een grote chaise longue met zijden lappendekens en bontvellen. Naast de drankkast en de schrijftafel die ze al eerder hadden gezien was deze kamer uitgerust met een koperen spreekbuis en een ijzeren traliewerk waardoor aan weerszijden van de spiegel instructies konden worden gegeven. Het was een kamer die niet alleen diende voor observatie, maar ook voor een ondervraging... of een geheime privévoorstelling.

De kamer aan de andere kant van de glazen muur was anders

dan alle andere kamers die Miss Temple in Harschmort House had gezien. Ze vond hem nog griezeliger dan de snijzaal. Het was een haveloze kamer met een eenvoudige vloer van ruwhouten planken, verlicht door een kale peer die een gele lichtcirkel wierp op het enige meubelstuk, een chaise longue die identiek was aan het exemplaar voor hun neus. De chaise longue onderscheidde zich door de afwezigheid van zijden dekens en bontvellen, en door ijzeren ketenen die met bouten aan de houten constructie waren vastgeklonken.

De adem van Miss Temple stokte toen ze door de spiegel keek, maar dat kwam niet door de chaise longue. In de deuropening van de kamer stond de contessa di Lacquer-Sforza. Ze keek neer op het enige meubelstuk, met een masker van rode juwelen op haar gezicht en een rokende sigarettenpijp in haar mond. Ze blies de rook uit, tikte de as op de grond en knipte met haar vingers naar de open deur achter haar, deed een stap opzij en liet twee mannen in bruine capes binnen, die samen een lange houten kist droegen. Ze wachtte tot ze de kist met een ijzeren stuk gereedschap hadden opengebroken en de kamer hadden verlaten, waarna ze weer met haar vingers knipte. De man die nu binnenkwam droeg een donker uniform en een verguld masker over de bovenste helft van zijn gezicht. Zijn gedrag was een vreemde mengeling van eerbied en geamuseerde hooghartigheid. Hij had flets dun haar en een zwakke kin, en toen hij glimlachte zag ze dat hij ook een slecht gebit had. Maar hij had een grote gouden ring aan zijn vinger... Miss Temple keek weer naar zijn uniform. Het was een zegelring... Dat was de prins van dokter Svenson! Ze had hem gezien in de suite in Hotel Royale – en had hem niet meteen herkend in een formeel uniform, met een ander masker. Hij ging op de chaise longue zitten en riep iets tegen de contessa.

Ze konden niet verstaan wat hij zei. Miss Temple sloop stilletjes naar het koperen traliewerk en zag dat er een knopje op zat. Ze kon niet aan de knop trekken, dus ze probeerde hem te draaien – heel langzaam, voor het geval hij zou piepen. Het knopje draaide geluidloos. Plotseling hoorden ze de prins.

'... natuurlijk gestreeld, zeer enthousiast, hoewel niet verbaasd, moet u weten, want degenen in de grote wereld die door een natuurlijke superioriteit bij elkaar passen zullen zich evenzeer tot elkaar voelen aangetrokken als machtige dieren die elkaar herkennen aan de overkant van een uitgestrekt bos. Het ligt in de lijn dat onze geestelijke sympathie wordt gevolgd door een sympathie van lichamelijke aard…'

De prins knoopte de kraag van zijn tuniek los. De contessa stond doodstil. Miss Temple kon nauwelijks geloven dat een man zo schaamteloos tegen een vrouw zei wat het doel was van hun naderende rendez-vous – ofschoon ze wist dat je de arrogantie van prinsen niet moest onderschatten. Toch tuitte ze haar lippen vol ontzetting om zijn eentonige geklets, terwijl hij voortdurend met zijn bleke kromme vinger in de dubbele rij zilveren knopen porde. Miss Temple keek naar Mrs Dujong, die even geschokt leek als zij, en bracht haar mond heel dicht bij haar oor.

'Dat is de prins van de dokter,' fluisterde ze, 'en de contessa…'

Voor ze nog iets kon zeggen liep de contessa een stap verder de kamer in en deed de deur achter zich dicht. Bij dat geluid zweeg de prins. Hij onderbrak zijn woorden met een ziekelijk gevleide geile grijns die een rotte kies onthulde. Hij bracht een hand naar de gesp van zijn riem.

'Werkelijk, madame, ik heb hiernaar verlangd vanaf het moment dat ik voor het eerst uw hand kuste…'

De stem van de contessa klonk luid en scherp; de woorden werden duidelijk en zonder enig verband met de betekenis uitgesproken.

'Blauw Jozef blauw paleis ijs consumptie.'

De prins zweeg, zijn mond hing open, zijn hand was roerloos. De contessa liep dichter naar hem toe, trok bedachtzaam aan haar gelakte sigarettenpijpje en liet de rook uit haar mond stromen terwijl ze sprak, alsof ze nog veel demonischer werd door de uitoefening van haar geheime macht.

'Hoogheid, u zult geloven dat u mij hebt genomen in deze kamer. Hoewel u dat erg fijn zou vinden, zult u niet in staat zijn om het aan iemand anders vertellen. Begrijpt u dat?'

De prins knikte.

'Ons afspraakje zal de komende dertig minuten van uw tijd in beslag nemen, dus het is onmogelijk dat ik Lydia Vandaariff of haar vader in die tijd zie. Gedurende ons afspraakje heb ik u ook toevertrouwd dat de comte d'Orkancz de voorkeur geeft aan erotisch contact met jongens. Deze informatie zult u ook aan niemand anders kunnen vertellen, hoewel u op grond daarvan geen enkel bezwaar zult maken als de comte in zijn eentje bezoekjes wil brengen aan uw bruid. Begrijpt u dat?'

De prins knikte.

'Ten slotte: ondanks onze ontmoeting zult u geloven dat u Miss Vandaariff vannacht hebt ontmaagd, vóór de huwelijksvoltrekking, aangezien uw seksuele honger die van een roofdier is, en zij u geen weerstand kan bieden. Als ze zwanger wordt, is dat louter het resultaat van uw eigen ondoordachte verrichtingen. Begrijpt u dat?'

De prins knikte. De contessa draaide zich om, want er klonk een bescheiden klopje op de deur achter haar. Ze deed de deur op een kier open. Toen ze zag wie het was, deed ze de deur ver genoeg open om hem binnen te laten.

Miss Temple sloeg een hand voor haar mond. Het was Roger Bascombe.

'Ja?' vroeg de contessa zacht.

'U wilde weten – ik ga ervandoor om de boeken die vanavond geoogst zijn te verzamelen, en de onderminister te zien...'

'En de boeken te bezorgen bij de comte?'

'Natuurlijk.'

'U weet welk boek ik nodig heb.'

'Dat van lord Vandaariff, ja.'

'Zorg ervoor dat het klaarligt. En houd een oogje op Mr Xonck.'

'Waar moet ik op letten?'

'Ik heb geen idee, Mr Bascombe. Daarom moet hij nauwlettend in de gaten gehouden worden.'

Roger knikte. Zijn ogen keken langs de contessa naar de man op de chaise longue, die hun gesprek volgde met de onnozele nieuwsgierigheid van een kat die geboeid is door een lichtstraal uit een prisma. De contessa volgde de blik van Roger en grijnsde.

'Zeg tegen de comte dat het is gelukt. De prins en ik zijn midden in een vurig *rendez-vous*, ziet u wel?'

Ze permitteerde zich een hees gegrinnik om de dwaasheid van dat idee en zuchtte toen bedachtzaam van genot, alsof ze zojuist ergens aan dacht.

'Het is verschrikkelijk als iemand geen weerstand kan bieden aan zijn impulsen...' Ze glimlachte tegen Bascombe en riep toen de prins. 'Lieve Karl-Horst, je bedrijft op dit moment de liefde met mijn lichaam, je geest zindert van de prikkeling, je hebt nog nooit een dergelijke extase gevoeld en je zult die ook nooit meer voelen. In plaats daarvan zul je je toekomstige genot altijd blijven afmeten aan dit moment, en het zal je teleurstellen.'

Ze lachte opnieuw. Het gezicht van de prins was rood, zijn heupen schokten gênant op de chaise longue, zijn nagels klauwden zwakjes over de bekleding. De contessa keek Roger met een spottend lachje aan, waaruit Miss Temple opmaakte dat deze vrouw haar ex-verloofde net zozeer onder de duim had als de prins. De contessa wendde zich weer tot de man op de chaise longue.

'Je mag... nu... klaarkomen,' zei ze, hem tergend alsof hij een hond was die op iets lekkers wachtte.

Bij deze woorden bleef de prins stil liggen. Hij hijgde schokkend en kreunde, zijn handen omklemden de chaise. Na een zeer korte tijdsspanne – in Miss Temples ogen – slaakte hij een diepe zucht. Zijn schouders zakten omlaag door de inspanning en de onaangename glimlach verscheen weer op zijn gezicht. Hij plukte afwezig aan zijn donker geworden broek en likte langs zijn lippen. Miss Temple snoof vol afschuw over het hele schouwspel.

Haar ogen schoten naar de contessa en haar hand vloog omhoog naar haar mond. De contessa keek recht in de spiegel. De spreekbuis – de knop was omgedraaid. Ze had het gesnuif van Miss Temple gehoord.

De contessa blafte scherp tegen Roger: 'Daar is iemand! Haal Blenheim! Naar de andere kant, onmiddellijk!'

Miss Temple en Eloïse stommelden terug naar het gordijn, terwijl Roger uit het zicht verdween en de contessa met grote passen naar hen toe liep. Haar gezicht was vertrokken van woede. Terwijl ze langs de prins liep probeerde hij op te staan en haar in zijn armen te nemen.

'Mijn lieveling...'

Zonder te aarzelen sloeg ze hem in zijn gezicht, zodat hij op zijn knieën viel. Ze bereikte de spiegel en schreeuwde alsof ze hun verschrikte gezichten kon zien.

'Wie je ook bent, wat je ook doet, dit wordt je dood!'

Miss Temple sleurde Eloïse bij de hand door het gordijn naar de dichtstbijzijnde deur. Het maakte niet uit waar die deur naartoe leidde, ze moesten onmiddellijk uit de gang verdwijnen. Zelfs met het halve masker op leek het woedende gezicht van de contessa op dat van een Gorgoon. Terwijl ze de deurkop omlaagduwde, voelde Miss Temple dat haar hele lichaam sidderde van angst. Ze vlogen door de deur en sloegen die achter zich dicht. Ze gilden allebei van schrik toen ze de peinzende figuur zagen die plotseling voor hen opdoemde, maar het was alleen de achterkant van de deur, bedekt met een goed gelijkend, somber olieverfportret van een man in het zwart met doordringende ogen en kille dunne lippen: lord Vandaariff, want achter hem verrees het spookbeeld van Harschmort House. Miss Temple rende door met een hart dat klopte in haar keel, maar toch herkende ze het schilderij als een werk van Oskar Veilandt. Maar... was hij niet dood? Vandaariff woonde toch pas twee jaar in Harschmort? Ze kreunde van ergernis omdat ze geen tijd had om na te denken.

Als één man renden Eloïse en zij door een vreemde antichambre vol schilderijen en beelden, met een ingelegde mozaïekvloer. Ze hoorden naderende voetstappen en schoten roekeloos de andere kant op. Ze vlogen om een hoek en nog een, tot ze bij een hal kwamen met een gladde zwart-witte marmeren vloer. Miss Temple hoorde een kreet. Iemand had hen gezien. Eloïse rende naar links, maar Miss Temple greep haar arm en trok haar naar rechts, naar een angstaanjagende donkere ijzeren deur. Ze dacht dat ze die achter zich dicht zou kunnen doen om hun achtervolgers buiten te sluiten. Ze vlogen erdoor; op blote voeten snelden ze over het marmer en belandden op een koude ijzeren overloop. Miss Temple duwde Eloïse naar een smeedijzeren wenteltrap die omlaagliep, terwijl ze de deur probeerde dicht te doen. Er kwam geen beweging in. Ze duwde nog eens, zonder resultaat. Ze liet zich op haar knieën vallen, wrikte de houten wig die de zware deur tegenhield los en duwde hem met geweld dicht. Precies op dat moment hoorde ze voetstappen weergalmen over het marmer. Ze deed de deur op de klink, liet zich snel op haar knieën vallen en duwde de wig weer met beide handen onder de deur. Ze sprong achter Mrs Dujong aan; haar blote voeten voelden zacht en vochtig op de ijzeren treden.

Aangezien het een wenteltrap was, liepen de treden smal toe naar de ijzeren pilaar in het midden. Miss Temple vond het niet meer dan eerlijk dat ze langs de binnenbocht naar beneden liep, want zij was de kleinste. Ze liep een halve pas achter Eloïse en hield haar arm vast – Eloïse hield met haar andere hand de reling vast. De ijzeren trap was erg koud aan hun voeten. Miss Temple voelde zich alsof ze in haar nachthemd over de steigers en loopplanken van een verlaten fabriek holde – dat wil zeggen, het leek op een van die vreemde dromen die altijd eindigden in onoverzichtelijke situaties met onbekende mensen. Terwijl ze de trap af rende en zich oprecht verbaasde over deze donkere ijzeren toren – onder de grond –, vroeg Miss Temple zich af in welke gevaarlijke situatie ze nu weer waren beland. De onverbiddelijke toren leek haar de moeilijkste hindernis die ze tot nu toe was tegengekomen.

Was er iemand achter hen – een geluid? Ze trok aan Eloïse zodat die bleef staan, tikte op haar arm om duidelijk te maken dat ze gevaar liepen en stil moesten zijn, en keek over haar schouder omhoog. Binnen in de toren hoorde ze geen voetstappen, maar het leek alsof ze voetstappen, geschuifel en flarden gepraat buiten de toren hoorde. Voor het eerst keek Miss Temple goed naar de muren van de toren – ook van smeedijzer – en zag de vreemde schuiflatjes, zoals die tussen het inwendige van een koets en de koetsier. Eloïse schoof het dichtstbijzijnde schuiflatje open. In plaats van een open raam kwam er een rechthoek van berookt glas te voorschijn waar ze doorheen konden kijken... en wat ze zagen deed hun adem stokken.

Ze keken vooruit en omlaag vanaf de top van een enorm hoge open ruimte, als een duivelse bijenkast. Langs de muren waren rijen en rijen ommuurde gevangeniscellen op elkaar gestapeld, waarin ze onbelemmerd konden kijken.

'Berookt glas!' fluisterde ze tegen Eloïse. 'De gevangenen kunnen het niet zien wanneer ze worden bespioneerd!'

'Kijk eens,' antwoordde haar metgezel. 'Zijn dat de nieuwe gevangenen?'

Voor hun ogen vulde de bovenste rij cellen zich met de elegant geklede, gemaskerde gasten van het galafeest in Harschmort House, als loges in een theater. Ze klommen langs een trapje naar beneden via een luik in het plafond van de cel. Ze klapten vouwstoelen uit, trokken flessen open, wuifden met zakdoeken naar elkaar aan de overkant van de hoge zaal (door de angstaanjagende ijzeren spijlen heen). Het geheel was even bizar, en in Miss Temples ogen ongepast, als toeschouwers die hoog boven in de koepel van een kathedraal waren neergestreken.

Ze stonden zo hoog dat ze de begane grond niet konden zien, zelfs niet als ze hun gezicht dicht tegen het glas aan drukten. Hoeveel cellen waren er? Je kon er niet aan beginnen te tellen hoeveel gevangenen de hoge zaal zou kunnen bevatten. Wat de toeschouwers betreft, het leken er minstens honderd – of wie weet, misschien wel driehonderd (cijfers waren niet haar sterkste punt). De mensenmenigte produceerde een aanzwellend gegons van verwachting, als een locomotief die op stoom komt om vaart te maken. De enige aanwijzing voor het doel van deze bijeenkomst – sterker nog: van de kathedraal zelf – waren de glanzende metalen pijpen die verticaal tot helemaal boven in de hoge zaal liepen. Af en toe waren de pijpen samengevoegd in bundels. Ze liepen langs de muren omhoog als klimmende druivenranken over de hele breedte van een boomstam. Hoewel Miss Temple zeker wist dat de rijen cellen de hele ruimte besloegen, kon ze de laagste rijen niet zien omdat er zoveel ijzeren pijpen voor zaten; waaruit haar heldere geest opmaakte dat de pijpen, en niet de cellen, nu het voornaamste onderdeel van de ruimte waren. Maar waar liepen de pijpen naartoe en wat zat erin?

Miss Temple kwam met een schok tot zichzelf. Als een zweepslag bereikte hen van bovenaf een schrapend schuivend geluid – iemand maakte de dichtgeklemde deur open. Onmiddellijk pakte Miss Temple Eloïses arm en snelde omlaag.

'Maar waar gaan we naartoe?' siste Eloïse.

'Ik weet het niet,' fluisterde Miss Temple. 'Pas op dat we niet struikelen over die jas!'

'Maar' – Eloïse sjorde, geërgerd maar gehoorzaam, de jas een eindje omhoog in haar armen – 'de dokter kan ons niet vinden, we zijn afgesneden! Beneden staan vast mensen; we lopen regelrecht in hun armen!'

Miss Temple snoof eenvoudig ten antwoord: ze kon aan geen van die dingen iets doen.

'Pas op voor je voeten,' mompelde ze. 'Het is glibberig.'

Terwijl ze verder afdaalden, zwol het lawaai boven hun hoofden aan, zowel van de toeschouwers in hun cellen als van hun achtervolgers boven in de toren, nadat die de deur met een scherp snerpend gepiep hadden opengeduwd. Algauw hoorden ze met spijkers beslagen schoenen langs de ijzeren treden omlaagkletteren. Zonder iets te zeggen versnelden de vrouwen hun pas en renden een paar wentelingen van de trap omlaag – hoe diep was de toren? Plotseling bleef Miss Temple staan en keerde zich naar Eloïse. Ze waren allebei buiten adem.

'Die jas,' hijgde ze. 'Geef eens aan mij.'

'Ik doe mijn best om hem voorzichtig te dragen...'

'Nee, nee, de kogels, de kogels van de dokter – vlug!'

Eloïse hing de jas over haar andere arm en probeerde de juiste zak te vinden. Miss Temple zocht wanhopig met beide handen naar de grote doos, trok hem er toen uit en wrikte het kartonnen deksel open.

'Ga achter me staan,' siste ze. 'Loop door naar beneden!'

'Maar we hebben geen wapen,' fluisterde Eloïse.

'Precies! Het is donker, misschien kunnen we de jas gebruiken als afleidingsmanoeuvre. Vlug, haal de andere spullen eruit – de sigarettendoos en de glazen kaart!'

Ze wrong zich langs Eloïse en begon de kogels zo snel als ze kon uit te strooien over de ijzeren traptreden. Ze haalde ze allemaal uit de doos en bestrooide er ongeveer vier traptreden mee. De voetstappen boven hen kwamen hoorbaar nader. Ze draaide zich om naar Eloïse en gebaarde ongeduldig dat ze moest doorlopen – vlug! Ze griste de jas uit haar handen en spreidde hem uit, ongeveer drie treden lager dan de kogels, waarbij ze de mouwen opbolde en eraan plukte om een vorm te krijgen die zo suggestief mogelijk was. Ze keek omhoog – ze waren nu slechts een wenteling van haar verwijderd – en sprong omlaag terwijl ze haar rokken optrok, met bleke flitsende benen; uit het zicht.

Ze had Eloïse net ingehaald toen ze een kreet hoorden – iemand had de jas ontdekt. Toen hoorden ze de eerste valpartij, en toen de tweede, de kreten, en het weergalmende kabaal van de rondspattende losse kogels, zwaaiende klingen en schreeuwende soldaten. Ze bleven staan en keken omhoog. Miss Temple had net een seconde de tijd om een snelle metaalachtige glijdende beweging en het kleinste flitsje weerkaatst licht te voorvoelen. Met een gil wierp ze zich met al haar kracht op Eloïse. Ze hees hen allebei zo ver op dat ze wiebelend op hun billen op de leuning konden zitten. Ze trokken hun voeten weg van de losse sabel die op hen af maaide alsof de traptreden van ijs waren, en rinkelend en vonken schietend langs hen heen stuiterde tot aan de voet van de trap. De vrouwen tuimelden van de leuning, verbaasd over hun plotselinge redding, en renden verder omlaag, terwijl boven hen een luide kakofonie weerklonk, vol verwarring en afschuwelijke verwondingen.

Die sabel zou een probleem opleveren, dacht Miss Temple kreunend, want zijn komst onder aan de trap zou degene die daar was ongetwijfeld attent maken op het feit dat er iets niet klopte. Of misschien ook niet – misschien zou hij hem doodsteken! Ze snoof minachtend om haar eigen onverwoestbare optimisme. Haar voorraad slimme ideeën was uitgeput. Ze liepen om de laatste bocht in de wenteltrap en stuitten op een overloop die net zo vol kisten stond als een vakantiehuis. Aan de rechterkant was een open deur, die uitkwam op de begane grond van de hoge zaal. Aan de linkerkant zat een man met een koperen helm op en een leren voorschoot aan. Hij zat op zijn hurken bij een open luikgat, ongeveer even groot als een stevig kolenfornuis. Het luik zat in de ijzeren pilaar die het middelpunt was van de wenteltrap. De man keek aandachtig naar een houten dienblad met flessen en flacons met loden doppen die hij klaarblijkelijk uit het luik had gehaald en op de vloer had neergezet. Naast het luik, ingebouwd in de pilaar, was een koperen plaat vol knoppen en hendels. Er zat een etenslift in de pilaar.

In het midden van de vloer stond de sabel recht overeind in een opzijgeschoven hoop pakstro. Waarschijnlijk was de sabel zonder kabaal neergekomen, want de man sloeg er geen acht op.

Door de deuropening liep een tweede man met een helm op, die vlak langs de berg stro beende om twee flessen met doppen van was te pakken. De ene fles was helderblauw, de andere was feloranje. Hij haastte zich zonder een woord te zeggen terug door de deur. De vrouwen bleven staan, niet zeker wetend of ze waren gezien – zouden de helmen de mannen het zicht belemmeren en hun oren dichtstoppen? Door de open deur hoorde Miss Temple dringende bevelen, de geluiden van werk, en – ze wist het heel zeker – de stemmen van meerdere vrouwen.

Van boven aan de trap klonk het nadrukkelijke *ping* van een weggeschopte stuiterende kogel, die afwisselend tegen de traptreden en de muren schampte. De soldaten boven hen hadden hun tocht naar beneden hervat. De kogel vloog langs hen heen, ketste af tegen de stapel kisten langs de muur aan de overkant en kwam tot stilstand op de vloer, dicht bij de voeten van de man. Hij hief zijn hoofd op en registreerde de onwaarschijnlijke aanwezigheid van de kogel. Ze waren verloren.

Buiten de deur barstte de stem van een man los in een tirade. Zijn stem klonk zo hard dat Miss Temple een schok door haar hele lichaam voelde. Ze had nooit eerder een menselijke stem gehoord die zo klonk, zelfs niet van de brullende zeelieden toen ze de oceaan was overgestoken. Deze stem was niet luid omdat iemand zich daartoe inspande – zijn normale spreektoon was geheimzinnig, verbijsterend en griezelig luid. De stem behoorde toe aan de comte d'Orkancz.

'Ik heet u allen welkom,' galmde de comte.

De man met de helm keek op. Hij zag Miss Temple. Miss Temple sprong van de laagste trede en glipte langs hem heen.

'Het is tijd om te beginnen,' riep de comte, 'volgens de instructies die u hebt gekregen!'

Vanuit de cellen boven hen – ongerijmd, absoluut het laatste wat

Miss Temple ooit had verwacht – begon de verzamelde menigte te zingen.

Ze kon het niet laten, ze keek door de open deur.

Het tableau, want het was als zodanig ingekaderd door de deur voor haar en het zilveren gordijn van helder glanzende pijpen erachter, leek op de snijzaal in het groot. De demonische plannen van de comte d'Orkancz hadden de vrije teugel gekregen – *drie* onderzoekstafels. Aan het voeteneind van elke tafel stond een gereedschapskist van koper en hout. Een van de gehelmde mannen liet een glanzend blauwglazen boek in de kist glijden, als een kogel in het magazijn van een revolver. De man met de twee flessen stond aan het hoofdeind van de eerste tafel en goot de blauwe vloeistof in de trechtervormige buis van een zwarte rubberen slang. Er kronkelde een hele kolonie zwarte slangen om de tafel, glibberig en afschrikwekkend, en toch was de gestalte die daaronder verborgen lag nog afschuwelijker, als een ziekelijk bleke larve in een tegennatuurlijke cocon. Miss Temple keek langs haar naar de tweede tafel en zag het gezicht van Miss Poole verdwijnen, terwijl een assistent een griezelig zwart rubberen masker met riemen vastmaakte... en toen naar de laatste tafel, waar een derde man slangen vastmaakte aan het naakte lichaam van Mrs Marchmoor. Helemaal achteraan stond een grote, imposante gestalte die omhoogkeek naar de cellen. Aan het mondstuk van zijn masker bungelde een dikke, gladde zwarte slang, als een duivelse tong – de comte zelf. Er was misschien één seconde verstreken. Miss Temple stak haar hand uit en sloeg de deur tussen hen in met een klap dicht.

En op dat moment wist ze het. Dit terugkerende visioen deed haar denken aan het laatste moment op de blauwe glazen kaart van Arthur Trapping... De vrouw op de tafel was Lydia Vandaariff.

Achter haar slaakte Eloïse een kreet. De gehelmde man greep de schouders van Miss Temple ruw vast, smeet haar tegen de dichtgeslagen deur en gooide haar toen op de grond.

Ze keek op en zag dat de man een sabel in zijn hand hield. Eloïse greep een van de flessen oranje vloeistof van het dienblad en zwaaide haar arm naar achteren, klaar om hem naar de man toe te slingeren. Tot grote schrik van beide vrouwen deinsde de man achteruit, in plaats van haar aan zijn zwaard te rijgen. Hij rende de trap op, zo snel als zijn onhandige helm en voorschoot het toelieten. Het enige wat nog aan hem ontbrak was een paar vleermuisvleugels, dacht Miss Temple; dan zou hij er precies zo uitzien als een vluchtende duivel uit de hel.

De vrouwen keken elkaar verbijsterd aan; ze waren op het nippertje ontkomen. Van de buitenkant werd er aan de deur gerammeld. Het trappenhuis boven hen weergalmde van de kreten van de vluchtende man – kreten die werden beantwoord toen hij hun aanvankelijke achtervolgers ontmoette. Ze hadden geen tijd. Miss Temple greep Eloïse ruw bij de arm en duwde haar naar het open luik.

'Je moet erin kruipen!' siste ze. 'Kruip erin!'

Ze wist niet of er genoeg ruimte was voor twee, ze wist ook niet of de lift hun gewicht zou kunnen dragen. Desondanks sprong ze naar de koperen plaat met het bedieningspaneel, en dwong haar vermoeide geest – want haar dag was overvol geweest, en ze had al heel lang niet gegeten of thee gedronken – wijs te worden uit de knoppen... een groene, een rode, een blauwe en een stevige koperen hendel. Eloïse trok haar benen op in de lift. Haar mond was een grimmig strak streepje. Haar ene hand was tot een vuist gebald en in haar andere hand hield ze nog steeds de oranje fles. Het geschreeuw boven hun hoofd was van richting veranderd. Er bonsde iemand op de buitendeur. Met de groene knop ging de etenslift met een ruk omhoog. Met de rode ging hij naar beneden. De blauwe knop leek niets uit te richten. Ze probeerde de groene weer. Er gebeurde niets. Ze probeerde rood, en de lift ging omlaag – misschien twee centimeter, maar helemaal tot het eind.

De deur naar het platform schudde aan zijn scharnieren.

Ze had het. De blauwe knop betekende dat de etenslift op de ingeslagen weg moest voortgaan – hij werd gebruikt om te voorkomen dat de machine nodeloos sleet door halverwege het trappenhuis van richting te veranderen. Miss Temple sloeg eerst op de blauwe knop, toen op de groene en dook naar het luik. Eloïse sloeg beide armen om haar middel en trok haar vlug naar binnen. Miss Temples wriemelende voeten gleden maar net door de steeds smaller wordende luikopening vóór ze opstegen in de inktzwarte schacht. Het laatste wat ze zagen waren de zwarte laarzen van de Mecklenburgse soldaten die de trap af strompelden.

De lift was ontzettend krap. Na de aanvankelijke opluchting dat ze inderdaad omhooggingen, niet waren tegengehouden door de soldaten en geen ledematen hadden verloren, probeerde Miss Temple te verschuiven naar een iets gemakkelijker houding, maar ze ontdekte dat haar knieën daarbij in de zij van haar metgezel boorden, en dat Eloïses elleboog in haar oor stak. Ze draaide haar gezicht de andere kant op en werd met haar oor stevig tegen de borst van Eloïse gedrukt. Eloïses lichaam was warm en vochtig van het zweet. Ze was zacht, en Miss Temple hoorde haar gedempte hartslag, ondanks het gerammel van de kettingen van de etenslift, als een kostbaar geheim dat iemand in een drukke kamer in je oor fluistert. Miss Temple realiseerde zich dat haar romp tussen de benen van Eloïse was geklemd. Eloïses benen waren strak opgetrokken tot aan haar kin, terwijl Miss Temples eigen benen pijnlijk dubbelgevouwen zaten onder hun beider gewicht. Ze hadden geen tijd gehad om het luik dicht te doen. Miss Temple hield haar voeten met één hand vast – de andere arm had ze stevig om Eloïse –, zodat ze niet door het schokken van de etenslift per ongeluk naar buiten in de schacht zouden schieten. Ze zwegen, maar na korte tijd merkte ze dat de andere vrouw een arm loswrong, en toen voelde Miss Temple, die ondanks zichzelf al heel dankbaar was voor de troost die ze kreeg door de onbedoelde en daarom niet-erkende nabijheid van Eloïses lichaam, dat Eloïses hand met zachte, lieve aaien haar haren gladstreek.
    'Als we bovenaan zijn proberen ze vast de lift om te laten keren vóór we eruit kunnen kruipen,' fluisterde ze.
    'Ja,' stemde Eloïse zachtjes in. 'Jij moet er eerst uit kruipen. Ik duw je wel.'
    'En dan trek ik aan je voeten.'
    'Dat lukt vast wel.'
    'Wat doen we als daar nog meer soldaten staan?'
    'Dat is heel goed mogelijk.'

'Die overrompelen we,' merkte Miss Temple zachtjes op.

Eloïse antwoordde niet, maar drukte het hoofd van de jongere vrouw tegen haar boezem met een zucht die Miss Temple lief en bedroefd vond, een mengeling die ze niet helemaal begreep. Zulke lichamelijke intimiteit met een andere vrouw was ongewoon voor Miss Temple, om maar te zwijgen van emotionele intimiteit – maar ze wist dat hun avonturen nu al versneld een band tussen hen hadden gesmeed, zoals een telescoop de afstand tussen een schip en de kust doet verdwijnen. Het was net zo bij Chang en Svenson. Ze kende hen eigenlijk helemaal niet, en toch voelde ze dat zij de enige zielen ter wereld waren op wie ze kon rekenen of van wie ze kon houden. Dat verbaasde haar. Om deze gedachte toe te laten moest ze de gebeurtenissen van de afgelopen dagen plaatsen in de context van haar hele leven. Ze had haar moeder nooit gekend. Miss Temple vroeg zich af – slecht op haar gemak en steeds minder zeker van zichzelf: dit was niet het moment om weg te drijven in rockcloze bespiegelingen of overweldigende gevoelens – of deze sensaties van een warme huid, van leven, van contact, en onvoorwaardelijke liefde (in elk geval tijdens hun eenzame weg omhoog) leken op het gevoel dat een moeder je gaf. Haar wangen brandden door de openbaring van haar zwakheid en haar begeerte. Miss Temple begroef haar hoofd in het holletje tussen de arm en de borsten van de vrouw en slaakte een zucht die haar hele lichaam deed sidderen.

Ze stegen op in het duister tot de lift zonder enige waarschuwing met een ruk tot stilstand kwam. De deur gleed open en Miss Temple zag de verbijsterde gezichten van twee bedienden. Ze droegen de zwarte livreien van de bedienden in Harschmort House. De een had de deur opengeschoven en de ander droeg een tweede houten dienblad met flacons en flessen. Voordat ze de deur dicht konden doen en voordat de mannen op de begane grond de etenslift weer naar beneden konden roepen, schopte ze met beide voeten – waarvan de voetzolen even smerig waren als die van een straatjongen – hard in hun gezicht. Ze dreef hen achteruit; misschien niet uit angst, maar uit afschuw. Toen Eloïse haar van achteren een duw gaf, schoot Miss Temple de deur uit. Ze gilde als een bezetene tegen de mannen, met wilde haren en een gezicht dat besmeurd was met roet en zweet. Ze keek wanhopig om zich heen op zoek naar het koperen bedieningspaneel. Toen ze het zag vloog ze eropaf, en ramde op de groene knop die de lift op zijn plaats hield.

De bedienden keken haar met open mond en stijgende woede aan. Hun reactie werd onderbroken toen hun aandacht werd getrokken door Eloïse, die uit de lift klauterde. Eerst kwamen haar voeten, toen haar zijden gewaad, dat omhoog schoof tot boven aan haar blanke dijen terwijl ze naar voren schoot en haar zijden onderbroekje met de open naad onthulde. Eén duister flitsend ogenblik lang stonden beide mannen als aan de grond genageld, waarna ze haar bovenlijf eruit liet glijden en onhandig op haar knieën terechtkwam. Ze hield de fles met feloranje vloeistof vast. Bij die aanblik deinsden de mannen een stap achteruit. Hun gezichtsuitdrukking veranderde in één seconde van gretige wellust in een smekende blik.

Zodra Eloïse eruit was liet Miss Temple de knop los, stapte direct naar de man zonder dienblad en duwde hem met beide handen zo hard mogelijk achteruit tegen de man met het dienblad. Beide bedienden trokken zich wankelend terug door de ijzeren deur naar het gladde zwart-witte marmer. Ze hadden alleen aandacht voor de kostbare breekbare spullen die ze niet mochten laten vallen. Miss Temple hielp Eloïse overeind en maakte haar de oranje fles afhandig. Achter hen kwam de etenslift rammelend tot leven, en verdween naar beneden. Ze schoten de hal in, maar de bedienden, die enigszins waren bekomen van de schrik, wilden hen er niet langs laten.

'Waar bent u eigenlijk mee bezig?' schreeuwde de ene man met het dienblad, terwijl hij driftig knikte naar de fles in haar hand. 'Hoe komt u daaraan? We… We zouden… We zouden er allemaal…'

De ander siste eenvoudig: 'Zet dat neer!'

'Ú zet dat neer!' snauwde Miss Temple. 'Zet dat dienblad neer en verdwijn! U allebei!'

'In geen geval!' riep de man met het dienblad, terwijl hij zijn ogen tot gemene spleetjes kneep. 'Wie denkt u dat u bent om bevelen te geven? Als u soms dacht, alleen omdat u een hoer van de meester bent…'

'Ga uit de weg!' siste de andere man weer. 'We hebben werk te doen! We krijgen er met de zweep van langs! Door jullie moeten we alwéér op de etenslift wachten!'

Hij probeerde om hen heen naar de deur van de toren te schuiven, maar de man met het dienblad bleef staan. Hij kookte van woede, die voortkwam uit gekwetste trots en kleinzielige belangen, wist Miss Temple.

'Ze mogen niet weg! Ze gaan nergens heen! Ze moeten verantwoording afleggen, tegenover mij of Mr Blenhcim!'

'Laat Blenheim er buiten!' siste zijn kameraad. 'Dat is wel het láátste! In godsnaam...'

'Kijk dan naar ze,' zei de man met het dienblad, terwijl zijn gezicht een steeds gemenere uitdrukking kreeg. 'Ze zijn niet bij een van de ceremonies. Ze zijn op de vlucht – waarom schreeuwde ze anders zo?'

Deze gedachte drong door tot de andere man. Beide mannen bleven staan en monsterden de twee onbetamelijk geklede vrouwen.

'Wedden dat we een beloning krijgen als we ze tegenhouden?'

'Als we dit karwei niet afmaken worden we ontslagen.'

'We moeten toch wachten tot die lift weer naar boven komt.'

'Dat is zo. Denk je dat ze die gewaden hebben gestolen?'

Gedurende deze hele vermoeiende dialoog beraamde Miss Temple een plan. Ze schoof steeds verder weg van de deur, met halve stapjes tegelijk. De beide mannen aarzelden en kibbelden, maar Miss Temple zag dat ze op het punt stonden zich mannelijk en belachelijk te gaan gedragen. Ze moest nu tot handelen overgaan. In één hand hield ze de oranje fles, die klaarblijkelijk een afschuwelijk gemeen chemisch goedje bevatte. Als ze de fles op een van hun hoofden stuksloeg, zouden beide mannen waarschijnlijk zijn uitgeschakeld, en dan konden ze vluchten. Tegelijkertijd was er geen garantie dat Eloïse en zij niet gewond zouden raken – door dampen misschien. Iedereen deinsde terug voor die flessen, als schoolmeisjes voor een spin. Bovendien was de fles een uitstekend wapen om te bewaren voor een toekomstige crisis of onderhandeling. Miss Temple bezat veel liever iets waardevols dan dat ze het uitgaf. Wat ze ook deed, het moest afdoende zijn om haar achtervolgers af te schudden, want ze had schoon genoeg van dat eindeloze rennen.

Met een dramatisch gebaar zwaaide Miss Temple de fles naar achteren. Met een kreet zwiepte ze haar arm weer naar voren, alsof ze de fles op het hoofd van de man met het dienblad kapot wilde slaan. Door het dienblad kon de man zijn armen niet opsteken om de slag af te weren. De dreiging van de fles was echter zo groot dat de man zich niet kon bedwingen. Hij liet het dienblad uit zijn handen glippen, dat met een klap op de marmeren vloer viel. De flessen en flacons vielen in scherven en stootten tegen elkaar kapot – met een zeer bevredigend geraas.

De mannen keken omhoog, met opgetrokken schouders om de klap af te weren. Hun mond hing open omdat Miss Temple de oranje fles niet had losgelaten – sterker nog: geen moment van plan was geweest de fles los te laten. Onmiddellijk keken ze alle vier omlaag naar het dienblad. Dat explodeerde sissend, met stoomwolken en een verraderlijke geur die Miss Temple deed kokhalzen. De geur was niet, zoals ze had verwacht, de afschuwelijke lucht van indigoklei, maar hij deed haar denken aan het rijtuig in de nacht, toen ze had geworsteld om los te komen van het zware stervende lichaam van Spragg – de intense geur van menselijk bloed. Drie kapotgevallen flacons waren tegelijk leeggestroomd. Het resultaat van die vermenging was veranderd – je kon het niet anders uitdrukken – in een glanzende, heldere slagaderlijke plas bloed die van het dienblad op de grond stroomde. De hoeveelheid was groter dan de inhoud van de oorspronkelijke flacons – alsof de combinatie van deze chemicaliën niet alleen bloed opleverde, maar méér bloed. Het gutste als een onzichtbare wond over de marmeren tegels.

'Wat is dit voor onzin?'

Ze richtten alle vier hun blik op de uitermate afkeurende stem in de deuropening, achter de beide mannen. Voor hen stond een lange man met grijze bakkebaarden en een metalen bril. Hij had een legerkarabijn in zijn handen. Hij droeg een lange, donkere jas, die zo elegant was dat zijn kalende hoofd ronder leek en zijn dunne mond wreder. De bedienden bogen onmiddellijk hun hoofd en begonnen allerlei verklaringen te brabbelen.

'Mr Blenheim, mijnheer... deze vrouwen...'

'We waren... de etenslift...'

'Ze hebben ons aangevallen...'

'Vluchtelingen...'

Mr Blenheim sneed ze op besliste toon de pas af, alsof hij een sla-gershakmes hanteerde. 'Breng dat dienblad terug, vervang de fles-sen die erop staan en lever ze onmiddellijk af. Stuur een dienstmeid hierheen om de vloer te dweilen. Meld je in mijn kantoor wanneer je klaar bent. Jullie wisten dat jullie taak belangrijk was. Ik weet niet of jullie hier kunnen blijven werken.'

Zonder een woord te zeggen gristen de mannen het druipende dienblad van de vloer en draafden weg langs hun meester, terwijl ze hun hoofd onderdanig lieten hangen. Blenheim snoof de geur op. Zijn ogen flitsten naar de bloederige poel en toen weer naar de vrou-wen. Zijn blik bleef even hangen bij de oranje fles in Miss Temples hand, maar verried niets van zijn gevoelens. Hij maakte een gebaar met de karabijn.

'U tweeën komen met mij mee.'

Ze liepen voor hem uit. Bij elke hoek wees hij hun met botte eenlet-tergrepige commando's de weg. Ze kwamen bij een houten deur met agressieve houtsneden. Hun veroveraar wierp snel een blik om zich heen, maakte het slot open en liet hen binnen. Hij liep achter hen aan – met een verrassende snelheid voor een man van zijn omvang – en deed de deur weer op slot. Daarna stak hij de sleutel – een van de vele aan een zilveren ketting, zag Miss Temple – terug in zijn vestzak.

'We kunnen beter praten zonder de anderen erbij,' verklaarde hij, terwijl hij hen aankeek met een doffe, neutrale kille blik, waarachter een uitgekiende wreedheid schuilging. Hij verstevigde met een grie-zelig gemak zijn greep op de karabijn.

'Zet die fles op de tafel naast u.'

'Zou u dat prettig vinden?' vroeg Miss Temple, haar gezicht een en al neutrale beleefdheid.

'Doe het onmiddellijk,' antwoordde hij.

Miss Temple keek om zich heen. De kamer had hoge plafonds, beschilderd met natuurtaferelen – oerwouden, watervallen en uitgestrekte dramatische wolkenluchten. De taferelen gaven een impressie van Afrika, India of Amerika. Langs de muren stonden vitrines met wapens, kunstvoorwerpen en diertrofeeën: opgezette hoofden, dierenhuiden, tanden en klauwen. Er lagen dikke tapijten op de vloer en er stonden zware gemakkelijke leren stoelen. De kamer rook naar stof en sigaren. Achter Mr Blenheim stond een enorm buffet vol flessen. Miss Temple wist niet dat er in de beschaafde wereld zoveel verschillende flessen bestonden. Ze vermoedde, op grond van het ontdekkingsreisachtige karakter van de kamer, dat er vele dranksoorten en vergiften uit geheimzinnige primitieve culturen uit verre landen tussen stonden. Mr Blenheim schraapte nadrukkelijk zijn keel. Met een onderdanig knikje zette ze de fles neer op de plaats die hij aanwees. Ze keek naar Eloïse en registreerde de vragende uitdrukking op haar gezicht. Miss Temple greep de hand van Eloïse – die de blauwe glazen kaart vasthield. Ze schermde de kaart doeltreffend af met haar eigen hand.

'Dus u bent Mr Blenheim?' vroeg ze, zonder enig idee wat dat kon betekenen.

'Inderdaad,' antwoordde de man plechtig, met een onaangename gewichtige klank in zijn stem.

'Dat vroeg ik me al af,' zei Miss Temple met een knikje, 'omdat ik uw naam heel vaak had gehoord.'

Hij gaf geen antwoord, maar keek haar vorsend aan.

'Heel vaak,' voegde Eloïse eraan toe; ze trachtte haar stem te verheffen boven een fluistertoon.

'Ik sta aan het hoofd van dit huishouden. U veroorzaakt moeilijkheden in dit huishouden. U was daarnet in de gang van de meester en bespioneerden zaken die niet voor uw ogen bestemd waren, gluiperds – doe maar geen moeite het te ontkennen. En nu hebt u allerlei dingen verstoord in de toren, wed ik – en ook een enorme rotzooi van mijn vloer gemaakt!'

Mr Blenheim was duidelijk iemand die zijn autoriteit baseerde op zijn vermogen een waslijst van overtredingen op te sommen. Jammer genoeg waren zijn litanieën alleen vernietigend voor mensen die zich schuldig voelden. Miss Temple knikte om op z'n minst te erkennen dat de man zorgen had.

'Ik zou denken dat een huis van deze omvang een zware baan is, in termen van organisatie. Hebt u veel personeel? Ik heb al verschillende keren uitgebreid nagedacht over de juiste hoeveelheid personeel in verhouding tot de grootte van een huis – of de aspiraties van een huis, want vaak zijn de sociale ambities van mensen groter dan hun reële mogelijkheden...'

'U was aan het spioneren! U bent binnengedrongen in de geheime gang van de meester!'

'Het is een weerzinwekkende geheime gang,' antwoordde ze. 'Als u het mij vraagt, is uw meester degene die een gluiperd genoemd moet worden...'

'Wat deed u daar? Wat hebt u gehoord? Wat hebt u gestolen? Wie heeft u betaald om dit te doen?'

De vragen van Mr Blenheim klonken steeds woedender, en bij de laatste liep zijn gezicht rood aan, waardoor de witte haren in zijn grijzende bakkebaarden werden geaccentueerd. Dit maakte hem in de ogen van Miss Temple nog bespottelijker.

'Mijn hemel, mijnheer – uw gelaatskleur! Misschien zou u minder gin moeten drinken!'

'We waren gewoon verdwaald,' interrumpeerde Eloïse sussend. 'Er was brand uitgebroken...'

'Alsof ik dat niet weet!'

'U ziet het aan onze gezichten – mijn jurk...' en met deze woorden vestigde Eloïse hulpvaardig zijn aandacht op de beroete zijde om haar welgevormde kuiten.

Blenheim likte langs zijn lippen. 'Dat betekent niets,' mompelde hij.

Maar voor Miss Temple betekende het heel veel. Uit het feit dat Mr Blenheim hen nog niet aan zijn meester had uitgeleverd maakte ze op dat hij zijn eigen plannetje had. Ze zwaaide vaag naar de dierenkoppen en de vitrines met wapens, en glimlachte samenzweerderig.

'Wat een vreemde kamer is dit,' zei ze.

'Helemaal niet vreemd. Het is de trofeeënkamer.'

'Dat begrijp ik, maar het is een mannenkamer.'

'En wat zou dat?'

751

'Wij zijn vrouwen.'

'Maakt dat iets uit?'

'Dát, Mr Blenheim' – bij die woorden knipperde ze schaamteloos met haar ogen – 'is onze vraag aan u.'

'Hoe heet u?' vroeg hij, met een strak getrokken mond en snel knipperende ogen. 'Wat weet u?'

'Dat hangt af van degene voor wie u werkt.'

'Geef rechtstreeks antwoord!'

Miss Temple knikte vol medeleven om zijn uitbarsting, alsof zijn woede het slechte weer betrof en niet haar. 'We willen niet moeilijk doen,' legde ze uit. 'Maar we willen u ook niet beledigen. Als u bijvoorbeeld zeer gehecht bent aan Miss Lydia Vandaariff…'

Blenheim wuifde met een plotselinge wilde beweging het onderwerp weg. Miss Temple knikte.

'Of als u uitgesproken loyaal bent aan lord Vandaariff, of de contessa, of de comte d'Orkancz, of Mr Francis Xonck, of onderminister Crabbé, of…'

'Vertel me wat u weet, ongeacht mijn loyaliteit.'

'Natuurlijk. Maar eerst moet u weten dat er geheime agenten in dit huis zijn binnengedrongen.'

'De man in het rood…' Blenheim knikte ongeduldig.

'En die andere,' voegde Eloïse eraan toe. 'Uit de mijn, met de zeppelin…'

Blenheim maakte een ongeduldig gebaar. 'Die zijn onder controle,' zei hij. 'Maar waarom rennen twee aanhangers in witte gewaden door het huis en komen in opstand tegen hun meesters?'

'Nog één keer, mijnheer, welke meesters bedoelt u?' vroeg Miss Temple.

'Maar…' Hij zweeg en knikte heftig, alsof ze zijn eigen vermoedens bevestigde. 'Nu dus al… Ze smeden complotten tegen elkaar…'

'We wisten wel dat u niet dom was.' Eloïse zuchtte diep.

Mr Blenheim gaf niet onmiddellijk antwoord. Miss Temple greep de gelegenheid aan om in Eloïses hand te knijpen, hoewel ze haar niet durfde aan te kijken.

'De comte is beneden in de hoge zaal,' zei ze op goed geluk met een stalen gezicht, 'en de contessa is in een geheime kamer met de prins... Waar is Mr Xonck? Of onderminister Crabbé?'

'Waar zouden ze moeten zijn?' vroeg Eloïse.

'Waar is uw eigen lord Vandaariff?'

'Hij is...' Blenheim slikte zijn woorden in.

'Weet u waar u uw meester kunt vinden?' vroeg Eloïse.

Blenheim schudde zijn hoofd. 'U hebt nog steeds geen...'

'Wat denkt u dat we deden?' Miss Temple liet haar ergernis blijken. 'We zijn ontsnapt uit de snijzaal, ontsnapt aan Miss Poole...'

'Die met minister Crabbé is meegekomen in de zeppelin,' voegde Eloïse eraan toe.

'Toen zijn we op de vlucht geslagen en hebben de daden van de contessa bespied in de geheime kamer,' vervolgde Miss Temple, 'en daarna hebben we ons best gedaan de comte te storen in zijn laboratorium.'

Blenheim fronste zijn wenkbrauwen.

'Wie hebben we níet dwarsgezeten?' vroeg Miss Temple hem geduldig.

'Francis Xonck,' fluisterde Mr Blenheim.

'U hebt het gezegd, mijnheer, niet ik.'

Hij beet op zijn lip. Miss Temple ging verder. 'Ziet u... Wij hebben u niets verteld. U hebt deze dingen zelf gezien en daar uw conclusie uit getrokken. Hoewel... als we u zouden helpen... mijnheer... zouden we er dan makkelijker vanaf komen?'

'Misschien. Ik zou het niet kunnen zeggen, want ik weet niet wat voor hulp u bedoelt.'

Miss Temple wierp een blik op Eloïse en boog toen voorover naar Mr Blenheim, alsof ze hem een geheim wilde vertellen.

'Weet u waar Mr Xonck is, op dit moment?'

'Iedereen moet zich verzamelen in de balzaal,' mompelde Blenheim, 'maar ik heb hem niet gezien.'

'Meent u dat?' vroeg Miss Temple, alsof dat heel belangwekkend was. 'Zal ik u laten zien wat hij doet?'

'Waar?'

'Niet waar, Mr Blenheim – niet waar... maar hóe?'

Miss Temple glimlachte, pakte de blauwe glazen kaart uit Eloïses hand en hield hem omhoog.

Mr Blenheim greep er gretig naar, maar Miss Temple griste de kaart uit zijn handen.

'Weet u wat dit...' begon ze. Voordat ze nog een woord kon zeggen stoof Mr Blenheim op haar af. Hij greep met zijn ene hand haar arm stevig beet en ontworstelde haar met de andere de kaart. Hij deed een stap terug en likte weer langs zijn lippen, en keek heen en weer van de kaart naar de vrouwen.

'Doe voorzichtig,' zei Miss Temple. 'Het blauwe glas is erg gevaarlijk. Het is desoriënterend – als u er nooit eerder in hebt gekeken...'

'Ik weet wat het is!' snauwde Blenheim, en hij liep twee stappen verder naar de deur, die hij met zijn lichaam blokkeerde. Voor de laatste keer keek hij op naar de vrouwen, en toen keek hij omlaag in het glas.

De ogen van Blenheim raakten omfloerst toen hij de wereld van de glazen kaart betrad. Miss Temple wist dat deze kaart de prins en Mrs Marchmoor bevatte, wat voor Mr Blenheim ongetwijfeld opwindender was dan Roger die geil op de bank naar haar benen keek. Ze bracht haar hand langzaam, zonder een geluid te maken, naar de dichtstbijzijnde vitrine en pakte een scherpe korte dolk met een lemmet dat kronkelde als een zilveren slang. Mr Blenheim hield zijn adem in en zijn lichaam leek te aarzelen – de cyclus van de kaart was voltooid –, maar hij bleef staan. Hij gaf zich over aan de verleidelijke herhaling van de kaart. Miss Temple ging naast Mr Blenheim staan, plantte haar voeten zo stevig mogelijk op de grond en dacht terug aan Changs advies. Ze stak de dolk tot het heft in zijn zij.

Hij hapte naar adem, zijn ogen puilden uit en rukten zich los van de kaart. Miss Temple trok de dolk met twee handen los, met zoveel kracht dat hij twee stappen in haar richting wankelde. Hij keek omlaag naar het bloederige lemmet, toen omhoog naar haar gezicht. Ze stak opnieuw, dit keer midden in zijn lichaam, en duwde het lemmet omhoog onder zijn ribben. Mr Blenheim liet de kaart op het tapijt vallen en wrong, terwijl hij achteruit wankelde, de dolk los uit haar greep. Met een grom viel hij op zijn knieën. Het bloed stroomde uit zijn buik. Hij kon geen adem halen en maakte geen geluid – gelukkig voor de vrouwen. Hij tuimelde op zijn zij en bleef liggen. Miss Temple zag tot haar voldoening dat het tapijt een dessin met rood had en knielde snel neer om haar handen af te vegen.

Ze keek op naar Eloïse, die als aan de grond genageld naar de hortende ademhaling van de gevallen kamerheer staarde.

'Eloïse?' fluisterde ze.

Eloïse draaide zich snel naar haar toe. De betovering was verbroken, haar ogen waren wijd opengesperd.

'Gaat het wel, Eloïse?'

'O, ja. Neem me niet kwalijk. Ik... Ik weet niet... Ik geloof dat ik dacht dat we langs hem zouden sluipen...'

'Hij zou achter ons aan zijn gekomen.'

'Natuurlijk. Natuurlijk! Nee – ja, mijn god...'

'Hij was onze doodsvijand!' Miss Temples zelfvertrouwen wankelde plotseling.

'Natuurlijk. Alleen... Misschien de hoeveelheid bloed...'

Deze steek van kritiek doorboorde de ijzeren wilskracht van Miss Temple, zonder dat ze het wilde. Tenslotte was ze niet iemand die gemakkelijk en lichtvaardig mensen vermoordde. Hoewel ze wist dat ze het slim had aangepakt, wist ze ook wat ze had gedaan – het wás moord, strikt genomen; niet eens een gevecht. Weer voelde ze dat het allemaal erg snel was gegaan, té snel voor haar; ze verloor de greep op haar principes. Door haar daden wist niet meer wie ze was. Tranen sprongen in haar ooghoeken. Eloïse boog zich plotseling dicht naar haar toe en kneep in haar schouders.

'Luister niet naar mij, Celeste – ik ben een idioot – heus! Goed gedaan!'

Miss Temple snufte. 'We kunnen hem beter van de deur wegslepen.'

'Absoluut.'

Ze pakten ieder een arm. Het kostte veel inspanning om het omvangrijke lijk – want hij was eindelijk gestorven – achter een lage boekenkast te slepen. Ze hapten allebei hijgend naar lucht. Eloïse zat tegen een leren stoel geleund. Miss Temple hield de dolk nog steeds in haar hand en veegde het bloed af aan de mouw van Mr Blenheim. Ze zuchtte opnieuw om de lasten die ze met haar praktische geest moest dragen. Ze legde de dolk neer en begon zijn zakken te doorzoeken. Ze legde alles wat ze vond op een hoop: papiergeld, munten, zakdoeken, lucifers, twee hele sigaren, een peuk van een derde, potloden, vellen onbeschreven papier, kogels voor de karabijn, en een ring die zoveel sleutels bevatte dat hij alle deuren in heel Harschmort kon openmaken. In zijn borstzakje zat echter een andere sleutel... geheel vervaardigd van blauw glas. Miss Temple zette grote ogen op en keek naar haar metgezel.

Eloïse keek niet naar haar. Ze zat onderuitgezakt in de stoel, met één been opgetrokken, een open mond en wezenloze ogen. Met beide handen hield ze de blauwe kaart voor haar gezicht. Miss Temple bleef staan met de glazen sleutel in haar hand en vroeg zich af hoelang ze bezig was geweest met haar zoekwerk... en hoe vaak haar metgezel een reis had gemaakt door de gevoelens van Mrs Marchmoor op de sofa. Eloïse hapte naar adem met een halfopen mond, en Miss Temple voelde zich opgelaten. Hoe meer ze nadacht over haar eigen gewaarwordingen door het blauwe glas – de begeerte, de kennis, de verrukkelijke onderdompeling, en natuurlijk het grove, vertekende zelfbewustzijn –, des te minder ze wist hoe ze zich zou moeten voelen. Ze wist wat ze moest denken over de aanslagen op haar leven (wat elke keer gebeurde als ze een voet in een rijtuig zette). Die vervulden haar met razernij. Maar deze mentale aanslagen hadden haar ideeën over fatsoen, begeerte en haar eigen gevoelens volkomen overhoopgehaald. Haar gebruikelijke zelfvertrouwen stond nu geheel op losse schroeven.

Eloïse was een weduwe, die in haar huwelijk waarschijnlijk in het reine was gekomen met deze lichamelijke kwesties. In plaats van een verstandige, afgewogen reactie zag Miss Temple tot haar verbijstering zweetdruppeltjes op Eloïses bovenlip. Ze voelde een zekere rusteloze beweging tussen haar dijen bij de aanblik van deze onverbloemde begeerte (iets wat ze nooit eerder had gezien, als je haar kussen met Roger en Rogers pogingen om haar lichaam te bepotelen niet meetelde. Dat weigerde ze absoluut – met al haar wilskracht – te doen). Miss Temple vroeg zich onwillekeurig af of zij er ook zo had uitgezien, want ze was nieuwsgierig en trots.

De wangen van de weduwe waren vuurrood; ze beet afwezig op haar onderlip en haar vingers waren wit door de kracht waarmee ze het glas vastklemde. Ze haalde hijgend adem, onderbroken door diepe zuchten. Het zijden gewaad gleed over haar lichaam terwijl ze bewoog, en was zo dun en zacht dat je haar stijve tepels zag. Ze schokte nauwelijks waarneembaar met haar heupen. Ze had één lang been uitgestrekt over het tapijt, haar tenen kromden zich in verzet tegen een verborgen kracht, en bovendien droeg Eloïse nog steeds haar veren masker, wat haar voor Miss Temple verwarrend aantrekkelijk maakte. Miss Temple voelde dat ze niet naar Eloïse staarde, maar naar een mysterieuze vrouw, die ze zelf ook was geweest in de doorzichtige spiegel van de contessa. Ze bleef staren terwijl Eloïse de cyclus van de kaart herhaalde. Eloïse hapte naar adem, zodat Miss Temple het moment kon lokaliseren waarop Mrs Marchmoor het lichaam van de prins in het hare trok, haar benen om hem heen sloeg en hem stevig tegen zich aan klemde... Het verbaasde haar dat ze zelf in staat was geweest haar aandacht los te scheuren van de kaart – zonder moeite, afgezien van haar eigen schaamte –, terwijl Eloïse geheel in de ban was van de betovering. Wat had ze gezegd over het glazen boek? Mensen waren gestorven, zijzelf was flauwgevallen. Vastberaden – ze doorbrak haar eigen fascinatie, wat ze misschien te vaak deed in haar leven – greep Miss Temple de kaart en griste die uit de handen van haar metgezel.

Eloïse keek met open mond en omfloerste ogen op. Ze wist niet wat er was gebeurd en waar ze was.

'Gaat het wel goed met je?' vroeg Miss Temple. 'Je was helemaal overspoeld door die kaart.' Ze hield hem omhoog, zodat Eloïse hem kon zien. De weduwe likte langs haar lippen en knipperde met haar ogen.

'Mijn hemel... Neem me niet kwalijk...'

'Je bent helemaal opgewonden,' merkte Miss Temple op.

'Nou en of,' mompelde Eloïse. 'Ik was niet voorbereid...'

'Het is net zo'n belevenis als het boek: even overweldigend, hoewel niet zo diep, want er is niet zoveel glas, dus er gebeurt ook niet zoveel. Je zei dat je het boek niet prettig vond.'

'Nee, ik vond het niet prettig.'

'Deze kaart vond je misschien té prettig.'

'Misschien… En toch heb ik geloof ik iets ontdekt waar we wat aan hebben…'

'Ik bloos bij de gedachte daaraan.'

Eloïse fronste haar wenkbrauwen. Ondanks haar zwakheid van daarnet wilde ze de spot van een jongere vrouw niet zonder slag of stoot incasseren. Miss Temple glimlachte verlegen en klopte de vrouw op haar knie.

'Je zag er erg mooi uit,' zei Miss Temple. Toen gleed er een valse grijns over haar gezicht. 'Misschien had dokter Svenson je nog mooier gevonden.'

'Ik weet echt niet wat je bedoelt,' mompelde Eloïse, die opnieuw bloosde.

'Ik denk dat hij dat ook niet weet,' antwoordde Miss Temple. 'Maar wat heb je ontdekt?'

Eloïse haalde diep adem. 'Is die deur op slot?'

'Ja.'

'Dan moet je even gaan zitten, want we moeten alles op een rijtje zetten.'

'Zoals je weet,' begon Eloïse, 'werk ik – of werkte ik – als gouvernante voor de kinderen van Arthur en Charlotte Trapping. Mrs Trapping is de zuster van Henry en Francis Xonck. De meeste mensen denken dat kolonel Trapping heel snel carrière heeft gemaakt door de intriges van Henry Xonck, maar ik weet inmiddels dat Francis Xonck hen allebei heeft gemanipuleerd om ervoor te zorgen dat hij het familiebedrijf uit de handen van zijn broer kon rukken, met behulp van zijn nieuwe bondgenoten. Alles werd geregeld met medewerking van Henry, want de kolonel raakte op de hoogte van allerlei bruikbare regeringsgeheimen. De onwetende sleutel tot die geheimen was kolonel Trapping, die alles plichtsgetrouw overbriefde aan Henry. Hij gaf alle informatie en valse informatie door die Francis leverde. Francis haalde me over om naar Tarr Manor te komen met alle geheimen die ik wist – nogmaals: met het uiteindelijke doel zijn broer en zuster te chanteren. Die geheimen had hij plotseling nodig, juist omdat de kolonel was vermoord – begrijp je? Hij werd vermoord ondanks het feit dat hij, uit vrije wil of in onwetendheid, de samenzwering diende.'

Miss Temple knikte vaag. Ze zat op de leuning van de stoel en liet haar benen bungelen, in de hoop dat er gauw iets interessanters zou opduiken.

Eloïse ging verder. 'Je vraagt je af waarom, juist omdat de kolonel zo buitengewoon onbeduidend was.'

'De dokter trof de tweede blauwe kaart aan op het lichaam van de kolonel,' antwoordde Miss Temple. 'Het extract van de ervaringen van Roger Bascombe. Kennelijk was die in de voering van zijn uniform genaaid. Maar je zei dat je ontdekte...'

Eloïse dacht nog steeds na. 'Was er iets in die kaart wat bij uitstek geheim was? Iets wat zou kunnen verklaren waarom die kaart zo goed was verstopt – beschermd?'

'Ik zou zeggen van niet, behalve het deel over mij – behalve... Nou, behalve het allerlaatste moment. Je ziet Lydia Vandaariff op een onderzoekstafel, met de comte d'Orkancz, die haar... nou ja, je weet wel, onderzoekt.'

'Wát?'

'Ja,' zei Miss Temple. 'Ik realiseerde me dat nu pas – toen ik de onderzoekstafels zag. Toen herinnerde ik me natuurlijk dat ik Lydia had gezien. Op het moment dat ik de kaart zag wist ik niet wie Lydia was...'

'Maar Celeste...' Miss Temple fronste haar wenkbrauwen. Ze vertrouwde haar metgezel niet helemaal, en vond het zeker niet prettig als ze zich zo familiaar gedroeg. 'Het feit dat de kaart in de jas van de kolonel was genaaid betekent dat niemand hem heeft gevonden! De dingen die hij wist – die werden bewezen door de kaart – heeft hij met zich meegenomen in zijn graf!'

'Maar hij heeft ze helemaal niet meegenomen in zijn graf! De dokter heeft de kaart, en wij hebben het geheim.'

'Precies!

'Precies wat?'

Eloïse knikte ernstig. 'Dan is dat wat ik heb ontdekt misschien nog belangrijker...'

Miss Temple kon dit niet langer verdragen. Ze was iemand die er niet voor terugschrok het pakpapier om een cadeautje aan flarden te scheuren.

'Ja, maar je hebt nog niet gezegd was het ís.'

Eloïse wees naar de blauwe kaart op Miss Temples schoot. 'Aan het eind van de cyclus,' zei ze. 'Je herinnert je waarschijnlijk dat de vrouw...'

'Mrs Marchmoor.'

'Ze draait haar hoofd om, en je ziet toeschouwers. Ik herkende Francis Xonck, Miss Poole, dokter Lorenz – anderen die ik niet ken, hoewel jij ze vast wel kent. Maar achter die mensen... is een raam...'

'Maar dat is geen raam!' zei Miss Temple gretig, terwijl ze op het puntje van haar stoel ging zitten. 'Het is een spiegel! De kamers van Hotel St. Royale zijn voorzien van spionagespiegels. Ze dienen als ramen die uitkijken op de lobby. De dokter herkende de buitendeur van Hotel St. Royale door deze spiegel heen, wat hem op het juiste spoor bracht...'

Eloïse knikte ongeduldig, want ze was eindelijk aangekomen bij haar nieuws.

'Maar zag hij wie er in de lobby wás? Iemand die overduidelijk was weggelopen uit de kamer. Hij greep zijn kans om iemand te spreken achter de rug van degenen die in de kamer bleven en afgeleid werden door de, eh... voorstelling?'

Miss Temple schudde haar hoofd.

'Kolonel Arthur Trapping,' fluisterde Eloïse, 'die heel dringend praatte... met lord Robert Vandaariff!'

Miss Temple sloeg een hand voor haar mond.

'De comte zit erachter!' riep ze uit. 'De comte is van plan Lydia te gebruiken – het huwelijk te gebruiken, ik weet niet precies hoe! Het is een nieuw onderdeel van het alchemistische plan van Oskar Veilandt...'

Eloïse fronste haar wenkbrauwen. 'Wie is...'

'Een schilder, een mysticus, de uitvinder van het blauwe glas! Ze hebben ons verteld dat hij dood was – vermoord om zijn geheimen –, maar nu vraag ik me af of hij nog leeft, of misschien zelfs gevangen zit...'

'Of dat zijn herinneringen zijn opgeslagen in een boek!'

'O, vast! Maar het punt is: weten de anderen wat de comte werkelijk met Lydia van plan is? Nog belangrijker: wist haar vader dat? Misschien heeft Trapping de kaart van Roger gevonden en Lydia en de comte herkend? Is het mogelijk dat Trapping de waarheid over de schurkachtige plannen van zijn bondgenoten eerst niet begreep en later dreigde hen te verraden?'

'Ik vrees dat je kolonel Trapping niet kent,' zei Eloïse.

'Nee, ik heb geen woord met hem gewisseld, nee.'

'Het is veel waarschijnlijker dat hij precies begreep wat de kaart inhield en zich wendde tot de enige persoon die rijker was dan zijn zwager.'

'En wij hebben lord Vandaariff niet gezien. Misschien beraamt hij nu op dit moment een plan om zich te wreken op de comte. Of weet hij het eigenlijk wel? Misschien heeft Trapping hem informatie beloofd, misschien hebben ze hem vermoord voor hij die informatie kon onthullen.'

'Blenheim had lord Robert niet gezien,' zei Eloïse.

'En de comte is nog steeds bezig met zijn plan voor Lydia,' zei Miss Temple. 'Ik heb gezien dat ze die vergiftige drankjes dronk. Als Trapping is vermoord om Vandaariff in onwetendheid te houden...'

'De comte moet hem hebben vermoord!' zei Eloïse.

Miss Temple fronste haar wenkbrauwen. 'En toch... Ik weet zeker dat de comte net zo nieuwsgierig was als de anderen wie de kolonel had vermoord.'

'Lord Robert moet op z'n minst zijn gealarmeerd door de dood van zijn geheim agent,' redeneerde Eloïse. 'Geen wonder dat hij zich schuilhoudt. Misschien houdt hij die vermiste schilder ergens verborgen – om hem uit te wisselen? Misschien beraamt hij zijn eigen complot tegen hen allemaal!'

'Over hem gesproken,' zei Miss Temple, die omlaagkeek naar de zware schoenen van Mr Blenheim, net zichtbaar achter een rode leren bank. 'Wat heeft het te betekenen dat Mr Blenheim dít bezat?'

Ze hield de blauwe glazen sleutel tegen het licht en keek naar de glans.

'Het is hetzelfde glas als de boeken,' zei Eloïse.

'Wat zou hij open kunnen maken, denk je?'

'Iets wat waarschijnlijk heel breekbaar is... iets ánders wat van glas is gemaakt.'

'Dat denk ik ook.' Miss Temple glimlachte. 'Dat brengt ons op het tweede punt: Mr Blenheim had beslist het recht niet om deze sleutel bij zich te hebben. Kun je je voorstellen dat een van de samenzweerders zo'n ding, dat van onschatbare waarde is, toevertrouwt aan iemand die niet echt bij hen hoort? Hij is het hoofd van de huishouding. Hij speelt slechts een ondergeschikte rol in het complot, net als een van die dragonders of Mecklenburgse hengsten. Wie zou hem vertrouwen?'

'Maar één iemand,' zei Eloïse.

Miss Temple knikte. 'Lord Robert Vandaariff.'

'Ik geloof dat ik een idee heb,' verklaarde Miss Temple, en ze wipte van de leunstoel. Ze stapte zorgvuldig over de bloedveeg op het tapijt – het was al moeilijk genoeg geweest om het lijk te verslepen; ze hadden afgesproken zich niet te bekommeren om de vlekken – en liep naar het overvolle buffet. Ze ging met een genoeglijke ijver aan de slag. Ze vond een ongeopende fles van een goed wijnjaar en een scherp mesje, waarmee ze het waszegel en de afbrokkelende kurk verwijderde – in elk geval genoeg om er langs te schenken. Het kon haar niet schelen dat het stof van de kurk in de port terechtkwam, want het ging haar niet om de port. Ze pakte een grote lege karaf en begon, met het puntje van haar tong uit haar mond van de inspanning, de dieprobijnrode port uit te schenken. Ze deed haar best om de fles helemaal te legen. Toen ze eindelijk de eerste beetjes modderig bezinksel zag, liet ze de karaf staan en pakte een wijnglas, waar ze de rest van de portfles in leegde, met droesem en al. Toen nam ze een tweede wijnglas en schonk de vloeistof daarin over. Ze gebruikte haar mes als dam. Ze schonk tot alleen de rode, zachte droesem over was in het eerste glas. Ze keek met een glimlach naar Eloïse, die welwillend, maar niet-begrijpend toekeek.

'We kunnen ons onderzoek niet voortzetten als we in deze kamer opgesloten blijven zitten. We kunnen de dokter niet terugvinden, niet ontsnappen, geen wraak nemen – zelfs als we deze offerdolken bij ons hebben, worden we zeker gevangengenomen of gedood, zodra we proberen de kamer uit te komen.'

Eloïse knikte, en Miss Temple glimlachte om haar eigen slimheid. 'Behalve natuurlijk wanneer we ons op een handige manier vermommen. De brand in de snijzaal was één grote chaos. Ik wed dat niemand precies weet wat er is gebeurd – te veel rook, te veel schoten en geschreeuw, te weinig licht. Wat ik bedoel is' – bij die woorden zwaaide ze boven de kastanjebruine prut in het wijnglas – 'dat niemand precies weet of we het procédé hebben ondergaan of niet.'

Ze liepen op blote voeten door de gang, met een rechte rug, zonder zich te haasten, en deden hun uiterste best een rustige indruk te maken, terwijl ze de groeiende verwarring om hen heen nauwlettend gadesloegen. Miss Temple hield de kronkelige dolk in haar hand en had de blauwe kaart tussen het elastiek van haar groenzijden onderbroek gestoken. Eloïse droeg de fles met oranje vloeistof en had de glazen sleutel op dezelfde manier verstopt. Ze hadden hun maskers afgedaan en om hun hals gehangen, zodat hun gezichten beter konden drogen. Ze hadden de roodbruine droesem van de port uiterst nauwkeurig om hun ogen en over hun neusbrug aangebracht, gebet, gesmeerd en getamponneerd. Ze droegen een zo goed mogelijke imitatie van de lusvormige littekens van het procédé. Miss Temple was erg tevreden toen ze in de spiegel van het buffet keek. Ze hoopte alleen dat niemand zo dichtbij zou komen dat hij de wijn zou ruiken.

Tijdens hun oponthoud in de trofeeënkamer was het verkeer van gasten en bedienden veel drukker geworden. Al snel bevonden ze zich te midden van mannen en vrouwen in capes, overjassen en avondjurken, met maskers en handschoenen. Iedereen knikte met berekenende onderdanigheid naar het tweetal in de witte gewaden, alsof ze een stel indianen met tomahawks waren. Ze beantwoordden deze begroetingen in het geheel niet. Ze imiteerden de verdwazing na het procédé die Miss Temple in de snijzaal had geobserveerd. Het feit dat ze gewapend waren diende alleen om ruimte te maken, en ze besefte dat de gasten hun een hogere status toeschreven – discipelen van de binnenste kring, bij wijze van spreken. Ze moest zich bedwingen om niet met haar dolk in al die onderdanige gezichten te zwaaien en te grommen.

De verkeersstroom voerde hen naar de balzaal, maar Miss Temple betwijfelde of ze daarnaartoe moesten gaan. Waarschijnlijk zou alles wat ze echt nodig hadden – kleren, schoenen, hun kameraden – ergens anders zijn, in een achterkamer zoals die waar ze Farquhar en Spragg had ontmoet, waar de meubels waren bedekt met witte lakens, en de tafel bezaaid met flessen en etensresten. Ze zocht Eloises hand en had die net gevonden toen ze een geluid achter zich hoorden. Ze draaiden zich allebei om en verbraken hun greep. Een dubbele rij roodgejaste dragonders met hoge zwarte laarzen marcheerde op hen af. De gasten haastten zich opzij, aan weerszijden van de gang, waardoor Miss Temple nog duidelijker geïsoleerd in het midden achterbleef. Er liep een norse officier aan het hoofd. Ze gebaarde dringend naar Eloïse dat ze zich moest verbergen in de menigte, maar werd zelf teruggeduwd naar het looppad van de soldaten. Ze stond bespottelijk in de weg. De officier keek haar vernietigend aan. Ze keek weer naar Eloïse, die was verdwenen achter een paar bekakte heren in oesterkleurige rijcapes. De gasten om hen heen bleven staan om naar de ophanden zijnde botsing te kijken. De hand van de officier schoot omhoog; de soldaten stampten en hielden keurig netjes halt. In de gang was het plotseling stil – in die stilte hoorde Miss Temple een zacht gegrinnik, vlak achter haar. Ze draaide zich langzaam om en zag Francis Xonck met een sigaar, die zijn hoofd op een uiterst minachtende wijze gebogen hield.

'Welk een parels worden er aangetroffen,' sprak hij lijzig, 'onverwacht en onvoorzien, in de woestenij van Harschmort House…'

Hij zweeg terwijl hij de littekens op haar gezicht monsterde. Miss Temple gaf geen antwoord en boog alleen haar hoofd om zijn overwicht te erkennen.

'Miss Temple?' vroeg hij nieuwsgierig. Hij klonk op zijn hoede en sceptisch. Ze maakte een eenvoudige kniebuiging en ging weer rechtop staan.

Hij wierp een blik op de officier en stak zijn hand uit om haar kin vast te pakken. Ze liet passief toe dat hij haar hoofd alle kanten op draaide, zonder iets te zeggen. Hij deed een stap achteruit en keek haar effen aan.

'Waar komt u vandaan?' vroeg hij. 'Geef antwoord.'

'De snijzaal,' zei ze, met een dubbele tong. 'Er was brand...'

Hij liet haar niet uitspreken, stak zijn sigaar in zijn mond, stak zijn niet-verbonden hand uit en betastte haar borsten. De menigte hield haar adem in om de ijskoude vastberadenheid op zijn gezicht en zijn brutale gedrag. Met de grootste wilskracht bedwong Miss Temple haar stem, en ze zweeg niet terwijl hij voortging haar lichaam hardhandig te betasten.

'... door de lampen. Er was rook, er werd geschoten... Dat was dokter Svenson. Ik heb hem niet gezien... Ik lag op de tafel. Miss Poole...'

Francis Xonck sloeg Miss Temple hard in haar gezicht.

'... verdween. De soldaten haalden me van de tafel.'

Terwijl ze praatte, schoot haar hand heftig omhoog naar Francis Xonck. Ze deed haar uiterste best hem met de slangachtige dolk in zijn gezicht te steken, zoals ze in een toneelstuk had gezien. Jammer genoeg zag hij het aankomen. Hij weerde de steek af met zijn arm tegen haar pols. Daarna greep hij die vast en kneep. Omdat ze niet in een worsteling verzeild wilde raken, liet Miss Temple de dolk glippen. Die viel rinkelend op de grond. Francis Xonck duwde haar hand omlaag tot aan haar zij en deed een stap achteruit. Ze verroerde zich niet. Hij keek langs haar heen naar de officier, zijn neusvleugels sperden zich open met een spottende grijns – ze was ervan overtuigd dat de officier zijn afkeuring had laten blijken over de scène van daarnet – en hij raapte de dolk op. Hij stak hem tussen zijn riem en draaide zich op zijn hakken om, terwijl hij luchtig over zijn schouder riep: 'Neem die dame mee, kapitein Smythe – en vlug. U bent laat.'

Miss Temple kon alleen een vluchtige blik werpen op Eloïse toen ze wegliep, maar Eloïse was verdwenen. Kapitein Smythe gaf haar een arm, niet ruw maar vastberaden, en dwong haar zich aan te passen aan zijn tempo. Ze waagde een blik op de officier. Die maskeerde ze met een gezichtsuitdrukking van lome desinteresse. Zijn gezicht deed haar denken aan kardinaal Chang – een kardinaal die gebukt ging onder de lasten van het commando, gehate superieuren, zelfhaat, maar zonder de verminkte ogen. De kapitein had donkere ogen. Ze waren warmer dan de bittere lijntjes eromheen leken te suggereren. Hij keek haar wantrouwig aan, en ze vestigde haar aandacht weer op de uit het zicht verdwijnende, goedgeklede rug van Francis Xonck, die zich met het hooghartige gemak van een ontleedmes een weg baande door de menigte.

Hij leidde hen door de dichte, steeds drukker wordende menigte. Hun tocht was een schouwspel waar de mensen fluisterend, met open mond naar keken – Xonck gaf links en rechts handen en joviale schouderklopjes aan bepaalde mannen en vluchtige kussen aan hooggeplaatste (of mooie) vrouwen. Ze liepen verder. Ze lieten de eigenlijke balzaal links liggen en liepen naar een open ruimte op een kruispunt van verschillende gangen. Xonck keek Miss Temple nog een keer doordringend aan, liep toen naar een paar houten deuren, deed die open, stak zijn hoofd naar binnen, en fluisterde iets. In een seconde had hij zijn hoofd weer teruggetrokken, deed de deur dicht en wandelde op zijn gemak terug naar Miss Temple. Hij haalde de sigaar uit zijn mond en bekeek hem met een vies gezicht, want er was nog maar een peuk van over. Hij liet die op de marmeren vloer vallen en trapte hem met een draaiende beweging uit onder zijn schoen.

'Kapitein, u plaatst uw soldaten in beide richtingen over de hele lengte van deze gang; zij moeten vooral de toegang bewaken tot deze twee' – hij wees naar twee deuren verderop in de hal – 'binnenste kamers. Kolonel Aspiche zal u verdere instructies geven als hij komt. Voorlopig moet u wachten, en ervoor zorgen dat deze vrouw hier blijft staan.'

De kapitein knikte kortaf, wendde zich tot zijn soldaten en deta-cheerde ze langs de hele gang en bij de twee binnendeuren. De kapitein zelf bleef op een sabellengte afstand van Miss Temple, en trouwens ook van Francis Xonck. Toen hij was uitgesproken besteedde Xonck echter geen enkele aandacht aan hem. Hij liet zijn stem dalen tot een fluistertoon die even dreigend was als het gesis van een slang die aanstalten maakt om toe te slaan.

'U moet mij nu snel antwoord geven, Celeste Temple, en ik zal het weten als u liegt – áls u liegt, moet u goed beseffen dat het u de kop zal kosten.'

Miss Temple knikte uitdrukkingsloos, alsof het haar niets kon schelen.

'Wat heeft Bascombe in de trein tegen u gezegd?'

Dat was niet wat ze had verwacht. 'Dat we bondgenoten moesten zijn,' antwoordde ze. 'Dat de contessa dat wilde.'

'En wat heeft de contessa tegen u gezegd?'

'Ik heb in de trein niet met haar gepraat.'

'Vóór de trein – daarvóór! In het hotel, in het rijtuig!'

'Ze zei dat ik moest boeten voor de dood van haar ondergeschikten. En ze betastte me, zeer onwelvoeglijk...'

'Ja, ja,' zei Xonck. Hij wuifde ongeduldig dat ze verder moest gaan. 'Over Bascombe – wat heeft ze over hém gezegd?'

'Dat hij lord Tarr zou worden.'

Xonck mompelde in zichzelf en keek over zijn schouder naar de houten deuren. 'Daar waren waarschijnlijk te veel anderen bij... Wat nog meer, wat nog meer?'

Miss Temple probeerde zich te herinneren wat de contessa tegen haar had gezegd, of iets prikkelends te verzinnen wat de overduidelijke verdenkingen van Xonck zou aanwakkeren...

'De comte was er ook...'

'Ja, dat weet ik...'

'Want ze stelde hém een vraag.'

'Welke vraag?'

'Ik denk dat hij niet voor mijn oren bestemd was, want ik begreep er echt niets van...'

'Zeg op, wat zei ze!'

'De contessa vroeg de comte d'Orkancz hoe lord Vandaariff had ontdekt dat ze van plan waren om zijn dochter met alchemie te bevruchten – met andere woorden, wie had hen verraden?'

Francis Xonck gaf geen antwoord. Zijn ogen boorden zich in de hare met een uiterst gevaarlijke bedoeling. Hij deed zijn best erachter te komen in hoeverre ze werkelijk meewerkte. Miss Temple probeerde haar angst te verbergen. Ze concentreerde zich op de schaduwpatronen op het plafond boven zijn schouder, maar ze merkte dat Xonck zo geprikkeld was door deze woorden dat hij op het punt stond haar weer in het gezicht te slaan, of haar nog meer te vernederen door een fysieke aanranding. Ineens, als bekroning van zijn toenemende woede als een fluit op een ketel kokend water, zwaaiden de houten deuren open. De Mecklenburgse gezant stak zijn onderdanige, door verse littekens ontsierde gezicht naar buiten.

'Ze zijn zover, Mr Xonck,' fluisterde de man.

Xonck grauwde en deed een stap achteruit. Zijn vingers trommelden op het heft van de dolk in zijn riem. Na een laatste onderzoekende blik op haar gezicht draaide hij zich op zijn hakken om en liep achter de gezant aan de balzaal in.

Ze hoorde verschillende mensen met stemverheffing door de deuren heen praten. Na een tijdje concludeerde Miss Temple dat de leden van de samenzwering een toespraak hielden voor hun gasten. Ze voelde dat de zwijgende kapitein achter haar stond en was zich bewust van de aanwezigheid van zijn soldaten, binnen gehoorsafstand, hoe ver weg ze ook stonden. Ze haalde diep adem en ademde langzaam uit. Ze hoopte vurig dat Xoncks honger naar informatie hun had verblind voor haar vermomming – die meer was bedoeld om onwetende gasten in de hal om de tuin te leiden dan doorgewinterde leden van de samenzwering. Met een plotselinge neiging tot zelfbehoud zette Miss Temple haar masker weer op. Ze zuchtte weer. Ze kon nergens naartoe, maar misschien kon ze uitproberen hoe stevig haar kooi was. Ze wendde zich tot kapitein Smythe en glimlachte.

'Kapitein, u hebt gezien dat ik werd ondervraagd; mag ik u iets vragen?'

'Miss?'

'U ziet er ongelukkig uit.'

'Miss?'

'Alle andere mensen in Harschmort House zien eruit... alsof ze buitengewoon tevreden zijn met zichzelf.'

Kapitein Smythe gaf geen antwoord, maar zijn ogen flitsten heen en weer tussen de soldaten die in de buurt stonden. In reactie daarop liet Miss Temple haar stem dalen tot een zachte fluistertoon.

'Je vraagt je alleen af waaróm.'

De kapitein keek haar doordringend aan. Toen hij sprak, was het bijna fluisterend.

'Heb ik goed verstaan wat Mr Xonck zei... Heet u Temple?'

'Dat klopt.'

Hij likte langs zijn lippen en gebaarde met zijn hoofd naar haar gewaad. Haar decolleté onthulde een glimp van haar zijden lijfje onder de laagjes doorzichtige witte stof.

'Ik heb gehoord... dat groen uw lievelingskleur is.'

Voor Miss Temple kon reageren op deze werkelijk verbijsterende opmerking zwaaiden de deuren achter haar rug weer open. Ze draaide zich om, trok het gewenste uitgestreken gezicht en zag Caroline Stearne, die even verward was als zijzelf. Ze was zo gepreoccupeerd en zo verbaasd bij de aanblik van Miss Temple dat ze geen enkele aandacht besteedde aan de officier die achter haar stond.

'Celeste,' fluisterde ze snel, 'u moet onmiddellijk met me meekomen.'

Miss Temple werd aan de hand meegetrokken door een zwijgende menigte. De mensen gingen ongeduldig voor hen opzij. Iedereen ergerde zich aan de afleiding van hetgeen wat hun aandacht in beslag nam in het midden van de zaal. Ze dwong zichzelf tot kalmte, en verwachtte dat ze zich op een wenk van Francis Xonck moest onderwerpen aan een openbare ondervraging door alle leden van de samenzwering, ten overstaan van honderden gemaskerde vreemden. Alleen deze voorbereiding weerhield haar ervan naar adem te happen van schrik toen ze door Caroline Stearne snel naar een open plek werd gebracht. Daar zat kardinaal Chang op zijn knieën. Hij spuwde bloed. Hij was het toonbeeld van een man die door de diepste krochten van de hel was gegaan. Hij keek haar aan, met zijn bleke, bebloede gezicht, langzame bewegingen, en zijn ogen die godzijdank waren afgeschermd door de donkere bril. Zijn blik werd gevolgd door de blikken van de andere figuren voor haar: Caroline, kolonel Aspiche, en de comte d'Orkancz, die daar stond in zijn grote bontjas. Hij hield een riem vast die leidde naar de hals van een kleine gestalte

– een vrouw die even klein en welgeschapen was als Miss Temple zelf. Ze onderscheidde zich door haar naaktheid en (wat bijzonderder was) doordat ze helemaal van blauw glas was gemaakt. Toen dit beeld haar hoofd omdraaide om Miss Temple aan te kijken besefte Miss Temple dat deze vrouw – of dit wezen – lééfde. Ze had een ondoorgrondelijke uitdrukking op haar gezicht en ogen met even weinig diepte als die van een Romeins beeld – gladde, glimmende, kolkende indigoblauwe knikkers. Ze stond compleet aan de grond genageld van verbazing en had Chang niet kunnen roepen als ze had gewild.

Caroline Stearne trok Miss Temples witte masker naar beneden om haar hals. Ze wachtte secondenlang in een martelende stilte, in de zekerheid dat iemand haar zou ontmaskeren… maar niemand zei iets.

Changs mond ging hortend open, alsof hij geen woorden kon vinden of adem kon verzamelen om te spreken.

Toen (alles gebeurde zo snel dat ze het niet kon volgen) zwaaide kolonel Aspiche zijn arm omlaag. Iets wat hij vasthield kwam met een dreun neer op het hoofd van kardinaal Chang en sloeg hem in één klap bewusteloos. Twee dragonders maakten zich na een knikje van de kolonel los uit de kring die de menigte op een afstand hield, en namen Chang zijn wapens af. Ze sleurden hem langs Miss Temple; zijn lichaam was volkomen levenloos. Ze draaide zich niet om en keek hem niet na, maar dwong zichzelf op te kijken, ondanks haar bonkende hart en haar onweerstaanbaar opkomende tranen, naar het intelligente, onderzoekende gezicht van Caroline Stearne.

Daarachter zwiepte de stem van de contessa door de lucht als een uiterst triomfantelijke zweepslag.

'Lieve Celeste,' riep ze. 'Wat fijn dat je je… bij ons hebt aangesloten. Mrs Stearne, ik ben je zeer dankbaar dat je op het juiste moment bent binnengekomen.'

Caroline, die tegenover de contessa stond, boog diep in een eerbiedige revérence.

'Mrs Stearne!' riep de krassende stem van de comte d'Orkancz. 'Wilt u de gedaantewisseling van uw metgezellen niet zien?'

Caroline draaide zich om, samen met alle andere mensen in de balzaal. De comte maakte een theatraal gebaar. Ze zagen twee andere glazen vrouwen met hun behoedzame, klikkende manier van lopen de open cirkel binnenschrijden. Hun armen zweefden vreemd door de lucht, hun naakte lichamen waren een arrogant vertoon van rijpe, angstaanjagende aantrekkingskracht. Het duurde even voor Miss Temple met een schok – wat had de comte tegen Caroline gezegd: 'metgezellen'? – Mrs Marchmoor en Miss Poole herkende. Miss Poole had een verse, ontsierende brandplek op haar hoofd. Betekende dit dat haar vijanden – uit vrije wil? – een gedaantewisseling hadden ondergaan – waren getransfigureerd – tot zulke... zulke díngen?

De comte pakte de leiband van Miss Poole en joeg haar naar Mrs Stearne. Miss Pooles mond ging een klein eindje open in een griezelige glimlach. Caroline wankelde ter plekke en haar hoofd viel opzij. Even later verspreidde het effect zich over de eerste rijen van de menigte als de deining van het water in een poel. Miss Temple voelde zich overweldigd; ze werd een scène in geduwd die zo onweerstaanbaar echt was dat ze zich nauwelijks kon herinneren dat ze zich in de balzaal bevond.

Ze zat op een weelderige bank in een donkere, met kaarsen verlichte kamer en haar hand streelde Carolines mooie, loshangende haar. Mrs Stearne droeg – net zoals zijzelf, zag Miss Temple (dat wil zeggen: Miss Poole) – het witte gewaad van de inwijding. Aan de andere kant van Mrs Stearne zat een man in een zwarte cape, met een strak masker van rood leer. Hij boog zich naar voren om Caroline op haar mond te kussen, en Mrs Stearne reageerde op die kus met een hartstochtelijk gekreun. Het leek op de scène van Mrs Marchmoor en de twee mannen in het rijtuig, alleen hier waren het een man en twee vrouwen. Miss Poole grinnikte vol minachting om de begeerte van Mrs Stearne, terwijl ze zich omdraaide om een glas wijn te pakken... en bij deze handeling kreeg ze een open deur in het oog, en een verscholen gestalte die half zichtbaar was in het licht daarachter... een gestalte die Miss Temple onmiddellijk herkende als Roger Bascombe.

Het visioen werd aan haar geestesoog onttrokken, als een blinddoek die van haar ogen werd gerukt. Ze was terug in de balzaal, waar ieder mens binnen haar gezichtsveld in verwarring met zijn ogen knipperde, behalve de comte d'Orkancz, die met een superieur zelfvoldaan gezicht glimlachte. Hij riep iets tegen Caroline – een vulgaire grap over een nonnenklooster en een goede gelegenheid om de sluier aan te nemen. Miss Temple besteedde echter geen aandacht aan hun gesprek. Ze was sterk aan het denken gezet door het tafereel dat ze juist had aanschouwd...

Miss Poole en Caroline Stearne droegen de witte gewaden, en de man naast hen op de bank – ze had hem gezien, ze had diezelfde cape van hem afgepakt! – was niemand anders dan kolonel Trapping. Miss Temple zocht naar een verklaring, alsof ze in grote haast een deur moest openmaken en de juiste sleutel niet kon vinden... Het was die eerste avond in Harschmort... vlak voor de moord op de kolonel, want de vrouwen hadden hun witte gewaden al aan, maar ze hadden het procédé nog niet ondergaan. Het betekende dat dit was gebeurd terwijl zij door de spiegelhal sloop, langs die vreemde man met de kisten – slechts een paar minuten voordat ze de kamer van Trapping was binnengekomen. Ze had al eerder geconcludeerd dat Roger en de contessa het dichtst bij de kolonel waren geweest toen hij stierf... Zouden deze vrouwen hem hebben vermoord in plaats van die andere twee – in opdracht van de comte? Als de kolonel een geheim bondgenootschap had gesloten met lord Vandaariff... Maar waarom, vroeg ze zich plotseling af, had Miss Poole ervoor gekozen déze herinnering te delen – de herinnering die onvermijdelijk vragen opriep over de vermoorde kolonel – met Caroline Stearne? Er was een zekere rivaliteit tussen hen geweest in de snijzaal – dreef zij louter de spot met Carolines gevoelens voor een dode man, bovendien een dode verrader van de samenzwering? Ten overstaan van iedereen?

Ze schrok op (was ze geschift? ze moest opletten!) door een schorre kreet. Zonder waarschuwing werd ze volledig ondergedompeld in een nieuw visioen: een hoge houten trap, verlicht door oranje toortsen onder een donkere lucht, een plotselinge stormloop van soldaten, een gestalte in een zwarte overjas die zich snel uit de voeten maakte – minister Crabbé! Toen stormden de soldaten naar een schoppende gedaante in een staalblauwe overjas en tilde hem de lucht in. In een flits zag ze zijn ingevallen gezicht en asblonde haar. Dit was dokter Svenson, één seconde voordat de troep soldaten hem zonder pardon over de reling gooide.

Miss Temple keek op – ze begreep dat dit een beeld was uit de mijn in Tarr Manor – en keerde terug in de balzaal. Ze zag opschudding in de menigte, een golfbeweging naar het midden van de zaal. Met een ruk deponeerde die golf de havcloze gestalte van dokter Svenson op de grond, buiten adem en mishandeld, op handen en knieën – precies waar Chang had gezeten. Svenson keek op. Met een wilde blik zocht hij naar een uitweg; in plaats daarvan vond hij haar gezicht. Door die aanblik kwam hij abrupt tot stilstand. Kolonel Aspiche deed een stap naar voren, rukte een leren schoudertas uit zijn handen, en sloeg hem meedogenloos met een knuppel neer. Het was een kwestie van seconden. Net als Chang vóór hem werd dokter Svenson langs Miss Temple heen de balzaal uit gesleurd.

Miss Temple kon hem niet nakijken zonder zichzelf te verraden. Ze vestigde haar blik op de glanzende glazen vrouwen. Ze waren zeer angstaanjagend. Miss Poole, als dit onmenselijke bezielde standbeeld nog steeds zo genoemd kon worden, likte langs haar lippen met het gladde, helse puntje van haar hemelsblauwe tong. Die aanblik deed Miss Temple rillen van een onnoemelijke afschuw – desondanks stelde dat het moment uit waarop ze de contessa in haar doordringende paarse ogen moest kijken. Maar toen nam Caroline haar hand en draaide haar naar het verhoogde podium waar de leden van de samenzwering stonden: de contessa, Xonck en Crabbé. Daarnaast stonden de prins en Lydia Vandaariff, nog steeds met haar masker en haar witte gewaad, en achter hen verschool zich de gezant, herr Flaüss, als een stiekem afluisterend kind. Tegen beter weten in keek Miss Temple rechtstreeks naar de contessa, die kil en onverzoenlijk terugkeek. Tot haar grote opluchting deed Harald Crabbé, en niet de contessa, een stap naar voren en nam het woord.

'Verzamelde gasten… toegewijde vrienden… trouwe aanhangers…

773

het moment is gekomen dat al onze plannen rijp zijn... Ze hangen als vruchten aan de boom om geplukt te worden. Nu moeten we die vruchten oogsten om te voorkomen dat ze ongebruikt en veronachtzaamd op de onverschillige grond vallen. U begrijpt allemaal het ernstige karakter van deze avond. Voorwaar kondigen we een nieuwe periode aan – wie zou daaraan kunnen twijfelen, wanneer we het bewijs hier voor ons zien als engelen uit een ander tijdperk? Alles is vanavond in evenwicht – de prins en Miss Vandaariff vertrekken voor hun huwelijk naar Mecklenburg... De hertog van Stäelmaere is benoemd tot hoofd van de Geheime Raad van de koningin... De machtigste figuren van het land hebben hun macht hier in huis aan ons overgedragen... en u allen – misschien is dat nog het allerbelangrijkst! –, u allen zult uw eigen opdracht uitvoeren, uw eigen bestemming bereiken! Zo zullen wij onze gemeenschappelijke droom verwezenlijken.'

Crabbé zweeg even en keek naar kolonel Aspiche. Aspiche blafte een scherp commando dat de aalgladde vleiende toon van de toespraak van de onderminister verstoorde. Op dat moment werden alle deuren van de balzaal met een donderende klap dichtgeslagen. Daarna keek hij naar de comte d'Orkancz, die als een duivelse circusdirecteur aan zijn hondenriemen rukte. Hij stuurde de drie glazen wezens schrijdend naar alle windrichtingen de menigte in. Ze deden haar sterk denken aan leeuwen in een arena, die een schatting maakten van een indrukwekkende hoeveelheid martelaars. Miss Temple was van haar stuk gebracht toen ze ontdekte dat de derde vrouw – die even klein en welgeschapen was als zij – door de comte naar haar toe werd gestuurd. Het wezen liep naar voren tot aan het eind van haar leiband. Toen die strak stond, greep ze ongeduldig met haar vingers. De mensen die het dichtst bij haar stonden deinsden angstig achteruit. Miss Temple voelde dat er druk werd uitgeoefend op haar gedachten – gedachten die nu werden vertroebeld door blauwe, ijskoude gevoelens...

'U moet allemaal aanvaarden,' vervolgde Crabbé, 'dat we geen risico kunnen nemen. U kunt niet van gedachten veranderen. We hebben zekerheid nodig. Ieder van u heeft die zekerheid nodig van iedere andere man of vrouw in deze balzaal, want u hebt een gelofte afgelegd! Iedereen in deze zaal heeft het procédé ondergaan, of zijn eigen gedachten geschonken aan onze boeken, of op een andere manier laten blijken dat hij volledig toegewijd was... daar gaan we tenminste van uit. Zoals ik al zei... u zult begrijpen dat we zekerheid willen hebben.'

De comte gaf een rukje aan de leiband van Mrs Marchmoor, die haar rug rechtte en haar starende blik over de hele menigte liet dwalen. De mannen en vrouwen voor haar wankelden of raakten bedwelmd; ze zwegen, jammerden of huilden, verloren hun evenwicht en vielen – terwijl hun geest werd schoongeschuurd om te zien of er enig bedrog in school. Miss Temple zag dat de comte geconcentreerd zijn ogen had gesloten... Zou Mrs Marchmoor hem laten zien wat zij zag? Plotseling sperde de comte zijn ogen open. Een van de mannen in de oestergrijze rijcapes was op zijn knieën gevallen. De comte d'Orkancz wenkte kolonel Aspiche. Twee dragonders sleurden de gevallen man, die nu snikte van angst, zonder pardon de zaal uit. De comte deed zijn ogen weer dicht en Mrs Marchmoor hervatte haar zwijgende inquisitie.

Na Mrs Marchmoor kwam Miss Poole, die even meedogenloos door haar gedeelte van de menigte liep. Ze pikte er nog twee mannen en een vrouw uit, die onmiddellijk betreurden dat ze waren gekomen. Even vroeg Miss Temple zich af of dit mensen waren zoals zijzelf – roekeloze vijanden van de schurkachtige samenzwering –, maar zodra ze door de soldaten werden weggetrokken werd duidelijk dat het omgekeerde het geval was. Ze waren snobs die een uitnodiging hadden vervalst of zich naar binnen hadden gebluft in de waan dat dit een bijzonder exclusieve soiree was voor de uitgaande wereld. Hoewel ze van streek was door hun smeekbeden, dacht ze niet langer na over hun lot... want Miss Poole was klaar, en de comte gaf een rukje aan de leiband van de derde vrouw.

De onzichtbare golf van de inquisitie kwam op haar af als een brand, of een brandende lont. Het einde zou haar dood betekenen. Dichter- en dichterbij; Miss Temple wist niet wat ze moest doen. Ze zou volledig door de mand vallen. Moest ze vluchten? Moest ze proberen de vrouw omver te duwen, in de hoop dat ze in stukken zou vallen? Het zou nog maar een paar seconden duren voor de vrouw

Miss Temple zou ontmaskeren. Ze haalde diep adem om moed te verzamelen en zette zich schrap alsof ze een klap verwachtte. Caroline stond kaarsrecht en wachtte ook. Ze wierp een vluchtige blik op Miss Temple. Haar gezicht was verbleekt – Miss Temple realiseerde zich plotseling dat Caroline doodsbang was. Maar toen gleed de blik van Caroline langs Miss Temples schouder. Ze hoorde een geluid – de deur? Plotseling hoorde ze de scherpe stem van onderminister Crabbé.

'Doet u mij een plezier, monsieur le comte, zo is het genoeg!'

Vlak achter Miss Temple betrad een verbijsterend gezelschap de balzaal. Overal om haar heen bogen mensen eerbiedig hun hoofd voor een lange doodsbleke man met lang, loodgrijs haar. Hij droeg onderscheidingen op zijn jas en een helderblauwe sjerp over zijn borst. Hij liep erg stijfjes – hij liep eigenlijk net zoals de glazen vrouwen. In zijn ene hand klemde hij een zwarte stok en met zijn andere hand hield hij de arm vast van een kleine man met een scherp gezicht, vettig haar en een bril. Die kleine man leek haar een ongebruikelijke metgezel voor een koninklijk personage. Op grond van de toespraak van de onderminister was dit waarschijnlijk de hertog van Stäelmaere, een man die, als de geruchten klopten, alleen verarmde edellieden in dienst had, omdat hij zo'n hekel had aan het gezelschap van gewone mensen. Wat deed een dergelijke man bij zo'n grote, ordinaire bijeenkomst? Maar dat was nog niet alles, want vlak naast de hertog – bijna alsof ze bruid en bruidegom waren – liep lord Robert Vandaariff. Achter hem kwam Roger Bascombe, die lord Roberts arm ondersteunde.

'Ik geloof dat we nog niet helemaal klaar zijn met de inquisities,' zei Francis Xonck, 'die van cruciaal belang zijn, minister, zoals u al zei!'

'Inderdaad, Mr Xonck.' Harald Crabbé knikte en sprak zo luid dat de hele menigte hem kon verstaan. 'Maar deze zaak kan niet wachten! Voor ons staan twee van de meest vooraanstaande personen van het hele land – wellicht het hele continent! –, Eén van de twee is bovendien onze gastheer. Het lijkt me raadzaam, en ook beleefd, om hun wensen de voorrang te geven boven de onze.'

Miss Temple zag dat Francis Xonck naar haar keek. Ze wist dat hij nauwlettend in de gaten had gehouden wat het resultaat zou zijn van haar inquisitie. Ze wendde zich naar de nieuwkomers. Ze wilde Roger Bascombe niet zien, maar ze wilde Xonck en de contessa helemaal niet zien. Toen realiseerde ze zich – als een doffe nadrukkelijke dreun van een baksteen die op de vloer viel – dat Crabbé de onderzoekingen niet had gestaakt vanwege haar. Het had te maken met déze figuren, want de onderzoekende blik van de glazen vrouw had hen waarschijnlijk ook schoongeveegd, en hun diepste gedachten onthuld aan de wachtende comte d'Orkancz. Maar wie werd door Harald Crabbé in bescherming genomen? De hertog? Vandaariff? Of zijn eigen adjudant Bascombe – en de geheime plannen die ze samen hadden uitgebroed? En waarom was Caroline zo bang geweest? Ze wilde stampvoeten van frustratie om alle dingen die ze niet wist – was Vandaariff de leider van de samenzwering of niet? Was hij in een gevecht gewikkeld met de comte om zijn dochter te redden? Was de ingreep van Crabbé – en de aanwezigheid van Roger – een aanwijzing voor een bondgenootschap met Vandaariff? Maar waarom stond Roger in de deuropening vlak voordat Trapping werd vermoord? Plotseling herinnerde Miss Temple zich de verschijning van haar verloofde in de geheime kamer, waar de contessa de prins had gemarteld – had Roger zijn eigen geheime bondgenootschap? Had Roger Trapping vermoord? (haar geest kon het nauwelijks bevatten – Róger?). Zo ja, had hij dat gedaan in opdracht van de contessa?

De hertog van Stäelmaere begon te spreken. Zijn stem klonk haperend en droog als een mondvol koude as.

'Morgen word ik hoofd van de Geheime Raad van de koningin... Het land is in een crisis... De koningin is ziek... De kroonprins heeft geen erfgenaam. Hij is waardeloos... en dus heeft hij vanavond het cadeau van zijn dromen gekregen, een cadeau dat zijn verzwakte ziel in de val zal lokken: een glazen boek vol wonderen waarin hij zal verdrinken.'

Miss Temple fronste haar wenkbrauwen. Dit klonk niet als een hertog. Ze keek behoedzaam achter zich en zag dat de glazen vrouw haar volle aandacht op de hertog had gericht. Achter de glazen vrouw stond de comte d'Orkancz, die zijn bebaarde mond een piepklein beetje bewoog bij elk woord dat de hertog van Stäelmaere uitsprak.

'De Geheime Raad zal regeren... Ons ideaal, mijn bondgenoten... zal tot uitdrukking komen... zal zijn stempel drukken op de wereld. Dat is mijn belofte... aan u allen.'

De hertog wendde zich toen met een ijzig knikje tot de man naast hem.

'Mijnheer...'

Hoewel Robert Vandaariff niet zo'n uitgesproken grafstem had als de hertog, kreeg Miss Temple toch de rillingen van zijn optreden. Voor hij begon te spreken wendde hij zich tot Roger en pakte een opgevouwen stukje papier aan, dat hem werd aangereikt met de eerbiedige houding van een klerk... en toch had de lord zich pas omgedraaid toen Roger hem in de arm kneep. Vandaariff vouwde het papiertje open. Na nog een kneepje – ze was erop gespitst – begon hij voor te lezen, met een joviale stem die even hol klonk als voetstappen in een lege kamer.

'Gewoonlijk houd ik geen toespraken, en ik hoop dat u me niet kwalijk neemt dat ik mijn toevlucht neem tot dit papiertje – maar vanavond stuur ik mijn enige kind, mijn prinses, Lydia, weg om te trouwen met een man die ik als een zoon in mijn hart heb gesloten.'

Na het derde subtiele kneepje van Roger – die naar de grond keek, zag ze – knikte lord Robert naar de prins en zijn dochter op het podium. Miss Temple vroeg zich af welke gevoelens voor haar vader achter het masker van Lydia scholen ... Had het procédé haar gezuiverd van haar bodemloze nood en haar razernij omdat ze in de steek was gelaten? Welk effect zouden deze loze woorden op haar hebben? Lydia maakte een revérence en grijnsde. Wist ze dat haar vader een marionet was van Roger Bascombe? Glimlachte ze daarom?

Lord Robert wendde zich tot de gasten en keek op zijn papiertje waar hij was gebleven. 'Morgen moet het zo zijn alsof deze avond nooit heeft bestaan. Geen van u zal ooit terugkeren naar Harschmort House. Geen van u zal toegeven dat u hier bent geweest. U zult ook niet toegeven dat u elkaar kent. U zult het nieuws over het hertogdom Mecklenburg wegwuiven als onbelangrijke roddel. Maar de inspanningen van mijn collega de hertog zullen hun weerslag krijgen op dat land, en vanuit dat land op andere landen. Sommigen van u zullen een positie krijgen als mijn zaakwaarnemer, en reizen maken als het nodig is. Voordat u vanavond dit huis verlaat zal ieder van u instructies krijgen, in de vorm van een gedrukt boek in een geheime code, van mijn kamerheer... Mr Blenheim.'

Vandaariff keek op. Volgens de instructies moest hij Blenheim nu aanwijzen in de menigte... maar Blenheim was er niet. De stilte ging over in verwarring toen de mensen om zich heen keken. Op het podium fronsten ze hun wenkbrauwen, en ze wierpen boze blikken op kolonel Aspiche, die ze beantwoordde door hooghartig zijn schouders op te halen. Roger Bascombe schraapte zijn keel en trad naar voren, met een behendige demonstratie van initiatief – die Miss Temple zowel irritant als indrukwekkend vond.

'Aangezien Mr Blenheim afwezig is, kunt u de boeken met instructies bij mij ophalen in het kantoor van de kamerheer, zodra deze bijeenkomst wordt opgeheven.'

Hij wierp een vluchtige blik op het podium en fluisterde toen in het oor van lord Robert. Roger liep terug naar zijn plaats. Lord Robert hervatte zijn toespraak.

'Het doet me genoegen dat ik deze onderneming kan steunen, en ik dank de mensen die geloofden in het welslagen ervan. Ik nodig u uit te genieten van de gastvrijheid van mijn huis.'

Roger nam voorzichtig het papier uit zijn handen. De menigte barstte uit in applaus voor de twee grote mannen, die dat zonder een spier te vertrekken ondergingen, alsof het applaus een regenbui was, en zij gevoelloze standbeelden.

Miss Temple was verbijsterd. Er was geen enkele strijd tussen de comte en Vandaariff – lord Robert was volledig overmeesterd. De informatie van Trapping had hem nooit bereikt, en het lot van Lydia was bezegeld, wat voor afschuwelijk plan ze ook hadden beraamd. Het maakte niet uit of Oskar Veilandt in dit huis gevangen werd gehouden, en het maakte ook niet meer uit wie Trapping had vermoord – maar toen fronste Miss Temple haar wenkbrauwen. Waarom zou Crabbé de inquisitie hebben gestaakt als Vandaariff hun stroman was? Konden de leden van de samenzwering hun plannen uitvoeren, terwijl ze niet wisten wie Trapping had vermoord? Was het gevecht om de toekomst van Lydia maar een van de kloven die haar vijanden

779

van elkaar scheidden? Waren er nog meer conflicten?

Tegelijkertijd vroeg Miss Temple zich af wie ze om de tuin wilden leiden met deze vertoning – de tirades van halfdronken viswijven in de haven waren verheffender en overtuigender. In navolging van Caroline Stearne boog Miss Temple haar hoofd terwijl de twee grootheden en hun assistenten – of zou ze moeten zeggen: marionettenspelers? – door de balzaal liepen. Terwijl ze voorbijliepen keek ze op. Haar blik kruiste die van Roger Bascombe, die – typerend – met verholen nieuwsgierigheid zijn wenkbrauwen fronste toen hij de littekens op haar gezicht zag. Toen ze de overkant bereikten zag ze tot haar verbazing dat de comte de leiband van Mrs Marchmoor aan Roger gaf; die van Miss Poole gaf hij aan de kleine man met het scherpe gezicht. Het kostte haar moeite haar ogen van Roger af te houden. Terwijl de deuren door de dragonders werden opengedaan zag ze dat haar verloofde op kolonel Aspiche af liep. Hij griste – er was geen netter woord voor – een leren schoudertas uit de handen van de kolonel. Dokter Svenson was met die schoudertas in de balzaal gearriveerd.

Vlak voordat Xonck of Crabbé iets kon doen (beide mannen stonden op het punt iets te zeggen), richtte de contessa op luide toon het woord tot de toeschouwers. De gezichtsuitdrukking van beide heren verried een vlaag van frustratie, maar ze knikten beleefd bij haar woorden.

'Dames en heren, u hebt de toespraak van onze gastheer gehoord. U weet welke voorbereidingen u moet treffen. Zodra u deze plichten hebt vervuld, bent u vrij. U kunt vanavond genieten van Harschmort House. Van nu af aan ligt de hele wereld aan uw voeten. Ik wens u allen een prettige avond. Ik wens u allen een overwinning toe.'

De contessa deed een stap naar voren en klapte voor haar luisteraars, terwijl ze stralend naar hen keek. Alle mensen op het podium sloten zich bij haar aan, gevolgd door het hele publiek. Iedereen was erop gebrand te laten zien dat hij verrukt was over de goedgunstigheid van de contessa. Vanuit deze bevoorrechte positie toonde iedereen zijn waardering voor de andere aanwezigen. Miss Temple applaudisseerde mee; ze voelde zich net een afgerichte aap. Ze zag de contessa zachtjes praten met Xonck en Crabbé. Volgens een stilzwijgende overeenkomst schreden de leden van de samenzwering van het podium naar de deuren. Voordat Miss Temple iets kon doen, hoorde ze de stem van Caroline Stearne in haar oor.

'We moeten hen volgen,' fluisterde ze. 'Er is iets niet in orde.'

Ze liepen naar de open deuren, onder de nieuwsgierige blikken van de gasten, die allemaal de balzaal vrolijk in tegenovergestelde richting verlieten, in het kielzog van Vandaariff en de hertog. Miss Temple voelde dat er nog iemand achter haar liep, behalve Caroline. Hoewel ze niet durfde te kijken – een dergelijke nieuwsgierigheid paste niet bij de gezapige houding van iemand die het procédé had ondergaan – begreep ze uit het klikkende geluid van de voetstappen dat het de comte was met de laatste van de drie glazen Gratiën, de vrouw die zij niet kende. Dat was een geluk – een schone lei was beter dan de veelbetekenende blikken en het vorsende ongeloof van Marchmoor en Poole. In haar hart wist ze echter dat het niet uitmaakte wie van hen haar geest doorzocht. Ze zouden haar ontmaskeren. Ze hoopte alleen dat de instinctieve angst, die Crabbé ertoe had bewogen de inquisitie van de hertog en lord Vandaariff tegen te houden, de samenzweerders ook zou weerhouden de talenten van de vrouw van heel dichtbij te beproeven. De samenzweerders zouden het vast niet prettig vinden om hun ware gedachten prijs te geven aan de comte... tenminste niet als ze bezig waren elkaar te verraden...

Ze betrad de open hal waar ze had staan wachten met kapitein Smythe. Die stond een paar meter verderop teneinde zijn meerderen niet te storen bij hun overleg. Zijn meerderen wachtten op hun beurt ongeduldig zwijgend tot de laatste leden van het gezelschap waren gearriveerd. Daarna werden de deuren naar alle kanten dichtgedaan, zodat hun gesprek werd afgeschermd voor de gevoelige oren van de voorbijkomende aanhangers. Terwijl de deuren zich sloten en de grendels werden dichtgeschoven, vroeg Miss Temple zich bedroefd af wat er met Eloïse was gebeurd, en of Chang en Svenson nog leefden. Deze gedachten werden ruw de kop ingedrukt door de aanblik van de contessa di Lacquer-Sforza die een sigaret opstak in haar glimmende zwarte sigarettenpijpje. Ze nam drie trekjes voordat ze iets zei, alsof de rook het vuur van haar woede hoger deed oplaaien. Het griezeligste was misschien nog dat geen van de haar omringende mannen het waagde om dit openlijk bedreigende ritueel te onderbreken.

'Wat was dát?' snauwde ze eindelijk, met een blik op Harald Crabbé.

'Ik weet niet wat u bedoelt, contessa...'

'Waarom onderbrak je de inquisitie? Je hebt zelf gezien dat er minstens vijf indringers werden ontmaskerd – ieder van hen had onze plannen in het honderd kunnen sturen terwijl we in Mecklenburg waren. Dat weet je – je wéét dat we nog niet klaar zijn met ons werk.'

'Lieverd, als u dat zo belangrijk vond...'

'Ik heb niets gezegd omdat Mr Xonck al iets zei, om vervolgens terzijde te worden geschoven – waar iedereen bij was – door jou. Als een van ons openlijk zou laten zien dat hij het er niet mee eens was, zouden we precies die verdeeldheid tonen die we – met een gróte krachtsinspanning – tot nu toe hebben kunnen vermijden.'

'Ik begrijp het.'

'Ik geloof er niets van.'

Ze braakte nog een mondvol rook uit, terwijl haar ogen zich als een basilisk in de man boorden. Crabbé probeerde zijn keel te schrapen en opnieuw te beginnen. Voor hij één woord had gezegd, kapte ze hem af.

'Wij zijn niet gek, Harald. Je stopte met de inquisitie zodat bepaalde mensen niet ontmaskerd zouden worden door de comte.'

Crabbé gebaarde zwakjes naar Miss Temple, maar weer werden zijn woorden afgekapt door de hooghartige spot van de contessa.

'Beledig me niet – we komen zo bij Miss Temple. Ik heb het over de hertog en lord Vandaariff. Ze zouden geen van beiden een greintje moeilijkheden moeten opleveren, behalve als we zijn misleid over de staat waarin ze verkeren. Er zijn voldoende mensen die het lijk van de hertog hebben gezien, dus ik ben bereid toe te geven dat dokter Lorenz zijn werk goed heeft gedaan – werk dat noodgedwongen werd gedaan in samenwerking met de comte. Dan blijft lord Robert over, en zijn transformatie was als ik me niet vergis jóuw verantwoordelijkheid.'

'Hij is volkomen in onze macht,' protesteerde Crabbé. 'U hebt het zelf gezien...'

'Ik heb geen enkel bewijs gezien! Het zou heel gemakkelijk zijn om te doen alsof!'

'Vraag het aan Bascombe...'

'Prima – natuurlijk, we zullen ons verlaten op het woord van je vertrouwde adjudant. Nu kan ik weer rustig slapen!'

'U hoeft me niet op mijn woord te geloven,' snauwde Crabbé, die op zijn beurt kwaad werd. 'Ga lord Robert halen, of ga zelf naar hem toe, doe wat u wilt, u zult zien dat hij onze slaaf is. Precies zoals we hadden gepland!'

'Maar wáárom...' zei Francis Xonck met een kalme, dreigende stem, 'hebt u dan de inquisitie onderbroken?'

Crabbé stamelde en gebaarde vaag met zijn handen. 'Niet echt om de reden die ik opgaf, dat geef ik toe. Ik wilde de overduidelijke autoriteit van de hertog en lord Robert niet in opspraak brengen door hen publiekelijk te onderwerpen aan een inquisitie! Het is heel belangrijk dat wij onzichtbaar blijven achter deze stromannen – als we ze zouden laten onderzoeken zouden ze ontmaskerd worden als: onze bedienden! Er is al zoveel opschudding – in de eerste plaats zou Blenheim zijn meester vergezellen, om de schijn op te houden – als Roger niet zo doortastend was geweest om naar voren te stappen...'

'Waar is Blenheim?' snauwde de contessa.

'Hij schijnt te zijn verdwenen, madame,' antwoordde Caroline. 'Ik heb de gasten ondervraagd zoals u me hebt opgedragen, maar niemand heeft hem gezien.'

De contessa snoof minachtend en keek langs Miss Temple naar de deur. Daar stond kolonel Aspiche, die het laatst van iedereen was binnengekomen.

'Ik weet het niet,' verklaarde hij. 'Mijn soldaten hebben het hele huis doorzocht...'

'Dat is interessant, want Blenheim zou loyaal zijn gebleven aan lord Robert,' merkte Xonck op.

'Lord Robert is in onze macht!' hield Crabbé vol.

'In de macht van uw knecht Bascombe, in elk geval,' zei Xonck. 'Wat waren dat voor papieren?'

Dit was tegen Aspiche, die de vraag niet begreep.

'Een schoudertas met papieren!' riep Xonck. 'U hebt ze van dokter

Svenson afgepakt! Bascombe heeft ze van u afgepakt!'

'Ik heb geen idee,' zei de kolonel.

'U bent net zo erg als Blach!' mopperde Xonck. 'Waar is hij eigenlijk?'

De comte d'Orkancz zuchtte diep. 'Majoor Blach is dood. Kardinaal Chang.'

Xonck incasseerde dit nieuws, rolde met zijn ogen en haalde toen zijn schouders op. Hij wendde zich tot kolonel Aspiche.

'Waar is Bascombe nu?'

'Bij lord Robert,' zei Caroline. 'Nadat Mr Blenheim…'

'Waar zou hij anders moeten zijn?' riep Crabbé, ten einde raad. 'Waar anders? Hij deelt de boeken met instructies uit – iemand moest het doen, aangezien Blenheim er niet was!'

'Gelukkig dat hij eraan dacht om naar voren te stappen,' zei de contessa ijzig.

'Mrs Marchmoor is bij hem – u vertrouwt haar toch zeker net zo goed als ik Bascombe vertrouw?' sputterde Crabbé. 'Ze hebben toch zeker allebei bewezen dat ze loyaal zijn?'

De contessa wendde zich tot Smythe. 'Kapitein, stuur twee van uw soldaten op pad om Mr Bascombe te halen zodra hij klaar is. Breng hem hier en neem lord Robert ook maar mee, als dat nodig is.'

Smythe gaf onmiddellijk een teken aan zijn soldaten, en de dragonders daverden weg.

'Waar is Lydia?' vroeg Xonck.

'Bij de prins,' antwoordde Caroline. 'Ze zeggen de gasten gedag.'

'Dank je, Caroline,' zei de contessa. 'In elk geval is er één persoon die oplet.' Ze riep naar Smythe: 'Geef je soldaten opdracht hen ook op te halen.'

'Breng ze naar mij,' kraste de comte d'Orkancz. 'Hun taak is nog niet volbracht.'

De woorden van de comte hingen onheilspellend in de lucht, maar de anderen deden er het zwijgen toe, alsof ze bang waren dat ze anders weer ruzie zouden krijgen. De kapitein gaf orders aan twee nieuwe dragonders en ging weer bij de muur staan. Hij staarde naar zijn laarzen alsof hij geen woord kon horen.

'Alles kan gemakkelijk worden opgehelderd,' verklaarde de onder-minister, die zich tot de comte d'Orkancz wendde, 'als we het boek raadplegen waarin de gedachten van lord Robert zijn opgeslagen. Dat boek zal volkomen duidelijk maken dat ik onze afspraak ben nagekomen. Het bevat een gedetailleerd verslag van zijn rol in deze hele onderneming – feiten die hij alleen kan kennen.'

'Minstens één boek is vernietigd,' kraste de comte.

'Hoezo vernietigd?' vroeg de contessa.

'Chang.'

'Ik vervloek zijn verdoemde ziel!' snauwde ze. 'Dat is echt het top-punt. Weet je welk boek het was?'

'Ik weet het pas als ik de overige boeken heb vergeleken met het opschrijfboek,' zei de comte.

'Laten we dat dan doen,' zei Crabbé kribbig. 'Ik wil zo gauw moge-lijk worden gezuiverd van alle blaam.'

'De boeken zijn onderweg naar het platte dak,' zei de comte. 'Wat het opschrijfboek betreft, dat blijft in het bezit van uw adjudant, zoals u heel goed weet.'

'Mijn god!' riep Xonck. 'Het lijkt alsof die Bascombe een zeer belangrijke kerel is geworden!'

'Hij neemt het straks mee,' wierp Crabbé tegen. 'Het wordt alle-maal opgehelderd. Dit is allemaal belachelijke tijdverspilling! Het heeft verdeeldheid gezaaid en een gevaarlijk oponthoud veroorzaakt. En de meest aannemelijke verklaring voor die vragen staat hier voor ons!' Hij gebaarde met zijn hoofd naar Miss Temple. 'Zij en haar kameraden hebben ons een oneindige hoeveelheid last bezorgd! Wie zegt dat zij Blenheim niet hebben vermoord?'

'Net zoals kardinaal Chang Mr Gray heeft afgeslacht,' merkte Xonck zachtjes op, terwijl hij naar de contessa keek. Crabbé liet deze woor-den tot zich doordringen, knipperde met zijn ogen en knikte instem-mend, vol nieuwe moed over deze wending in de ondervraging.

'Aha! Ja! Ja! Dat was ik vergeten – het is me helemaal door het hoofd geschoten! Contessa?'

'Wat? Aangezien Chang een moordenaar is, en Mr Gray wordt vermist, is hij ongetwijfeld vermoord. Ik weet niet waar – ik had Mr Gray opgedragen dokter Lorenz te helpen met de hertog.'

'En toch zegt Chang dat ze elkaar onder de grond zijn tegengekomen, bij de pijpen!' riep Crabbé.

'Dat had ik niet gehoord,' kraste de comte d'Orkancz.

De contessa keek hem aan, trok haar opgerookte sigaret uit haar sigarettenpijpje, gooide hem op de grond en trapte op de rokende peuk terwijl ze een nieuwe sigaret in het pijpje propte.

'Jij was bezig met je dámes,' antwoordde ze. Miss Temple zag dat er een vleugje ongemak over het gezicht van de contessa streek toen ze naar de kleine glazen vrouw keek. Die stond rustig als een getemd luipaard naast de comte, volkomen onverschillig voor hun gekibbel. Haar glanzende indigoblauwe kleur stak scherp af tegen de donkere bontmantel van de comte. 'Chang beweerde dat Mr Gray met jouw werk had zitten knoeien, in opdracht van mij. Het duidelijkste bewijs daarvan zou zijn dat er iets mis was gegaan met je inspanningen – maar je hebt drie geslaagde gedaantewisselingen geproduceerd, voor zover ik kan beoordelen. Aangezien dit een proces is waar ik eerlijk gezegd niets van begrijp, voer ik jouw resultaten aan als een bewijs dat kardinaal Chang liegt.'

'Behalve wanneer hij Gray vermoordde voordat hij de pijpen kon vernielen,' zei Crabbé.

'Dat is een loze gissing, die nergens op gebaseerd is,' grauwde de contessa.

'Wat niet betekent dat het niet waar is...'

De contessa vloog naar de onderminister en haar hand – ogenschijnlijk bezig haar sigarettendoos terug te stoppen in haar tas – was nu omwikkeld met de glanzende band. De glinsterende pin drukte hard tegen de keel van Crabbé en prikte in een zichtbaar kloppende ader.

Crabbé slikte.

'Rosamonde...' begon de comte.

'Zeg dat nog eens, vervelend mannetje,' siste de contessa, 'en ik rijt je keel open als een slecht genaaide mouw.'

Crabbé verroerde zich niet.

'Rosamonde...' zei de comte weer. Ze hield haar aandacht bij Crabbé.

'Ja?'

'Zou ik een voorstel mogen doen... de jongejuffrouw?'

De contessa deed twee snelle stappen weg van Crabbé – op een veilige afstand voor een tegenaanval – en draaide zich bliksemsnel om naar Miss Temple. Het gezicht van de vrouw gloeide – van openlijk genot, leek het – en haar ogen schoten vuur van opwinding. Miss Temple vroeg zich af of ze ooit zo in gevaar was geweest.

'Hebt u het procédé ondergaan in de snijzaal?' De contessa glimlachte. 'Klopt dat? Ja, vlak na Lydia Vandaariff?'

Miss Temple knikte vlug.

'Wat jammer dat Miss Poole dat niet kan bevestigen. Maar in dit geval zijn we niet hulpeloos... Eens even zien... oranje voor Harschmort... dienstdoende hoer... hotel, neem ik aan... en natuurlijk, verdoemd...'

De contessa boog naar voren en siste in het oor van Miss Temple.

'Oranje Magdalena oranje Royale ijs consumptie!'

Miss Temple was overrompeld, stamelde een antwoord en herinnerde zich toen – te laat de prins in de geheime kamer...

De contessa pakte Miss Temple bij haar kin en gaf een ruk aan haar hoofd, zodat de vrouwen elkaar aankeken. Met een kille, doelbewuste sneer schoot de tong van de contessa slangachtig naar buiten en likte over Miss Temples ogen. Miss Temple jammerde terwijl de contessa opnieuw likte. Ze duwde haar tong plat over haar neus en wang, en stak het scherpe puntje tegen haar wimpers. Met een triomfantelijk hoongelach duwde de contessa Miss Temple struikelend in de open armen van kolonel Aspiche.

Miss Temple keek op en zag dat de elegante dame haar mond afveegde en spottend met haar lippen smakte.

'1837, Harker-Bornarth, zou ik zeggen... Uitstekend wijnjaar... Jammer om het te verspillen aan een barbaar. Breng haar weg.'

Ze werd zonder plichtplegingen door een hal gesleurd. Ze smeten haar – er was geen ander woord voor – als een zak aardappelen in een spaarzaam verlichte kamer die werd bewaakt door twee zwartgejaste Mecklenburgse soldaten. Ze krabbelde overeind op haar knieën en draaide zich vlug om naar de open deur, terwijl haar haren over haar ogen hingen, en zag nog net dat Aspiche de deur met een klap dichtsmeet. Even later zat de deur op slot, en zijn stampende laarzen stierven weg in de stilte. Miss Temple zonk terug op haar kuiten en zuchtte. Ze veegde haar gezicht, dat nog steeds plakte van speeksel en port, af met haar mouw en keek om zich heen.

Het was, zoals ze al had gedacht, net zo'n stoffige, ongebruikte kamer als die waar ze Spragg en Farquhar had ontmoet. Met een kreet ontdekte Miss Temple dat ze niet alleen was. Ze sprong over- eind en rende naar de twee mannen die languit met hun gezicht naar beneden op de grond lagen. Ze waren warm – allebei warm en – ze kreunde van geluk – ze ademden! Ze was eindelijk herenigd met haar kameraden! Met al haar kracht probeerden ze hen om te draaien.

Miss Temples gezicht was nat van tranen, maar ze glimlachte toen dokter Svenson uitbarstte in een angstaanjagende hoestbui. Ze pro- beerde haar knieën als een wig onder zijn schouders te krijgen om hem overeind te helpen. In het schemerige licht kon ze niet zien of hij bloedde, maar ze rook de doordringende geur van de indigoklei in zijn kleren en zijn haar. Ze schoof nog eens en draaide hem, zodat hij tegen een bank kon zitten. Hij hoestte weer en kwam bij zijn positieven. Hij hield zijn hand voor zijn mond. Miss Temple streek zijn haar uit zijn ogen en straalde.

'Dokter Svenson…' fluisterde ze.

'Lieve Celeste – zijn we dood?'

'Nee, dokter.'

'Uitstekend – is Chang dood?'

'Nee, dokter – hij ligt hier vlakbij…'

'Zijn we nog steeds in Harschmort?'

'Ja, opgesloten in een kamer.'

'En je bent niet gehersenspoeld?'

'O, nee.'

'Prachtig… ik kom zo bij je… Neem me niet kwalijk.'

Hij wendde zich af en spuwde, haalde diep adem, kreunde, en hees zich overeind in een echte zithouding, met zijn ogen stijf dicht.

'Mijn lijdende Christus…' mompelde hij.

'Ik kom net van onze vijanden!' zei ze. 'Er gebeurt van alles tege- lijk.'

'Kan ik me voorstellen... Alsjeblieft, neem me niet kwalijk dat ik mezelf even vergat...'

Miss Temple snelde vlug naar kardinaal Chang en moest haar uiterste best doen niet in tranen uit te barsten bij de aanblik die hij bood. De vergiftige lucht om hem heen was nog intenser. Hij verkeerde duidelijk in levensgevaar. Dat zag ze aan de opgedroogde bloedkorsten om zijn neus en mond en op zijn kraag, en aan zijn doodsbleke gezicht. Ze veegde zijn gezicht schoon met haar gewaad. Met haar andere arm hield ze zijn hoofd vast. Ze realiseerde zich dat zijn donkere bril was afgegleden toen ze hem op zijn rug rolde. Ze staarde naar de werkelijk afschuwelijke littekens om zijn ogen en beet op haar lip om de gemartelde arme man. De adem van Chang reutelde in zijn borst als een schuddende doos vol spijkers. Was hij stervende? Miss Temple trok zijn hoofd op haar borst en streelde hem, liefdevol fluisterend.

'Kardinaal Chang... Je moet terugkeren naar ons... Ik ben Celeste... en hier is de dokter... We kunnen niet overleven zonder jou...'

Svenson hees zich van zijn plaats, pakte Changs pols, en legde zijn andere hand op Changs voorhoofd. Even later onderzochten zijn vingers de keel van Chang, en daarna legde hij zijn oor tegen zijn borst, om te peilen hoe het met zijn haperende ademhaling stond. Hij kwam overeind, zuchtte, bevrijdde hem voorzichtig uit Miss Temples armen en onderzocht met trefzekere vingers Changs achterhoofd, waar hij door de kolonel met een knuppel was geslagen.

Ze staarde hulpeloos naar zijn tastende bleke vingers, die zich een weg baanden door Chang's zwarte haar.

'Ik dacht dat je hun procédé had ondergaan,' zei hij vriendelijk.

'Nee. Ik ben erin geslaagd de littekens na te bootsen,' zei ze. 'Het spijt me als... Nou, het was niet mijn bedoeling je schrik aan te jagen...'

'Stil maar, het was een uitstekend plan.'

'Niettemin had de contessa me door.'

'Daar hoef je je niet voor te schamen, dat is zeker... Ik ben blij dat je nog ongeschonden bent. Mag ik vragen – ik ben bijna bang om het te zeggen...'

'Eloïse en ik werden van elkaar gescheiden. Zij droeg dezelfde valse littekens – ik denk niet dat ze is gevangengenomen, maar ik weet niet waar ze is. Ik weet natuurlijk ook niet helemaal zeker wíe ze is.'

De dokter glimlachte naar haar, enigszins verloren en mat. Zijn ogen waren pijnlijk helder. 'Ik ook niet... Dat is het vreemdste ervan.' Hij keek nadrukkelijk naar Miss Temple, met dezelfde verwarrende open blik. 'Natuurlijk, wanneer weet je het ooit?'

Hij scheurde zijn ogen van haar los en schraapte zijn keel.

'Inderdaad,' zei Miss Temple snuivend, ontroerd door dat onverwachte kijkje in het hart van de dokter. 'Toch vind ik het erg naar dat ik haar ben kwijtgeraakt.'

'We hebben allemaal ons best gedaan... Het is een wonder dat we nog leven... Daarin zijn we gelijk.'

Ze knikte en wilde nog iets zeggen, maar kon de woorden niet vinden. De dokter zuchtte nadenkend, en stak toen in een impulsief gebaar zijn arm uit, en kneep met zijn ene hand in Changs neus en bedekte met de andere zijn mond. Miss Temple hield haar adem in.

'Maar wat...'

'Wacht even...'

Het duurde maar even. Als een man die uit de dood verrees sperde Chang zijn ogen open. Zijn schouders spanden zich, zijn armen grepen naar Svenson en het gereutel in zijn longen klonk twee keer zo hard. De dokter haalde zijn handen met een zwaai weg en de kardinaal barstte uit in een hoestbui, met veel vocht, vergezeld van fonteinen bloederig speeksel. Svenson en Miss Temple grepen allebei een arm van de kardinaal en hesen hem op zijn knieën, zodat hij gemakkelijker de pijn in zijn lichaam en het bijbehorende afval kon uithoesten.

Chang veegde zijn mond schoon en smeerde zijn vingers af aan de grond – het had geen zin ze af te vegen aan zijn jas of broek, zag Miss Temple. Hij draaide zich naar hen om, knipperde met zijn ogen en tastte vlug naar zijn gezicht. Miss Temple hield hem met een glimlach zijn bril voor.

'Wat fijn om jullie allebei te zien,' fluisterde ze.

Ze bleven even stil zitten, en gaven elkaar de tijd op krachten te komen en hun verstand te mobiliseren. Miss Temple veegde haar tranen weg en trachtte haar trillende stem onder controle te krijgen.

Er was zoveel te zeggen en te doen; ze snoof vol minachting om haar eigen zwakheid, zelfs nu ze maar half kon snuiven door een snotterende neus.

'Jij staat er het beste voor, Celeste,' mompelde Chang schor. 'Naar het bloed in het haar van de dokter te oordelen veronderstel ik dat we geen van beiden weten waar we zijn, wie ons bewaakt... zelfs, verdomme, hoe laat het is.'

'Hoe lang geleden werden we gevangen?' vroeg Svenson.

Miss Temple snufte opnieuw.

'Niet eens zo lang. Maar er is zoveel gebeurd sinds we elkaar voor het laatst hebben gesproken, sinds ik bij jullie ben weggelopen. Het spijt me zo – ik was dom en kinderachtig...'

Svenson wuifde haar zorgen weg.

'Celeste, hier hebben we geen tijd voor, en het maakt ook niet uit...'

'Voor mij maakt het wel uit.'

'Celeste...' Dat was Chang, die worstelde om overeind te komen.

'Stil, jullie allebei,' zei ze, en ze ging staan, zodat ze boven hen uittorende. 'Ik zal het kort houden, maar ik moet eerst mijn excuses aanbieden omdat ik bij jullie ben weggelopen in Plum Court. Het was dom om dat te doen en het heeft me bijna mijn leven gekost. En jullie ook.' Ze hief haar hand op om dokter Svenson de mond te snoeren. 'Er staan twee Mecklenburgse soldaten buiten de deur. In de gang staan minstens tien dragonders met hun officier en hun kolonel. De deur zit op slot, en er zitten geen ramen in deze kamer, zoals jullie zien. Ik neem aan dat we geen wapens hebben.'

Chang en Svenson klopten enigszins afwezig op hun zakken, maar daar zat niets in.

'Die krijgen we wel, dat maakt niet uit,' zei ze vlug, want ze wilde aan het woord blijven.

'Als we die deur uit kunnen,' zei Svenson.

'Ja, natuurlijk. Het voornaamste is dat we het plan van onze vijanden moeten tegenhouden.'

'Wat voor plan bedoel je precies?' vroeg Chang.

'Dat is het punt: ik weet het maar gedeeltelijk. Maar ik hoop dat jullie ook een deel weten.'

Miss Temple hield zich aan haar belofte dat ze het kort zou houden en stak ademloos van wal: Hotel St. Royale, het drankje van Miss Vandaariff, het schilderij in de kamer van de contessa, haar worsteling met het boek, haar gevecht – in een uiterst verkorte versie –, met de comte en de contessa in het rijtuig, haar treinreis naar Harschmort, en haar tocht naar de snijzaal. Chang en Svenson deden hun mond open om bijzonderheden toe te voegen, maar ze legde hen het zwijgen op en vertelde verder – de geheime kamer, de contessa en de prins, de moord op Blenheim, Eloïses ontdekking in de blauwe kaart, Trapping, Vandaariff, Lydia, Veilandt, de balzaal en ten slotte de afschuwelijke ruzie tussen de contessa en haar bondgenoten, nog geen tien minuten geleden. Het hele verhaal duurde misschien twee snel gefluisterde minuten.

Toen ze klaar was haalde Miss Temple diep adem, in de hoop dat ze niets belangrijks had vergeten, hoewel dat natuurlijk wel zo was – er was gewoon te veel gebeurd.

'Dus…' De dokter hees zich op de bank. 'Ze hebben de macht van de regering overgenomen door middel van de hertog – die is vermoord, dat verzeker ik je – en maken zich op die van Mecklenburg over te nemen…'

'Ik hoop dat ik u niet beledig, dokter,' merkte Miss Temple op. 'Ik begrijp al die drukte niet om een van die vele Duitse koninkrijkjes.'

'Hertogdom, maar goed – het is omdat onze bergen meer dan honderd keer zoveel indigoklei bevatten als Tarr Manor. Ze zijn jarenlang bezig geweest land te kopen…' Zijn stem haperde en hij schudde zijn hoofd. 'In elk geval, als ze vanavond naar Mecklenburg reizen…'

'Moeten we op reis…' mompelde Chang. Zijn woorden werden gevolgd door een hartverscheurende hoestbui, die hij zo goed mogelijk trachtte te negeren, terwijl hij met beide handen in zijn jaszakken graaide. 'Ik heb deze al een hele tijd bij me, uitgerekend voor dit moment…'

Miss Temple piepte van blijdschap, zo verrast was ze, en ze knipperde met haar ogen omdat de tranen opnieuw opwelden. Haar groene laarzen! Ze ging zonder de minste aarzeling of gedachte aan de goede zeden op de grond zitten, griste ze uit zijn handen, en wrong dolblij haar voeten in haar verloren schatten. Ze keek omhoog naar Chang, die glimlachte – hoewel hij nog steeds hoestte – en begon haar schoenveters vast te maken.

'Ik kan je niet zeggen wat dit voor me betekent,' zei ze, 'je lacht me vast uit – je lacht nu al. Ik weet dat dit maar schoenen zijn, en ik heb heel veel schoenen; eerlijk gezegd zou ik er vier dagen geleden geen zier om hebben gegeven, maar nu zou ik ze voor geen goud willen missen.'

'Natuurlijk niet,' zei Svenson zacht.

'O!' zei Miss Temple. 'Maar er zijn dingen van jou – uit je overjas. We zijn je overjas kwijtgeraakt, maar zoals ik zei: we hebben de kaart eruit gehaald, en er was ook een zilveren sigarettendoos! Tja, nu ik het zeg, ik heb hem niet – Eloïse heeft hem, maar als we haar vinden, krijg je hem terug.'

'Zeker... ik... Dat is uitstekend...'

'Hij zag eruit alsof hij dierbaar was.'

De dokter knikte, maar keek toen met gefronste wenkbrauwen weg, alsof hij niets meer wilde zeggen. Chang hoestte weer; het vocht reutelde in zijn borst.

'We moeten daar iets aan doen,' zei Svenson, maar Chang schudde zijn hoofd.

'Het zijn mijn longen...'

'Gemalen glas,' zei Miss Temple. 'De contessa legde uit hoe ze je had vermoord.'

'Het spijt me dat ik die dame moet teleurstellen...' Hij glimlachte.

Svenson keek Chang heel ernstig aan. 'Dat glas alleen al zou schadelijk zijn voor je longen – maar aangezien het ook zoveel giftige eigenschappen bevat, is het een wonder dat je niet bent bezweken onder bedwelmende visioenen.'

'Dat zou ik liever hebben dan dit gehoest, kan ik je verzekeren.'

'Bestaat er een manier om het eruit te krijgen?' vroeg Miss Temple.

De dokter fronste nadenkend zijn wenkbrauwen. De kardinaal spuwde weer, en stak van wal.

'Mijn verhaal is eenvoudig. Toen we niet wisten waar je naartoe was gegaan, hebben we ons opgesplitst, de dokter naar Tarr Manor en ik naar het ministerie; we hadden geen van beiden goed geraden. Ik ontmoette Bascombe en de contessa, was getuige van de werking van het procédé, vocht met Xonck, ging bijna dood, en volgde je toen – te laat – naar Hotel St. Royale – vandaar die laarzen – en haalde de trein naar Harschmort. Daar aangekomen zag ik dat de meest machtige figuren waren overweldigd. Hun geest werd leeggezogen in die boeken. Ik zag Robert Vandaariff, stompzinnig als een aap, die de ene bladzij na de andere volschreef met een verslag van zijn geheimen. Ik kon niet voorkomen dat die drie vrouwen een gedaantewisseling ondergingen…' Chang zweeg even. Miss Temple besefte steeds meer dat elk van beide mannen had doorgezet tot het eind van zijn krachten, maar ook van zijn hart, en haar eigen hart bloedde voor hen allebei. Toen schraapte Chang zijn keel. 'Hoewel ik die majoor Blach heb gedood. Maar daarna werd ik gevangen en alles mislukte – behalve dat ik er ook nog in ben geslaagd die ondergeschikte van de contessa te doden, Mr Gray…'

'O! Daar hadden ze een verschrikkelijke ruzie over!' riep Miss Temple uit.

'Hij moest een klusje opknappen – achter de rug van de anderen om, dat weet ik zeker. Ik weet niet wat het was.' Hij keek op naar Miss Temple. 'Zei je dat onze bewakers dragonders waren?'

'Niet die vlak achter de deur, nee – maar verderop in de gang wel. Ongeveer twaalf soldaten met hun officier, kapitein Smythe, en hun kolonel…'

'Smythe, zeg je?' Changs gezicht klaarde zienderogen op.

'Ik heb hem ontmoet,' zei Svenson. 'Hij heeft mijn leven gered!'

'Hij kent mij ook, vreemd genoeg,' zei Miss Temple. 'Dat was trouwens erg verwarrend…'

'Als we Aspiche kunnen afschudden, zal Smythe overlopen naar onze kant, dat weet ik zeker,' zei Chang.

Miss Temple wierp een blik op de deur. 'Nou, als dát alles is, zijn we zo op weg. Dokter?'

'Ik kan het wel vertellen als we onderweg zijn, behalve dat ik moet zeggen dat er een zeppelin op het dak staat – zo zijn we uit Tarr Manor gekomen. Misschien gebruiken ze die om een schip te bereiken in het kanaal, of een eindje verderop aan de kust…'

'Of ze vliegen helemaal naar Mecklenburg,' zei Chang. 'De zeppelins die ik heb meegemaakt zijn verbazingwekkend krachtig.'

Svenson knikte. 'Je hebt gelijk – het is belachelijk om hun capaciteiten te onderschatten, op wat voor manier dan ook – maar dat vertel ik zo wel. We moeten het huwelijk tegenhouden. We moeten de hertog tegenhouden.'

'En we moeten Eloïse vinden!' riep Miss Temple uit. 'Vooral omdat zij de glazen sleutel heeft.'

'Welke glazen sleutel?' kraste Chang.

'Heb ik dat niet verteld? Ik geloof dat dat de manier is om de glazen boeken veilig te kunnen lezen. We hebben hem uit Blenheims zak gepikt.'

'Hoe kwam hij eraan?' vroeg Chang.

'Juist!' Miss Temple straalde. 'Nou, jongens, ga weer op de grond liggen – of vooruit, jullie mogen ook wel op de bank liggen –, maar jullie moeten je ogen dichtdoen en geen vin verroeren.'

'Celeste, wat ga je doen?' vroeg Svenson.

'Onze ontsnapping regelen, natuurlijk.'

Ze klopte op de deur en riep zo lief ze kon naar de bewakers aan de andere kant. Ze gaven geen antwoord, maar Miss Temple bleef kloppen. Hoewel ze gedwongen was verschillende malen van hand te wisselen omdat haar knokkels pijn gingen doen, werd het slot eindelijk opengedraaid. De deur ging op een klein wantrouwig kiertje open. Door de spleet ontwaarde Miss Temple het bleke, achterdochtige gezicht van een jonge soldaat uit Mecklenburg – jonger dan zijzelf, zag ze, zodat ze nog liever ging glimlachen.

'Neem me niet kwalijk, maar het is erg belangrijk dat ik de kolonel even zie. Ik heb inlichtingen voor de contessa – de contessa, begrijp je – die ze heel graag wil horen.'

De soldaat verroerde zich niet. Verstond hij haar eigenlijk wel? Miss Temples glimlach werd nog nadrukkelijker terwijl ze vooroverboog en luider sprak, met een scherpe, onmiskenbare nadruk.

'Ik moet de kolonel spreken! Ogenblikkelijk! Of je wordt gestraft!'

De soldaat keek naar zijn kameraad, buiten het zicht. Hij wist duidelijk niet wat hij moest doen. Miss Temple blafte zo hard mogelijk langs hem heen de gang in.

'Kolonel Aspiche! Ik heb belangrijk nieuws voor u! Als de contessa dat niet krijgt, snijdt ze uw oren eraf!'

Toen hij haar geschreeuw hoorde, sloeg de bewaker de deur dicht en frommelde aan het slot, maar Miss Temple hoorde het kwade gestamp van zware laarzen al naderbij komen. Binnen één seconde werd de deur wijd opengegooid door Aspiche. Zijn gezicht was vuurrood van woede, in zijn ene hand hield hij een sigaar, zijn andere hand rustte op het gevest van zijn sabel. Hij keek haar woedend aan als een roodgejaste schoolmeester die op het punt staat zweepslagen uit te delen.

'Dank u hartelijk,' zei Miss Temple.

'Wat krijst u nu over informatie?' snauwde hij. 'Uw manieren lijken nergens op, zeker niet als ik erachter kom dat dit een leugen is.'

'Onzin,' zei Miss Temple, die bibberde om de kolonel een plezier te doen en een theatrale triller in haar stem liet glippen. 'U hoeft me niet zo bang te maken – ik ben hulpeloos door de staat van mijn bondgenoten en de macht van de contessa. Ik probeer alleen mijn leven te redden.' Ze veegde haar neus af aan haar mouw.

'Wat voor informatie?' herhaalde Aspiche.

Miss Temple wierp een blik achter hem op de bewakers, die met onverholen nieuwsgierigheid toekeken, en boog zich toen fluisterend voorover.

'Het is eigenlijk nogal vertrouwelijk...'

Aspiche boog zich op zijn beurt voorover met een strakke uitdrukking op zijn gezicht, alsof hij zwaar werd misbruikt. Miss Temple streek langs zijn oor met haar lippen.

'Blauw... Caesar... blauw... regiment... ijs... consumptie...'

Ze keek op en zag dat de ogen van de kolonel glazig werden. Hij staarde naar een punt vlak achter haar schouder.

'We moeten even alleen zijn,' fluisterde ze.

Aspiche draaide zich met grote woede bliksemsnel om naar de bewakers.

'Laat me alleen met de gevangenen!' blafte hij. De bewakers stom-

melden achteruit, terwijl Aspiche de deur met twee handen dichtsloeg. Hij wendde zich weer met een uitdrukkingsloos gezicht tot
Miss Temple.

'Kardinaal... dokter... jullie kunnen opstaan...'

Ze bleef fluisteren, want ze wilde niet dat de bewakers het hoorden. Chang en Svenson kwamen langzaam overeind en staarden met
zwartgallige nieuwsgierigheid naar de kolonel.

'Iedereen die het procédé heeft ondergaan krijgt een zin ingeprent
die macht over hem heeft,' legde Miss Temple uit. 'Ik heb de contessa afgeluisterd toen ze er een gebruikte voor de prins, en weer
toen ze er een probeerde te gebruiken voor mij – om te bewijzen dat
ik niet was bekeerd. Ik wist niet precies hoe de zin werkte, het was
een gissing...'

'Je waagde dit op grond van een gissing?' vroeg Svenson.

'Ja, want het was een goede gissing. De zin bestaat uit verschillende delen – het eerste is een kleur, en ik maakte daaruit op dat de
kleur iets te maken had met de plaats waar het procédé was uitgevoerd. Jullie herinneren je dat de verschillende kisten waren bekleed
met verschillende kleuren vilt...'

'Oranje in Harschmort,' zei Chang. 'Blauw in het instituut.'

'Aangezien de kolonel was bekeerd voordat ze de kisten verhuis-
den uit het instituut, was de kleur van de kolonel blauw.'

'Wat was de rest van de zin?' vroeg Svenson.

'Het tweede woord gaat over hun rol; en ze gebruiken een meta-
foor uit de Bijbel – dat is natuurlijk dat pretentieuze gedoe van de
comte. Voor de prins was het Jozef, want hij wordt de vader van het
kind van een ander. Die arme Lydia zal Maria wel zijn, voor mij
zou het Magdalena zijn, zoals alle novices in witte gewaden; en voor
de kolonel, als de vertegenwoordiger van de staat, gokte ik dat het
Caesar moest zijn... De rest volgt hetzelfde patroon – "regiment" in
plaats van "paleis" of "Royale"...'

'Begrijpt hij dit?' vroeg Svenson.

'Ik denk het wel, maar hij wacht ook op instructies.'

'Zullen we hem zijn eigen keel laten doorsnijden?' suggereerde
Chang met een schor gegrinnik.

'Zullen we hem laten zeggen of ze Eloïse hebben gevangen?' zei

Svenson, en hij zei langzaam en duidelijk tegen kolonel Aspiche: 'Weet u waar Mrs Dujong is?'

'Houd je smerige bek dicht, voor ik hem dicht timmer!' brulde Aspiche.

Svenson sprong achteruit, zijn ogen wijdopen van schrik.

'Aha,' zei Miss Temple. 'Alleen degene die de zin heeft uitgesproken kan hem commanderen.' Ze schraapte haar keel. 'Kolonel, weet u waar we Mrs Dujong kunnen vinden?'

'Natuurlijk niet,' snauwde Aspiche narrig.

'Goed... Wanneer hebt u haar voor het laatst gezien?'

De mond van de kolonel spleet in een wrede, gemene glimlach. 'Aan boord van de zeppelin. Dokter Lorenz stelde haar vragen, en toen ze geen antwoord gaf hebben Miss Poole en ik haar om beurten...'

De vuist van Svenson belandde als een moker op de kaak van de kolonel en sloeg hem hard tegen de deur. Miss Temple wendde zich tot Svenson – die siste van de pijn en zijn hand strekte – en toen naar Aspiche, die sputterde van woede en overeind probeerde te komen. Voor hij dat kon doen schoot Changs arm naar voren en rukte de sabel van de kolonel uit zijn schede, een zwaaiende glanzende maaibeweging die Miss Temple met een gilletje achteruit deed springen. Toen ze weer keek hield Chang de kling gevaarlijk dicht bij Aspiches borst. Aspiche verroerde zich niet.

'Dokter?' vroeg ze zachtjes.

'Neem me niet kwalijk...'

'Nee, maakt niet uit, de kolonel is een afschuwelijk beest. Je hand?'

'Dat gaat wel over.'

Ze liep dichter naar Aspiche toe; haar gezicht was harder dan eerst. Ze wist dat Eloïse beproevingen had doorstaan, maar ze herinnerde zich haar eigen ergernis jegens de vrouw die, bedwelmd en struikelend, haar vaart had vertraagd toen ze uit de snijzaal ontsnapten. Het deed haar groot genoegen de pijn om haar schuldgevoel en spijt af te reageren op de schurk die voor haar stond.

'Kolonel, u doet die deur open en neemt ons mee naar de hal. U beveelt die twee bewakers deze kamer in te gaan en dan sluit u de deur achter hen af. Als ze protesteren, doet u uw uiterste best hen te doden. Begrijpt u dat?'

Aspiche knikte, terwijl zijn ogen heen en weer schoten tussen die van haar en het zwevende puntje van de sabel.

'Doe het dan. We verspillen onze tijd.'

De Duitsers bezorgden hun geen last, aangezien die gewend waren bevelen op te volgen. Het duurde slechts enkele seconden voordat ze weer in de open hal stonden waar de leden van de samenzwering ruzie hadden gemaakt. De dragonders die langs de hele gang hadden gestaan waren weg, samen met hun officier.

'Waar is kapitein Smythe?' vroeg ze aan Aspiche.

'Hij escorteert Mr Xonck en de onderminister.'

Miss Temple fronste haar wenkbrauwen. 'Wat deed u hier dan? Had u geen orders?'

'Natuurlijk – om u drieën te executeren.'

'Maar waarom wachtte u dan in de gang?'

'Ik rookte eerst mijn sigaar op,' snauwde kolonel Aspiche.

Chang snoof minachtend achter haar.

'Ieder mens geeft uiteindelijk zijn ziel bloot,' mompelde hij.

Miss Temple sloop naar de deur van de balzaal. De enorme ruimte was leeg. Ze riep terug naar haar gevangene.

'Waar is iedereen?' Hij deed zijn mond open om te antwoorden, maar ze onderbrak hem. 'Waar zijn onze vijanden – de contessa, de comte, onderminister Crabbé, Francis Xonck, de prins en zijn bruid, lord Vandaariff, de hertog van Stäelmaere, Mrs Stearne...'

'En Roger Bascombe,' zei dokter Svenson. Ze keek naar hem, en naar Chang, en knikte bedroefd.

'En Roger Bascombe.' Ze zuchtte. 'In een duidelijke volgorde, alstublieft.'

De kolonel lichtte hen in. De wrevelige trek om zijn mond getuigde van zijn vruchteloze worsteling tegen de macht van Miss Temple. Hun vijanden hadden zich in twee groepen gesplitst. De eerste groep spoedde zich door het grote huis, en verzamelde onderweg gasten en verdwaasde grootheden wier geest was afgetapt in een glazen boek. Zij zouden de hertog van Stäelmaere met een passende ceremonie uitgeleide doen, met het oog op zijn toekomstige staatsgreep. De stoet van de hertog werd begeleid door de contessa, de onderminister en Francis Xonck, evenals lord Vandaariff, Bascombe, Mrs Stearne en de twee glazen vrouwen, Marchmoor en Poole. De tweede groep (Aspiche wist niet wat ze van plan waren), bestond uit de comte d'Orkancz, prins Karl-Horst von Maasmärck, Lydia Vandaariff, herr Flaüss en de derde glazen vrouw.

'Ik heb haar niet herkend,' zei Miss Temple. 'Eigenlijk zou Caroline de derde vrouw moeten zijn.'

'Het is Angelique, de vriendin van de kardinaal,' zei dokter Svenson voorzichtig. 'De vrouw naar wie we hebben gezocht in de kas. Je had gelijk – ze is daar niet gestorven.'

'Integendeel, de comte hield haar in leven om haar te gebruiken als testmateriaal,' kraste Chang. 'Als deze transformatie zou mislukken, hoefde hij de anderen niet op te offeren – als het lukte en een goed beeld opleverde van haar beschadigde lichaam, des te beter. Al met al een bewonderenswaardige uiting van zuinigheid, begrijp je.'

Miss Temple en Svenson zeiden niets terug; ze lieten Changs bitterheid en woede de vrije teugel. Chang wreef onder zijn bril in zijn ogen en zuchtte.

'Het is de vraag wat ze doen en welke groep we moeten volgen. We zijn het erover eens dat het belangrijk is om de hertog tegen te houden en het huwelijk te verijdelen. We kunnen natuurlijk splitsen...'

'Liever niet,' zei Miss Temple vlug. 'In beide gevallen moeten we het opnemen tegen een hele massa vijanden – onze kracht ligt in de hoeveelheid.'

'Ik ben het met je eens,' zei de dokter. 'En ik stem ervoor dat we achter de hertog aan gaan. De rest van de samenzwering reist naar Mecklenburg – de hertog en lord Vandaariff zijn hun sleutel tot de macht in dit land. Als we dat kunnen verstoren, zou hun hele complot in duigen kunnen vallen.'

'Ben je van plan ze te doden?' vroeg Chang.

'Ze opnieuw te doden, in het geval van de hertog,' mompelde de dokter. 'Ja, ik ben er voor om er zoveel mogelijk koud te maken.' Hij zuchtte bitter. 'Dat doe ik ook met Karl-Horst, als ik zijn strot ooit in mijn handen krijg.'

'Maar hij is je pupil,' zei Miss Temple, enigszins geschokt door Svensons toon.

'Mijn pupil is hun slaaf geworden,' antwoordde hij. 'Hij is niet meer waard dan een hondsdolle hond of een paard met een gebroken been – hij moet worden afgemaakt, het liefst vóórdat hij de kans krijgt een erfgenaam te verwekken.'

Miss Temple sloeg haar hand voor haar mond. 'Natuurlijk! De comte gebruikt zijn alchemie om Lydia zwanger te maken. Dat is het hoogtepunt van zijn plannen – het is de vleesgeworden alchemistische *Annunciatie* van Oskar Veilandt! En ze doen het vanavond! Nu, op dit moment!'

Dokter Svenson floot huiverend tussen zijn tanden en keek van Miss Temple naar Chang.

'Ik zeg nog steeds dat we de hertog moeten tegenhouden. Als we dat niet doen...'

'Als we dat niet doen, is mijn leven en dat van Miss Temple in de stad geruïneerd,' zei Chang

'En daarna,' vroeg Miss Temple, 'de prins en Lydia?'

Svenson knikte en zuchtte. 'Ik ben bang dat ze al verloren zijn.'

Chang begon kakelend te lachen, een geluid dat net zo leuk klonk als een gorgelende kraai. 'Staan wij er zo anders voor? Bewaar iets van je medelijden voor ons!'

Op commando van Miss Temple leidde Aspiche het drietal naar de hoofdingang van het huis, maar het werd snel duidelijk dat ze op die manier niet ver zouden komen. Het was stampvol door de vele, vele gasten die zich daar hadden verzameld voor het vertrek van de hertog. In een plotselinge ingeving herinnerde Miss Temple zich haar eigen vlucht met Spragg en Farquhar langs het pad voor de tuinlieden tussen de vleugels van het huis, dat een bocht maakte naar de rijtuigen. Binnen twee minuten – Aspiche snoof zo boos als zijn toestand toeliet – waren ze er. Hun adem vormde wolken in de kille lucht. Ze kwamen net op tijd om de stoet van de grote trap te zien lopen. De stoet liep naar de enorme, majestueuze zwarte koets van de hertog.

De hertog zelf liep langzaam en voorzichtig, als een uiterst breekbare wandelende tak op weg naar een begrafenis, aan één kant geleid door een mannetje met vettig haar – 'dokter Lorenz,' fluisterde Svenson – en aan de andere kant door Mrs Marchmoor, die nu geen leiband meer om haar hals had. Haar glanzende lichaam was bedekt met een dikke zwarte cape. In een rij daarachter kwamen de contessa, Xonck en onderminister Crabbé. Achter hen stond een gelijksoortig groepje bestaande uit Robert Vandaariff, Roger Bascombe en Miss Poole, ook zonder leiband en met een cape. Ze bleven op de trap staan om de hertog uit te zwaaien.

De hertog werd in zijn koets geïnstalleerd en even later gevolgd door Mrs Marchmoor. Miss Temple keek naar haar metgezellen. Het was duidelijk dat ze nu naar de koets moesten rennen. Voordat ze iets kon zeggen zag ze tot haar afschuw dat de andere gasten aanstalten maakten om te vertrekken. Ze riepen allemaal luid naar de hertog en elkaar, terwijl ze naar hun rijtuig liepen. Er stonden een heleboel rijtuigen. Een aanval op de koets van de hertog was uitgesloten.

'Wat moeten we doen?' fluisterde ze. 'We zijn te laat!'

Chang hief de sabel omhoog. 'Ik kan gaan – in mijn eentje kan ik veel sneller reizen – ik kan hun spoor volgen naar het paleis…'

'Niet in jouw toestand,' merkte Svenson op. 'Je zou gevangen worden genomen en gedood – dat weet je. Kijk al die soldaten! Ze hebben een volledig escorte!'

Toen hij wees, besefte Miss Temple dat het waar was – twee rijen bereden dragonders, ongeveer veertig soldaten, brachten hun paarden in de juiste positie voor en achter het rijtuig. De hertog was volkomen buiten hun bereik.

'Hij zal de Geheime Raad bijeenroepen,' kraste Chang met een holle stem. 'Hij zal wetten maken van alles wat ze willen.'

'Met de macht van de hertog, het geld van Vandaariff, de troon van Mecklenburg en een onuitputtelijke voorraad indigoklei… Ze zijn niet tegen te houden,' fluisterde Svenson.

Miss Temple fronste haar wenkbrauwen. Misschien was het een machteloos gebaar, maar ze maakte het toch.

'Integendeel. Kardinaal Chang, zou je alsjeblieft de sabel willen teruggeven aan de kolonel? Ik sta erop.'

Chang keek haar vragend aan, maar gaf het wapen voorzichtig aan

Aspiche. Voordat de man er iets mee kon doen, sprak Miss Temple hem ferm toe.

'Kolonel Aspiche, luister naar mij. Uw soldaten beschermen de hertog. Dat is uitstekend. Niemand anders – niemand, onthoud dat – mag dicht bij de hertog komen, tijdens zijn reis naar het paleis. U loopt nu weg, neemt een paard en rijdt mee in zijn gevolg – onmiddellijk. Praat met niemand, loop niet terug naar het huis, neem een paard van een van uw soldaten als het moet. Zodra u het paleis bereikt, blijft u zorgvuldig uit de buurt van de onderzoekende blik van Mrs Marchmoor. U neemt de tijd – het juiste moment, want het moet u lukken – maar niettemin vóór de vergadering van de Geheime Raad – om het hoofd van de hertog van Stäelmaere volledig van zijn romp te slaan. Begrijpt u me?'

Kolonel Aspiche knikte.

'Uitstekend. Zeg hier geen woord over tegen wie dan ook. Ga nu gauw!'

Ze glimlachte, terwijl ze gadesloeg hoe de man met grote passen het drukke voorplein op liep, bezeten van zijn missie, naar de meest dichtbije standplaats voor de paarden. Ze deed alsof ze de verbluffte gezichten van Svenson en Chang aan weerskanten niet zag.

'We zullen nog weleens zien of ze dat hoofd er weer op plakken met boekenlijm,' zei ze. 'Kom, we gaan de prins zoeken!'

De kolonel had niet precies geweten waar de comte en zijn gezelschap naartoe waren gegaan. Hij wist alleen dat het ergens onder de balzaal was. Chang was ervan overtuigd dat hij dankzij zijn zwerftochten door Harschmort House de weg kon vinden, en dus liepen Miss Temple en dokter Svenson via het pad voor de tuinlieden achter hem aan het huis in. Onderweg keek Miss Temple naar Chang, die er ondanks zijn verwondingen vervaarlijk uitzag, en wenste dat ze zijn gedachten kon lezen, net als een van de glazen vrouwen. Ze waren op weg om de prins en Lydia te redden – of te doden, maar het doel was hetzelfde –, maar Angelique, de gevallen vrouw van de kardinaal, zou daar ook zijn. Hoopte hij dat hij haar terug zou krijgen? Dat hij de comte kon dwingen haar weer terug te toveren? Of dat hij haar uit haar lijden kon verlossen? Ze voelde de last van haar eigen verdriet, de teleurstelling en de pijn omdat Roger haar had afgewezen, en haar eenzaamheid, waar ze aan gewend was. Waren deze gevoelens, gevoelens die klein leken, omdat ze van haar waren, hoe hevig ze haar ook kwelden – net zoiets als de zware lasten die Chang moest verduren? Hoe konden ze erop lijken? Er stond toch een ondoordringbare muur tussen hen in?

'De beide vleugels spiegelen elkaar,' zei hij schor, 'en ik ben omhoog en omlaag gegaan langs de verdiepingen aan de overkant. Als ik me niet vergis, zou de trap... ongeveer... híer moeten zijn.'

Hij glimlachte, en het viel Miss Temple weer op – misschien door zijn buitengewoon gehavende toestand – hoe uitdagend die glimlach eigenlijk was: lichamelijk onweerstaanbaar en moreel angstaanjagend. Hij wees op een onopvallende nis die bedekt was met een fluwelen gordijn. Hij schoof het gordijn opzij en onthulde een ijzeren deur die iemand roekeloos open had laten staan.

'Zo'n zelfvertrouwen,' grinnikte hij, terwijl hij de deur opentrok. 'Ze laten die deur openstaan... Je zou denken dat ze iets hadden geleerd.'

Hij draaide zich bliksemsnel om en keek plotseling streng, bij het geluid van naderende voetstappen.

'Of dat wij iets hadden geleerd...,' mompelde dokter Svenson, en Chang wenkte dat ze snel door de deur moesten lopen. Hij deed die achter hen dicht en schoof de grendel ervoor. 'Dat zal ze oponthoud geven,' fluisterde hij. 'Vlug!'

Ze hoorden dat er boven hen herhaaldelijk aan de deur werd gerammeld, terwijl ze twee bochten van de wenteltrap af liepen tot ze bij een tweede deur kwamen. Die stond ook open. Chang glipte langs Miss Temple en Svenson en gluurde er als eerste doorheen.

'Zullen we wapens proberen te krijgen?' fluisterde de dokter.

Miss Temple knikte instemmend. In plaats van te antwoorden was Chang door de deur geglipt, zachtjes sluipend als een kat, en ze moesten hun best doen hem zo goed mogelijk te volgen. Ze betraden een vreemde gang die een bocht maakte, als in een operagebouw of een Romeinse arena, met een rij deuren aan de binnenkant, die eruitzagen alsof ze naar logeplaatsen leidden, of naar de arena.

'Het lijkt op het instituut,' fluisterde Svenson tegen Chang, die knikte. Hij was nog steeds geconcentreerd op de gang vóór hen. Ze liepen door, dicht langs de binnenmuur, totdat ze de trap niet meer konden zien. Chang bleef stokstijf staan toen hij bij de volgende bocht een schuifelend geluid hoorde. Hij hield zijn open handpalm omhoog om aan te geven dat ze moesten blijven staan, en liep toen voorzichtig verder, plat tegen de muur gedrukt.

Chang bleef staan. Hij wierp een blik achterom en glimlachte. Toen schoot hij plotseling met een vaart naar voren. Miss Temple hoorde een korte kreet van verrassing en daarna drie snel achtereenvolgende stevige klappen. Chang verscheen om de hoek en beduidde hen met een snelle hoofdbeweging door te lopen.

Op de grond bij een andere deur lag de gezant van Mecklenburg, herr Flaüss. Hij ademde moeilijk en er stroomde bloed uit zijn neus. Naast zijn krampachtig schokkende hand lag een revolver, die Chang weggriste, openklapte om het magazijn te inspecteren, en weer dichtsloeg. Terwijl de dokter knielde bij de naar adem snakkende man, stak Chang het wapen uit naar Miss Temple. Ze schudde haar hoofd.

'Jij of de dokter,' fluisterde ze.

'Dan de dokter,' antwoordde Chang. 'Ik kan meer uitrichten met mijn scheermes of mijn vuisten.' Hij keek omlaag naar Svenson, die snel de zakken van de gezant doorzocht. Elke beweging werd beantwoord door een flauw protest van de gewonde man. Svenson richtte zijn hoofd op en keek achter hen in de richting van de trap – voetstappen. Hij kwam overeind en liet de gezant liggen. Chang drukte de revolver in Svensons handen en greep de mouw van de dokter en Miss Temples arm. Hij trok ze mee door de gang tot ze de gezant niet meer konden zien. Svenson protesteerde fluisterend.

'Maar kardinaal, ze zijn vast binnen...'

Chang trok hen allebei in een nis en sloeg zijn hand over zijn mond om een hoestbui te smoren. Verderop in de gang hoorde Miss Temple rennende voetstappen... die plotseling stilvielen. Ze voelde hoe het lichaam van Chang zich spande en zag dat de duim van de dokter langzaam naar de trekker van de revolver gleed. Iemand kwam langzaam op hen af... De voetstappen stopten... en gingen toen de andere kant uit. Ze spitste haar oren... en hoorde het boze, hooghartige gesis van een vrouwenstem.

'Lááát die idioot...'

Chang wachtte... en boog toen dicht naar hen toe.

'Aangezien we ons niet van dat lichaam konden ontdoen, konden we niet stiekem die kamer binnenkomen – nu doorzoeken ze de hele kamer, in de veronderstelling dat we zijn binnengekomen. Dat zal de activiteiten daar binnen een tijdje stilleggen. Als we nú naar binnen gaan, is er een kans dat we een verrassingsaanval kunnen doen op hun achterhoede.'

Miss Temple haalde diep adem. Ze voelde dat ze in de afgelopen vijf minuten een soldaat was geworden. Voordat ze deze verkeerde gang van zaken kon begrijpen – of nog belangrijker: ertegen protesteren – was Chang verdwenen. Dokter Svenson nam haar hand in de zijne en trok haar in zijn kielzog mee.

De gezant zat nog in de deuropening. Hij was omhooggehesen tot een zithouding, maar hij was nog steeds niet tot denken of handelen in staat. Ze liepen langs hem heen zonder dat hij reageerde, behalve dat hij snuffelde met zijn bebloede neus. Ze betraden een halfduister stenen halletje met smalle trappen aan weerskanten. Die leidden naar balkons langs de wanden van de hele kamer. Chang dook vlug naar links, met Svenson en Miss Temple op zijn hielen, en ze verdwenen zo stilletjes mogelijk uit het zicht. Miss Temple trok haar neus op van afschuw voor de scherpe stank van indigoklei. Voor hen uit, door de hele gang, hoorden ze de stem van de contessa.

'Hij is aangevallen. Heb jij niets gehoord?'

'Nee,' antwoordde de droge basstem van de comte. 'Ik ben bézig, en mijn bezigheid maakt lawaai. Aangevallen door wíe?'

'Ik heb geen flauw idee,' antwoordde de contessa. 'Kolonel Aspiche heeft iedere mogelijke kandidaat de keel afgesneden. Vandaar mijn nieuwsgierigheid.'

'Is de hertog vertrokken?'

'Precies volgens plan, gevolgd door de gasten die waren geselecteerd voor de boekenoogst. Zoals we hebben afgesproken, wordt hun verwarring en geheugenverlies toegeschreven aan een hevige uitbarsting van bloedkoorts. Onze aanhangers zullen verhalen over bloedkoorts verspreiden. Dit heeft het bijkomende voordeel dat het een rechtvaardiging is voor een quarantaine in Harschmort. Lord Robert wordt afgezonderd, zo lang als nodig is. Maar dat is niet ons grootste probleem.'

'Ik begrijp het,' bromde de comte. 'Aangezien ik midden in een uiterst netelige procedure zit, zou ik het op prijs stellen als je uitlegde wat voor de duivel jullie hier allemaal doen.'

Miss Temple deed haar best zo zacht mogelijk achter de anderen aan de smalle trap op te lopen. Toen haar hoofd boven de vloer van het balkon uitkwam, zag ze een stenen koepelplafond boven zich, verlicht door verscheidene griezelige ijzeren kaarsenkronen met scherpe punten. Als Miss Temple een kaarsenkroon zag dacht ze (zelfs onder de meest gunstige omstandigheden) altijd aan de harde klap die ze zouden veroorzaken als ze plotseling op de grond zouden vallen; vooral als ze eronderdoor liep. Deze werktuiglijke gedachte en deze kaarsenkronen maakten een gruwelkamer van het laboratorium van de comte. Het balkon was volgestouwd met boeken, papieren en kisten, die allemaal onder een dikke laag stof zaten. Svenson wees met een priemende vinger dat ze een eindje naar voren kon kruipen, zodat ze door de spijlen van de balustrade kon gluren.

Miss Temple was niet in het instituut geweest, maar ze had het helse podium in de hoge zaal gezien. Aangezien de muren van deze zaal waren bedekt met boekenplanken, leek het alsof dit vroeger een bibliotheek was geweest. De zaal leek enerzijds op de hoge zaal, want er stonden tafels vol met dampende potten, kokende fiolen, rollen perkament en afschuwelijk gevormde ijzeren gereedschappen, en anderzijds op een slaapkamer. In het midden van de zaal stond een groot bed. Men had een heleboel tafels en stoelen opzij geschoven en op elkaar gestapeld om ruimte te maken voor het bed. Miss Temple moest bijna overgeven. Ze sloeg haar hand voor haar mond, maar ze kon haar ogen er niet van afhouden. Op het bed lag Lydia Vandaariff; haar blote benen bungelden over de rand. Haar witte gewaad was opgestroopt over haar dijen. Beide armen waren uitgestrekt en vastgebonden met een witzijden koord. Haar gezicht glom van de inspanning. Ze hield de koorden stevig vast, alsof de gevangenschap eerder een troost was dan een straf. Het beddengoed tussen Lydia's benen was nat, evenals de vloer onder haar voeten. Er lag een plas waterige blauwe vloeistof, dooraderd met grillige rode strepen. De geborduurde zoom van Lydia's gewaad was omlaaggeslagen in een armzalige poging tot zedigheid, maar je kon niet om de vlekken blauw en rood op haar blanke dijen heen. Ze keek met knipperende ogen omhoog naar het plafond.

In elkaar gezakt op een stoel dichtbij, met een halfvol glas in zijn hand en een open fles cognac op de grond tussen zijn voeten, zat Karl-Horst von Maasmärck. De comte droeg zijn leren voorschoot. Hij had zijn zwarte bontjas over een stapel stoelen gegooid. Daarin lag een bizar metalen voorwerp, een ijzeren pijp met handvatten en kleppen en een gepunte tuit, die hij schoonwreef met een doek.

Aan de muur achter hen, opgehangen aan spijkers die lukraak in de boekenkasten waren geslagen, hingen dertien duidelijk zichtbare vierkante schildersdoeken. Miss Temple wendde zich tot Chang en wees ernaar. Hij had ze ook gezien en maakte een doelbewust handgebaar; hij hield zijn hand plat en draaide hem toen om, alsof hij een bladzijde omsloeg. In Hotel St. Royale had Lydia iets gemompeld over de andere fragmenten van de *Annunciatie*. Ze had erop gezinspeeld dat ze de hele serie schilderijen had gezien. Miss Temple begreep dat de doeken het hele kunstwerk vertegenwoordigden, maar ze had niet verwacht dat de comte elk schilderij met de beeldzijde naar de muur zou hangen. Ze zag nu niet het hele godslasterlijke stripverhaal (waar ze eerlijk gezegd heel benieuwd naar was), maar de linnen achterkanten. Daarop stonden Oskar Veilandts alchemistische formules. Ze liepen door over de verschillende doeken. De schilderijen waren slechts een decoratieve dekmantel voor de formules. Dit was een gedetailleerd recept voor zijn eigen *Annunciatie*, de abominabele bevruchting van Lydia Vandaariff met behulp van zijn verdorven wetenschap. Aan elk schilderij zaten stukken papier geplakt met toegevoegde notities en constructietekeningen – ongetwijfeld deed de comte zijn best om de godslasterlijke instructies van Veilandt te interpreteren. Miss Temple keek omlaag naar het meisje op het bed. Ze beet op haar knokkels om het niet uit te schreeuwen.

Beneden zich hoorde ze een ongeduldige zucht en het geschraap van een afgestreken lucifer. Miss Temple schoof op haar buik naar voren zodat ze een groter stuk van de zaal kon zien. Met een rilling van angst zag ze, bijna recht onder haar, het grote gezelschap van de contessa. Hoe was het mogelijk dat zij ze in de gang niet hadden gehoord? Naast de contessa – die een nieuwe sigaret had opgestoken – stonden Francis Xonck en Crabbé, en achter hen minstens zes kerels in zwarte jassen met knuppels. Ze wierp weer een blik op Chang en Svenson. Ze zag dat Chang naar iets anders keek, onder het balkon aan de overkant. Angelique, de derde glazen vrouw, stond schitterend in de schaduw zwijgend te wachten terwijl de oranje vlammen van de smeltkroezen van de comte tegen haar huid weerkaatsten. Miss Temple staarde naar Angelique. Ze bekeek het lichaam van de vrouw in de pasverworven wetenschap dat zij het object was van Changs vurige liefde – en in feite ook van de vervulling daarvan, want de vrouw wás een hoer, en dat betekende... Miss Temple bloosde plotseling, want haar herinneringen uit het glazen boek vermengden zich met gedachten over Chang en Angelique. Toen schudde ze haar hoofd. Ze dwong zichzelf aandachtig te luisteren naar de nogal verhitte discussie onder haar.

'We wilden u niet storen,' begon Xonck, met een blik vol afschuw op het schouwspel vóór hem, 'maar we kunnen om een of andere reden geen bruikbare sleutel vinden.'

'Waar is Lorenz?' vroeg de comte.

'Die brengt de zeppelin in gereedheid,' antwoordde Crabbé. 'Hij wordt omringd door een hele troep soldaten. Ik laat hem liever met rust.'

'Hoe zit het met Bascombe?'

'Die vergezelt lord Robert,' snoof de contessa. 'We zien hem straks; hij neemt de koffer met boeken en zijn opschrijfboek mee – maar hij heeft ook geen sleutel en ik zou hem er liever buiten laten.'

Crabbé rolde met zijn ogen. 'Mr Bascombe is volkomen loyaal aan ons allemaal...'

'Waar is úw sleutel?' vroeg de comte, met een woedende blik op de onderminister.

'Het is mijn sleutel helemaal niet,' antwoordde Crabbé tamelijk verhit. 'Ik ben geloof ik niet eens de laatste die hem heeft gehad. Zoals de contessa zegt: we waren de boeken aan het verzamelen, niet aan het onderzoeken...'

'Wie heeft hem dan het laatst gehad?' riep de comte, openlijk ongeduldig. Hij verplaatste zijn greep op het afstotelijke metalen stuk gereedschap in zijn hand.

'Dat weten we niet,' snauwde de contessa. 'Ik geloof dat het Mr Crabbé was. Hij gelooft dat het Mr Xonck was. Die gelooft dat het Blenheim was...'

'Blenheim?' vroeg de comte spottend.

'Niet rechtstreeks Blenheim,' zei Xonck. 'Trapping. Ik geloof dat Trapping een sleutel heeft gepakt om in een boek te kijken... misschien terloops, misschien niet...'

'Welk boek?'

'Dat weten we niet,' zei de contessa. 'We hebben hem zijn gang laten gaan. Ik weet nog steeds niet hoe hij is gestorven. Of Blenheim heeft het uit de zak van Trapping gehaald toen het lijk werd verplaatst, of hij heeft het gekregen van lord Robert.'

'Ik neem aan dat Blenheim nog steeds wordt vermist?'

De contessa knikte.

'Het is de vraag of hij dood is,' zei Crabbé, 'of onafhankelijk.'

'Misschien moeten we dat aan lord Robert vragen,' zei de comte.

'Dat zouden we kunnen doen als hij zijn geheugen niet kwijt was,' merkte Xonck op. 'Maar zoals u weet, is zijn geheugen in een boek gestopt – een boek dat we niet kunnen vinden. En als we het konden vinden zouden we het zonder sleutel niet kunnen lezen. Het is belachelijk!'

'Ik begrijp het,' zei de comte. Zijn peinzende gezicht stond somber van het harde denken. 'Wat is er met herr Flaüss gebeurd?'

'Dat weten we niet!' riep Crabbé.

'Maar dat moeten we toch weten?' vroeg de comte verstandig. Hij wendde zich tot Angelique en klapte in zijn handen. Ze stapte meteen als een getemde tijger in het licht, en trok de onrustige aandacht van alle mensen in de zaal.

'Als iemand zich daar verschuilt,' zei de comte tegen haar, terwijl hij omhoogkeek naar de balkons, 'moet je hem zoeken!'

Miss Temple draaide zich bliksemsnel om naar Chang en Svenson, met wijd opengesperde ogen. Wat moesten ze doen? Ze keek om hen heen – ze konden zich nergens verstoppen, of afschermen! Dokter Svenson leunde zwijgend achterover op zijn hakken en haalde zijn revolver te voorschijn. Zijn ogen maten de afstand tot Angelique. Chang legde een hand op zijn arm. Deze schudde die hand weg en haalde de veiligheidspal over. Miss Temple voelde de vreemde blauwe kilte naderbij komen. Ze konden elk moment worden ontdekt.

In plaats daarvan werd de geladen stilte in de zaal verbroken door een dreun op het balkon aan de overkant, recht boven Angelique. Xonck rende direct met de kronkelige dolk in zijn hand naar de smalle trap. Miss Temple hoorde gestommel en daarna de hijgende protesten van een vrouw, terwijl Xonck ruw haar worstelende lichaam de trap af sleepte en haar voor de anderen neerkwakte. Het was Eloïse.

Miss Temple keek naar Svenson en zag de verstarde uitdrukking op zijn gezicht. Voor hij iets kon doen greep ze de hand die de revolver vasthield, en kneep er stevig in. Dit was niet het moment voor roekeloze impulsiviteit.

Xonck deinsde achteruit van Eloïse. Dat deden ze allemaal, want de comte knikte en toen stapte Angelique naar voren, terwijl haar voeten tegen de stenen vloer klikten als de nieuwe hoefijzers van een pony. Eloïse schudde haar hoofd en keek op, volkomen verbijsterd door dit prachtige naakte wezen, en gilde. Ze gilde opnieuw – Miss Temple kneep zo hard mogelijk in de arm van de dokter –, maar de gil stierf weg in haar keel, terwijl de panische angst op haar gezicht plaatsmaakte voor een bevende passiviteit. De glazen vrouw was ruw haar geest binnengedrongen, en rommelde met een meedogenloze efficiency door de inhoud. Weer zag Miss Temple dat de comte zijn ogen had dichtgedaan; zijn gezicht was een toonbeeld van concentratie. Eloïse zweeg, haar mond hing open, ze wiegde heen en weer en staarde hulpeloos in de kille blauwe ogen van haar inquisiteur.

Toen was het voorbij. Eloïse viel slap op de grond. De comte liep naar haar toe. Hij torende hoog boven haar uit, en keek omlaag.

'Dat is Mrs Dujong,' fluisterde Crabbé. 'Uit de mijn. Ze heeft de hertog doodgeschoten.'

'Inderdaad. Ze is met Miss Temple uit de snijzaal ontsnapt,' zei de comte. 'Miss Temple heeft Blenheim gedood – zijn lijk ligt in de trofeeënkamer. Blenheim had wel degelijk de sleutel – zij vroeg zich af waarom. De sleutel zit verstopt in het lijfje van Mrs Dujong, samen met een zilveren sigarettendoos en een blauwe glazen demonstratiekaart. Beide dingen zijn afkomstig van dokter Svenson.'

'Een glazen kaart?' vroeg de contessa. Haar blik schoot achterdochtig door de hele zaal. 'Wat staat erop?'

Eloïse hijgde van inspanning en trachtte op handen en knieën overeind te komen. De comte stak zijn hand ruw in haar lijfje en tastte naar de dingen die hij had beschreven. Hij ging weer rechtop staan en tuurde naar de sigarettendoos, zonder de vraag van de contessa te beantwoorden. Hij gooide de zilveren doos naar haar, die ze onhandig opving.

'Ook van Svenson,' zei hij, en hij wierp een blik op de prins, die in zijn stoel zat en het hele tafereel gadesloeg door een mist van dronken verdwazing. 'Op de kaart staan de ervaringen van Mrs Marchmoor, in een kamer in Hotel St. Royale… een ontmoeting met de prins. Kennelijk heeft dat grote indruk gemaakt op Mrs Dujong.'

'Is dat alles?' vroeg de contessa, enigszins op haar hoede.

'Nee.' De comte zuchtte diep. 'Dat is niet alles.'

Hij knikte weer naar Angelique.

Tot enorme afschuw van de andere samenzweerders draaide de glazen vrouw zich naar hen toe. Ze deinsden achteruit terwijl Angelique naar hen toe liep.

'Wat… Wat doet u?' sputterde Crabbé.

'Ik ga dit mysterie tot op de bodem uitzoeken,' kraste de comte.

'Zonder onze hulp kunt u uw werk niet volbrengen,' siste Xonck. Hij wuifde naar het meisje op het bed. 'Hebben we niet genoeg voor u gedaan? Hebben we uw visioenen niet mogelijk gemaakt?'

'Visioenen die de kern uitmaken van uw winst, Francis.'

'Dat heb ik nooit ontkend! Maar als u van plan bent me te veranderen in een lege huls, zoals Vandaariff…'

'Ik ben niets van plan,' zei de comte. 'Wat ik doe dient een hoger doel voor ons allemaal.'

'Voordat je ons als beesten behandelt, Oskar... en mij tot je vijand maakt,' zei de contessa, die haar stem verhief en op felle toon sprak, 'zou je misschien kunnen uitleggen wat je van plan bent.'

Miss Temple sloeg een hand voor haar mond. Ze voelde zich erg onnozel. Oskar! Lag het zo stompzinnig voor de hand? De comte had de werken van Oskar Veilandt niet gestolen, de schilder was geen gevangene of lege huls zonder geheugen... Het was een en dezelfde man! Wat had tante Agathe haar verteld? De comte was geboren op de Balkan, opgegroeid in Parijs, had een onwaarschijnlijke erfenis gekregen. Dat was niet onverenigbaar met de dingen die Mr Shanck over Veilandt had verteld: kunstacademie in Wenen, atelier in Montmartre, een geheimzinnige verdwijning – naar aanzien en rijkdom, zoals ze nu wist! Ze keek naar Chang en Svenson, en zag dat Chang bitter zijn hoofd schudde. Svenson kon zijn ogen niet afhouden van de in elkaar gedoken gestalte van Eloïse. Hij staarde hulpeloos en onrustig naar de arme vrouw.

De comte schraapte zijn keel en hield de glazen kaart omhoog.

'Deze ontmoeting wordt bijgewoond door toeschouwers; onder wie jij, Rosamonde, en u, Francis. Maar de intelligente Mrs Dujong heeft door de doorzichtige spiegel een tweede ontmoeting gezien, in de lobby... waar kolonel Trapping zeer dringend praat met Robert Vandaariff.'

Na deze onthulling viel er een stilte.

'Wat betekent dat?' vroeg Crabbé.

'Dat is nog niet alles,' dreunde de comte.

'Kunt u het niet gewoon vertellen, monsieur?' protesteerde Crabbé. 'We hebben niet zoveel tijd...'

'Mrs Dujongs geheugen rept over een tweede kaart – een kaart die de dokter uit de voering van Arthur Trappings uniform heeft gehaald. Kennelijk was zijn lijk niet goed gefouilleerd. Onder andere bevat deze kaart een beeld van mijzelf, terwijl ik een voorbereidend onderzoek doe bij Lydia.'

'Arthur was van plan die kaart aan Vandaariff te geven,' zei Xonck.

'Maar de gulzige idioot was niet in staat de verleiding te weerstaan...'

Crabbé deed een stap naar voren en kneep zijn ogen tot spleetjes.

'Probeert u ons op deze manier te vertellen dat u hem hebt vermoord?' siste hij tegen de comte. 'Zonder iemand iets te zeggen? Alles te riskeren? Ons hele tijdsschema te versnellen? Geen wonder dat lord Robert zo opgewonden was – geen wonder dat we werden gedwongen...'

'Maar dat is het nou net, Harald,' baste de comte. 'Ik vertel jullie dit juist omdat ik Arthur Trapping geen haar heb gekrenkt.'

'Maar... Maar waarom zou anders...' begon Crabbé, maar toen viel hij stil, terwijl ieder lid van de samenzwering wantrouwig naar de anderen keek.

'Had ze deze kaart van Svenson?' vroeg de contessa. 'Waar heeft hij die gevonden?'

'Dat weet ze niet.'

'Bij mij, natuurlijk,' zei een lijzige stem traag vanaf de overkant van de zaal. Karl-Horst probeerde zichzelf nog meer cognac in te schenken. 'Hij heeft hem waarschijnlijk in mijn kamer gevonden. Ik heb die Trapping niet eens opgemerkt, moet ik zeggen; ik was meer geïnteresseerd in Margaret! Het was het eerste stukje glas dat ik ooit had gezien, een cadeautje om me tot deelname te verleiden.'

'Een cadeautje van wie?' vroeg Francis Xonck.

'God mag het weten. Is dat belangrijk?'

'Het is waarschijnlijk van cruciaal belang, hoogheid,' zei de contessa.

De prins fronste zijn wenkbrauwen. 'Nou, in dat geval...'

Miss Temple zag dat ieder lid van de samenzwering de prins met nauwelijks onderdrukte woede gadesloeg. Ieder van hen zou hem graag in het gezicht slaan tot hij eruit braakte wat hij wist, maar geen van hen durfde ook maar het kleinste sprankje ongeduld of ongerustheid aan de anderen te laten zien. Zo wachtten ze, terwijl hij zijn lippen tuitte, aan zijn oor krabde, op zijn tanden zoog en al die tijd genoot van hun onverdeelde aandacht. Miss Temple maakte zich ook zorgen. Wat zou er gebeuren als Angelique doorging met haar speurtocht? Wie wist of de glazen vrouw niet de aanwezigheid van hun geest kon ruiken? Miss Temples been tintelde omdat ze zo lang geknield had gezeten, en de stoffige lucht kriebelde in haar neus. Ze wierp een blik op Chang, die zijn mond stijf dichthield, en realiseerde zich dat hij zijn hoestbuien al die tijd had onderdrukt. Ze had er helemaal niet bij stilgestaan, maar plotseling maakte de mogelijkheid – de onvermijdelijkheid! – dat hij hun aanwezigheid zou verraden haar doodsbang. Ze moesten in actie komen, maar hoe? Wat konden ze doen?

'Het zal dokter Lorenz wel zijn geweest, of – hoe heette hij ook weer? – Mr Crooner, uit het instituut, die man die zo akelig aan zijn eind kwam. Zij bedienden de machines. Ze hebben het aan mij gegeven als een aandenken – ik weet niet hoe die schurk Svenson het zonder hulp heeft gevonden, want ik had het op een briljante manier verstopt.'

De contessa onderbrak hem. 'Uitstekend, hoogheid, nu zijn we een stuk verder.'

Ze liep de zaal door naar de comte. Ze maakte hem de spullen afhandig die hij van Eloïse had afgepakt en sprak met een nauwelijks verholen woede.

'Zo komen we nergens. We hebben gevonden wat we zochten: de sleutel. Laten we onmiddellijk terugkeren naar de boeken, om te zien wat er in de getuigenis van lord Robert staat. Misschien komen we er dan eindelijk achter waarom de kolonel is vermoord.'

'Gelooft u niet dat Chang het was?' vroeg Crabbé.

'U wel?' sneerde de contessa. 'Ik zou blij zijn om het te horen – mijn leven zou gemakkelijker zijn. Maar nee – we herinneren ons allemaal hoe voorzichtig we moesten zijn en hoeveel risico we liepen toen we Robert Vandaariff uiteindelijk tot andere gedachten moesten brengen. Tot op dat moment geloofde hij dat de hele campagne zijn eigen plan was. We weten dat de kolonel geheimen verkocht – wie weet hoeveel geheimen hij wist?' Ze haalde haar schouders op. 'Chang is een moordenaar – dit is politiek. We laten je rustig verder werken, monsieur.'

De comte knikte naar Lydia. 'Het is klaar... behalve dat het eerst nog moet bezinken.'

'Nu al?' De contessa keek omlaag naar Miss Vandaariffs uitgeputte lichaam. 'Nou, ik denk niet dat ze het leuk zou vinden om het te rekken.'

'Het plezier zit 'm in de uiteindelijke uitkomst, Rosamonde,' kraste de comte.

'Natuurlijk zit het daarin,' antwoordde ze, terwijl haar blik over het bespatte beddengoed gleed. 'We hebben al te veel van je tijd in beslag genomen. We zien je wel bij de zeppelin.'

Ze draaide zich om en wilde weggaan, maar bleef staan toen Xonck naar voren stapte en naar Eloïse knikte.

'Wat gaat u met haar doen?'

'Moet ik dat beslissen?' vroeg de comte.

'Niet als u dat liever niet wilt.' Xonck glimlachte. 'Ik was gewoon beleefd.'

'Ik zou graag verdergaan met mijn werk,' snauwde de comte d'Orkancz.

'Met het grootste genoegen,' zei Xonck. Hij trok Eloïse met zijn goede hand overeind en sleurde haar de kamer uit. Even later werden ze gevolgd door de contessa, Crabbé en de hele stoet.

Miss Temple keek naar haar metgezellen en zag dat Chang zijn hand om de mond van Svenson had geklemd. Dit was een marteling voor de dokter – en toch, als ze ook maar het geringste geluid maakten zou Angelique hun aanwezigheid opmerken en hen even gemakkelijk overmeesteren als Eloïse. Miss Temple boog zich weer voorover en gluurde omlaag naar het laboratorium. De comte had de anderen nagekeken en liep terug naar de tafel. Hij wierp een blik op Lydia en Angelique, negeerde de prins en schroefde de dop van het kleine ventiel dat uit de zijkant van het instrument stak. Miss Temple zag dat de comte een dampende vloeistof uit een van de verhitte flacons in de klep goot, zonder één druppel te morsen. Dat deed hij voorzichtiger dan je zou verwachten van zo'n grote man. Daarna draaide hij de klep dicht. Hij pakte het ijzeren instrument op, liep terug naar het bed en legde het naast Lydia's been neer.

'Ben je wakker, Lydia?'

Lydia knikte. Miss Temple zag het meisje voor het eerst bewegen.

'Heb je pijn?'

Lydia trok een grimas, maar ze schudde haar hoofd. Ze draaide zich om, afgeleid door een beweging. Het was de prins, die nog meer cognac inschonk.

'Je verloofde zal zich hier later niets van herinneren, Lydia,' zei de comte.

'En jij ook niet. Ga achteroverliggen... Gedane zaken nemen geen keer.'

De comte pakte het instrument en wierp een blik omhoog naar hun balkon. Hij verhief zijn stem en richtte zich tot de hele zaal.

'Het is beter als u uit vrije wil naar beneden komt. Als deze dame u naar beneden haalt, trekt ze u over de rand.'

Miss Temple draaide zich vol ontzetting om naar Chang en Svenson.

'Ik wéét dat u daar bent,' riep de comte. 'Ik heb natuurlijk met een bepaalde reden gewacht tot ik met u kon praten, maar ik vraag het niet nog een keer.'

Chang haalde zijn hand van Svensons mond en keek naar achteren of ze nog konden ontsnappen. Voor de twee anderen hem konden weerhouden sprong de dokter overeind en riep over de balustrade naar de comte: 'Ik kom al... Loop naar de hel, ik kom al naar beneden!'

Hij keerde zich naar hen om, met een woeste blik in zijn ogen en zijn arm uitgestrekt ten teken dat ze moesten blijven zwijgen. Hij stampte luid toen hij de trap bereikte. In het voorbijgaan duwde hij Miss Temple de revolver in handen en boog zich dicht naar haar oor.

'Als ze niet trouwen,' fluisterde hij, 'is het sperma niet wettig!'

Miss Temple hield de revolver onhandig vast en keek op. Svenson was al weg. Ze wendde zich naar Chang, maar hij onderdrukte een gemene hoest – er droop een dunne straal bloed omlaag langs zijn kin. Ze keek weer over de balustrade van het balkon. De dokter kwam in beeld. Hij hield zijn handen een eind van zijn lichaam met de handpalmen naar boven om te laten zien dat hij ongewapend was. Hij rilde van afschuw toen hij Lydia Vandaariff van dichtbij zag en wees toen naar de glazen vrouw.

'Ik neem aan dat dit wezen me heeft geroken?'

De comte lachte – een uitgesproken akelig geluid – en schudde zijn hoofd. 'Integendeel, dokter. Dit is passend, aangezien wij beiden wetenschappelijk ingestelde, onderzoekende mensen zijn. Toen ik Mrs Dujongs geest onderzocht, zag ik geen herinnering aan een aanval op herr Flaüss. Daaruit leidde ik af dat de ware boosdoener zich nog steeds schuilhield.'

'Ik begrijp het,' zei Svenson. 'Toch snap ik niet waarom u mij niet direct ontmaskerde.'

'O nee?' zei de comte met een zelfvoldane neerbuigendheid. 'Ten eerste... waar zijn uw kameraden?'

De dokter zocht naar woorden, met krampachtig strekkende vingers; toen liet hij ze vol minachting en razernij losbarsten.

'Wees vervloekt, mijnheer! Loop naar de hel – u hebt het zelf gehoord! Hun keel is doorgesneden door kolonel Aspiche!'

'Maar niet die van u?'

Svenson lachte spottend. 'Dat is niet iets om trots op te zijn. Chang was al halfdood, zijn einde was een kwestie van seconden. Miss Temple...' Svenson streek met zijn hand over zijn voorhoofd. 'U zult er niet aan twijfelen hoe ze met hem heeft gevochten. Door dat gevecht werd ik wakker; ik kon de kolonel met een stoel de hersens inslaan. Niet op tijd om het meisje te redden, tot mijn eeuwige schande.'

De comte dacht over het verhaal van de dokter na.

'Een ontroerend verhaal.'

'U bent een klootzak,' riep Svenson uit. 'U bent de ergste van allemaal, want u hebt talenten verspild die de anderen nooit hebben bezeten. Ik zou graag een kogel door uw kop jagen, monsieur, en u met Aspiche naar de hel sturen. Met minder wroeging dan dat ik een vlieg zou doodslaan.'

Zijn woorden werden beantwoord door gelach, maar dat kwam niet van de comte. Tot verbazing van Miss Temple was de prins uit zijn stoel opgestaan. Hij deed een stap naar zijn oude lijfarts, met het cognacglas nog steeds in zijn hand.

'Wat zullen we met hem doen, monsieur? Dat is waarschijnlijk mijn taak, hij heeft mij tenslotte verraden. Wat stelt u voor?'

'Je bent een stomme idioot,' siste Svenson. 'Je hebt het nooit gezien, zelfs nu niet! In godsnaam, Karl, kijk naar dat meisje – je verloofde! Ze geven haar een kind van iemand anders!'

De prins wendde zich tot Lydia, zijn gezicht verveeld en verstrooid als altijd.

'Weet je wat hij bedoelt, lieveling?'

'Nee, liefste Karl.'

'Weet u het, monsieur?'

'We waken alleen over haar gezondheid,' zei de comte.

'Die vrouw is halfdood!' brulde Svenson. 'Word wakker, idioot! Lydia, in 's hemelsnaam, meisje, ren voor je leven! Het is niet te laat, je kunt nog worden gered!'

Svenson raasde en tierde, zwaaiend met zijn armen. Miss Temple voelde dat Chang haar arm beetgreep. Toen realiseerde ze zich dat de dokter zoveel lawaai maakte zodat ze ongestoord de trap af konden lopen. Ze verweet zichzelf dat ze weer een stap achterliep. Ze gingen snel de trap af tot de laagste treden, net buiten het zicht uit de zaal. Ze keek omlaag naar de revolver – waarom had de dokter die in godsnaam aan háár gegeven? Waarom probeerde hij zelf niet de prins dood te schieten? Waarom had hij de revolver niet aan Chang gegeven? Ze zag dat Chang ook naar het wapen keek. Toen keek hij haar in de ogen.

Ze begreep het onmiddellijk, en ondanks alles, ondanks het feit dat ze zijn ogen niet eens kon zien, voelde ze tranen branden in de hare.

'Dokter, doe kalm aan!' riep de comte, en hij knipte met zijn vingers naar Angelique. Meteen slaakte Svenson een kreet, wankelde en viel op zijn knieën. De comte stak zijn hand op en wachtte tot de dokter weer een beetje bij zijn positieven was voordat hij begon te spreken.

'Ik wil die kleinerende uitlatingen over mijn werk niet meer aanhoren...'

'Werk?' blafte Svenson, terwijl hij met zijn armen zwaaide naar de bekerglazen, naar Lydia. 'Middeleeuwse grappenmakerij die dat meisje haar leven gaat kosten!'

'Genoeg!' brulde de comte, die dreigend naar voren kwam. 'Zijn die glazen boeken vervaardigd met grappenmakerij? Grappenmakerij die voor eeuwig de ware essentie heeft vastgelegd van ik weet niet hoeveel levens? Omdat deze wetenschap oud is, wijst ú – een dokter zonder enige verfijning, zonder enig begrip van de beweging van energie, van elementaire begrippen – haar in uw onwetendheid botweg af. U die nooit hebt gezocht naar de chemische substantie van begeerte, van toewijding of angst, van dromen... U die nooit de wortels van kunst en religie hebt blootgelegd, of in staat bent geweest van heilige en profane mythen een wedergeboorte in vlees te maken!'

De comte torende hoog boven Svenson uit. Zijn mond was vertrokken tot een grimas, alsof hij kwaad was dat hij zich tegenover een dergelijk persoon zo had laten gaan,. Hij schraapte zijn keel en praatte door; zijn woorden klonken weer even kil als altijd.

'U vroeg waarom ik ermee wachtte u te ontmaskeren. U zult ongetwijfeld hebben afgeluisterd dat er onder mijn bondgenoten verdeeldheid heerst. Ik wil dat u een aantal vragen beantwoordt, zonder dat ik die antwoorden aan anderen hoef te vertellen. U kunt uit vrije wil antwoorden, of met behulp van Angelique – maar spreken zult u.'

'Ik weet nergens iets van,' snauwde Svenson. 'Ik ben in Tarr Manor geweest, ik sta buiten jullie intriges in Harschmort.'

De comte negeerde hem en speelde gedachteloos met de knoppen op zijn metalen stuk gereedschap, dat naast het bleke been van Lydia lag.

'Toen we in de kas met elkaar praatten, was uw prins ontvoerd. Op dat moment wisten u en ik niet hoe, of door wie.'

'Het was de contessa,' zei Svenson, 'in de zeppelin...'

'Ja, dat wéét ik. Ik wil weten waarom.'

'Ze heeft u toch zeker wel een verklaring gegeven?'

'Misschien wel... misschien niet...'

'Dief en diefjesmaat hebben ruzie,' sneerde de dokter. 'Eerst leek u zulke goede vrienden...'

De prins deed een stap naar voren en gaf Svenson een klap in zijn gezicht.

'Zo spreek je niet tegen je meerderen!' verklaarde hij, alsof ze een beschaafd gesprek voerden. Toen snoof hij tevreden. Svenson keek naar de prins, zijn gezicht vol minachting, maar hij richtte zijn woorden nog steeds tot de comte.

'Ik kan het natuurlijk niet weten – ik kan alleen, zoals u zegt, deduceren. De prins werd ontvoerd, slechts een paar uur nadat ik hem uit het instituut had gered. U en de anderen kregen niets te horen. Het is duidelijk dat ze haar eigen plannen met hem had. Wat is de prins voor uw plannen? Een onnozele, een pion, een vacuüm op de troon...'

'Wat jij, vervloekt ondankbare schoft!' riep de prins. 'De brutaliteit!'

'Voor sommige mensen zou het duidelijk zijn,' zei de comte ongeduldig.

'Dan is het antwoord ook duidelijk, zou ik denken,' zei Svenson spottend. 'Iedereen die het procédé heeft ondergaan wordt voorzien van een controlezin, of niet soms? Helemaal per ongeluk heb ik de prins ontvoerd voordat bepaalde commando's aan hem kon geven. De contessa, die dat wist, en die ook wist dat iedereen de prins door zijn karakter als een imbeciel zou beschouwen, greep de gelegenheid aan om bepaalde hoogstpersoonlijke commando's in zijn geest te prenten. Op het juiste moment kon ze die commando's gebruiken tegen haar vermeende bondgenoten – iets onverwachts, bijvoorbeeld: u wordt uit de zeppelin geduwd. Natuurlijk zal de prins zich daar niets van herinneren, als u hem ernaar vraagt.'

De comte zweeg. Miss Temple verbaasde zich over de tegenwoordigheid van geest van de dokter.

'Zoals ik al zei... dat lag aardig voor de hand,' snoof Svenson.

'Misschien. Het is uw eigen verzinsel, maar het is geloofwaardig genoeg, zodat ik ben genoodzaakt mijn tijd te verspillen om het geheugen van de prins te doorzoeken. Maar voor ik dat doe, dokter – want ik denk dat u liegt – zal ik ú eerst doorzoeken. Angelique?'

Svenson sprong met een kreet overeind, maar de kreet werd afgekapt tot een wilde, naar adem snakkende blaf toen de geest van Angelique in zijn geest binnendrong. Chang sprong te voorschijn uit het trappenhuis en rende naar voren, met Miss Temple op zijn hielen.

Svenson zat op zijn knieën met zijn gezicht in zijn handen; de prins torende boven hem uit en hief zijn laars op om tegen het hoofd van de dokter te schoppen. Aan de zijkant stond Angelique. De prins keek verward en verontwaardigd naar hen op omdat hij werd gestoord. Met een brul rukte de comte zijn aandacht los van Svensons geest. Angelique draaide zich om, iets te langzaam, en Miss Temple richtte de revolver. Ze stond misschien op een afstand van drie meter toen ze de trekker overhaalde.

Het schot boorde zich in de uitgestrekte arm van de glazen vrouw, bij de elleboog, en schoot erdoorheen met een regen van glinsterende glassplinters. De onderarm en de hand vielen op de grond, waar ze uiteenspatten in een indigokleurige rookpluim. Miss Temple zag dat Angelique haar mond wijd opensperde, maar hoorde de gil inwendig in haar geest. Die gil sloeg alle gedachten van alle aanwezigen kapot. Miss Temple viel op haar knieën, met tranen in haar ogen, en vuurde opnieuw. De kogel doorboorde het pantser van Angeliques bovenlijf en sloeg sterren in het oppervlak. Miss Temple haalde telkens opnieuw de trekker over; ieder gat maakte de barsten dieper, ze schoten naar elkaar toe en vormden spleten – Angelique gilde twee keer zo luid en Miss Temple kon zich niet verroeren, kon nauwelijks iets zien want ze werd overspoeld door willekeurige herinneringen die als dolken in haar geest staken: Angelique als kind bij de zee, de smerige bedompte lucht in het bordeel, zijde en champagne, tranen, afranselingen, blauwe plekken, kille omhelzingen, en een doordringende prille hoop, sterker dan al het andere, dat haar dromen werkelijkheid zouden worden. Voor de ogen van Miss Temple spleet haar bovenlijf onder haar ribbenkast in tweeën en brak; het bovenste stuk van haar romp sloeg tegen het onderste in een wolk van indigokleurige rook en glinsterend dodelijk stof; de stukken barstten uit elkaar toen ze tegen de stenen kapotsloegen.

Miss Temple wist niet of de stilte werd veroorzaakt doordat niemand kon praten, of doordat ze doof was geworden. Het duizelde haar door de giftige dampen en ze sloeg haar hand voor haar mond, zich afvragend of ze blauw glasstof had geïnhaleerd. De rokende puinhopen van Angelique lagen verspreid over de vloer. Er lagen blauwe scherven in een poel van indigo. Ze keek op en knipperde met haar ogen. Chang zat met zijn rug tegen de muur en staarde voor zich uit. Svenson zat op handen en knieën, en tastte rond om weg te kruipen. Lydia lag op het bed; ze jammerde en trok aan haar boeien. De prins lag op de grond bij Svenson, sissend van de pijn. Hij sloeg zwakjes naar zijn hand, waar een glassplinter was binnengedrongen. Zijn hand werd snel blauw. Alleen de comte stond nog overeind, met een asgrauw gezicht.

Miss Temple richtte de revolver op de comte en haalde de trekker over. De kogel versplinterde de chemische fabriek op de tafel. Er vloog een regen van glas in het rond en zijn voorschoot kwam onder de spetters kokende vloeistof. Dat geluid deed iedereen ontwaken. De comte sprong naar voren, greep zijn ijzeren instrument van het bed en hief het omhoog als een goedendag. Miss Temple richtte haar revolver opnieuw op zijn hoofd. Voordat ze kon vuren voelde ze dat Chang haar arm beetgreep. Ze kreunde van verrassing zijn greep deed pijn en zag dat hij met zijn andere hand de kraag van Svenson vasthield. Hij trok hen beiden met zijn volle kracht naar de deur. Ze keek achterom naar de comte, die ondanks zijn razernij voorzichtig om de zee van gebroken glas heen liep, en deed haar best om te richten. Svenson krabbelde overeind toen ze de deur bereikten, maar Chang liet hem niet los. Miss Temple strekte haar arm om te vuren, maar Chang rukte haar achteruit, de gang in.

'Ik moet hem doden!' riep ze.

'Je kogels zijn op!' siste Chang. 'Als je die trekker overhaalt weet hij dat!'

Ze hadden nog geen twee stappen gelopen voor de dokter zich omdraaide en zich uit Changs greep probeerde los te worstelen.

'De prins, hij moet sterven…'

'We hebben genoeg gedaan…' Chang trok hen allebei mee. Zijn stem was schor; hij hoestte van inspanning.

'Dan gaan ze trouwen…'

'De comte is een geduchte tegenstander. Wij zijn ongewapend en verzwakt. In een gevecht zal op z'n minst een van ons sterven.' Chang kon nauwelijks praten. 'We hebben nog meer werk te doen.

Als we de anderen tegenhouden, houden we die idioot van een prins ook tegen. Vergeet Mrs Dujong niet.'

'Maar de comte...' zei Miss Temple. Ze keek achterom of ze werden achternagezeten.

'Die kan ons niet in zijn eentje achtervolgen – hij moet de prins en Lydia in veiligheid brengen.' Chang schraapte zijn keel en spuwde langs Svenson. 'Bovendien is de ijdelheid van de comte... gewond geraakt...'

Zijn stem was ruw. Miss Temple waagde een blik op zijn gezicht, terwijl ze op eigen kracht met de anderen meerende, zag met een steek van ontzetting de stroom tranen onder Changs brillenglazen en hoorde de verschrikkelijke snikken in zijn hijgende ademhaling. Ze wreef over haar eigen gezicht en deed haar best om de anderen bij te houden.

* * *

Ze kwamen bij het trappenhuis en deden de deur achter zich dicht. Chang leunde ertegenaan, met zijn handen op zijn knieën, en gaf zich over aan een nieuwe hoestbui. Svenson keek hem bezorgd aan en legde zijn hand op Changs schouder om hem te troosten. Hij keek op naar Miss Temple.

'Dat heb je heel goed gedaan, Celeste.'

'Niet beter dan een van jullie,' zei ze bits. Ze wilde niet over zichzelf praten terwijl Chang zo'n verdriet had.

'Dat is waar.'

Miss Temple huiverde.

'Haar gedachten... toen ze stierf... in mijn geest...'

'Ze is wreed misbruikt,' zei Svenson. 'Door de comte... en door de wereld. Niemand zou zo'n verschrikking moeten ondergaan.'

Maar Miss Temple wist dat de ware verschrikking voor Angelique niet haar gedaantewisseling was, maar haar vroegtijdige dood, en haar afschuwelijke zwijgende kreet was een zinloze oerkreet van protest, als van een spreeuw die door een havik wordt gepakt. Miss Temple had nooit tegenover een dergelijke angst gestaan en was er ook nooit van bezeten geweest – zich vastklampend aan de uiterste rand voor de dood. Ze vroeg zich af of ze zelf ook op zo'n afschuwelijke manier zou sterven. Dat zou vanavond nog kunnen gebeuren. Ze snufte. Of vandaag; ze had geen idee hoe laat het was. Toen ze buiten naar de rijtuigen stonden te kijken was het donker, en nu waren ze onder de grond. Was het pas een dag geleden dat ze Svenson in de lobby van Hotel Boniface had ontmoet?

Ze slikte en schudde de angst van zich af. Met een karakteristieke gretigheid verplaatsten haar gedachten zich van de dood naar het ontbijt.

'Zodra dit achter de rug is,' zei ze, 'zou ik graag iets eten.'

Chang keek haar aan. Ze glimlachte naar hem en deed haar uiterste best om de harde uitdrukking op zijn gezicht en de zwarte leegte van zijn bril te weerstaan.

'Nou, het is al een tijdje geleden...' zei Svenson beleefd, alsof hij over het weer praatte.

'Het zal nog wel een tijdje duren,' kon Chang schor uitbrengen.

'Vast wel,' zei Miss Temple. 'Aangezien ik niet van glas ben, leek het me een aanvaardbaar gespreksonderwerp.'

'Inderdaad,' zei Svenson, slecht op zijn gemak.

'Zodra dit zaakje achter de rug is, natuurlijk,' voegde Miss Temple eraan toe.

Chang rechtte zijn rug; zijn gezicht was enigszins gekalmeerd. 'We moeten gaan,' mompelde hij.

Miss Temple glimlachte in zichzelf terwijl ze de trap op liepen. Ze hoopte dat haar woorden Chang hadden afgeleid van zijn verdriet, al was het alleen door ergernis. Ze was er goed van doordrongen dat ze niet begreep wat hij voelde, ondanks haar verlies van Roger, want ze begreep de verbintenis tussen Chang en deze vrouw niet. Hoe kon een dergelijke transactie leiden tot een gehechtheid? Ze was slim genoeg om te begrijpen dat de meeste huwelijken waren gebaseerd op een transactie – haar eigen ouders waren een vereniging van land en baar geld om dat land te bewerken –, maar voor Miss Temple stonden de objecten van ruilhandel – titels, landgoederen, geld en erfenissen – altijd los van de betrokken lichamen. Het idee dat je je eigen lichaam zou gebruiken voor een transactie – dat dit de reikwijdte van de ruil was. Het getuigde van een lompheid die ze niet kon bevatten. Ze vroeg zich af wat haar moeder had gevoeld toen zij was verwekt. Was het een kwestie van twee lichamen (Miss Temple wijdde bij voorkeur geen bespiegelingen aan 'liefde' over haar wrede vader), of was elk arm of been gebonden – net als die van Lydia in het laboratorium – door een koehandel tussen twee families? Ze keek naar Chang, die voor haar uit naar boven liep. Hoe voelde het om vrij te zijn van dergelijke lasten? Was dat de vrijheid van een wild dier?

'Herr Flaüss was weg toen we naar buiten gingen,' merkte dokter Svenson op. 'Misschien is hij met de anderen meegegaan.'

'Waar zijn ze?' vroeg Miss Temple. 'Bij de zeppelin?'

'Ik denk het niet,' zei Svenson. 'Voordat ze verdergaan moeten ze eerst hun geschillen uitvechten. Waarschijnlijk ondervragen ze lord Vandaariff.'

'En misschien Roger,' zei Miss Temple, alleen om te laten zien dat ze zijn naam zonder moeite kon uitspreken.

'Dan kunnen we kiezen: hen zoeken of zelf naar de zeppelin gaan.' Svenson riep vooruit naar Chang: 'Wat zeg jij?'

Chang keek om, terwijl hij buiten adem zijn roodbevlekte mond afveegde. 'De zeppelin. De dragonders.'

Dokter Svenson knikte. 'Smythe.'

*   *   *

Het huis was onrustbarend stil toen ze op de begane grond kwamen.

'Zou iedereen weg zijn?' vroeg Svenson.

'Welke kant moeten we op?' kraste Chang.

'De zeppelin is op het dak – de grote trap is het gemakkelijkst als die niet bezet is. Ik moet jullie er weer op wijzen dat we wapens moeten krijgen.'

Chang zuchtte, en knikte ongeduldig.

'Waar?'

'Nou…' Svenson had duidelijk niet direct een idee.

'Kom maar met mij mee,' zei Miss Temple.

Ze hadden Mr Blenheim weggehaald, hoewel de vlek op het tapijt nog zichtbaar was. Ze namen kort de tijd. Ze glimlachte om de nieuwsgierigheid en hebberigheid op de gezichten van haar metgezellen terwijl ze trofeeënkasten van Robert Vandaariff plunderden. Voor zichzelf koos Miss Temple opnieuw een kronkelige dolk – de eerste had haar goede diensten bewezen. Chang koos twee dezelfde kromme messen met een breed lemmet, met een heft dat bijna even lang was.

'Een soort machete,' legde hij uit. Ze knikte vriendelijk. Ze had geen idee wat hij bedoelde, maar ze was blij dat hij tevreden was. Ze keek geamuseerd toe toen dokter Svenson een Afrikaanse speer van de muur haalde en een met edelstenen bezette dolk tussen zijn riem stak.

'Ik ben geen zwaardvechter,' zei hij toen hij haar nieuwsgierige gezicht en de droge grijns van Chang zag. 'Hoe verder ze van me af blijven, hoe veiliger ik ben. Niet dat ik me niet belachelijk voel. Toch zet ik een narrenkap op als het ons helpt om te overleven.' Hij keek naar Chang. 'Naar het dak?'

Terwijl ze naar de trap aan de voorkant van het huis liepen, voelde Miss Temple het ongewone gewicht van de dolk in haar hand. Ze haalde snel adem. Het zweet liep over haar rug. Wat zou er gebeuren als kapitein Smythe zijn orders niet weigerde op te volgen? Wat zou er gebeuren als kapitein Smythe er helemaal niet was? Wat zou er gebeuren als ze werden opgewacht door de contessa en Xonck en Crabbé, in plaats van de soldaten? Wat moest ze doen? Het was één ding als haar zenuwen haar in de steek lieten terwijl ze alleen was, maar in het bijzijn van Chang en Svenson? Bij elke stap ging ze sneller ademen; haar hart sloeg onregelmatiger.

Ze kwamen bij de grote hal, een enorme ruimte van zwart-wit marmer waar Miss Temple lang geleden de contessa di Lacquer-Sforza voor het eerst had ontmoet. De hal was nu leeg en stil, afgezien van hun hol klinkende voetstappen. De grote buitendeuren waren dicht. Svenson keek reikhalzend omhoog langs de trap en Miss Temple volgde zijn blik. Voor zover ze kon zien was er geen levende ziel tussen de begane grond en de hoogste verdieping.

Achter hen werd de doodse stilte in het huis verbroken door een revolverschot. Miss Temple hield haar adem in van schrik. Chang wees naar de meest verafgelegen vleugel.

'Vandaariffs kantoor,' fluisterde hij. Svenson deed zijn mond open, maar Chang legde hem met een opgeheven hand het zwijgen op. Hadden ze Eloïse doodgeschoten? Er verstreken een paar seconden. Een slaande deur uit diezelfde richting... Daarna verre voetstappen.

'Ze komen eraan,' snauwde Chang. 'Schiet op!'

Ze waren op de derde verdieping toen hun vijanden de hal op de begane grond bereikten. Chang gebaarde dat Miss Temple dicht bij de muur moest gaan staan en ging op zijn hurken zitten. Ze hoorde de contessa, maar kon niet verstaan wat ze zei. Boven haar tastte de dokter naar een onopvallende deur. Miss Temple rende naar hem toe, schoot langs de dokter door de deuropening en rende de smalle trap op naar het punt waar Chang stond te wachten. Chang greep haar arm, boog zijn gezicht dicht naar het hare, wachtte tot de dokter hen had ingehaald en fluisterde: 'Aan de andere kant van de deur staat een soldaat op wacht. We mogen geen enkele dragonder kwaad doen totdat we Smythe bereiken. Hij heeft waarschijnlijk meer soldaten dan onze vijanden: als we erin slagen zijn aandacht te trekken, kunnen we hem misschien voor ons winnen.'

'Kom met mij mee,' zei Miss Temple.

'Ik ben degene die moet gaan,' zei Miss Temple.

Chang schudde zijn hoofd. 'Ik ken hem beter...'

'Ja, maar zo'n dragonder werpt één blik op jullie en begint direct met zijn sabel te zwaaien. Dat zal hij bij mij niet doen, en dan heb ik de tijd om de kapitein te roepen.'

Chang zuchtte, maar Svenson knikte onmiddellijk.

'Celeste heeft gelijk.'

'Dat weet ik, maar ik vind het geen prettig idee.' Chang smoorde een nieuwe hoestbui. 'Vooruit!'

Miss Temple deed de deur open en liep erdoorheen, met de dolk in haar lijfje gestoken. Ze kromp in elkaar toen ze de bitter koude wind voelde die over het dak blies, en de scherpe zoute geur van de zee meevoerde. Er stonden twee roodgejaste dragonders aan weerszijden van de deur. Twintig meter verderop zweefde de zeppelin onheilspellend boven het dak, als een buitenaards roofdier. Het was een enorme gasballon waaraan een lange glimmende ijzeren cabine bungelde. Hij was bijna zo groot als een zeeschip maar hij was helemaal van glimmend zwart ijzer, als een wagon. Dragonders hadden kisten in de cabine. Ze tilden ze omhoog naar verscheidene Mecklenburgse soldaten in zwarte uniformen, die bovenaan de loopplank stonden. Binnen in de cabine zag ze het scherpe gezicht van dokter Lorenz door een met gaslampen verlicht raam. Hij had een vliegbril om zijn hals en was druk bezig schakelaars om te zetten. Het dak was een centrum van activiteit, maar Smythe was nergens te bekennen.

Het duurde ongeveer één seconde tot de dragonders haar zagen en haar armen beetgrepen. Ze probeerde zich verstaanbaar te maken boven de striemende wind uit.

'Ja, ja, neemt u me niet kwalijk. Ik heet Temple, ik ben op zoek... Sorry, ik ben op zoek naar kapitein...'

Voor ze haar zin kon afmaken brulde de dragonder aan haar rechterkant naar de zeppelin.

'Mijnheer! We hebben iemand, mijnheer!'

Miss Temple zag dat dokter Lorenz met een geschokte uitdrukking op zijn gezicht door het raam naar buiten keek. Hij verdween ogenblikkelijk – hij kwam ongetwijfeld naar beneden – en ze overstemde de kreet van de soldaat. 'Kapitein Smythe! Ik ben op zoek naar kapitein Smythe!'

De beide mannen wisselden een verwonderde blik. Ze maakte daar zo goed mogelijk gebruik van en trachtte zich los te rukken uit hun greep. Toch bleven ze haar vasthouden, ondanks haar schoppende voeten. Vervolgens verschenen de gestalten van kapitein Smythe en dokter Lorenz vlak achter elkaar bovenaan de loopplank. Ze stonden naast elkaar. De moed zonk Miss Temple in de schoenen. Ze liepen naar beneden – het gezicht van Smythe was te ver weg in het schemerige licht om zijn gezichtsuitdrukking te kunnen onderscheiden –, toen de deur achter haar open zwaaide en kardinaal Chang beide dragonders een mes tegen de keel drukte. Miss Temple keek achterom. Dit was een zeer onwelkome complicatie. Ze zag dokter

Svenson, met zijn speer onder zijn arm geklemd, die de deur stevig dicht duwde.

'Ze zijn vlak achter ons,' fluisterde hij.

'Wie hebben we daar?' riep dokter Lorenz spottend. 'Wat een hardnekkig soort ongedierte! Kapitein, staat u mij toe?'

'Kapitein Smythe!' riep Miss Temple. 'U weet wie we zijn! U weet wat ze vanavond hebben gedaan, u hebt hen horen overleggen! Uw stad, uw koningin!'

Smythe bleef staan, nog steeds naast Lorenz op de loopplank.

'Waar wacht u nog op?' snauwde Lorenz, en hij wendde zich tot de dragonders op het dak, een groep van ongeveer twaalf soldaten. 'Breng deze misdadigers onmiddellijk ter dood!'

'Kapitein Smythe,' riep Miss Temple, 'u hebt ons toch eerder geholpen?'

'Wát?' Lorenz draaide zich om naar Smythe. De kapitein stak zonder te aarzelen zijn arm uit en duwde dokter Lorenz finaal van de loopplank, zodat hij met een knarsende bons ongeveer drie meter lager op het met grind bedekte dak viel.

Direct zwiepte Chang de kapmessen terug en trok Miss Temple naar zich toe. De dragonders sprongen de andere kant op, trokken hun sabels en gingen tegenover Chang staan, maar keken naar hun commandant, niet wetend wat ze moesten doen. Smythe liep het laatste eind van de loopplank af, met een hand op het gevest van zijn sabel.

'Dit kon niet uitblijven, neem ik aan,' zei hij.

Dokter Svenson gromde hardop toen er aan de deur werd getrokken, zodat zijn kracht op de proef werd gesteld. Hij hield de deur dicht, maar keek ongerust naar Chang, die zich naar Smythe wendde. Smythe wierp een blik naar het hoogste punt van de loopplank, waar twee verwarde Mecklenburgse soldaten stonden te kijken. Toen hij zich ervan had vergewist dat ze niet van plan waren aan te vallen, gaf Smythe een scherp bevel aan zijn soldaten. 'Te wapen!'

Als één man trokken de dragonders van het vierde regiment hun sabel. Svenson liet de deur los en voegde zich met een sprong bij Miss Temple en Chang.

De deur vloog open en onthulde Francis Xonck met een dolk in zijn hand. Hij liep het dak op en nam de getrokken sabels en zijn onbewaakte vijanden in ogenschouw.

'Welnu, kapitein Smythe,' sprak hij lijzig, 'is er iets aan de hand?'

Smythe trad naar voren, zonder zijn sabel getrokken te hebben.

'Wie hebt u bij u?' riep hij. 'Breng ze nu naar buiten.'

'Met het grootste genoegen.' Xonck glimlachte.

Hij deed een stap opzij en liet de andere leden van de samenzwering door de deur: de contessa, de comte en Crabbé – achter hen de prins, Roger Bascombe (met zijn opschrijfboek onder zijn arm), en dáárachter Caroline Stearne, die de wankelende Lydia ondersteunde. Na Caroline kwamen zes bedienden in zwarte livreien. De eerste vier droegen een zware hutkoffer en de laatste twee sleepten Eloïse Dujong met zich mee. Miss Temple slaakte een zucht van verlichting, want ze was ervan overtuigd geweest dat het schot van daarnet betekende dat Eloïse dood was. Terwijl deze groep zich verspreidde vanuit de deuropening, trokken de dragonders zich terug. Ze hielden zorgvuldig een niemandsland tussen de twee groepen in stand. Xonck wierp een blik op Miss Temple, betrad toen het niemandsland en richtte zich tot Smythe.

'Niet om mezelf te herhalen… maar is er iets mis?'

'Dit kan zo niet doorgaan,' zei Smythe. Hij knikte naar Eloïse en Lydia Vandaariff. 'Laat die vrouwen vrij.'

'Neem me niet kwalijk?' vroeg Xonck. Hij grijnsde, alsof hij niet helemaal kon geloven wat hij had gehoord, hoewel hij de mogelijkheid zeer vermakelijk vond.

'Laat die vrouwen vrij!'

'Nou,' zei Xonck, glimlachend naar Lydia, 'die vrouw wil niet worden vrijgelaten, want dan zou ze vallen. Ze voelt zich niet lekker, ziet u. Neem me niet kwalijk, hebt u overlegd met uw kolonel?'

'Kolonel Aspiche is een verrader,' verklaarde Smythe.

'In mijn ogen bent ú hier de verrader.'

'Uw ogen geven een vertekend beeld. U bent een schurk.'

'Een schurk die alles weet van de schulden van uw familie, kapitein,' sneerde Xonck, 'die allemaal zijn verzekerd tegen een salaris dat u misschien niet zult innen, omdat u dan al dood bent. Dat is de prijs voor gebrek aan loyaliteit, of is het idiotie?'

'Als u wilt sterven, Mr Xonck, moet u nog één woord zeggen.'

Smythe trok zijn sabel en liep op Xonck af, die achteruitliep. Zijn verstarde glimlach straalde nu kwaadaardigheid uit.

Miss Temple tastte naar haar dolk, maar haalde hem niet tevoorschijn. De lucht was zwaar en zwanger van onheil. De samenzweerders zouden zich toch zeker terugtrekken bij de aanblik van Smythe en zijn soldaten – hoe konden ze hopen een beroepsleger te weerstaan? Het was duidelijk dat kapitein Smythe er ook zo over dacht, want hij liep niet achter Xonck aan, maar wees met zijn sabel naar de hele groep rond de deuropening.

'Gooi uw wapens op de grond en keer terug naar het huis. We zullen dit binnen regelen.'

'Geen sprake van,' antwoordde Xonck.

'Ik ben er niet op uit om bloed te vergieten, maar ik ben er ook niet bang voor,' riep Smythe. Hij richtte zich tot de anderen om Xonck heen, vooral de vrouwen. 'Gooi uw wapens neer en…'

'Dat is echt onmogelijk, kapitein.' Dat was Harald Crabbé. 'Als we over twee dagen niet in Mecklenburg zijn, zijn al onze inspanningen voor niets geweest. Ik weet niet wat die boevenbende u heeft verteld,' – hij maakte een vaag gebaar naar Miss Temple, Svenson en Chang – 'maar ik kan u vertellen dat ze gewetenloze moordenaars zijn…'

'Waar is Mr Blenheim?' Smythe interrumpeerde Crabbé onverschillig.

'Aha! Een uitstekende vraag!' riep Crabbé. 'Mr Blenheim is vermoord – door die jonge vrouw!'

Hij wees met een beschuldigende vinger naar Miss Temple. Ze keek naar Smythe en wilde uitleg geven, maar voor ze een woord kon uitbrengen nam de kapitein zijn koperen helm voor haar af in een militaire groet. Hij keek weer naar de onderminister, wiens veroordeling duidelijk niet het verwachte resultaat had.

'Dan heeft ze mij de moeite bespaard, want Mr Blenheim heeft een van mijn soldaten vermoord,' antwoordde Smythe, en toen blafte hij hun toe op een commandotoon die zo scherp klonk dat Miss Temple schrok: 'Leg uw wapens néér! Ga terug naar binnen! Uw inspanningen zijn vanaf dit moment tenietgedaan!'

De knal van de revolver weerklonk dof op het dak in de openlucht. Het geluid was minder indringend dan de kogel, die kapitein Smythe deed tollen en voorover op zijn knieën deed vallen, terwijl zijn helm van zijn hoofd stuiterde. Miss Temple draaide zich bliksemsnel om en zag dokter Lorenz met een rokende revolver in zijn hand onder de loopplank staan. Zonder een moment te aarzelen liep Xonck met grote passen naar voren en schopte met een zwaai tegen de kaak van de kapitein, zodat hij languit achteroverviel. Hij draaide zich om naar de mannen achter hem en riep luid, met griezelig stralende ogen: 'Dood hen!'

Op het dak barstte een grote herrie los. Lorenz vuurde opnieuw en doodde de dichtstbijzijnde dragonder. De beide Mecklenburgse soldaten kletterden met getrokken sabels de loopplank af en slaakten een Duitse oorlogskreet. De mannen in het zwart vlogen naar voren in het kielzog van Xonck, met opgeheven knuppels, sommigen met revolvers. Ze schoten in het wilde weg om zich heen. De dragonders, verbijsterd door de aanval op hun officier en volslagen in verwarring gebracht, begonnen zich eindelijk te verdedigen. Klingen zwiepten vervaarlijk door de lucht en verdwaalde kogels floten Miss Temple om de oren. Ze tastte naar de dolk toen Chang haar bij de schouder greep en haar in de richting van de zeppelin duwde. Ze hervond haar evenwicht en draaide zich om. Ze zag dat Chang met zijn ene mes een knuppel afweerde en met zijn andere mes diep in het schouderblad van een zwartgejaste man hakte.

Chang draaide zich om en riep haar toe: 'Snijd de kabels door!'

Natuurlijk! Als ze de touwen doorsneed, zou de zeppelin vanzelf opstijgen en zwalkend wegzweven boven de zee! Het zou langer dan twee weken duren tot ze Mecklenburg bereikten. Ze rende naar de dichtstbijzijnde landvast, liet zich op haar knieën vallen en zaagde erop los. De kabel was van dik henneptouw, ingesmeerd met zwarte teer, maar het lemmet was scherp en algauw draaiden er eindjes touw weg. Het gat werd door de spanning steeds wijder, terwijl het gewicht van de zeppelin aan het touw trok. Ze keek op en gooide haar krullen opzij. Haar adem stokte toen ze het bloederige pandemonium zag.

Chang vocht met een van de Mecklenburgers. Hij probeerde zonder succes met zijn korte messen langs de veel langere sabel te komen. Het gezicht van Xonck zat onder de bloedspatten, terwijl hij wrede sabelhouwen uitwisselde met een dragonder. Dokter Svenson zwaaide verwoed met zijn speer, waarmee hij zijn belager op afstand hield. Toen viel Miss Temples oog op de comte… en de flikkerende blauwe straal onder zijn arm. De dragonder tegenover Xonck wankelde en zijn arm met de sabel zakte omlaag, alsof hij ineens te zwaar was geworden. In één seconde vloog het zwaard van Xonck naar voren. Een tweede dragonder viel plotseling op zijn knieën, maar kreeg toen een kogel van dokter Lorenz in zijn lijf. Miss Poole stond in de deuropening, gehuld in haar cape, en overweldigde de dragonders een voor een in opdracht van de comte. Miss Temple riep om hulp en zaagde wanhopig aan de kabel.

'Kardinaal Chang! Kardinaal Chang!'

Chang hoorde haar niet. Hij duelleerde nog steeds met de Duitse soldaat en vocht voor zijn leven – ze hoorde zijn hoest door het lawaai heen. Er stortte weer een man neer, gedood door Xonck. De overige dragonders zagen wat er gebeurde, stormden op de gestalten bij de deur af en sabelden onderweg nog twee zwartgejaste figuren neer. De samenzweerders verspreidden zich onmiddellijk. Crabbé en Roger belandden toevallig bij Caroline en Eloïse, de contessa schreeuwde tegen Xonck, de prins en Lydia vielen op hun knieën met hun handen omhoog, en de comte duwde Miss Poole naar voren om de aanval af te weren. De dragonders – misschien zes soldaten – kwamen wankelend tot stilstand, als jonge boompjes in de wind. Xonck deed een stap naar voren en hakte het hoofd van de dichtstbijzijnde man af. Hij was niet te stuiten – Miss Temple had nooit in haar leven een dergelijke koelbloedige wreedheid meegemaakt.

De aandacht van Miss Temple werd getrokken door een wervelwind van bewegingen in haar ooghoek. Een seconde later lag ze voorover op het grind. Ze schudde haar hoofd, knipperde met haar ogen en tastte naar de dolk. Ze werkte zich overeind op haar ellebogen, volkomen verdoofd, en realiseerde zich dat ze die keiharde klap in haar geest had geïncasseerd. Alsof haar gebeden waren verhoord zag ze de belachelijke speer van dokter Svenson uit de rug van Miss Poole steken. Miss Poole was aan de houten deur vastgepind. De gewonde vrouw – het gewonde wezen – spartelde als een vis op het droge. Bij elke draaibeweging maakte ze de schade alleen maar groter. Ze struikelde en de speer boorde zich met een knappende ruk enkele centimeters hoger naar haar schouder. Haar knappende lichaam was nog steeds verborgen onder de cape. Miss Temple zag haar gebogen hals en happende mond. De comte trachtte haar tevergeefs tot staan te brengen om haar leven te sparen, maar ze kon of wilde niet naar hem luisteren. Met een laatste krak viel ze opnieuw. De speer scheurde helemaal los van haar lichaam en spleet haar ineenstortende bovenlijf in tweeën. Ze stortte op de grond in elkaar als een gebroken stuk speelgoed.

Verspreid over het hele dak zag ze verbijsterde gezichten die wanhopig naar een verklaring zochten, want het zwijgende gegil van Miss Poole had hen allemaal overweldigd. Maar de windstilte duurde niet lang. Xonck en een Mecklenburgse soldaat wierpen zich op de overgebleven dragonders. Chang hakte in op zijn eigen tegenstander. Vreemd genoeg rende Roger Bascombe naar dokter Svenson om hem aan te vallen. Miss Temple ging snel verder met haar taak. Ze hield de dolk met twee handen vast.

De kabel brak zonder enige waarschuwing. Ze viel achterover op haar billen. Ze krabbelde overeind en rende naar de andere kabel – maar de plotseling kantelende zeppelin en zwalkende loopplank hadden de anderen attent gemaakt op haar verrichtingen. Ze zag dat Lorenz zijn revolver op haar richtte en vuurde – voordat ze iets kon doen –, maar zijn magazijn was leeg! Hij vloekte en brak de revolver open. Hij stootte er de lege patroonhulzen uit en haalde nieuwe kogels uit zijn zak. Een dragonder kwam dreigend van achteren op hem af, maar Lorenz zag haar kijken. Hij draaide zich bliksemsnel om en vuurde de twee kogels die hij net had geladen in de borst van de soldaat. Hij gromde tevreden en draaide zich op zijn hakken om naar Miss Temple, en laadde haastig opnieuw. Ze wist niet wat ze moest doen. Ze zaagde aan de kabel.

Lorenz sloeg haar gade terwijl hij de nieuwe kogels doelbewust in de patroonkamer liet glijden. Hij wierp een blik over zijn schouder. Xonck had nog een dragonder gedood – er stonden er nog maar drie op hun benen. De ene rende op Xonck af, de andere twee vielen de samenzweerders aan. Svenson en Roger lagen op de grond in een schoppende knoop verwikkeld. De kabel rafelde. Ze keek op naar Lorenz. Hij liet de laatste kogel in de patroonkamer glijden en klapte de revolver dicht. Hij haalde de veiligheidspal over, richtte en kwam op haar af.

Ze wierp de dolk met een buitelende beweging – dat had ze een keer in een circus gezien – recht op zijn gezicht af. Lorenz deinsde achteruit, schoot mis en slaakte een kreet toen de dolk zijn oor raakte. Miss Temple rende de andere kant op terwijl ze gooide, terug naar de anderen. Er weerklonk nog een schot achter haar, maar ze was klein en zigzagde van links naar rechts. Ze hoopte vurig dat Lorenz het belangrijker vond om de kabel te beschermen dan een vrouw dood te schieten.

Chang zat hijgend en piepend op één knie boven de Mecklenburgse soldaat. Svenson hield zich Roger van het lijf met zijn dolk. Xonck stond met zijn laars op de hals van een worstelende dragonder. Dicht bij de deur stonden de twee dragonders die op de samenzweerders af waren gestormd. De ene had zijn arm om de hals van de contessa en hield zich de comte en de prins van het lijf. De andere stond tussen Eloïse en Caroline Stearne in, die allebei op hun knieën zaten. Er was geen enkele Mecklenburger of bediende in een zwarte livrei te zien. Iedereen was buiten adem, en hijgde met ademwolken in de koude lucht, en de gewonden lagen overal in het rond te kreunen. Ze trachtte Smythe te ontdekken op het slagveld, maar dat lukte niet; hij was weggekropen of hij lag bedolven onder een ander lichaam. Miss Temple was bijna in tranen, want ze had haar taak niet volbracht, maar toen zag ze de opluchting op het gezicht van Chang – en op dat van Svenson, toen hij zich omdraaide –, eenvoudig omdat ze nog leefde.

'Wat vindt u, mijnheer?' riep dokter Lorenz. 'Moet ik dat meisje doodschieten of die mannen?'

'Moet ik op de hals van deze man gaan staan?' antwoordde Xonck, alsof de dragonders bij de deur niet bestonden. 'Etiquettekwesties zijn altijd erg ingewikkeld. Lieve contessa, wat stelt u voor?'

De contessa antwoordde door haar schouders op te halen naar de dragonder die haar stevig vasthield. 'Nou, Francis, ik ben met je eens dat het ingewikkeld is...'

'Verdomd jammer van Elspeth.'

'Dat vind ik ook. Ik moet toegeven dat ik dokter Svenson weer heb onderschat.'

'Het gaat u niet lukken,' riep Chang luid. Zijn stem was schor van inspanning. 'Als u die man vermoordt, of als Lorenz ons doodschiet, zullen deze dragonders er niet voor terugschrikken de contessa en de comte te doden. U moet terugtrekken.'

'Terugtrekken?' zei Xonck spottend. 'Dat klinkt wel schokkend uit jouw mond, maar misschien is dat gewoon het standpunt van een schoft. Ik heb altijd getwijfeld aan je moed in een gevecht van man tot man.'

Chang spuwde pijnlijk. 'U mag twijfelen zoveel u wilt, onuitstaanbare, wormstekige...'

Dokter Svenson onderbrak hem en stapte naar voren. 'Er zullen veel soldaten sterven als ze nu niet worden geholpen, zowel die van u als die van ons.'

Xonck negeerde hen allebei en riep naar de twee dragonders. 'Laat haar los, dan zul je het er levend afbrengen. Het is jullie enige kans.'

Ze gaven geen antwoord, dus Xonck drukte zwaar met zijn voet op de keel van de gevallen man. Er ontsnapte een protesterend gereutel als lucht uit een ballon.

'Het is jullie keus,' daagde hij hen uit. Toch kwamen ze nog niet in beweging. Ineens draaide hij zich bliksemsnel om en riep naar Lorenz: 'Schiet maar iemand dood – wie je maar wilt.'

'U bent dom!' riep Svenson. 'Er hoeft niemand te sterven!'

'We hebben het niet over hoeven, dokter.' Xonck grinnikte. Doelbewust trapte hij de luchtpijp van de soldaat onder zijn laars kapot.

Met een bliksemsnelle beweging vloog de hand van de contessa over het gezicht van de dragonder die haar vasthield. De weg die de hand aflegde werd gemarkeerd door een spuitende straal bloed: ze had haar ijzeren pin weer in haar hand. Xonck hakte in op de laatste verbijsterde dragonder, die de slag alleen kon afweren. Toen viel hij achter een berg lichamen doordat Caroline Stearne van achteren tegen zijn knieën schopte en de comte zijn arm met de sabel greep. Ineens voelde Miss Temple dat twee sterke armen haar bij haar middel pakten. Ze werd van de grond opgetild. Chang wierp haar door de lucht naar de loopplank, zo hoog dat ze erop neerkwam. Lorenz vuurde, de kogel vloog langs haar heen.

'Ren door! Ren door!' riep Chang, en Miss Temple deed het. Ze realiseerde zich dat de zeppelin hun enige toevluchtsoord was. Ze werd weer opgetild door nog sterkere armen. Dit keer was het Svenson; hij gooide haar in de cabine. Hij gaf haar een duw, draaide zich pijlsnel om en hees Chang omhoog. Overal om haar heen werd het hout versplinterd door de kogels. Ze rende vooruit door een deuropening en nog een, en een derde, in een doodlopende kamer. Ze draaide zich met een kreet om, zodat de anderen tegen haar opbotsten, en viel tegen een kast aan. Met een wanhopige slagvaardigheid smeet Chang de deur dicht en Svenson schoof de grendel ervoor.

Op een of andere manier hadden ze het slagveld overleefd, maar nu zaten ze gevangen.

Miss Temple zat op de grond, buiten adem, met een gezicht vol vegen, zweet en tranen. Ze keek op naar Svenson en Chang. Het was moeilijk te zeggen wie er slechter uitzag. Chang bloedde door zijn inspanningen opnieuw uit zijn mond en neus, maar de glimmende bleekheid van de dokter werd nog versterkt door de volslagen wanhopige blik in zijn ogen.

'We hebben Eloïse achtergelaten,' fluisterde hij. 'Ze zullen haar vermoorden.'

'Is er iemand gewond?' vroeg Chang, de dokter in de rede vallend. 'Celeste?'

Miss Temple schudde haar hoofd, niet tot spreken in staat. Haar gedachten waren verschroeid door de wrede daden die ze zojuist had aanschouwd. Zou een oorlog nog erger zijn? Ze kneep haar ogen dicht. Onwillekeurig herinnerde ze zich de naar adem happende man die verpletterd werd door Francis Xonck, die met een draaibeweging zijn laars naar beneden drukte. Ze snikte hardop, schaamde zich, propte een vuist in haar mond en wendde zich af, terwijl haar tranen openlijk vloeiden.

'Ga weg van die deur,' mompelde Chang hees, terwijl hij Svenson opzijschoof. 'Ze schieten misschien het slot eruit.'

'We zitten als ratten in de val,' zei Svenson. Hij keek naar de dolk in zijn hand, klein en nutteloos. 'Kapitein Smythe – en al zijn solda-ten – al die soldaten...'

'En Elspeth Poole,' zei Chang, die zijn best deed om duidelijk te praten. 'En hun bedienden, en die twee Duitsers... Onze positie zou slechter kunnen zijn.'

'Sléchter?' blafte Svenson.

'We zijn nog niet dood, dokter,' zei Chang, hoewel zijn bleke ver-trokken gezicht op een kerkhof niet zou misstaan.

'De prins is ook niet dood! Noch de comte, noch de contessa, noch dat beest Xonck...'

'Ik heb de touwen niet doorgesneden,' huilde Miss Temple

'Hou je kop, jullie allebei!' siste Chang.

De ogen van Miss Temple spuugden vuur, want zelfs in deze barre omstandigheden kon ze zijn toon niet waarderen, maar de kardinaal was niet kwaad. In plaats daarvan keek hij grimmig.

'Je hebt de touwen niet doorgesneden, Celeste. Maar je hebt je best gedaan. Heb ik Xonck gedood? Nee – zo jammerlijk als het klinkt, ik heb alleen een Mecklenburgse boerenjongen gedood die met een bovenmaats keukenmes zwaaide. Heeft de dokter Eloïse gered? Nee – maar hij heeft ons aller leven behouden, en dat van haar ook, door Miss Poole te mollen. Onze vijanden aan de andere kant van de deur (ik neem aan dat ze daar staan) zijn met minder dan eerst. Ze heb-ben minder zelfvertrouwen dan eerst, en zijn even ongelukkig als wij – want wij zijn ook niet dood.'

Zijn toespraak werd gevolgd door een hartverscheurende, dode-lijke hoestbui. Hij zat dubbelgebogen met zijn hoofd tussen zijn knieën. Dat weerhield Miss Temple er niet van haar neus aan haar mouw af te vegen en de losgeraakte krullen uit haar ogen te strijken. Ze snufte en fluisterde tegen dokter Svenson.

'We zullen haar redden; dat is ons eerder ook gelukt.'

Hij antwoordde niet, maar hij veegde over zijn eigen ogen met zijn duim en wijsvinger. Omdat hij haar niet openlijk bespotte, vatte Miss Temple dit op als een teken van instemming. Ze kwam moeizaam overeind en zuchtte even.

'Nou, dan…'

Miss Temple greep zich vast aan de kast om te voorkomen dat ze weer op de grond zou vallen. Ze slaakte een gil van schrik toen de hele cabine met een duizelingwekkende snelheid een zwaai naar links maakte en weer terug.

'We stijgen op…' zei Svenson.

Miss Temple baande zich een weg naar het enige raam, dat rond was als de patrijspoort van een schip, en tuurde omlaag. Het dak van Harschmort House verdween al in de diepte onder haar. Binnen enkele seconden bevonden ze zich in een donkere mist. Het dak en het helder verlichte huis waren opgeslokt door de wolken onder hen. Met een onverwachte reeks sputterende knallen kwamen de propellers tot leven en de beweging van de zeppelin veranderde opnieuw. Die vloog nu vooruit en het schommelen stabiliseerde zich; de lage zoemtoon van de motoren veroorzaakte een trilling die Miss Temple kon voelen door haar handen op de kast en de zolen van haar laarzen op de vloer.

'Nou,' zei ze. 'Het ziet ernaar uit dat we toch een reisje naar Mecklenburg gaan maken.'

'Behalve als ze ons onderweg in zee gooien,' merkte de dokter op.

'Juist,' zei Miss Temple.

'Heb je nog steeds zo'n zin in een ontbijt?' mompelde Chang.

Ze wendde zich naar hem toe en wilde hem woedend aankijken – het was niet eerlijk om dat te zeggen –, toen ze werden geïnterrumpeerd door een zacht klopje op de deur. Ze keek beide mannen aan, maar geen van hen zei een woord. Ze zuchtte, en riep zo achteloos als ze kon: 'Ja?'

'Miss Temple? Dit is minister Crabbé. Ik vroeg me af of u deze deur wilt opendoen teneinde deel te nemen aan ons gesprek.'

'Welk gesprek bedoelt u?' antwoordde ze.

'Nou, het gesprek waarin we beslissen hoe het verdergaat met uw leven, liefje. We kunnen dat niet voeren door een dichte deur.'

'Ik ben bang dat wij die deur wel handig vinden,' antwoordde Miss Temple.

'Misschien... Toch ben ik gedwongen u erop te wijzen dat Mrs Dujong niet aan dezelfde kant van de deur staat als u. Bovendien is de deur van hout gemaakt, en het slot is niet bestand tegen kogels. Hoe graag ik verdere onaangenaamheden ook zou vermijden; in feite is het een illusie om die deur handig te vinden. Wij hebben veel te bespreken. Moet deze voortreffelijke eiken deur worden vernield voor een conclusie die toch onvermijdelijk is?'

Miss Temple wendde zich tot haar kameraden. Svenson keek langs haar heen naar de kast waar ze tegenaan leunde. Hij liep ernaartoe en forceerde het slot met een snelle priemende stoot van zijn dolk, maar in de kast lagen alleen dekens, touwen, kaarsen en wollen jassen, en er stond een doos met hoeden en handschoenen. Hij keerde terug naar Chang, die tegen de deurpost leunde en zijn schouders ophaalde.

'We kunnen niet uit het raam springen,' zei Svenson.

'Jij hebt ons enige wapen,' zei Chang, met een hoofdknik naar de dolk van de dokter, want hij had zijn eigen dolk laten vallen toen hij Miss Temple op de loopplank gooide. 'Misschien kunnen we die het best verstoppen.'

'Dat ben ik met je eens, maar dan moet jij dat doen.'

Svenson gaf het mes aan Chang, die hem wegstopte in zijn jas. De dokter pakte Miss Temples hand, kneep er even in en knikte naar Chang, die de deur opendeed.

De kamer daarnaast was de grootste van de drie kamers in de cabine van de zeppelin. Overal langs de muren stonden kasten en ingebouwde banken, die nu in beslag werden genomen door verschillende leden van de samenzwering, die hun binnenkomst nauwlettend gadesloegen. Aan de ene kant zaten de prins, Harald Crabbé en Roger Bascombe, en aan de andere kant de comte en de contessa. Aan de overkant van de kamer stond Francis Xonck in de deuropening, met een sabel in zijn hand en bloed op zijn voorheen witte overhemd. Achter hem zag ze andere figuren bewegen. Miss Temple trachtte er door deductie achter te komen wie er ontbrak. Waren er meer samenzweerders gedood in het laatste gevecht? Haar vraag werd beantwoord door de verschijning van Lydia Vandaariff, die zich had verkleed in een glanzende blauwe zijden jurk. Ze boog haar hoofd en liep (nog steeds wankelend) onder de arm van Xonck door naar de prins. Roger stond van zijn plaats op om ruimte te maken. Vlak achter Lydia kwam de altijd gedienstige Caroline Stearne, die snel op de lege plaats naast de comte ging zitten.

'Ik neem aan dat dokter Lorenz onze zeppelin bestuurt?' vroeg Chang.

'Dat klopt,' antwoordde Harald Crabbé.

'Waar is Mrs Dujong?' vroeg dokter Svenson.

Xonck knikte vaag naar de kamer achter hem. 'Ze is helemaal veilig. Weer hersteld, zeiden ze.'

Svenson gaf geen antwoord. Behalve Xonck droeg niemand een zichtbaar wapen – hoewel, gegeven het feit dat Xonck een geduchte tegenstander in een kleine kamer, vroeg Miss Temple zich af of iemand anders wel een wapen nodig had. Ze had geen idee wat haar vijanden van plan waren, als ze hen tenminste niet onmiddellijk dood wilden schieten.

Tegelijkertijd werd een tweespalt onthuld door de manier waarop hun vijanden zaten. Aan de ene kant zaten Crabbé en Roger, met de prins onder hun arm (hoewel de prins zich altijd zou aansluiten bij degene die de overhand had). Aan de andere kant zaten de comte en de contessa, met Caroline in hun kielzog (hoewel Miss Temple geen idee had of ze echt meetelde – hoorden zij, Lorenz en Roger op de tweede rang binnen de samenzwering, of waren ze gewoon drie meelopers?) In het midden stond Francis Xonck, zonder bij een van beide partijen te horen. Zijn talent om mensen af te slachten woog op – zeker in zo'n kleine ruimte – tegen de listigheid van Crabbé, de kennis van de comte en de verleidelijke charme van de contessa.

Crabbé keek naar de contessa en trok zijn wenkbrauwen vragend op. Ze knikte dat ze het ermee eens was – of gaf ze toestemming? – en Crabbé schraapte zijn keel. Hij wees op de kast naast Mrs Stearne.

'Voor we beginnen: zou een van u zin hebben in een drankje? U zult wel moe zijn. Ik weet dat ik moe ben, en u ziet eruit… Nou, het verbaast me dat u nog overeind staat. Caroline kan het wel even pakken. Er is whisky, cognac, water…'

'Als u ook drinkt,' zei Chang.

'Uitstekend, natuurlijk, drankjes voor iedereen – en mijn excuses, Caroline, omdat ik u gebruik als barmeid. Roger, misschien wilt u haar helpen. Misschien kunnen we om het eenvoudig te houden cognac inschenken voor iedereen.'

Daarop volgde een ongemakkelijke stilte, waarin alle gesprekken door een stilzwijgende afspraak verstomden tot het gedoe van inschenken en glazen aanbieden achter de rug was. Miss Temple keek naar Roger die met een glas in elke hand naar Chang en Svenson liep; zijn gezicht was een masker van professionele bedeesdheid; hij keek niet één keer haar kant op. Haar aandacht werd afgeleid toen ze zelf een glas kreeg aangeboden, doordat Caroline tegen haar arm tikte. Miss Temple schudde haar hoofd, maar Caroline drukte haar het glas in de handen, zodat Miss Temple de keus had het aan te pakken of het te laten vallen. Ze keek omlaag naar de amberkleurige vloeistof, snoof, en rook de vertrouwde bittere geur die ze associeerde met allerlei nare, walgelijke dingen.

Het hele tafereel was vreemd – zeker na de slachtpartij op het dak. Ze had zich schrap gezet voor een tweede dodelijk gevecht, maar nu stonden ze hier gezellig in groepjes alsof ze op een dineetje waren, behalve dat de mannen en vrouwen samen dronken. Alles was zo vals dat Miss Temple haar ogen tot spleetjes kneep. Met een hoorbaar gesnuif zette ze haar glas op een plankje dichtbij en veegde haar handen af.

'Miss Temple?' vroeg Crabbé. 'Wilt u liever iets anders drinken?'

'Ik zou liever hebben dat u ter zake komt. Laat Mr Xonck maar proberen ons te vermoorden.'

'Wat bent u ongeduldig.' Crabbé glimlachte, schijnheilig en veelbetekenend. 'We zullen ons best doen u tevreden te stellen. Maar eerst breng ik een toost uit op de prins van Mecklenburg en zijn bruid!'

Hij hief zijn glas en sloeg de inhoud achterover. De anderen volgden zijn voorbeeld en mompelden: 'de prins!' en: 'Lydia!' De prins glimlachte hartelijk en Lydia grijnsde. Je kon haar kleine witte tan

843

den boven het glas zien toen ze een slok nam. Maar daarna kreeg ze een hoestbui die bijna even erg was als die van kardinaal Chang. De prins klopte op haar schouder terwijl ze naar adem snakte, en haar maag rommelde akelig. Roger liep naar voren en bood haar een zakdoek aan, die de jongedame vlug uit zijn hand griste en voor haar mond hield, terwijl ze erin spuwde. Eindelijk bedaarde de hoestbui; Lydia gaf de zakdoek terug aan Roger en probeerde te glimlachen. Haar gezicht was bleek en ze was buiten adem. Roger vouwde de zakdoek netjes op voordat hij hem weer in zijn zak stak, maar Miss Temple had de nieuwe, knalblauwe vlek gezien.

'Gaat het goed met je, liefje?' vroeg de prins.

Voordat Lydia iets kon zeggen sloeg Chang zijn glas achterover en gorgelde luid, voor bij de cognac doorslikte. Dokter Svenson goot zijn glas leeg op de vloer. Crabbé keek ernaar en zuchtte bedroefd.

'Nu ja, je kunt het niet iedereen naar de zin maken. Caroline?' Mrs Stearne verzamelde de glazen. Crabbé schraapte zijn keel en gebaarde vaag naar de kamer om hen heen.

'Kom, we beginnen.'

'Door uw aanhoudende pogingen al onze plannen te torpederen kunnen wij niet langer vaststellen wat u ervanaf weet, of wie u in vertrouwen hebt genomen. Mrs Marchmoor is op weg naar de stad. Angelique en die arme Elspeth zijn dood.' Hij hield zijn hand omhoog. 'Beseft u alstublieft dat ik tegen u spreek als degene die het best in staat is zijn razernij in toom te houden – als het een van mijn bondgenoten was, zou louter de opsomming van deze feiten uw onmiddellijke dood tot gevolg hebben. We zouden u weliswaar kunnen onderwerpen aan het procédé, of uw herinneringen kunnen distilleren in een boek, maar deze inspanningen vereisen een zekere hoeveelheid tijd die we niet bezitten, en bepaalde faciliteiten die niet aan boord zijn. We zouden deze dingen ook kunnen doen als we in Mecklenburg zijn aangekomen, maar we kunnen niet wachten, we hebben die informatie nu nodig. Als we in Mecklenburg arriveren, moeten we weten waar we aan toe zijn, en of... we in ons midden... een Judas hebben.'

Hij stak zijn glas uit, zodat Roger hem kon bijvullen, en ging door met praten terwijl de cognac werd ingeschonken.

'Dit laatste treffen op het dak – een verspilling die ons allemaal leed heeft berokkend, daar ben ik van overtuigd – sterkt ons in de overtuiging dat we er beter aan toe waren geweest als we uw talenten hadden kunnen inlijven voor ons doel – door het procédé. Dank u, Roger.' Crabbé nam een slok. 'Doe geen moeite om te protesteren. We verwachten niet langer dat we u zullen bekeren, en die bekering zou nu ook niet meer worden aanvaard door alle ellende die u hebt veroorzaakt. De situatie kan niet duidelijker zijn. Wij hebben Mrs Dujong in onze macht. U beantwoordt onze vragen of ze sterft – en ik ben ervan overtuigd dat u u kunt voorstellen wat voor soort dood dat zal zijn, hoe lang die zal duren, en hoe naar het zal zijn om in zo'n kleine ruimte lang te moeten luisteren naar haar gegil. En als ze dan eindelijk de geest geeft, gaan we gewoon door met een van u – Miss Temple, wellicht; en verder en verder. Het is even onvermijdelijk als de dageraad. Aangezien u de deur hebt opengedaan om te voor komen dat die nodeloos kapot werd gemaakt, krijgt u ook de kans om te voorkomen dat het lichaam van uw kameraden kapot wordt gemaakt – en, inderdaad, hun ziel.'

Miss Temple keek naar de gezichten tegenover haar – de zelfvoldane grijns van Crabbé, de verstrooide minachting van de prins, Lydia's felle honger, Rogers ernstige frons, de wrede grijns van Xonck, de genadeloze woedende blik van de comte, de ijzige glimlach van de contessa, en het bedroefde geduld van Caroline – en zag op geen van die gezichten een aanwijzing dat de minister niet meende wat hij zei. Toch zag ze nog altijd de strijd binnen hun gelederen. Zij waren niet langer geïnteresseerd in de ontdekkingen die zij en haar makkers hadden gedaan, maar alleen in de aanwijzingen die deze ontdekkin-gen konden opleveren voor het verraad binnen hun eigen kring.

'Het zou gemakkelijker zijn om u te geloven, mijnheer,' zei ze, 'als u niet zo schaamteloos loog. U vraagt ons te praten om te voor-komen dat we gemarteld worden, maar wat gebeurt er als we iets onthullen wat één van u te kijk zet? Verwacht u dat hij onze verkla-ring zal accepteren? Natuurlijk niet. Wie we ook aan de kaak stellen, hij of zij zal eisen dat u uw wreedheden op ons botviert om onze beschuldigingen te bevestigen of te ontkennen!'

De ogen van de onderminister twinkelden. Hij schudde grinnikend zijn hoofd, en hij nam nog een slok cognac.

'Grote goedheid. Roger, ik geloof echt dat u haar hebt onderschat. Miss Temple, u hebt me te grazen genomen. Inderdaad, zo is het. Nu ziet u wat mijn poging om het houtwerk te redden waard is! Goed dan. U zult alle vier een langgerekte, uiterst nare dood sterven. Als een van u iets te zeggen heeft, des te beter. Zo niet, nou, dan zijn we eindelijk van uw verdomde onwelriekende ontwrichtingen verlost.'

Xonck liep naar voren; zijn sabel zwiepte dreigend voor hem uit door de lucht. Miss Temple deinsde achteruit, maar na een stap stond ze met haar rug tegen de muur. Opnieuw kneep de dokter in haar hand en riep met een stem die hij zo joviaal mogelijk liet klinken: 'Uitstekend, minister. Misschien kan Mr Xonck ons doden vóór we praten – zou u dat prettiger vinden?'

Crabbé stond op, ongeduldig en boos. 'O, daar komt het! Een vergeefse poging ons tegen elkaar op te zetten. Francis…'

'Ga uw gang, Francis… dood ons, vlug! Bedien de minister op zijn wenken, zoals u altijd hebt gedaan! Net zoals toen u Trapping in de rivier liet zinken!'

Xonck wachtte. Hij hield het puntje van zijn kling binnen zwaaiafstand van Svensons borst. 'Ik dien mezelf.'

Svenson keek omlaag naar het puntje van de sabel en snoof minachtend. Miss Temple voelde dat zijn hand trilde. 'Natuurlijk doet u dat. Neem me niet kwalijk, ik heb een vraag: wat is er gebeurd met herr Flaüss?'

Even antwoordde niemand, en Crabbé spoorde Xonck met een dreigende blik aan om verder te gaan, toen de contessa iets zei, in welgekozen bewoordingen.

'We ontdekten dat herr Flaüss niet loyaal was.'

'Dat geweerschot!' riep Miss Temple uit. 'U hebt hem doodgeschoten!'

'Dat was noodzakelijk,' zei Crabbé.

'Hoe kon hij niet loyaal zijn?' kraste Chang. 'Hij was een slaaf van u!'

'Waarom vraagt u dat?' vroeg de contessa aan de dokter.

'Waarom kan het u iets schelen?' siste Crabbé haar toe, achter de rug van Xonck. 'Francis, alstublieft...'

'Ik vraag me alleen af of het iets te maken had met dat ontbrekende boek van lord Vandaariff,' zei Svenson. 'U weet wel, dat boek waarin zijn geheugen is – hoe zeg je dat? – gedistilleerd.'

Er viel een stilte. Het hart van Miss Temple klopte in haar keel, en toen besefte ze dat de vernietigende kracht van haar vijanden tot stilstand was gekomen.

'Dat boek is gebroken,' kraste de comte. 'Door kardinaal Chang in de toren. Hij heeft majoor Blach met dat boek gedood...'

'Staat dat in dat opschrijfboek van hem?' Svenson knikte vol minachting naar Roger. 'Dan zult u vermoedelijk tot de ontdekking komen dat er twéé boeken ontbreken: een met de herinneringen van lady Mélantes en Mrs Marchmoor, onder anderen, en een ander...'

'Waar wacht u nog op?' riep Crabbé. 'Francis! Maak hem af!'

'Of u zou tot die ontdekking komen,' riep Svenson triomfantelijk, 'als er werkelijk een tweede boek bestond! Want als je de geest van Robert Vandaariff distilleert in een boek – een geest die de sleutel bezit tot een heel continent, tot de toekomst zelf! –, zou die rijkdom binnen het bereik komen van degene die het boek in zijn bezit had, en die een sleutel had! Maar de man die dat boek moest vervaardigen heeft zijn taak nooit uitgevoerd. Dus ja: er is één boek gebroken, en een ander boek is nooit gemaakt!'

De contessa riep streng naar Xonck: 'Francis, hou ze in de gaten!' Daarna wendde ze zich tot Crabbé. 'Harald, heb je hier een antwoord op?'

'Een antwoord op? Een antwoord waarvoor? Een antwoord geven aan die wanhopige... die...'

Voordat de minister stopte met sputteren riep Chang weer uit, om Roger te tarten: 'Ik heb het zelf gezien, in het kantoor van Vandaariff: hij schreef het allemaal op perkament. Als ik dat boek niet kapot had gegooid, hadden ze het zelf moeten doen – om u allen te overtuigen dat de herinneringen van Vandaariff verloren waren gegaan, terwijl zij het enige exemplaar in hun bezit hadden!'

'Een exemplaar dat ik zelf van de minister heb afgepakt,' riep Svenson. 'In een leren schoudertas, die Bascombe in de balzaal weer van mij heeft afgepakt. Ik weet zeker dat hij die tas nog steeds heeft. Is dat wat Flaüss opmerkte toen hij zich bij u voegde in het kantoor van Vandaariff... en is dat de reden waarom hij moest sterven?'

In de stilte die hierop volgde besefte Miss Temple dat ze haar adem had ingehouden. De woorden waren heel snel over en weer gevlogen, terwijl Francis Xonck ertussenin stond, met wantrouwig heen en weer schietende ogen, en zijn sabel op een korte afstand van hen allemaal. Ze voelde de vreselijke staat waarin Svensons zenuwen verkeerden en wist dat Chang op het punt stond een vergeefse uitval naar Xonck te doen. Ze voelde ook dat de spanning in de kamer veranderde, terwijl de minister en Roger wanhopig probeerden de woorden van hun gevangenen te weerleggen.

'Aspiche pakte in de balzaal de schoudertas van Svenson af,' verklaarde Xonck, zonder zich om te draaien. 'En Bascombe pakte de tas weer van hem af... maar ik heb die tas niet gezien toen we elkaar boven in het kantoor ontmoetten.'

'Hij is weggeborgen', zei Caroline Stearne zacht. 'Toen alles werd klaargemaakt voor de reis.'

'Is die schoudertas hier of niet?' snauwde Xonck.

'Ik heb de inhoud bij me,' zei Roger gladjes. 'Zoals Caroline zegt: veilig weggeborgen. Dokter Svenson heeft het bij het verkeerde eind. Het zijn de papieren met plannen van lord Vandaariff, notities voor eigen gebruik voor elk stadium van zijn onderneming. Ik weet niet waar dat idee over het boek van lady Mélantes vandaan komt – twee boeken, geen één boek...'

'Dokter Lorenz identificeerde het vermiste boek als dat van lady Mélantes,' snauwde Svenson.

'Dokter Lorenz had het bij het verkeerde eind. Het boek van lady Mélantes, dat ook Mrs Marchmoor en lord Acton bevat, is veilig opgeborgen. Het enige boek dat kwijt is, is gebroken in de toren. Het boek van lord Vandaariff. Jullie kunnen het nakijken in mijn opschrijfboek, maar jullie mogen ook in de boeken zelf kijken.'

Het was een indrukwekkende toespraak, met precies de juiste

hoeveelheid heilige verontwaardiging en een even indrukwekkende vleug professionele hooghartigheid – een specialiteit van de Bascombes. En het leek alsof zijn geschokte superieuren, overtuigd van zijn onderdanigheid door het procédé, hem geloofden. Maar Miss Temple wist dat hij loog. Ze maakte het op uit de rusteloze beweging waarmee Rogers duim tegen zijn been wreef.

Ze lachte hem uit.

Hij wierp haar een woedende blik toe en trachtte haar het zwijgen op te leggen.

'O, Roger...' Ze grinnikte en schudde haar hoofd.

'Hou je mond, Celeste!' siste hij. 'Jij bent hier niet aan het woord!'

'En jij hebt waarschijnlijk iedereen overtuigd,' zei ze. 'Maar je vergeet hoe goed ik je ken. Zelfs dan zou je me misschien hebben overtuigd – want het wás een mooie toespraak – als jij zelf niet herr Flaüss had doodgeschoten, nadat je iedereen had overtuigd dat hij niet loyaal was. Dat weet ik zeker. Of deed je dat om hem het zwijgen op te leggen? Maar jij was degene die hem doodschoot, Roger... nietwaar?'

Bij haar woorden werd het stil in de hut, afgezien van het lage gebrom van de rotors buiten. De sabel van Xonck week niet van zijn plaats, maar zijn mond verstrakte en zijn ogen flikkerden nog sneller heen en weer dan eerst. De contessa ging staan.

'Rosamonde,' begon Crabbé, 'dit is belachelijk. Ze komen tussen ons, het is hun enige hoop...'

Maar de contessa negeerde hem en liep langzaam door de cabine naar Roger. Hij deinsde achteruit. Hij botste eerst tegen de muur en leek zich toen terug te trekken in zijn eigen lichaam. Hij keek haar aan maar kromp in elkaar, want er was geen spoortje vriendelijkheid in haar ogen.

'Rosamonde,' kraste de comte, 'Als we hem samen ondervragen...'

Maar toen schoot de contessa naar voren, scherp als een aanvallende cobra, en fluisterde iets in Rogers oor. Miss Temple kon maar een paar losse woorden verstaan. Toen ze het eerste woord hoorde – 'blauw' –, wist ze dat de contessa Rogers controlezin fluisterde. Ze had ervoor gezorgd dat Roger alleen háár vragen kon beantwoorden. Ze sprak de zin uit voordat de anderen het konden doen. De contessa deed een stap achteruit en Roger zakte in elkaar tot hij op de grond zat, met een lege uitdrukking op zijn gezicht en doffe ogen.

'Rosamonde…' Crabbé probeerde het opnieuw, maar de contessa negeerde hem opnieuw en richtte zich op bitse toon tot Roger, wiens hoofd zich ter hoogte van haar dijen bevond.

'Roger, is dat wat dokter Svenson zegt waar?'

'Ja.'

Voordat Crabbé iets kon zeggen, bestookte de contessa Roger opnieuw.

'Werden de herinneringen van lord Robert gedistilleerd in een boek?'

'Nee.'

'Ze werden opgeschreven.'

'Ja.'

'En die papieren zijn aan boord?'

'Ja. Ik heb ze verplaatst naar de tas van de prins om ze te verstoppen. Flaüss stond erop de tas van de prins te dragen en realiseerde zich toen wat erin zat.'

'Dus je schoot hem dood.'

'Ja.'

'En in dit geheel, Roger… wie diende je? Wie gaf de bevelen?'

'Onderminister Crabbé.'

Crabbé zweeg. Zijn mond hing open in shock, alle kleur was uit zijn gezicht verdwenen. Hij keek hulpeloos naar de comte, naar Xonck, maar hij kon geen woord uitbrengen. Terwijl ze haar ogen niet van Roger afhield, riep de contessa naar achteren: 'Caroline, zou je zo vriendelijk willen zijn om aan dokter Lorenz te vragen waar we precies zijn op onze route?'

Caroline, wier blik was gefixeerd op het in elkaar gezakte lichaam van Roger Bascombe, keek verbaasd op, ging onmiddellijk staan en verliet de cabine.

'Nou zeg!' mopperde de prins beledigd. 'Hij heeft die papieren in mijn tas gestopt! Heeft hij daarom mijn bediende doodgeschoten?

Godverdomme, Crabbé! Ik vervloek je vervloekte brutaliteit!' Lydia Vandaariff klopte op de knie van haar verloofde.

'Hoogheid,' siste Crabbé dringend, 'Bascombe liegt. Ik weet niet hoe. Het zou ieder van u kunnen zijn! Ieder van u met Rogers controlezin! Iedereen zou hem het bevel kunnen geven deze vragen te beantwoorden, mij verdacht te maken...'

'En hoe zou die persoon weten wat die vragen zouden moeten zijn?' snauwde de contessa, en ze wees toen naar de gevangenen. 'Dokter Svenson heeft ons tenminste één van die vragen verschaft!'

'Voor zover ik weet kan degene die met Bascombes geheugen heeft geknoeid samenzweren met deze drie!' riep Crabbé. 'Het zou zeker verklaren waarom ze zo hardnekkig blijven leven!'

De contessa zette grote ogen op bij de woorden van de onderminister.

'Het geheugen van Bascombe! Nu gaat me een licht op, achterbaks mannetje! Je hield de inquisitie in de balzaal niet tegen voor lord Robert of de hertog, je deed het omdat Roger genoodzaakt was Vandaariff te begeleiden! Omdat de comte anders in zijn geheugen zou hebben gekeken, en glashelder zou hebben gezien dat jullie een complot smeedden!' Ze draaide zich bliksemsnel om naar de comte en gebaarde naar Bascombe, die op de vloer zat. 'Geloof mij niet, Oskar. Stel je eigen vragen, hoe dan ook, vragen die ik niet heb voorgekookt! Of jij, Francis, ga je gang! Wat mij betreft, ik weet genoeg, maar ga gerust verder! Roger, je moet alle vragen beantwoorden die ze aan je stellen!'

Het gezicht van de comte verried niets van zijn gedachten, maar Miss Temple wist dat hij de contessa wantrouwde. Hij was wellicht oprecht nieuwsgierig, omdat hij niet zeker wist wie – welke twee? of allemaal? – van zijn bondgenoten hem hadden verraden.

'Francis?' kraste hij.

'Na u.' Xonck glimlachte en knipperde niet eens met zijn ogen terwijl hij sprak.

De comte d'Orkancz boog naar voren. 'Mr Bascombe, had onderminister Crabbé bij uw weten iets te maken met de moord op kolonel Arthur Trapping?'

De contessa draaide zich bliksemsnel om naar de comte, met

een waakzame uitdrukking op haar gezicht en angstaanjagend felle ogen.

'Oskar, waarom?'

'Nee,' zei Roger.

De volgende vraag van de comte werd onderbroken door Caroline Stearne, die met dokter Lorenz was teruggekeerd. Ze stonden in de deuropening.

'Contessa,' fluisterde ze.

'Dank je, Caroline. Zou je zo goed willen zijn de tas van de prins te halen?' Caroline taxeerde met een bleek gezicht de spanning in de kamer, boog haar hoofd en snelde de cabine uit. De contessa wendde zich tot Lorenz. 'Dokter, wat aardig van je om te komen – maar er blijft toch wel iemand aan het roer staan?'

'Maakt u zich geen zorgen, madame. Ik heb twee goede soldaten aan dek,' antwoordde hij, met een glimlach om zijn verwijzing naar de scheepvaart. De glimlach van de dokter stierf weg toen hij merkte dat Bascombe werd ondervraagd, en niet de gevangenen.

'Waar vliegen we?' vroeg de contessa kortaf.

'We zijn net boven de zee,' antwoordde Lorenz. 'Van hieruit staan er verschillende routes tot onze beschikking, zoals u weet. We kunnen boven het water blijven, waar we niet zo snel gezien zullen worden, of rechtdoor vliegen en de kust volgen. Met deze mist maakt het misschien niet zoveel uit...'

'Hoe lang duurt het voor we in Mecklenburg aankomen?' vroeg de comte.

'Het kost ons minstens tien uur, met beide routes. Langer als we tegenwind hebben, zoals nu...' Lorenz likte langs zijn dunne lippen. 'Mag ik vragen wat er aan de hand is?'

'Alleen wat onenigheid tussen bondgenoten,' riep Xonck over zijn schouder.

'Aha. En mag ik vragen waarom zij nog steeds leven?'

De contessa draaide zich om en keek naar de gevangenen; haar ogen bleven ten slotte rusten op Miss Temple. Ze had geen vriendelijke uitdrukking op haar gezicht.

'We hebben op je gewacht, dokter. Ik zou liever niet willen dat ze lijken vonden op het land. De zee zal ze verzwelgen. Als er toevallig een lijk aanspoelt op het strand, zal dat zijn nadat het dagen in het water heeft gelegen. Tegen die tijd zal zelfs de mooie Miss Temple even grijs en vormloos zijn als een bedorven roompudding.'

Caroline verscheen opnieuw, met een tas in de ene hand en een stapel papieren in de andere.

'Madame...'

'Accuraat zoals altijd, Caroline,' zei de contessa. 'Ik ben erg blij dat jij nog steeds van vlees en bloed bent. Kun je het lezen?'

'Ja, madame. Het zijn de geschriften van lord Vandaariff. Ik herken zijn handschrift.'

'En waar schrijft hij over?'

'Er is geen beginnen aan, het is een uitputtend verslag.'

'Dat kan ik me voorstellen.'

'Madame, zou het niet beter zijn...'

'Dank je, Caroline.'

Caroline boog haar hoofd en bleef met Lorenz in de deuropening staan. Beiden keken zenuwachtig en gefascineerd naar de kamer. De comte fronste zijn wenkbrauwen. Het zweet parelde op Xoncks voorhoofd, en het gezicht van Crabbé was zo bleek dat het leek alsof hij geen bloed in zijn aderen had. Alleen de contessa glimlachte, maar het was een glimlach die Miss Temple banger maakte dan alle anderen samen, want boven haar vuurrode lippen en scherpe witte tanden glinsterden haar ogen als paarse mespunten. Ze realiseerde zich dat de contessa genoot. Ze verheugde zich op de dingen die komen gingen met de lichamelijke honger van een moeder die een kind omhelst.

De contessa schreed met glijdende passen naar Xonck en bracht haar hoofd dicht bij het zijne.

'Waar denk je aan, Francis?' fluisterde ze.

'Ik denk dat ik dit zwaard zou willen neerleggen.' Hij lachte. 'Of er iemand ermee doodsteken.' Zijn ogen rustten op Chang. De contessa legde haar hoofd meisjesachtig op Xoncks schouder.

'Dat is een heel goed idee. Maar ik vraag me af of je genoeg ruimte hebt om ermee te zwaaien.'

'Ik zou liever wat meer ruimte hebben, dat is waar.'

'Ik zal eens kijken wat ik kan doen, Francis.'

Met een draai die zo elegant was alsof ze danste, wervelde de contessa naar onderminister Crabbé, met de vlijmscherpe spijker op zijn plaats in haar hand. Ze dreef de spijker als een hamer in de zijkant van zijn hoofd, vlak voor zijn oor. Crabbés ogen puilden uit en zijn lichaam bewoog krampachtig door de schok. Toen kwam het tot rust in de vier lange seconden die het duurde tot hij de geest gaf. Hij viel om op de schoot van prins Karl-Horst. De prins sprong met een kreet overeind. De onderminister viel naar voren en kwam met een klap op de grond terecht.

'En je hoeft geen bloed op te dweilen.' De contessa glimlachte. 'Dokter Lorenz, zou je dat voorste luik open willen maken? Hoogheid, zou u Caroline willen helpen met het stoffelijk overschot van de minister?'

Ze keek stralend omlaag toen die twee zich over de gesneuvelde diplomaat bogen, wiens ogen wijd openstonden door de schok waarmee hij was afgemaakt. Ze probeerden hem onhandig door de cabine te slepen naar de plaats waar Lorenz geknield zat. Op de bank zat Lydia kreunend naar de verplaatsing van het lijk te staren. Ze begon weer te kokhalzen. Ze gaf over in haar handen; met een zucht vol walging schoof de contessa een zijden zakdoekje naar het meisje. Lydia pakte het dankbaar aan, er zaten uitgeveegde druppels blauw bij haar mondhoeken.

'Contessa…' begon ze, met een angstig trillende stem.

Maar de aandacht van de contessa werd getrokken door het klikken van een grendel toen Lorenz een ijzeren luik in de vloer omhoogtilde. Een vlaag ijskoude lucht schoot door de cabine, de grijpende klauw van de winter. Miss Temple keek door de cabine naar het open luik. Er leek iets niet te kloppen… De wolken buiten… Het bleke lichtschijnsel. De ronde patrijspoorten in de cabine waren bedekt met groene gordijnen… Ze had niet gemerkt dat de dageraad was aangebroken.

'Het schijnt dat we de buit kunnen verdelen in steeds groter wordende porties,' merkte de contessa op. 'Drie gelijke delen, heren?'

'Drie gelijke delen,' fluisterde de comte.

'Ik ga akkoord,' zei Xonck, enigszins gespannen.

'Dat is dan afgesproken,' verklaarde ze. De contessa stak haar hand uit naar de schouder van Xonck en kneep er zachtjes in.

'Maak ze af.'

Chang had de dolk in zijn hand; hij deed een uitval naar Xonck. Hij raakte het gevest van zijn sabel en duwde het wapen opzij terwijl hij naar voren stormde. Maar Xonck draaide zich op zijn hakken om, maaide met zijn verbonden arm tegen Changs keel en sloeg hem achterover tegen de grond. Beide mannen slaakten een kreet van pijn bij de stoot. Dokter Svenson vloog naar Xonck, een halve stap te laat, en Xonck zwiepte het gevest van zijn zwaard omhoog in Svensons maag, zodat de dokter happend naar adem op zijn knieën viel. Xonck deed een stap achteruit, draaide zich bliksemsnel om naar Miss Temple en bracht de kling van zijn zwaard naar haar gezicht. Miss Temple kon zich niet verroeren. Ze keek naar Xonck, met zijn hijgende borst. Hij kromp ineen door de pijn in zijn arm... Hij aarzelde.

'Francis?' zei de contessa, haar stem ijzig van geamuseerdheid.

'Wat is er?' siste hij.

'Wacht je ergens op?'

Xonck slikte. 'Ik vroeg me af of je haar liever zelf zou doen.'

'Dat is erg lief van je, maar ik ben heel tevreden als ik mag kijken.'

'Het was maar een vraag.'

'Ik verzeker je: ik begrijp de gedachte erachter, ik begrijp ook dat je Miss Temple het liefst zou willen houden voor een intiem onderzoek... Maar ik zou het nog meer waarderen als je opschoot en haar doodstak, gemeen kleine varken dat ze is.'

Xoncks vingers spanden zich om het gevest van de sabel, terwijl hij zijn greep verstevigde. Miss Temple zag de meedogenloze zwaardpunt op nog geen vijftig centimeter van haar borst. Het licht glansde over de zilveren kling terwijl die rees en daalde met de ademhaling van Xonck. Toen keek hij haar vuil grijnzend aan. Ze ging sterven.

'Eerst was het de minister die iedereen opjoeg, nu is het de contessa,' zei ze. 'Natuurlijk had hij zijn redenen...'

'Moet ik het zelf doen?' vroeg de contessa.

'Jaag me niet op, Rosamonde,' snauwde Xonck.

'De comte is nog niet klaar met zijn vragen!' riep Miss Temple.

Xonck sloeg niet toe. Ze schreeuwde opnieuw; haar stem ging over in een gil.

'Hij vroeg of de minister kolonel Trapping had vermoord! Hij vroeg niet wie van de anderen de kolonel kan hebben vermoord! Of Roger hem heeft vermoord! Of hij is vermoord door de contessa!'

'Wát?' vroeg Xonck.

'Francis!' gilde de contessa. Ze snoof van woede en liep met grote passen langs Xonck om Miss Temple zelf het zwijgen op te leggen, met haar pin hoog in de lucht. Miss Temple kromp trillend in elkaar, niet in staat zich te verroeren, en vroeg zich af of de contessa haar keel zou doorsnijden of haar schedel zou perforeren.

Voordat de contessa iets kon doen draaide Xonck zich bliksemsnel om. Hij sloeg zijn verbonden arm om het middel van de contessa. Hij gooide de vrouw omver. Met een kreet van protest viel ze neer op de dichtstbijzijnde bank, waar Harald Crabbé net was gestorven.

De contessa keek zo kwaad als Miss Temple nooit in haar leven iemand had zien kijken – een woede die verf zou afbladderen of ijzer zou krombuigen.

'Rosamonde…' begon Xonck, en Miss Temple schoot – weer te laat – op de gevallen dolk van Chang af. Xonck sloeg haar hard met de platte kant van zijn sabel tegen haar hoofd en gooide haar boven op dokter Svenson, die kreunde.

Ze schudde haar hoofd, de hele rechterkant deed pijn. De contessa zat nog steeds op de bank naast de prins en Lydia, die er ongelukkig uitzagen als kinderen die klem zitten tussen de ruzie van hun ouders.

'Rosamonde,' zei Xonck opnieuw. 'Wat bedoelt ze?'

'Ze bedoelt niets!' snauwde de contessa. 'Kolonel Trapping is niet belangrijk – de Judas was Crabbé!'

'De comte weet er alles van,' bracht Miss Temple met een schorre stem uit.

'Waarvan?' vroeg Xonck, die voor het eerst de sabel richtte op de comte d'Orkancz, die tegenover de contessa zat.

'Hij zal het niet zeggen,' fluisterde Miss Temple, 'omdat hij niet meer weet wie hij moet vertrouwen. Je moet het aan Roger vragen.'

De comte stond op.

'Ga zitten, Oskar,' zei Xonck.

'Zo is het wel genoeg,' antwoordde de comte.

'Ga zitten of ik hak uw verduivelde hoofd eraf!' schreeuwde Xonck. De comte keek verbaasd en ging zitten. Zijn gezicht stond nu even ernstig als dat van de contessa razend was.

'Ik laat me niet voor de gek houden!' siste Xonck. 'Trapping was mijn knecht, ik mocht hem vermoorden! Wie hem ook heeft vermoord, zelfs als ik het liever niet zou weten, is mijn vijand.'

'Roger Bascombe!' riep Miss Temple uit. 'Weet je wie kolonel Trapping heeft vermoord?'

Met een snauw en drie ijzersterke vingers van de hand waarmee hij zijn zwaard vasthield pakte Xonck Miss Temple bij haar gewaad, trok haar met een ruk op haar knieën en smeet haar, met een kreet van ergernis, door de hele lengte van de cabine, door de deuropening heen. Ze kwam met een gil bij de voeten van Caroline Stearne terecht. De adem werd uit haar lichaam geperst en ze knipperde met haar ogen van de pijn. Ze was zich er vaag van bewust dat ze het nu nog kouder had dan eerst. Ze keek achterom en zag dat haar gewaad aan flarden in de handen van Xonck hing. Hij keek haar aan, nog steeds met een woedende blik, en Miss Temple jammerde hardop. Ze was ervan overtuigd dat hij op het punt stond naar haar toe te lopen om op haar keel te gaan staan, net zoals hij met de dragonder had gedaan... Maar toen, in de hijgende stilte, beantwoordde Roger Bascombe haar vraag.

'Ja,' zei hij eenvoudig. 'Ik weet het.'

Xonck bleef staan en staarde naar Roger. 'Was het de contessa?'

'Nee.'

'Wacht even – eerst dit,' interrumpeerde de comte. 'Waarom is hij vermoord?'

'Omdat hij Vandaariff diende in plaats van ons?' vroeg Xonck.

'Dat deed hij,' zei Roger. 'Maar daarom is hij niet vermoord. De contessa wist al dat Trapping een complot met Vandaariff had gesmeed.'

Xonck en de comte draaiden zich naar haar toe. De contessa snoof minachtend om hun naïeve goedgelovigheid.

'Natuurlijk wist ik het,' zei ze met een blik vol minachting op Xonck. 'Je bent arrogant, Francis, dus je gaat ervan uit dat iedereen hetzelfde wil als jij – de macht van je broer – vooral Trapping. Je verbergt je sluwheid achter het masker van een schuinsmarcheerder, maar Trapping had geen diepere lagen. Hij was er tevreden mee om elk geheim van je broer – en jou – te vertellen aan degene die het best zijn behoeften bevredigde!'

'Maar waarom?' vroeg Xonck. 'Om het *Annunciatie*-project van de comte veilig te stellen?'

'Nee,' zei Roger. 'Trapping had nog geen prijs afgesproken om Lydia te redden; hij had Vandaariff alleen hints gegeven.'

'Dan was het Crabbé. Trapping was waarschijnlijk achter zijn plannen gekomen om Vandaariff af te tappen...'

'Nee,' zei Roger. 'De onderminister zou hem hebben gedood, dat is zeker... net zoals de comte dat zou hebben gedaan... zodra hij de tijd en de gelegenheid had.'

Xonck wendde zich tot de contessa. 'Dus u hebt hem vermoord?'

De contessa snoof opnieuw ongeduldig.

'Heb je eigenlijk wel opgelet, Francis? Herinner je je niet meer wat Elspeth Poole – dom, onbeleefd en nauwelijks betreurd – liet zien in de balzaal? Haar visioen?'

'Dat waren Elspeth en Mrs Stearne,' zei Xonck, die door de deuropening naar Caroline keek.

'Met Trapping,' zei de comte. 'Op die avond van de verloving.'

'We werden naar hem toe gestuurd,' protesteerde Caroline. 'De contessa beval ons om... om...'

'Precies,' zei de contessa. 'Ik deed mijn best om hem te verwennen, ergens waar de andere gasten niet zouden binnenkomen!'

'Omdat je wist dat hij niet te vertrouwen was,' zei de comte.

'Hoewel hij af te leiden was – tot we tijd hadden om ons met Vandaariff te bemoeien,' zei de contessa, 'wat we vervolgens deden!'

'Als kolonel Trapping Vandaariff alarmeerde, zou onze hele onderneming in gevaar komen!' riep Caroline.

'Dat weten we allemaal!' snauwde de contessa.

'Dan begrijp ik het niet,' zei Xonck. 'Wie heeft kolonel Trapping vermoord? Vandaariff?'

'Vandaariff zou zijn eigen tussenpersoon niet vermoorden,' zei een schorre stem achter Xonck. Miss Temple herkende de stem van dokter Svenson, die op zijn knieën ging zitten.

'Maar Blenheim had de sleutel van Trapping!'

'Blenheim bracht het lijk weg,' zei Svenson, 'op bevel van Vandaariff. Op dat moment was hij nog steeds de baas over zijn eigen huis.'

'Maar wie dan?' grauwde de comte. 'En waarom? Als het niet voor Lydia was, of het gedachtegoed van Vandaariff, en zelfs niet voor het fortuin van de familie Xonck? Hoe is het mogelijk dat de moord op die onbeduidende idioot ons hele bondgenootschap aan flarden heeft gescheurd?'

De contessa ging verzitten op de bank en keek woest naar Roger, wiens lip bijna onmerkbaar trilde door zijn vruchteloze poging te blijven zwijgen.

'Zeg het ons, Roger,' zei de contessa. 'Zeg het ons nú.'

Terwijl Miss Temple het gezicht van haar vroegere geliefde bestudeerde, leek het alsof ze naar een marionet keek: opmerkelijk levensecht, dat zeker, maar de onechtheid was pijnlijk duidelijk. Het kwam niet door de passieve staat waarin hij verkeerde, noch door zijn doffe blik, want deze dingen werden verklaard door de vreemde omstandigheden. Hij zou ook kunnen schreeuwen of tandenknarsen. In plaats daarvan was het de betekenis van zijn woorden. Dat was des te vreemder omdat Miss Temple altijd had gelet op zijn manier van praten. De manier waarop hij haar arm pakte of zich over de tafel boog terwijl hij sprak, of zelfs de weerklank van zijn woorden (wat ze ook waren) in haar eigen lichaam. Nu werd haar duidelijk hoezeer ze van Roger was gescheiden door wát hij zei. Ze was er gedurende hun hele verloving van uitgegaan, los van de manier waarop ze hun dagen doorbrachten, dat ze altijd symbolisch verbonden bleven, maar nu zag ze dat hun eenheid alleen voortleefde in haar herinnering. Dit besef drong door tot haar hart als de rijzende dageraad. Ze wist echt niet meer wie hij was, en zou het nooit meer weten. Had ze het ooit geweten? Deze vraag kon ze niet beantwoorden. Het verdriet dat ze voelde was niet langer om hem (want hij was een sukkel) noch om haarzelf (want ze was van hem af). Maar ze rouwde diep in haar hart om de wereld, of het stuk van de wereld dat ze in haar dappere hart kon sluiten, terwijl ze in de ijskoude wind naar Roger luisterde. Ze zag voor het eerst dat de wereld werkelijk van stof was; ze zag de onzichtbare paleizen die zonder haar zorg – een zorg die ze nooit zou kunnen volhouden – zouden verdwijnen.

* * *

'De avond voordat ik me onderwierp aan het procédé,' begon Roger, 'ontmoette ik een vrouw in Hotel St. Royale. Wij vatten een passie voor elkaar op en beleefden een volmaakte vereniging. Eerlijk gezegd had ik nog niet besloten het procédé te ondergaan. Ik overwoog toen zelfs nog alles te openbaren aan de autoriteiten. Maar daar ontmoette ik deze vrouw... We waren allebei gemaskerd, ik wist niet hoe ze heette, maar ze aarzelde op het keerpunt van haar lot, net als ik. Terwijl ik mijn best deed een keus te maken tussen de zekere promotie die ik zou krijgen als ik de onderminister verried en het enorme risico dat ik liep als ik in zijn voetsporen volgde, zag ik dat zij haar hele leven had opgegeven voor deze ene kans – dat ze haar vroegere leven had losgelaten, alle verbintenissen en alle hoop. Terwijl ik wist dat ik, door me over te geven aan het procédé, mijn eerdere aspiraties voor liefde en een huwelijk moest opgeven, raakte deze vrouw me in één nacht tot het diepst van mijn ziel. We waren bedroefd en teder om dat ene verloren moment dat we samen beleefden. Maar de volgende dag veranderde ik, en alle gedachten over de liefde veranderden ook; ze werden gericht en beredeneerd, in dienst van... hogere doeleinden waar ze niet in paste... Ik ontmoette haar drie dagen later opnieuw, weer gemaskerd, gekleed in het gewaad van iemand die werd ingewijd in het procédé. Ik herkende haar aan haar parfum, haar haren – ik was er zelfs op uitgestuurd haar naar de snijzaal te brengen, waar ze diezelfde onherroepelijke verandering zou ondergaan. Ik trof haar aan met een andere vrouw, en met een man van wie ik wist dat hij een verrader was. Ik nam haar niet mee naar de snijzaal. Ik stuurde haar vriendin vooruit. Ik stuurde de man weg en onthulde wie ik was... Ik geloofde dat we qua temperament zo sterk op elkaar leken dat een verbintenis alles zou overleven, en niet ontdekt zou worden, dat we bondgenoten zouden worden, informatie zouden uitwisselen over u, contessa, over minister Crabbé, Mr Xonck, de comte, lord Robert. We zouden de doeleinden dienen zoals we hadden gezworen, maar ook onze eigen ambitie. En we sloten een bondgenootschap, niet langer geworteld in iets wat je liefde zou kunnen noemen, maar in een afgewogen opportunisme. Samen hebben we jullie allen gediend, onze meesters, en we hebben geduldig toegekeken terwijl de een na de ander werd geknecht of vermoord. We zijn doorgedrongen tot de hoogste macht, en nu verkeren we in een positie dat we alles kunnen erven, omdat de een zich tegen de ander keert. U doet dat zelfs op dit moment. Want wij zijn vrij van uw hebzucht, uw wellust, uw behoeften. We staan zwijgend aan de zijlijn van elk plan, elk geheim, want het procédé heeft ons sterker gemaakt dan u weet. Dit zagen we samen voor ons: een droom terwijl we allebei dachten dat we nooit meer zouden dromen. Later ontdekten we dat de man niet was weggegaan, zoals ik had gedacht. Hij had ons samen gezien... Hij had alles afgeluisterd... en wilde betaald worden – in allerlei opzichten. Dat was onmogelijk.'

'U hebt hem vermoord?' fluisterde Xonck. U?'

'Niet ik,' zei Roger. 'Zij. Caroline.'

Alle ogen in de kamer richtten zich op Caroline Stearne.

'Grijp haar!' schreeuwde Xonck, en dokter Lorenz reikte langs Miss Temple en trachtte Caroline bij haar middel te pakken. Caroline gaf hem een stoot met haar elleboog in zijn keel. In één seconde draaide ze zich om en gaf de benauwde man met beide handen een duw. Dokter Lorenz verdween door het open luik; zijn wegstervende gebrul werd weggeblazen door de wind.

Niemand verroerde zich. Caroline zelf verbrak de betovering. Ze schopte tegen het been van de prins, sloeg met een vuist in Lydia's gezicht en baande zich een weg naar de ijzeren trap naar de stuurhut leidde. Even later weerklonk een oorverdovend geschreeuw uit de stuurhut en het lichaam van een van dokter Lorenz' zeelieden viel bonkend van de trap. Er spoot bloed uit een gutsende wond in zijn rug.

Miss Temple sprong weg van de bloedende man en het open luik, terwijl de chaos losbarstte. De contessa schoot overeind en rende achter Caroline aan. Ze tilde haar jurk met één hand op om over de dode zeeman te stappen, in haar andere hand hield ze de pin. De comte en Xonck stonden vlak achter haar. Xonck had nog geen stap gezet of hij werd aangevallen door Svenson en Chang. De comte draaide zich om, keek eerst naar achteren en toen voor zich uit, aarzelde, rukte een muurkast open en onthulde een rek met glanzende machetes. Terwijl Chang met Xonck om de sabel vocht, pakte Svenson een handvol rode krullen van Xonck beet. Hij trok zijn hoofd een eind omhoog – Xonck snauwde in protest – en sloeg het toen uit alle macht tegen de vloer. Xoncks greep op de sabel verslapte. Svenson sloeg zijn hoofd opnieuw tegen de vloer en veroorzaakte een bloedende snee boven zijn oog. De comte rukte een machete uit de kast. Het enorme wapen zag er in zijn hand uit als een lang keukenhakmes. Miss Temple gilde.

'Dokter, kijk uit!'

Svenson rende achteruit terwijl Chang eindelijk de sabel oppakte. Hij dwong de comte te blijven staan. Miss Temple kon het gezicht van de comte niet zien. Ze betwijfelde of zijn alchemistische kennis ook voorzag in de kunst van het schermen – waarschijnlijk niet tegen een vervaarlijke tegenstander als Chang, zelfs niet als Chang op zijn benen stond te zwaaien.

Maar haar gegil had een ander effect. De prins en Lydia werden herinnerd aan haar aanwezigheid. Karl-Horst liet zich geraffineerd door zijn knieën zakken en keek haar vals aan, maar groter was haar schrik toen ze Lydia de andere kant op zag wankelen, voorbij het open luik, waar Eloïse gemuilkorfd en geboeid aan de muur hing vastgebonden. Met een vastberaden trek om haar mond klauwde Lydia aan de touwen, terwijl ze Miss Temple over het fluitende open luik heen aankeek.

Er gebeurde veel te veel tegelijk. Chang hoestte afschuwelijk. Miss Temple kon Svenson of Chang niet zien door de brede rug van de comte en zijn enorme bontjas. Lydia trok een knoop los, begon aan een tweede. De prins liep naar Miss Temple toe, met afschuwelijk grijpende handen. Hij bleef even staan om een geile blik te werpen op haar lichaam. Miss Temple realiseerde zich hoe kwetsbaar ze was zonder kleren. Het feit dat de prins de tijd nam, op dit toppunt van een crisis, om zich te verlustigen aan een vrouw die hij wilde doden, spoorde haar opnieuw aan tot dapperheid. Ze had al gezien wat ze moest doen.

Ze deed alsof ze naar de trap liep en sprong toen naar de andere kant. Ze sprong over het open luik naar Lydia en dwong het meisje de touwen los te laten. Miss Temple dook opnieuw weg, over de benen van Eloïse, ontweek maar net de grijpende armen van de prins, wierp zich op de comte, groef met beide handen in zijn bontjas en vond zijn zak op hetzelfde moment dat hij haar met zijn machtige arm opzij sloeg, zodat ze op de grond viel. Miss Temple belandde met gespreide benen op de grond, tussen de comte en Chang, maar in haar handen hield ze haar groene enveloptasje. Dat had ze uit de zak gerukt waar de comte het langgeleden in Hotel St. Royale in had gestopt. Ze stak haar hand in het tasje. Ze nam niet eens de moeite haar revolver eruit te halen, maar vuurde door het leer heen. De kogel verbrijzelde de kast naast het hoofd van de comte. Hij draaide zich met een kreet van schrik om. Miss Temple vuurde opnieuw. De kogel kwam in zijn jas terecht. Ze vuurde een derde keer. De comte hoestte een keer luid, alsof er een stuk eten in zijn keel was blijven steken, verloor zijn evenwicht en sloeg hard met zijn voorhoofd tegen de hoek van de kast. Hij ging rechtop staan en staarde haar aan, terwijl het bloed boven zijn oog omlaagstroomde. Hij draaide zich om, bijna terloops, en struikelde over zijn eigen voeten. Zijn knieën knikten en de grote man viel als een boom languit op zijn gezicht.

*   *   *

Xonck kreunde en probeerde weg te kruipen. Chang liet zich op zijn knieën zakken en stootte hem meedogenloos met het gevest van de sabel tegen zijn kaak. Hij legde hem het zwijgen op als een stier die met een bijl is neergeslagen. Door de deuropening zag Miss Temple dat de prins en Lydia het tafereel doodsbang gadesloegen. Het was een doodsangst die gepaard ging met verzet. Samen hadden ze Eloïse losgemaakt en ze hielden haar gevaarlijk dicht boven het luik. Met een zacht duwtje zou ze omlaagstorten, haar dood tegemoet.

Miss Temple haalde de revolver uit haar tas en ging staan. Ze nam even de tijd om haar restje onderrok over haar onthullende zijden onderbroekje te rukken. Ze was opgelucht dat niemand de lichaamsdelen had gezien die ze toonde toen ze wijdbeens op de bank zat. Chang en Svenson liepen langs haar heen naar de deuropening. Chang droeg de sabel van Xonck en Svenson pakte een machete uit de kast. Ze liep tussen hen in met hen mee, en gaf haar onderrok nog een ruk. De prins en Lydia verroerden zich niet. Ze waren met stomheid geslagen door het onverwachte lot van de comte en Xonck, en door het afgrijselijke geschreeuw uit de stuurhut dat ze nu allemaal hoorden.

De verhitte woordenwisseling tussen Caroline en de contessa konden ze niet verstaan boven de herrie van het open luik uit. Die werd zo nu en dan onderbroken door het razende gesnauw van de contessa en de kreten van Caroline – vasthoudend, maar doodsbang. Het geheel werd nog verwarrender door de kreten van het overgebleven bemanningslid, die Duits was, te oordelen naar zijn vloekende smeekbeden.

'Maak je geen zorgen, Eloïse,' riep Miss Temple luid. 'We halen je zo op.'

Eloïse, die nog steeds was gemuilkorfd, gaf geen antwoord. Haar starende blik was gevestigd op de ijskoude afgrond onder haar. Lydia hield haar bij haar haren vast, en een stap daarachter stond de prins, die zijn armen om Eloïses benen had geslagen. Haar polsen en enkels waren vastgebonden. Eloïse kon niets doen om hen ervan te weerhouden haar door het gat te gooien.

'Laat haar los!' brulde Chang. 'Jullie meesters zijn verloren! Jullie zijn alleen!'

'Laat je wapens vallen of die vrouw sterft!' antwoordde de prins schril.

'Als je die vrouw vermoordt,' antwoordde Chang, 'vermoord ik jou. Ik vermoord jullie allebei. Als jullie haar loslaten, doe ik dat niet. Verder onderhandel ik niet.'

De prins en Lydia wisselden een nerveuze blik.

'Lydia!' riep dokter Svenson. 'Het is nog niet te laat, we kunnen alles ongedaan maken! Karl, luister naar mij!'

'Als we haar vrijlaten...' zei de prins, maar Lydia begon op hetzelfde moment te praten en overstemde hem.

'Behandel ons niet als kinderen! Je hebt geen idee wat we weten en hoe rijk we zijn! Je weet niet... Al het land in Mecklenburg dat mijn vader heeft gekocht staat op mijn naam.'

'Lydia...' zei de prins, maar ze sloeg hem nijdig en ging verder.

'Ik ben de volgende prinses van Mecklenburg, of ik nu trouw of niet, of mijn vader blijft leven of niet. Het maakt niet uit of ik de enige overlevende ben van deze zeppelin! Ik eis dat jullie je wapens laten vallen! Ik heb jullie niets misdaan, heb niemand iets misdaan!'

Ze staarde hen woest hijgend aan.

'Lydia...' De prins zag eindelijk de veeg blauw op haar lippen, en wierp een blik op Svenson, plotseling in verwarring gebracht.

'Houd je mond! Praat niet met hen! Houd haar benen vast!' Lydia kokhalsde weer, kreunde van de pijn en spuwde op haar jurk.

'Je zou tegen ze moeten vechten!' klaagde ze. 'Je had ze alle drie moeten doden! Waarom is iedereen zo waardeloos?'

Het bemanningslid boven hun hoofd slaakte een kreet. Plotseling kantelde de hele zeppelin naar links. Chang smakte tegen de muur, Miss Temple tegen Chang, en dokter Svenson viel op zijn knieën, waarbij de machete uit zijn hand glipte. De prins tuimelde in de richting van het open luik, maar hij liet Eloïse niet los. Hij duwde haar als een stormram tegen Lydia aan en stootte beide vrouwen in de opening. Lydia gilde, sloeg met haar dijen tegen het luik en dreigde erdoor te glijden. Eloïse verdween tot aan haar middel; haar val werd alleen voorkomen doordat de prins haar benen vastgreep. Zijn greep op haar benen verslapte zienderogen, terwijl hij trachtte te beslissen of hij Eloïse zou laten vallen om zijn bruid te redden.

'Houd haar vast!' riep Svenson, die naar voren schoot om Lydia's koortsachtig klauwende handen te pakken.

De zeppelin kantelde naar de andere kant, even plotseling als daarnet. Miss Temple verloor haar evenwicht terwijl ze Svenson probeerde te bereiken. Chang sprong langs hen heen naar de prins. De prins deinsde doodsbang achteruit en liet Eloïse los, maar Chang greep haar benen. Hij groef met zijn vingers in de touwen en zette zijn voet klem achter het luik. Hij schreeuwde naar Miss Temple en gebaarde naar de stuurhut: 'Houd ze tegen! Ze zullen ons allemaal vermoorden!'

Miss Temple deed haar mond open om te protesteren. Terwijl ze keek – de prins zat in elkaar gedoken in de hoek achter hen – zag ze dat Chang Eloïse omhoogtrok tot aan haar heupen. Svenson deed hetzelfde bij Lydia.

Ze greep haar revolver steviger beet en rende naar de trap.

Het tweede bemanningslid lag over de bovenste traptree heen gedrapeerd, met bloedbellen op zijn lippen. Aan weerskanten waren de muren van de stuurhut bedekt met ijzeren panelen met hendels en knoppen, en aan de overkant, vlak voor het raam – waar Miss Temple dokter Lorenz vanaf het dak had gezien – stond het stuurwiel zelf, gemaakt van koper en gepolijst staal. Verscheidene hendels waren afgebroken en andere waren in een dusdanige positie gezet dat ze de ijzeren overbrenging naar het raderwerk afschuwelijk deden knarsen. Uit de gekantelde vloer maakte ze op dat de zeppelin onklaar was gemaakt. Hij vloog in een bocht en tolde langzaam omlaag.

Voor haar lag Caroline Stearne op haar rug, met uitgestrekte armen en een lege hand met een bloederige stiletto op een paar centimeter afstand. Op haar knieën boven op Caroline zat de contessa di Lacquer-Sforza, met verwilderd haar en de hand met de pin besmeurd met bloed, als een rode handschoen. Een vuurrode plas bloed vloeide opzij door de helling van de vloer. De contessa keek op naar Miss Temple en lachte spottend.

'Kijk eens wie we daar hebben, Caroline: jouw kleine pupil.'

Haar vuist schoot naar voren, en dreef de pin met een flinke klap diep in Carolines keel, waardoor Miss Temple in elkaar kromp. Mrs Stearnes bewegingloze lichaam reageerde helemaal niet.

'Waar zijn alle anderen?' vroeg ze met een grijns. 'Je gaat me toch niet vertellen dat jij alleen bent overgebleven? Nu je hier bent, is het misschien juister om te zeggen dat ík de enige ben die is overgebleven. Typisch iets voor mij.'

Ze kwam overeind. Haar jurk droop van het bloed. Ze gebaarde met haar vrije hand naar de gierende machines.

'Niet dat het er iets toe doet. Het kon me geen moer schelen wie Trapping had vermoord. Als die romantische idioot Lorenz en onze bemanningsleden niet had vermoord – en mijn woede had gewekt –, zouden we nu een kopje thee kunnen drinken. Alles is voor niets! Voor niets! Ik wil alleen mensen die doen wat ik zeg! Maar ter zake. Luister eens!' Ze gebaarde naar de loeiende machines en lachte spottend. 'We zijn allemaal verloren! Dat maakt me zo... verschrikkelijk... woest...'

Ze kwam dichterbij, en Miss Temple richtte haar revolver – ze stond nog steeds op de trap naar de stuurhut. De contessa zag de revolver en lachte. Haar hand schoot naar een hendel en ramde hem omlaag. Met een siddering die de hele zeppelin deed schudden viel Miss Temple de hele trap af. Haar pijnlijke val werd gebroken door een griezelig kussen; het lijk van het dode bemanningslid. De zeppelin tolde nu in tegenovergestelde richting. Er klonk een onderbroken hakkend geluid bij van een van de propellers. Het gieren van de machines werd op een afschuwelijke manier hoger en luider. Toen ze haar hoofd schudde hoorde Miss Temple de voetstappen van de contessa de trap af komen.

Ze klauwde zich in het wilde weg los van het lijk – ze bewoog te langzaam, ze had haar revolver laten vallen – en keek vooruit, terwijl haar haren voor haar ogen hingen. Het luik was dicht, maar de plotselinge rukbeweging had iedereen omvergegooid. Chang zat op de grond met Eloïse en sneed haar boeien door. Svenson zat op zijn knieën tegenover Lydia en de prins, die in een hoek zat te mokken. Miss Temple hees zichzelf naar hen toe. Ze voelde zich zo stijf als een schildpad.

867

'Kardinaal!' hijgde Miss Temple. 'Dokter!'

Terwijl ze Miss Temple volkomen negeerde, riep de contessa van boven: 'Roger Bascombe! Word wakker!'

Chang en Svenson draaiden zich om terwijl Roger Bascombe gehoorzaamde. Hij kreeg in één seconde zijn bewustzijn terug. Roger sprong overeind, zag Xonck en de comte op de vloer, en wierp zich op de open kast met wapens. Chang hief de sabel op – tot haar afgrijzen zag Miss Temple nog veel meer bloed om Changs mond – en worstelde om overeind te komen. Dokter Svenson pakte zijn machete en hees zich overeind met behulp van een koperen muursteun. Hij riep naar de contessa: 'Het is afgelopen, madame! De zeppelin stort neer!'

Miss Temple keek om. Ze was opgelucht dat ze nog leefde, maar ze had geen idee waarom. De contessa was blijven staan op de kleine overloop halverwege de trap, bij een kleine nis – symbolisch voor het uitgekiende gebruik van de ruimte die zo noodzakelijk was in vaartuigen –, waar haar slaafse onderdanen een enorme hutkoffer met riemen hadden vastgesjord.

Miss Temple hees zich op haar knieën. Ze zag haar revolver, gleed tot halverwege over de grond en riep naar de dokter, terwijl ze de revolver vastgreep: 'Ze heeft de boeken! Ze heeft de boeken!'

De contessa graaide met beide handen in de hutkoffer. Toen ze haar handen eruit trok, hield ze twee boeken vast. In haar blote handen! Miss Temple wist niet hoe ze dat voor elkaar kreeg. De gezichtsuitdrukking van de contessa was extatisch. Hoe speelde ze het klaar om niet te worden verzwolgen?

'Roger,' riep de contessa, 'leef je nog?'

'Ja, ik leef nog, madame,' antwoordde hij. Toen Chang dichterbij kwam, trok hij zich terug naar de andere kant van de onbeweeglijke Francis Xonck.

'Contessa,' begon Svenson. 'Rosamonde...'

'Als ik dit boek stukgooi,' riep de contessa, 'zal het zeker verbrijzelen op de grond, en enkelen van jullie – vooral degenen die te weinig kleren aanhebben en zitten – zullen worden gedood. Ik heb een heleboel van die boeken. Ik kan ze de een na de ander naar jullie toe gooien, en aangezien het alternatief is dat alle boeken verloren gaan, zal ik er zoveel opofferen als ik nodig vind. Miss Temple, raak de revolver niet aan!'

Miss Temple hield haar hand stil, zwevend boven de revolver.

'Jullie allemaal,' riep de contessa, 'gooi je wapen op de grond! Dokter! Kardinaal! Doe het nu, of dit boek vliegt direct naar haar toe!'

Ze keek Miss Temple met een gemene glimlach aan. Svenson liet zijn machete met een rinkelend geluid vallen. Doordat de zeppelin kantelde gleed hij naar de prins, die hem van de grond griste. Chang verroerde zich niet.

'Kardinaal?'

Chang veegde zijn mond af en spuwde. Zijn met bloed besmeurde kin leek op een geschilderd halfmasker van een indiaan of een piraat uit Borneo, en zijn uitgeputte stem leek uit de andere wereld te komen.

'We zijn hoe dan ook verloren, Rosamonde. Ik ben aan het eind van de dag dood, maakt niet uit hoe. We zijn allemaal gedoemd te sterven. Kijk uit het raam... We dalen. De zee zal je dromen verzwelgen, net zo goed als die van mij.'

De contessa woog het boek op haar hand. 'Kan het je niet schelen dat Miss Temple een pijnlijke dood tegemoet gaat?'

'Het zou sneller zijn dan verdrinken,' zei Chang.

'Dat geloof ik niet. Laat je wapen vallen, kardinaal!'

'Als je een vraag beantwoordt.'

'Doe niet zo belachelijk.'

Chang verstevigde zijn greep op de sabel en zwaaide zijn arm achteruit, alsof hij de sabel als een speer wilde werpen.

'Denk je dat dat boek me zal doden voordat ik hiermee je hart doorklief? Wil je het erop wagen?'

De contessa kneep haar ogen tot spleetjes en dacht na over de mogelijkheden.

'Wat voor vraag dan? Vlug!'

'Eerlijk gezegd zijn het twee vragen,' Kardinaal Chang glimlachte. 'Eén: wat deed Mr Gray toen ik hem doodde? Twee: waarom ontvoerde je de prins van de ambassade?'

'Kardinaal Chang, waaróm?' vroeg de contessa, met een zucht van onverholen ergernis. 'Waarom wil je dat in godsnaam nú weten?' Chang glimlachte. Zijn scherpe tanden zagen roze van het bloed. 'Omdat ik, hoe je het ook wendt of keert, niet in staat zal zijn om het je morgen te vragen.'

De contessa lachte hardop en liep twee stappen de trap af. Met een hoofdknik gebaarde ze dat Miss Temple en Svenson naar Chang toe moesten lopen. Haar gezicht betrok toen ze zag dat Miss Temple snel haar revolver van de vloer griste voor ze naar Chang toe liep.

'Voeg je bij je kameraad,' siste de contessa tegen hen, en keek toen vol minachting naar Eloïse. 'En jij, Mrs Dujong – je vraagt je af of je van hulpeloosheid je beroep hebt gemaakt –, schiet op!' Ze wendde zich tot de prins en sloeg een beleefdere toon aan. 'Hoogheid, zou u de trap op willen gaan naar de stuurhut en doen wat u kunt om onze val te vertragen? De meeste panelen zijn geloof ik voorzien van nuttige woorden. Lydia, jij blijft hier.'

Karl-Horst vloog de trap op, terwijl de contessa verder naar beneden liep. Ze stapte over het dode bemanningslid heen, zodat ze tegenover hen stond. Ze stonden alle vier in de deuropening. De dokter had Eloïse naar zich toe getrokken en hield haar hand vast, terwijl Miss Temple – die zich eigenlijk erg alleen voelde – tussen de dokter en Chang in stond. Ze keek over haar schouder naar Roger in de verre deuropening; zijn gezicht was bleek en vastberaden, een uitdrukking die ze nooit eerder had gezien.

'Wat een stel onwaarschijnlijke rebellen,' zei de contessa. 'Als rationeel ingestelde vrouw moet ik erkennen dat jullie succes hebben gehad, hoe onverdiend ook, net zo goed als ik eerlijk gezegd zou wensen dat we in andere omstandigheden verkeerden. Maar de kardinaal heeft gelijk. We zullen hoogstwaarschijnlijk omkomen – jullie zeker – en ik ben mijn bondgenoten kwijt. Juist. Mr Gray... dat is nu geen geheim meer, zelfs niet voor de comte, als hij nog zou leven. De samenstelling van de indigoklei was veranderd om de buigzaamheid van het nieuwe vlees van zijn nieuwe vrouwen te verminderen. Als een bescherming, zie je; als ze te sterk werden, zouden ze breekbaarder zijn. Uiteindelijk misschien té breekbaar... Nu ja, het schijnt dat ik onvoorzichtig ben geweest.' Ze lachte opnieuw – zelfs in deze uiterste nood een prachtig geluid – en zuchtte. Ze ging over op een fluistertoon. 'Wat betreft de prins – nou, ik wil niet dat hij dit hoort. Behalve dat ik de gelegenheid heb aangegrepen om mijn eigen controlezin in het geheugen van de prins te griffen, heb ik hem ook een gif toegediend waarvoor ik het tegengif in mijn bezit heb. Het is een eenvoudige voorzorgsmaatregel. Ik heb in het geheim een bondgenootschap gesloten met de moeder van zijn jonge neefje, het neefje dat het rijk erft als de prins zonder nakomelingen sterft. Als Karl-Horst doodgaat, zal het kind van Lydia – en het afschuwelijke plan van de comte voor deze nakomeling – worden opgeslokt in een gevecht om de troonopvolging, dat ik in mijn macht heb. Of misschien blijft de prins leven, terwijl hij nietsvermoedend voortgaat het tegengif te slikken. Het zijn voorzorgsmaatregelen.'

'Alles is nu speculatief geworden,' mompelde Svenson.

Boven hun hoofd had de prins klaarblijkelijk een nuttige knop ontdekt, want er werd een ronddraaiende propeller uitgeschakeld, een seconde later gevolgd door een andere. Miss Temple keek naar de ramen, maar ze waren nog steeds bedekt met gordijnen. Daalden ze nog steeds? De cabine ging recht hangen, en het werd stil, afgezien van de fluitende wind buiten de zeppelin. Ze zweefden.

'We zien wel,' zei de contessa. 'Roger?'

Miss Temple draaide zich om toen ze een geluid achter zich hoorde, maar het was niet Roger Bascombe. Francis Xonck was weer overeind gekomen. Hij hield zich in evenwicht met zijn gewonde hand op de bank. Met zijn andere hand hield hij zijn gebroken kaak vast. Zijn mond was vertrokken in een pijnlijke grimas, die twee gebroken tanden onthulde. Hij keek met een kille blik naar Miss Temple en stak zijn goede hand uit naar Roger, die hem onmiddellijk zijn machete aangaf.

'Hé hallo, Francis,' zei de contessa.

'We praten later wel,' zei Xonck. 'Sta op, Oskar. We zijn nog niet klaar.'

Voor de ogen van Miss Temple kwam de enorme man op de grond

tot leven, als een beer die ontwaakt uit zijn winterslaap. Hij ging op zijn knieën zitten – de bontjas viel open en onthulde een overhemd dat gedrenkt was in bloed, maar ze zag dat het allemaal uit een oppervlakkige wond boven zijn ribben was gesijpeld. De klap tegen zijn hoofd had hem geveld, niet de schoten. De comte hees zich op een bank en keek haar met openlijke haat aan. Ze zaten weer in de val, ze zaten klem tussen de boeken en de machete van Xonck. Miss Temple kon het niet langer verdragen. Ze draaide zich bliksemsnel terug naar de contessa, stampvoette en richtte haar revolver. De contessa hijgde van genot bij de gedachte dat ze werd uitgedaagd.

'Wat is dat, Celeste?'

'Het is het einde,' zei Miss Temple. 'Je zult het boek gooien als je ertoe in staat bent. Maar ik zal mijn best doen een kogel door het boek in je andere hand te jagen. Het zal verbrijzelen en je zult je arm verliezen, en wie weet, misschien je gezicht, misschien je been. Misschien ben je wel de meest breekbare van ons allemaal.'

De contessa lachte, maar Miss Temple wist dat ze alleen lachte omdat het waar was. Dat was juist iets waar de contessa van genoot.

'Dat was een interessant plan dat u beschreef, Rosamonde,' riep Xonck. 'De prins, en Mr Gray.'

'Nietwaar?' riep ze vrolijk. 'En je zou heel verrast zijn geweest als het plan werd onthuld in Mecklenburg! Het is erg jammer dat ik nooit de afloop van jouw geheime plannetjes te zien heb gekregen, met Trapping en de geheime wapenvoorraden van je broer, of die van jou, Oskar, met de verborgen instructies voor je glazen vrouwen en de triomfantelijke geboorte van je creatie in Lydia! Wie zal zeggen wat voor monster je bij haar hebt ingebracht? Wat zou ik verbaasd en overvleugeld zijn!' De contessa lachte opnieuw en schudde meisjesachtig haar hoofd.

'Je hebt Elspeth en Angelique vernietigd,' baste de comte.

'O, dat heb ik helemaal niet gedaan! Word nou niet driftig, dat is ongemanierd. Bovendien, wat waren dat voor meisjes? Noodlijdende wezens – duizenden kunnen hun plaats innemen! Vlak voor je ogen staan er alweer drie! Celeste Temple, Eloïse Dujong en Lydia Vandaariff – nog een drietal voor je grote heilloze sacrament!'

Ze lachte iets te spottend bij dat laatste woord, hield plotseling op, en hinnikte. Een zekere luchtigheid was één ding, maar in de waakzame ogen van Miss Temple begon de contessa compleet lichtzinnig te worden.

'Karl-Horst von Maasmärck!' brulde ze, 'kom hier beneden en neem twee nieuwe boeken mee! Ik heb gehoord dat we hier een eind aan moeten maken, en dat doen we ook!'

'Dat is niet nodig,' zei Xonck. 'Ze zitten in de val.'

'Je hebt gelijk,' lachte de contessa. 'Als ik dit boek zou gooien, zouden de splinters langs hen kunnen vliegen en jou kunnen raken! Dat zou tragisch zijn!'

De prins stommelde de trap af en verscheen in het zicht, met twee boeken in zijn jas gewikkeld onder zijn arm. In zijn andere hand droeg hij een fles oranje vloeistof die identiek was aan degene die Eloïse had gestolen uit de toren. Xonck wendde zich tot de comte, die zo hard mompelde dat Miss Temple hem kon verstaan.

'Ze draagt geen handschoenen...'

'Rosamonde,' begon Xonck, 'het maakt niet uit wat er is gebeurd. Onze plannen blijven intact.'

'Ik kan hem alles laten doen, weet je,' lachte de contessa. Ze wendde zich tot de prins en riep uit: 'Een mooie wals, geloof ik.'

Even gehoorzaam als in de geheime kamer maakte de prins een struikelende danspas op de glibberige ijzeren overloop. Hij balanceerde met zijn breekbare last. Zijn gezicht verraadde geen begrip van zijn verrichtingen. De comte en Xonck deden allebei geschrokken een stap naar voren.

'De boeken, Rosamonde... Hij laat ze straks vallen!' riep Xonck.

'Ben je bang?' lachte ze. Ze gebaarde dat de prins moest blijven staan – wat hij deed, hijgend en verward – en hief toen haar arm op alsof ze hem weer in beweging wilde zetten.

'Rosamonde,' riep de comte, 'kom tot jezelf. De glazen boeken tegen je huid, dat is schadelijk voor je geest! Leg die boeken neer, de inhoud is onvervangbaar! We hebben nog altijd een bondgenootschap – Francis heeft hen in bedwang met zijn machete...'

'Maar Francis vertrouwt mij niet,' antwoordde ze. 'En ik vertrouw Francis ook niet. Ik vertrouw jou ook niet, Oskar! Hoe komt het dat je niet dood gaat als er op je wordt geschoten? Is dat die alchemie van

je? En ik was al helemaal aan het idee gewend geraakt...'
'Contessa, u moet ophouden! U maakt ons allemaal bang!'

Deze woorden werden gesproken door Lydia Vandaariff, die een paar stappen naar de contessa deed en een hand uitstrekte. De andere hand hield ze nog steeds om haar buik geklemd. Ze wankelde, en langs haar kin liepen strepen blauw speeksel – en toch, hoe ze ook liep te wankelen, was haar toon, zoals altijd chagrijnig en eisend.

'U verpest alles! Ik wil prinses van Mecklenburg worden, zoals ze me hebben beloofd.'

'Lydia,' kraste de comte, 'neem jezelf in acht. Wees voorzichtig...'

Het meisje negeerde hem en verhief haar stem, die doordringend klaaglijk en chagrijnig klonk, tegen de contessa. 'Ik wil geen glazen vrouw worden! Ik wil geen kind van de comte krijgen! Ik wil een prinses worden! U moet die boeken neerleggen en ons zeggen wat we moeten doen!'

Door een pijnscheut hapte Lydia naar lucht.

'Miss Vandaariff,' fluisterde Svenson. 'Ga daar weg...'

Een nieuwe golf blauw, veel dikker dan daarvoor, kwam omhoog in Lydia's mond. Ze kokhalsde en slikte, kreunde en jengelde weer tegen de contessa, nu in een tranenrijke woedebui. 'We kunnen die mensen wel een andere keer doodmaken, maar die boeken zijn kostbaar! Geef ze aan mij! U hebt ze me beloofd – het zijn mijn dromen! Ik sta erop dat u ze nu onmiddellijk aan me geeft!'

De contessa keek haar woest aan, maar Miss Temple kreeg de indruk dat de vrouw Lydia's verzoek werkelijk in overweging nam – zelfs terwijl het leek alsof de woorden haar van een grote afstand bereikten en slechts gedeeltelijk werden gehoord –, toen Lydia ongeduldig snoof en de fout beging te proberen het dichtstbijzijnde boek uit haar handen te grissen. Met dezelfde snelheid waarmee ze Crabbé had overwonnen, griste de contessa het boek uit Lydia's handen. Alle vriendelijkheid was uit haar gezicht verdwenen. Ze zwaaide het andere boek naar voren en hakte met een knappende smak vier centimeter diep in Lydia's keel.

De contessa liet het boek los en Lydia viel achterover, terwijl de huid van haar hals al blauw werd. Het bloed achter in haar mond en in haar longen verhardde zich tot kristal. De kristallen spatten weg als steentjes onder een wiel. Het meisje was al dood voor ze de grond raakte. Haar verstijfde keel brak open en scheidde haar hoofd van haar schouders even netjes als de bijl van een beul.

Vanaf de trap slaakte de prins een kreet van schrik. Hij brulde bij de aanblik van de dode Lydia, met trillende kaken. Hij kon geen woord uitbrengen. Of hij nu verdriet voelde om zijn vrouw, of woede over een aanval op iemand die hij als zijn bezit beschouwde was niet duidelijk. Maar Miss Temple zag voor het eerst in de prins een vermogen tot verdriet, tot gevoelens die verder gingen dan lust. Maar wat hem voor Miss Temple oneindig bewonderenswaardig zou hebben gemaakt, veranderde hem voor de contessa in een gevaar. Voor hij nog een stap kon doen smeet ze het tweede boek tegen zijn knieën. Het glas verbrijzelde boven zijn laarzen en de prins sloeg met een doordringende kreet achterover. Zijn benen begaven het terwijl hij de boeken in evenwicht probeerde te houden. Hij kwam hard op de trap terecht. Zijn laarzen stonden nog steeds rechtop waar hij ze had neergezet. Zijn bovenlijf gleed naar beneden, kwam tot stilstand tegen het dode bemanningslid en bleef doodstil liggen.

De contessa stond alleen, en boog en strekte haar vingers. De bezeten glans in haar ogen werd dof. Ze keek om zich heen, terwijl ze zich realiseerde wat ze had aangericht.

'Rosamonde...' fluisterde Xonck.

'Houd je mond,' siste ze, met de rug van haar hand tegen haar mond. 'Ik smeek je...'

'Je hebt mijn *Annunciatie* vernietigd!' De krassende stem van de comte jankte onbetamelijk. Hij stond wankelend op en greep een nieuwe machete uit de kast.

'Oskar, stop!' Dit was Xonck. Zijn gezicht was bleek en vertrokken. 'Wacht!'

'Je hebt mijn levenswerk vernietigd!' riep de comte weer. Hij trok de machete los en kwam op Miss Temple af.

'Oskar!' schreeuwde de contessa. 'Oskar! Wacht!'

Eloïse greep Miss Temple bij haar schouder en rukte haar uit het looppad van de comte terwijl de grote man zich met een strakke blik een weg baande naar de contessa. De contessa grabbelde in haar tas om haar ijzeren pin te pakken. Miss Temple hield haar revolver vast, maar het leek onmogelijk om te schieten – dit was een laatste confrontatie tussen haar vijanden. Ze voelde zich eerder een getuige bij hun zelfdestructie dan een van de vechtenden.

Kardinaal Chang voelde die afstand niet. Terwijl de comte voorbijliep pakte Chang hem bij zijn zware schouder en liet de man met al zijn kracht rondtollen. De comte draaide zich met een woeste blik om bij deze afleiding en zwaaide de machete met een onhandig, bijna nukkig gebaar door de lucht.

'Waag het eens!' riep hij tegen Chang.

'Angelique,' snauwde Chang terug. Hij stootte de sabel in de buik van de comte en onder zijn ribben, waarbij hij diep in de edele delen van de grote man sneed. De comte hapte naar adem en verstijfde, en na een onbeslist moment gaf Chang de kling een nieuwe duw, zodat het zwaard tot halverwege het gevest naar binnen gleed. De benen van de comte begaven het en hij sleepte het zwaard van Chang mee in zijn val. Zijn donkere bloed verdween in het bont.

Zijn hoest stierf weg tot een schor gereutel. Chang viel op zijn knieen neer en zakte toen achterover tegen de deurpost. Miss Temple slaakte een kreet en liet zich naast hem op de grond vallen. Ze voelde hoe de behendige vingers van de dokter de revolver uit haar hand gristen. Ze keek op van het uitgeputte gezicht van Chang. Ze zag dat Svenson de revolver richtte op Francis Xonck, die verbijsterd was door de dood van de comte. Xonck keek in de harde ogen van Svenson. Zijn gewonde mond vormde wanhopig de woorden: 'Dokter – nog zoveel dingen zijn onbeslist – uw eigen land...'

Svenson haalde de trekker over. Xonck vloog achteruit alsof hij door een paard was geschopt. Nu stond de dokter oog in oog met Roger Bascombe.

Hij strekte zijn arm uit, maar bedacht zich toen en draaide zich bliksemsnel om naar de contessa aan de overkant van de cabine. Hij vuurde, maar niet voordat Roger naar voren was gesprongen en

876

tegen zijn arm had geduwd. De kogel miste en de contessa rende met een kreet naar de trap.

Svenson worstelde met Roger om de revolver, maar Roger – jonger, sterker – ontworstelde hem die toen de dokter over het been van Xonck struikelde. Met een lelijke grimas richtte hij de revolver op Svenson. Miss Temple riep uit: 'Doe dat niet – Roger!'

Hij keek haar aan, zijn gezicht vertrokken van haat en bittere woede.

'Het is voorbij, Roger. Het is mislukt.'

Ze wist dat er nog maar één kogel in de revolver zat. Roger stond te dichtbij om te missen.

'Het is niet mislukt,' snauwde Roger Bascombe.

'Roger, je bazen zijn dood. Waar is de contessa? Ze heeft je in de steek gelaten. We zijn uit de koers geraakt. Zowel de prins als de hertog van Stäelmaere is dood.'

'Is de hertog dood?'

'Die wordt vermoord door kolonel Aspiche.'

Roger staarde haar aan. 'Waarom zou de kolonel dat doen?'

'Omdat ik hem bevel heb gegeven dat te doen. Ik ben de controlezin van kolonel Aspiche te weten gekomen, zie je?'

'Zijn wat?'

'Evengoed als ik de jouwe weet, Roger...'

'Ik heb geen controlezin...'

'O, Roger, je weet het werkelijk niet, of wel?'

Roger kneep zijn ogen tot spleetjes en richtte de revolver op dokter Svenson. Miss Temple sprak snel en duidelijk, terwijl ze hem recht in de ogen keek. 'Blauw apostel blauw ministerie ijs consumptie.'

Rogers gezicht verslapte.

'Ga zitten,' zei Miss Temple tegen hem. 'We praten wel wanneer we daar tijd voor hebben.'

'Waar is de contessa?' vroeg Eloïse.

'Ik weet het niet,' zei Miss Temple. 'Hoe gaat het met Chang?'

Dokter Svenson kroop naar de kardinaal. 'Eloïse, help me om hem te verplaatsen. Celeste...' Hij wees naar de ijzeren trap, naar de prins. 'De oranje fles, als die niet gebroken is. Ga hem onmiddellijk halen.'

Ze rende ernaartoe, liep zorgvuldig om het glas heen, blij dat ze haar laarzen aanhad, en deed haar best om niet naar de verminkte lijken te kijken.

'Wat zit erin?' vroeg ze.

'Ik weet het niet. Het is misschien de redding voor de kardinaal. Er zit geloof ik iets in wat Angelique heeft gered – in de kas. Op de matras zaten oranje vlekken...'

'Maar iedereen die we tegenkwamen was er doodsbang voor,' zei Eloïse. 'Als ik aanstalten maakte om zo'n fles te breken rende iedereen de andere kant op!'

'Vast wel, het spul zal inderdaad dodelijk zijn, en toch – vuur met vuur bestrijden, in dit geval ijs.'

Miss Temple vond de fles, genesteld in de kromming van de elleboog van de prins. Ze trok de fles los, wierp één blik op zijn afschuwelijke gezicht, zijn open mond met de verrotte tanden en het ontstoken tandvlees, de lippen en de tong die nu blauw gevlekt waren, en keek toen naar de trap. De hutkoffer met boeken stond nog steeds op dezelfde plaats. Ze hoorde geen geluid uit de stuurhut, behalve de wind. Ze snelde terug naar Chang. Eloïse zat geknield achter hem. Ze hield zijn hoofd omhoog en veegde het bloed van zijn gezicht. Svenson goot de oranje vloeistof op een zakdoek en klemde die toen, met een vastberaden zucht, over de mond en neus van Chang. Chang reageerde niet.

'Werkt het?' vroeg Miss Temple.

'Ik weet het niet,' antwoordde de dokter. 'Ik weet wel dat hij anders doodgaat.'

'Het schijnt niet te werken,' zei Miss Temple.

'Waar is de contessa?' vroeg Eloïse.

Miss Temple keek omlaag naar Chang. De zakdoek van de dokter had zijn bril een beetje omhooggeschoven, en ze kon zijn littekens zien: wonden die pasten bij het bloed dat langs zijn gezicht en hals droop. En toch zag Miss Temple onder deze geschiedenis van geweld – hoewel ze er niet aan twijfelde dat die één was met zijn ziel – ook een zachtheid, een glimp van hoe zijn ogen vroeger waren geweest, van dat fundament en die uiterste grens waar Chang zorg en troost en vrede vond – als hij die ooit vond, natuurlijk. Miss Temple was geen kenner op het gebied van de vrede van anderen. Wat zou het betekenen als Chang doodging? Wat zou het voor hem hebben betekend als de rollen waren omgedraaid? Ze stelde zich voor dat hij dan zou verdwijnen in een opiumkit. Wat zou zij doen, aangezien die weg naar het verderf niet tot haar beschikking stond? Ze keek neer op de dokter en Eloïse die samen bezig waren, en liep terug naar Roger. Ze pakte de revolver uit zijn hand en baande zich een weg naar de ijzeren trap.

'Celeste?' vroeg Svenson.

'Francis Xonck heeft je sigarettendoos in zijn binnenzak. Vergeet niet die te pakken.'

'Waar ga je naartoe?' vroeg Eloïse.

'Ik ga de contessa halen.'

De stuurhut was stil, en Miss Temple klauterde over het dode bemanningslid op het bloederige dek. Ze keek neer op het lijk van Caroline. De ogen van de vrouw waren wijdopen van ontzetting, haar mooie blanke keel was opengescheurd alsof ze door een wolf was doodgebeten. De contessa was nergens te zien, maar in het plafond boven haar hoofd zat een nog een ijzeren luik dat openstond. Voordat ze de trap op ging, liep Miss Temple naar de ramen. De wolken en mistbanken waren eindelijk opengebroken. De zeppelin was hopeloos uit de koers geraakt. Ze zag het grijze koude water onder hen – niet eens zo ver; ze waren misschien even hoog als het dak van Harschmort – en de bleke flarden wit op de koppen van de donkere golven. Zouden ze toch verdrinken in de ijskoude zee? Na alles wat ze hadden meegemaakt? Chang was misschien al dood. Ze had de kamer deels verlaten om niet te hoeven kijken. In deze uiterste nood trachtte ze te vermijden wat pijnlijk zou zijn. Ze slaakte een zucht. Als een volhardend aapje klom Miss Temple op de plank met hendels en reikte omhoog naar het luik. Ze trok zichzelf op, de koude in.

De contessa stond op het dak van de cabine. Ze hield zich vast aan een ijzeren stijl onder de gasballon. De wind geselde haar jurk en haar haar, dat was losgeraakt. Het wapperde achter haar hoofd als een piratenvlag. Miss Temple keek om zich heen naar de wolken, met haar hoofd en schouders boven het luik uit en haar ellebogen uitgestoken op het ijskoude ijzeren dak. Ze vroeg zich af of ze de contessa van hieraf dood kon schieten. Of moest ze gewoon het luik dichttrekken, zodat de vrouw was buitengesloten? Maar dit was het einde, en Miss Temple merkte dat ze geen van beide dingen kon doen. Ze was als aan de grond genageld, zoals ze misschien altijd was geweest.

'Contessa!' riep ze boven de wind uit, en daarna: 'Rosamonde!' Het woord voelde vreemd intiem aan in haar mond.

De contessa draaide zich om. Toen ze Miss Temple zag, glimlachte ze met een gratie en vermoeidheid die Miss Temple overrompelden.

'Ga terug naar binnen, Celeste.'

Miss Temple verroerde zich niet. Ze greep de revolver stevig vast. De contessa zag het wapen en wachtte.

'Je bent een slechte vrouw,' riep Miss Temple. 'Je hebt gemene dingen gedaan.'

De contessa knikte enkel. Haar haar woei even voor haar gezicht, tot het met een ruk van haar hoofd weer achter haar wapperde. Miss Temple wist niet wat ze moest doen. Haar onvermogen om te spreken en haar onvermogen om te handelen weerspiegelden hoe ze zich altijd had gevoeld tegenover haar vader. Toch voelde ze ook dat deze vrouw – deze verschrikkelijke, verschrikkelijke vrouw – aan de wieg had gestaan van haar nieuwe leven, en dat op een of andere manier had geweten. Uiteindelijk was zij alleen in staat geweest Miss Temple in de ogen te kijken en de begeerte, de pijn, en de vastberadenheid te zien. Ze had haar op waarde kunnen schatten. Er was veel te veel te zeggen. Ze wilde de wreedheid van de vrouw vergelden, maar zou het niet kunnen; ze wilde haar onafhankelijkheid bewijzen, maar wist dat het de contessa niets kon schelen; ze wilde wraak nemen, maar wist dat de contessa nooit zou toegeven dat ze had verloren. Miss Temple kon zichzelf ook niet bewijzen – die ene vijand overwinnen die altijd moeiteloos van haar won – door haar in haar rug te schieten. Net zomin als ze haar vader had kunnen dwingen van haar te houden door zijn plantages in brand te steken.

'Mr Xonck en de comte zijn dood,' schreeuwde ze. 'Ik heb kolonel

Aspiche erop uitgestuurd om de hertog te vermoorden. Je plan is tenietgedaan.'

'Dat zie ik. Je hebt het heel goed gedaan.'

'Je hebt dingen met me gedaan, me veranderd...'

'Waarom heb je spijt van genot, Celeste?' zei de contessa. 'Er is maar weinig genot in het leven. En was het niet heerlijk? Ik heb mezelf enorm vermaakt.'

'Maar ik niet!'

De contessa strekte haar arm, met de pin in haar hand, en maakte een snee van zestig centimeter in de canvas gasballon. Onmiddellijk spoot het blauwgekleurde gas naar buiten.

'Ga terug naar binnen, Celeste,' riep de contessa. Ze reikte naar de andere kant en sneed een naad open, waar het gas zo blauw als een zomerhemel uit stroomde. De contessa klemde zich vast aan de stijl in deze hemelsblauwe wolk. Met haar wapperende haar en haar bloederige jurk zag ze eruit als een gevaarlijke duistere engel.

'Ik ben anders dan je aanhangers!' gilde Miss Temple. 'Ik heb iets geleerd. Ik kijk door je heen!'

De contessa sneed een derde gat in de slapper wordende gasballon; de rookpluim golfde recht naar Miss Temple toe. Ze kuchte en schudde haar hoofd. Haar ogen prikten, en ze tastte naar het luik. Met een laatste blik op het ijzige gezicht van de contessa di Lacquer-Sforza trok Miss Temple het dicht. Ze liet zich met een kreet op de glibberige vloer van de stuurhut vallen.

'We dalen af in de zee!' riep ze, en met een doortastendheid die ze zelf nauwelijks merkte baande ze zich een weg langs en over de verminkte lijken naar de anderen. Ze gleed niet uit in het bloed en sneed zich niet aan het gebroken glas dat overal in het rond lag. Tot haar onuitsprekelijke vreugde zat Chang op zijn handen en knieën op de grond te hoesten. De spetters om zijn mond waren niet langer rood, maar blauw.

'Het werkt...' zei Svenson.

Miss Temple kon geen woord uitbrengen. Het vooruitzicht dat Chang zou blijven leven deed haar beseffen hoe groot haar verdriet zou zijn als Chang doodging. Ze keek op en zag dat de dokter haar gezicht nauwlettend gadesloeg. De uitdrukking op zijn gezicht weer-spiegelde haar blijdschap en was tegelijkertijd enigszins vermoeid.

'De contessa?' vroeg hij.

'Ze laat ons neerstorten. We kunnen elk moment in het water vallen!'

'We helpen Chang naar boven – Eloïse, zou jij die fles willen dragen –, terwijl jij je bezighoudt met hém.' Svenson keek over zijn schouder naar Roger Bascombe, die geduldig op een bank zat.

'Hoe bedoel je, met hem bezighouden?' vroeg Miss Temple.

'Hoe je maar wilt,' antwoordde de dokter. 'Maak hem wakker of schiet een kogel door zijn hersens. Niemand zal protesteren. Of laat hem hier zitten – maar ik stel voor dat je kíest, liever. Ik heb geleerd dat het beter is om achtervolgd te worden door je daden dan door je gebrek aan daden.' Hij deed het luik in de vloer opnieuw open en floot bezorgd tussen zijn tanden. Miss Temple kon de zee ruiken. Svenson sloeg het luik dicht. 'We hebben geen tijd. We moeten zorgen dat we meteen op het dak komen. Eloïse!'

Tussen hen in hesen ze Chang op onder zijn armen en hielpen hem de trap op. Miss Temple draaide zich om naar Roger. De zeppelin sidderde; ze voelde een zachte schok toen er een golf tegen de cabine sloeg.

'Celeste, laat hem maar!' riep Eloïse. 'Kom nu mee!'

De zeppelin sidderde weer, terwijl hij in het water neerkwam.

'Word wakker, Roger,' riep Miss Temple met een schorre stem.

Hij knipperde met zijn ogen en de uitdrukking op zijn gezicht werd sterker. Hij keek om zich heen, liet zijn blik niet-begrijpend over de lege kamer glijden.

'We zinken weg in de zee,' zei ze.

'Celeste!' Svensons stem weerklonk langs de trap omlaag.

Rogers ogen gleden naar de revolver in haar hand. Ze stond tussen hem en de enige uitgang. Hij likte langs zijn lippen. De zeppelin schommelde op de deining van het water.

'Celeste...' fluisterde hij.

'Er is zoveel gebeurd, Roger,' begon Miss Temple. 'Ik merk... dat ik het niet kan bevatten...' Ze snufte, keek hem in de ogen – angstig, op zijn hoede, smekend – en voelde de tranen opwellen in de hare.

'De contessa raadde me daarnet aan geen spijt te hebben...'

'Alsjeblieft Celeste, het water...'

'Maar ik ben niet zoals zij, ik ben niet eens zoals mijzelf. Misschien is mijn karakter veranderd... want ik word overspoeld door spijt, om alles, lijkt het – om datgene wat een smet heeft achtergelaten op mijn ziel, om het feit dat ik niet langer een kind ben...' Ze gebaarde hulpeloos naar het bloedbad om hen heen. 'Om al die doden... om Lydia... zelfs die arme Caroline...'

'Caroline?' vroeg Roger, iets te abrupt. Het woord werd onmiddellijk gevolgd door het besef dat dit misschien geen goed gespreksonderwerp was, gegeven de omstandigheden en de revolver. Miss Temple las de aarzeling op zijn gezicht, terwijl ze in haar hart nog steeds worstelde met het feit dat ze op twee manieren tekortschoot in de afwijzing van Roger: eerst was ze minder waard dan zijn ambitie, en later was ze minder waard als metgezel – en minnares! – dan Caroline Stearne. Ze was niet van plan geweest om hierover te praten. Ze keek hem nu zelf aarzelend aan.

'Ze is dood, Roger. Net zo dood als jij en ik.'

Miss Temple keek hoe Roger Bascombe dit nieuws verwerkte. Toen hij de volgende woorden sprak begreep ze dat hij niet van wreedheid of wraak was vervuld. Zij stond voor alles wat hem ooit had dwarsgezeten in zijn leven.

'Ze is de enige van wie ik ooit heb gehouden,' zei Roger.

'Dan is het goed dat je haar hebt gevonden,' zei Miss Temple, bijtend op haar lip.

'Je hebt geen idee. Je kunt het niet begrijpen,' zei hij. Zijn stem was bitter en hol van verdriet.

'Maar ik geloof dat ik het wél begrijp...' begon ze zachtjes.

'Hoe zou je het kunnen begrijpen?' schreeuwde hij. 'Je begreep nooit iets – mij niet, niemand niet, vanwege je trots, je onuitstaanbare trots...'

Ze wenste hevig dat Roger zou zwijgen, maar hij ging door. Zijn emoties overspoelden hem als de golven die tegen de muren van de cabine sloegen.

'De wonderen die ik heb meegemaakt, het toppunt van genot, van mogelijkheden!' Hij keek haar gemeen aan, terwijl ze tegelijkertijd tranen in zijn ogen zag, tranen langs zijn wangen zag rollen. 'Ze legde een gelofte aan mij af, Celeste, zonder te weten wie ik was, zonder zich zorgen te maken over het feit dat we moesten sterven. Dit is allemaal stof! Dat onze liefde hiertoe zou leiden! Ze wist het toen al!'

Zijn hand schoot uit en gaf haar een harde duw. Hij gooide haar achteruit tegen de kast aan. Hij kwam op haar af, met zwaaiende armen, terwijl hij maar bleef schreeuwen.

'Roger, alsjeblieft...'

'En wie ben jij, Celeste? Hoe kun je zo leven, zo koud, met zo'n klein hart, zonder enig gevoel, zonder overgave!'

Hij greep haar hard bij de arm en schudde haar door elkaar.

'Roger...'

'Caroline gaf zichzelf, gaf alles! Jij hebt haar vermoord, mij vermoord, de hele wereld vermoord...'

Zijn tastende hand greep haar haren en hij rukte haar naar zich toe – ze voelde zijn adem – en toen sloot zijn andere hand zich om haar keel. Hij snikte. Ze staarden elkaar in de ogen. Ze kon niet ademhalen.

Miss Temple haalde de trekker over en Roger Bascombe schoot achteruit. Zijn gezicht was verward. In plaats van weer naar voren te rennen viel hij terug, als een vervliegende rookpluim, een vormeloze figuur in een zwarte jas. Hij viel op de bank neer en gleed toen met een soepele beweging op de grond. Miss Temple liet de revolver vallen en snikte hardop. Ze wist niet langer wie ze was.

'Celeste!'

Dat was Chang. Hij brulde vanaf het dak, ondanks zijn pijn. Ze keek op. Miss Temple voelde een ijskoude steek tegen haar voeten en zag dat het water door de vloer sijpelde. Ze stommelde naar de ijzeren trap, blind van tranen, en zocht tastend haar weg, hijgend van verdriet, dat ze de vrije loop liet. Dokter Svenson zat op zijn hurken in de stuurhut en hees haar op. Ze wilde in een hoek kruipen en verdrinken. Hij tilde haar hoog op en andere handen – Eloïse en Chang – hielpen haar op het dak. Wat maakte het uit? Ze zouden

884

sterven in de cabine of boven op het dak – in beide gevallen zouden ze verdrinken. Waarom had ze het gedaan? Wat maakte het uit? De dokter volgde haar naar buiten. Hij duwde haar benen van benedenaf omhoog.

'Pak haar aan,' zei Svenson, en ze voelde Changs armen om haar schokkende schouders. De gasballon boven hen werd slapper en werd opzijgeblazen door de wind. Hij was nog steeds enorm, maar hij zonk neer in het water – hij stortte niet boven op hen in elkaar – en liet het dak kantelen. Het schuim sloeg over de cabine en spatte in Miss Temples gezicht, terwijl de golven hun wankele vlot deden schommelen. Chang hield met zijn andere hand de ijzeren stijl vast, net als de dokter en Eloïse. Miss Temple keek om zich heen.

'Waar is de contessa?' Ze snoof.

'Ze was hier niet,' riep Svenson.

'Misschien is ze gesprongen,' zei Eloïse.

'Dan is ze dood,' zei Svenson. 'Het water is te koud. Haar jurk is te zwaar. Die zou haar de diepte in trekken, zelfs als ze de val zou overleven...'

Chang hoestte. Zijn longen waren hoorbaar schoner dan eerst.

'Ik ben je dankbaar, dokter, voor je oranje elixer. Ik voel me goed genoeg om te verdrinken.'

'Het is me een eer dat ik je van dienst heb kunnen zijn,' zei Svenson, met een gespannen glimlach.

Miss Temple huiverde. De weinige kleren die ze aanhad deden niets om haar te beschermen tegen de wind of het ijskoude water dat tegen haar lichaam aan spatte. Ze kon het niet verdragen. Het maakte niet uit dat de anderen grapjes probeerden te maken. Ze wilde niet doodgaan na dit alles te hebben meegemaakt. Bovendien voelde ze er niets voor om te verdrinken. Ze wist dat het een afschuwelijke dood was, langzaam en treurig. Ze was al treurig genoeg. Ze keek naar haar groene laarzen en blote benen, en vroeg zich af hoe lang het zou duren. Ze had zo ver gereisd in zo'n korte tijd. Het was alsof haar kamers in Hotel Boniface even ver weg waren en evenzeer tot het verleden behoorden als haar eiland thuis. Ze snoof. Ze was in elk geval weer terug bij de zee.

Miss Temple voelde dat haar lichaam gevoelloos werd. Toch zag ze dat het water niet was gestegen toen ze omlaagkeek. Ze strekte haar hals uit naar het open luik en ontdekte dat de stuurhut vol stijgend water stond. De doornatte jurk van Caroline Stearne wervelde vlak onder het oppervlak. Maar waarom zonken ze niet? Ze draaide zich om naar de anderen.

'Zijn we aan de grond geraakt?' vroeg ze klappertandend.

Alle drie keken ze net als zij naar de stuurhut, en alle vier zochten ze om zich heen naar een verklaring. Het water was zo donker dat ze niet konden zien hoe diep het was. Voor zich uit en aan weerskanten zagen ze alleen de open zee, terwijl het uitzicht naar achteren werd geblokkeerd door de opbollende, in elkaar zakkende gasballon van de zeppelin. Met een plotselinge vlaag van energie hees kardinaal Chang zich over de ijzeren stijl en klauterde op de gasballon. Bij iedere stap spoten er wolken blauwe rook uit. Miss Temple verloor hem uit het zicht bij elk dal tussen de golven die onder haar door stroomden, en toen verloor ze hem helemaal uit het oog.

'We zouden overal kunnen zijn,' zei dokter Svenson, na een stilte waarin beide vrouwen zwegen, 'aardrijkskundig gesproken…'

Even later hoorde ze een vreugdekreet van Chang. Hij rende met grote sprongen naar hen toe, doorweekt tot aan zijn middel. Zijn inspanningen hadden het canvas zichtbaar geplet.

'Land in zicht!' brulde hij. 'God helpe ons, ik zie land!!'

Dokter Svenson wendde zijn ogen af terwijl hij Miss Temple over de ijzeren stijlen heen tilde, en toen deed hij hetzelfde met Eloïse. Miss Temple pakte de handen van de andere vrouw. Ze hielpen elkaar over de zieltogende gasballon te klimmen. Ze waren nog niet halverwege toen ze al tot hun knieën nat waren, maar toen zagen ze het: een verdoezelde streep witte brekende golven en een donkere streep bomen daarachter.

Chang stond op haar te wachten in het water en Miss Temple sprong in zijn armen. De zee was ijskoud, maar ze lachte toen het water in haar gezicht spatte. Ze kon niet op haar tenen staan en daarom duwde ze zichzelf weg van Chang, wierp een blik op de kust om een doel te hebben, en ging kopje-onder. Het koude water tintelde tot in haar haarwortels. Miss Temple zwom, spartelde met haar benen, ze kon niets zien in het donkere water. Zweet en tranen op haar lichaam losten op in de zee. Ze wist dat ze moest opschieten, dat ze anders door het koude water zou worden verzwolgen, dat ze het zelfs kouder zou krijgen buiten het water, doorweekt in de wind, en dat ze nog altijd kon sterven aan een van die oorzaken.

Dat kon haar allemaal niets schelen. Ze glimlachte weer. Voor het eerst in haar leven wist ze precies waar ze was en waar ze naartoe ging. Ze voelde zich alsof ze naar huis zwom.